À PROPOS DE
GESTIONNAIRES

1. *LA CHAIR DISPARUE*

« [...] LA PREMIÈRE TRANCHE D'UNE ŒUVRE
QUADRIPARTITE FOLLEMENT AMBITIEUSE. »
La Presse

« LES INTRIGUES PULLULENT, LES DOMAINES TOUCHÉS
ABONDENT [...] TOUT COMME L'HUMOUR.
IMPRESSIONNANT ! »
Le Soleil

« DES HEURES ET DES HEURES
DE GRANDS PLAISIRS DE LECTURE. »
SRC – Indicatif Présent

« PLUS QU'UN SIMPLE ROMAN POLICIER OU
D'ESPIONNAGE, BIEN PLUS QU'UN EXCELLENT
THRILLER, VOICI UN COMMENTAIRE
SUR LE MONDE DE NOTRE TEMPS. »
Nuit blanche

2. *L'ARGENT DU MONDE*

« DANS CE THRILLER ORIGINAL, COMPLEXE ET
CAPTIVANT, JEAN-JACQUES PELLETIER PROPOSE UN
VOYAGE DANS L'UNIVERS DES FRAUDES FINANCIÈRES
ET DE LA MANIPULATION DES INDIVIDUS. »
Le Journal de Québec

« FICTION ? CERTAINEMENT, MAIS UNE VISION DU
DÉCLIN DU CAPITALISME QUI FAIT FROID DANS LE DOS,
AVEC, EN PRIME, LA TRAGÉDIE DE L'EXPLOITATION
HONTEUSE DU TIERS-MONDE PAR UNE SOCIÉTÉ
QUI A PERDU TOUT SENS DES VALEURS. »
Recto Verso

« POUR VOUS DONNER UNE IDÉE DE L'AMBIANCE CHEZ
PELLETIER, AVEC *L'ARGENT DU MONDE*, PENSEZ À UN
MACHIAVEL, REMIS À JOUR, DANS L'ÈRE MODERNE. »
CBV – Qu'est-ce qu'on attend…

« L'ÉCRITURE ÉVOCATRICE, INTELLIGENTE ET FLUIDE DE
JEAN-JACQUES PELLETIER FAIT ALTERNER LE DIALOGUE
PHILOSOPHIQUE, LES RÉFLEXIONS CARTÉSIENNES ET
L'HUMOUR DÉCAPANT DANS UN STYLE BIEN FICELÉ,
À LA MÉCANIQUE RÉGLÉE AU QUART DE TOUR. »
Le Devoir

3. *LE BIEN DES AUTRES*

« JEAN-JACQUES PELLETIER SE RÉVÈLE – ENCORE
UNE FOIS – À LA HAUTEUR DE SA RÉPUTATION DE
MAÎTRE DU THRILLER SOCIOPOLITIQUE […] »
Le Soleil

« EN FAIT, LE QUÉBÉCOIS MARIE LE MEILLEUR
DES TROIS GRANDS DE LA POLITIQUE-FICTION :
LE RYTHME DE LUDLUM, LA RICHESSE PSYCHOLOGIQUE
DES PERSONNAGES DE LE CARRÉ ET LE SOUCI
DU DÉTAIL DE CLANCY. »
Le Droit

« LE PREMIER CONSTAT QUI S'IMPOSE À LA LECTURE
DU *BIEN DES AUTRES*, C'EST QUE TOUT LE MONDE
DEVRAIT LIRE LE ROMAN DE JEAN-JACQUES PELLETIER,
NE SERAIT-CE QUE POUR MIEUX PRENDRE LA MESURE
DE LA RÉALITÉ SOCIOPOLITIQUE QUI NOUS ENTOURE. »
Voir – Montréal

« SUR LA PAGE COUVERTURE DE SES ROMANS,
ON DEVRAIT IMPRIMER L'UN DE CES AVERTISSEMENTS
QUE L'ON VOYAIT SUR LES PAQUETS DE CIGARETTES :
ATTENTION : LA DÉPENDANCE CROÎT AVEC L'USAGE. »
La Presse

La Faim de la Terre
(Volume 1)
Les Gestionnaires de l'apocalypse – 4

DU MÊME AUTEUR

L'Homme trafiqué. Roman.
    Longueuil : Le Préambule, 1987. (épuisé)
    Beauport : Alire, Romans 031, 2000.

L'Homme à qui il poussait des bouches. Roman.
    Québec : L'instant même, 1994.

La Femme trop tard. Roman.
    Montréal : Québec/Amérique, Sextant 7, 1994. (épuisé)
    Beauport : Alire, Romans 048, 2001.

Caisse de retraite et placements [C. NORMAND]. Essai.
    Montréal : Sciences et Cultures, 1994.

Blunt – Les Treize Derniers Jours. Roman.
    Beauport : Alire, Romans 001, 1996.

L'Assassiné de l'intérieur. Nouvelles.
    Québec : L'instant même, 1997.

Écrire pour inquiéter et pour construire. Essai.
    Trois-Pistoles : Trois-Pistoles, Écrire, 2002.

Les Gestionnaires de l'apocalypse
    1- *La Chair disparue*. Roman.
            Beauport : Alire, Romans 021, 1998.
    2- *L'Argent du monde*. Roman. (2 volumes)
            Beauport : Alire, Romans 040/041, 2001.
    3- *Le Bien des autres*. Roman. (2 volumes)
            Lévis : Alire, Romans 072/073, 2003.
    4- *La Faim de la Terre*. Roman. (2 volumes)
            Lévis : Alire, Romans 130/131, 2009.

LA FAIM DE LA TERRE
(Volume 1)

JEAN-JACQUES PELLETIER

ALIRE

Illustration de couverture : BERNARD DUCHESNE
Photographie : ÉRIC PICHÉ

Distributeurs exclusifs :

Canada et États-Unis :
Messageries ADP
2315, rue de la Province
Longueuil (Québec) Canada
J4G 1G4
Téléphone : 450-640-1237
Télécopieur : 450-674-6237

France et autres pays :
Interforum editis
Immeuble Paryseine
3, Allée de la Seine, 94854 Ivry Cedex
Tél. : 33 (0) 4 49 59 11 56/91
Télécopieur : 33 (0) 1 49 59 11 33
Service commande France Métropolitaine
Tél. : 33 (0) 2 38 32 71 00
Télécopieur : 33 (0) 2 38 32 71 28
Service commandes Export-DOM-TOM
Télécopieur : 33 (0) 2 38 32 78 86
Internet : www.interforum.fr
Courriel : cdes-export@interforum.fr

Suisse :
Interforum editis Suisse
Case postale 69 – CH 1701 Fribourg – Suisse
Téléphone : 41 (0) 26 460 80 60
Télécopieur : 41 (0) 26 460 80 68
Internet : www.interforumsuisse.ch
Courriel : office@interforumsuisse.ch
Distributeur : OLS S.A.
Zl. 3, Corminboeuf
Case postale 1061 – CH 1701 Fribourg – Suisse
Commandes :
Tél. : 41 (0) 26 467 53 33
Télécopieur : 41 (0) 26 467 55 66
Internet : www.olf.ch
Courriel : information@olf.ch

Belgique et Luxembourg :
Interforum Benelux S.A.
Fond Jean-Pâques, 6, B-1348 Louvain-La-Neuve
Tél. : 00 32 10 42 03 20
Télécopieur : 00 32 10 41 20 24
Internet : www.interforum.be
Courriel : info@interforum.be

Pour toute information supplémentaire
LES ÉDITIONS ALIRE INC.
C. P. 67, Succ. B, Québec (Qc) Canada G1K 7A1
Tél. : 418-835-4441   Fax : 418-838-4443
Courriel : info@alire.com
Internet : www.alire.com

Les Éditions Alire inc. bénéficient des programmes d'aide à l'édition de la Société de développement des entreprises culturelles du Québec (SODEC), du Conseil des Arts du Canada (CAC) et reconnaissent l'aide financière du gouvernement du Canada par l'entremise du Programme d'aide au développement de l'industrie de l'édition (PADIÉ) pour leurs activités d'édition.

Gouvernement du Québec – Programme de crédit d'impôt pour l'édition de livres – Gestion Sodec.

Dépôt légal : 4e trimestre 2009
Bibliothèque nationale du Québec
Bibliothèque nationale du Canada

10e MILLE

Aux enfants qui resteront, s'il en reste,
ces restants de planète, s'il en reste…

AVERTISSEMENT AU LECTEUR

Certains lieux, certaines institutions et certains personnages publics qui constituent le décor de ce roman ont été empruntés à la réalité.

Toutefois, les événements qui y sont racontés, de même que les actions et les paroles prêtées aux personnages, sont entièrement imaginaires.

TABLE DES MATIÈRES

Toi qui ne connais la torture
ni le corps hurlé
tu ne connais pas le monde
Guy Cloutier

On danse la danse du déni de l'évidence (…)
Et elle avance, elle avance, la date de l'échéance.
Mes Aïeux

À la victoire de l'à peu près correct
sur le carrément débile !
Gonzague Théberge

… il nous faut arriver à distinguer,
dans ce que nous percevons comme de la fiction,
le noyau dur de réel que nous ne pouvons affronter
qu'en le fictionnalisant.
… c'est précisément parce qu'il est réel,
en raison même de son caractère traumatique
et excessif, que nous sommes incapables de l'intégrer
dans (ce que nous percevons comme) la réalité,
et sommes donc contraints de l'éprouver
comme une apparition cauchemardesque.
Slavoj Zizek

LIVRE 1

Les Cathédrales de la mort

Laissée à elle-même, l'humanité va reproduire à l'échelle planétaire la catastrophe de l'île de Pâques.

Guru Gizmo Gaïa, *L'Humanité émergente*, 1- Pourquoi l'Apocalypse.

JOUR - 1

MONTRÉAL, SALON FUNÉRAIRE, 9 H 33

La première mort de Henri Matton fut lente et laborieuse. À la fin, il pesait à peine quarante et un kilos soixante.

Sa deuxième mort fut la plus douloureuse. La plus dévastatrice. Injectés dans différentes parties vitales de son corps, les microorganismes se jetèrent massivement à l'assaut des tissus internes, liquéfiant la délicate mécanique de l'entretien de la vie.

Sa troisième mort fut plus rapide. En faisant irruption dans ses poumons, l'eau eut vite fait d'interrompre la plupart de ses fonctions vitales résiduelles et de couper court à toute sensation consciente.

Sa quatrième mort acheva de consumer son apparence humaine. En quelques secondes, le four porta la température de surface de sa peau à plusieurs centaines de degrés… Une fois l'épiderme calciné, une fois les chairs sous-jacentes légèrement entamées, les flammes s'interrompirent aussi brusquement qu'elles étaient apparues.

Lorsqu'un employé le découvrit, Henri Matton reposait dans un cercueil, au crématorium, depuis un peu plus de trois cent quarante et une minutes.

Soixante-dix-sept minutes plus tard, c'était au tour de l'inspecteur-chef Théberge de soulever le couvercle du cercueil. Il prit le carton déposé sur la poitrine carbonisée du cadavre et le tint à bout de bras pour le lire :

> Je désire m'entretenir dans les plus brefs délais avec l'inspecteur-chef Gonzague Théberge.

Paris, hippodrome Longchamp, 16 h 25

Noyés dans la foule des sept mille parieurs et simples spectateurs qui occupaient les tribunes, deux hommes et deux femmes avaient une oreillette identique du côté gauche. Ils avaient les yeux rivés sur un des chevaux encore en course. Chacun des quatre suivait un cheval différent.

Jean-Pierre Gravah, Hessra Pond, Larsen Windfield et Leona Heath ne s'étaient jamais rencontrés. Ils savaient simplement que les trois autres membres de leur groupe étaient quelque part dans la foule. Ils n'avaient aucun indice pour se reconnaître. La chose n'avait d'ailleurs pas été jugée utile. Seule la course avait de l'importance.

Dans leur oreillette, une voix avait indiqué, quelques minutes avant le départ, que c'était celle-là qu'ils devaient observer. Chacun des quatre savait à qui cette voix appartenait : Lord Hadrian Killmore. Mais ils ne savaient pas où il était. Probablement à une table de choix dans le restaurant panoramique qui surplombait la piste.

Bizarrement, de tous les chevaux qui avaient pris le départ, seulement quatre étaient encore dans la course : les quatre sur lesquels leur regard était rivé depuis le début.

C'était une course étrange, qui ressemblait plutôt à un jeu de massacre. Un cheval avait chuté presque au début, en entraînant deux autres avec lui. Puis un cavalier avait vu sa monture faire brusquement un écart et le désarçonner.

Les quatre chevaux encore en course avaient une couverture de selle d'une couleur différente : brune, bleue, gris pâle et rouge. Ils franchirent la ligne d'arrivée dans cet ordre… Brown Sugar, Lady Blue, Mister Grey et Red Barron.

C'était là l'information que les quatre individus étaient venus chercher. Chacun savait ce qu'il avait à faire. Leurs préparatifs étaient à toutes fins pratiques terminés. Le seul détail qui restait à préciser, c'était l'ordre de leur entrée en scène. Ce qui venait d'être fait.

Comme ils connaissaient Lord Hadrian Killmore, le procédé ne les avait pas trop surpris. L'homme aimait bien les gestes symboliques. Et quoi de plus approprié qu'un champ de course pour annoncer dans quel ordre ses cavaliers à lui allaient se manifester dans le monde ?

Parce qu'ils étaient ses cavaliers. Les quatre cavaliers de l'Apocalypse.

DRUMMONDVILLE, 21 H 39

Souvent, le soir, F s'assoyait dans la cour arrière et elle parlait à Bamboo Joe dans sa tête. Bien sûr, il ne répondait pas. Mais le simple effort de formuler ses pensées comme dans une conversation avec une personne réelle l'aidait à voir clair.

Il y avait maintenant vingt minutes qu'elle était assise dans la balançoire, au centre du rond de pierres. Comme souvent, elle faisait le point sur l'évolution de l'Institut.

Au cours des dernières années, la situation avait évolué de façon marquée. L'Institut délaissait de plus en plus l'action directe et se concentrait sur l'analyse d'informations. Quand l'état d'un dossier était jugé satisfaisant, F le communiquait à l'agence ou à la personne qu'elle estimait la plus apte à s'en servir.

La plupart des bénéficiaires de ces informations étaient les informateurs privilégiés de l'Institut. Ces contacts que F avait développés au cours des ans travaillaient à l'intérieur des principales agences ou organisations policières de la planète. Leur distribuer un nombre croissant d'informations stratégiques avait eu comme effet de resserrer les liens avec eux. Les informations qu'ils envoyaient à l'Institut s'étaient mises à augmenter. Un échange de bons procédés… À sa manière, l'Institut fonctionnait de plus en plus comme une agence de courtage en informations.

Parallèlement à cette évolution, le nombre des opérations de terrain avait diminué. La plupart des sections action avaient été liquidées. À vrai dire, seul Hurt avait maintenu la cadence, poursuivant inlassablement sa croisade contre les réseaux de trafic d'enfants et de commerce d'organes. Aidé de l'Institut pour la collecte d'informations, il opérait la plupart du temps en solitaire quand venait le temps de passer à l'action… Dans la mesure où une personne atteinte du syndrome de personnalités multiples pouvait travailler en solitaire.

Cette pensée fit sourire F. Heureusement, les différentes personnalités de Hurt semblaient avoir atteint une forme d'équilibre. Nitro continuait de faire des siennes à l'occasion, mais Steel réussissait à le contrôler… Comme si l'action fournissait un dérivatif au conglomérat improbable de personnalités que constituait Hurt. Qu'elle lui procurait un certain apaisement.

L'action…

À part la croisade de Hurt, les opérations de l'Institut se réduisaient de plus en plus à des actions ponctuelles contre le Consortium, quand il n'y avait pas moyen de les déléguer à une autre organisation. Le reste du temps, les principaux collaborateurs de F se concentraient sur du travail d'analyse, soit sous la direction de Blunt, qui coordonnait les recherches sur le Consortium, soit sous celle de Poitras, qui gérait les biens de la Fondation et qui acheminait à l'Institut ses demandes de renseignements.

Quand elle y réfléchissait, F se disait que c'était la mise sur pied de la Fondation qui avait marqué le vrai point d'inflexion dans l'évolution de l'Institut. C'était à partir de ce moment que ses activités s'étaient de plus en plus concentrées sur la collecte et l'analyse de renseignements.

— Vous pensez à Gunther ? fit brusquement la voix de Bamboo Joe, six ou sept mètres à sa gauche.

Elle ne l'avait pas entendu venir. Il était accroupi auprès d'un buisson de bruyère dont il examinait attentivement les branches, comme s'il essayait de compenser par sa concentration la faible lumière des lampes de jardin plantées dans le sol.

Un beau jour, Bamboo lui avait annoncé qu'il avait repris son ancien nom, celui sous lequel elle l'avait connu. Mais il entendait demeurer son jardinier. Si elle voulait bien de lui.

Depuis, elle le voyait de temps à autre, au gré de ses heures de travail. Le problème, c'était qu'il pouvait disparaître pendant trois jours, revenir deux heures au milieu de la nuit pour arroser deux ou trois plantes, en tailler une autre, puis disparaître de nouveau pour plusieurs jours.

— Je viens quand le jardin a besoin de moi, avait-il dit pour expliquer son horaire irrégulier.

— Et quand moi, j'ai besoin de vous parler ? avait répliqué F.

— Si vous en avez vraiment besoin, je serai là.

Sur cette réponse, il avait disparu pendant plus d'une semaine.

F soupira. Jamais elle ne comprendrait de quelle manière fonctionnait l'esprit de Bamboo Joe. Puis son attention revint à la question qu'il lui avait posée.

— Pas spécialement, répondit-elle après un moment.

Sauf qu'en y repensant, elle réalisa que la mort de Gunther avait eu lieu juste avant la mise sur pied de la Fondation. Est-ce que la mort de son mari pouvait l'avoir marquée au point de l'amener inconsciemment à réorienter l'Institut ? à diminuer les actions de terrain pour réduire le risque auquel elle exposait ses agents ?

— Toujours aussi satisfaite de l'excellente mademoiselle Weber ? demanda Bamboo sans lever les yeux vers elle.

F le regardait, immobile, penché au-dessus du plant de bruyère.

— Je n'ai plus grand-chose à lui apprendre. Elle pourrait diriger l'Institut à ma place.

— Est-ce que ça veut dire qu'elle est prête ?

Cette fois, Bamboo avait tourné la tête vers elle avant de poser la question. Son visage affichait un sourire bienveillant.

— Vous pensez qu'elle ne l'est pas ? demanda F.

— Comment savoir si quelqu'un est prêt ?

Comment savoir, en effet, songea F... Si elle avait posé la question à Dominique, la réponse aurait été : non. C'était normal. D'ailleurs, elle-même, était-elle prête quand elle avait commencé ?... Probablement pas. C'était le travail qui vous faisait... ou vous détruisait.

— Vos ouailles vont bien ? demanda Bamboo Joe.

Ses ouailles... L'expression fit sourire F. C'était la façon de Bamboo de se moquer de sa tendance à la surprotection. Au sens vieilli du terme, les ouailles étaient des brebis. Et, par analogie, les fidèles dont le pasteur devait s'occuper.

Ses ouailles... Dans son esprit, elle pouvait presque les voir devant elle, comme réunies pour une photo commémorative. Tout en continuant de travailler pour l'Institut, elles suivaient toutes leur voie.

Blunt était en train de devenir un Italien d'adoption ; Moh et Sam continuaient de planifier l'achat d'une auberge dans une île grecque ; Claudia semblait avoir réappris à vivre et Kim, fidèle à sa promesse, veillait toujours sur Claudia, même si, avec le temps, l'amitié avait redéfini leurs rapports.

À Paris, Poitras travaillait à plein temps pour la Fondation et Chamane continuait d'habiter le Web, même s'il faisait de plus en plus souvent escale dans le monde réel... Et puis, il y avait Dominique... Dominique qui devrait bientôt la remplacer.

Ses ouailles...

Accroupi à côté de la bruyère, Bamboo Joe la regardait en souriant, sans dire un mot. On aurait dit un sourire de bouddha gravé dans la pierre.

— Tout le monde va bien, répondit F.

— Qu'est-ce que ça vous fait d'avoir à vous en séparer ?

À cette question, F n'avait pas de réponse. Malgré sa propre préparation, malgré qu'il s'agissait d'une décision mûrement réfléchie, elle n'avait aucune idée de ce que ça lui ferait vraiment.

Sauf que le moment était venu.

Aveuglés par leurs besoins et leurs désirs à court terme, incapables de voir au-delà de leurs intérêts particuliers, les hommes achèvent de détruire leur environnement. Ils vont bientôt se diviser en factions pour se disputer les derniers décombres et prolonger au jour le jour leur agonie.

Guru Gizmo Gaïa, *L'Humanité émergente*, 1- Pourquoi l'Apocalypse.

JOUR - 2

MONTRÉAL, SPVM, 14 H 17

Théberge entra dans le bureau de son ami Magella Crépeau. C'était lui, désormais, qui assumait les fonctions de directeur du SPVM.

Crépeau était assis sur la chaise berçante qu'il avait installée à côté de la fenêtre. Pamphyle, le médecin légiste, avait pris place dans un fauteuil et regardait Théberge avec un sourire amusé.

— Depuis le temps que tu parles aux morts, fit Crépeau, c'est un peu normal que ce soit leur tour.

— En tout cas, celui-là, il a pris rendez-vous, ajouta Pamphyle, pince-sans-rire. C'est un mort bien élevé.

Théberge ne jugea pas utile de répondre. Il s'assit dans un des fauteuils libres, sortit sa pipe et la porta à sa bouche sans l'allumer.

— L'autopsie, ça donne quoi ?

— Il n'aurait pas survécu longtemps, répondit Pamphyle. Même s'il n'avait pas été carbonisé... T'as déjà vu des photos de survivants d'Auschwitz ?

— Quel rapport ?

— Ton cadavre, il était sur le point de mourir de faim. Au sens littéral.

Une lueur de surprise apparut dans le regard de Théberge.

— Mais ce n'est pas de ça qu'il est mort, poursuivit Pamphyle.

— Ça, je m'en doutais un peu.

— Et il n'est pas mort du feu non plus…

Cette fois, Théberge ne formula aucun commentaire ; il se contenta de tirer une bouffée d'air de sa pipe éteinte. Sur sa chaise berçante, Crépeau avait interrompu le mouvement de va-et-vient comme pour mieux écouter la suite des explications.

— Il avait de l'eau dans les poumons, reprit Pamphyle.

— Il ne s'est quand même pas noyé dans un four !

Le médecin légiste poursuivit sans s'occuper de la remarque.

— Il y a aussi la décomposition des tissus sous la croûte calcinée… Ça sort complètement de la normale.

— Il y a une normale pour ça ? fit Crépeau.

Manifestement, il trouvait l'idée incongrue.

— C'est comme s'il avait été transformé en terrain de culture, expliqua Pamphyle. Pour toutes sortes de bactéries et de champignons.

Théberge jeta un bref regard à Crépeau puis demanda :

— Est-ce qu'il peut avoir pris ça dans l'eau ?

— Possible…

— Et s'il n'a pas pris ça dans l'eau ?

— Il y a quelqu'un qui voulait être certain qu'il ne ressuscite pas.

Un silence suivit. Les policiers digéraient les implications de ce que venait de leur dire le médecin légiste.

— Finalement, il est mort de quoi ? demanda Théberge.

Pamphyle hésitait à répondre.

— Le problème, dit-il, c'est la séquence… Pour avoir de l'eau dans les poumons, il fallait qu'il soit vivant au moment où il a été noyé.

— C'est sûr, ironisa Théberge. Noyer un mort, c'est plus compliqué.

Pamphyle ignora la remarque.

— Même chose pour les bactéries et les champignons, dit-il : ça leur prend un milieu vivant pour se reproduire. Sur un porteur mort, leur temps de développement est pas mal plus long... Pour ce qui est de mourir de faim, évidemment, c'est plus facile à réaliser avant d'être mort qu'après.

— Évidemment, reprit Théberge sur un ton caricaturalement approbateur.

— Une chose est sûre, il a été carbonisé seulement à la fin. Ceux qui ont fait ça savaient ce qu'ils faisaient.

— Enfin quelque chose de rassurant ! Dans le reste du monde, le n'importe quoi prolifère et les compétences se perdent, mais ici, on a encore des gens fiables, qui font les choses dans les normes...

Pamphyle se tourna vers Crépeau.

— Qu'est-ce qu'il a ? La SAQ a encore augmenté les prix ?

Crépeau haussa les épaules. Son hypothèse à lui, sur les causes de la mauvaise humeur de Théberge, englobait le comportement général de l'humanité.

— Ça vient d'où, reprit Théberge, ce constat impromptu de conscience professionnelle ?

— Ils l'ont fait rôtir seulement en surface.

— Ah !... Ça explique tout !

Pamphyle poursuivit sans s'occuper de la remarque.

— S'ils y étaient allés plus vigoureusement, toutes les traces d'infection et d'eau dans les poumons auraient disparu... Même la sous-alimentation...

— Donc, ils voulaient qu'on trouve des traces de tout ça...

— Qu'est-ce que t'en penses ?

Théberge demeura un moment songeur, puis il demanda, d'une voix redevenue professionnel :

— Qu'est-ce que tu vas écrire sur le certificat de décès ?

— Infection fulgurante... anorexie... noyade...

— Une attaque fulgurante d'anorexie ! Pourquoi pas un incendie aquatique, tant qu'à faire !

— Tu penses que la famille apprécierait ? demanda candidement Pamphyle.

Théberge se tourna vers Crépeau.

— Parlant de famille, on sait qui c'est ?

— On n'a rien pour l'instant. Peut-être qu'avec les empreintes dentaires…

Le regard de Crépeau se tourna vers Pamphyle. Ce dernier regarda Crépeau, puis tourna les yeux vers Théberge. Un mince sourire apparut sur ses lèvres.

— Pour les empreintes dentaires, en général, ça va mieux quand la victime a encore une ou deux dents.

— Parce que… ?

— Plus rien.

Voyant la mine stupéfaite de Théberge, il ajouta :

— Moi, mon travail, c'est de faire parler les restes… C'est toi qui parles avec les morts.

HEX-RADIO, 16 H 02

> … UN CORPS, DANS UN CRÉMATORIUM, C'EST NORMAL. UN CORPS CAR-
> BONISÉ DANS UN CRÉMATORIUM, C'EST ENCORE NORMAL. MAIS QU'ON NE
> SACHE PAS DE QUI IL S'AGIT, ÇA, C'EST PAS NORMAL.
> SELON CE QUE HEX-RADIO A APPRIS, CE CADAVRE INCONNU SERAIT PRA-
> TIQUEMENT MORT DE FAIM. IL AURAIT ENSUITE ÉTÉ NOYÉ, INFECTÉ AVEC
> DES BACTÉRIES MANGEUSES DE CHAIR, PUIS CARBONISÉ. RIEN QUE ÇA !
> COMME D'HABITUDE, LA POLICE REFUSE DE RÉPONDRE À NOS QUESTIONS.
> J'AI EU LE NÉCROPHILE AU TÉLÉPHONE, CELUI QUI PARLE AUX MORTS. IL N'A
> PAS VOULU ME DIRE S'IL AVAIT « DISCUTÉ » AVEC LE CADAVRE… IL N'A
> PAS VOULU ME DIRE S'IL AVAIT UNE PISTE… EN FAIT, IL N'A PAS VOULU RIEN ME
> DIRE.
> C'EST DRÔLE, QUAND MÊME. ME SEMBLE, MOI, QUAND Y A RIEN DE CROCHE,
> Y A RIEN À CACHER… VOUS EN PENSEZ QUOI, VOUS AUTRES, DE TOUT
> ÇA ?…
> ON S'EN REPARLE À 18 HEURES. VOUS ÉCOUTEZ HEX-RADIO, « LA RADIO
> QUI A DES COUILLES »…

BROSSARD, 18 H 25

À l'abri de la vitre opacifiée de la fourgonnette, Skinner regarda l'inspecteur-chef Théberge entrer chez lui. Un tourbillon de vent enveloppa le policier de poussière pendant un instant. Skinner le vit se secouer avant d'ouvrir la porte ; il n'avait pas l'air encore trop affecté par les événements.

C'était normal. Skinner ne faisait que commencer à appliquer de la pression. Les mois à venir promettaient d'être intéressants.

Il mit le véhicule en marche. Mais avant de prendre la direction de Dorval, il fallait qu'il trouve des toilettes quelque part.

La contrariété lui arracha un soupir d'exaspération. Il ne se sentait pourtant pas vieux. Et il était en parfaite santé. C'était un phénomène normal, avait dit le médecin. Ça vient avec l'âge. L'urine a plus de difficulté à passer à travers la prostate. Le gradient de pression n'est pas suffisant. Ça empêche la vessie de se vider complètement.

— Alors, ça sert à quoi, tous les exercices que je me suis tapés pour rester en forme ? avait demandé Skinner.

— Vous allez mourir en santé ! avait répondu le médecin avec un large sourire.

Visiblement, ce n'était pas la première fois qu'un client lui posait la question.

— Mais on peut arranger ça, avait-il ajouté. On peut opérer…

— Pas question !

— Je vous assure que c'est une opération sans danger… Mais on peut aussi traiter avec des médicaments.

Skinner avait dit qu'il y penserait. Sauf qu'il était encore à l'étape d'y penser. Et qu'entre-temps, il fallait à tout propos qu'il se trouve des toilettes.

DRUMMONDVILLE, 19 H 34

F regardait l'image de Fogg à l'écran. Il était difficile de croire qu'un homme en apparence aussi fragile pouvait avoir autant de pouvoir. Et autant de détermination.

— Vous êtes seule ? demanda Fogg.

— Oui.

— Nous arrivons à la phase finale.

— C'est ce que j'avais cru saisir.

— Vous comprenez qu'il faudra réduire le plus possible les interventions intempestives de vos agents…

— Du moment que j'ai des missions crédibles à leur confier.

— De cela, vous n'avez pas à vous inquiéter, répondit le vieillard avec une amorce de rire. J'ai ce qu'il faut pour les occuper… Vous êtes certaine que personne ne se doute de rien?

— Pour l'instant, oui. Quand les choses vont commencer à se mettre en place, par contre… Mais je devrais être capable de les contrôler le temps qu'il faut.

— Ils ne sont pas particulièrement bêtes. Il va falloir vous méfier.

Ce fut au tour de F de rire.

— Je sais… De votre côté, vous avez tout ce qu'il faut pour mener l'opération à terme?

— J'aurais aimé prendre deux ou trois précautions supplémentaires, mais je ne peux pas attendre plus longtemps: trop de choses risquent de devenir incontrôlables.

— Alors, souhaitons-nous bonne chance!

Après avoir raccroché, F demeura un long moment songeuse. Manipuler les membres de l'Institut ne serait pas une sinécure. Comme l'avait dit Fogg, ils n'étaient pas particulièrement bêtes. Mais elle ne pouvait pas se passer d'eux. Leur contribution était essentielle au succès de l'opération.

New York, 21 h 43

L'homme s'était présenté sous le nom d'Abel Kane. Grand, roux, la moustache tombante sous un nez légèrement rougi, il portait le kilt avec la même aisance que le monocle. Il écouta sans l'interrompre le compte rendu de Skinner.

Kane imaginait les efforts que faisait Skinner pour paraître détaché: le responsable de Vacuum n'appréciait sûrement pas le fait de devoir exécuter des commandes « à l'aveugle » sans en connaître les raisons.

— Je vous remercie, fit Kane dans un français sans accent, je suis éminemment satisfait de ce que vous m'apprenez. Un dernier détail : vous avez bien livré l'enveloppe comme je vous l'ai demandé ?

— Je m'en suis occupé.

L'idée de Fogg n'était pas mauvaise, songea Kane. Harceler les personnes qui avaient été en relation avec l'Institut pour débusquer les survivants était une bonne stratégie. Tout ce qu'il y avait ajouté, c'était une dimension de jeu. Il voulait annoncer symboliquement à l'humanité ce qui l'attendait. Cela découlait d'une règle qu'il avait adoptée au début de sa carrière. « Toujours dire ce qu'on va faire. Toujours faire ce qu'on a dit qu'on ferait. » C'était une forme de jeu avec lui-même. Une manière de s'exposer au danger et de se mesurer à ses adversaires.

Toutefois, la règle ne précisait pas le degré de clarté que devaient avoir ses déclarations. Et si les gens n'étaient pas habiles à décoder des métaphores, il ne pouvait en être tenu responsable.

Évidemment, il n'était pas question de confier tout ça à Skinner. Ce dernier comprendrait en temps opportun, lorsque la situation se serait suffisamment développée.

— Il devrait la recevoir demain, ajouta Skinner.

En guise de réponse, Kane regarda sa montre, fit un petit bruit d'agacement avec sa bouche, puis il ramena son regard vers Skinner.

— Je vous contacterai au besoin pour vous donner des instructions spécifiques. D'ici là, vous amorcez la nouvelle opération comme prévu.

Skinner regarda Kane sortir sans autre explication. Il le suivit des yeux jusqu'à la limousine qui l'attendait le long du trottoir… C'était tout ! On l'avait fait venir à New York pour cette misérable rencontre : trois minutes de compte rendu et quatre phrases de commentaires !… Le tout avec une caricature d'Écossais qui attirait tous les regards !

Il avait beau comprendre le double jeu que jouait Fogg avec « ces messieurs », Skinner comprenait mal pour quelle raison le directeur du Consortium ne protestait pas davantage contre leurs multiples exigences… Ce serait quoi, leur prochain caprice ? Utiliser Vacuum pour des travaux d'entretien des édifices ?

Skinner termina son verre et sortit héler un taxi. Son avion partait dans trois heures. Compte tenu de la paranoïa sécuritaire des Américains, le délai serait serré.

Comme l'être humain est un prédateur efficace, per-
sévérant, il ne s'éteindra pas avant d'avoir éliminé
toute possibilité de survie pour les autres espèces de
la planète.

Guru Gizmo Gaïa, *L'Humanité émergente*, 1-
Pourquoi l'Apocalypse.

JOUR - 3

MONTRÉAL, CAFÉ CHEZ MARGOT, 8 H 06

L'inspecteur-chef Théberge entra dans le café et prit
place à sa table habituelle. Sans un mot, Margot, la
femme du patron, lui apporta un café. Puis elle disparut
dans la cuisine pour revenir quelques instants plus tard
avec une grande enveloppe jaune matelassée.

Elle déposa l'enveloppe devant Théberge.

— Quelqu'un a apporté ça pour vous hier soir.

Au comptoir, fidèle au poste, le mari de Margot lisait
méticuleusement les journaux. Quels que soient les sujets
que les clients aborderaient, il serait prêt.

— Quelqu'un ? demanda Théberge en soupesant l'enveloppe.

— Un homme, cheveux noirs, sourcils noirs en broussaille, moustache noire…

— Il ressemblait à un acteur, précisa le mari de Margot
sans lever les yeux de son journal. Un acteur de films des
années cinquante.

— Il ne vous a pas dit son nom ?

— Seulement de vous remettre ça, répondit Margot.
Que vous sauriez.

Théberge ouvrit l'enveloppe matelassée : elle en contenait une autre, un peu plus petite. Il jeta un regard à Margot et ouvrit la deuxième enveloppe.

Elle en contenait une troisième, encore plus petite.

— C'est quoi, l'idée ? maugréa Théberge.

— Moi, je vous ai dit tout ce que je sais, se défendit Margot.

Elle paraissait sincère et tout aussi étonnée que Théberge. Ce dernier ouvrit la troisième enveloppe ; elle en contenait une quatrième.

Quand il ouvrit la quatrième, il s'attendait à ce qu'elle en contienne une cinquième. À sa surprise, il y trouva seulement un peu de terre ainsi qu'une feuille de papier brun sur laquelle un court message était inscrit.

Sans moi, vous êtes perdu. Madame Théberge également. Mais vous devrez mériter mon aide. Le premier indice est le suivant : « Même les saints s'attirent parfois les foudres du ciel… Mais ce n'est rien à côté de ceux qui doivent subir les quatre morts. »

Comme je vous aime bien, je vous donne un indice supplémentaire : « Les sorciers amérindiens sont persuadés que le premier élément d'une série est le moule du reste de la série. »

Théberge replia la lettre et rapatria l'ensemble du contenu dans la grande enveloppe jaune. Margot le regardait, curieuse d'en apprendre davantage.

— Vous en recevez souvent, des messages comme ça ? demanda-t-elle quand il se leva.

— Au poste, parfois… Mais ici…

Après l'allusion à sa femme, c'était ce qui le dérangeait le plus : le fait que le mystérieux expéditeur le connaisse au point de savoir à quel endroit il avait ses habitudes… Depuis combien de temps était-il suivi ? L'était-il encore ? Et cette mention de madame Théberge, comme en passant, sans rien préciser…

Il songea ensuite aux quatre morts. La coïncidence était trop grande. Il devait s'agir d'une allusion au mystérieux cadavre découvert au crématorium.

LONGUEUIL, 8 H 29

Victor Prose était levé depuis plus de trois heures. Après avoir tourné dans son lit pendant une vingtaine de minutes, il s'était résigné et il était descendu à son bureau.

Le dossier qu'il avait lu la veille avant de se coucher était encore ouvert à la dernière page. Promised Lands Development. Une entreprise américaine qui avait présenté une offre pour acheter tout le territoire de Tremblant.

L'entreprise était spécialisée dans le développement de sites touristiques respectueux de l'environnement au cœur de territoires protégés. Compte tenu des prix pratiqués, ces endroits étaient réservés exclusivement aux plus riches de la planète. Cela faisait d'ailleurs partie du concept de l'entreprise : taxer les riches pour protéger l'environnement.

Sauf que cette initiative, si on la multipliait à l'échelle de la planète, entraînerait des conséquences pour le moins paradoxales. C'était à cela qu'il avait rêvé. Et c'était cela qui l'avait réveillé brutalement, avec un sentiment d'angoisse qu'il s'expliquait mal.

De son rêve, il ne lui restait qu'une image de la Terre, ravagée, qu'il parcourait à vol d'oiseau, avec, ici et là, des îlots de verdure protégés par de hauts grillages, parfois de véritables îles vertes au milieu de la mer… On aurait dit un fruit couvert de pourriture et grêlé de zones vertes… Un monde à la *Matrix* parsemé d'oasis. Et l'une de ces taches était Tremblant.

Il avait travaillé sans arrêt, parcourant Internet pour trouver tous les endroits protégés du type de Tremblant.

Ce qui venait en premier à l'esprit, c'était évidemment les îles artificielles construites au large des Émirats arabes unis. Mais il y avait aussi les îles Lavezzi, Moustique, Cavallo, Brecqhou, Saint-Barthélémy… Une visite sur le site de Promised Lands Development lui permit d'ajouter une quinzaine d'autres sites au large de l'Afrique, en Indonésie ainsi qu'en plein milieu du Pacifique.

Comme il avait encore du temps devant lui avant de se rendre au cégep, il fit une synthèse de ses découvertes et mit le texte sur son blogue, qu'il avait appelé, faute de mieux : « La prose du monde ». Le texte avait pour titre : *Tremblant dans la chaîne des paradis*.

Au moment où il envoya le texte, il se dit qu'il faudrait aussi qu'il en parle à Brigitte.

Montréal, SPVM, 8 h 44

Théberge n'arrivait pas à se concentrer sur le ménage de son agenda. L'enveloppe jaune, qu'il avait laissée sur le coin du bureau, le narguait. Sans savoir pourquoi, il n'en avait encore parlé à personne.

Il n'avait pas non plus trouvé la force d'aller prendre contact avec le mort du crématorium. Peut-être à cause de l'état dans lequel se trouvait le mort... de tout ce qu'on lui avait infligé... Les recherches pour l'identifier n'avaient donné aucun résultat. Aucune des personnes portées disparues ne correspondait au cadavre.

Théberge aurait préféré limiter l'information publique sur ce qu'avait subi la victime. Ça lui aurait permis de retenir certains détails pour filtrer les fausses dénonciations qui ne manquaient jamais de se produire quand un cas était spectaculaire.

Mais un journaliste avait tout déballé. La journée même où le cadavre avait été découvert. Bien sûr, il avait refusé de divulguer ses sources : liberté de la presse !

Une fuite ! C'était la première explication qui lui était venue à l'esprit. S'agissait-il d'un policier ? d'un employé civil qui arrondissait ses fins de mois en renseignant un journaliste ?... À moins que ce soit l'auteur du crime ? Qu'il ait lui-même alerté le journaliste parce qu'il avait hâte qu'on parle de lui...

Théberge fut brutalement tiré de ses ruminations par un éclat de voix.

— Ils ont fait sauter le frère André !

Il leva les yeux vers l'inspecteur Rondeau, qui venait d'entrer avec précipitation dans son bureau. Impassible, il se contenta de lui demander :

— Lequel ?

Pendant quelques instants, Rondeau resta complètement figé. Théberge sourit.

Sans savoir pourquoi, il s'était toujours souvenu de cette parodie de la visite à l'oratoire Saint-Joseph faite par Les Cyniques. Le guide qui disait : « Le cœur du frère André à dix ans… le cœur du frère André à vingt ans… le cœur du frère André à trente ans… » avec un geste en direction des récipients de formol dans lesquels ils étaient censés être contenus.

Théberge ramena ensuite son regard vers l'agenda ouvert sur son bureau. Des bouts de papier de différentes formes et de différentes couleurs étaient empilés tout autour. Depuis trois mois, Théberge avait navigué entre deux agendas : l'ancien pour les affaires en cours depuis un certain temps, le neuf pour les nouvelles. Le début du printemps marquait la fin de la période de transition : le moment était venu de transférer les papiers du vieil agenda dans le nouveau. Les vestiges de l'année antérieure dont il n'avait plus besoin resteraient dans l'ancien à titre de références. L'opération était délicate.

— Ils ont vraiment fait sauter le frère André, reprit Rondeau. Crépeau est là-bas. Il veut que vous alliez le rejoindre.

Théberge releva les yeux vers Rondeau.

— Vous êtes sûr que ce n'est pas une blague que vous a faite Crépeau ?

— Juré craché, empesteur-chef.

Il s'apprêtait à cracher sur le plancher lorsque Théberge se leva précipitamment pour l'en empêcher.

— Sauter comme dans « boum » ? demanda-t-il comme s'il réalisait finalement la portée de ce que Rondeau venait de lui dire.

— Boum ! confirma Rondeau. Et une partie de l'Oratoire avec lui. Il y a plusieurs morts.

MONTRÉAL, DEVANT L'ORATOIRE SAINT-JOSEPH, 9 H 38

Debout sur le trottoir, à distance prudente de l'édifice, Skinner observait l'agitation devant l'oratoire Saint-Joseph.

Tout était enregistré sur sa caméra vidéo : le flot de touristes et de pèlerins qui sortaient par toutes les portes pour dévaler les escaliers, l'arrivée des ambulances et des forces de l'ordre... Ne manquaient que les deux explosions. Mais Skinner n'avait pas besoin d'enregistrement pour savoir exactement ce qui s'était passé.

La première explosion, provoquée par une bombe à effet directionnel, avait envoyé une onde de choc qui, à son point de concentration, pouvait percer un blindage de plusieurs pouces. Alors, une simple vitre de protection et un bocal de verre... Le contenu du bocal dans lequel se trouvait le cœur du frère André avait littéralement été vaporisé dans la pièce.

Quant au deuxième engin explosif, plus puissant et moins focalisé, sa force lui avait permis d'émietter la tombe en même temps que son contenu...

En constatant que Théberge ne faisait pas partie des policiers, Skinner avait ressenti une légère déception. Mais la nouvelle finirait bien par le rejoindre. Il décida d'attendre encore un peu.

Quand ils en avaient discuté, au bureau de direction du Consortium, Jessyca Hunter avait d'abord été opposée à ce que Montréal soit incluse dans la liste des villes ciblées. Elle jugeait que c'était une perte de temps. Fogg lui avait rappelé qu'il y avait encore à Montréal plusieurs personnes associées par le passé aux activités de l'Institut. Il y aurait probablement moyen d'utiliser les événements pour remonter la filière. Pourquoi ne pas profiter de l'occasion ?

Jessyca Hunter avait trop de comptes à régler avec l'Institut, ou ce qu'il en restait, pour être insensible à ce genre d'argument. Elle avait cependant mis une condition à son accord : être informée régulièrement des progrès dans le dossier.

Fogg lui avait assuré que cela allait de soi. Que Skinner lui enverrait de brefs rapports chaque fois que les événements le justifieraient...

Une dizaine de minutes plus tard, Skinner vit Théberge descendre d'une voiture banalisée. Il le filma jusqu'à son entrée dans l'Oratoire. Il abaissa ensuite sa caméra et se dirigea vers la camionnette de HEX-TV, qui l'attendait de l'autre côté de la rue. Aussitôt qu'il fut à l'intérieur, le véhicule démarra.

Skinner avait couru un risque inutile : il n'était pas nécessaire qu'il soit présent sur les lieux. Les opérateurs auraient pu s'occuper de tout. Mais il tenait à être témoin des événements. Pour mieux en saisir l'atmosphère, se disait-il. Et aussi pour sentir l'adrénaline, devait-il admettre. L'inspecteur-chef Gonzague Théberge ne constituait pas un gibier ordinaire. Surtout qu'il ne suffisait pas de l'abattre : il fallait d'abord s'en servir.

Un demi-kilomètre plus loin, ils croisèrent une autre camionnette de HEX-TV qui circulait en sens contraire : elle se dirigeait probablement vers les lieux de l'attentat. Skinner eut le temps d'apercevoir le regard surpris dont les gratifia le conducteur de l'autre camionnette.

— *Too bad*, murmura Skinner.

La couverture était compromise. Il faudrait repeindre le véhicule aux couleurs d'une autre entreprise.

— Changement de programme, dit-il au conducteur. On retourne à Pointe-Claire.

ROME, DEVANT LA BASILIQUE SAINT-PIERRE, 15 H 53

Les deux roquettes explosèrent contre le mur de la basilique Saint-Pierre à seize secondes d'intervalle.

Dans les instants qui suivirent, la panique s'empara des visiteurs qui étaient dans la Basilique ainsi que de ceux qui avaient envahi la place Saint-Pierre. Les cris et les hurlements enterraient les consignes que donnaient les quelques gardes suisses qui étaient de faction. La sortie formait un goulot d'étranglement. La foule qui s'y précipitait devint de plus en plus compacte. Des fauteuils roulants se renversèrent, ce qui augmenta la congestion. Plusieurs personnes âgées tombèrent. Certains essayèrent tant bien que mal de les protéger. La pression de la foule, derrière eux, en força plusieurs à les piétiner. Ici et là, des gardes suisses faisaient des efforts dérisoires pour rétablir un semblant d'ordre.

Le sommet de l'horreur fut atteint lorsqu'un véhicule venant de l'extérieur fonça vers la foule qui tentait de s'échapper de la place Saint-Pierre. L'explosion du véhicule suicide fit une autre centaine de victimes.

HEX-Radio, studio 4, 10 h 02

Robert Martin avait un nom somme toute ordinaire, que personne n'avait de raison particulière de retenir. Son nom de radio, par contre, était connu de dizaines de milliers d'auditeurs. Sous le pseudonyme de Bastard Bob, il tenait le micro tous les jours de la semaine à HEX-Radio. Une émission de trois heures au cours de laquelle, avec l'aide de chroniqueurs, il faisait une revue de l'actualité… et de tous les sujets qui lui passaient par la tête.

Lorsqu'il avait quitté la *trash* radio où il travaillait pour rejoindre son nouvel employeur, il avait dû ajuster son niveau de langage. Ce qu'on lui demandait de faire, c'était du *trash* de luxe… ou presque : avec un minimum d'arguments pour donner un prétexte à certains auditeurs plus scolarisés de l'écouter et des excès de langage un peu plus contenus pour ne pas s'attirer les foudres du CRTC. Son public était constitué en priorité des quinze à trente-cinq ans, de travailleurs manuels à professionnels, « que la politique écœure et qui ne veulent rien savoir des débats sociaux ». *Dixit* le président de HEX-Radio en personne.

Les cibles de Bastard Bob, par contre, étaient demeurées les mêmes : les politiciens, les flics, les syndicats, les séparatistes et, de façon plus globale, les *baby-boomers*, groupe qui incluait à ses yeux tous ceux qui avaient plus de trente-cinq ans… et dont il s'excluait sans problème malgré ses trente-huit ans.

Bastard Bob hocha la tête pour signifier au réalisateur qu'il avait vu son signal. En ondes dans cinq secondes.

Il jeta ensuite un regard à son ancien collègue de *trash* radio, qu'il avait engagé comme faire-valoir et comme coupe-feu : il lui faisait dire tout ce qu'il ne pouvait pas dire lui-même à cause de son contrat. Si jamais il y avait des difficultés, ce serait le coupe-feu qui serait sacrifié.

Sur un signe du réalisateur, il s'avança vers le micro et attaqua son texte.

— Ici Bastard Bob. Vous écoutez HEX-Radio, la radio qui se démène pour vous donner la vraie vérité vraie. Avec moi pour toute l'émission, News Pimp, votre *pusher* d'informations préféré… Aujourd'hui, on a tout un *scoop* pour vous autres. Des terroristes ont attaqué l'oratoire Saint-Joseph. Les reliques du frère André ont été pulvérisées par l'explosion. Ça vient juste d'arriver… Pourquoi je vous parle de terroristes ? Parce que j'ai reçu un message de leur part. Il y a même pas cinq minutes… Je vous le fais entendre tout de suite avant que les flics débarquent pour le saisir.

Bastard Bob regarda le réalisateur, qui fit démarrer l'enregistrement.

VOUS, LES CANADIENS, AVEZ CHOISI D'APPUYER LES CROISÉS FONDA-MENTALISTES AMÉRICAINS QUI ENTRETIENNENT LA GUERRE CONTRE L'ISLAM. VOS BOMBES DÉTRUISENT NOS MOSQUÉES ET NOS ÉCOLES CORANIQUES. LES ŒUVRES D'ART DE NOTRE PASSÉ SONT VOLÉES POUR ÊTRE EXPOSÉES DANS VOS MUSÉES EN COMPAGNIE D'ŒUVRES SACRILÈGES. VOS MÉDIAS NOUS RIDICULISENT. VOTRE ARGENT SUB-VENTIONNE LA GUERRE QUE LES JUIFS ENTRETIENNENT CONTRE NOUS. IL EST TEMPS POUR VOUS DE PAYER. NOUS ALLONS DÉTRUIRE VOS ÉGLISES, VOS MUSÉES, VOS ÉCOLES, VOS LIVRES ET VOS MÉDIAS. NOUS ALLONS DÉTRUIRE TOUS LES INSTRUMENTS DE PROPAGANDE DES INFIDÈLES. L'ISLAM VAINCRA.

— Et c'est signé : les Djihadistes du Califat uni-versel, reprit Bastard Bob.

Fidèle à son rôle de faire-valoir, News Pimp enchaîna :

— C'est une *joke* ?

— Je ne sais pas si c'est un vrai message, mais à l'Ora-toire, c'était une vraie bombe.

— Sais-tu qui s'occupe de l'enquête ?

— Ils vont sûrement envoyer le nécrophile.

— Théberge ? Celui qui parle avec les morts ?

— Pour interroger le frère André, ils peuvent pas trouver mieux !

MONTRÉAL, BORD DU FLEUVE, 10 H 11

Skinner ferma la radio du véhicule. Un sourire de satisfaction flottait sur ses lèvres. Il avait beau s'y attendre, il s'étonnait toujours de la facilité avec laquelle il pouvait manipuler les médias et faire réagir les groupes de pression.

Cette attaque contre Théberge, ce sobriquet de « nécrophile » et cette façon de le relier au frère André, c'était mieux que tout ce qu'il aurait pu imaginer. Il prit son téléphone portable et composa le numéro du SPVM. Après quelques transferts, il aboutit au bureau de l'inspecteur Grondin.

— Service des relations publiques. Inspecteur Grondin à l'appareil. En quoi puis-je vous être utile ?

— En donnant un message à l'inspecteur-chef Théberge. Je suis un de ses fans. Ça fait des années que je suis sa carrière.

— Et vous êtes… ?

— Dites-lui d'aller au 623, rue Champagneur. Il va y trouver les auteurs de l'attentat contre l'Oratoire.

Puis Skinner raccrocha et demanda au chauffeur d'arrêter le véhicule en bordure de la route. Il descendit sur le terre-plein, mit son téléphone portable hors tension, en sortit la carte SIM et la lança dans le fleuve.

PARIS, PETIT PONT, 16 H 17

Accoudé à la rampe de ciment du pont, au-dessus de la Seine, la main gauche dans la poche de son coupe-vent, Hussam al-Din appuya sur le bouton du détonateur.

L'instant d'après, une explosion ouvrait une brèche dans la tour gauche de la cathédrale Notre-Dame.

L'extermination des Croisés commençait. Hussam al-Din se sentait honoré d'avoir été choisi pour porter la guerre dans le berceau qui avait vu naître les croisades.

De sa position, il pouvait voir la place, devant la Cathédrale, se remplir de touristes qui fuyaient l'édifice. Tous regardaient les tours en essayant de comprendre ce qui s'était passé. Lorsque la foule fut assez dense, il appuya de nouveau sur le détonateur. Une explosion beaucoup plus forte décapita le sommet de l'autre tour, inondant les touristes d'une pluie de blocs de pierre, de gravats et de poussière.

Hussam al-Din contempla les débris meurtriers qui pleuvaient sur la foule. Puis il se dirigea vers la rive gauche avec le sentiment du devoir accompli.

Il avait hâte à la prochaine mission.

CNN, 11 H 30

... LES ATTENTATS SE SONT MULTIPLIÉS. AU COURS DES DERNIÈRES HEURES, L'ABBAYE DE WESTMINSTER, NOTRE-DAME DE PARIS ET L'ORATOIRE SAINT-JOSEPH, À MONTRÉAL, ONT ÉTÉ TOUR À TOUR VICTIMES DE...

FORT MEADE, 11 H 34

John Tate regardait le présentateur de CNN dresser le bilan de la situation. À sa gauche, dans le fauteuil le plus inconfortable, Snow, le directeur du FBI, se faisait du mauvais sang.

— Ils vont encore mettre ça sur notre dos, fit Snow.

— Ça relève du Department of Homeland Security, répondit Tate.

— Le DHS... Et à qui Paige va vouloir faire porter le chapeau, tu penses ?

Tyler Paige était le directeur du Department of Homeland Security, généralement connu sous son acronyme de DHS. Une des tâches de l'organisation consistait à superviser et à coordonner le travail des autres agences de renseignements en matière de sécurité nationale. Les rapports de Paige avec les autres directeurs d'agences étaient, au mieux, difficiles. Plusieurs en étaient à souhaiter une nouvelle vague d'attentats dans l'espoir que le nouveau Président exige sa démission.

— La cathédrale Saint-Patrick ! fit Snow. Un autre attentat à New York !... Ils ne se contenteront pas de ma démission. Ils vont vouloir me donner en pâture aux médias.

— Vois ça du bon côté, ironisa Tate. À une autre époque, tu aurais été jeté aux lions !

Snow lui lança un regard perplexe, visiblement peu convaincu de l'avantage qu'il y avait à remplacer les lions par des journalistes. Puis il se leva et se mit à marcher de long en large dans le bureau.

— Sais-tu s'il y en a d'autres ? demanda-t-il brusquement à Tate.

— Rome, Paris, Londres… Montréal…

— Je me fous de ce qui se passe ailleurs ! Ils peuvent faire sauter toutes les églises qu'ils veulent en Europe ou en Afrique ! Je veux savoir s'ils ont fait sauter d'autres églises américaines !

— Pas pour l'instant… De toute façon, on ne peut pas protéger toutes les églises du pays.

— À ton avis, c'est al-Qaida ?

— Ils ne sont quand même pas assez stupides pour attaquer tout le monde en même temps.

Ils furent interrompus par une sonnerie discrète. Tate décrocha son téléphone portable de sa ceinture.

— Tate !

Il écouta pendant quelques secondes, grogna un vague merci et raccrocha.

— Un de mes contacts à Fox. Ils ont reçu un message de la part des auteurs de l'attentat. Ils le mettent en ondes à midi.

— C'est qui ?

— Des musulmans.

— *Fuck !* Si on n'a pas une piste dans les heures qui viennent…

Il s'interrompit, comme s'il ne trouvait pas de mots assez forts pour décrire ce qui risquait de se produire.

Montréal, 11 h 39

— Il va falloir que tu te mettes à l'arabe, dit Crépeau, pince-sans-rire.

Théberge se tourna vers lui. Crépeau le regardait avec une expression neutre.

— Si tu veux comprendre ce qu'ils disent, ajouta-t-il en guise d'explication.

— Les morts parlent tous la même langue, se contenta de répondre Théberge.

Par la porte de la chambre, ils pouvaient voir les corps des trois hommes. Habillé de vêtements traditionnels d'Afrique du Nord, chacun d'eux était prostré sur un tapis de prière. On aurait pu les croire endormis si ce n'avait été des deux trous rouges qu'ils avaient dans la nuque et de la flaque rouge-brun qui couvrait le sol autour d'eux.

— Probablement abattus pendant qu'ils faisaient leur prière, fit Crépeau.

— Les trois en même temps ?

Théberge était visiblement sceptique.

— Je sais, fit Crépeau... Dans l'autre chambre, on a trouvé des livres et un tas de paperasse.

— Quelle sorte de livres ?

— Aucune idée : tout a l'air d'être en arabe... Il y avait aussi une carte de la ville avec quatre X à l'encre rouge. Un des quatre indiquait l'emplacement de l'Oratoire.

— Et les autres ?

— La cathédrale Marie-Reine-du-Monde et deux autres églises. J'ai envoyé des équipes les faire évacuer.

Théberge se passa la main sur la nuque. Il n'avait pas encore parlé à Crépeau de l'enveloppe jaune. La référence à l'attentat lui paraissait maintenant claire : « Même les saints s'attirent parfois les foudres du ciel. »

— Tu penses qu'ils coupent les pistes ? demanda Crépeau.

— Avant que le travail soit terminé ?

— Peut-être qu'ils ont d'autres équipes...

— Ils seraient assez organisés pour nettoyer après l'opération et nous empêcher de remonter la piste, mais ils seraient amateurs au point de nous laisser une carte pour nous dire où vont avoir lieu les prochains attentats ?

— Ils sont peut-être sûrs d'eux... Ils savent qu'on ne peut pas protéger les églises indéfiniment.

— À moins que ça soit pour nous mettre sur une fausse piste...

Puis, après un moment, il ajouta :

— En tout cas, ils ont un curieux sens de l'humour.

— Qu'est-ce que tu veux dire ?

— Dans les rues, autour, c'est plein de hassidim… Des Arabes exécutés dans leur résidence, au cœur d'un quartier juif…

Avant que Théberge ait eu le temps de poursuivre, une main se posa sur son épaule. En se retournant, il reconnut le visage impassible de Pamphyle. Ce dernier parcourut la pièce des yeux, puis il dépassa Théberge pour s'approcher des trois hommes morts.

— Un, c'était pas assez ? dit-il sans se retourner. Tu as décidé de renouveler ta réserve de petits amis ?

Sans attendre la réponse, le médecin légiste enfila des gants de latex et se pencha vers le premier corps. Théberge se tourna vers Crépeau.

— Comment ça se passe, avec les politiques ?

— Le maire et l'archevêque ont été les premiers à appeler. Le bureau du premier ministre s'est réveillé une heure plus tard.

Théberge sourit.

— Tu vas pouvoir faire débloquer ton budget d'heures supplémentaires, dit-il.

— Je vais surtout avoir le SCRS et les Américains sur le dos. Avec les nouveaux accords sur le terrorisme…

Le médecin légiste revint vers les deux policiers.

— Et alors ? demanda Théberge.

— Ils sont morts.

— Diantre ! Ce n'est pas un peu risqué, comme conclusion ?

— Tu connais ma devise… *Living on the edge !*

Pamphyle passa devant les deux hommes, puis s'arrêta un instant pour ajouter à l'intention de Théberge :

— N'oublie pas de me les ramener en bon état. Si tu veux que je joue aux haruspices et que je te dise tout sur leur vie intérieure…

— Antérieure, rectifia Théberge.

— Sur ça, je ne m'engage pas au-delà du contenu de leur estomac… ou de leurs MTS.

— Bon, je vous laisse vous amuser, fit Crépeau. Moi, j'ai rendez-vous avec ton préféré, Guy-Paul Morne.

— C'est toujours les mêmes qui en profitent ! lui lança Théberge pendant qu'il s'éloignait.

Crépeau se contenta de lever le bras droit sans se retourner et d'agiter brièvement la main.

www.toxx.tv, 12 h 03

... VOUS FAITES DEPUIS DES ANNÉES LA GUERRE À L'ISLAM. VOUS SACCAGEZ NOTRE TERRITOIRE, VOUS PILLEZ NOS RÉSERVES NATURELLES. VOS MÉDIAS CORROMPENT NOS FEMMES ET TRANSFORMENT NOS FILLES EN PUTAINS. VOUS FINANCEZ LES SIONISTES CRIMINELS QUI OCCUPENT LA PALESTINE, VOUS APPUYEZ LES DESPOTES CORROMPUS QUI RÈGNENT EN LEUR NOM SUR LA TERRE D'ALLAH.

DÉSORMAIS, NOUS ALLONS PORTER LA GUERRE SUR VOTRE TERRITOIRE. LA MORT DES CATHÉDRALES N'EST QUE LA PREMIÈRE ÉTAPE. NOUS ALLONS DÉTRUIRE TOUS VOS INSTRUMENTS DE PROPAGANDE. NOUS ALLONS SACCAGER VOS VILLES ET DÉVASTER VOTRE ÉCONOMIE. ALLAH NOUS A MONTRÉ LA VOIE EN ENVOYANT UNE TEMPÊTE DÉTRUIRE LA NOUVELLE-ORLÉANS. ALLAH A ENVOYÉ LE FEU DU CIEL INCENDIER VOS FORÊTS ET VOS VILLES, EN CALIFORNIE. LE DEVOIR DE TOUT VRAI MUSULMAN EST DE MENER À TERME LE DJIHAD QU'ALLAH LUI-MÊME A AMORCÉ. NOUS ALLONS EXTERMINER LES AGRESSEURS SIONISTES ET LEURS ALLIÉS CHRÉTIENS. NOUS ALLONS ÉTABLIR UN CALIFAT À NEW YORK ET INSTAURER UNE VRAIE CIVILISATION EN AMÉRIQUE...

MORT AUX INFIDÈLES ! MORT AUX TYRANS SIONISTES MEURTRIERS ! MORT AUX CROISÉS ET À LEURS...

PARIS, 18 h 09

Ulysse Poitras regardait l'émission spéciale d'informations à TF1. Depuis plus d'une heure, les entrevues avec des témoins et les opinions de spécialistes alternaient sur fond d'images de la cathédrale Notre-Dame. Jusqu'à maintenant, on n'avait retrouvé aucun enregistrement vidéo de l'explosion et de l'avalanche de pierres sur les touristes. Mais ça ne tarderait sans doute pas. Avec la quantité de cellulaires qu'il y avait à Paris...

— Ce ne sera pas simple d'être musulman au cours des prochains jours, fit Poitras.

Derrière lui, Chamane procédait à l'entretien de routine de l'ordinateur tout en suivant ce qui se passait à la télé.

Des écrans apparaissaient et disparaissaient du moniteur de l'ordinateur à mesure qu'il entrait des instructions.

— Comme gaffe, c'est difficile de faire mieux, dit Chamane sans quitter les écrans des yeux.

— De leur point de vue, ce n'est peut-être pas une gaffe.

Quelques secondes plus tard, Chamane s'arrêtait brusquement de taper et se tournait vers Poitras.

— Tu penses que c'est ce qu'ils veulent, déclencher une guerre de religion ?

— S'ils réussissent à installer un climat de guerre, ça va amener beaucoup de musulmans à se radicaliser. Les extrémistes des deux côtés vont monopoliser le débat et leur recrutement va monter en flèche. Avec un peu de chance, ils vont même forcer les États-Unis à reprendre la politique de Bush !

Chamane resta songeur pendant un bon moment. Puis un sourire apparut sur son visage. Il revint à l'ordinateur et recommença à taper des instructions.

— Et tu dis que c'est moi qui suis obsédé par des théories de conspiration !

— Cinq attentats le même jour, dans cinq pays différents, contre des édifices religieux symboliques, ce n'est pas ce que j'appellerais une théorie…

— Moi, une chose que je trouve bizarre, c'est qu'il n'y ait rien eu contre les Juifs.

— Ils veulent que ce soit clair que c'est l'Occident qui est visé, je suppose. L'Occident chrétien.

Chamane fit un grand geste dramatique pour appuyer sur la touche du dernier caractère de la dernière instruction.

— Et voilà le travail ! L'ordinateur de monsieur est certifié à l'abri des infiltrations. Il me reste juste un ou deux tests à faire. Au cas…

Poitras se leva de son fauteuil, se rendit à l'ordinateur et regarda par-dessus l'épaule de Chamane. Ce dernier lui demanda, sans détourner la tête de l'écran :

— Sais-tu combien il y a d'ordinateurs infectés par des *spyware* ?

— Plusieurs ? suggéra Poitras, pince-sans-rire.

Chamane tourna la tête dans sa direction, l'air découragé. À l'écran, les fenêtres s'ouvraient et se fermaient à toute vitesse.

— Plusieurs fois plusieurs ? reprit Poitras, cette fois en souriant.

— Donne-moi un pourcentage.

— Cinquante pour cent ?… Non, soixante pour cent.

Chamane sourit à son tour.

— Tu pensais m'avoir en mettant un chiffre farfelu…

Il continua de regarder Poitras avec un sourire moqueur pendant un moment.

— Quatre-vingt-dix pour cent, finit-il par dire.

— Tu me fais marcher !

— Une étude de EarthLink en 2004. Ils ont examiné des millions d'ordinateurs… Souvent, il y avait quinze à vingt virus ou chevaux de Troie par ordinateur !

Chamane recommença à entrer des instructions au clavier. Poitras ramena son attention au poste de télé et monta le son, le temps de voir qui était le nouvel invité.

— NOUS SOMMES MAINTENANT EN COMMUNICATION AVEC DIDIER BONAVENTURE, NOTRE REPORTER SPÉCIAL À MONTRÉAL. DIDIER EST DANS LES STUDIOS DE NOS AMIS CANADIENS, À RADIO-CANADA. DIDIER, BONJOUR !

— BONJOUR, ALEXANDRE !

— DIDIER, POUVEZ-VOUS NOUS DIRE QUELLE EST LA RÉACTION DES CANADIENS À CET ATTENTAT ?

— PAR-DELÀ LA STUPEUR QUE PROVOQUE TOUTE ATTAQUE TERRORISTE, IL Y A UNE CERTAINE INCRÉDULITÉ DANS LA POPULATION. MANIFESTEMENT, ON NE S'ATTENDAIT PAS À VOIR MONTRÉAL JOINDRE LES RANGS DES GRANDES MÉTROPOLES CIBLÉES PAR LE TERRORISME.

— VOUS VOULEZ DIRE QUE LES CANADIENS CROYAIENT LEUR PAYS À L'ABRI DES ATTENTATS ?

— NON. BIEN SÛR QUE NON. MAIS, DANS L'ÉVENTUALITÉ D'UNE ATTAQUE, ILS S'ATTENDAIENT À CE QUE LA CIBLE SOIT PLUTÔT TORONTO OU VANCOUVER.

— DÉSOLÉ DE VOUS INTERROMPRE, DIDIER. JE REVIENS À VOUS UN PEU PLUS TARD DANS L'ÉMISSION. POUR L'INSTANT, NOUS DEVONS ALLER À MATIGNON POUR UNE DÉCLARATION DU PREMIER MINISTRE.

Poitras baissa le volume de la télé.

— Une étude de 2004, tu disais… Pour les ordinateurs, 2004, c'est pas la préhistoire ?

— C'est sûr. Maintenant, c'est probablement pire.

— Comment tu peux faire confiance aux ordinateurs alors ?

— Le truc, c'est justement de ne jamais leur faire confiance. De tout contrôler.

Un sourire apparut sur le visage de Poitras.

— Ça ressemble aux marchés financiers…

Montréal, 12 h 23

À la sortie de l'édifice, Théberge fut accosté par Cabana. « Encore heureux qu'il n'y ait que lui », songea-t-il en reconnaissant le journaliste de l'*HEX-Presse*. Le reste de la meute des journalistes ne tarderaient pas à rappliquer, alertés par le suivi qu'ils faisaient des communications radio du SPVM avec leurs scanners.

— C'est vrai qu'il y a seulement trois victimes ?

Théberge s'arrêta et se tourna vers le journaliste.

— Désolé, seulement trois, dit-il sur un ton faussement contrit. La prochaine fois, on essaiera de faire mieux.

Le journaliste enchaîna sans se laisser intimider.

— Il paraît qu'ils voulaient aussi faire sauter la cathédrale Marie-Reine-du-Monde ?

Théberge s'arrêta un instant et réussit à ne pas laisser voir sa surprise.

— Cabana, dit-il tu devrais surveiller ce que tu fumes. Les substances euphorisantes, c'est délétère pour les petites cellules grises.

Imperméable à l'ironie, le journaliste poursuivit :

— Est-ce que vous confirmez qu'ils avaient des plans pour attaquer d'autres églises ?

— Si tu veux des réponses, c'est à mes collègues Rondeau et Grondin qu'il faut parler… Ou au directeur Crépeau.

— Ils sont où ?

Théberge le regarda comme si la question trahissait une insondable bêtise.

— Au travail… Où veux-tu qu'ils soient?

Il écarta le journaliste et se dirigea vers sa voiture. Ce dernier le suivit, le relançant d'une nouvelle question.

— Pensez-vous que c'est lié aux autres attentats qui ont eu lieu aux États-Unis et en Europe?

Théberge poursuivit son chemin sans répondre.

— Est-ce que vous croyez que c'est le début d'une guerre de religion avec les musulmans? Allez-vous décréter un couvre-feu?

Théberge jeta un regard découragé au journaliste, puis il entra dans la voiture. Aussitôt la portière fermée, il démarra.

Une dizaine de mètres derrière lui, dans une PT Cruiser aux vitres latérales teintées, Skinner regarda s'éloigner la voiture des policiers avec un sourire.

Il murmura pour lui-même:

— Et maintenant, inspecteur, allez-vous vous précipiter pour faire votre rapport à l'Institut?

LONDRES, 18 H 45

Hadrian Killmore regardait la murale sans la voir. Il tenait un BlackBerry contre son oreille gauche et il se concentrait pour bien entendre. Il aurait été inutile de demander à son interlocuteur de parler plus fort: c'était déjà miraculeux qu'il ait conservé ce filet de voix. Et c'était d'ailleurs la raison pour laquelle Killmore lui avait donné comme surnom Whisper.

— Où en sont les préparatifs? demanda ce dernier.

— Ils en ont plein les bras avec les musulmans. Fox et CNN repassent le message au quart d'heure partout sur la planète. Je vais bientôt lancer le premier cavalier.

— Bien.

Killmore pouvait déceler une certaine satisfaction dans les chuchotements essoufflés de la voix. Whisper était un des plus anciens membres du Cénacle et c'était lui qui avait eu l'idée des quatre cavaliers. C'était également lui qui était l'instigateur du projet « Émergence ». Et c'était lui qui avait insisté pour que Killmore en soit le maître d'œuvre.

Avec le temps, bien sûr, c'était devenu le projet de Killmore. Il n'était même plus certain que Whisper vivrait assez longtemps pour assister à sa réalisation finale. Mais Killmore avait toujours été fidèle à celui qu'il considérait comme son parrain dans l'organisation. Pas question de le pousser vers la sortie ou même de le négliger. Cette fidélité avait d'ailleurs été l'un de ses principaux atouts dans son ascension au poste numéro deux du Cénacle. Il avait la réputation d'être un homme d'organisation dont la loyauté était indiscutable.

— Je vous appelle dans les minutes qui suivront le déclenchement, dit-il.

— Je peux très bien suivre vos exploits dans les journaux, répondit le filet de voix. Vous allez certainement être débordé.

— Je vous assure, c'est la moindre des choses.

Après avoir raccroché, Killmore appela son secrétaire.

Un homme d'une trentaine d'années entra quelques secondes plus tard dans le bureau. Il était habillé d'un costume foncé à fines rayures ton sur ton.

— J'attends madame Cavanaugh, dit Killmore. Je dois la préparer pour la réunion de demain. Aussitôt qu'elle arrive, prévenez-moi discrètement. Puis faites-la patienter une dizaine de minutes avant de l'autoriser à monter.

Killmore faisait confiance à Joyce Cavanaugh. Mais il ne croyait pas qu'il puisse exister une chose telle qu'un excès de prudence. Aussi, il profitait de toutes les occasions qui se présentaient pour épier ses collaborateurs. C'était étonnant ce qu'on pouvait apprendre en observant leur comportement quotidien à leur insu. Particulièrement lorsqu'ils étaient contraints de ne rien faire. Attendre était souvent l'activité que les gens maîtrisaient le moins bien. Celle au cours de laquelle ils se révélaient le plus.

— Autre chose, monsieur ?

Killmore lui montra le kilt, plié sur une chaise.

— Bien, monsieur.

Le secrétaire prit le kilt et le mit sur son bras gauche puis, de sa main libre, il s'empara de la perruque et du monocle qui étaient sur le coin du bureau.

— Je n'en aurai pas besoin avant un certain temps, fit Killmore.

— Bien, monsieur.

Désormais, il n'aurait plus à se déplacer autant. Ni pour d'aussi longues périodes. Les quatre cavaliers étaient prêts à prendre la relève. Les prochains mois, il les passerait en bonne partie dans les nouveaux locaux du Cénacle.

Le nouvel édifice n'avait pas le charme un peu vieillot du Mount St. Sebastian Club, mais il était plus vaste. Et beaucoup mieux équipé. Surtout sur le plan des communications et de la sécurité.

Pour atténuer le dépaysement, et aussi parce qu'il croyait que les esprits supérieurs doivent modeler leur environnement de manière à exprimer symboliquement leur créativité, Killmore avait fait reproduire dans le nouvel édifice la plupart des pièces de l'ancien lieu de rencontre du Cénacle... Pour la même raison, il avait fait renommer l'édifice et il avait doté le hall d'entrée d'une reproduction géante du martyre de saint Sébastien.

Montréal, SPVM, 15 h 26

Théberge entra dans le bureau de Crépeau et s'installa sur la chaise berçante à côté de la fenêtre.

— Je suis sûr que Cabana a reçu des informations de la part des terroristes.

Pour toute réponse, Crépeau se contenta de le fixer du regard.

— Il m'a demandé si c'était vrai qu'ils avaient des plans pour Marie-Reine-du-Monde et d'autres églises.

— Ça peut être une fuite, objecta Crépeau avec une grimace.

Une fuite, ça impliquait que le journaliste avait un informateur à l'intérieur du SPVM.

Théberge secoua la tête en signe de dénégation.

— Il m'attendait à la sortie de l'appartement. Il fallait qu'il soit déjà au courant : il est arrivé trop vite.

Crépeau s'avança sur sa chaise, mit ses coudes sur le bureau, appuya son menton sur ses poings et prit le temps de digérer l'information avant de répondre.

— OK… Ça veut dire qu'ils vont jouer les médias à fond.

— Probable.

— Qu'est-ce que tu lui as répondu, à Cabana ?

Théberge esquissa un mince sourire.

— Je lui ai dit que c'était à toi qu'il fallait qu'il pose la question.

Ce fut au tour de Crépeau de sourire.

— Je commence à comprendre pourquoi tu voulais tellement que je prenne le poste.

— Tu es un bon directeur.

— Je passe déjà la plus grande partie de mon temps à ajuster le budget et à parler avec les politiques !

Son sourire s'élargit. Puis il ajouta :

— Une chance que j'ai Rondeau et Grondin pour s'occuper des médias.

Un silence suivit. Théberge se leva de la chaise berçante et se dirigea vers la fenêtre.

— Il me semble que tu es revenu vite de là-bas, reprit Crépeau. Les trois clients n'étaient pas causants ?

— Au début, ils sont toujours un peu gênés. Faut apprendre à se connaître.

Crépeau n'avait jamais su quelle part de théâtre et quelle part de vérité il y avait dans ce que racontait Théberge. La seule chose certaine, c'était que parler avec les morts faisait partie de son rituel. Et que ça lui permettait probablement de rester relativement sain d'esprit… pour autant qu'il soit possible de l'être en effectuant ce travail.

Le silence fut rompu par la sonnerie du téléphone.

— Monsieur Morne est arrivé, annonça la voix de la secrétaire.

« L'homme du PM », traduisit automatiquement Crépeau. Quel que soit le PM… Morne semblait immuable dans sa fonction, qui n'était plus sanctionnée par aucun poste officiel. Les différents premiers ministres trouvaient simplement pratique de l'utiliser pour des tâches ou des mandats qu'ils voulaient moins officiels.

— Bien. Faites-le patienter quelques minutes.

RADIO FRANCE INTERNATIONALE, 21 H 31

— ON PARLE MAINTENANT DE ONZE MORTS ET DE QUARANTE-TROIS BLESSÉS. RÉAGISSANT À L'ATTENTAT, LE PRÉSIDENT DE LA RÉPUBLIQUE A DÉCLARÉ CE QUI SUIT :

DANS UN PREMIER TEMPS, NOTRE PENSÉE VA D'ABORD AUX VICTIMES. À LEURS PROCHES. À LEURS FAMILLES… AU NOM DE LA FRANCE, JE TIENS À LES ASSURER DE LA COMPASSION DE TOUS LES FRANÇAIS. JE TIENS À LES ASSURER QUE CETTE COMPASSION SE TRADUIRA PAR DES GESTES CONCRETS. J'AI DÉJÀ DEMANDÉ AU PREMIER MINISTRE D'AGIR EN CE SENS.

CE CRIME, AU-DELÀ DES VICTIMES IMMÉDIATES, VISAIT LA FRANCE DANS SON HISTOIRE. ET, À TRAVERS ELLE, TOUS LES FRANÇAIS. TOUTES LES FRANÇAISES. IL VISAIT TOUS LES FRANÇAIS QUE NOUS SOMMES. MAIS AUSSI TOUS NOS ANCÊTRES. TOUS NOS ANCÊTRES QUI ONT ŒUVRÉ, PARFOIS AU PRIX DE LEUR VIE, POUR FAIRE DE LA FRANCE UNE RÉPUBLIQUE DÉMOCRATIQUE. PLURIELLE. RESPECTUEUSE DES DIFFÉRENCES. NOUS ALLONS TRAQUER IMPITOYABLEMENT CES TERRORISTES. ET PAS SEULEMENT LES EXÉCUTANTS. NOUS ALLONS TRAQUER LES CERVEAUX QUI LES ONT CONÇUS. NOUS ALLONS LES ARRÊTER. NOUS ALLONS LES TRADUIRE DEVANT LES TRIBUNAUX. ET NOUS ALLONS LES PUNIR. IL EN VA DE LA JUSTICE LA PLUS ÉLÉMENTAIRE POUR LES VICTIMES. IL EN VA DE LA SÉCURITÉ DES FRANÇAISES ET DES FRANÇAIS. IL EN VA DE NOTRE IDENTITÉ COMME PEUPLE. CAR, PAR-DELÀ LES VICTIMES, CE SONT NOS VALEURS DE LAÏCITÉ, DE TOLÉRANCE… DE LIBERTÉ… QUI SONT ATTAQUÉES.

LES PRINCIPAUX PORTE-PAROLE DE LA COMMUNAUTÉ MUSULMANE DE FRANCE ONT POUR LEUR PART DÉNONCÉ L'ATTENTAT PERPÉTRÉ CONTRE LA CATHÉDRALE NOTRE-DAME DE PARIS. AFFIRMANT QUE DE TELS ACTES DE TERRORISME ÉTAIENT LE FAIT D'UN PETIT GROUPE D'EXALTÉS, ILS ONT DIT CRAINDRE QUE CETTE ATTAQUE NE PROVOQUE UNE AGGRAVATION DES TENSIONS ENTRE…

MONTRÉAL, SPVM, 15 H 35

— Les deux personnes que je voulais voir, fit Morne en entrant.

Théberge réintégra la chaise berçante, à proximité de la fenêtre, laissant à Morne le fauteuil devant le bureau de Crépeau. De cette manière, Morne pouvait difficilement les regarder tous les deux en même temps.

— Le premier ministre va faire une déclaration, annonça d'emblée l'homme du PM.

— Diantre! fit Théberge, comme si on lui apprenait une nouvelle renversante.

Crépeau, pour sa part, demeura immobile, attendant la suite.

— Il veut que vous y assistiez, reprit Morne en regardant Crépeau. Au cas où il y aurait des questions requérant votre expertise. La conférence de presse aura lieu demain, à quatorze heures.

— Il a besoin de quelqu'un pour se couvrir, des fois que ça irait mal, grogna Théberge.

Morne le regarda en souriant.

— Toujours d'humeur resplendissante, à ce que je vois!

— Vous avez insisté pour que je demeure au SPVM afin de dispenser mes conseils à mon ami Crépeau: je dispense.

Ignorant la remarque, Morne revint à Crépeau.

— Je peux compter sur vous?

Crépeau manifesta sa résignation d'un léger hochement de tête.

— On ne peut pas dire que vous êtes très causant, fit Morne.

Puis, après avoir jeté un regard à Théberge, il ajouta:

— À deux, je suppose que ça crée un certain équilibre.

— Il y a autre chose dont vous voulez discuter? demanda Crépeau sur un ton posé.

— Le premier ministre pense qu'il serait prudent de faire protéger les mosquées et les représentants les plus en vue de la communauté musulmane. Au cas où il y aurait des représailles.

— Je manque déjà de personnel.

— Il y a certainement des enquêtes qui sont moins urgentes.

Théberge l'interrompit.

— Les victimes des gangs de rue, les motards, le trafic de cocaïne dans les cours d'école, la prostitution juvénile… C'est vous qui allez expliquer aux médias que les enquêtes sont suspendues parce que la protection des mosquées est prioritaire ?

— C'est la responsabilité des forces policières de déterminer les priorités, répliqua Morne avec un sourire. Je ne voudrais surtout pas empiéter sur vos prérogatives !

DRUMMONDVILLE, 16 H 48

Assise dans un des deux fauteuils bleus devant la télé, F regardait un bulletin d'informations.

> … LES PROPOS INCENDIAIRES DU LEADER DE L'EXTRÊME DROITE. INVOQUANT LA GUERRE DÉCLARÉE CONTRE LA CHRÉTIENTÉ, IL A APPELÉ TOUS LES PATRIOTES ET TOUS LES CHRÉTIENS À COMBATTRE LE « CANCER VENU DE L'ÉTRANGER » EN UTILISANT TOUS LES MOYENS À LEUR DISPOSITION…

Dominique Weber entra dans la pièce et se laissa tomber dans le fauteuil vide, à la droite de F. Cette dernière coupa le son de la télé.

— Rien dans les banques de données, fit Dominique.

— C'est peut-être un groupe créé pour la circonstance.

— Ce que je ne comprends pas, c'est pourquoi ils ont commis un attentat au Québec.

— Moi aussi, j'ai de la difficulté à saisir leur logique. Je ne vois pas pourquoi ils ont inclus l'Oratoire dans cette série d'attentats.

— Peut-être parce que c'était une cible facile… Ou pour susciter une réaction anti-américaine dans la population, pour qu'elle pousse le gouvernement à retirer ses troupes d'Afghanistan…

Son ton disait toutefois le peu de confiance qu'elle avait dans la valeur de ses hypothèses.

— Tu as reçu quelque chose de l'inspecteur-chef Théberge ? demanda F.

— Ça vient d'arriver… Globalement, c'est le même *pattern* que dans les autres villes. Les auteurs de l'attentat ont été exécutés et abandonnés dans un appartement à peu près désert. Même coup de fil anonyme pour avertir les policiers. Mêmes documents laissant croire à l'éventualité d'autres attentats… Pas de bombes dans les autres endroits marqués…

— Ils tiennent à ce qu'on effectue les recoupements.

— Vous pensez que c'est lié au Consortium ?

— J'imagine mal que le Consortium veuille déclencher une guerre de religion planétaire. Il y aurait trop de danger que ça leur échappe et qu'ils ne puissent plus contrôler ce qui se passe.

F sourit légèrement avant d'ajouter :

— Il y a une façon d'en avoir le cœur net, reprit-elle.

— Vous ne trouvez pas que c'est jouer avec le feu ?

— Je trouve au contraire que c'est la meilleure façon de vérifier sa bonne foi !

Dominique, quant à elle, était loin d'en être sûre. Malgré la qualité de plusieurs des informations que Fogg leur avait transmises, elle comprenait mal pour quelle raison F semblait lui faire autant confiance. Et elle comprenait mal pour quelle raison elle s'isolait autant.

Au cours des dernières années, ça s'était accentué. Les périodes où F s'enfermait dans son bureau, avec interdiction de la déranger, étaient de plus en plus fréquentes. Et de plus en plus longues.

Que pouvait-elle bien faire de tout ce temps ? Sur quoi travaillait-elle ?

F lui avait répondu, pince-sans-rire, qu'à son âge elle avait besoin de repos. Puis, sur un ton plus sérieux, elle avait ajouté :

— Il faut que tu apprennes à diriger l'Institut sans mon aide.

L'idée était de multiplier les occasions où Dominique était laissée à elle-même, d'allonger progressivement ces périodes de responsabilité, de manière à ce qu'elle puisse prendre un jour sa succession sans que la transition soit trop difficile.

C'était logique.

Mais Dominique avait aussi noté que l'isolement de F s'était accentué à partir du moment où elle avait commencé à communiquer avec Fogg. Et elle ne pouvait pas s'empêcher d'établir un lien entre les deux événements.

RDI, 19 H 04

> ... LE CARDINAL, ENCORE SECOUÉ PAR LES ÉVÉNEMENTS, A ANNONCÉ D'UNE VOIX ÉMUE QU'UNE SOIRÉE DE PRIÈRE AURAIT LIEU DEMAIN SOIR EN FACE DE L'ORATOIRE. CETTE SOIRÉE SERA CONSACRÉE À LA FRATERNITÉ ENTRE LES PEUPLES ; LES MEMBRES DE TOUTES LES COMMUNAUTÉS RELIGIEUSES DE LA VILLE SONT INVITÉS À Y PARTICIPER.
> DES REPRÉSENTANTS DE LA COMMUNAUTÉ ÉCONOMIQUE ONT PAR AILLEURS ANNONCÉ LA MISE SUR PIED D'UN FONDS POUR FINANCER LA RESTAURATION DE L'ÉDIFICE AINSI QUE...

MONTRÉAL, 19 H 11

Alexandre Jalbert s'était trouvé un emploi d'été de rêve : on le payait pour compiler tout ce qui se publiait dans les journaux, tout ce qui se disait dans les médias, tout ce qui s'écrivait dans Internet sur le projet Tremblant.

Chaque jour, en début de soirée, il envoyait le résultat de son travail à une adresse Internet. Et, chaque soir, quelques minutes après qu'il avait expédié son rapport, un montant de trois cents dollars était viré électroniquement dans son compte bancaire.

Il avait obtenu l'emploi en répondant à une offre qu'il avait repérée sur un site Internet. Le lendemain, il avait reçu un formulaire détaillé à remplir, non seulement sur ses expériences de travail, mais sur sa situation personnelle, ses goûts, ce qu'il entendait faire dans la vie.

Devant l'ampleur du questionnaire, il avait été sur le point de ne pas le remplir. Puis il avait décidé de s'imposer l'effort : la description de l'emploi précisait qu'il passerait ses journées sur Internet et qu'on lui fournirait des outils d'exploration performants. C'était ce qui l'avait accroché.

Trois jours plus tard, on lui annonçait qu'il avait obtenu l'emploi. Le message était accompagné d'instructions sur ce qu'on attendait de lui, sur les outils qu'on mettait à sa disposition ainsi que sur la façon dont il serait payé.

Ce soir-là, Alexandre Jalbert fit, comme à l'habitude, le tour des moteurs de recherche pour savoir s'il s'était dit quelque chose de nouveau sur Tremblant depuis la veille. Le texte que Victor Prose avait mis en ligne sur son blogue fut l'un des onze éléments d'information qu'il inclut dans son rapport quotidien.

LCN, 20 H 04

... LE JEUNE IMAM S'EN EST PRIS AUX ALARMISTES CHRÉTIENS QUI JETTENT DE L'HUILE SUR LE FEU EN METTANT TOUS LES MUSULMANS DANS LE MÊME SAC. PLUS QUE JAMAIS, A-T-IL DÉCLARÉ, NOUS AVONS BESOIN D'ÉCHANGES ENTRE NOS COMMUNAUTÉS. LES PRINCIPAUX DIRIGEANTS MUSULMANS DU PAYS SE RENCONTRENT DEMAIN À TORONTO DANS LE BUT DE RÉDIGER UN MESSAGE COMMUN CONDAMNANT...

SEATTLE, 18 H 08

En raison des nombreux mots clés qu'il contenait, le texte de Victor Prose fut acheminé à l'ordinateur de Jack Flaherty, le directeur de l'implantation du projet Tremblant, dans les bureaux de Promised Lands Development.

Ce dernier s'apprêtait à partir quand le signal en provenance de son ordinateur l'avertit qu'un courriel important venait de lui parvenir. Il poussa un soupir, se rassit à son bureau et entreprit de parcourir le document joint au message d'alerte.

Après lecture, Flaherty jugea le texte assez surprenant pour en envoyer une copie à son patron, à Londres. C'était probablement une sorte de coup de chance qui avait amené l'auteur du texte à effectuer ce rapprochement, mais il était préférable de ne rien laisser au hasard.

> Une espèce sans prédateur prolifère tant que son stock alimentaire lui permet de supporter cette prolifération. Ensuite la population décroît pour s'adapter aux ressources réduites. Toutefois, à cause de l'intensification de la prédation, il peut arriver que le stock alimentaire soit ravagé au point de ne plus pouvoir se reproduire. Les prédateurs sont alors voués à la disparition par manque de nourriture.
>
> Guru Gizmo Gaïa, *L'Humanité émergente*, 1-Pourquoi l'Apocalypse.

JOUR - 4

LONDRES, 10 H 51

Dès qu'il eut terminé la lecture du texte de Victor Prose, Hadrian Killmore envoya un courriel à Montréal. Les instructions étaient adressées à Skinner, le directeur de Vacuum.

> Urgent de savoir si l'auteur de cet article a eu accès à des informations privilégiées. S'il y a le moindre doute, procédez en conséquence.

VENISE, 14 H 29

Quand Horace Blunt relevait les yeux du goban, son regard portait jusque de l'autre côté du Grand Canal. Mais il le fixait sans le voir. Son esprit était accaparé par les derniers attentats.

L'attaque contre le Vatican était une pure folie. Les médias étaient déjà pleins de commentaires hargneux à l'endroit des musulmans. Partout en Europe, l'extrême droite avait le prétexte dont elle rêvait pour réclamer le nettoyage de la population. Surtout que les terroristes étaient tous nés au pays. Des immigrants de deuxième et troisième générations. Juste en Italie, il y avait déjà eu quatre morts et des dizaines de blessés. Sans compter tous les Arabes qui avaient seulement été insultés et agressés verbalement.

Blunt fut tiré de ses réflexions par l'arrivée de Kathy. Elle lui tendit un téléphone portable.

— Ton oncle d'Amérique !

Blunt haussa les sourcils et prit l'appareil.

— Tu ne m'avais jamais parlé de lui, reprit Kathy avec un sourire moqueur.

— Tout le monde a un oncle en Amérique.

Kathy tourna les talons. Blunt approcha le téléphone de son oreille.

— Oui ?

— Tu vas devoir renoncer aux plages du Lido. Les vacances sont terminées.

La voix lui confirmait ce que l'expression codée lui avait déjà fait comprendre : Tate, alias l'oncle d'Amérique, réclamait ses services.

— C'est bien le travail auquel je pense ?

— Tu as toujours été doué pour la lecture de pensée.

— D'accord, je veux bien m'en occuper. Mais je travaille à domicile.

— Tu es trop occupé avec tes petits amis de l'Institut pour venir à Washington ?

— Il n'y a plus d'Institut.

— Puisque tu le dis…

— S'il existait encore, penses-tu que je travaillerais pour toi ?

— Tu évoques là une hypothèse intrigante…

— Je vais avoir besoin de toute l'information disponible.

— J'ai relevé ton accès. Tu es maintenant niveau quatre. Une description de la mission a été déposée dans ta boîte aux lettres électronique. J'y ai joint l'information pertinente que nous avons.

— Jugée pertinente par qui ?

— Le responsable de notre équipe de crise. Tu peux lui transmettre toutes les demandes d'information que tu estimeras utiles, lui faire toutes les suggestions qui te sembleront appropriées.

— Et si j'ai des problèmes avec ton équipe ?

— Tu me contacteras. Je couperai une ou deux têtes pour l'exemple.

— Tu vas te faire plein d'amis !

— Il y a déjà des groupes qui réclament qu'on bombarde La Mecque en guise de représailles. Alors, les susceptibilités froissées…

RADIO HUESCA, 11 H 03

▌… LA VAGUE DE VIOLENCES ANTI-ISLAMISTE A FAIT TROIS NOUVELLES VIC-
▌TIMES DANS LE QUARTIER VALLECAS À MADRID…

MONTRÉAL, SPVM, 11 H 14

Théberge parcourut rapidement le rapport sur son bureau. L'expert expliquait en trois paragraphes qu'il n'avait rien trouvé sur l'enveloppe jaune et sur les enveloppes qu'elle contenait. Rien sauf les empreintes de Théberge et celles de Margot.

Une autre piste qui menait à un cul-de-sac.

Théberge se leva de son bureau, prit sa pipe et se dirigea vers la fenêtre. Il eut à peine le temps de tirer une bouffée sur sa pipe éteinte que le téléphone sonnait.

— Ça fait toujours plaisir de parler à une vedette, fit la voix ironique de Morne.

Théberge résista à la tentation de raccrocher. Après les images diffusées à la télé, c'était inévitable que les politiques s'agitent.

— Vous avez une idée de l'identité de votre admirateur ? reprit Morne.

Il faisait allusion à la vidéo diffusée la veille par HEX-TV et répercutée sur Internet dans les minutes suivantes. On y voyait Théberge arriver à l'Oratoire, se rendre sur les lieux de l'attentat, repartir, arriver à l'appartement de la rue Champagneur, y entrer, en sortir, envoyer promener le journaliste après deux ou trois répliques et repartir.

En temps normal, tout cela aurait moins porté à conséquence. Personne ne pouvait se surveiller en permanence pour ne pas être la cible d'un téléobjectif ou d'une caméra dissimulée dans un appartement.

Cette fois, cependant, les extraits de film avaient été transmis à la télé accompagnés de révélations sur l'identité des trois auteurs de l'attentat : trois émigrants arabes de longue date bien intégrés à leur milieu.

L'information transmise à HEX-TV était accompagnée d'un bref mot d'explication.

Pendant que le nécrophile discute avec les morts, notre enquêteur underground démasque les terroristes. Des informations supplémentaires seront divulguées demain sur le site Internet www.lesvraiesinfos.ru.

— Vous ne savez toujours pas qui est derrière ce site ? demanda Morne.

— Pour le moment, il est enregistré en Roumanie. Le temps qu'on ait un contact là-bas, qu'on puisse intervenir, il va avoir déménagé.

— Autrement dit, vous ne pouvez rien faire ?

Théberge ne répondit pas. À deux occasions, au cours des mois précédents, *lesvraiesinfos.ru* avait publié des informations qui avaient mené à l'arrestation de coupables dans des affaires criminelles.

— On entend de plus en plus de commentaires favorables à leur sujet, reprit Morne. À la dernière réunion du Cabinet, un ministre a suggéré qu'on les trouve au plus vite… pour les engager ! Et je ne suis pas sûr que c'était une blague.

— Vous voulez ma démission ?

Morne hésita quelques secondes, comme s'il se demandait comment répondre.

— La question n'est pas de savoir ce que je veux, finit-il par dire, mais ce que le public veut.

— C'est vous qui avez insisté pour que je reste.

— Je sais. Et c'est moi qui ai suggéré cet arrangement pour que vous aidiez Crépeau… À l'époque, c'était ce que le public voulait.

Théberge laissa se poursuivre le silence.

— Il faut que je vous laisse, déclara finalement Morne. Je dois *briefer* le premier ministre sur le dossier des quotas d'importation de céréales. Les négociations avec les provinces de l'Ouest commencent demain.

Théberge raccrocha.

Son offre de démission l'avait surpris lui-même autant qu'elle avait semblé décontenancer Morne. La réplique avait surgi sans qu'il y pense. Et maintenant, il ne pouvait s'empêcher de ruminer l'idée. Il y avait probablement dans cette réplique plus qu'un simple mouvement d'humeur.

Au cours des derniers jours, il n'avait cessé de songer à la mise en garde qu'il avait reçue chez Margot. Aux mystérieuses menaces qui étaient censées peser sur lui… Et, surtout, au fait que madame Théberge était explicitement associée à ces menaces.

Le danger, l'intimidation, les attaques contre sa personne, cela faisait partie du métier. Il s'était habitué à vivre avec cela. Mais sa femme…

Si la sécurité de son épouse exigeait qu'il démissionne, il n'hésiterait pas à le faire. Même s'il était prévisible qu'elle continuerait à s'y opposer.

Quand il lui avait montré le message et qu'il avait évoqué la possibilité de sa démission, elle lui avait demandé si c'était vraiment ce qu'il voulait. Tout quitter. Rompre avec ses amis… Bien sûr, il lui resterait la pêche. Mais la saison de la pêche ne durait pas toute l'année. Que ferait-il du reste de son temps ?… Tout ça pour une vague menace ?

Une fois déjà, face au danger que représentait le Consortium, elle avait refusé qu'ils aient recours aux services de l'Institut pour se mettre à l'abri. Son opinion n'avait pas changé. Quand elle l'avait épousé, elle connaissait les risques de son métier et elle était prête à les assumer avec lui. Ce n'était pas à leur âge qu'ils allaient commencer à se laisser intimider.

C'était très courageux de sa part, Théberge était obligé de le reconnaître. Mais il avait peur que ce soit aussi très stupide. Si seulement elle n'était pas aussi têtue !

HAMPSTEAD, 18 H 52

Fogg était assis devant l'écran d'ordinateur de son bureau. Un foulard protégeait son cou contre la fraîcheur du soir qui avait envahi la pièce par la fenêtre du jardin.

— Ce que j'ai, dit-il, c'est cinq attentats, cinq messages de revendication similaires et cinq groupes de terroristes arabes exécutés de deux balles dans la nuque. Ils ont tous été retrouvés morts dans des appartements presque vides.

— Même chose pour moi, répondit le visage de F sur l'écran. Est-ce que vous savez d'où ça vient ?

— Les Djihadistes du Califat universel est un groupe inconnu de nos services.

Fogg avait prononcé les deux derniers mots sur un ton où perçait l'humour.

— J'avais pensé à Paradise Unlimited, répliqua F.

— Je vous l'ai déjà dit, cette filiale n'existe plus.

— Des groupes résiduels…

— Je le saurais.

— Et si ça venait de Toy Factory ? Pour stimuler la vente d'armes, on peut difficilement trouver mieux.

— Ça m'étonnerait. Cette filiale est en pleine restructuration. Il y a même des rumeurs comme quoi « ces messieurs » voudraient la privatiser pour s'en débarrasser.

— Vous la vendriez au secteur privé ! s'exclama F sans parvenir à dissimuler une certaine surprise.

— Pour le moment, ça reste des rumeurs… Je vous communiquerai des informations à ce sujet quand j'aurai trouvé une façon plausible de vous les faire découvrir par une autre source.

Quand l'écran s'éteignit, Fogg laissa aller la quinte de toux qu'il avait retenue.

Le projet le plus important de sa vie était finalement amorcé. Pourvu qu'il ait le temps de le mener à terme! songea-t-il. Ce serait ironique qu'il connaisse un sort semblable à celui de son ancien mentor, qu'il meure juste au moment où le projet de sa vie entrait dans sa phase finale.

Fox News Channel, 14 h 07

— ... c'est le temps d'ouvrir les yeux. On les laissera pas dynamiter nos églises sans réagir. Il faut riposter pendant qu'on peut encore le faire. Il faut nettoyer la société américaine des cellules dormantes de terroristes qui attendent leurs ordres de l'Iran ou de la Syrie!

— Vous proposez de faire ça comment?

— C'est simple. Il faut purger la société de ceux qui refusent de s'assimiler. S'ils viennent dans notre pays, c'est parce que c'était le bordel, là d'où ils viennent. Si on les laisse faire ici ce qu'ils faisaient chez eux, on va se retrouver avec le même bordel qu'ils avaient créé là-bas! Logique, non?

— Ça, pour être logique, c'est logique!... On passe à un autre appel. Nous avons maintenant Bob Richard, de Millington...

Montréal, 14 h 46

Crépeau avait réquisitionné Théberge pour l'accompagner. Sa présence ne pouvait rien changer aux événements, mais il était important de manifester de la solidarité envers les musulmans.

Devant la mosquée, il fut reçu par l'imam responsable des lieux. Plusieurs membres de la communauté musulmane l'accompagnaient.

Ensemble, ils inspectèrent les dommages causés par les vandales: les trois vitres brisées, les graffitis sur les murs...

HOSTIE DE POURRIS!

RETOURNEZ CHEZ VOUS!

FUCKING ARABS! YOU BETTA WATCH OUT!

À l'intérieur, ils purent constater les dégâts causés par les sacs de peinture qui avaient éclaté dans deux des pièces.

Crépeau prit une foule de notes dans un petit calepin noir. La chose avait peu d'utilité : tous les détails avaient été consignés par les policiers qui s'étaient rendus sur les lieux, une heure plus tôt, accompagnés de l'équipe technique. Ils avaient tourné une vidéo de l'intérieur et ils avaient noté tout ce qui pouvait être utile aux fins de l'enquête : mais il ne suffisait pas de prendre l'affaire au sérieux, il fallait en donner l'impression aux membres de la communauté. L'imam avait été très clair sur ce point, quand il avait téléphoné à Crépeau : plusieurs jeunes commençaient à parler de représailles ; ils étaient sûrs que la police ne s'occuperait pas de l'affaire parce que ça concernait des musulmans. C'est à eux, principalement, que s'adressait cet exercice pédagogique.

Crépeau prit le temps d'écouter longuement l'imam lui résumer une nouvelle fois les événements et lui expliquer à quel point ce type de profanation était grave. Un caméraman de la télé communautaire immortalisa la pose attentive et respectueuse du directeur du SPVM pendant qu'il écoutait le chef spirituel de la communauté.

Derrière lui, Théberge s'efforçait d'adopter la même attitude. Il avait cependant de la difficulté à demeurer concentré sur la rencontre : en faisant le tour de la mosquée, il n'avait pu échapper à un sentiment de déjà-vu. Et les événements qui lui revenaient à l'esprit, c'étaient les attentats contre les synagogues, quelques années plus tôt… Est-ce que le même genre de campagne raciste recommençait, avec un simple changement de cible ?

HEX-Radio, 16 h 15

— … vous écoutez Parano.com, l'émission qui n'a pas peur de parler des vraies conspirations. Avec vous jusqu'à 17 heures, c'est Parano Kid. Aujourd'hui, j'ai avec moi un de vos chroniqueurs préférés : News Pimp. Avec lui, on va débrouiller les fils de la désinformation qu'on veut nous faire prendre pour la réalité… Salut, Pimp.

— Salut, Kid.

— Avec tout ce qui se passe, on ne sait plus où donner de la tête. Un bozo qui se fait rôtir dans un crématorium – mais peut-être qu'il était déjà noyé… ou peut-être qu'il avait été mangé par des

BACTÉRIES… UNE BOMBE QUI FAIT SAUTER LE FRÈRE ANDRÉ ET UNE COUPLE
DE PÈLERINS… TROIS ARABES TROUVÉS MORTS DANS UN APPARTEMENT…
À TON AVIS, PIMP, C'EST QUOI, LE PLUS IMPORTANT, DANS TOUT ÇA?

— POUR MOI, C'EST L'AFFAIRE DE L'ORATOIRE.

— ÇA, AU MOINS, ON CONNAÎT LES RESPONSABLES.

— JUSTEMENT! LÀ, TOUT LE MONDE TOMBE SUR LE DOS DES MUSULMANS.
MAIS IL Y A UN CÔTÉ DE L'AFFAIRE DONT PERSONNE PARLE… D'APRÈS TOI,
KID, LES TERRORISTES QU'ILS ONT TROUVÉS MORTS DANS UN APPARTEMENT,
EST-CE QUE TU PENSES QU'ILS ÉTAIENT DÉJÀ MORTS QUAND LES FLICS LES
ONT TROUVÉS?

— AUCUNE IDÉE… LE NÉCROPHILE ÉTAIT SUR PLACE. TU PENSES QU'IL
LES A ÉLIMINÉS PARCE QU'IL TROUVE ÇA PLUS SIMPLE DE PARLER AVEC DES
MORTS?

(RIRES)

— LE PROBLÈME QUE J'AI, AVEC LES TROIS TERRORISTES MORTS, C'EST
QU'ILS NE PEUVENT PLUS RIEN DIRE.

— SAUF AU NÉCROPHILE!

(RIRES)

— C'EST SÛR, SAUF AU NÉCROPHILE…

— SÉRIEUSEMENT, TU PENSES QUE C'EST LES FLICS QUI LES ONT DES-
CENDUS?

— EN TOUT CAS, C'EST UNE BONNE MANIÈRE DE LES EMPÊCHER DE PARLER.
ÇA EMPÊCHE L'ENQUÊTE DE REMONTER AUX CERVEAUX DE L'OPÉRATION.

— MOI, JE VOIS PAS LES FLICS PROTÉGER LES ARABES.

— ÇA DÉPEND POUR QUI LES ARABES TRAVAILLENT… C'EST PEUT-ÊTRE
LES MULTINATIONALES DU PÉTROLE QUI SONT DERRIÈRE ÇA. SI LA GUERRE
PREND AVEC LES PAYS ARABES, AS-TU UNE IDÉE DU *CASH* QU'ELLES VONT
FAIRE QUAND LE PRIX DE L'ESSENCE VA RECOMMENCER À GRIMPER?

LONDRES, 22 H 05

Joyce Cavanaugh contemplait les murs de la salle des
Initiés. La grande murale, au fond, était couverte de symboles qu'elle n'arrivait pas à déchiffrer. Il y en avait de
différentes sortes répartis par sections: des empilements
de séries de points et de lignes enfermés dans des car-
touches semblables à ceux des hiéroglyphes égyptiens,
des tableaux mouchetés de taches et de points noirs sur
fond blanc, des lignes sur lesquelles étaient distribués des
petits cercles, comme des cordes dans lesquelles on
aurait fait des nœuds… Ce qui frappait, c'était qu'aucun
des symboles ne semblait représentatif. Les seuls éléments reconnaissables étaient les quatre planisphères,

aux quatre coins de la murale. Des planisphères sans aucun symbole ou élément textuel susceptible de les distinguer.

Joyce Cavanaugh se demanda brièvement si tous ces signes avaient un sens. Puis elle se dit qu'ils devaient avoir une fonction décorative. Ça créait une atmosphère parfaitement adaptée à une « salle des Initiés ».

Autour d'elle, une trentaine de personnes discutaient à voix basse, la plupart en anglais, par groupes de deux ou trois. Ils avaient presque tous un verre de champagne à la main.

C'était la première fois qu'elle les rencontrait. Fogg lui avait parlé d'eux à quelques reprises, toujours sous l'appellation anonyme de « ces messieurs ». C'étaient donc eux qui tenaient dans leurs mains l'avenir du projet Consortium, songea-t-elle. Eux qui consacraient maintenant leurs efforts à un projet plus ambitieux encore.

Lord Killmore fit tinter son verre pour obtenir le silence.

— Nous sommes réunis ce soir pour fêter non pas un, mais deux événements heureux. Le premier, c'est que nous accueillons un nouveau membre dans nos rangs ; je veux parler de madame Cavanaugh. Madame Cavanaugh aura la tâche délicate et exigeante de reprendre en main le projet Consortium et de l'adapter à nos nouveaux besoins.

Une série de murmures approbateurs se fit entendre. Killmore attendit qu'ils s'éteignent avant de poursuivre.

— J'ai également le plaisir de partager avec vous une autre bonne nouvelle. Comme vous le savez tous, seule l'Apocalypse peut faire accéder l'humanité à un stade plus avancé d'organisation. Seule l'Apocalypse peut dissoudre les rigidités sociales et culturelles qui empêchent l'évolution de notre espèce. C'est pourquoi le Cénacle s'emploie, depuis des années, à préparer le chaos créateur sans lequel rien de véritablement nouveau ne peut émerger. Avant de penser à gérer l'Apocalypse, il fallait d'abord s'assurer qu'elle soit correctement amorcée. Eh bien, c'est maintenant chose faite. Notre préparation est terminée. Ce soir, je suis fier de vous annoncer que le compte à rebours est commencé. Dans quelques jours, le premier de nos quatre cavaliers entrera en action… Le projet « Émergence » est officiellement en marche.

Il leva son verre, suivi de tous les autres invités. Puis son regard s'arrêta un instant sur Whisper, dans son fauteuil habituel au fond de la salle. Ce dernier leva discrètement son verre en lui adressant un sourire froid.

Le regard de Killmore parcourut ensuite l'assistance… Combien d'entre eux comprenaient vraiment la portée de ce qu'ils étaient en train de réaliser ? Et quand viendrait le temps de l'Exode, combien d'entre eux trouveraient place dans la cohorte des Essentiels ?… La moitié, peut-être…

Montréal, 17 h 37

Assis près d'une fenêtre au deuxième étage de la librairie Chapters, Skinner avait une vue plongeante sur l'intersection Stanley–Sainte-Catherine.

Quand il vit Parano Kid traverser la rue et se diriger vers l'entrée de la librairie, il referma l'ordinateur portable sur lequel il avait feint de travailler, le rangea dans un porte-documents en cuir et s'occupa à siroter son café.

Quelques minutes plus tard, Parano Kid passait lentement à côté de lui. Skinner se leva et le suivit jusqu'au rayon des *Cultural Studies*. Après s'être assuré qu'il n'y avait personne près d'eux, il déposa son porte-documents par terre, feuilleta un livre ou deux, puis s'éloigna en direction de l'escalier.

Parano Kid s'immobilisa à côté du porte-documents, fit mine de chercher un livre, puis il prit le porte-documents et se dirigea à son tour vers la sortie.

Son premier arrêt serait la banque, pour déposer les dix mille dollars que contenait la mallette. De quoi assurer le fonctionnement du site Internet clandestin pendant plusieurs mois.

Ensuite, il retournerait à HEX-Radio pour prendre connaissance des informations que renfermait l'ordinateur.

Londres, 23 h 19

La réception était terminée depuis quelques minutes. La plupart des invités étaient partis. Cavanaugh examinait de nouveau la murale. Celle-ci était divisée en quatre grands secteurs qui se démarquaient par la couleur de fond du mur : beige, bleu pâle, vert pâle et rouge. Les transitions entre les couleurs n'étaient pas nettes mais graduelles, chacune se diluant progressivement dans la couleur contiguë.

Killmore arracha Joyce Cavanaugh à sa contemplation.

— Intrigant, n'est-ce pas ?

— Est-ce que les couleurs ont une signification ? demanda Joyce Cavanaugh.

— Certains y voient une représentation des quatre éléments : le sable, l'eau, l'air et le feu.

— Et la bande de symboles en noir sur fond blanc, dans le haut ?

— C'est une sorte de clé de voûte. C'est pour cette raison qu'elle fait toute la longueur de la murale.

— Et les planisphères, dans chacune des quatre sections ?

— Ce sont des planisphères, répondit Killmore avec un sourire.

Elle balaya les trois murs d'un geste de la main.

— Est-ce que tout cela est censé avoir un sens ? demanda-t-elle.

— Chacun est maître de ses interprétations, répondit Killmore sur un ton légèrement ironique.

Puis il ajouta :

— Si vous le voulez bien, nous allons poursuivre cette conversation dans un endroit plus tranquille.

Il l'entraîna vers l'ascenseur. Au onzième étage, la porte de l'ascenseur s'ouvrit sur une bibliothèque plus petite que celle que Cavanaugh connaissait. Le tapis était couleur sable.

— Ma bibliothèque personnelle, fit Killmore.

Cavanaugh s'approcha pour examiner les rayons : Schopenhauer, Nietzsche, Breton, Bataille, Beckett, Kundera, Bernhard, Cioran, Angot, Jelinek…

— Quelqu'un les a appelés avec une certaine justesse des « professeurs de désespoir », poursuivit Killmore.

Voyant le regard intrigué de Cavanaugh, il ajouta :

— Des professionnels de la pensée sans compromis. Ils ont compris mieux que personne la futilité de l'existence ordinaire de la foule. Et ils ont presque tous débouché sur une forme ou une autre d'élitisme comme moyen de salut.

Il fit une pause et conclut en souriant :

— Tout ce qui leur manquait, c'était de comprendre que le vrai salut n'est pas dans l'art, mais dans le pouvoir.

Cavanaugh reprit son inspection. Un rayon complet était consacré à des livres de reproductions d'art organique. Killmore choisit un livre dans le rayon et le tendit à la femme.

— Louis Art/ho, fit Cavanaugh en lisant. *Petite dissection de l'art occidental. Précis d'art organique.*

— Une œuvre de précurseur. Même si l'auteur n'a jamais pris conscience de la portée politique de son œuvre !

Le sourire de Killmore s'élargit.

— Il faut toujours écouter les artistes, reprit-il. Ce n'est pas parce qu'ils ne savent pas trop ce qu'ils font… ou ce qu'ils disent… que ce qu'ils font n'est pas intéressant.

Il récupéra le livre des mains de Cavanaugh et le replaça dans le rayon. Puis il montra d'un geste une reproduction d'une œuvre de Gunther van Hagens, qui séparait deux parties d'un rayon. Il s'agissait de la plastication d'un corps de femme, dont le ventre ouvert révélait un fœtus.

— Ça, c'est exactement le sens de notre entreprise : remodeler l'être humain pour le rendre plus résistant à l'usure du temps.

— Je suis étonnée de vous découvrir amateur d'art.

— Seul l'art moderne m'intéresse. Celui qui s'attaque à la tâche de dissoudre nos vieilles valeurs obscurantistes sur ce que nous croyons être l'humanité. J'ai réuni dans cette pièce les œuvres majeures de ceux qu'on pourrait appeler les théoriciens du choc créateur. Ceux qui, dans leurs œuvres, ont mis de l'avant l'idée que l'humanité est une ébauche qu'il faut faire évoluer... Mais ce n'est pas pour vous parler de ça que je vous ai demandé de venir.

Il l'entraîna vers les deux fauteuils au fond de la pièce. Sur une petite table, une théière et deux tasses les attendaient.

— J'ai pris la liberté de nous faire préparer du thé.

Il en versa dans les deux tasses.

— Païi Mu Tan. Ça va ?

La femme murmura un acquiescement.

Pendant près d'une minute, Killmore se consacra à la tâche de goûter le thé. Puis il posa sa tasse dans la soucoupe.

— J'aimerais entendre votre évaluation du travail de Fogg.

Cavanaugh prit une gorgée de thé pour se donner le temps de réfléchir. Il était toujours difficile de savoir si les questions de Killmore n'étaient que des questions ou si elles constituaient un test.

— La reconstruction des filiales avance bien, répondit-elle. Je dois lui donner le crédit d'avoir laissé une bonne marge de manœuvre à madame Hunter. Elle a accompli un travail remarquable.

— Et sa santé ?

— Difficile de savoir. Parfois, je pense que ses crises sont simulées, ou induites volontairement, tellement il réussit à se rétablir de façon spectaculaire. D'autres fois...

— Au fait, où en est sa guerre contre l'Institut ?

— Il prétend qu'il a un plan infaillible pour en éliminer les derniers résidus. Il a fait inclure le Québec dans les opérations commandées par monsieur Gravah… Vous croyez que l'Institut représente encore un danger ?

— Je me suis toujours méfié des avis de décès qui ne sont pas accompagnés du cadavre approprié.

Un sourire apparut sur les lèvres de Killmore.

— De toute manière, si l'Institut a été détruit comme organisation, ce qui est bien possible, les éléments qui ont survécu conservent un pouvoir de nuisance qu'il serait irresponsable de sous-estimer… Surtout après les dégâts qu'ont récemment subis certaines de nos filiales.

Son sourire s'élargit.

— Et puis, le temps que Fogg consacre à tenter de les débusquer, il ne le passe pas à s'occuper de nous !

Avant que Cavanaugh puisse intervenir, il enchaîna :

— Globalement, que pensez-vous de sa gestion du projet Consortium ? Quelle note lui donneriez-vous ?

— Presque A.

Killmore la regarda avec intérêt.

— Pourquoi cette réticence ?

— Je trouve qu'il diversifie trop rapidement ses activités. Il aurait dû centrer l'organisation sur ses principales forces et ralentir le développement des autres secteurs. Mais comme ses meilleurs appuis sont dans les filiales secondaires, je suppose qu'il cherche à consolider son pouvoir.

Tout en prenant de petites gorgées de thé, Killmore continuait de la regarder avec attention. Ses yeux, par-dessus la tasse, ressemblaient à deux caméras-espions à l'affût des moindres gestes de son interlocutrice.

— Je suis assez d'accord avec vous, dit-il en redéposant sa tasse. Le Consortium a besoin d'être recentré. Vous allez lui dire de ne conserver que Safe Heaven et General Disposal Services. Il a six mois pour liquider les autres filiales.

— Quoi ?!

— Il va de soi que la liquidation doit être effectuée de manière ordonnée… et rentable. Il ne manque pas d'organisations qui seraient intéressées à acquérir nos opérations et nos infrastructures dans les secteurs dont nous allons nous départir.

— Cela équivaut à liquider le Consortium !

— À le faire évoluer, rectifia Killmore. Et puis, vous n'êtes pas obligée de lui présenter les choses de cette façon... Disons que c'est une rationalisation de nos activités. Il ne pourra pas s'opposer à ça !

— Je veux bien, mais je ne vois pas pourquoi, tout à coup...

— Pour l'amadouer, vous allez lui annoncer la création d'une nouvelle filiale : White Noise... Pour s'occuper des médias.

Cavanaugh sourit, à la fois parce qu'elle songeait à la tête de Fogg quand elle lui apprendrait la nouvelle et parce qu'il aurait été inapproprié de ne pas sourire de la blague de Killmore.

— Le cas de Brain Trust est un peu particulier, reprit Killmore. Cette filiale sera prise en charge directement par un membre du Cénacle. Mais à l'insu de Fogg. Dites-lui simplement que sa liquidation doit être planifiée, mais qu'elle ne doit d'aucune façon être mise en œuvre avant qu'il reçoive un ordre explicite en ce sens, car nous aurons besoin de ses services pendant un certain temps encore.

ARTV, 18 h 35

— J'AI LE PLAISIR D'ACCUEILLIR VICTOR PROSE, L'AUTEUR D'UN ESSAI INTITULÉ *LES TAUPES FRÉNÉTIQUES*. MONSIEUR PROSE, BONJOUR.

— BONJOUR.

— MONSIEUR PROSE, VOUS AFFIRMEZ DANS VOTRE ESSAI QUE NOUS VIVONS UNE MONTÉE AUX EXTRÊMES. QUE CE PHÉNOMÈNE EST EN PASSE DE DEVENIR LE PRINCIPAL AXE DE DÉVELOPPEMENT DE NOS SOCIÉTÉS...

— « UN » DES AXES.

— D'ACCORD, « UN » DES AXES... EST-CE QUE L'ATTENTAT À L'ORATOIRE SAINT-JOSEPH A ÉTÉ POUR VOUS UNE SURPRISE ?

— POUR ÊTRE EFFICACE, UN ATTENTAT DOIT NÉCESSAIREMENT ÊTRE UNE SURPRISE. ÇA FAIT PARTIE DE SES CONDITIONS D'EFFICACITÉ. C'EST QUAND ON NE SAIT RIEN DU MOMENT ET DU LIEU DU PROCHAIN ATTENTAT QUE LE POTENTIEL DE TERREUR EST LE PLUS FORT.

— MAIS MONTRÉAL !... C'EST QUAND MÊME ÉTONNANT, NON ?

— LE PLUS ÉTONNANT, CE N'EST PAS QU'IL Y AIT EU UN ATTENTAT TERRO-RISTE À MONTRÉAL ; C'EST QU'ON ASSOCIE L'ORATOIRE SAINT-JOSEPH AUX AUTRES LIEUX QUI ONT ÉTÉ VISÉS.

— À VOS YEUX, LE FRÈRE ANDRÉ, ÇA NE PÈSE PAS LOURD SUR LE MARCHÉ DE LA SAINTETÉ ?

(RIRES)

— JE NE SUIS PAS UN EXPERT DE CE MARCHÉ… CE QUI ME FRAPPE, PAR CONTRE, C'EST QUE LES LIEUX ATTAQUÉS NE SONT PAS SEULEMENT DES LIEUX DE CULTE, CE SONT AUSSI DES SYMBOLES NATIONAUX. LE VATICAN, L'ABBAYE DE WESTMINSTER, NOTRE-DAME DE PARIS, MÊME LA CATHÉ-DRALE SAINT-PATRICK À LA RIGUEUR… TANDIS QUE L'ORATOIRE…

— SELON VOUS, UN CONFLIT DE CIVILISATIONS ENTRE L'OCCIDENT ET L'ISLAM EST DONC ENVISAGEABLE ?

— JE NE PENSE PAS QUE NOUS EN SOYONS LÀ. MAIS SI CE TYPE D'ATTENTAT TERRORISTE SE MULTIPLIAIT… IL ME SEMBLE QUE, MAINTENANT, ON FAIT LA GUERRE MOINS POUR CONQUÉRIR DES TERRITOIRES ET LEURS RES-SOURCES QUE POUR NETTOYER LA SOCIÉTÉ, POUR ÉLIMINER « L'AUTRE »…

— AU-DELÀ DES RAISONS RELIGIEUSES ET DE LA GUERRE CONTRE LE TER-RORISME, EST-CE QUE BUSH N'A PAS ENVAHI L'IRAK POUR CONTRÔLER LE PÉTROLE ?

— EN APPARENCE, IL AVAIT L'AIR DE VOULOIR SÉCURISER L'APPROVISION-NEMENT EN PÉTROLE DE L'AMÉRIQUE. MAIS SI ON REPLACE ÇA DANS UN CONTEXTE PLUS GLOBAL, ON VOIT QUE TOUTES SES GRANDES DÉCISIONS ONT EU COMME SEUL EFFET DE FAIRE MONTER LE PRIX DU PÉTROLE. PAS DE SÉCURISER LES APPROVISIONNEMENTS… PEUT-ÊTRE QUE C'ÉTAIT ÇA, L'IMPORTANT, À SES YEUX. PEUT-ÊTRE QUE « GAGNER » OU NON LA GUERRE ÉTAIT ACCESSOIRE ; QUE L'ESSENTIEL, C'ÉTAIT QUE LA SITUATION SOIT EM-POISONNÉE. ÇA SUFFISAIT POUR CATAPULTER LE PRIX À LA HAUSSE ET FAIRE PLAISIR À SES AMIS.

— VOUS ÊTES EN PLEINE THÉORIE DE LA CONSPIRATION !

— QUAND ON CONNAÎT LES LIENS DE BUSH AVEC LES PÉTROLIÈRES, L'HYPO-THÈSE N'EST PAS SI DÉLIRANTE ! MAIS IL SE PEUT QU'IL N'Y AIT LÀ AUCUN COMPLOT, QUE CE SOIT UNE ACCUMULATION D'ERREURS, DE DÉCISIONS BÊTES ET DE JUGEMENTS SIMPLISTES… CE QUE JE TROUVE DIFFICILE À ÉVALUER, DANS LES DÉCISIONS DE BUSH, C'EST CE QUI REVIENT À L'INFLUENCE DES PÉTROLIÈRES, CE QUI REVIENT À L'IDÉOLOGIE NÉO-CONSERVATRICE ET CE QUI REVIENT AUX LUBIES PERSONNELLES OU AUX INTÉRÊTS FINANCIERS DE SON ENTOURAGE.

— DE FAÇON GÉNÉRALE, EST-CE QUE LES GUERRES DE RELIGION NE SONT PAS TOUJOURS DES PRÉTEXTES UTILISÉS POUR MOBILISER LES MASSES ET JUSTIFIER DES CONQUÊTES ÉCONOMIQUES ?

— C'ÉTAIT PROBABLEMENT VRAI DES CROISADES, MAIS JE DOUTE QUE CE SOIT LE CAS AU RWANDA OU EN YOUGOSLAVIE… AU DARFOUR, EN TCHÉTCHÉNIE, LA SITUATION EST MOINS CLAIRE. COMME EN IRAK… ON peut discerner des intérêts économiques, mais, sur le terrain, le conflit prend rapidement la tournure d'une guerre civile à composantes ethnique et religieuse...

— Il faut donc s'attendre à une augmentation des guerres civiles?

— L'originalité de notre époque, c'est que les guerres tuent de plus en plus de civils par rapport aux militaires. On est en train de passer de guerres contre des États à des guerres contre des populations.

— Autrement dit, des massacres...

— C'est le point sur lequel tout le monde a l'air de s'accorder, non? Les terroristes, les génocidaires, les fabricants de mines antipersonnel, les stratèges qui prônent les bombes propres — je parle de celles qui déciment les populations sans abîmer les infrastructures —, les chefs de guerre qui recrutent des enfants soldats: tout ça, ça carbure au meurtre de civils. Des civils qu'on tue ou qu'on envoie tuer et se faire tuer.

— C'est pas très joyeux, ce que vous me dites...

— « Pas très joyeux » est probablement un euphémisme...

Londres, 23 h 37

Après avoir servi une autre tasse de thé à Joyce Cavanaugh, Killmore déposa la théière sur la petite table.

— Il y a trois façons d'exercer le pouvoir, dit-il: la rétribution, la persuasion, la dissuasion. Autrement dit, on peut acheter les gens, on peut les convertir et on peut les intimider. Ce sont les trois façons de les amener à faire ce que l'on désire.

— Et les trois filiales...

— ... font exactement cela. Safe Heaven s'occupe de l'argent. GDS, de l'intimidation. Quant à White Noise, elle va assumer la gestion de l'information et du divertissement.

— Ce que je comprends mal, ce sont les raisons de cette réorientation du Consortium.

— La phase finale du processus d'émergence est sur le point de s'amorcer. Désormais, toutes nos actions seront directement ordonnées à cette fin. Nous allons manipuler l'évolution planétaire de manière à favoriser l'émergence d'une nouvelle humanité. Une humanité rationnelle, débarrassée de ses délires et de ses illusions.

La transition ne sera pas facile. Le nombre des victimes sera aussi élevé que lors des précédentes grandes transitions qui ont marqué l'évolution du vivant. Mais le Cénacle sera là. « Nous » serons là. Notre tâche sera de veiller à ce que le passage s'effectue de manière efficace… Les trois filiales feront partie de nos principaux outils.

Killmore se leva et se mit à marcher dans la pièce pendant qu'il continuait son exposé.

— En vous octroyant une place au Cénacle, je vous offre la possibilité d'être à la fois le témoin et le guide de cette évolution. Vous allez voir la véritable humanité naître sous vos yeux. Dites-vous que nous sommes la pointe avancée de l'Émergence.

Cavanaugh regardait Killmore sans savoir exactement de quelle manière réagir.

— Je comprends que vous soyez un peu déconcertée, fit Killmore. Moi-même, quand j'ai conçu ce plan, quand j'ai compris que j'étais en quelque sorte le premier représentant d'une nouvelle lignée d'humains…

DRUMMONDVILLE, 19 H 26

Sur l'écran, un homme dont le visage était couvert d'un masque de bouddha faisait un exposé sur un fond de désert. Son corps, entièrement recouvert d'une djellaba ocre, était immobile.

Dominique réécoutait pour la quatrième fois l'enregistrement de celui qui disait s'appeler Guru Gizmo Gaïa.

Je ne suis qu'un véhicule. C'est Gaïa qui s'exprime à travers moi. Mon seul mérite est d'avoir établi avec notre mère, la Terre, un lien suffisamment puissant pour qu'elle puisse me montrer la vérité… Voici ce que j'ai vu.

J'ai vu que la lutte des peuples musulmans contre l'Occident est un réflexe de survie. Mais un réflexe qui arrive trop tard. Bientôt, c'est la Terre elle-même qui va nous rejeter. Elle va se purger de la contamination que représente la prolifération humaine… Je l'ai vu.

J'ai vu Gaïa transformer l'humanité. Nous guider vers l'âge adulte. Nous faire évoluer vers une forme supérieure d'existence. Je l'ai vue se montrer ferme, comme une mère qui éduque des enfants capricieux. Et qui agit pour leur bien. Pour le bien de toutes les formes de vie qui partagent cette planète.

J'ai vu des légions d'êtres humains collaborer avec Gaïa. Je les ai vus prendre leurs responsabilités. Joindre leurs initiatives au grand mouvement de purification amorcé par Gaïa. Pour accélérer le processus. Pour abréger la pénible crise de croissance qui est devant nous… Chaque source de pollution qu'ils éliminaient raccourcissait notre difficile rééducation.

J'ai vu que plus la planète sera respectée, plus les sources de pollution seront réduites, moins notre apprentissage de la maturité écologique sera long et douloureux. Je l'ai vu.

J'ai vu l'Apocalypse qui est en marche.

Et maintenant, je vois venir le premier cavalier. L'humanité doit se préparer à avoir faim.

Dominique se tourna vers F, debout à côté d'elle.

— Vous en pensez quoi ?

— Il n'y a aucune incitation directe à la violence. Tout est présenté sous forme de prophéties. Si jamais ses prophéties se réalisent à cause des actions entreprises par ceux qui l'écoutent, ce sera la preuve qu'il est un vrai prophète. Qu'il annonce la vérité.

— Le risque, c'est que ceux qui l'écoutent dérapent, que leurs initiatives pour libérer Gaïa dérivent vers la violence et les opérations musclées.

— Vous pensez que c'est lié au terrorisme ?

— C'est quand même curieux qu'il y fasse référence.

— Et comme il y a des dizaines de milliers de visites chaque jour sur son site Internet…

— Une chose est certaine, ce n'est pas le premier illuminé venu. Son message est accessible en douze langues.

— Moi aussi, ça m'intrigue. Voyez ce que vous pouvez trouver.

CNN, 20 H 03

... LE PAPE A REÇU EN AUDIENCE PRIVÉE LES AMBASSADEURS DES PAYS MUSULMANS. AU TERME DE LA RENCONTRE, IL A APPELÉ TOUS LES CATHOLIQUES ET TOUS LES CHRÉTIENS À TENIR DES RÉUNIONS DE SOLIDARITÉ AVEC LEURS FRÈRES MUSULMANS POUR DÉSAMORCER LES REPRÉSAILLES ET LES ACTES DE VENGEANCE QUI ONT COMMENCÉ À SE PRODUIRE...

MONTRÉAL, HÔTEL RITZ-CARLTON, 21 H 09

À la télé, on voyait l'inspecteur-chef Théberge arriver puis sortir du salon funéraire.

Une autre séquence le montrait sortant de sa voiture puis se dirigeant vers un édifice à logements. Dans la séquence suivante, il sortait de l'édifice, discutait brièvement avec un journaliste, le rembarrait en écartant son micro de la main et s'engouffrait dans sa voiture. À peine avait-il fermé la portière que la voiture s'éloignait, accrochant au passage le micro du journaliste.

Dans la dernière séquence, Théberge descendait de voiture, l'air de mauvaise humeur, puis entrait dans une maison. Suivait un gros plan du numéro de porte, puis du nom de la rue.

L'image d'un animateur occupa ensuite l'écran. En agrandissant le cadrage, la caméra dévoila qu'il était assis dans un fauteuil, au centre d'un demi-cercle d'invités.

... ET VOILÀ, CHERS TÉLÉSPECTATEURS. C'ÉTAIENT QUELQUES-UNS DES EXTRAITS VIDÉO QU'ON PEUT TROUVER SUR INTERNET. LES AUTEURS DE CES ENREGISTREMENTS CLANDESTINS SE DISENT MEMBRES DU « GROUPE DE SURVEILLANCE DE L'INSPECTEUR-CHEF THÉBERGE », QU'ILS SURNOMMENT « LE NÉCROPHILE PROFITEUR ». ILS AFFIRMENT VOULOIR DOCUMENTER SES EXTRAVAGANCES, QUE NOUS SUBVENTIONNONS AVEC NOS TAXES.

QUELS QUE SOIENT LES MOTIFS DE CES VIDÉASTES AMATEURS, CETTE DOCUMENTATION, QUI A BRUSQUEMENT SURGI SUR INTERNET, SOULÈVE PLUSIEURS PROBLÈMES DÉLICATS, NOTAMMENT ÉTHIQUES. PAR EXEMPLE, UN POLICIER PEUT-IL INVOQUER LE DROIT À LA VIE PRIVÉE POUR NE PAS ÊTRE FILMÉ PENDANT SES HEURES DE TRAVAIL ?

POUR EN DISCUTER AVEC NOUS...

Skinner éteignit la télé. Peu importait ce que diraient les spécialistes : son objectif était atteint. Le lendemain, les gens commenceraient à s'intéresser davantage à Théberge. Quelques mentions dans les bulletins d'informations et les tribunes téléphoniques achèveraient le travail. Ce n'était plus qu'une question de temps avant que des paparazzis puis des journalistes accrédités commencent à traquer ses moindres faits et gestes.

Il se pencha sur la feuille blanche, sur sa table de travail, et il écrivit le titre d'un article qu'il allait envoyer à un journaliste : « Le mystère Théberge ».

Cette catastrophe est évitable. La solution saute aux yeux, mais aucun gouvernement ne peut la mettre en œuvre. Simplement la nommer serait suicidaire pour un élu. Pour survivre, il faut que l'espèce devienne son propre prédateur, qu'elle amorce un cycle de réduction de la population avant que la dégradation du stock alimentaire atteigne un point de non-retour.

Guru Gizmo Gaïa, *L'Humanité émergente*, 1- Pourquoi l'Apocalypse.

JOUR - 5

MONTRÉAL, CAFÉ CHEZ MARGOT, 8 H 04

Théberge entamait son deuxième espresso quand Matthew Trammel entra dans le café. En deux secondes, son regard fit le tour de la pièce. Après avoir adressé un bref signe de tête au mari de Margot, derrière le comptoir, il se dirigea vers la table de Théberge, qui fit un signe de la main pour l'inviter à s'asseoir en face de lui.

Trammel sourit, prit la chaise et la plaça en biais avec le mur avant de s'asseoir, de manière à avoir une meilleure vue sur le reste de la salle et à ne pas tourner le dos à la porte.

— Je croyais sincèrement que vous alliez m'appeler, dit-il.

La remarque de Trammel faisait allusion à des événements qui remontaient à quelques années. Un trafic d'armes qui passait par la réserve d'Akwesasne. Après la conclusion de l'affaire, il avait proposé à Théberge de travailler pour lui. Ce dernier n'avait jamais donné suite à cette offre.

— On ne peut pas empêcher un cœur d'espérer, répondit Théberge.

Margot, qui arrivait, déposa un café espresso devant Trammel, glissa l'addition sous sa tasse, le couvrit d'un regard soupçonneux et retourna à la cuisine sans dire un mot.

Trammel interrogea Théberge du regard.

— Je lui ai expliqué que vous ne voudriez probablement pas prolonger indûment votre visite, expliqua Théberge.

— Je suppose que je dois vous remercier…

— Autrement, vous auriez eu droit à un interrogatoire.

— C'est peut-être elle que je devrais recruter !

Il prit une gorgée d'espresso et parut agréablement impressionné.

— Même votre environnement est plein de surprises, reprit Trammel.

— Avoir su que votre visite avait un but anthropologique…

Le visage de Trammel prit un air soucieux.

— Pas vraiment… Dans quelques minutes, Davis va rencontrer votre chef, le directeur Magella Crépeau.

— C'est lui qu'il aurait fallu prévenir !

Le sourire de Trammel s'accentua légèrement. Il comprenait la réaction de Théberge. Les deux hommes partageaient la même opinion quant à l'agent de la GRC : Davis était une brute arrogante et agressive ; il pouvait s'avérer d'autant plus dangereux qu'il n'était pas sans intelligence et qu'il avait un acharnement de pitbull.

— J'ai estimé utile d'avoir un canal de communication, reprit Trammel. Un canal de communication privé.

— Et je suis l'heureux élu qui va enrichir votre vie privée ?

— Davis jappe beaucoup, mais il n'est pas vraiment une menace… Pas tant que je le contrôle.

— Est-ce que c'est une menace ?

Trammel prit un moment avant de répondre, comme s'il hésitait sur le comportement à adopter.

— Pas exactement…

Il fit une nouvelle pause. Théberge attendit patiemment qu'il poursuive.

— Mon contrôle sur Davis dépend de mon efficacité, reprit finalement Trammel. Et pour ça, je vais avoir besoin de vous.

— Il n'est pas question que je travaille pour le SCRS.

Trammel sourit.

— Je ne suis pas une brute, je ne vais pas vous demander de vous exiler à Ottawa… Non, ce qui m'intéresse, c'est ce qui se passe à Montréal.

— Vous parlez de l'attentat de l'Oratoire ?

— De ça… du groupe terroriste dont les exécutants ont été éliminés… des attentats contre les musulmans qui ont suivi…

— Et qu'est-ce qui vous fait croire que je peux vous aider ?

— J'ai étudié votre carrière… Vous avez un talent particulier pour vous trouver au milieu d'affaires qui ont une dimension internationale… Et chaque fois, vous avez réussi à tirer votre épingle du jeu.

— Vous n'allez quand même pas me reprocher d'avoir eu un certain succès.

— Ce n'est pas votre succès qui m'intrigue… Ce sont les conditions de votre succès.

— Vous faites un tantinet dans l'imprécision confondante.

— Je veux dire que, dans certains cas, vous paraissez avoir accès à des informations que même nous, nous n'avons pas.

— La flatterie ne vous mènera nulle part, dit Théberge.

— Soyons clair…

— Quand quelqu'un dit ça, c'est le moment de commencer à s'inquiéter.

Une certaine impatience se glissa dans la voix de Trammel.

— Je me fous de l'identité de vos sources, dit-il. La seule chose qui m'intéresse, c'est d'avoir accès aux informations qu'elles vous transmettent.

— Autrement dit, vous voulez que je sois votre informateur.

— Collaborateur.

Théberge regarda un moment sa tasse de café, la vida, puis releva les yeux vers Trammel.

— Je n'ai aucune idée des sources auxquelles vous faites allusion. Pour ce qui est de collaborer, il faudrait d'abord que je sache à quoi.

— Au démantèlement des groupes terroristes qui ont décidé de prendre Montréal comme terrain de jeu.

— « Des » groupes terroristes…

— Ce qui s'est passé à Montréal au cours des dernières années excède tous les paramètres applicables aux villes de cette taille. Comme les choses ont l'air de vouloir recommencer…

— Et vous jugez que le SPVM a besoin de votre aide ?

— La GRC y voit un prétexte pour jouer des muscles. Ça veut dire, éventuellement, la mise en tutelle de la SQ et du SPVM. Une forme réduite et adaptée des mesures d'urgence… Je pense qu'il est dans notre intérêt respectif de calmer l'enthousiasme de Davis.

Trammel prit une dernière gorgée de café. Se leva. Fouilla dans sa poche. En sortit une carte professionnelle qu'il mit sur la table.

— Je ne veux pas abuser de votre temps. De toute façon, si j'ai besoin de vous, je sais maintenant où vous trouver.

Il sourit avant d'ajouter :

— Merci pour le café.

Il tourna les talons, se dirigea vers la porte, salua le mari de Margot derrière le comptoir et sortit.

Après quelques secondes, Théberge retourna la carte que Trammel avait laissée sur la table. Il n'y avait qu'une série de chiffres correspondant à un numéro de téléphone.

HEX-Radio, 10 h 34

News Pimp en était à son troisième café de distributrice et il était de mauvais poil. Bastard Bob l'avait fait poireauter vingt-cinq minutes avant de le recevoir à l'antenne et il avait « flushé » son sujet. *Exit*, la facture que payait la ville pour entretenir les itinérants. Le seul sujet qui restait, c'était le *scoop* de Bastard Bob.

Pendant toute l'émission, le rôle de News Pimp se limiterait à lui donner la réplique pour le mettre en valeur. Les questions qu'il devait soulever étaient inscrites sur les huit cartons que le réalisateur lui avait donnés. Bien sûr, il avait la liberté de formuler des remarques et de poser d'autres questions. Le show devait avoir l'air naturel. Mais les questions sur les cartons étaient prioritaires.

— Tu es sûr qu'il va y avoir d'autres attaques ? demanda-t-il en se forçant pour paraître intéressé.

Il jeta le premier carton dans la poubelle.

— Jusqu'à présent, ma source s'est jamais trompée.

— Et les terroristes seraient déjà à Montréal ?

Deuxième carton dans la poubelle.

— C'est ce qu'elle affirme.

— Tant qu'à faire, elle aurait pu te donner leur adresse ?

— Pour ça, va falloir attendre l'enquête de la police.

— Autrement dit, on a juste à attendre le prochain attentat...

— Et là, ils vont encore les descendre avant d'avoir appris quoi que ce soit.

— Peut-être que les flics aiment mieux rien savoir...

— Tu savais ça, toi, que les terroristes ont menacé la femme du nécrophile ?

— Quoi ?

Cette fois, News Pimp n'avait pas eu besoin de se forcer pour paraître surpris.

— Ils auraient menacé de l'éliminer si Théberge les arrête, reprit Bastard Bob.

— T'es sûr de ça ?

— C'est ce que j'ai entendu... Si c'est vrai, c'est assez pour ralentir les ardeurs de quelqu'un.

— Tu penses que c'est pour ça que les trois terroristes musulmans que les flics ont arrêtés sont morts ? Ils les auraient descendus pour les empêcher de parler ?

— Je suis sûr de rien. Je spécule… Mais avoue que c'est curieux : tous ceux qu'ils arrêtent meurent avant de pouvoir parler.

News Pimp jeta un regard en direction des fiches étalées devant lui.

— Moi, il y a une chose que je comprends pas. S'ils menacent Théberge pour pas qu'il les arrête et que, lui, il en descend trois… les terroristes, ils vont pas être contents-contents.

— Ça dépend de qui il descend. Pour ceux qui organisent les attentats, deux ou trois martyrs de plus, ça leur fait pas un pli. Ce qui compte, pour eux, c'est que ceux qui sont arrêtés ne parlent pas. Que les flics puissent pas s'en servir pour remonter jusqu'à ceux qui donnent les ordres.

— Si tu veux mon avis, dans les semaines qui viennent, ça va être du sport d'être musulman.

— Bien d'accord, mon Pimp ! Bien d'accord !

Bastard Bob jeta un regard à l'horloge : encore deux minutes avant la pause.

— Remarque, moi, je suis contre ça, la vengeance. Après tout, c'est pas la faute de tous les musulmans s'ils ont des débiles dans leur gang… Mais nous autres aussi, on en a, des débiles. Et c'est pas dit qu'on va être capables de les contrôler encore longtemps.

— T'as peur de ça, toi aussi, qu'il y ait des musulmans qui se fassent ramasser ?

— En tout cas, je voudrais pas être dans leur peau. Les adresses des plus radicaux sont déjà sur Internet.

— Sérieux ?

— Sur le site *lesvraiesinfos.ru*. Parano Kid a repris l'information sur son blogue.

PARIS, 16 H 47

Hurt s'éveilla de sa sieste en sursaut. À l'intérieur, la situation s'était envenimée. Buzz était en crise.

Depuis longtemps, il se contentait de murmurer doucement de temps à autre. Aucun des alters ne lui prêtait attention. Ses murmures répétitifs faisaient partie de leur paysage sonore. Mais là, il avait soudainement élevé la voix. La crise avait duré quarante-trois minutes. À la fin, c'était Nitro qui menaçait d'exploser.

Deux heures plus tard, Buzz recommençait. Steel prit alors le contrôle. Il sortit de l'appartement et téléphona à Chamane.

— *Une urgence*, se contenta-t-il de dire. *J'arrive*.

Montréal, SPVM, 13 h 28

Crépeau était assis derrière son bureau. Théberge, dans un fauteuil, en face de lui. Les deux avaient l'air découragés.

— Pour l'instant, fit Crépeau, il veut juste être mis au courant de tout ce qui a trait au terrorisme.

Il parlait de Davis, de la GRC.

— Pour l'instant...

— Si la situation ne s'améliore pas, il va nous aider.

— J'imagine !

Théberge se concentra un moment sur sa pipe éteinte, puis la rangea dans son étui. Crépeau se mit à enlever des grains de poussière imaginaires sur la surface de son bureau. Ce fut lui qui brisa le silence.

— Trammel, tu penses qu'il peut vraiment contrôler Davis ?

— Probablement. Le problème, c'est ce qu'il va vouloir en échange.

Une nouvelle pause suivit.

— Ton client du crématorium, comment ça se passe ? demanda Crépeau.

— Je n'arrive pas à établir le contact... C'est peut-être parce que je ne lui ai pas trouvé un nom qui lui convient.

— Tu l'as appelé comment ?

— Fry...

Théberge était mal à l'aise de parler à un cadavre sans connaître son nom. Il trouvait que ça lui enlevait tout caractère humain. C'est pourquoi il lui avait attribué ce nom. En lui expliquant que c'était temporaire. Qu'il

ferait tout en son pouvoir pour découvrir son identité et
s'assurer que justice soit faite.

Crépeau se contenta de regarder Théberge avec un
sourire et de soulever les sourcils.

— Je n'arrive pas à le voir autrement, se défendit
Théberge en écartant les bras en signe d'impuissance…
Mais tu as raison, ajouta-t-il après un moment. Ce n'est
pas terrible. Il faut que je lui trouve un meilleur nom…
Gontran, peut-être…

— Ton animateur est arrivé depuis combien de temps ?

— Cinq minutes… Ça ne peut pas lui faire de tort de
mijoter un peu.

— Tu penses apprendre quelque chose ?

— Pas vraiment. Mais je ne peux pas laisser passer ça.

Il se leva.

— Essaie quand même de faire attention à ce que tu
dis, fit Crépeau.

— Sûr… Il est avec son avocat.

Théberge se dirigea vers la porte puis se retourna.

— Finalement, pour Davis, qu'est-ce que tu vas faire ?

— Lui donner les informations qu'il demande. Qu'est-
ce que je peux faire d'autre ?… Toi ? Tu vas appeler
Trammel ?

Théberge haussa les épaules comme s'il se trouvait
devant une question pour laquelle il n'y avait pas de
bonne réponse.

Longueuil, 11 h 32

Skinner avait sonné à quatre reprises avant que Victor
Prose se décide à ouvrir la porte.

— Oui ? fit Prose, dont l'entrebâillement de la porte
ne laissait voir qu'une tranche du visage découpée en
oblique.

— Jeremy Dubois, fit Skinner en lui tendant la main
à travers l'ouverture. Je peux entrer ?

L'homme avait des cheveux blonds à la Andy Warhol,
des petites lunettes rondes cerclées de fil de métal, le

visage glabre, le teint pâle et des sourcils blonds qui se faisaient oublier.

— D'accord, répondit Prose, intrigué par le nom.

Aussitôt que Prose eut refermé la porte, l'homme le prit par les épaules et lui dit :

— Je suis un agent littéraire. Je vais faire de vous un auteur connu.

Embarrassé qu'on le touche, Prose ne put que bredouiller :

— Pour quelle raison… vous vous intéressez à moi ?

— À cause de votre essai, *Les Taupes frénétiques*.

— Vous l'avez lu ?

— Parcouru. Mon patron, lui, l'a lu.

— Il l'a aimé ?

— Il voudrait vous aider à écrire la suite. Il vous manque le dernier chapitre… À votre avis, sur quoi débouche cette montée aux extrêmes que vous décrivez ?

— Il y a plusieurs possibilités. Ça dépend de la réaction des gouvernements… de la dynamique des bidonvilles que sont en train de devenir…

— Excellent ! Une touche de préoccupations humanitaires, c'est vendeur !

Prose se sentait mal à l'aise. La simple présence de Dubois l'agressait.

— Pour quelle raison désirez-vous que je sois connu ?

— Aujourd'hui, on n'est pas connu parce qu'on écrit des livres ; on écrit des livres parce qu'on est connu. Alors, comme mon patron tient à ce que vous publiiez votre prochain livre… mon travail à moi, c'est de vous faire connaître.

— Je ne tiens pas à être connu. La seule chose que je veux vraiment, c'est de pouvoir écrire en paix.

— On dit ça, on dit ça…

— Je vous jure. C'est très gentil de votre part, mais je ne suis pas intéressé.

Dubois le regarda avec un mélange d'amusement et de déception.

— Dommage… Quelque chose me dit que vous allez le regretter.

MONTRÉAL, SPVM, 14 H 48

— C'est *full* luxe, votre bureau, fit Parano Kid lorsque Théberge entra. Des fauteuils en cuir, une cafetière espresso que j'aurai jamais les moyens d'acheter, un purificateur d'air…

— C'est mon côté écolo, grogna Théberge. Mes tasses sont en macramé.

— Est-ce que c'est nos taxes qui paient ça ?

Théberge ignora la provocation. Il s'assit derrière son bureau et regarda les deux hommes.

— Vous êtes… ? demanda-t-il à l'homme assis à la droite de l'animateur.

— Maître Roland Thétreault. Thétreault e-a-u-l-t. Je suis ici pour défendre les intérêts de monsieur…

Il regarda l'animateur, l'air d'attendre qu'il lui rappelle son nom.

— Monsieur Parano, compléta Théberge, pince-sans-rire.

— Lantec, rectifia l'avocat, comme si le nom lui revenait tout à coup. Monsieur Lantec.

Théberge ouvrit la chemise cartonnée rouge qui était devant lui sur le bureau, regarda un instant le contenu et la referma. Puis il s'adressa à l'animateur.

— Donc, vous êtes Ubaldo Lantec, vous êtes animateur à HEX-Radio sous le nom de Parano Kid et vous animez une émission qui s'appelle *Parano.com*.

— Je vois que vous êtes un de mes fidèles auditeurs, répondit Lantec avec un sourire ironique.

— Vous êtes fils de mère italienne et de père français, poursuivit Théberge, imperturbable. Vous êtes né au Canada il y a vingt-sept ans et vous avez eu des ennuis mineurs avec la justice : trouble de l'ordre public, tapage nocturne, insulte à un représentant de l'ordre… Depuis trois ans, aucune plainte : vous êtes devenu un ange.

— Exact ! confirma Lantec.

Au ton de Lantec, on aurait pu croire que Théberge venait de fournir une bonne réponse à une question de quiz télévisé.

— Dans une de vos dernières émissions, vous avez annoncé qu'il y aurait d'autres attentats terroristes. J'aimerais savoir d'où vous tenez cette information.

— Mon client n'a pas à répondre à cette question, s'empressa d'objecter l'avocat. Les sources d'un journaliste sont confidentielles.

Théberge continua de s'adresser à Lantec sans s'occuper de l'avocat.

— C'est vrai, vous n'êtes pas seulement animateur, vous êtes aussi journaliste.

— J'ai toutes les qualités !

— Vous avez publié les adresses des musulmans résidant à Montréal qui sont censés être les plus radicaux... Vous voulez quoi ? Inciter les gens à les prendre pour cibles ?

— Vous n'êtes pas d'accord que les gens sachent où demeurent les terroristes ? Si on le fait avec les délinquants sexuels, je ne vois pas pourquoi...

— S'il arrive quoi que ce soit...

Théberge n'eut pas le temps de compléter sa menace.

— Mon client n'a incité personne à la violence, fit l'avocat. Il n'a même pas donné les adresses de ces individus. Il a simplement mentionné qu'on pouvait les trouver sur un site Internet.

— « www.lesvraiesinfos.ru », ajouta Parano Kid.

Théberge continuait de fixer Lantec.

— Le site est enregistré en Roumanie ! poursuivit l'avocat comme si cela excluait toute possibilité d'implication de son client.

Théberge décida de ne pas relever l'absurdité de la remarque de l'avocat.

— C'est un site auquel vous faites souvent référence pendant votre émission, dit-il en s'adressant à l'animateur. Il y a une raison ?

— Je fais aussi référence au site du Vatican et à celui de la CIA.

— C'est sur le site du Vatican que vous avez déniché l'idée que des terroristes ont menacé mon épouse ?

— Ça, c'est pas moi. C'est Bastard Bob qui a sorti la nouvelle.

— Est-ce que vous la confirmez ?

Parano Kid regardait Théberge avec un sourire narquois. Celui-ci réussit à se contrôler. Il prit une respiration, se leva, se dirigea vers la fenêtre de son bureau.

— S'il arrive quoi que ce soit aux gens dont vous parlez… ou qui sont mentionnés sur le site « lesvraies infos »…

— Vous allez faire quoi ? répliqua Parano Kid sur un ton carrément baveux.

Une fois de plus, l'avocat s'empressa d'intervenir.

— Mon client ne peut en aucune façon être tenu pour responsable du contenu d'un site Internet avec lequel il n'a aucun rapport.

Théberge se retourna lentement et regarda Parano Kid.

— Vraiment aucun rapport ?

Un instant, Parano Kid sentit un flottement au creux de son estomac. Puis il se dit que le policier bluffait. Il n'avait aucun moyen de remonter jusqu'à lui. Son mystérieux mécène le lui avait assuré.

— Vous êtes prévenu, reprit Théberge. Vous pouvez disposer.

Puis il se tourna vers la fenêtre sans même les regarder sortir de la pièce.

Comment la situation en était-elle arrivée là ? Pourquoi cet acharnement soudain des médias contre les policiers ? Et, surtout, pourquoi cet acharnement contre lui ?

La seule chose qu'il avait remarquée, c'était que les attaques verbales à la radio avaient commencé peu après le rachat de HEX-Médias par le groupe australien Levitt Media.

Tous les médias avaient conservé leur nom et la plus grande partie de leur personnel. Mais la programmation, tant celle de la télé que celle de la radio, avait pris une tonalité plus agressive. Et quand HEX-Médias avait acheté un journal, la même ligne éditoriale agressive s'était imposée.

Pour ne pas être en reste, ses concurrents avaient emboîté le pas. Résultat : il se passait maintenant peu de jours sans qu'on le critique dans les médias…

Sauf que cette guerre des cotes d'écoute n'expliquait pas tout. Le changement de ton ? Ça, oui. Il y avait une escalade très nette dans l'agressivité de l'ensemble des médias. On traquait de moins en moins la nouvelle et de plus en plus ceux qui la faisaient. C'était sans doute inévitable, dans un univers où l'on vivait et où l'on mourait par les BBM.

Mais pourquoi s'en prenait-on à lui ? Spécifiquement à lui ? Ça, ce n'était pas seulement une question de cotes d'écoute. Était-ce un hasard ? Faisait-il simplement partie des dommages collatéraux de la guerre de tranchées que se livraient les médias ?… Comme tout policier, Théberge ne croyait pas beaucoup au hasard ni aux coïncidences.

PARIS, 21 H 18

Chamane et Hurt étaient assis de part et d'autre d'une table sur laquelle il y avait une enregistreuse.

— Ça dure depuis combien de temps ? demanda Chamane en vérifiant les réglages de l'appareil.

La voix froide de Steel lui répondit.

— *La première crise a duré environ trois quarts d'heure. La deuxième vient de se terminer. Elle a été un peu plus longue.*

— Est-ce qu'il s'est passé quelque chose de particulier ?

— *Pas à ma connaissance. Hurt regardait la télévision.*

Pendant plusieurs secondes, Hurt parut absorbé dans ses pensées.

— *J'ai consulté Tancrède*, reprit la voix de Steel. *Il regardait les informations. L'annonceur parlait de l'attentat à la cathédrale Notre-Dame de Paris.*

— Tu penses qu'il y a un rapport ?

Hurt parut de nouveau absorbé dans ses pensées. Un peu plus longtemps, cette fois.

— *La deuxième fois, c'est en achetant un journal.*

— Est-ce qu'il y avait quelque chose sur Notre-Dame ?

— *C'est ce que j'ai demandé à Tancrède.* La une du journal parlait des possibilités de pénurie de céréales en Inde.

Tancrède était une des personnalités les plus surprenantes de Hurt. Les autres le surnommaient l'archiviste. Il avait une mémoire quasi totale de tout ce qui se passait à l'intérieur de Hurt et de tout ce dont Hurt était témoin dans le monde extérieur.

Chamane l'avait déjà utilisé, avec l'aide de Steel, pour avoir accès au bavardage apparemment incohérent de Buzz. Ils avaient alors découvert des informations cruciales sur le Consortium. Le problème, c'était que Buzz ne se manifestait jamais à l'extérieur. Il fallait avoir recours à la mémoire de Tancrède, qui était capable de répéter fidèlement les longues tirades en apparence répétitives de Buzz.

— Tu lui as demandé s'il voulait participer à l'expérience ? demanda Chamane.

— *Il est d'accord.*

Chamane appuya sur le bouton de l'enregistreuse.

Quelques secondes plus tard, Hurt fermait les yeux comme pour se recueillir. La reproduction monocorde du discours de Buzz commença à se faire entendre.

LONDRES, 21 H 11

Concentrer le pouvoir, décentraliser l'exécution. Telle était la base de la philosophie de gestion de Lord Hadrian Killmore. Exprimé dans ces mots, ça pouvait paraître très théorique. Mais, sur les plans, cela se traduisait d'une manière très concrète : chacun des lieux était structuré de la même façon, il y avait un système de relève entièrement automatisé en cas de défaillance des exécutants et le tout était géré par un système informatique unifié – un système dont il était le seul utilisateur de premier niveau.

Quand Maggie McGuinty entra dans la pièce, il attendit une vingtaine de secondes avant de lever les yeux vers elle, comme s'il était plus important de terminer sa lecture des plans que de prendre acte de son arrivée.

— Madame McGuinty ! dit-il finalement, l'air de découvrir tout à coup avec plaisir son existence. Je vous remercie de vous être déplacée aussi rapidement sans préavis.

— Je me suis dit que ça devait être important.

— Tout à fait… J'ai décidé d'apporter des modifications à votre emploi du temps.

La femme s'efforça de ne pas paraître inquiète. Elle connaissait le caractère imprévisible de Killmore : il pouvait tout aussi bien s'agir d'une promotion que d'un avis de congédiement. Et quand on savait ce qu'un congédiement signifiait, dans l'organisation…

— Avant de vous annoncer vos nouvelles fonctions, j'aimerais que vous répondiez à quelques questions, histoire de m'assurer que vous êtes la bonne candidate.

Killmore prenait plaisir à parler lentement et à entrecouper ses phrases de silences de plusieurs secondes.

— À quoi a servi, croyez-vous, le cadavre qui a été trouvé dans un salon funéraire, à Montréal ?

— Celui qui a été noyé, brûlé…

— Exactement.

— J'imagine que c'était une sorte d'acte symbolique.

Killmore parut méditer la réponse pendant un moment.

— Et quel est le rôle de la murale dans la salle des Initiés ?

— Le même ?

McGuinty se demandait de plus en plus où cette discussion allait l'entraîner.

— Vous n'avez pas complètement tort, répondit Killmore après un nouveau silence. Mais vous me permettrez d'être plus précis.

Même si elle ne savait pas où Killmore voulait en venir, Maggie McGuinty sentait que c'était le moment de prêter une attention extrême à ce qu'il disait.

— J'ai pour principe de toujours annoncer publiquement ce que je vais faire, reprit Killmore. Et de toujours faire ce que j'ai dit… Vous me suivez ?

— Je crois, oui.

— Évidemment, on peut annoncer les choses platement. De façon prosaïque. Mais on peut aussi procéder de façon plus subtile, plus créative… On peut utiliser des métaphores.

— Comme dans la poésie? demanda McGuinty, incertaine que ce soit la bonne réponse.

— Comme dans la poésie des actes. Comme dans celle des événements et des corps.

Après une nouvelle pause, Killmore adopta brusquement un ton plus froid, plus technique.

— En plus de votre travail à la direction des trois laboratoires, vous allez me servir d'intermédiaire pour l'opération Diet Care… et pour les autres opérations qui suivront.

— Je pensais que vos intermédiaires étaient les quatre cavaliers…

Killmore la regarda en souriant. Il aurait pu lui expliquer qu'il doublait la plupart des systèmes. Par prudence. Que dans le cas des cavaliers, il l'avait même quadruplé: s'il survenait le moindre problème, n'importe lequel des quatre pouvait prendre la relève d'un des trois autres. Qu'ils étaient des sortes de clones fonctionnels.

Il aurait également pu ajouter que, par principe, il ne se fiait jamais à une seule personne ou à un seul système pour remplir une fonction.

— Il y a certaines tâches pour lesquelles je veux pouvoir compter sur une personne particulière, se contenta-t-il de dire.

— Quel genre de tâche?

— Des messages à communiquer à des gens, par exemple… Quoique, dans votre cas, l'essentiel de vos tâches sera d'ordre pédagogique.

Killmore sourit de voir la perplexité de la femme.

— Tout à l'heure, reprit-il, je vous ai dit que j'avais comme principe de toujours annoncer publiquement ce que je vais faire… Vous allez être le maître d'œuvre de mon principal message à la population de la Terre.

Maggie McGuinty semblait de plus en plus déconcertée.

— Je vais diriger vos communications ?

Killmore éclata de rire.

— On peut le dire comme ça, fit-il. Vous allez coordonner mon message pour l'ensemble de la planète... Vous avez déjà commencé, d'ailleurs. Sauf que vous ne saviez pas encore que vous étiez déjà intégrée à ce projet.

— Je vais faire quoi, au juste ?

— Vous allez diriger un club de dégustation.

Killmore ne cachait même pas le plaisir qu'il avait à lui fournir des réponses qui ne faisaient que la déconcerter davantage.

— Quel club ?

— Les Dégustateurs d'agonies.

WCBS Newsradio, 20 h 02

Chers concitoyens américains,
Au cours des derniers jours, notre pays, nos valeurs, notre civilisation ont fait l'objet d'une nouvelle attaque. Heureusement, grâce à la vigilance et au travail exemplaire de nos services de renseignements...

Fort Meade, 20 h 03

Tate avait reporté le moment de retourner chez lui. Il voulait être sûr de regarder le message présidentiel en direct, dans son bureau. Il ne voulait pas courir le risque de rester pris dans la circulation et de devoir se contenter de l'entendre à la radio. La lecture du non-verbal était indispensable pour comprendre quoi que ce soit aux discours des politiciens. Et puis, s'il avait besoin de réagir, il serait sur place pour le faire.

... LE PIRE A ÉTÉ ÉVITÉ. JE VEUX SOULIGNER LE TRAVAIL REMARQUABLE DES HOMMES ET DES FEMMES DU DEPARTMENT OF HOMELAND SECURITY.

Tate étouffa un juron et se leva de son fauteuil. Il se dirigea vers le cabinet à boisson, se servit un Cragganmore douze ans et en avala la moitié d'un trait.

... Je veux aussi souligner celui de la CIA, du FBI, de la NSA
et des autres grandes agences. Sans leur détermination, sans
leur courage, sans leur efficacité, un groupe de terroristes
islamistes aurait ensanglanté plusieurs villes américaines.
Ces terroristes avaient comme projet de s'en prendre à des
églises dans quatre des plus grandes villes de notre pays.
Dieu merci, un seul attentat a été mené à terme...

Tate était resté debout derrière son fauteuil, son verre
à la main. Il regardait la télé d'un air perplexe. Pour le
moment, le nouveau Président semblait vouloir éviter de
prendre position dans la lutte entre le DHS et les autres
agences de renseignements.

Ça confirmait les rumeurs. On disait que c'était par
souci de ne pas créer de remous qu'il avait épargné Paige
et les autres directeurs d'agences. Que c'était un geste
d'ouverture envers les républicains. Il était prêt à collaborer avec ceux qu'ils avaient nommés. Son énergie, il
entendait d'abord la concentrer sur la relance de l'économie... À moins que quelqu'un fasse des vagues, il
respecterait les nominations antérieures.

Venise, 2 h 05

Blunt était resté éveillé pour écouter en direct le discours à la nation du Président américain. Kathy l'avait
rejoint devant la télé. Elle avait apporté deux verres de
barolo Bava 97 remplis au tiers.

— C'est tout ce qui restait dans la bouteille, dit-elle
en s'assoyant à côté de lui.

... Il n'y a eu que des blessés. Je me plais à penser que ce sont
toutes les prières récitées par des Américains ordinaires, au
cours des ans, entre les murs de la cathédrale Saint-Patrick,
qui ont permis qu'il n'y ait aucun mort...

— Penses-tu qu'on pourrait utiliser le même genre
d'explication pour le nombre de victimes des attentats
du 11 septembre ? fit Kathy.

Blunt se contenta de sourire.

DRUMMONDVILLE, 20 H 06

F avait rejoint Dominique dans son bureau. Elle était curieuse de voir l'analyse que son adjointe ferait du discours du Président.

> TOUS LES TERRORISTES ONT ÉTÉ ÉRADIQUÉS. LA PLUPART DE LEURS OPÉRATIONS ONT AVORTÉ. ET PAS SEULEMENT SUR LE SOL AMÉRICAIN : DANS TOUS LES PAYS D'EUROPE OÙ ILS AVAIENT ENTREPRIS DES OPÉRATIONS SIMILAIRES.

— Éradiqués ! fit Dominique. On croirait entendre Bush !

— Il n'a pas le choix de faire des concessions sur le vocabulaire. Autrement, il donnerait des armes aux républicains.

> CE QUI SE VOULAIT UNE OPÉRATION DESTINÉE À FRAPPER L'OCCIDENT DE STUPEUR S'EST RETOURNÉ CONTRE SES AUTEURS. L'INTERNATIONALE TERRORISTE A REÇU UN COUP DÉVASTATEUR.

À l'écran, le Président fit une pause pour regarder son texte pendant une nouvelle vague d'applaudissements.

— L'internationale terroriste, fit Dominique. Depuis quand ça existe ?

— Probablement un rédacteur qui a pensé que l'expression provoquerait une bonne réaction dans le public...

— Ils ont éliminé uniquement des hommes de main. Comme coup dévastateur, on a déjà vu mieux !

— Il faut que ça ait l'air d'une victoire. Son travail, c'est de gérer l'espoir des gens.

Les applaudissements calmés, le Président reprit son discours.

> DANS CETTE VICTOIRE, NOUS ET NOS ALLIÉS EUROPÉENS AVONS PU BÉNÉFICIER...

F esquissa un mince sourire. « Nous et nos alliés européens »... Elle lança un regard à Dominique. Les deux femmes se comprirent sans avoir besoin de parler : pour le nouveau Président, tous les prétextes étaient bons pour se démarquer de l'unilatéralisme de la période précédente.

... DE L'AIDE SANS ÉQUIVOQUE DE LA POPULATION MUSULMANE DE NOS PAYS RESPECTIFS. TOUTES CES POPULATIONS ONT RAPIDEMENT CONDAMNÉ LES ATTENTATS. À PLUSIEURS ENDROITS, Y COMPRIS DANS NOTRE PAYS, LEUR AIDE A ÉTÉ DÉTERMINANTE POUR DÉMASQUER ET NEUTRALISER LES TERRORISTES. CONTRAIREMENT À CE QUE VOUDRAIENT NOUS FAIRE CROIRE LES EXTRÉMISTES, CE N'EST PAS UNE GUERRE ENTRE DES CIVILISATIONS QUI NOUS MENACE : C'EST UNE GUERRE ENTRE L'ENSEMBLE DES CIVILISATIONS ET LA BARBARIE. UNE BARBARIE DANS LAQUELLE UN PETIT GROUPE DE TERRORISTES VOUDRAIT NOUS PLONGER. AU NOM DE LA NATION, JE VEUX REMERCIER CES MUSULMANS DONT LE PATRIOTISME A PERMIS DE SAUVER UN GRAND NOMBRE DE VIES AMÉRICAINES. IL FAUT QUE CESSENT LES INCIDENTS DÉPLORABLES DONT ILS ONT ÉTÉ VICTIMES.

— Ça ne va pas emballer les fondamentalistes chrétiens ! fit Dominique. Ni les républicains.

— Il n'a pas le choix. Il faut à tout prix qu'il évite une guerre civile. Si les représailles contre les musulmans continuent…

— Ils en sont où ?

— Onze incidents, aux dernières nouvelles. Surtout des cocktails Molotov contre les mosquées. Trois cas d'agression dans la rue : des femmes qui portaient le voile…

CETTE VICTOIRE CONTRE LES TERRORISTES EST LA PREUVE QU'IL EST POSSIBLE DE GAGNER CONTRE EUX SI NOUS NOUS EN DONNONS LES MOYENS. BIEN SÛR, NOUS SAVONS QUE NOTRE SÉCURITÉ NE SERA JAMAIS DÉFINITIVEMENT ACQUISE. QU'ELLE EST VOUÉE À DEMEURER UNE TÂCHE DE TOUS LES INSTANTS… ON PEUT TOUJOURS FAIRE MIEUX. ON PEUT TOUJOURS FAIRE DAVANTAGE POUR PROTÉGER UNE VIE DE PLUS. POUR LAISSER À NOS ENFANTS UN MONDE OÙ LEUR SÉCURITÉ SERA MIEUX ASSURÉE. ET ON PEUT LE FAIRE SANS SACRIFIER LES VALEURS FONDAMENTALES QUI NOUS DÉFINISSENT.

— Ça, c'est pour les démocrates, dit Dominique.

— Mais c'est suffisamment neutre pour permettre aux républicains de ne pas se sentir visés.

C'EST POURQUOI J'ANNONCE QUE JE SOUMETTRAI BIENTÔT AU CONGRÈS UN BUDGET SUPPLÉMENTAIRE POUR RENFORCER NOTRE LUTTE CONTRE LE TERRORISME…

— Et ça, c'est pour les républicains, reprit Dominique.

— Un coup d'encensoir pour faire plaisir aux musulmans, un budget supplémentaire pour la sécurité qui va faire plaisir à la droite… C'est un bon exercice d'équilibre.

— Je vais essayer de trouver quelles sont les compagnies qui vont en profiter.

— Tu penses qu'il joue le même jeu que Bush et Cheney ?

— On n'est jamais trop prudent.

BROSSARD, 20 H 11

L'inspecteur-chef Théberge avait convaincu sa femme de renoncer à son téléroman préféré pour écouter le discours du Président américain. Elle avait accepté pour faire plaisir à son mari. Et aussi parce que celui-là n'avait pas l'air d'un faux jeton.

> LA GUERRE À LA TERREUR EST UNE GUERRE QU'ON NE PEUT PAS SE PERMETTRE DE PERDRE. CE QUI EST EN JEU, CE SONT NOS VALEURS. C'EST NOTRE CIVILISATION. C'EST LA VIE MÊME DE NOTRE POPULATION. TANT QUE JE SERAI PRÉSIDENT, LES TERRORISTES NE RÉUSSIRONT PAS À DÉTRUIRE CETTE CIVILISATION QUE NOS ANCÊTRES ONT MIS DES MILLÉNAIRES À CONSTRUIRE.

— Tu savais ça, toi, que le peuple américain avait des millénaires d'histoire ? demanda Théberge.

— Il doit parler au nom de l'Occident, répondit sa femme sans lever les yeux de sa revue.

— C'est vrai qu'avoir à choisir entre lui et notre primate-en-chef comme porte-parole…

DRUMMONDVILLE, 20 H 13

> AUJOURD'HUI, NOUS POUVONS NOUS DIRE QUE NOUS AVONS PORTÉ UN COUP DÉVASTATEUR AUX TERRORISTES D'AL-QAIDA. PRÈS D'UNE CENTAINE DE LEURS OPÉRATEURS SONT MORTS.

Des applaudissements empêchèrent le Président de poursuivre.

— Il n'y a aucune preuve que ce soit relié à al-Qaida, fit Dominique.

— Il n'a pas le choix. S'il ne dit pas que c'est relié, ça revient presque à accuser explicitement la politique de Bush d'avoir provoqué la naissance de nouveaux groupes terroristes. Tout le monde le sait, mais ce n'est pas le temps de lancer ce genre de débat et de faire monter les républicains aux barricades.

— Ils ne leur ont pas porté un coup mortel ! Ce sont les terroristes qui ont éliminé les exécutants pour couper les pistes !

— Je sais. Mais il est obligé de dire que les choses vont s'arranger. Déjà que la crise économique traîne en longueur…

WCBS Newsradio, 20 h 21

… Que les terroristes se le tiennent pour dit. Tous ceux qui s'élèveront contre la démocratie, contre la liberté et contre les valeurs d'humanité que nous défendons seront impitoyablement traqués, arrêtés et punis. Aucun terrorisme ne pourra prévaloir contre la détermination que nous donne la volonté de défendre les valeurs pour lesquelles tant de nos ancêtres ont sacrifié leur vie. Dieu vous bénisse et qu'il protège l'Amérique.

Paris, 2 h 34

… la maladie et le froid. Le Consortium est à l'avant-scène. Le Cénacle est derrière, à l'abri de saint Sébastien. L'Apocalypse est en marche.

— Voilà, dit Chamane. C'est le mieux que je peux faire.

Il avait fait jouer l'enregistrement à différentes vitesses. Il avait ensuite éliminé des séquences constituées de groupes de syllabes sans signification qui s'inséraient entre les mots. Le résultat était un texte relativement court qui jouait en boucle.

— *L'Apocalypse*, fit Steel… *Ça me rappelle le texte de Fogg.*

— Il parlait de gérer l'apocalypse… Tu penses que c'est quelque chose que Hurt a lu ?

— On ne dirait pas quelque chose d'écrit. On dirait des bouts d'information collés les uns à la suite des autres.

— C'était peut-être un message codé. Une sorte d'aide-mémoire.

Le visage de Hurt se ferma. Il demeura plus d'une minute silencieux.

— *J'ai fait le tour*, déclara la voix de Steel quand Hurt ouvrit les yeux. *Ça ne dit rien à personne.*

— Le Cénacle, tu as une idée de ce que ça peut être ?

— *À première vue, je dirais que c'est une organisation. Mais je n'en ai jamais entendu parler.*

— Il y a sûrement un rapport avec les attentats terroristes. Ça s'est déclenché quand tu as vu l'information sur l'attentat à Notre-Dame de Paris.

— *Possible. Mais quel rapport avec le problème des céréales en Inde ?*

— Ça…

Chamane s'activa sur le clavier pendant quelques secondes.

— J'ai fait une copie de l'original et de ce que j'ai déchiffré, dit-il.

— *Pour l'Institut ?* demanda Sharp avec une pointe d'agressivité.

— Je n'ai pas le choix. Il faut que j'envoie ça à Dominique.

— *Je suis d'accord*, fit la voix froide de Steel. *Il faut avertir l'Institut.*

Chamane fit redémarrer l'enregistrement.

…La religion sert de prétexte. La terre, l'eau, l'air et le feu. Le désert, le déluge, la maladie et le froid. Le Consortium est à l'avant-scène. Le Cénacle est derrière, à l'abri de saint Sébastien. L'Apocalypse est en marche…

LES ENFANTS
DE LA TERRE BRÛLÉE

Le danger est grand que cette prédation de l'homme par l'homme dépasse toute mesure et que la réduction de la population débouche sur un chaos qui mène à la disparition pure et simple de l'espèce.

Pour éviter une telle dérive, deux précautions sont indispensables. La première va de soi : il faut que le processus soit contrôlé, ce qui implique l'existence d'un groupe apte à le contrôler. La deuxième est la mise sur pied de mécanismes permettant la survie de ce groupe directeur.

Ces deux précautions ont pour nom le Cénacle et l'Archipel.

Guru Gizmo Gaïa, *L'Humanité émergente*, 1-Pourquoi l'Apocalypse.

JOUR - 1

LONGUEUIL, RESTAURANT CHEZ OLIVER, 22 H 16

Un objectif dominait la vie de Brigitte Jannequin : ne plus être seule. Traduction : fonder une famille et avoir des enfants.

C'était la raison pour laquelle elle avait rompu avec Stéphane, même si elle continuait d'être attirée par lui. Des enfants, il en avait déjà trois d'un premier mariage ; il était hors de question qu'il en ait d'autres.

Dans sa tasse, le café tiède continuait de tourner lentement, comme s'il avait repris à son compte le mouvement que la jeune femme lui avait imprimé avec la cuiller. L'inertie…

Était-ce la même chose pour elle ? Continuait-elle de tourner autour d'un rêve impossible sous la force d'une impulsion qu'elle avait reçue dans le passé ? Qu'est-ce qui pouvait bien l'avoir lancée avec autant de force dans cette direction ? Sa famille, sans doute. Sa famille qu'elle n'avait pas revue depuis qu'elle avait décidé de suivre Stéphane au Québec.

Trois ans…

Ses parents devaient toujours demeurer dans le même immense appartement, au cœur du XVIe arrondissement. Elle ne les imaginait pas ailleurs. Ils faisaient partie du quartier au même titre que les façades immuables des édifices qui bordaient les grandes avenues. Enfant, elle s'était demandé s'ils avaient poussé dans l'appartement, comme les arbres de la cour intérieure et les plantes exotiques que cultivait sa mère.

Au début, ils s'étaient montrés compréhensifs : c'était normal qu'elle ait une période idéaliste. Ils l'avaient même encouragée dans ses études de biologie. Puis, quand ils avaient compris qu'elle persistait dans sa volonté de devenir biologiste, ils s'étaient faits plus critiques. Son père comptait sur elle. Il fallait quelqu'un pour prendre la relève. Il y avait plus de vingt ans qu'il occupait son siège de député. Son père l'avait occupé avant lui. C'était une des forteresses. Un de ces sièges qui semblaient imperméables à l'alternance électorale, aux courants d'opinion et aux scandales. Les détenteurs du poste, après un temps relativement long, le transmettaient à l'héritier de leur choix.

Quand elle avait quitté ses parents, Brigitte avait l'intention de se donner le temps de faire le point puis de les contacter. Mais les choses s'étaient enchaînées. Et plus le temps avait passé, plus elle s'était sentie mal à l'aise de reprendre le contact : ils voudraient savoir pourquoi elle avait coupé les ponts, pourquoi elle n'avait pas donné de nouvelles plus tôt… Que pouvait-elle leur dire ? Elle-même ne le savait pas. C'était simplement une de ces choses qui arrivent…

Elle regarda sa montre et réalisa qu'elle n'avait pas vu le temps passer. Il y avait plus de vingt minutes que Victor Prose était parti, la laissant en tête à tête avec son café... Elle laissa un billet de vingt dollars sur la table du restaurant et se dirigea vers la sortie.

Il fallait mettre un terme à cette situation ridicule, songea-t-elle en prenant le chemin du laboratoire. Un instant, elle pensa à téléphoner à ses parents. Puis elle se ravisa. C'était le genre d'explications qu'il était préférable d'avoir face à face. Aux prochaines vacances, elle irait passer quelques semaines à Paris.

Quand elle aperçut l'édifice de BioLife Management, son esprit se recentra sur Martyn Hykes. Il lui avait demandé par courriel de le rejoindre à vingt-trois heures au laboratoire du premier étage. Il avait, disait-il, d'importantes révélations à lui faire.

Normalement, Brigitte aurait hésité avant d'accepter ce genre d'invitation. Mais elle connaissait suffisamment Hykes pour savoir à quoi s'en tenir : s'il lui fixait rendez-vous à cette heure, c'était parce qu'il ne voulait pas sacrifier sa soirée de travail. Et s'il affirmait avoir des révélations à lui faire, c'était la véritable raison de son invitation.

Elle en était un peu déçue, d'ailleurs. En privé, Hykes s'était montré une personne chaleureuse et intéressante – tout le contraire du personnage qu'il se croyait obligé de maintenir en tant que directeur de la recherche. Elle aurait aimé mieux le connaître. Mais leurs rapports n'avaient jamais été plus loin que cette camaraderie professionnelle.

Hampstead, 3 h 34

Fogg ouvrit les yeux.

Encore une nuit écourtée. Il s'éveillait de plus en plus tôt. À ce rythme-là, son corps n'allait pas tenir le coup. Ses symptômes, qu'il avait longtemps simulés, devenaient de plus en plus réels. Comme si son organisme finissait par croire à la fiction qu'il lui faisait raconter, jour après jour.

Inutile d'essayer de se rendormir. Ça n'aurait servi qu'à amplifier la douleur dans sa cuisse droite. Selon le médecin qu'il avait discrètement consulté, le nerf fémoral était en train de se dégrader. Cela provoquait des engourdissements de plus en plus prononcés quand il maintenait certaines positions. Jusqu'au point de devenir douloureux. C'était souvent ce qui le réveillait.

Pour combattre la douleur, une seule solution : bouger. Aussi, Fogg commençait-il sa journée en faisant le tour des pièces de l'immense résidence. D'abord celles du premier plancher. Puis celles de l'étage. Et, finalement, celles du sous-sol.

C'était là qu'il redevenait réellement Fogg. Et ce n'était pas un hasard. Il y mettait l'effort nécessaire. Depuis plus de quarante ans, tous les matins en se levant, il consacrait une heure, souvent plus, à devenir Fogg.

Au mur, il y avait une liste des qualités essentielles pour « être » Fogg. Il s'assoyait devant la liste et, pour chacune des qualités, il s'efforçait de retrouver les situations où il l'avait le mieux incarnée. Il s'efforçait ensuite de les visualiser. De les revivre intérieurement. De retrouver les perceptions les plus marquantes, les jeux de physionomie et les tons de voix qui exprimaient le mieux l'attitude recherchée… Au début, bien sûr, il avait été obligé de les imaginer. Mais, avec les ans, son répertoire de situations exemplaires vécues s'était accru. Il lui suffisait de puiser dans sa mémoire.

L'exercice aurait paru superflu à bien des gens. Mais, dans le monde où Fogg évoluait, le plus petit écart de comportement, la moindre apparence de faiblesse, pouvait avoir des conséquences mortelles. Mieux valait ne courir aucun risque. Son projet était trop important pour qu'il se permette la moindre faille dans son personnage… Si quelqu'un pouvait légitimement affirmer s'être construit lui-même, c'était lui.

En d'autres termes, Fogg ne croyait pas beaucoup à la spontanéité… Sauf à celle des autres. Celle-là pouvait être utile.

Il sourit. Puis il se concentra sur le premier mot au sommet de la liste :

Impitoyable.

LONGUEUIL, 22 H 43

Le bâtiment ultra-moderne était en partie dissimulé par la forêt qui l'entourait. « Excellent ! » songea Cake.

Les raisons qui avaient amené BioLife Management à construire son laboratoire dans un endroit aussi retiré n'avaient rien à voir avec les préoccupations de Cake. L'entreprise avait sans doute pris en compte la sécurité de la population en cas d'accident, le désir d'échapper à l'attention publique, la possibilité qu'offrait l'endroit de protéger les lieux… Mais, au total, un endroit retiré était un endroit retiré, ce qui allait faciliter grandement l'opération.

Un grichement dans son écouteur le tira de ses pensées.

— Pizz au rapport. Le client est à la table. Pie lui tient compagnie. J'attends l'autre convive dans l'entrée de l'édifice.

En guise de réponse, Cake se contenta d'ouvrir et de fermer deux fois son micro. Les déclics, dans l'écouteur de Pizz, lui confirmeraient que son message avait été reçu.

L'instant d'après, une nouvelle voix se faisait entendre.

— Pie. Je suis dans la cuisine. Le chef m'explique ses recettes.

Cake sourit. Celui qui avait imaginé ce système de communication codée devait faire une fixation sur la nourriture.

— Stew. Je suis en route vers le restaurant. Je serai un peu en retard.

— Spag. Je suis dans le stationnement du casse-croûte.

Le dernier message lui parvint cent dix-sept secondes plus tard.

— Fries et Pogo. Nous arrivons en vue de l'épicerie.

— Vous attendez tous mon signal pour procéder, fit Cake.

Les effectifs étaient en place. Ils avaient déjà disposé du premier client. Il ne restait plus qu'à prendre livraison du deuxième. Une cliente, celle-là. Elle était attendue d'une minute à l'autre. Ensuite, les équipes de mise en scène prendraient la relève.

De toute façon, rien ne pressait. La température était agréable. Et quand ce serait terminé, il y aurait encore des bars et des restaurants qui seraient ouverts.

C'était ce qu'il y avait de bien à Montréal : c'était une ville civilisée. On pouvait y effectuer une opération – les médias, eux, parleraient d'attentat, de terrorisme – et se retrouver moins d'une heure plus tard dans un restaurant agréable, à l'abri des soupçons. Cake était heureux de devoir y rester encore un mois.

Sa main se porta machinalement à son collier, ce qui lui fit penser au groupe : les US-Bashers… Les Nations Unies de la lutte contre l'impérialisme américain, avait dit le recruteur.

On lui avait donné pour mission de diriger un groupe d'hommes qui ne se connaissaient pas et qui ne se reverraient probablement jamais, une fois l'opération terminée. Même Cake ignorait leur identité. Son rôle se limitait à coordonner l'opération selon les directives qu'il recevait.

C'était la beauté du système : si l'un d'eux se faisait prendre, il ne pouvait rien révéler. Cake lui-même ne connaissait pas celui qui lui fournissait ses instructions. Le seul point commun entre tous ces hommes, c'était de détester les États-Unis.

Chacun, d'une façon ou d'une autre, avait été victime des Américains. Soit que leurs proches aient été torturés ou mis à mort par des gouvernements que les États-Unis soutenaient, soit qu'ils aient été expulsés de leur pays, soit qu'ils aient été victimes de censure ou de discrimination. Plusieurs avaient vu leur famille être plongée dans la misère, d'autres avaient été la proie de fonctionnaires ou d'hommes politiques corrompus. Certains étaient même des vétérans américains des deux guerres du Golfe, désabusés par le comportement de leurs dirigeants politiques…

Les bienfaits que la civilisation américaine répandait sur le reste de la planète étaient innombrables. Il y avait autant de formes d'injustice et de violence que d'individus. Mais, quand on remontait l'échelle des causes, on aboutissait toujours à la même : quelque part, des intérêts et des décisions américaines avaient joué, soit à la suite d'un ordre explicite, soit à cause du système que ces intérêts avaient mis en place.

Ce qu'on offrait à tous ces gens, c'était la possibilité de se venger. De le faire en s'attaquant à des intérêts américains.

Après avoir accepté l'offre du recruteur, les membres n'avaient plus de contact direct avec l'organisation. Un jour, ils recevaient un courriel leur demandant s'ils étaient disponibles à partir de telle date, pour une certaine période de temps. Ceux qui répondaient par l'affirmative recevaient une confirmation de réservation de chambre d'hôtel par Internet. Ils avaient simplement à s'y présenter à la date prévue. Le chef d'équipe les contacterait et leur expliquerait en quoi consistait leur travail…

Pour cette opération, c'était Cake, le chef. Trois semaines plus tôt, il avait rencontré un homme dans un petit village au pied des Alpes françaises. L'homme qui lui avait donné le collier. Il avait pris vingt minutes pour lui expliquer comment s'en servir. C'était une mesure de sécurité. Un moyen de communication à l'abri des interférences des intermédiaires.

Cake regarda de nouveau sa montre. Puis il songea à la personne dont il attendait la venue. Disposer d'elle ne devrait poser aucun problème particulier.

MONTRÉAL, 22 H 51

Pogo examina soigneusement la disposition des caméras avant de se diriger vers le comptoir des yogourts. Se plaçant de façon à ce que sa main gauche ne soit pas dans l'angle de l'objectif, il glissa la main dans sa poche, en sortit un contenant de yogourt et le mit dans l'étalage.

Il répéta l'opération à quatre reprises. Pendant ce temps, Fries faisait de son mieux pour se placer entre lui et l'objectif de la caméra, de manière à lui offrir une protection supplémentaire. C'était le troisième endroit dans lequel ils se rendaient.

Au moment de ressortir, ils furent interpellés par un agent de sécurité qui leur demanda de les suivre à son bureau et de vider leurs poches de manteau. Fries et Pogo obtempérèrent avec le sourire.

Quand l'agent constata qu'il n'y avait aucun article dans leurs poches, il les regarda un moment sans parler, comme s'il cherchait à comprendre.

— Ouvrez vos manteaux, leur demanda-t-il finalement.

Les deux hommes s'exécutèrent de bonne grâce. L'agent de sécurité crut même percevoir de la moquerie dans leur sourire.

— Il faut se méfier des stéréotypes, répondit Pogo sur un ton bon enfant. Un Arabe n'est pas nécessairement un voleur.

L'agent de sécurité regarda les deux hommes et prit conscience à quel point leur habillement tranchait avec les manteaux amples et défraîchis qu'ils portaient. Leurs complets-veston paraissaient sortir d'un magasin chic.

— Qui vous dit que nous ne sommes pas de riches philanthropes venus distribuer des cadeaux ? ironisa Fries.

Un regard de Pogo le fit taire.

Après avoir hésité, l'agent de sécurité leur fit vider leurs poches de veston, puis de pantalon. Cette fois non plus, il ne trouva rien.

— Je suis désolé, finit-il par dire à contrecœur. Je vous prie d'accepter mes excuses.

Pourtant, la vidéo ne trompait pas : ils avaient repéré les caméras, s'étaient placés de manière à éviter la surveillance, l'un des deux avait enfoui à plusieurs reprises ses mains dans les poches de son manteau, s'était penché vers le comptoir… Et aucun des deux n'avait acheté quoi que ce soit !

D'accord, leur allure ne correspondait pas à celle des voleurs à l'étalage typiques. Mais ça ne prouvait rien : avec la crise économique, de plus en plus de gens de toutes les catégories sociales s'y mettaient… Peut-être avaient-ils un complice ? Pourtant, sur les bandes vidéo, on ne voyait personne les approcher.

Après leur départ, l'agent de sécurité décida de conserver la vidéo de leur visite à l'épicerie pour consultation future. S'ils revenaient, il les aurait à l'œil.

LONGUEUIL, 23 H 06

Brigitte Jannequin n'eut conscience d'être en danger qu'au moment où une main lui plaqua un tissu imbibé de chloroforme sur le visage.

Dans les secondes qui avaient précédé, elle avait aperçu Hykes, affalé sur une chaise derrière son bureau. Surprise qu'il se soit endormi, elle s'apprêtait à aller le réveiller lorsqu'une main avait surgi par-dessus son épaule droite et lui avait collé un chiffon contre le visage. Par la gauche, un bras s'était enroulé autour de son cou et l'avait tirée vers l'arrière. L'odeur désagréable du chloroforme avait alors submergé la presque totalité de ses perceptions. Puis tout avait disparu dans le noir.

Elle n'avait pas pensé qu'elle pourrait manquer de temps pour terminer ses recherches et mieux faire connaissance avec Hykes… Elle n'avait pas pensé qu'elle n'aurait pas le temps de se construire une carrière et d'avoir des enfants… Elle n'avait pas pensé qu'elle n'aurait même pas le temps de revoir ses parents une dernière fois.

En fait, elle n'avait pas eu le temps de penser quoi que ce soit. Un voile noir était descendu sur son esprit.

Par la suite, elle n'avait eu aucunement conscience que quelqu'un l'avait déplacée sans trop de ménagement pour l'asseoir dans un fauteuil en face du bureau. Ni qu'on l'avait attachée avant de lui faire une piqûre.

Elle avait commis l'erreur de croire qu'elle avait tout son temps. Pas une seule seconde, elle n'avait imaginé que la prochaine personne qui la verrait devrait, pour cela, déterrer son cadavre sous des tonnes de blé.

AU-DESSUS DE L'ATLANTIQUE, UN AVION DE LA BRITISH AIRWAYS, 2 H 11

Skinner détestait ces allers-retours impromptus que lui imposait Fogg. Une question de sécurité, avait dit le chef du Consortium. Il ne faisait pas confiance aux communications électroniques. Et encore moins aux téléphones. Pas pour ce qu'il avait à lui dire.

De fait, il avait probablement raison, songea Skinner. Subvertir le Consortium pour l'arracher à ses commanditaires était une entreprise qui exigeait quelques précautions.

La rencontre avait permis à Skinner de comprendre les motifs de plusieurs des décisions récentes de Fogg. Même si ce dernier ne lui avait certainement pas tout dit. Pour des raisons de sécurité. En vertu du sacro-saint principe selon lequel il fallait compartimenter l'information et donner à chacun uniquement ce qu'il avait besoin de savoir… Et aussi parce qu'il excellait à manipuler l'information et à la distribuer au compte-gouttes.

Le plan dévoilé par Fogg ouvrait des perspectives stupéfiantes. Mais il mettait Skinner en position de devoir choisir son camp plus rapidement qu'il ne l'aurait voulu. Pour lui, tout se ramenait dorénavant à une question très simple : qui allait-il trahir ? Et à une sous-question : quand ?

De la friture dans le casque d'écoute ramena son attention au bulletin d'informations diffusé sur le petit moniteur devant lui.

> … L'EMPOISONNEMENT RÉSULTERAIT DE CÉRÉALES QUI AURAIENT ÉTÉ CONTAMINÉES PAR UN PARASITE. IRONIQUEMENT, LES PARENTS DES DEUX JEUNES VICTIMES SONT DES ÉCOLOGISTES RADICAUX QUI ONT UNE ALIMENTATION COMPOSÉE UNIQUEMENT DE PRODUITS NATURELS…

Skinner ferma la télé et enleva son casque d'écoute. De toute façon, les médias ne pouvaient rien lui apprendre sur les événements en cours.

Il consulta son BlackBerry.

Il ouvrit d'abord le dossier qui avait pour titre « Institut ». Puis le sous-dossier « Personnel secondaire ». À l'intérieur de celui-ci, il fit apparaître une série de photos.

La première était celle de Graff, le caricaturiste. Skinner prit le temps de la regarder, puis il la fit disparaître en murmurant :

— Trop périphérique.

Suivirent celles de Big Ben et de Celik, qui furent éliminées à leur tour.

Quand celle de Pascale Devereaux apparut, Skinner resta un moment à l'observer.

— Ça devrait aller, dit-il finalement.

Il referma le dossier « Institut » et il en ouvrit un autre dont le titre était « US-Bashers ». La quatrième photo à apparaître fut celle d'un homme dans la jeune quarantaine dont les traits ressemblaient à ceux d'un Indien d'Amérique centrale. Sous sa photo, un seul mot était écrit : « Cake ».

Skinner regarda sa montre. Normalement, l'opération était déjà en cours.

Il referma son BlackBerry et se mit à penser à l'inspecteur-chef Théberge. Officiellement, ce dernier ne dirigeait plus rien, à l'exception d'une petite unité baptisée « unité spéciale », dont il était le seul membre et dont les mandats étaient laissés à la discrétion du directeur du SPVM. Il exerçait également un rôle-conseil auprès du directeur, s'il fallait en croire l'organigramme du SPVM. Son salaire officiel était celui d'un simple policier. Une entente non divulguée lui permettait toutefois de bénéficier de plusieurs accommodements : un équipement informatique échappant aux normes du SPVM, un système spécial de filtration de l'air dans son bureau, un horaire laissé à sa discrétion, la possibilité de déterminer lui-même ses tâches après consultation avec le directeur du SPVM…

Skinner en avait eu la confirmation par un des employés administratifs du Service de police. Mais ce qu'il n'était pas parvenu à savoir, c'était d'où provenait l'argent. Comment étaient financés ces avantages… Officiellement, Théberge lui-même payait tous les avantages dont il bénéficiait. Mais était-ce vraiment lui qui payait ? Fogg avait raison : ça ressemblait à une planque subventionnée de façon occulte par l'Institut. C'était un bon point de départ pour remonter la filière.

Longueuil, 23 h 22

L'individu dont le nom de code était Spag entra dans la résidence de Martyn Hykes et alla directement vers le bureau où le chercheur conservait ses archives.

C'était un des aspects plaisants du travail : avec les US-Bashers, les missions étaient soigneusement préparées. Une semaine plus tôt, il avait pu visiter sur vidéo l'intérieur de la maison et se familiariser avec les lieux.

L'ordinateur était allumé. Spag ouvrit une session et il effaça tous les dossiers relatifs aux recherches de Hykes. Il ouvrit ensuite le logiciel de messagerie électronique et fit disparaître tous les courriels. Puis il activa le logiciel de navigation Internet, accéda à l'espace de stockage sécurisé que Hykes avait loué chez un fournisseur et il détruisit tous les dossiers de sauvegarde qu'il y trouva.

Spag introduisit ensuite un DVD dans l'ordinateur et il transféra dans le logiciel de messagerie une nouvelle banque de courriels. Il plaça ensuite un logiciel de contrôle à distance dans le dossier « applications ».

L'opération effectuée, il éjecta le DVD, le rangea dans son étui et mit l'ordinateur en mode veille. Finalement, il récupéra les DVD de sauvegarde qui étaient rangés dans un des tiroirs du bureau et il les mit dans un sac de transport. Il jeta alors un dernier regard dans la pièce, comme pour s'assurer de n'avoir rien oublié, puis il sortit.

Longueuil, chemin du Tremblay, 23 h 29

Stew n'était plus qu'à cinq rues de la maison de Brigitte Jannequin. C'était de loin la mission la plus simple qu'on lui avait confiée depuis des mois : modifier les courriels archivés dans un ordinateur. Il avait la clé de l'appartement, une seule personne y habitait et il était impossible qu'elle y soit. Des circonstances hors de son contrôle la retiendraient ailleurs, avait expliqué le chef de mission.

Rien, absolument rien, ne pouvait mal tourner. On lui avait même fourni le mot de passe de l'ordinateur.

C'est à ce moment qu'un facteur imprévu avait surgi dans la mission soigneusement programmée de Stew. Il s'appelait Laurent Cinq-Mars et il y avait dix-huit ans qu'il exerçait ce métier de facteur.

Laurent Cinq-Mars revenait d'une soirée abondamment arrosée pour fêter le départ à la retraite d'un collègue. Luttant avec un succès relatif contre le sommeil, il peinait à conserver son Hummer à la droite de la ligne blanche. De temps à autre, sa tête tombait sur sa poitrine et la course du véhicule faisait un écart vers la gauche, écart que Cinq-Mars corrigeait d'un coup de volant au moment où il se réveillait brusquement.

La dernière fois qu'il s'éveilla, la lumière d'un véhicule venant en sens inverse l'éblouit. Il donna le coup de volant trop tard et dans la mauvaise direction. Le Hummer heurta le devant du véhicule de Stew, monta par-dessus le capot et continua sa course à travers le pare-brise, qu'il écrasa contre le visage de son occupant.

Laurent Cinq-Mars et son Hummer, qu'il avait acquis à la suite d'un héritage, étaient pratiquement indemnes, ce qui prouvait qu'il avait eu raison de tenir son bout contre son épouse. Le Hummer n'était pas seulement un caprice de macho. C'était un investissement dans sa sécurité. En cas de collision, avait-il argumenté, il aurait plus de chances de s'en tirer.

Pour Stew, par contre, la situation était nettement plus critique. Privés de l'architecture osseuse et du support des membranes qui maintenaient à leur place chaque partie du cerveau, les neurones et les cellules gliales s'étaient joyeusement mélangés. Ils formaient maintenant une soupe physiologique totalement inapte au maintien des délicats équilibres qui assuraient à son organisme un fonctionnement minimal. À l'intérieur de son corps, des processus biologiques continuaient de se dérouler, mais, comme organisme global, il était mort.

FORT MEADE, 23 H 44

Le logiciel avait reconnu sept mots clés : terrorisme, guerre, violence, carnage, destruction, famine, chaos… Certains des mots étaient répétés à plusieurs reprises. L'analyste de la NSA sélectionna le message et le fit jouer.

À l'écran, un personnage revêtu d'une bure ocre et dont les traits étaient cachés par un masque de bouddha souriant déclamait le texte sur un ton inspiré.

Depuis trop longtemps… Depuis trop longtemps, les êtres humains prolifèrent et maltraitent la Terre sans remords. Depuis trop longtemps, ils la forcent à produire jusqu'à l'épuisement. Depuis trop longtemps, ils l'empoisonnent et la vident de ses ressources… Depuis trop longtemps…

En vérité, je vous le dis, cette époque est désormais révolue. Le premier cavalier est en marche. Il est sur le point de frapper. Je le vois qui vient… Derrière lui se répandra la famine. Les récoltes seront rongées par la peste brune. Le riz et le blé pourriront dans les champs. L'humanité entière sera affamée. Des violences de toutes formes surviendront. Ceux qui ont vécu par le carnage mourront dans le carnage… Voilà ce que j'ai vu.

Il est révolu, le temps du gaspillage alimentaire, de la destruction des espèces et du saccage des ressources naturelles. Il est révolu, le terrorisme que l'espèce humaine fait régner sur la planète. Voici maintenant venu le temps du terrorisme de la planète à l'endroit de son parasite.

En vérité, je vous le dis, ce n'est pas une époque joyeuse qui nous attend : comme toutes les renaissances, celle qui vient sera précédée de chaos et de grandes catastrophes. Nombreux seront les survivants qui trouveront leur réconfort en prenant partie pour Gaïa. Nombreux seront ceux qui voudront accélérer la destruction de ses ennemis…

À cause du côté folklorique du message, l'analyste hésitait sur la cote à lui attribuer. Mais Guru Gizmo Gaïa était le maître dont s'était réclamé un nouveau groupe écoterroriste, Les Enfants de la Terre brûlée. Mieux valait ne rien laisser passer. De cette manière, on ne pourrait rien lui reprocher. Il accola au message un signal d'alerte rouge.

Si le superviseur confirmait son évaluation, l'enregistrement se retrouverait directement sur le bureau du directeur, John Tate. Comme tous les messages liés au terrorisme alimentaire.

La nécessité d'un groupe pour diriger le processus d'autoprédation de l'humanité pose la question du choix. Qui est apte à guider cette opération destinée à réguler l'espèce la plus prédatrice ?

Une fois de plus, la réponse est assez simple si on la considère sans préjugés. Les plus à même de diriger cette superprédation, ce sont ceux qui ont déjà fait la preuve de leurs talents de prédateurs : les super-prédateurs.

Guru Gizmo Gaïa, *L'Humanité émergente*, 2- Les Structures de l'Apocalypse.

PORT DE MONTRÉAL, 0 H 47

Pizz et Pie regardèrent le corps anesthésié de Brigitte Jannequin disparaître sous un déluge de blé. Ce n'était qu'une question de minutes avant qu'elle meure.

À mesure que les céréales s'accumulaient, leur masse exerçait une pression croissante sur la cage thoracique de la jeune femme. Respirer serait bientôt une tâche impossible. Son organisme serait définitivement privé d'oxygène. Une à une, ses activités vitales cesseraient. De Brigitte Jannequin, il ne resterait qu'un amalgame de processus biologiques qui poursuivraient leurs activités dans un état d'anarchie croissante.

Pizz regardait le silo continuer de se remplir. Malgré tout, la jeune femme était chanceuse, songea Pizz : elle ne sentait rien. En fait, elle n'avait même pas eu conscience de ce qui lui arrivait… C'était une des choses qu'il appréciait chez les US-Bashers : quand il fallait éliminer quelqu'un, on le faisait de manière humaine. En infligeant le moins de souffrance possible.

LONGUEUIL, 4 H 11

Le sauve-écran de l'ordinateur affichait les cinq cent soixante-six atomes de la molécule d'ADN, laquelle tournait lentement sur elle-même en se déplaçant avec la même lenteur sur le fond noir de l'écran. Rien n'indiquait que l'ordinateur n'était plus en mode veille.

Quelque part sur le Web, un utilisateur venait d'accéder au logiciel de contrôle à distance de l'ordinateur de Hykes. Il entreprit d'y télécharger une vidéo. À cause d'un ralentissement sur le réseau du distributeur de services Internet auquel Hykes était abonné, le téléchargement dura cinquante-huit secondes.

Dans les instants qui suivirent, la molécule disparut de l'écran. L'ordinateur venait de s'éteindre.

MONTRÉAL, SPVM, 9 H 03

Théberge regardait le liquide brun qui recouvrait les pages de son agenda. Il hésitait à y poser le papier absorbant de peur de pousser le liquide plus loin encore entre les feuilles.

Il se décida finalement à éponger. Puis il enleva toutes les feuilles trempées de café et, après les avoir asséchées le mieux qu'il pouvait, il les déposa une à côté de l'autre sur la surface dégagée de son bureau, chacune sur un carré de papier absorbant.

Rondeau entra au moment où Théberge se rassoyait pour prendre la mesure du succès de son entreprise.

— Vous avez renversé du café ?

— Non, c'est un nouveau code de couleurs pour mon agenda, grogna Théberge.

— Je me disais, aussi…

— Vous n'avez rien de mieux à faire que de me susurrer des insanités ?

Totalement immunisé contre la mauvaise humeur de son chef, Rondeau poursuivit, imperturbable :

— Le directeur Crapaud veut que je vous fasse un *briefing*. Vous allez diriger l'enquête.

Le regard de Théberge se fit inquisiteur.

— Quelle enquête ?

— Un incendie dans un laboratoire de recherche, BioLife Management.

— Depuis quand l'unité spéciale s'occupe des incendies ?

— Le directeur de la recherche et une des chercheuses se sont évaporés en même temps que le laboratoire.

— Évaporés…

Théberge fixait Rondeau comme s'il attendait une explication.

— C'est une métaphore, reprit Rondeau.

— Vraiment ? fit Théberge sur un ton exagérément surpris. Parce qu'en plus de pratiquer l'insulte roborative, vous faites maintenant dans la figure de style !

Rondeau sortit un calepin de sa poche et il écrivit en prononçant lentement chacune des syllabes du mot :

— Ro-bo-ra-ti-ve.

— Qu'est-ce que vous faites ?

— Je m'instruis… À votre contact, j'apprends toutes sortes de mots que je peux utiliser dans les conférences de presse.

Théberge refoula la réplique qui lui venait et se flatta l'estomac de la main gauche.

— Vos « évaporés », dit-il sur un ton relativement neutre, est-ce que ce sont eux qui ont fait « évaporer » le laboratoire ?

— Aucune idée.

Théberge s'absorba un moment dans la contemplation des feuilles étalées de son agenda.

— Je ne vois toujours pas pourquoi Crépeau veut que je m'occupe de ça, dit-il. J'en ai déjà assez avec Gontran !

— Gontran ?

— Le cadavre du crématorium.

— Ah…

Puis Rondeau ajouta, comme s'il avait oublié un détail :

— La chercheuse est la fille d'un ministre français. Il arrive demain.

Théberge jeta un regard noir à Rondeau.

— Parce qu'en plus il veut que je me tape le Français !

Il se leva pour prendre sa pipe.

Jusqu'à ce jour, il s'en était bien tiré. Crépeau avait joué le jeu et rempli sa part du contrat. Il avait accepté d'assumer à sa place la direction du SPVM. En échange, Théberge dirigeait une unité spéciale théoriquement chargée des cas les plus difficiles. Dans les faits, son travail consistait surtout à conseiller Crépeau. C'était le compromis auquel il était arrivé avec les autorités politiques, qui menaçaient de nommer un bureaucrate s'il refusait d'assumer la direction des services.

Officiellement responsable de l'unité spéciale, Théberge passait l'essentiel de son temps à examiner les dossiers que Crépeau lui soumettait pour ensuite en discuter avec lui. À ses yeux, les cas spéciaux n'étaient qu'une fiction pour faire avaliser le compromis par les bureaucrates et les politiques. Une fiction temporaire. Elle durerait le temps qu'on recrute un remplaçant pour Crépeau. Un remplaçant qui ferait l'affaire du service. Ensuite, Crépeau ferait une dernière année comme adjoint, pour assurer la transition.

Quant à Théberge, il prendrait sa retraite. Le travail d'enquête l'intéressait toujours, mais il supportait de moins en moins l'attention obsessionnelle des politiciens et le harcèlement des médias. Surtout depuis la campagne que HEX-Radio avait lancée contre lui.

— Le directeur Crapaud compte sur vous, insista Rondeau.

— Leurs recherches, c'était sur quoi ?

— Des trucs sur les céréales.

— Comme les *All-Bran* ?

Rondeau sourit.

— Vous aussi, vous en prenez ?… Est-ce que c'est efficace ?

VENISE, 15 H 10

Horace Blunt était concentré sur la partie de go qu'il jouait par Internet. Chaque jour, son adversaire et lui jouaient au moins un coup. Il avait reproduit la partie sur le goban qui était devant la fenêtre. C'était le seul qui était à l'extérieur de la salle de go. Le seul qui n'était pas consacré au travail.

Au début, son regard avait alterné entre le Grand Canal et le goban. Puis il s'était fixé sur le Grand Canal, où il continuait de voir, comme en superposition, les pierres noires et blanches de la partie en cours.

Quand le signal d'avertissement de son ordinateur interrompit sa réflexion, Blunt ne put réprimer une légère crispation des muscles de son visage. Il se leva, se rendit à son portable et activa le logiciel sécurisé de vidéo-communication.

La figure de John Tate apparut.

— Du nouveau sur les attentats écoterroristes ? demanda d'emblée l'Américain.

Il faisait référence à la vague d'actes de vandalisme qui déferlait depuis quelques semaines sur l'Europe. Toutes les actions étaient dirigées contre des entreprises liées à l'agro-alimentaire ou contre des gens qui y occupaient des postes clés. Les dégâts infligés étaient mineurs, mais plusieurs savants avaient fait l'objet de harcèlement ; quelques-uns avaient même disparu sans qu'on sache ce qu'il était advenu d'eux.

Tous les messages envoyés aux médias pour revendiquer les attentats étaient signés : « Les Enfants de la Terre brûlée ». Plusieurs citaient un mystérieux guru écologiste dont la popularité sur Internet avait explosé au cours des semaines précédentes : Guru Gizmo Gaïa.

— Rien de très sérieux, répondit Blunt. Deux ou trois dirigeants de compagnie qui ont reçu des courriels haineux. Le cas le plus grave, c'est un cocktail Molotov lancé contre le mur d'un laboratoire qui développe des OGM. Il n'y a pas eu de dégâts.

— Ici, on a eu droit à trois « initiatives citoyennes de responsabilité planétaire ».

C'était une des expressions que l'on retrouvait dans presque tous les messages.

— Tous revendiqués par Les Enfants de la Terre brûlée ? demanda Blunt.

— Oui… Un poulailler industriel incendié, un cas de contamination de fruits et de légumes dans un super-marché, deux camions de fruits de mer saisis puis vidés dans le port… C'est encore assez folklorique, mais j'ai un mauvais pressentiment.

Tate avait raison de s'inquiéter, songea Blunt : il était peu probable que ce soient seulement de joyeux exaltés.

— Rien de neuf sur les savants disparus ? demanda Blunt.

— Rien. Tu as regardé ce qui se passe au Québec ?

— Il y a quelque chose de spécial ?

— Un laboratoire de biotech. Tous les résultats de leurs recherches ont disparu. Le directeur du laboratoire et une chercheuse sont introuvables.

Blunt était intrigué. Il allait contacter Dominique, une fois la conversation avec Tate terminée.

— En quoi ça intéresse la NSA ? se contenta-t-il de demander.

— Je veux que tu t'en occupes personnellement. Il faut retrouver les résultats de leurs recherches.

Puis il ajouta sur un ton légèrement ironique :

— Tu vas te retrouver en pays de connaissance. Tu connais tout le monde, là-bas !

— Combien de fois va-t-il falloir que je te le répète : l'Institut n'existe plus.

— Je sais, je sais…

— Pour les « attentats citoyens », vous avez regardé du côté de ceux à qui le crime rapporte ?

— J'ai deux équipes qui s'en occupent. Elles ont examiné toutes les transactions boursières sur les titres des compagnies visées et sur ceux de leurs compétiteurs.

— Et elles n'ont rien trouvé ?

— Qu'est-ce que t'en penses ?

Ce n'était pas vraiment une question.

— Le nouveau dada du DHS, reprit Tate, c'est la sécu-rité alimentaire. À chaque attentat, Paige me téléphone et me demande pourquoi je n'ai rien intercepté qui aurait pu empêcher que ça se produise !

— Je pensais que le terrorisme islamiste était « la » priorité.

— Tu n'as pas entendu la nouvelle ?… On a gagné. Tous les terroristes qui ont exécuté les attentats contre les cathédrales ont été éradiqués.

— Les politiciens aiment beaucoup le mot « éradiquer »…

— On a des politiciens qui ont du vocabulaire ! Qu'est-ce que tu as contre ça ?

— Si vous aviez éliminé ceux qui ont commandité et planifié les attentats au lieu de ceux qui les ont exécutés, je me sentirais plus rassuré.

— Pour l'instant, c'est le terrorisme agro-alimentaire qui est le *prime mover*. Avec ce qui se passe en Inde et en Chine…

— Ça se décide comment, le *prime mover* ? demanda Blunt sur un ton ironique. C'est une sorte de palmarès et les gens votent comme à *American Idol* ?

— C'est à peu près ça, répondit Tate avec un mélange d'amusement et de dérision. Le *prime mover*, c'est ce qui est en *prime time*… sur le *prime channel*.

Puis il ajouta, plus sérieux :

— Il serait temps qu'on se voie pour faire le point. En allant au Québec, passe me voir.

— Pour le Québec, j'ai des contacts. Je vais m'en occuper à partir d'ici.

— Tâche au moins de me trouver quelque chose que je puisse refiler à Paige ! Ça va lui donner un os à gruger.

— Pour le moment, il n'y a pas encore assez de pièces en jeu pour qu'un *pattern* se dégage, dit-il. Aussitôt qu'il y a des développements, je te téléphone.

Après avoir raccroché, Blunt retourna à son jeu de go.

Trois minutes plus tard, il posa une pièce sur le goban. Ce serait son prochain coup, le lendemain, quand viendrait l'heure de poursuivre la partie.

Il se leva, ferma son portable, le mit dans un sac de transport et sortit. Pour contacter Dominique, il s'assoirait quelque part à une terrasse de la place Saint-Marc.

LONDRES, 14 H 18

Joyce Cavanaugh pénétra dans St. Sebastian Place d'un pas déterminé. Sa démarche trahissait une assurance détachée qui contrastait avec l'inquiétude qu'elle avait ressentie lors de sa première visite. Elle était maintenant une initiée. Comme tous les autres membres du Cénacle, elle disposait des codes d'accès aux étages réservés aux membres.

En sortant de la cage de l'ascenseur, elle traversa rapidement la salle des Initiés, jeta un coup d'œil à la grande fresque et entra dans la bibliothèque.

Killmore l'y attendait. Cette fois encore, des fauteuils avaient été rapprochés et une petite table avait fait son apparition entre les deux.

En s'assoyant dans le fauteuil que lui désignait Killmore, elle remarqua la feuille blanche sur la table. Quatre mots y étaient inscrits :

> CONSORTIUM
>
> FOGG
>
> CAVALIERS
>
> APOCALYPSE

— Si vous me parliez du Consortium ? fit d'emblée Killmore.

— J'ai soumis le projet de restructuration à Fogg. Il n'était pas enthousiaste, mais il comprend la logique qu'il y a à centrer les activités du Consortium sur les principaux leviers de pouvoir.

— Et l'impartition ?

— Visiblement, ça ne l'emballe pas. Mais il a réussi à m'étonner : il a fait des suggestions particulièrement intéressantes sur les organisations auxquelles nous devrions vendre les filiales qu'on abandonne.

— Peut-être voulait-il simplement gagner du temps ?

— Comme vous l'avez suggéré, je lui ai donné six mois.

— Et notre prise de contrôle des filiales restantes ?

— Madame Hunter se familiarise déjà avec leur fonctionnement. Notre seul véritable problème sera General Disposal Services.

— Daggerman ?

— Oui. Mais madame Hunter pense avoir une porte d'entrée dans Vacuum. Si c'est le cas, elle n'aura pas de difficulté à court-circuiter Fogg et ses alliés.

— Je vous fais confiance. Je suis certain que vous allez veiller à ce que l'échéancier soit respecté.

Sous couvert d'un compliment, Killmore lui rappelait que le Cénacle tenait non seulement à ce qu'elle obtienne des résultats, mais à ce qu'elle les obtienne dans les délais prévus. La raison pour laquelle elle occupait maintenant ce poste était directement reliée à l'incapacité de son prédécesseur à y parvenir. Sa situation à elle n'était pas différente. Killmore devait déjà avoir un remplaçant ou une remplaçante en réserve, pour le cas où elle décevrait à son tour les attentes placées en elle.

— Je n'ai aucune inquiétude à ce sujet, se contenta-t-elle de répondre avec un sourire qu'elle voulait convaincant.

— Et Fogg ?

— Nos rapports sont civilisés.

— Je n'en doute pas, répliqua Killmore avec un petit rire.

Puis, après une pause, il ajouta sur un ton plus sérieux :

— J'aimerais avoir votre appréciation sur lui.

La femme laissa passer un moment avant de répondre. Autant elle devait paraître capable de poser sur Fogg un regard critique, autant il importait de le faire de façon nuancée, sans donner l'impression qu'elle se laissait aller à le charger.

— Globalement, ses décisions m'apparaissent adéquates.

Elle ajouta ensuite, avec un soupçon de contrariété :

— Mais je n'arrive toujours pas à savoir à quel point il est malade et à quel point il joue la comédie.

— C'est ce que vous m'avez dit à notre précédente rencontre.

Sans être un reproche ouvert, la remarque la mit sur ses gardes.

— D'un côté, c'est plutôt rassurant sur sa capacité à diriger le Consortium, non ? fit-elle.

— Et plutôt inquiétant sur notre capacité à en prendre le contrôle, non ? répliqua Killmore avec un sourire.

— Avec l'aide de madame Hunter, j'ai confiance de pouvoir le faire.

— Elle semble très efficace, votre madame Hunter…

Joyce Cavanaugh ne savait pas comment interpréter la remarque de Killmore. Voulait-il lui laisser entendre que le Cénacle considérait Jessyca Hunter comme sa successeure éventuelle ? Était-ce une mise en garde pour l'inciter à se méfier d'une subordonnée trop compétente ?

— Très efficace, approuva Joyce Cavanaugh. Pour l'instant, elle contrôle bien les pulsions qui pourraient altérer son jugement. Elle a même renoncé à accroître sa collection d'araignées pour ne pas s'exposer à la curiosité des organismes de surveillance.

Dans cette réponse, les mots importants étaient : « pour l'instant ». Ces deux mots suffisaient à discréditer Hunter comme candidate éventuelle tout en montrant qu'elle l'avait à l'œil. Le reste était de l'enrobage.

— Il va de soi que je compte sur vous, fit Killmore. Si jamais elle devenait un facteur de risque…

— Bien entendu.

— Mais nous avons intérêt à éviter toute mesure précipitée. Les opérateurs de sa qualité ont souvent des excentricités dont il est sage de s'accommoder.

Puis il conclut avec un sourire :

— Qui de nous n'en a pas ?

DORVAL, AÉROPORT PIERRE-ELLIOT-TRUDEAU, 9 H 23

Cake accompagna le cercueil jusqu'à l'appareil chargé d'emmener Martyn Hykes en Suisse. Le commanditaire de l'opération s'était occupé de tout. Y compris de la location du jet privé. Il avait même tenu à engager un équipage plus nombreux que ne le nécessitait l'appareil. La tâche de Cake se résumait à procéder à la mise en scène de la disparition du chercheur et à livrer le cercueil à l'avion.

Après avoir donné une petite tape sur le cercueil, Cake remit à l'un des membres de l'équipage une mallette contenant l'ensemble du matériel informatique saisi chez Hykes.

Son rôle était terminé. Il allait maintenant retourner à l'hôtel. Le seul point noir était le comportement de Stew, qui n'avait toujours pas donné signe de vie. Il avait probablement trop fêté la veille, songea-t-il. Mais ce manque de discipline l'étonnait. Les US-Bashers n'étaient pas coutumiers de ce type de comportement. Il faudrait sévir.

MONTRÉAL, SPVM, 9 H 33

Théberge regardait autour de lui, l'air ironique. La pièce était envahie d'ordinateurs et de moniteurs sur lesquels défilaient des informations financières.

— C'est comme ça que tu travailles ? demanda-t-il en se tournant vers Guillaume Maltais. Tu t'amuses à regarder des écrans ?

Le responsable de l'escouade consacrée à la répression de la criminalité financière sourit.

— C'est juste pour suivre un peu ce qui se passe. La plupart du temps, on analyse des bilans financiers et des rapports de transaction.

— BioLife Management, tu connais ça ?

— C'est une sorte de biotech. Je veux dire, « c'était » une sorte de biotech. Après cette nuit…

— Qu'est-ce qu'ils fabriquaient ?

— Ils travaillaient sur un projet de nettoyeur génétique. Pour les céréales.

— Un nettoyeur génétique… Ça va donner des idées à nos petits copains de l'extrême droite, ça.

Maltais ignora la remarque.

— Au cours des derniers mois, la compagnie a combattu une OPA hostile. L'attaque venait d'une entreprise américaine, Biotope Technologies.

— Tu penses qu'elle est impliquée?

— Biotope Technologies a la réputation de ne pas être regardante sur les moyens. Elle a déjà mis en marché des céréales à durée de vie limitée.

Théberge haussa les sourcils.

— Des céréales qui sont tout à fait normales, reprit Maltais. Sauf qu'on ne peut pas les utiliser pour les semences. Elles sont manipulées pour être stériles. Il faut en acheter des nouvelles chaque année.

— Je pensais que c'était une légende urbaine… Mais je ne vois pas le rapport.

— Hykes, le principal actionnaire de BioLife Management, ne voulait pas vendre. Surtout pas à Biotope Technologies. Il a développé le nettoyeur biologique pour contrer les multinationales. C'est un procédé pour enlever les gènes manipulés des semences OGM. Biotope Technologies, de son côté, voulait acheter la compagnie pour mettre la main sur le brevet du nettoyeur et empêcher sa diffusion… Ce n'était pas ce qu'ils disaient officiellement, mais aussitôt qu'ils ont fait leur offre, tout le monde a compris.

— Parce qu'il ne voulait pas vendre, ils auraient volé les résultats de sa recherche? Et ils auraient éliminé les deux chercheurs… C'est ça que tu es en train de me dire?

— Je dis que c'est une hypothèse envisageable. Mais ça reste une hypothèse.

— Ça vaudrait quand même la peine de leur poser une ou deux questions.

— Leur siège social est en Californie… Remarque, tu pourrais te faire payer le voyage!

Théberge poussa un soupir et regarda sa montre.

— Pour l'instant, c'est un voyage dans le « quatre cinq zéro » qu'il faut que je fasse.

— Toujours les mêmes qui en profitent!

LONDRES, 14 H 41

Le collier avait en sautoir un pendentif de forme plate et circulaire dont la surface était gravée de motifs minuscules rappelant ceux de la grande fresque de la salle d'entrée.

— C'est un minidisque programmé pour se décrypter automatiquement, fit Killmore en donnant le collier à Joyce Cavanaugh. Il suffit de l'insérer dans votre portable. Quand vous l'éjectez, il se réencrypte de lui-même.

Elle prit le collier et l'attacha autour de son cou.

— Tout y est ? demanda-t-elle.

— Vous avez la liste complète des entreprises à protéger dans les quatre secteurs prioritaires.

— D'autres projets spéciaux pour le Consortium, dit-elle en souriant. Ça va tenir Fogg et son équipe occupés !

Killmore jeta un regard à la feuille, sur la petite table.

— J'ai autre chose pour vous, dit-il. Un deuxième travail de liaison.

VENISE, 15 H 52

Blunt était assis à la terrasse du café Florian. Il y venait assez souvent pour qu'on le reconnaisse et qu'on ne le confonde pas avec les touristes. En conséquence, il avait eu droit au service complet : un verre d'eau et une longue cuiller en argent accompagnaient son chocolat chaud, comme dans la tradition viennoise.

Son casque d'écoute était branché sur le portable ouvert devant lui. Tout en parlant à Dominique, il regardait les touristes nourrir les pigeons sur la place Saint-Marc.

La voix de Dominique lui parvenait dans son casque, à l'abri des oreilles indiscrètes. Pour sa part, il tapait ses réponses sur le clavier. Un logiciel de traduction vocale se chargeait de les transformer avant que l'ordinateur procède à l'encodage et les achemine.

— Hurt a fait un rapprochement avec le livre de Fogg. Lui aussi parle d'apocalypse, fit la voix de Dominique.

> Les quatre cavaliers sont remplacés par les quatre éléments…

— Le désert, le déluge, ça correspond aux deux premiers éléments. Mais la maladie?… le froid?

> Le froid, c'est le contraire du feu. Pour ce qui
> est de la maladie…

— Ça peut se transmettre dans l'air…

> Possible.

— Je sais, c'est tiré par les cheveux… L'apocalypse qui vient de la terre, qu'est-ce que ça peut bien être?

> Des tremblements de terre, des volcans…

— Et l'eau?

> Des raz de marée, des tsunamis…

— Personne n'a les moyens de provoquer ça!

> Dans le message de Buzz, il y a une référence
> aux quatre éléments.

— Qu'est-ce que tu en conclus?

> Pour l'instant… rien.

— À ton avis, c'est relié?

> Une probabilité de onze virgule sept pour
> cent… À peu de chose près.

Un silence suivit. Au serveur qui approchait, Blunt indiqua qu'il n'avait besoin de rien.

— Pour en revenir à BioLife Management, reprit la voix de Dominique, pour quelle raison est-ce que Tate s'intéresse à ce qui se passe à Montréal?

> J'ai l'impression que c'est à cause de leur nou-
> velle priorité: le terrorisme agro-alimentaire.

— Tu penses que c'est plus important que le terrorisme religieux?

> Je pense que c'est une autre forme de terrorisme
> religieux.

WWW.CYBERPRESSE.CA, 9 H 58

> … SUR LA MYSTÉRIEUSE ÉPIDÉMIE QUI ATTAQUAIT LES RÉCOLTES DE RIZ DE L'INDE ET DE LA CHINE. LA ROUILLE DU RIZ, COMME A ÉTÉ SURNOMMÉE CETTE MALADIE À CAUSE DES TACHES DE COULEUR BRUNE QUI ENVAHISSENT LES CÉRÉALES…

DRUMMONDVILLE, 11 H 03

F était enfermée dans son bureau. Elle y passait de plus en plus de temps, la porte fermée, travaillant sur des dossiers dont Dominique n'avait aucune idée. Autant F lui laissait toute latitude pour les affaires courantes de l'Institut, l'incitant sans cesse à décider par elle-même, autant elle se montrait secrète sur ce qui l'accaparait quand elle s'enfermait dans ses quartiers.

— Je prépare ma retraite, avait-elle expliqué avec un sourire ironique. Je vais enfin pouvoir m'occuper de mes plantes.

La déclaration avait eu pour effet de rendre Dominique encore plus perplexe : la dernière chose qu'elle pouvait imaginer, c'était une F retraitée, qui se désintéressait de l'évolution de la planète et qui cultivait des fleurs.

Bien sûr, il y avait le précédent de Holmes, retiré à la campagne pour élever des abeilles. Mais justement, Holmes était un personnage de fiction.

Dominique se tourna vers son ordinateur, ouvrit Google et introduisit « Guru Gizmo Gaïa » dans le champ de recherche.

Le lien qui apparut en haut de la liste était dirigé vers le site de l'Église de l'Émergence. Cette église ne lui disait rien. Elle cliqua quand même sur le lien et tomba sur un message de recrutement qui s'adressait aux internautes. Ce message, lui, attira son attention.

> Aidez à sauver la Terre. Joignez les rangs de l'Église de l'Émergence, la seule église qui ne vous demande pas d'argent. Prenez la défense de la nature… Si la vie de vos arrière-petits-enfants vous tient à cœur, écoutez la prochaine allocution de Guru Gizmo Gaïa. Elle sera accessible sur notre site ce soir, à partir de vingt heures, temps universel.

Le site était hébergé en Bulgarie. C'était prévisible, songea Dominique. Toutes les sectes, tous les arnaqueurs installaient leur site dans des pays où les démarches pour remonter jusqu'à eux prenaient au mieux des semaines, plus généralement des mois. Le temps d'arriver à eux, ils avaient déménagé.

Elle rédigea une note et l'envoya par courriel interne à F. Cette dernière lui avait demandé de lui relayer sans délai toute information qu'elle jugerait intéressante sur Les Enfants de la Terre brûlée et sur l'étrange guru dont se réclamaient les écoterroristes.

Un nouveau message en direct de Guru Gizmo Gaïa, ça faisait clairement partie de ce qu'elle entendait par « intéressant ».

LONGUEUIL, 11 H 28

— Absolument rien, dit Grondin.

En guise de commentaire, Théberge se contenta de prendre une profonde inspiration et de passer sa main droite sur sa nuque. Depuis plus d'une heure, ils perquisitionnaient à la maison de Brigitte Jannequin.

— L'ordinateur ? demanda Théberge après un moment.

— Rien. Aucun document scientifique. Juste un logiciel pour travailler à distance sur l'ordinateur du laboratoire.

— Peut-être que les cracks du département d'informatique vont trouver quelque chose.

Un silence suivit.

— Tu sais ce qui me dérange, fit Théberge. Tout est trop normal. Trop… habité… Le réfrigérateur, les armoires, les garde-robes… Il ne manque rien. Même les valises sont rangées à leur place… Si elle s'était enfuie…

— Vous pensez qu'elle a été enlevée ?

— C'est ça ou bien…

Théberge ne compléta pas sa phrase, comme si le fait de ne pas évoquer ouvertement les autres possibilités pouvait conjurer leur réalisation.

Après avoir parcouru une dernière fois la pièce du regard, les deux policiers se dirigèrent vers la sortie.

— Vous lui avez parlé ? demanda Grondin.

Théberge se contenta de le regarder, attendant qu'il précise sa question.

— Gontran…

— Pas encore, répondit Théberge. C'est à cause de…

Il n'acheva pas l'explication. Grondin hocha la tête comme si cet embryon de réponse était déjà suffisamment clair.

Avec Gontran, malgré le nom qu'il lui avait attribué, Théberge ne parvenait pas à établir de contact. Il n'arrivait pas à sentir sa présence. Tout ce à quoi il pouvait penser, c'était à des restes calcinés dévorés intérieurement par des bactéries.

— Il me faudrait une photo, reprit Théberge.

— On ne sait même pas qui il est. Avant qu'on ait une photo…

— J'ai demandé qu'on fasse une reconstitution à partir du crâne…

Grondin se déplaça vers le cadre de la porte et s'y frotta discrètement le dos. Théberge lui jeta un regard désapprobateur.

— C'est plus fort que moi, expliqua Grondin. Mon urticaire…

Une sonnerie lui coupa la parole.

Les deux policiers se regardèrent, puis Théberge se dirigea vers le téléphone.

— Oui ?

— Excusez-moi, je me suis trompé de numéro.

La tonalité de l'appareil mit fin à la conversation.

Théberge raccrocha à son tour et laissa la main sur le combiné. Quelques secondes plus tard, la sonnerie se faisait entendre de nouveau.

— Vous ne vous trompez pas de numéro, s'empressa de répondre Théberge.

— Qui êtes-vous ?

— Inspecteur-chef Théberge, du SPVM.

— Qu'est-ce que vous faites chez Brigitte ?

— Si vous me disiez qui vous êtes…

— Est-ce qu'il lui est arrivé quelque chose ?

Au bout du fil, la voix paraissait réellement inquiète. Théberge prit une longue respiration avant de répondre.

— Écoutez, je ne peux pas donner ce genre d'information au téléphone. Si vous…

— Est-ce qu'elle a eu un accident ?

— Si vous me donnez votre adresse…

— Pourquoi est-ce que vous refusez de me répondre ?

Il y avait de plus en plus d'impatience dans la voix.

— Je vous l'ai dit, je ne peux donner aucune information de ce type par téléphone.

— Je ne vous demande pas des détails sur sa vie privée, je veux seulement savoir s'il lui est arrivé quelque chose de grave ! Oui ou non ?… Ce n'est pourtant pas compliqué !

Théberge explosa.

— Écoutez-moi bien, espèce d'olibrius patenté ! La loi est claire : pas de divulgation intempestive au tout venant anonyme qui se pointe au bout du bigophone ! Et la loi, ce n'est pas moi qui l'ai rédigée ! Je n'ai pas le droit de l'appliquer au gré de mes humeurs ! Alors, presto, vous remballez vos états d'âme et vous m'alignez votre nom, votre adresse, votre numéro de…

Un déclic interrompit la tirade de Théberge.

Après être resté figé pendant quelques secondes, ce dernier raccrocha.

Grondin le regardait, abasourdi. À vrai dire, Théberge lui-même était surpris de cet éclat de mauvaise humeur. Pourquoi avait-il réagi si fortement ? Ce n'était pas le premier témoin un peu énervé qu'il rencontrait. D'ailleurs, le témoin avait l'excuse de s'être fait asséner sans ménagement des informations inquiétantes… Tandis que lui…

— Désolé, dit-il en se tournant vers Grondin, comme s'il avait besoin de s'excuser à quelqu'un.

Il appuya sur la touche « Menu » de l'appareil. Puis sur la touche « Historique ».

Il nota alors sur un papier le numéro de l'appel entrant le plus récent. À côté du numéro, il inscrivit le nom que l'appareil avait affiché sous le numéro : « Victor Prose ».

LCN, 11 H 40

> … LA JEUNE FEMME SERAIT LA FILLE D'UN MINISTRE FRANÇAIS. LA POLICE A ÉGALEMENT ÉCHOUÉ À LOCALISER MARTYN HYKES, LE DIRECTEUR DE LA RECHERCHE ET PRINCIPAL ACTIONNAIRE DE BIOLIFE MANAGEMENT. DES RUMEURS CIRCULENT COMME QUOI LES DEUX CHERCHEURS SE SERAIENT ENFUIS EN EMPORTANT AVEC EUX TOUS LES RÉSULTATS DE LEURS TRAVAUX.

Longueuil, 11 h 44

À la sortie de l'appartement, les policiers furent accostés par News Pimp, un journaliste de HEX-Radio. Il brandit un micro au visage de Théberge.

— Inspecteur Théberge ! Inspecteur Théberge !... Est-ce que vous avez une piste ? Est-ce que vous avez trouvé les deux chercheurs ?

— Rien à déclarer, fit Théberge en écartant le micro avec sa main.

— C'est vrai que c'était sa maîtresse ?... Est-ce que vous avez lancé un mandat d'arrêt international ?

Tout en marchant à côté de Théberge, le journaliste continuait de parler dans son micro.

— Il refuse de répondre à mes questions, dit-il en maintenant le micro près de ses lèvres. Je tente de le suivre.

Il ramena ensuite le micro devant le visage de Théberge.

— Les morts ne vous ont rien dit, inspecteur ? cria-t-il pour s'assurer que le micro ne rate pas sa question.

Théberge écarta de nouveau le micro : avec plus de brusquerie, cette fois. Et il s'enferma dans l'automobile. Grondin, qui n'avait pas été ralenti par le journaliste, était déjà derrière le volant.

Le micro claqua contre la portière. Le visage du journaliste était à quelques centimètres de la vitre. Théberge et Grondin entendaient confusément sa voix.

— C'est vrai que c'est un attentat terroriste ?

Grondin hésitait à démarrer.

— Il est trop près, dit-il en désignant le journaliste qui continuait de les relancer. Ça pourrait être dangereux pour lui.

Théberge lui jeta un regard noir.

À contrecœur, Grondin démarra lentement.

Le micro, qui était collé sur la vitre, fut heurté légèrement par le rebord de la portière. Le journaliste le laissa tomber sur l'asphalte. Son visage affichait un large sourire.

L'instant d'après, il avait récupéré son micro et il reprenait ses commentaires.

— Vous le croirez pas ! Le bruit que vous avez entendu, c'est l'auto des flics qui a frappé mon micro et qui me l'a arraché des mains en passant devant moi… Un peu plus et ils me passaient sur le corps !

LONDRES, 18 H 06

Joyce Cavanaugh entra dans l'appartement, ferma la porte, enclencha les deux systèmes de verrouillage électronique et se dirigea vers la bibliothèque.

En activant le mécanisme de bascule qui faisait pivoter une des sections, elle eut une pensée pour tous les romans et tous les films qui avaient utilisé ce genre de truc. Leurs auteurs ne soupçonnaient probablement pas toute l'ingéniosité technique dont il fallait faire preuve pour construire une telle porte secrète.

Quand l'entrée fut dégagée, elle pénétra dans la petite pièce et attendit que la porte se referme derrière elle. Immobile dans le noir, elle attendit dix secondes. L'important était de ne toucher aucun des murs. Les dix secondes écoulées, elle frappa légèrement sur le mur à sa gauche. La pièce s'éclaira. Elle entra alors le code dans le clavier électronique fixé à la porte devant elle.

La porte s'ouvrit silencieusement, dévoilant une pièce où il y avait deux congélateurs et des armoires remplies de boîtes de conserve.

Elle traversa la pièce, franchit une autre porte, entra dans un nouvel appartement et se rendit au salon. Jessyca Hunter était allongée sur le divan et regardait une émission de télé. Sans surprise, Joyce Cavanaugh constata qu'il s'agissait d'un documentaire sur les araignées.

Elle enleva son veston. Hunter pointa la télécommande en direction de la télé et appuya sur un bouton. L'écran s'éteignit.

— Comment a été la journée ? demanda Cavanaugh.

— J'ai rencontré deux représentants de la mafia américaine. Ils acceptent de nous fournir un réseau de maisons de sûreté réparties dans l'ensemble du pays. J'ai aussi confirmé la réunion à Shanghai pour boucler la relance de Meat Shop… Toi ?

— Je vais avoir des choses à te montrer.

Cavanaugh sortit le portable de son sac et le déposa sur la petite table entre le divan et la télé. Puis elle s'assit. L'écran s'alluma et demanda un certain nombre de mots de passe. Hunter se rapprocha pour mieux voir.

— J'ai été au Cénacle, reprit Cavanaugh.

Elle entra les deux premiers mots de passe demandés, puis elle attendit que la troisième réquisition ait disparu de l'écran. Si elle avait appuyé sur une seule des touches, le contenu de l'ordinateur se serait effacé.

— Un nouveau collier, fit Hunter en prenant le pendentif entre ses doigts.

— Si on veut...

Un bref message s'afficha sur l'écran.

Dernière vérification en cours

Joyce posa ses deux index sur les coins inférieurs de l'écran, qui s'illumina brièvement. Puis un autre message s'afficha :

Accès refusé

Cavanaugh prit son pendentif, le détacha du collier et l'introduisit dans une fente sur le côté droit de la base du portable. Une photo s'afficha à l'écran : un homme à la peau légèrement cuivrée et aux cheveux bruns se tenait debout devant des dunes de sable. Ses yeux fixaient la caméra. La voix de Killmore se fit entendre.

Jean-Pierre Gravah est le premier cavalier. Il travaille depuis plus d'un an à la mise sur pied de l'infrastructure de l'opération Diet Care. Vous avez rendez-vous avec lui demain, à Paris, chez Ladurée, place de la Madeleine. Son intervention comporte deux axes : accroître notre contrôle sur les intervenants qui assurent l'offre ; réduire le volume de cette offre...

Hunter regardait l'écran, perplexe. Elle se tourna vers l'autre femme.

— C'est commencé, se contenta de dire Cavanaugh.

DRUMMONDVILLE, 12 H 27

Une fois que la page d'accueil du site de jeu se fut affichée, Dominique entra une assez longue série d'instructions au clavier. Un carré blanc apparut au centre de l'écran. Trois courtes expressions s'y affichèrent.

NutriTech Plus
St. Sebastian Place
Messenger

Dominique cliqua sur chacune des expressions. Dans les secondes qui suivirent, une dizaine de megs furent téléchargés sur son ordinateur.

F regardait par-dessus son épaule la progression des quatre barres de téléchargement.

— Jusqu'à maintenant, dit-elle, Fogg nous a plutôt gâtées : deux organisations de trafic d'êtres humains, une de trafic d'organes et un réseau de pédophiles...

— J'aimerais avoir votre confiance, répliqua Dominique.

— Pourquoi penses-tu que cet ordinateur est complètement coupé du réseau ? répondit F avec un sourire.

Une fois le téléchargement achevé, trois fenêtres s'ouvrirent simultanément.

Dominique ramena son regard vers l'écran et agrandit la première fenêtre, qui portait le nom de NutriTech Plus. Un court paragraphe expliquait qu'il s'agissait d'une compagnie de distribution alimentaire qui pratiquait allégrement la comptabilité créatrice et dont les comptes servaient au blanchiment d'argent pour la filiale Safe Heaven. Suivait l'adresse Internet du VPN de l'entreprise ainsi qu'une série de noms d'utilisateurs et de mots de passe.

— Pourquoi il nous envoie ça ? se demanda Dominique à haute voix.

— Qu'est-ce que tu veux dire ?

— Pourquoi cette compagnie-là ?

Le sourire de F s'accentua, comme pour l'encourager à développer son idée.

— Il connaît probablement des dizaines d'entreprises qui servent à couvrir des opérations de blanchiment, reprit Dominique. Pourquoi il a choisi celle-là ?

— Tu commences à avoir de bons réflexes.

— Vous pensez que c'est lié à un des autres dossiers ?

— De toute façon, s'il a pris la peine d'inclure l'information dans son message et que ce n'est pas lié au reste, il y a de bonnes chances que ce soit important.

— À moins qu'il veuille nous envoyer perdre notre temps sur une fausse piste.

Dominique ferma la fenêtre NutriTech Plus et se concentra sur la fenêtre St. Sebastian Place. Elle contenait une photo et un bref message :

> St. Sebastian Place. Des gens appartenant à l'organisation dont je vous ai déjà parlé s'y rencontrent de temps à autre. C'est situé près de Fleet Street, un peu avant Temple Bar.

— Qu'est-ce que c'est ça ? murmura Dominique en s'affairant sur le clavier.

Une nouvelle fenêtre s'afficha à l'écran. Un article de Wikipédia. On y apprenait que l'endroit abritait un club privé très huppé, le St. Sebastian Club. La liste des membres n'était pas publique. Le club avait donné son nom à l'édifice, dont il occupait les derniers étages. Une photo de l'immeuble accompagnait le court texte de présentation.

— J'aimerais bien voir la liste des membres de ce mystérieux club privé, dit Dominique.

— Tu penses que c'est une invention de Fogg pour nous envoyer sur une fausse piste ?

— Ce serait logique de sa part.

— Je ne suis pas certaine que se fier aux évidences soit la meilleure façon de comprendre le mode de pensée de Fogg.

Une certaine impatience avait percé dans la voix de F. C'était rare que cela lui arrivait.

Elle reprit quelques secondes plus tard, sur un ton redevenu légèrement amusé :

— S'il veut nous envoyer sur une fausse piste, pourquoi il nous donne, dans le même message, des informations sur les activités du Consortium ? Pour quelle raison le fait-il depuis des années ?

— Justement pour dissimuler que c'est une fausse piste !

Le sourire de F s'élargit.

— Ça, c'est un meilleur argument... Alors, qu'est-ce que tu envisages de faire ? Vas-tu prendre le risque d'ignorer cette information ?

Dominique ferma la fenêtre de Wikipédia, puis celle du message de Fogg.

— Je vais y penser, dit-elle.

Elle ouvrit la fenêtre intitulée Messenger et y trouva la photo d'une femme dans la quarantaine ainsi qu'un bref commentaire :

> Voici une photo de la femme qui se fait appeler June Messenger. Elle est reliée aux commanditaires du Consortium...
> Il y a plusieurs années, je vous avais transmis la photo d'une autre femme qui se faisait appeler Joan Messenger. Vous n'aviez malheureusement pas pu la retrouver.
> Contrairement à la fois précédente, cette photo-ci ne la présente pas sous un déguisement. De plus, j'ai découvert son vrai nom : Joyce Cavanaugh... Avec ces informations, j'imagine que vous devriez pouvoir la retrouver plus facilement.

— Qu'est-ce que je fais ? demanda Dominique.

— Qu'est-ce que tu suggères ?

Dominique hésitait.

— J'enverrais ça à Hurt, finit-elle par dire. En lui demandant de la trouver, de la suivre, de découvrir ce qu'il peut sur elle et d'identifier les gens avec qui elle entre en contact.

F approuva d'un signe de tête.

— Il va interpréter ça comme une marque de confiance, dit-elle. Ça pourrait effectivement aider à le réintégrer.

— Poitras et Chamane pourraient jeter un coup d'œil à NutriTech Plus, qu'on sache à quoi s'en tenir.

— Et pour St. Sebastian Place ?

— Moh et Sam ?… Un relevé discret des gens qui fréquentent l'endroit…

F regarda Dominique avec un large sourire.

— Tu vois que tu n'as pas besoin de moi !

— De toute façon, je vais lire les documents qui sont en pièces jointes avant de prendre une décision.

Puis elle ajouta, avec un sourire :

— Et je vais quand même vous en parler avant de procéder.

— Bien sûr, bien sûr…

F retourna à son bureau et jeta un regard à l'écran de son propre ordinateur : le présentateur de la chaîne d'information continue lisait son texte pendant que les manchettes défilaient dans le bas de l'écran.

> … REFUSE DE CONFIRMER QUE LE CHERCHEUR-PROPRIÉTAIRE DE BioLife Management EST EN FUITE… Scène provinciale : l'Alliance Libérale du Québec poursuit sa tournée des régions. Le premier ministre sera ce soir à…

Réintégrer Hurt… Sans savoir pourquoi, F avait un mauvais pressentiment. Est-ce qu'il réussirait un jour à faire la paix avec toutes ses personnalités ? à ne pas vivre sous la menace constante d'une crise de panique ou d'une explosion de Nitro ?… L'Institut avait continué à lui envoyer des informations, surtout par l'intermédiaire de Chamane. Parce que c'était une façon de garder le contact. Et qu'il était un bon opérateur. Mais, chaque fois, elle se demandait s'il n'allait pas provoquer une nouvelle catastrophe.

LONGUEUIL, 13 H 22

Théberge, qui était accompagné de Grondin, examina la plaque dorée fixée au mur de brique grise, à côté de la porte.

VICTOR PROSE — POÈTE

Il appuya sur le bouton blanc encastré dans le bois du cadre de la porte. Un carillon se fit entendre : on aurait dit une version atténuée de celui de Big Ben.

Théberge aurait pu convoquer Prose à son bureau pour l'interroger, mais il préférait le voir dans son environnement. Le milieu physique dans lequel une personne évolue est une manifestation d'elle-même moins facile à contrôler que son comportement pendant un interrogatoire.

La porte s'entrebâilla. Théberge aperçut une lisière de visage trouée d'un œil qui le regardait. Une voix légèrement ironique laissa tomber :

— Ah, c'est vous…

La porte se ferma, un bruit de chaîne qu'on enlève se fit entendre, puis la porte se rouvrit. À la grandeur, cette fois.

L'homme qui se tenait maintenant devant Théberge paraissait tout à fait calme. Il ajouta :

— Je vous attendais.

Puis il s'effaça en faisant signe à Théberge et à Grondin d'entrer.

Il ferma ensuite la porte et entraîna les deux policiers à sa suite. Ils traversèrent deux pièces remplies de livres, un corridor où étaient alignées une dizaine de caricatures de Graff encadrées de façon identique, puis un salon. Ils entrèrent finalement dans une troisième bibliothèque où avaient été disposés un bureau et deux fauteuils.

Dans toutes les pièces, les livres étaient minutieusement rangés sur les tablettes. Toutes les épines formaient une ligne bien droite. On aurait dit un centre de documentation.

— Comme vous venez pour le travail, je pense que c'est l'endroit approprié, dit Prose en s'installant sur la chaise derrière le bureau.

D'un geste de la main, il les invita à occuper les deux fauteuils en face de lui.

Théberge se demanda s'il utilisait le bureau comme un rempart pour se donner contenance.

— J'ai eu une réaction un peu vive au téléphone, fit Prose. Je suis désolé.

Théberge fit un geste de la main comme pour écarter une chose sans importance.

— C'est moi qui ai réagi un peu fortement, dit-il.

Il prit le temps de faire le tour de la pièce du regard. Prose attendit sans bouger qu'il ait terminé son examen.

— Vous semblez moins anxieux d'avoir des nouvelles de madame Jannequin, dit Théberge.

— Après votre appel, j'ai ouvert la télé et j'ai été sur Internet. À moins que vous sachiez des choses qui ne sont pas dans les médias…

— On en sait toujours moins que ce que racontent les médias, répondit Théberge avec un mince sourire. Eux, ils ont le loisir d'être créatifs.

Son regard fut attiré par les coupures de journaux étalées sur une petite table. L'une d'elles affichait un titre sur quatre colonnes :

MYSTÉRIEUSE ÉPIDÉMIE EN CHINE
RIZIÈRES DÉVASTÉES

— Vous collectionnez les faits divers ? demanda Théberge.

— C'est la chronique de notre carnage.

Le terme fit sursauter le policier.

— Ce n'est pas un peu excessif ?

Les traits de Prose se durcirent brièvement, puis son visage retrouva son sourire vaguement ironique.

— Le terme importe peu. La réalité, c'est qu'on détruit notre environnement à une vitesse grandissante. Et que ça détruit un nombre grandissant de gens… L'autre jour, j'ai lu une étude qui estimait à trois cent mille par année le nombre de victimes du réchauffement climatique.

Théberge jeta de nouveau un coup d'œil aux coupures de journaux. Une autre manchette attira son attention.

HUIT CENT MILLIONS DE PERSONNES
ONT MAL PARCE QU'ELLES ONT FAIM

Son attention revint à Prose.

— Vous nous attendiez ?

— Votre venue était inévitable.

— Vous nous rangez dans la même catégorie que la mort et l'impôt ?

Prose esquissa un bref sourire.

— Shakespeare…

Puis il ajouta :

— Je suis peut-être la dernière personne à avoir vu Brigitte vivante.

— Du moment que vous n'êtes pas le premier à l'avoir vue morte.

Nouvelle amorce de sourire chez Prose.

— On a soupé ensemble au restaurant, dit-il. Pas très loin du laboratoire où elle travaillait.

— Vous êtes parti à quelle heure ?

— Je suis parti avant elle. À cause de mon horaire d'écriture… Je sais qu'elle avait rendez-vous à vingt-trois heures avec son patron.

Pendant qu'il parlait, Prose bougea de quelques millimètres un des stylos sur le bureau, comme s'il cherchait à le remettre exactement à sa place. Théberge remarqua que tous les objets y étaient à une distance identique du bord.

— Votre horaire d'écriture… se contenta de répéter Théberge.

— Tous les jours, j'écris pendant quatre ou cinq heures. Ce que je n'ai pas réussi à faire dans la journée, je le reprends en soirée.

— Quatre ou cinq heures…

— L'écriture exige de la discipline. Du moins, pour moi.

— Si on revenait à Brigitte Jannequin. Quels étaient vos rapports avec elle ?

— Hésitants…

Il parut réfléchir un moment.

— Hésitants, reprit-il… C'est le terme le plus précis que je peux trouver.

Pendant l'échange entre Théberge et Prose, Grondin avait commencé à se gratter le dessus de la main. Il en était maintenant à l'avant-bras. Prose lui jeta un bref regard et esquissa un sourire.

— Pouvez-vous être plus explicite ? demanda patiemment Théberge.

— On s'est connus à une manifestation contre les producteurs de fumier… Pardon ! Les producteurs de porcs… Ensuite, on s'est revus. Elle est chercheuse dans un laboratoire qui travaille sur les OGM. C'est un sujet qui m'intéresse.

— Au point de faire sauter un laboratoire qui en produit ?

Prose se mit à rire doucement en secouant lentement la tête.

— Vous ne comprenez vraiment rien, dit-il.

Théberge lutta pour contenir son irritation.

— Désolé de vous décevoir, dit-il. Si vous avez des lumières à dispenser…

Prose crédita Théberge d'un sourire plus appuyé.

— Le laboratoire où elle travaillait avait mis au point un produit pour inverser certaines manipulations génétiques. Le directeur de la recherche n'était pas totalement contre les OGM, même s'il avait beaucoup de réserves. Mais il pensait qu'il fallait une sorte de police d'assurance… quelque chose qui permettrait de contrôler la situation si jamais une mutation dangereuse commençait à se répandre… ou si une entreprise mettait en marché un produit dangereux.

— Ça existe, ce genre de… nettoyeur ?

— C'était sur le point d'exister.

Théberge jeta un coup d'œil à Grondin, qui avait accéléré la fréquence de ses frictions sur le dessus de son bras. Le regard de Théberge l'arrêta.

— Qu'est-ce que vous pouvez me dire au sujet de madame Jannequin ? reprit Théberge.

Prose se tourna vers sa gauche et s'activa sur le clavier d'un ordinateur.

— Je vais vous faire une copie de nos courriels.

Puis, voyant le regard interrogateur de Théberge, il ajouta :

— J'ai un dossier. Je vais vous le copier sur un DVD. Tous les courriels que j'ai échangés avec elle depuis que je la connais.

— Vous les avez tous gardés ? ne put s'empêcher de demander Théberge.

— Tout ce que j'ai écrit est classé quelque part. Une fois par mois, le premier vendredi du mois, habituellement à trois heures, je fais une sauvegarde pour mettre à jour mes archives et je vais porter le DVD à la banque dans un coffret de sûreté.

Devant le regard perplexe de Théberge, il sentit le besoin de se justifier :

— Je sais que c'est un peu compulsif, mais ça me permet de dormir tranquille.

Théberge songea que Prose devait vider les tubes de dentifrice en les repliant méticuleusement à partir du bas et ranger ses chaussettes par couleurs dans un tiroir prévu exclusivement à cette fin.

Quand Prose remit le DVD à Théberge, ce dernier se tourna vers Grondin.

— Mon ordinateur peut lire ça ?

— Sûrement.

Les deux policiers interrogèrent ensuite Prose pendant une dizaine de minutes sur son travail d'enseignant et ils s'informèrent de ses différentes publications. Au moment de partir, Théberge lui demanda s'il était vraiment poète.

Prose sourit.

— Non… La poésie écrite, enfermée dans des pages de livres, c'est mort. Aujourd'hui, la poésie est retournée où elle est née : dans le langage de la rue… le rap, le slam, ce genre de choses… La poésie est spectacle… Vous me voyez faire des spectacles comme les slammeurs ?… Pour moi, il est trop tard. Je fais résolument partie des attardés de l'écriture : la tribu des plumitifs ennemis des arbres et qui pensent par écrit. C'est pour cela que je me confine à la prose… Pourquoi me demandez-vous ça ?

— La plaque, à l'entrée.

Le sourire de Prose s'élargit.

— Je l'ai fait faire à la suite d'un pari perdu avec un ami. J'avais gagé que son recueil de poèmes se vendrait à plus de cent exemplaires pendant la première année. C'était une façon de l'encourager... Il en a vendu quatre-vingt-trois.

PARIS, 19 H 28

Thierry Pernaud prenait un café en lisant le *Figaro* à la terrasse de L'Étoile Manquante. Pour rien au monde, il n'aurait voulu être à la place des journalistes qui couvraient les événements en Irak.

Il avait une vie rangée composée d'habitudes et de plaisirs soigneusement dosés. Son travail le passionnait. Son appartement était confortable. Spacieux même, selon les critères en vigueur à Paris. Pernaud ne comprenait pas que des individus puissent renoncer à tout ça pour aller risquer leur vie dans des régions en guerre, dans le seul but d'apporter quelques images supplémentaires pour documenter la folie humaine.

Après avoir parcouru les grands titres, il plia le journal, le mit dans sa poche et remonta la rue Vieille du Temple. C'était l'heure de liberté qu'il s'accordait tous les jours. Immanquablement, sa promenade se terminait dans un autre café du Marais, où il prenait un dernier espresso au comptoir avant de sauter dans le métro pour retourner travailler au laboratoire le reste de la soirée.

En partie dissimulés dans une porte cochère, deux hommes parlaient avec animation du Front national. Pernaud ne put s'empêcher d'entendre des bribes de leur conversation.

Un instant, il songea à s'arrêter pour discuter avec eux. Pour leur expliquer l'absurdité de leurs arguments : Ségolène Royale n'était pas un cheval de Troie pour instaurer la dictature du prolétariat. Puis il se dit que c'était inutile : leur point de vue n'était pas une question d'opinion mais de croyance. Argumenter ne servirait qu'à jeter de l'huile sur le feu.

Il passa son chemin.

Son regard s'attarda brièvement sur une fourgonnette garée le long du trottoir. À l'exception du pare-brise, toutes les vitres étaient opacifiées. L'idée effleura son esprit qu'il pouvait s'agir d'un véhicule appartenant aux services de renseignements. Que les vitres noires dissimulaient des caméras.

« On dira que les savants n'ont pas d'imagination », songea-t-il ensuite en souriant.

Comme il arrivait à la hauteur du véhicule, la porte coulissante s'ouvrit et quelqu'un l'interpella de l'intérieur.

Pernaud s'arrêta pour voir ce qu'on lui voulait. Aussitôt, il sentit une poussée dans son dos. Avant d'avoir eu le temps de réagir, il se retrouva bousculé vers la banquette arrière, encadré par les deux hommes qu'il avait vus discuter du Front national.

La porte coulissante se referma automatiquement et la fourgonnette démarra.

— N'ayez aucune crainte, dit l'un des deux hommes. On vous emmène voir quelqu'un qui vous veut du bien.

— Vous venez d'avoir une promotion, ajouta l'autre avec un sourire.

Montréal, SPVM, 14 h 33

Théberge avait à peine eu le temps de s'asseoir que Rondeau entrait dans son bureau.

— L'empesteur-chef Cramau veut vous voir. Il dit que c'est urgent.

— Encore une mauvaise nouvelle ? grogna Théberge.

— C'est à propos de BioLife Management. Ils ont trouvé quelque chose.

Vingt minutes plus tard, Théberge achevait de regarder la vidéo que lui avait montrée Crépeau. On y voyait le corps de Brigitte Jannequin être progressivement recouvert par des tonnes de céréales.

À la fin de la vidéo, une voix d'enfant lisait un texte sur un fond de pluie de céréales.

Partout, la nature est violée. Les forêts reculent et les céréales disparaissent. Les chercheurs trafiquent notre nourriture. Les multinationales ont les doigts dans tous nos aliments. L'humanité prolifère... Tout cela met une pression insupportable sur la nature.

Désormais, la pression va s'inverser. Les laboratoires qui travaillent à empoisonner Gaïa, Gaïa va les détruire. Les chercheurs qui trafiquent la vie pour la rendre plus rentable, Gaïa va stériliser leurs efforts.

Nous sommes les enfants de cette Terre brûlée que les générations passées nous ont laissée en héritage. Nous allons protéger notre mère la Terre avant qu'il soit trop tard. Nous allons aider Gaïa à rétablir l'équilibre entre elle et l'être humain. Nous allons multiplier les opérations citoyennes de nettoyage bio-responsable.

Un nom s'imprima ensuite à l'écran pendant une dizaine de secondes avant que l'image passe au noir.

LES ENFANTS DE LA TERRE BRÛLÉE

— Ils ont trouvé ça sur l'ordinateur de Hykes, fit Crépeau. Avec ses courriels et un album de photos. Le reste de l'ordinateur a été nettoyé.

— Il n'y avait rien sur ses recherches ?

— Rien.

— Et rien pour indiquer où la fille a été… enterrée ?

— Rien non plus.

Théberge trouvait étrange que la vidéo soit aussi explicite. Étrange que la revendication de l'attentat soit aussi claire et qu'aucun indice n'ait été fourni pour retrouver le corps. Étrange aussi que ceux qui avaient enlevé Brigitte Jannequin aient eu le temps de filmer sa mort, de l'intégrer au message des Enfants de la Terre brûlée et d'aller placer la vidéo dans l'ordinateur de Hykes…

— C'est peut-être les élévateurs du port, dit-il.

— J'y ai pensé. Mais tu me vois demander de vider tous les silos, un après l'autre, sans information plus précise, juste au cas où on finirait par la trouver ?

— Évidemment…

— J'ai quand même faxé des photos de l'intérieur du silo au responsable des élévateurs à grain. Des fois qu'il remarquerait quelque chose…

Théberge poussa un soupir et regarda le moniteur vidéo où l'image était figée sur le nom du groupe : Les Enfants de la Terre brûlée.

— T'as déjà entendu parler d'eux ? demanda-t-il en montrant l'écran.

— Une sorte de groupe écolo… Interpol a recensé plusieurs attentats depuis quelques semaines, mais rien d'aussi sérieux : des attaques contre des McDonald's et des cultures d'OGM, des distributions de tracts, des bombes puantes à l'entrée de certains laboratoires, des graffitis, des camions de nourriture congelée détournés… Ils se sont manifestés dans plusieurs pays.

— Si c'est un groupe international, ça complique les choses.

— Peut-être que Hykes en faisait partie. S'il voulait se battre contre les multinationales, comme dit Prose…

— Ou peut-être qu'ils l'ont éliminé, lui aussi.

— À moins que ce soit lui qui ait éliminé la fille et qu'il ait utilisé le nom du groupe pour se couvrir. Les courriels trouvés dans son ordinateur confirment qu'il lui avait demandé de le rejoindre au laboratoire… Et leurs rapports étaient loin d'être platoniques. Tu devrais lire les courriels qu'ils s'envoyaient…

Crépeau s'interrompit en voyant que Théberge le regardait avec incrédulité.

— Qu'est-ce qu'il y a ?

— Dans l'ordinateur de la fille, il n'y avait aucun courriel de ce genre.

— Elle les a peut-être effacés…

— Les courriels que Prose nous a fournis correspondent exactement à ceux qu'on a trouvés dans l'ordinateur de Brigitte Jannequin.

C'était au tour de Crépeau d'être perplexe.

— Ça voudrait dire que l'ordinateur de Hykes a été trafiqué…

— Et que celui de Jannequin ne l'a pas été.

— Je sais…

Il n'eut pas besoin de compléter sa pensée. Crépeau avait, lui aussi, remarqué l'incongruité. Comment quelqu'un capable d'élaborer un plan aussi sophistiqué pouvait-il avoir négligé de modifier le contenu de l'un des ordinateurs ?

Une sonnerie téléphonique se fit entendre. Crépeau décrocha, écouta pendant quelques secondes, puis raccrocha.

— Tu viens ? dit-il en se levant avec un regain d'énergie. Le type du port a téléphoné. Il pense savoir de quel silo il s'agit.

MONTRÉAL, HÔTEL RITZ CARLTON, 14 H 42

Skinner trempa ses lèvres dans le verre de Glenmorangie quinze ans tout en continuant d'observer les clients de l'hôtel.

Cake avait quatre minutes de retard. C'était inhabituel. Pas nécessairement inquiétant, mais inhabituel. Ou bien il avait eu un contretemps, ce qui n'augurait rien de bon, ou bien il devenait négligent, ce qui était pire.

Toute cette affaire lui déplaisait : les instructions lui parvenaient par courriel sur son BlackBerry ; il connaissait à peine leur expéditeur, ne l'ayant rencontré qu'une seule fois ; il ne connaissait même pas son véritable nom ; et il devait appliquer ses consignes sans discussion.

Skinner n'avait pas apprécié le fait que Fogg lui demande de servir de coupe-feu de cette façon.

— Je ne vais quand même pas jouer les laquais comme un vulgaire exécutant ! avait-il protesté.

— Il y a des enjeux plus importants que votre susceptibilité, s'était contenté de répondre Fogg. Ou que la mienne, si vous tenez absolument à cette précision.

La seule information supplémentaire que Fogg avait consenti à lui donner, c'était que Jean-Pierre Gravah était chargé de coordonner Diet Care à la grandeur de la planète.

Du coin de l'œil, Skinner vit Cake venir vers lui. Teint cuivré, moustache tombante, habit de lainage blanc, chemise jaune vif, absence de cravate et col ouvert, il ressemblait à un homme d'affaires mexicain en vacances, ce qu'il était d'une certaine façon.

Cake s'installa à côté de lui, au bar. Skinner fouilla dans une poche de son veston et il en sortit un collier primitif fabriqué de cordes attachées à un cordon central. Sur chacune des cordes, des nœuds avaient été faits.

Le Mexicain le prit et l'étendit sur le bar, en répartissant les cordelettes des deux côtés de l'axe central. Celles du haut étaient plus courtes et les nœuds moins abondants.

— Vous êtes censé savoir ce que ça veut dire, fit Skinner.

Cake grommela un vague assentiment et se concentra sur le collier pendant plus d'une minute.

— Ça confirme que je dois suivre vos instructions, dit-il finalement.

— Vous avez vu ça dans le collier ?

Le Mexicain regardait Skinner avec un léger sourire. Au moment où il allait répondre, le barman se matérialisa devant eux.

— Pour ces messieurs, ce sera ?

Skinner s'attendait à voir le Mexicain commander une tequila ; ce dernier demanda la liste des vins qu'ils offraient au verre et opta pour un pinot noir néo-zélandais. Skinner se contenta de montrer son verre, auquel il avait à peine touché.

— Le collier, c'est un code ? demanda Skinner après le départ du barman.

— Une sorte d'écriture, confirma Cake.

Les traits de Skinner perdirent toute trace d'aménité. Il réalisait que Gravah aurait pu lui donner un message à transmettre pour la frime alors que les véritables instructions auraient été dans le message. Le message caché dans les cordes aurait même pu être de faire semblant d'écouter ce que Skinner avait à lui dire puis de l'éliminer.

C'était lui qui l'avait eue, cette idée des États unis de l'anti-américanisme. Lui qui avait piloté le recrutement des différents commandos partout sur la planète. Ils étaient plus de deux cents, qui étaient prêts à sacrifier leur vie à la condition qu'on leur fasse croire que ça hâterait la chute des États-Unis. Les US-Bashers... C'était d'une ironie extraordinaire. Un regroupement secret d'anti-Américains qui servaient à leur insu le capitalisme multinational ! Et voilà que Gravah utilisait un code pour communiquer directement avec une de ses équipes en le court-circuitant !

Par précaution, Skinner mit la main dans sa poche.

— J'ai un pistolet dans la main, dit-il. Au moindre geste brusque...

L'inquiétude se peignit sur le visage du Mexicain.

— Je n'aime pas cette histoire de message secret, poursuivit Skinner. Je vous donne vos instructions et vous filez.

L'arrivée du barman le fit taire. Cake prit le verre de vin qu'on venait de lui apporter, le goûta.

— C'est dommage de gaspiller un bon vin, dit-il en déposant le verre sur la table.

Skinner sortit une enveloppe de la poche intérieure de son veston.

— Elle contient les noms, dit-il. Vous êtes censé déjà avoir le calendrier d'intervention.

— Les dates et les endroits sont sur le *quipu*.

Malgré son agacement, Skinner ne pouvait que reconnaître l'habileté du système : les informations étaient acheminées par deux canaux différents, avec des codes différents. Si l'un des deux messages tombait entre des mains indésirables, l'information était inutilisable.

— Pendant le déroulement des opérations, dit-il, il est possible que certains membres du commando aient à payer de leur personne.

— Je sais.

— Évidemment, il n'est pas question que vous en fassiez partie.

— S'il le faut, je suis prêt.

Skinner le regarda longuement.

— Bien sûr, dit-il finalement. Bien sûr... Mais nous n'en sommes pas là.

RDI, 15 h 03

> ... LA DESTRUCTION DU LABORATOIRE DE BIOLIFE MANAGEMENT ET LE « RECYCLAGE » DES DEUX CHERCHEURS ONT ÉTÉ REVENDIQUÉS PAR UN GROUPE ÉCOLOGISTE RADICAL JUSQU'À MAINTENANT PEU CONNU, LES ENFANTS DE LA TERRE BRÛLÉE.
> LE GROUPE ENTEND PROTESTER CONTRE CEUX QUI TRAFIQUENT LES MÉCANISMES DE LA VIE ET JOUENT AUX APPRENTIS SORCIERS AVEC L'AVENIR DE LA BIOSPHÈRE. AFFIRMANT REFUSER D'ASSISTER LES BRAS CROISÉS AU SACCAGE DES ÉCOSYSTÈMES ET À L'ÉPURATION PROGRAMMÉE DES ESPÈCES, LE GROUPE A PROMIS DE « MULTIPLIER LES OPÉRATIONS CITOYENNES DE NETTOYAGE BIO-RESPONSABLE ».
> PLUS TARD DANS CETTE ÉMISSION, NOUS VOUS PRÉSENTERONS LE TEXTE INTÉGRAL DU COMMUNIQUÉ ÉMIS PAR LE GROUPE ÉCOLOGISTE. NOTRE JOURNALISTE GUY-BENOÎT DESRASPES ANIMERA ENSUITE UNE TABLE RONDE OÙ DES EXPERTS...

HAMPSTEAD, 19 h 53

Fogg trouvait le travail de plus en plus lourd. Ne pouvoir accorder sa confiance à personne avait un prix : il fallait tout faire soi-même. Et il n'avait plus la force de tout faire. Heureusement, il pouvait se décharger d'une partie de ses tâches sur Daggerman et Skinner.

Il y avait une chose, toutefois, qu'il ne pouvait pas déléguer. Les autres n'en soupçonnaient même pas l'existence. Au moment de la dernière refonte du système informatique, il avait fait installer un accès caché au système central de chacune des filiales. Cela lui avait permis de découvrir les communications secrètes de la représentante de « ces messieurs », June Messenger, avec plusieurs directeurs de filiales.

Elle semblait tenir auprès d'eux un rôle similaire à celui qu'elle tenait auprès de lui : une courroie de transmission pour les ordres de « ces messieurs ». La nature particulière de sa relation avec Jessyca Hunter était évidente : le ton de leurs échanges était beaucoup plus chaleureux.

Mais ce qui avait le plus étonné Fogg, c'était la quantité de contrats de nature économique que « ces messieurs » avaient demandé à Vacuum d'effectuer au cours de la dernière année : sabotage d'usines, destruction de laboratoires, fabrication de scandales avec des produits avariés, dévoiement de chercheurs, dénonciation de fraudes fiscales, publication de tests de qualité dévastateurs…

« Ces messieurs » avaient un accès direct à Vacuum. Mais la plupart des contrats passaient par Jessyca Hunter, puis ils étaient redirigés vers l'ensemble des filiales du Consortium, qui les acheminaient vers Vacuum. Normalement, il aurait été impossible d'effectuer tous les recoupements. Mais avec les messages expédiés par Messenger et relayés par Hunter, le bilan était facile à dresser… Le Consortium était en voie de devenir un outil voué à la destruction des entreprises qui concurrençaient celles de « ces messieurs ».

Était-ce cela qu'ils envisageaient pour le Consortium : le transformer en sous-traitant d'hommes de main au service d'un petit groupe de transnationales ?

En même temps, à travers chacune des commandes qu'ils adressaient à Jessyca Hunter, « ces messieurs » révélaient un peu plus leurs véritables desseins et intérêts à long terme. C'était pour cette raison que Fogg n'avait rien fait pour leur mettre des bâtons dans les roues.

Au fond, « ces messieurs » avaient adopté une stratégie semblable à la sienne : ils avaient trouvé une autre organisation pour faire le travail à leur place. C'était maintenant une question de temps avant de savoir qui, de lui ou de « ces messieurs », serait en position de parvenir le premier à ses fins.

L'esprit de Fogg revint à Jessyca Hunter, puis à June Messenger, ce qui amena un bref sourire sur ses lèvres. Il avait hâte de voir ce que F ferait de l'information qu'il lui avait donnée…

Décidément, il avait eu une idée brillante quand il avait décidé de confier cette partie du plan à l'Institut. À la blague, il avait dit à F qu'il allait utiliser l'Institut comme sous-traitant !… Un sous-traitant qui avait en plus le mérite de ne rien lui coûter, donc de ne pas apparaître dans son budget, et d'être par conséquent à l'abri de la curiosité de « ces messieurs ».

Port de Montréal, 17 h 21

Théberge et Crépeau regardèrent la grue soulever le corps et le hisser au sommet du silo.

Trouver la jeune femme n'avait pas été trop compliqué. La véritable difficulté avait été de la sortir sans l'abîmer. Des hommes-araignées étaient descendus dans le silo pour aider au maniement des grues, achever de dégager le corps et l'attacher à celle qui l'avait remonté.

— C'est un silo qui sert uniquement pour entreposer les excédents durant les périodes de pointe, avait expliqué le responsable. Normalement, il aurait dû être vide. Là, il était rempli aux deux tiers.

Il n'avait pas pu expliquer pourquoi il était rempli aux deux tiers. Ni comment on avait pu utiliser le silo à l'insu des autorités. Une chose était certaine, cela demandait des complicités à l'intérieur du personnel : quelqu'un qui connaissait les opérations, qui savait quels codes utiliser pour faire déplacer les wagons et transvider leur contenu dans le silo.

Bruxelles, 23 h 36

Renaud Daudelin était assis à une table du Belga Queen, en face de son éditeur. Une bouteille de champagne avait été commandée et l'éditeur rayonnait.

— Vous êtes un auteur chanceux, dit-il. Les droits de traduction ont déjà été vendus dans vingt-trois pays. Pour un livre qui n'est pas encore publié, vous pouvez me croire, c'est rare.

Il leva sa flûte de champagne, trinqua et la reposa vide sur la nappe blanche.

— Pour le premier lancement, reprit-il, c'est toute la francophonie. Les demandes pour des entrevues dans les médias n'arrêtent pas. Dans les prochaines semaines, vous allez être un homme très occupé.

— Si ça fait vendre le livre...

— Pour ça, vous n'avez rien à craindre. Les commandes continuent d'entrer. Je n'ai jamais vu ça de toute ma carrière.

Il hésita, comme s'il cherchait ses mots.

— On n'a pratiquement rien à faire. Ça fonctionne tout seul… Comment avez-vous pris contact avec cette agence-là ?

— Ce sont eux qui m'ont approché. Ils m'ont dit qu'il y avait un besoin. Ils avaient une idée générale de ce qu'ils voulaient comme livre. Ils m'ont demandé si ça m'intéressait… Au début, je pensais que c'était un travail de nègre. Le type avec qui j'ai discuté m'a dit en riant que je serais un nègre, mais pas un nègre de l'ombre : un nègre blanc. Tout le monde me verrait parce que ce serait moi qui signerais le livre. Eux, ils se tenaient simplement à ma disposition pour le cas où j'aurais besoin d'aide dans mes recherches… Quand j'ai dit que je voulais un an pour écrire le manuscrit, ils m'ont payé un an de salaire sans que j'aie à le demander ! Ce sont vraiment des professionnels !

— Et vous avez écrit le livre ?

— Oui.

— C'est rare de voir quelqu'un investir autant d'argent dans le premier livre d'un auteur.

— J'avais déjà produit plusieurs articles, protesta Daudelin.

Il ne précisa pas que ces articles avaient tous été publiés dans des revues dont les tirages étaient confidentiels et dont les cachets se résumaient à la publication du nom de l'auteur au bas de l'article.

— À propos, j'ai bien aimé le nouveau titre que vous avez choisi.

— Ah oui…

Daudelin, qui n'avait pas été informé du changement de titre, se contenta de cette réponse vague.

— Votre agent avait l'air particulièrement satisfait quand il m'en a informé.

— Vraiment ?

— *Bio à mort*… J'aime beaucoup.

Montréal, SPVM, 17 h 52

— Monsieur Morne est arrivé.

Théberge leva les yeux vers la secrétaire qui s'était encadrée dans la porte.

— Il est avec le père de madame Jannequin, ajouta la secrétaire.

— Donnez-moi une minute et faites-les entrer.

Il sortit quatre dossiers du classeur et les éparpilla sur le bureau, puis il en ouvrit un qui contenait un dossier de presse sur un groupe de jeunes qui harcelait des vedettes et des politiciens à l'instigation des animateurs d'un poste de radio. On y voyait, sur une photo en évidence, la tête de Morne.

Sous la photo, le journal citait son commentaire : « Je suis persuadé que le SPVM a les ressources nécessaires pour régler rapidement le problème que posent ces quelques individus. »

Le journal titrait :

RESSOURCES INSUFFISANTES
OU MANQUE DE COMPÉTENCE ?

Laurent Jannequin prit avec une certaine réticence la main que lui tendait Théberge. En guise de salutation, il inclina légèrement la tête.

— Monsieur Jannequin arrive tout juste de Paris, expliqua Morne.

Il aperçut alors sa photo dans le dossier ouvert. Son sourire se figea un instant. Puis il s'avança vers le bureau, déposa sa mallette sur le dossier et prit place dans le fauteuil près du mur.

Jannequin prit possession de l'autre fauteuil devant le bureau de Théberge.

— Monsieur Jannequin tenait à rencontrer les responsables de l'enquête, poursuivit Morne.

— Vous avez arrêté les auteurs de ce crime ? demanda sans préambule le Français.

— Pas encore.

— Vous avez une piste ?

— Un groupe terroriste, répondit Théberge. Ils ont envoyé un message aux médias...

Jannequin fit une moue de contrariété.

— Je sais, oui... Les Enfants de la Terre brûlée. J'ai consulté l'ex-directeur des Renseignements généraux, qui est un confrère de promotion. Il m'a dit que toutes sortes de gens avaient commencé à utiliser le nom de ce groupe. Que l'authenticité des communiqués était loin d'être avérée... À votre place, je n'accorderais pas une créance excessive à ce communiqué.

Théberge vit que Morne s'était levé. Il était maintenant debout derrière le fauteuil de Jannequin et il faisait des gestes pour inciter le policier à demeurer calme.

— C'est gentil à vous de me donner aussi généreusement accès à la sagesse de votre collègue de promotion, répondit Théberge sur un ton exagérément poli.

Derrière Jannequin, le visage de Morne se crispa.

— Monsieur Morne m'avait prévenu de votre tournure d'esprit un peu particulière, fit Jannequin avec un mince sourire. Espérons que ce qu'il m'a dit de votre efficacité est également vrai.

Théberge jeta un coup d'œil en direction de Morne. L'expression de son visage signifiait à la fois qu'il s'excusait d'avoir prévenu le Français, mais qu'il n'avait pas eu le choix de le faire.

— Je vais m'efforcer d'être à la hauteur de la réputation que m'a faite monsieur Morne, répondit finalement Théberge sans préciser quelle partie de sa réputation il avait à l'esprit.

Morne crut bon d'intervenir pour changer le cours de la conversation.

— J'ai assuré à monsieur Jannequin que l'enquête sur la mort de sa fille était au premier rang de nos priorités.

— Nous avons en effet cette manie de faire passer les attentats terroristes avant les vols à l'étalage dans les magasins d'alimentation des quartiers défavorisés, ajouta Théberge comme pour expliquer l'affirmation de Morne. C'est une coutume locale.

Un instant décontenancé, Jannequin regarda les ongles de sa main droite, puis il releva les yeux vers Théberge.

— Vos médias parlent d'un chercheur qui serait en fuite.

— Qui a disparu, corrigea Théberge. Quant à savoir s'il est en fuite…

— Il y a aussi cet écrivain qui s'intéressait à ma fille. Je ne me souviens pas de son nom… J'imagine que vous l'avez interrogé.

— Nous faisons parfois ce genre de chose, ironisa Théberge sur un ton bon enfant.

— Vous dites ?

— Interroger les suspects… les proches…

— Je vois, répondit Jannequin plus sèchement.

— Votre affirmation sur vos compétences oculaires me comble d'aise… J'allais justement vous demander depuis combien de temps vous aviez vu votre fille.

Jannequin fit un effort visible pour garder sa contenance.

— Plus d'un an, dit-il. Ma fille pouvait être très… entêtée serait excessif, mais disons qu'elle tenait fermement à ses opinions… Nous avons eu un désaccord avant qu'elle quitte la France. Je sais par mon épouse qu'elle projetait de revenir nous voir sous peu.

Théberge interrogea Jannequin sur sa fille pendant une dizaine de minutes. « Pour m'aider à me faire une idée d'elle », expliqua-t-il.

Jannequin répondit de bonne grâce et le policier consigna soigneusement les réponses sur un bloc de papier jaune, même s'il doutait de leur exactitude. Le Français semblait surtout préoccupé de préserver une image idéale de sa famille. Mais le fait de se sentir écouté le ferait sans doute tenir tranquille durant quelques jours. Il aurait l'impression d'avoir été traité avec le respect qui lui était dû et que l'affaire était menée avec le sérieux qu'elle méritait… dans la mesure où une telle chose était possible dans les colonies.

Une fois qu'il eut terminé, Théberge plia les feuilles jaunes et les rangea dans son agenda.

— Il y a une chose qui m'intrigue, reprit Jannequin après avoir adressé un regard à Morne. Je m'attendais à rencontrer le directeur du SPVM.

— L'inspecteur-chef Théberge a refusé le poste de directeur. Nous avons imaginé un « arrangement » pour qu'il accepte de demeurer à l'emploi du SPVM. Il assiste le directeur dans les dossiers les plus délicats.

— Ce ne doit pas être une position très confortable pour le directeur, nota Jannequin avec un sourire.

— Pas du tout. Le directeur a accepté sa nomination à la condition expresse que l'inspecteur-chef Théberge demeure en poste pour l'assister. Ce sont de vieux amis.

— On joue aux quilles ensemble, ajouta Théberge comme si ça expliquait tout.

Au moment où Jannequin quittait son bureau, Théberge le relança.

— Vous direz bonjour à votre collègue des Renseignements généraux de ma part.

Jannequin se retourna.

— Si vous y tenez, dit-il sur un ton froid.

— Et dites-lui d'y aller mollo avec ses réserves de Morey-Saint-Denis s'il veut que son foie tienne le coup.

Jannequin dévisageait maintenant Théberge avec une curiosité stupéfaite.

— Vous le connaissez ?

— Je suis sûr que l'inspecteur-chef va se faire un plaisir de vous raconter tout cela, fit Morne en reportant son regard sur Théberge.

Théberge se tourna un instant, le temps de récupérer sa pipe.

— Votre temps est précieux, dit-il en s'adressant à Jannequin. Il serait excessif de ma part d'en abuser.

LONGUEUIL, 18 H 38

Victor Prose travaillait à la mise à jour de son *scrap-book* virtuel. Il l'avait appelé *Chronos* avec le vague espoir que tout ce qu'il accumulait disparaîtrait avec le temps.

Au lieu de recenser les manifestations verbales de la bêtise humaine, comme plusieurs écrivains l'avaient fait avant lui, il s'intéressait à celle que les gens traduisaient dans leurs comportements. C'était un mélange de *Choses vues* et du *Dictionnaire des idées reçues*, mais réalisé dans la perspective de Truman Capote et du Goya des peintures noires.

Même s'il lui arrivait de puiser dans Chronos des informations pour ses articles, Prose se demandait à quoi lui servait vraiment ce monstre de bêtises dont la masse ne cessait de croître. Il n'avait même pas l'intention d'en publier ne fût-ce qu'un extrait… C'était peut-être une forme de système digestif, en fin de compte.

Tout en travaillant, il écoutait HEX-Radio d'une oreille distraite. À l'occasion, il prenait une note rapide sur ce qu'il entendait. Cela ferait partie de la documentation qui alimenterait le scénario qu'il voulait écrire sur la radio extrême.

— Est-ce qu'ils l'ont trouvé ?
— Non. Seulement trouvé la fille. Et ils refusent de dire ce qu'ils savent. Paraît que ça pourrait nuire à l'enquête.

Habituellement, il les écoutait de façon assez détachée, un peu à la façon d'un entomologiste. Seules certaines déclarations particulièrement outrancières provoquaient chez lui des sursauts occasionnels d'indignation. Mais, depuis la veille, les choses avaient pris une tournure plus personnelle. Les animateurs de HEX-Radio, qui semblaient mener une vendetta contre le SPVM, s'intéressaient à la mort de Brigitte et à la disparition de son patron, Martyn Hykes, le directeur de la recherche de BioLife Management.

— Moi, je me dis que leur chercheur, il est sur une île, quelque part dans le Pacifique.
— Pourquoi il aurait fait ça ?
— C'est l'arnaque classique : tu fais financer la recherche par des investisseurs et, quand t'as trouvé la formule miracle, tu vends les résultats à une multinationale et tu te pousses avec les millions.

C'est en écoutant HEX-Radio que Prose avait appris la mort de Brigitte. Une recherche rapide sur Internet lui avait confirmé l'information. Un sentiment de fureur froide l'avait alors envahi.

Il était persuadé qu'elle était morte à cause de son implication dans la lutte contre les OGM. Et lui, il l'avait encouragée dans cette voie. Il l'avait poussée à orienter ses recherches sur les compagnies céréalières. Il l'avait exhortée à écrire un article dans une revue scientifique sur le danger des OGM.

— T'AS PENSÉ À ÇA TOUT SEUL ?
— ÇA M'A PRIS DEUX MINUTES. ET SI MOI J'Y AI PENSÉ, IL Y A PAS MAL DE MONDE QUI ONT DÛ Y PENSER.
— SAUF LES FLICS !
— ÇA, FAUT PAS LEUR EN DEMANDER TROP !
— ILS TROUVENT QUE C'EST PLUS FACILE D'ATTENDRE QU'ILS SOIENT MORTS.
— C'EST PAS BÊTE : QUAND ILS SONT MORTS, IL Y A PLUS RIEN QUI PRESSE. ILS PEUVENT PRENDRE LEUR TEMPS…

Il l'avait même incitée à en écrire un autre sur le potentiel de lutte anti-OGM du nettoyeur génétique !… Ce dont la jeune femme s'était évidemment acquittée avec brio.

C'est pourquoi, même si l'engagement de Brigitte dans ce dossier datait d'avant leur rencontre, Prose se sentait responsable. Et, derrière sa culpabilité, il y avait aussi un sentiment de perte. Le sentiment que la mort de la jeune femme avait coupé en lui quelque chose de précieux et d'intense, quelque chose qui avait déjà tous les signes d'une histoire d'amour. Mais ça, Prose ne voulait pas y songer. Pour l'instant, il voulait consacrer toute son énergie à découvrir et à documenter les manœuvres des compagnies alimentaires.

HEX-Radio, 18 h 49

— PARLANT DE ÇA, KID, T'AS DES NOUVELLES DU NÉCROPHILE ?
— PARAÎT QU'IL FLOTTE SUR UN NUAGE !
— COMMENT ÇA ?

— Il a jamais eu autant de morts à qui parler ! Les victimes de l'Oratoire, il y a deux mois… les trois terroristes qui ont fait sauter l'Oratoire…

— Ceux qu'on sait pas si c'est les flics qui les ont descendus ?…

— C'est ça, mais on n'a pas le droit de le dire : on n'a pas de preuves !

— De toute façon, on n'a plus le droit de rien dire !

— Il y a aussi celui qui s'est fait carboniser au crématorium et qu'ils savent pas trop comment il est mort…

— Ça fait pas mal d'affaires qu'ils savent pas…

— Et là, la fille qu'ils viennent de trouver dans le silo… Pour moi, l'autre chercheur qui travaillait au laboratoire, lui aussi, ils attendent qu'il soit mort pour le trouver !

BROSSARD, 19 H 45

Installé dans son bureau au sous-sol, l'inspecteur-chef Théberge avait mis un écouteur qui était relié à son portable. Un sourire flottait sur son visage.

— Ce seraient donc leurs vrais courriels, fit la voix de Dominique dans l'écouteur.

— Ils recoupent ceux que Prose nous a fournis, répondit Théberge. Et les *nerds* de l'informatique sont sûrs que son ordinateur n'a pas été trafiqué.

Le logiciel de communication de l'ordinateur de Théberge transformait et codait ses paroles avant de les expédier par Internet.

— Ça veut dire que les courriels trouvés dans l'ordinateur de Hykes ont été plantés, reprit la voix dans l'écouteur.

— C'est la conclusion la plus logique. Et c'est cohérent avec le fait que tous les ordinateurs du laboratoire ont disparu. Mais il y a une chose que je ne comprends pas… Si Hykes a aussi bien préparé son coup, pourquoi il ne s'est pas occupé de l'ordinateur de la victime ? Au lieu de la faire venir au laboratoire, il avait seulement à la retrouver chez elle.

— Il ne faut pas sous-estimer les gaffes que les criminels peuvent faire.

— Je sais. Mais quelque chose me dit que ce n'est pas du travail d'amateur.

Un silence suivit.

— Tu as probablement raison, reprit la voix de Dominique… La revendication, tu penses que c'est sérieux ?

— Ta boule de cristal vaut la mienne, répondit Théberge. Ça peut aussi être une ruse de Hykes…

— Il y a eu des attentats dans plusieurs pays.

— Je sais.

— Les auteurs ont utilisé un nom qui varie un peu selon les langues, mais à peine. Leurs textes sont très semblables et ils font tous référence au même guru.

— Tu penses que c'est vraiment un groupe international ?

Une telle perspective pouvait signifier que Hykes était une victime de ce groupe ou bien, au contraire, qu'il avait collaboré avec eux.

— Il y a trop de similitudes pour que ce soit seulement une mode qui se propage par Internet, répondit la voix de Dominique. Par contre, que des groupes locaux, ici ou là, tentent de joindre le mouvement en empruntant son nom, ça, c'est toujours possible.

Un silence suivit.

— Eh bien, si tu trouves quoi que ce soit… fit Théberge.

— Entendu.

— Même chose pour moi : si j'ai quoi que ce soit…

— C'est toujours un plaisir de parler avec toi, Gonzague.

— Le plaisir est abondamment réciproque.

Après avoir raccroché, Théberge enleva son écouteur et demeura un moment pensif. La voix de Dominique n'avait pas changé, mais il était inévitable que leurs rapports ne puissent demeurer les mêmes. Il n'arrivait plus à sentir la complicité immédiate qu'il avait déjà eue avec elle.

HEX-TV, 22 H 06

… AFFIRME AVOIR EU UN VIOLENT HAUT-LE-CŒUR EN PLONGEANT UNE CUILLER DANS SON CONTENANT DE YOGOURT. UN BOUT DE DOIGT EST EN EFFET APPARU À LA SURFACE DU CONTENANT. SOUS L'EFFET DU CHOC, MADAME CANTIN A ALORS ÉCHAPPÉ SON YOGOURT PAR TERRE. C'EST SEULEMENT À CE MOMENT QU'ELLE A RÉALISÉ QUE LE BOUT DE DOIGT ÉTAIT ENVELOPPÉ DANS UNE FINE PELLICULE DE POLYTHÈNE.

HEX-TV A APPRIS QU'IL S'AGISSAIT D'UN YOGOURT DE MARQUE NATURE'S FOOD. PAR PRÉCAUTION, L'ENTREPRISE A RETIRÉ TOUS SES PRODUITS DES ÉTALAGES. LE PRÉSIDENT DE L'ENTREPRISE N'ÉTAIT PAS DISPONIBLE POUR RÉPONDRE AUX QUESTIONS DE NOTRE JOURNALISTE. IL A ANNONCÉ PAR VOIE DE COMMUNIQUÉ QU'IL TIENDRAIT UNE CONFÉRENCE DE PRESSE DEMAIN AVANT-MIDI POUR FAIRE LE POINT SUR LA SITUATION.

DAKOTA DU NORD, 23 H 54

Sans être heureux, Scott Graham n'était pas mécontent. Non seulement ferait-il un peu d'argent, mais il allait, par la même occasion, pouvoir se venger de ses voisins.

Quand ils avaient voté en faveur d'une baisse des quotas pour maintenir les prix, ils l'avaient acculé à la faillite. La banque avait rappelé le prêt qu'il ne pouvait plus payer et il avait dû vendre la majorité de ses terres. Il lui restait de quoi vivre convenablement, mais sans plus.

Et quand sa femme était tombée malade, il avait dû se trouver un emploi : surveillant dans une entreprise d'alimentation. C'était à ce moment que sa chance avait commencé à tourner.

L'entrevue de sélection avait été particulièrement poussée. Pour des raisons de sécurité, lui avait-on dit, à cause de la nature délicate des recherches qui étaient effectuées dans les laboratoires de l'entreprise. Sa vie personnelle et professionnelle avait fait l'objet d'une enquête.

Quand on lui avait annoncé qu'il avait l'emploi, on lui avait adjoint un conseiller pour faciliter son intégration. Scott Graham avait rarement reçu autant d'attention.

Un jour, son « conseiller » lui avait dit qu'il cherchait quelqu'un pour un travail délicat. Ce serait très bien payé, mais ça violerait quelques-unes des milliers de directives qu'émettait chaque année la bureaucratie fédérale. Il s'agissait de vérifier si les cultures de la région étaient résistantes à un champignon contre lequel la compagnie avait fait breveter un fongicide.

Le pire qui pouvait arriver, c'était que de petites zones de contamination apparaissent aux endroits saupoudrés de spores. Si cela se produisait, la compagnie fournirait alors gratuitement aux producteurs l'antidote qu'elle avait mis au point. Ce serait une bonne publicité.

Scott Graham avait immédiatement imaginé l'anxiété de ses voisins quand ils découvriraient la nouvelle maladie. Ce ne serait pas une bien grande vengeance, car la maladie des récoltes ne serait pas sérieuse, mais ce serait un début.

Pendant qu'il conduisait son véhicule à la vitesse prescrite de cinquante kilomètres à l'heure, le dispositif de dispersion, dans la boîte du camion, envoyait à intervalles irréguliers des jets de spores plus ou moins puissants.

On lui donnait dix mille dollars pour l'opération – plus un boni, une fois l'opération terminée. Son conseiller avait cependant refusé de lui dire ce que serait ce boni : il préférait lui en réserver la surprise. De toute façon, c'était seulement après la signature du contrat qu'on lui avait parlé du boni. Pour lui, la vengeance était la principale motivation. L'argent venait en second lieu.

> Où trouver ces superprédateurs ? Parmi ceux qui ont
> réussi non seulement à survivre, mais à construire de
> véritables empires dans l'environnement le plus
> impitoyable qui soit : celui des marchés financiers et
> des mafias internationales. Autrement dit, parmi les
> supercapitalistes.
>
> Guru Gizmo Gaïa, *L'Humanité émergente*, 2- Les
> Structures de l'Apocalypse.

PARIS, CAFÉ DES PHILOSOPHES, 9 H 48

Le serveur déposa les trois croissants et le café crème à côté du portable.

— *Cool*, fit Chamane sans lever les yeux de son ordinateur.

Il travaillait depuis une heure à la terrasse du Café des Philosophes. De l'endroit où il était assis, il pouvait voir l'entrée de son appartement au bout de l'allée.

Sur l'écran de l'ordinateur, plusieurs barres de téléchargement progressaient rapidement. Ce n'était même pas drôle : avec les renseignements que Blunt lui avait transmis, n'importe qui aurait pu pirater le VPN de l'entreprise.

Il attaqua un des croissants en continuant de regarder les barres de téléchargement progresser. Il achevait le deuxième croissant lorsque la dernière s'effaça.

— OK pour la comptabilité, murmura-t-il.

Il déposa le reste de son croissant dans l'assiette et entra une série d'instructions au clavier à mesure que l'écran lui demandait de faire des choix ou d'entrer des mots de passe.

— Maintenant, les courriels…

Quand le téléchargement de tous les courriels du personnel de direction archivés sur le réseau interne de la compagnie s'amorça, Chamane retourna à son croissant.

Les documents relatifs aux orientations stratégiques et à la recherche avaient déjà été téléchargés. Après les courriels, il ne resterait plus que les dossiers sur les projets de développement en cours et sur les différentes lignes d'affaires : maïs, blé, riz, canola, café, cacao, jus d'orange, coton…

Pendant qu'il continuait de surveiller le travail de l'ordinateur, Chamane s'interrogeait sur l'origine de la fuite. Qui avait bien pu recueillir les informations nécessaires pour accéder à tous les secteurs du réseau de l'entreprise ? Un cadre qui n'avait pas eu sa promotion ? Un employé congédié qui avait voulu se venger ?… Non, ce n'était pas possible : la première chose que faisait une compagnie en cas de congédiement, c'était de changer tous les codes et tous les mots de passe auxquels l'employé avait eu accès… À moins que l'employé ait prévu le coup. Qu'il se soit aménagé une *backdoor* dans le système. Ce qui laissait à penser qu'il était informaticien.

Ou bien c'était un espion infiltré par un compétiteur… Dans une entreprise, il y a toujours des employés qui gardent leur liste de mots de passe sur une feuille de papier qu'ils collent sous leur clavier… ou qui les gravent carrément sur le boîtier de leur ordinateur !

Du coin de l'œil, Chamane vit Geneviève sortir de l'appartement et venir vers le café. Il lança les derniers téléchargements en travail de fond puis il afficha une vidéo.

Geneviève s'assit à côté de lui, jeta un regard à l'écran.

Une image de Sarkozy apparut, qui commença aussitôt à se transformer.

— Travail ? demanda-t-elle sur un ton sceptique.

— Un truc pour Blunt. Toi ?

La tête de Sarkozy achevait de se transformer en celle de Stephen Harper.

— Je vais répéter.

— Tu répètes tellement souvent qu'on n'a plus le temps de se voir.

Elle rit.

— Est-ce que tu serais jaloux ?

— Pas jaloux : en manque.

Continuant de le regarder, elle dit en souriant :

— Je ne vois pas ce qu'il te faut de plus.

— Je ne parle pas de ça... Je veux dire... on se voit juste la nuit.

Elle s'approcha de lui, l'embrassa dans le cou.

— Tu te demandes encore ce que je fais avec un type comme toi ?... C'est ça ?

— Non... peut-être... mais j'ai compris qu'il y avait des mystères dans la vie.

— T'inquiète pas : après tout le travail que ça m'a pris pour t'apprendre à t'habiller, je vais pas te laisser tomber.

Elle regarda de nouveau l'écran. Harper achevait de se transformer en Berlusconi.

— Sérieusement, qu'est-ce que tu fais ?

— Œuvre de civilisation !

— Tu as décidé d'abandonner le *fast food* ? dit-elle sur un ton moqueur.

— Le *fast food*, « c'est » la civilisation ! protesta Chamane.

Geneviève se leva.

— Ce soir, je vais rentrer tard... Bisous, *ciao* !

— À cette nuit...

Après qu'elle fut partie, Chamane ferma la vidéo. Berlusconi disparut avant d'avoir eu le temps d'achever sa métamorphose en Kim Jong-il.

Le téléchargement des deux derniers dossiers était terminé. Il entra une nouvelle série d'instructions au clavier. Une fenêtre de communication s'afficha. En bandeau, dans le cadre de la fenêtre, on pouvait lire « Ulysse Poitras ».

Chamane tapa un court message :

> Il faut que je te voie. J'ai des choses à te montrer.
> Au milieu de l'après-midi, ça va ?

Chaque fois qu'il pensait à Ulysse Poitras, il se demandait comment le financier faisait pour ne pas devenir fou : ses déplacements étaient réduits au minimum à l'intérieur de la ville, toute sa vie était régie par des règles de sécurité rigoureuses et il ne voyait presque personne… Sans compter les souvenirs avec lesquels il devait vivre.

Le texte qu'il avait dactylographié fut brusquement remplacé par quelques mots :

Je t'attends.

« Heureusement qu'il lui reste Internet », songea Chamane.

MONTRÉAL, SPVM, 8 H 07

L'inspecteur-chef Théberge détestait de plus en plus devoir déroger à sa routine matinale et se lever à la hâte. C'était peut-être l'âge, songea-t-il. Ou simplement une plus grande intolérance à l'envahissement de sa vie privée par ses obligations professionnelles.

Il en était à son deuxième espresso quand il entra dans le bureau de Crépeau.

— Ils en ont trouvé combien ? demanda-t-il.

— Trois… Tous dans la même marque de yogourt.

— Les trois enveloppés dans du polythène ?

Crépeau se contenta de grogner un assentiment.

— Tu penses qu'ils ont fait ça pour protéger les empreintes digitales ?

— À ton avis ?

— C'est peut-être par égard pour les consommateurs, ironisa Théberge. Au cas où quelqu'un aurait commencé à manger avant de trouver le bout de doigt !

— Au laboratoire, ils m'ont promis que j'aurais les résultats en cours de journée.

— Est-ce qu'ils peuvent dire s'ils appartiennent tous à la même personne ?

— Pamphyle dit que c'est probable. Mais il refuse de se prononcer formellement avant d'avoir les résultats des tests d'ADN.

— J'ai déjà l'enquête sur la fille du ministre français, le corps du crématorium…

— Ça fait seulement deux enquêtes.

— Je veux continuer à fouiller l'affaire de l'Oratoire.

— Ça appartient maintenant à la SQ et à la GRC.

Ce n'était pas une rebuffade. Ni même une demande de respecter la juridiction des autres corps de police. Si Théberge s'était mis en tête de s'intéresser à cette affaire, rien ne le ferait changer d'idée, Crépeau le savait. Il avait simplement jugé nécessaire d'énoncer la position officielle du département.

— Je sais, répondit Théberge.

Il prenait acte de la politique du département.

— Tu pourras donner ce que je trouve à Davis, ajouta-t-il.

— Je veux quand même que tu t'occupes des bouts de doigts, reprit Crépeau. Aux homicides, ils viennent de perdre deux de leurs meilleurs enquêteurs. Ils sont débordés… Qui sait, c'est peut-être ton chercheur disparu !

Théberge regarda Crépeau pendant un moment, le temps de réaliser l'implication de ce qui venait d'être dit. Puis il songea au message des écoterroristes : les chercheurs qui trafiquent la nourriture… les multinationales qui ont leurs doigts partout dans nos aliments…

— Ah… *shit* ! Ils feraient quand même pas ça !

Mais plus il y pensait, plus ça s'accordait avec le type d'esprit tordu qui avait imaginé la mise en scène du cadavre de Brigitte Jannequin… et avec le message qu'il avait laissé.

— J'ai demandé que tous les résultats te soient envoyés, ajouta simplement Crépeau comme s'il avait suivi le fil de sa pensée.

PARIS, 15 H 58

Ulysse Poitras avait eu une nuit difficile. À plusieurs reprises, le cauchemar était revenu : les visages ensanglantés de sa femme et de ses enfants qui tournoyaient autour de lui, jusqu'à ce qu'il s'éveille, au bord de la panique. Le temps ne semblait rien arranger. Tout au plus le cauchemar était-il moins fréquent.

Ce serait un mauvais jour. Quoi qu'il fasse, l'atmosphère du cauchemar baignerait toute sa journée.

Poitras avait alors appliqué son remède habituel : se plonger dans le travail. Se laisser absorber par les informations qui défilaient sur les écrans.

... DU GOUVERNEMENT INDIEN. IL REJETTE COMME FARFELUE L'IDÉE QUE LE REFUS D'UTILISER DES SOUCHES OGM POUR CONTRER LA CONTAMINATION AIT CAUSÉ UNE BAISSE DE VINGT-SEPT POUR CENT DE LA PRODUCTION. SELON LE PREMIER MINISTRE, LA RUMEUR SELON LAQUELLE CETTE CONTAMINATION EST EN TRAIN DE RAVAGER LES RÉCOLTES DE RIZ EST UNE STRATÉGIE UTILISÉE PAR LES SPÉCULATEURS POUR FAIRE MONTER LES PRIX.

Un son de carillon lui fit détourner les yeux de l'écran. On sonnait à la porte.

Théoriquement, deux personnes seulement savaient qu'il demeurait au sixième étage de cet édifice, sous l'identité de Brice Labadie. Il appuya sur trois touches du clavier de l'ordinateur. Le visage de Chamane apparut à l'écran.

— Je t'ouvre, dit-il en appuyant sur une nouvelle combinaison de touches.

Deux minutes plus tard, Chamane entrait dans l'appartement et posait son ordinateur sur la table.

— Du travail pour toi, dit-il.

Après avoir demandé à Poitras de lui préparer un café avec la super cafetière qu'il avait achetée pour lui sur Internet, il ouvrit son ordinateur portable, inscrivit une série de mots de passe et fit pivoter l'ordinateur vers Poitras, qui arrivait avec le café.

— Jette un coup d'œil, dit-il.

Puis il avala le tiers du café d'un trait.

— Tu as téléchargé toute la comptabilité ! s'exclama Poitras après un moment.

— J'ai téléchargé ce que j'ai trouvé de plus intéressant sur leur serveur interne. J'aurais pu tout télécharger, mais ça aurait pris trop de bande passante. N'importe quel gars de T. I. le moindrement allumé s'en serait aperçu.

— T. I.?

— Technologie de l'information… Pour les courriels, je me suis concentré sur la direction et les cadres.

— Comment tu peux faire ça?

— J'ai fait croire à leur système que j'étais Dieu.

— Dieu?

— Le *sysadmin*, expliqua Chamane.

Poitras secoua lentement la tête.

— Je ne suis pas certain que les théologiens seraient d'accord avec ta définition.

Il ramena son attention vers l'écran.

— Qu'est-ce que je suis censé chercher?

— Tout ce qui peut paraître étrange dans leur comptabilité.

Poitras le regarda comme s'il lui demandait d'entreprendre un plan quinquennal.

— Toute comptabilité est par définition à ranger dans le domaine de l'étrange, dit-il.

— Essaie de voir s'il y a des indices de fraude, de blanchiment d'argent… des rentrées ou des sorties d'argent suspectes… des traces d'activités illégales pour détruire des concurrents… Tous les trucs du genre…

— D'accord.

Chamane ramena l'ordinateur vers lui et éjecta un DVD.

— Tout est là-dessus, dit-il en le mettant sur la table.

Il replaça l'ordinateur portable dans son sac de transport et se dirigea vers la porte.

— Tu penses que tu pourrais sortir, ce soir? demanda-t-il en se retournant.

Poitras parut surpris.

— C'est une vraie question?

— On pourrait aller souper?

— Tu as trouvé un nouveau McDo?

— Non, non… un vrai restaurant. Avec du vin cher, des serveurs habillés en noir… des trucs italiens…

Poitras continuait de le regarder, sceptique.

— J'te jure, protesta Chamane. J'ai vraiment cherché quelque chose que t'aimerais.

— Et Geneviève ? demanda-t-il.

Il ne pouvait pas s'empêcher de sourire.

— Elle est en répétition toute la soirée.

— D'accord… Si c'est un vrai restaurant… avec des vrais trucs italiens !

— Et du vin cher.

— Et du vin cher…

— Je passe te prendre à neuf heures. C'est à une quinzaine de minutes à pied. Sur Grange-Batelière.

HEX-RADIO, 10 H 07

… DE RETOUR À VOTRE ÉMISSION PRÉFÉRÉE, *SUR QUOI ON TAPE AUJOUR-D'HUI ?* ICI BASTARD BOB EN COMPAGNIE DE PHILO FREAK, LE PHILOSOPHE DU VRAI MONDE. ON EST RENDUS AU « TOP 5 DE LA BÊTISE ». TOI, PHILO, C'EST QUI TON PREMIER CHOIX, CETTE SEMAINE ?

— LES FLICS.

— ENCORE ?

— JE SAIS QUE C'EST PAS ORIGINAL, MAIS AVEC LA FILLE DANS LE SILO, LES DOIGTS DANS LE YOGOURT…

— OK, EXPLIQUE-NOUS ÇA.

— MOI, JE PENSE QU'ILS L'ONT TROUVÉ, LE COUPABLE. MAIS ILS VEULENT PAS L'ARRÊTER.

— ÇA SERAIT QUI ?

— L'ÉCRIVAIN.

— C'EST QUOI, SON NOM, DÉJÀ ?

— PROSE.

— C'EST ÇA, PROSE !

— C'ÉTAIT LE CHUM DE LA FRANÇAISE QUI EST MORTE, Y PARAÎT. ELLE L'AVAIT PLANTÉ LÀ… EN TOUT CAS, C'EST CE QUE J'AI ENTENDU DIRE… *ANYWAY*, IL EST LE DERNIER À L'AVOIR VUE VIVANTE, IL A PAS D'ALIBI… ET LES PROFS, C'EST LE GENRE À TRIPER ÉCOLO.

— MOI, ME SEMBLE QUE JE LUI POSERAIS UNE OU DEUX QUESTIONS…

— C'EST C'QUE J'ME DIS. MAIS LES FLICS REFUSENT DE L'ARRÊTER : ILS VEULENT MÊME PAS DIRE QU'IL EST SUSPECT.

— TU SAIS QUI EST SUR LE DOSSIER ?

— LE NÉCROPHILE !

— POUR MOI, IL VA ÊTRE DÉÇU.

— COMMENT ÇA ?

— AS-TU DÉJÀ ESSAYÉ, TOI, DE PARLER À UNE BROCHETTE DE BOUTS DE DOIGTS ?

Autoroute 15, 10 h 11

Skinner emprunta l'autoroute 15 en direction de Mirabel. Avec un peu de chance, il ne serait pas en retard. Une fois de plus, Gravah l'avait averti à la dernière minute.

> — … en tout cas, moi, je pense que le public a le droit de savoir. On le fait pour les prédateurs sexuels, il n'y a pas de raison qu'on le fasse pas pour les terroristes.
> — Tu sais ce que les moumounes de la gau-gauche syndicale vont dire : tant qu'il y a pas eu de procès, il est présumé innocent.
> — Innocent, oui ! Si tu veux mon avis, les innocents, c'est plutôt ceux qui…

Skinner esquissa un mince sourire : HEX-Radio faisait du bon travail. Puis son esprit revint à Gravah…

Fogg lui avait dit qu'il n'avait pas à connaître l'ensemble de l'opération dont Gravah était responsable. Question de sécurité. De compartimentation. Mais Skinner se demandait si Fogg lui-même était au courant de tout.

Après la dernière rencontre des directeurs de filiales, trois mois plus tôt, Jessyca Hunter lui avait laissé entendre que les commanditaires du Consortium ne faisaient plus entièrement confiance à Fogg : trop de ratés, trop de problèmes avec les filiales… « Il ne rajeunit pas. Si on ne pense pas à sa succession, d'autres vont y penser à notre place »… Skinner avait trouvé la remarque suffisamment intrigante pour accepter de dîner avec elle.

À mots couverts, elle lui avait alors proposé une sorte d'alliance. Il était le mieux placé pour savoir ce que Fogg tramait et, elle, elle avait un contact bien placé auprès des commanditaires du Consortium. Du moins, c'était ce qu'elle prétendait.

> — On ne pourra pas dire que HEX-Radio n'assume pas sa responsabilité citoyenne : voici l'adresse et le numéro de téléphone de Victor Prose.
> — Tu vas encore avoir un blâme au CRTC.
> — *Fuck* le CRTC ! La vie des Montréalais est plus importante que la paperasse des fonctionnaires !… Victor Prose reste au 222 rue…

Skinner mit la radio à Espace Musique. Alimenter les journalistes de HEX-Radio était une chose, les écouter en était une autre.

MONTRÉAL, SPVM, 10 h 17

L'inspecteur-chef Théberge rangea entre deux pages de son agenda la note qu'il avait reçue de Pamphyle. Le médecin légiste lui confirmait que Brigitte Jannequin était morte asphyxiée, probablement étouffée par le poids des céréales sur sa poitrine. Il ajouta qu'elle avait été anesthésiée avant d'être jetée dans le silo. Le rapport officiel serait disponible au cours de la journée du lendemain.

Théberge prit sa pipe, la porta à sa bouche et fit une grimace. Il l'avait encore laissée s'éteindre. Le jus de pipe froid avait décidément mauvais goût. Auparavant, c'était le genre de détail par-dessus lequel il passait sans presque s'en apercevoir. Pourquoi est-ce que cela le dérangeait autant, tout à coup?

Dans son cerveau, une sorte de vigie suivait distraitement ce qui se disait à la radio.

NOUVEAU DÉVELOPPEMENT DANS L'AFFAIRE JANNEQUIN. UN ANIMATEUR DE HEX-RADIO VIENT DE RENDRE PUBLICS LE NOM ET L'ADRESSE D'UN DES PRINCIPAUX SUSPECTS. VICTOR PROSE AURAIT DÉJÀ ÉTÉ INTERROGÉ PAR LA POLICE, MAIS ON NE SAIT TOUJOURS PAS CE QUI EST RESSORTI DE CETTE RENCONTRE...

— C'est quoi, cette folie-là? explosa Théberge.

Au même moment, le directeur Crépeau entrait dans son bureau et se laissait tomber lourdement dans un des fauteuils.

INTERROGÉ À CE SUJET, L'INSPECTEUR RONDEAU A RÉPONDU À NOTRE REPORTER QUE LE SPVM N'AVAIT PAS À COMMENTER, ET JE CITE : « LES INCITATIONS AU LYNCHAGE D'UNE PETITE ORDURE MÉDIATIQUE ».

Théberge esquissa une grimace et ferma la radio.

— Tu vas avoir du plaisir, dit-il à Crépeau.

— Tant qu'il attaque uniquement HEX-Radio... Les autres médias vont se contenter de citer les meilleurs passages sans en faire une question de principe.

— C'est beau, l'optimisme.

— J'ai parlé avec les finances. La situation de BioLife Management n'était pas rose rose. Tu vas recevoir le rapport d'ici la fin de la journée.

— En gros, ça dit quoi ?

— La compagnie a un prêt qui arrive à échéance à la fin du mois. La banque avait annoncé qu'elle refusait de le renouveler. La compagnie, elle, avait besoin d'emprunter encore plus pour passer à la phase trois des tests sur son… comment ils appellent ça ?

— Un nettoyeur génétique.

— C'est ça… Il y a une multinationale qui leur a fait une offre d'achat, mais Hykes ne voulait rien savoir de vendre. Les analystes pensent qu'il n'aurait pas eu le choix.

— Il a peut-être fait disparaître les résultats de ses recherches pour continuer à travailler à son projet ailleurs. Comme ça, il évite que l'argent disparaisse dans le remboursement des dettes de la compagnie.

— Dans quel laboratoire ?

— C'est possible qu'il ait un arrangement avec une autre compagnie. Qu'il leur ait vendu ses résultats…

— Pour lui poser la question, faudrait d'abord le trouver !

— Et qu'il soit en état de parler.

— Tant qu'il ne parle pas avec les doigts…

Crépeau secoua lentement la tête.

— Gonzague, il y a quelque chose qui ne colle pas.

Il se leva et se dirigea vers la fenêtre, comme si le fait de s'exposer directement à la lumière du jour pouvait l'aider à y voir plus clair.

— À ton avis, reprit-il, les revendications du groupe écologiste, ça rime à quoi ?

— Qu'est-ce qui te tracasse ?

— Qu'un groupe écologiste saccage des usines, des équipements, je peux comprendre. Mais qu'il élimine directement des personnes… J'ai consulté la banque de données d'Europol, tout à l'heure. En Europe, ils ont cinq savants qui ont disparu. Dans cinq pays différents.

— Peut-être que c'est un groupe qui veut éliminer la science à la source…

PARIS, 16 H 34

Après le départ de Chamane, Ulysse Poitras avait vérifié l'état des marchés. Ça bougeait beaucoup dans les matières premières. Depuis plus d'un mois, c'était sur les céréales que semblaient se concentrer les spéculateurs. Y avait-il un lien ?

Il lança une recherche pour retrouver toutes les nouvelles des quatre dernières semaines sur les céréales. L'ordinateur afficha rapidement le résultat : 2651 mentions, classées par ordre de pertinence.

Poitras commença à les parcourir. Il y avait les spéculations habituelles sur la hausse globale de prix que provoquait l'accroissement de la production de maïs aux dépens de la culture des autres céréales… Curieux calcul, songea Poitras. Pour contenir la hausse du prix de l'énergie à l'aide des biocarburants, on provoquait une hausse du prix des céréales. Autrement dit, on détruisait la base alimentaire de l'humanité. Si c'était ça, l'efficacité de la main invisible du marché…

Bien sûr, il y avait la nouvelle politique mise de l'avant par le nouveau président des États-Unis. Mais le marché semblait sceptique quant à ses effets.

Il continua de regarder les résultats. Les informations les plus intéressantes concernaient des pénuries anticipées en Chine et en Inde à cause des mauvaises récoltes. On parlait surtout de l'effet des changements climatiques et d'une maladie causée par un champignon. Les autorités avaient ordonné que des champs entiers soient brûlés pour limiter la contamination.

Il y avait aussi des rumeurs sur la contamination des récoltes par des céréales modifiées génétiquement pour être plus sensibles à certaines maladies. En s'hybridant avec les espèces naturelles, elles les auraient rendues plus vulnérables… De telles céréales n'avaient jamais été mises en marché, protestaient régulièrement les fabricants de semences: c'étaient des modèles créés pour étudier des maladies. Par mesure de sécurité, elles étaient aussi programmées pour ne pas se reproduire. Mais les rumeurs continuaient de circuler.

Poitras essaya ensuite de trouver les transactions qui avaient eu lieu sur le titre de NutriTech Plus au cours des semaines précédentes. Il vit immédiatement que de gros blocs d'actions avaient été négociés. En les examinant, il repéra le numéro d'un courtier qu'il avait souvent utilisé par le passé. Une petite boîte où il n'y avait qu'un seul courtier.

Il décida de l'appeler.

— Laurent Munoz?

— Ulysse?... C'est bien Ulysse Poitras?

— Une bonne imitation, en tout cas.

— Je te pensais à la retraite.

— Ça ne m'empêche pas de suivre ce qui se passe.

— Je me disais, aussi... Je suppose que si tu m'appelles...

— J'ai besoin d'une information.

— Seulement une?... Moi, il m'en faudrait des masses! T'as vu à quel point les corpo US se sont *cheapenées*? Jusqu'où, tu penses, les *spreads* vont aller?

Cheapenées... Poitras poussa un soupir. Il n'y avait pas que les obligations qui devenaient plus *cheap*... Le degré d'anglicisation du langage financier, surtout en France, l'avait toujours un peu étonné.

— Aucune idée, répondit-il. Depuis quand tu t'occupes des obligations?

— J'essaie de développer un modèle à partir des relations entre le prix des *smallcaps*, les *spreads* de crédit et les *forwards* sur les commodités. Je regarde aussi les *shorts* sur les titres, l'évolution du rapport *bull/bear*...

Il était lancé. Depuis que Poitras le connaissait, Munoz avait toujours un nouveau modèle en développement, qui promettait de révolutionner le marché.

— Écoute... Je t'appelais à propos d'un titre... NutriTech Plus. Tu as vendu de gros blocs d'actions à plusieurs reprises.

— Je ne suis pas le seul.

— Je sais. J'aimerais savoir pour qui tu les as négociées…

— Il y a des lois qui interdisent de divulguer ce genre d'information.

— Il y a aussi des lois qui interdisent les délits d'initié.

— Tu penses que… ?

— Tu as vu le volume des transactions ? D'habitude, il n'y a presque rien sur ce titre-là. Ça ne t'a pas mis la puce à l'oreille ?

— S'il fallait que je m'intéresse à tous les *spikes* de transactions, je n'aurais pas le temps de rien faire d'autre.

— Alors, disons que je vais t'en devoir une.

— Écoute, je sors prendre un café et je t'appelle.

Montréal, café Chez Margot, 10 h 46

L'inspecteur-chef Théberge entra dans le café et prit place à sa table habituelle.

— Une petite soupe, inspecteur ? demanda Margot.

— Juste un café.

— C'est mauvais, trop de café. Je vous apporte une soupe.

Théberge se résigna. Il ne servait à rien de s'opposer aux décrets de Margot. Au comptoir, fidèle au poste, son mari discutait avec les habitués. Comme souvent, le sujet du jour était la politique municipale.

— Moi, je pense qu'il est temps que le vrai monde commence à s'occuper de leurs affaires eux-autres-mêmes, fit le client qui prenait un café, debout devant le comptoir.

— C'est quoi, ton « vrai monde » ? demanda le patron.

— C'est du monde que je comprends ce qu'ils disent !

Margot arrivait avec la soupe. Théberge lui demanda s'il pouvait utiliser le téléphone.

— Faut pas vous gêner.

— Pas celui du comptoir, répondit Théberge.

Margot le regarda un instant puis elle hocha lentement la tête comme si elle comprenait tout ce que la phrase de Théberge ne disait pas.

— Venez avec moi.

Quelques instants plus tard, Théberge était seul dans le salon, le combiné du téléphone collé contre l'oreille gauche.

— Je vais t'envoyer des informations plus complètes sur le portable, fit la voix de Dominique. Mais je peux tout de suite te confirmer qu'il y a eu plusieurs autres attentats du même genre.

— Pour la France, l'Allemagne et la Suisse, je suis au courant. Le département a vérifié avec Europol.

— Il y en a eu d'autres au Japon, en Belgique, en Australie et aux États-Unis.

— Tous revendiqués par le même groupe ?

— Chaque fois, les médias ont reçu un communiqué signé par un groupe dont le nom signifiait « les Enfants de la Terre brûlée » ou quelque chose d'approchant. Jusqu'à maintenant, il y a eu treize attentats dans sept pays différents.

— Et les savants qui ont disparu ?

— Ça, c'est plus curieux. En plus des cinq dans la zone euro, il y en a trois aux États-Unis, deux en Angleterre, un en Corée du Sud et deux au Japon. Mais il y en a seulement deux qui ont été victimes d'attentats. Les autres ont juste disparu… On a peut-être affaire à un groupe qui se spécialise dans le trafic de savants.

Théberge ressentait un certain malaise à discuter de la sorte avec Dominique. Il avait de la difficulté à ne pas l'imaginer derrière le bar du Palace en train de calmer un client, de discuter de problèmes de garderie avec une des danseuses ou de s'occuper d'une autre qui faisait un *bad trip* parce qu'elle avait trop consommé…

Mais son époque de barmaid occupée à faire du bénévolat avec madame Théberge était définitivement révolue. En tant qu'adjointe de F, Dominique était depuis plus de cinq ans au cœur d'un réseau d'informations dont le SPVM ne pouvait même pas rêver.

— Les médias n'ont pas encore fait le lien ?

— Pas encore. Mais ça ne devrait pas tarder.

— Et les autres attentats ?… Notre-Dame de Paris ?
L'abbaye de Westminster ?

— C'est partout le même scénario : les auteurs de
l'attentat ont rapidement été retrouvés morts et toutes
les pistes sont coupées.

— Ce qui veut dire que ceux qui ont préparé les attentats…

— … sont probablement en train d'organiser les prochains.

— Tu penses que ça pourrait être lié aux terroristes
musulmans ?

— C'est la première chose à laquelle les Américains
ont pensé. Mais d'après leurs analyses, les islamistes radicaux n'ont aucun intérêt pour les cibles écologiques.
Ils préfèrent les lieux symboliques du capitalisme occidental.

— Et les vôtres, vos analyses ?

— Pour une fois, je pense que les Américains ont
raison. Quand la vraie vie est dans l'au-delà, on a tendance
à se foutre pas mal de la tapisserie qui décolle sur les
murs de l'antichambre.

PARIS, 17 H 03

Munoz n'avait pas tardé à rappeler Poitras. Il lui avait
confirmé que la quasi-totalité des transactions qu'il
avait faites avaient été commandées par trois clients. Et
les trois avaient effectué des transactions importantes.
Ça ne suffisait pas à prouver le délit d'initié, mais c'était
quand même particulier.

Après sa conversation avec Munoz, Ulysse Poitras
avait entrepris de vérifier les titres des secteurs de l'alimentation et de la recherche alimentaire. Il voulait voir
sur lesquels il y avait eu le plus d'activité.

Aucune entreprise ne se démarquait.

Il vérifia ensuite l'encours des options d'achat et de
vente. Deux firmes ressortaient du groupe : Diet's Pro et
Biopur Solutions. Dans les deux cas, de grandes quantités d'options d'achat et de vente avaient été négociées.

Les options de vente avaient un prix d'exercice nettement
inférieur à celui du marché et les options d'achat un prix
qui lui était supérieur.

Ça voulait dire qu'un spéculateur espérait les racheter en masse à un prix plus élevé que le prix actuel,
donc qu'il prévoyait que leur valeur monterait plus haut
encore. Et un autre prévoyait faire de l'argent en les
vendant à un prix inférieur au prix actuel parce qu'il
pensait que leur valeur tomberait encore plus bas. Y
avait-il deux opérations simultanées en cours?

Poitras regarda la date d'échéance des options. C'est
alors qu'il comprit. Il décida de rappeler le courtier.
Cette fois, il le joignit sur son téléphone portable.

— Laurent? C'est encore moi... Ulysse.

— Deux fois le même jour!

— Biopur Solutions et Diet's Pro, ça te dit quelque
chose?

Au bout de la ligne, ce fut le silence pendant quelques
secondes.

— Ulysse, si tu me disais ce qui se passe...

— J'ai une seule question: ton client qui s'intéresse
à NutriTech Plus, est-ce qu'il n'aurait pas aussi acheté et
vendu des tonnes d'options d'achat et d'options de vente
sur Biopur Solutions et Diet's Pro?

— Pourquoi?

— Tout ça en même temps, ça ne t'a pas surpris?...
Je veux dire, s'il s'attend à ce que le prix du titre baisse,
il achète des options de vente et son vendeur va être
obligé de lui racheter les titres à gros prix... Et s'il s'attend
à ce que le titre monte, il achète des options d'achat et
le vendeur est obligé de lui vendre les titres moins cher
que leur valeur...

— C'est quoi le problème?

— Est-ce qu'il n'aurait pas aussi vendu des options
d'achat et des options de vente? Et si c'est le cas, pourquoi il aurait acheté des options qui font exactement
l'inverse de la première stratégie? Ça va neutraliser
tous ses gains.

Quand Munoz répondit, après quelques secondes de silence, il y avait un certain malaise dans sa voix.

— Je me suis dit que ça faisait partie d'une stratégie complexe. Qu'il avait peut-être d'autres transactions ailleurs...

— Regarde les dates des options et dis-moi à quoi tu penses.

— Un instant...

Après un délai d'une vingtaine de secondes, le courtier se manifestait de nouveau.

— Comment t'as fait pour savoir ça?!

— Tu penses ce que je pense?

— Je vois une seule explication: il s'attend à ce que les titres commencent par baisser de façon spectaculaire, probablement à la suite d'une mauvaise nouvelle, ce qui va lui permettre de gagner une montagne d'argent en les vendant au-dessus de leur valeur. Et il pense que les titres vont ensuite remonter beaucoup plus haut que leur valeur actuelle, cette fois à la suite d'une bonne nouvelle, ce qui va lui permettre de les racheter en bas de leur valeur...

— Il pourrait même devenir l'actionnaire de contrôle.

— Mais comment il peut savoir ça?

— Comment il pouvait aussi savoir que NutriTech Plus est une bonne compagnie malgré les poursuites appréhendées contre ses dirigeants?

— Je ne t'ai pas dit que c'était le même client...

— Non, tu ne m'as jamais dit que c'était HomniFood. Mais avoue que c'est logique.

— *Shit!*... Qu'est-ce que tu veux que je fasse?

— Seulement que tu me dises ce que tu sais.

REUTERS, 11 H 14

... DEUX SEMAINES APRÈS LA MORT DE FREDERICK SHONK, LE DIRECTEUR DE L'ÉQUIPE DE RECHERCHE, VOICI QUE LE VICE-PRÉSIDENT AU DÉVELOPPEMENT DES PRODUITS, THOMAS LESCROAT, ANNONCE SA DÉMISSION. UNE DÉCISION PRISE DEPUIS LONGTEMPS, AFFIRME LE PRINCIPAL INTÉRESSÉ. LES PARTIES AVAIENT CONVENU D'ATTENDRE LA PUBLICATION DES ÉTATS FINANCIERS TRIMESTRIELS AVANT DE L'ANNONCER.

‖ Le titre de Brokinhaus Food & Grain, déjà en proie à des diffi-
‖ cultés, a amorcé une nouvelle baisse, terminant la journée à…

Paris, Ladurée, 17 h 18

Paul Hurt suivait la femme depuis une vingtaine de minutes quand elle tourna dans la rue Royale. Son nom était Joyce Cavanaugh. Il ne connaissait son existence que depuis quelques heures, quand l'Institut lui avait transmis sa photo. Elle était censée être la principale piste pour remonter à la direction du Consortium.

Joyce Cavanaugh était aussi connue sous le nom de June Messenger, avait précisé Chamane. Cavanaugh avait de bonnes chances d'être son véritable nom. C'était à ce nom qu'était enregistré l'appartement qui lui appartenait depuis vingt et un ans, rue Saint-Honoré. C'était là que Hurt l'avait trouvée, après avoir attendu plusieurs heures devant chez elle en se disant qu'elle finirait bien par y retourner. Il avait alors amorcé la filature.

Quand Joyce Cavanaugh entra chez Ladurée, Hurt se mit en faction à une dizaine de mètres et il s'absorba dans la lecture d'un guide touristique. Tout en faisant mine de le feuilleter, il récapitulait ce qu'il avait appris sur elle : fréquentation de l'avant-garde artistique durant sa jeunesse, formation en marketing et communications, militante ultra-libérale par la suite, participation à des *think tanks* néo-conservateurs, liens avec l'industrie des biotechs… On était loin du profil habituel du simple exécutant. Si elle était liée au Consortium, comme l'Institut le croyait, cela devait être à un niveau assez élevé.

Un détail tracassait pourtant Hurt. Dans les renseignements que Chamane lui avait transmis, il manquait une chose importante : la façon dont on avait identifié Joyce Cavanaugh comme piste pouvant mener à la haute direction du Consortium.

— *L'Institut ne nous fait pas confiance*, fit Sharp.

— *Ils auraient quelques bonnes raisons de ne pas le faire*, répondit calmement Steel.

— *Toi, tu prends toujours leur parti !*

Steel choisit de ne pas répondre. Nitro devenait décidément plus difficile à contrôler. Autant lui laisser l'occasion de lâcher un peu de vapeur. De cette façon, le risque d'explosion serait moins élevé.

Huit minutes plus tard, la femme n'était toujours pas ressortie. À l'intérieur de Hurt, Nitro manifestait de plus en plus d'impatience.

— *Qu'est-ce qu'on attend? Que le café se remplisse, qu'il n'y ait plus moyen d'entrer et qu'on la perde si elle sort par une autre porte?*

— *Il n'y a pas d'autre porte*, répondit calmement Steel.

— *Pour les clients,* répliqua Sharp. *Mais il y a sûrement une cour à l'arrière. Elle est peut-être déjà dans un autre édifice.*

— *Bon, d'accord.*

Hurt entra à son tour et examina la salle du rez-de-chaussée. Comme il ne voyait pas June Messenger, il monta à l'étage.

MONTRÉAL, SPVM, 11 H 20

Théberge se passa la main sur le foie et jeta un regard à sa cafetière espresso. Il décida finalement de ne pas prendre de café.

La veille, il avait entrepris une cure de vingt jours. Pas de vin, un seul café par jour, un régime quasi Montignac. Le grand nettoyage de la tuyauterie interne, avait-il expliqué à son épouse avant de lui confier la clé de la cave à vin. « Au cas où j'aurais une faiblesse. »

La sonnerie du téléphone interrompit ses ruminations.

— Guy-Paul Morne à l'appareil.

— Vous vous trompez de numéro. C'est Rondeau qui s'occupe des relations publiques.

— Je sais. Mais c'est quand même à vous que je désire parler. Le premier ministre est inquiet.

— Il vient de passer un test de quotient intellectuel?

Morne ignora la remarque.

— Nos rapports avec la France sont ultra-importants.

— Ultra-importants, l'interrompit Théberge en mettant l'accent sur le premier mot. C'est le nouveau superlatif *in* au ministère ?

— On a besoin de leur appui sur le plan international. On ne peut pas risquer un incident diplomatique.

— C'est aux auteurs de l'attentat qu'il aurait fallu expliquer ça.

— Si Jannequin n'a pas l'impression qu'on fait tout ce qui est en notre pouvoir pour trouver l'assassin de sa fille…

— Et qu'est-ce que vous pensez qu'on fait ? répondit Théberge, irrité. De la danse sociale bio-équitable ? Du macramé environnementalement responsable ?

Morne poursuivit sur un ton détaché, visiblement résolu à ne pas tenir compte des provocations de Théberge.

— Vous avez du nouveau sur Hykes ?

— On croyait avoir retrouvé trois de ses doigts. Finalement, ce n'étaient pas les siens… On l'a rangé au complet dans la catégorie « disparu ».

— Ça se présente plutôt mal pour lui, non ?

— Parce qu'il est introuvable ? Le Parlement est plein d'introuvables chroniques ! Ça n'en fait pas des coupables pour autant… Quoiqu'en y repensant…

— Et l'autre suspect ? Celui qui a passé une partie de la soirée avec elle ?

— Je vous ai déjà dit qu'il n'était pas considéré comme suspect !

— Il doit bien savoir quelque chose… Vous l'avez interrogé ?

— Non, on l'a recruté pour jouer aux quilles. Il fait équipe avec Crépeau.

À l'autre bout du fil, Morne s'efforçait de conserver un ton compréhensif, de s'adresser à la bonne volonté de Théberge.

— Écoutez, je ne veux surtout pas vous apprendre votre métier. Mais le PM est très insistant. Il s'attend à des résultats rapides… J'ai un peu peur de ce qu'il pourrait décider.

— Vous avez raison : s'il en est rendu à envisager l'hypothèse de décider quelque chose, il est sûrement aux abois.

— Soyez assuré que je comprends votre position. Mais ce n'est pas facile de vous défendre… Avec les vidéos de vos exploits sur Internet… tout ce qui se raconte à votre sujet sur les ondes…

— Je ne savais pas que le premier ministre était un fan d'Internet et de HEX-Radio.

— Il écoute ce qu'écoutent ses électeurs.

— Pour le golf, par contre, il fréquente des clubs où la cotisation est le triple du salaire annuel de ses électeurs.

Une pointe d'exaspération perça dans la voix de Morne.

— Ce n'est pas moi que vous devez convaincre. Ce matin encore, il a fallu que je lui réexplique que ce n'était pas une faveur qu'on vous avait faite en vous bricolant un poste sur mesure. Que c'était la seule façon de vous garder… Vous savez ce qu'il m'a répondu ?

— Je sens que je ne vais pas tarder à le savoir.

— Que personne n'est indispensable.

PARIS, LADURÉE, 17 H 26

Joyce Cavanaugh rencontrait pour la première fois l'homme devant qui elle était assise. Avec son visage bronzé, sa barbe d'une semaine et son col de chemise ouvert, il ressemblait à un touriste fraîchement débarqué du club Med. Ses yeux perçants et son aisance contredisaient cependant cette apparence de playboy désœuvré.

Son regard fixé sur Joyce Cavanaugh rendait la femme mal à l'aise, ce qui était pour elle une expérience tout aussi rare que déconcertante. Rien ne semblait pouvoir intimider cet homme. Ni même le décontenancer.

Elle sortit le quipu de son sac et le lui tendit.

Après l'avoir examiné, Gravah sortit une feuille, un stylo et se mit à tracer des traits longs et courts sur le papier en jetant de fréquents coups d'œil au quipu. Il écrivit ensuite un certain nombre de chiffres et procéda à une addition.

Le total était un nombre de huit chiffres. Cavanaugh y reconnut la date de la journée : l'année, le mois, le jour.

— Tout va bien, dit finalement Gravah en empochant le quipu.

— C'est un code ?

— Perspicace.

Un sourire ironique accompagnait la réponse.

Si le total avait été n'importe quel autre chiffre, Gravah aurait amené madame Cavanaugh à l'endroit prévu pour cette éventualité et il l'aurait abattue sans plus de discussion. Cela aurait signifié : ou bien qu'elle avait trafiqué le quipu, ou bien qu'elle avait été assez négligente pour laisser quelqu'un le faire à son insu… ou bien que Killmore avait des doutes à son sujet. Dans les trois cas, sa disparition aurait été une mesure de sécurité indispensable… Mais cela, son interlocutrice n'en avait aucune idée. Cette connaissance donnait à Gravah un sentiment de supériorité légèrement euphorisant.

Il déposa le stylo sur la table.

— Vous prendrez le stylo en partant, dit-il. Mon rapport est à l'intérieur. Il suffit d'insérer le bout dans la prise spéciale de votre ordinateur.

Le serveur arriva avec leur commande.

— Vous ne le regretterez pas, dit Gravah, quand le serveur déposa un macaron au beurre écossais salé devant elle. Ça n'a aucun rapport avec toutes les saveurs du mois qu'ils inventent pour les touristes.

— Et vous ?

— J'alterne avec leur autre classique, dit-il en prenant une minuscule bouchée de son macaron au chocolat.

Il prit le temps de la goûter avant d'ajouter :

— Par précaution, je vais vous donner un certain nombre d'informations complémentaires. Si j'en crois votre dossier, vous n'aurez aucune difficulté à les mémoriser.

Cavanaugh acquiesça d'un léger mouvement de tête. Peut-être s'agissait-il vraiment d'une mesure de sécurité, pour le cas où le stylo serait perdu ou le message abîmé. Mais peut-être était-ce simplement une ruse pour lui donner un certain sentiment d'importance, pour éviter qu'elle se sente ravalée au rang d'un vulgaire messager.

— Les informations sur NutriTech Plus sont parvenues à leur destinataire. Leur réseau interne a été visité ce matin. La publication d'articles dans des journaux et les interventions dans les médias sont en bonne voie. Les prises de position sur les marchés financiers sont à peu près complétées. En Chine et en Inde, les négociations se déroulent comme prévu. En Amérique, les vecteurs de dissémination ont commencé à se déplacer.

Gravah remarqua avec un certain amusement qu'à la fin de chaque phrase, Cavanaugh clignait des yeux, comme si elle procédait à l'archivage d'un nouvel élément d'information dans sa mémoire.

— Vous avez des questions ? demanda-t-il.

— Est-ce que je suis censée comprendre ce que j'ai entendu ? demanda la femme avec un sourire.

Joyce Cavanaugh n'avait aucun moyen de savoir si le message et son explication correspondaient à ce qui était contenu dans le stylo. Mais elle était encline à le croire. Les explications s'intégraient parfaitement à ce que Killmore lui avait révélé.

— Dans certaines limites. Qu'est-ce que vous aimeriez savoir ?

— Les vecteurs de dissémination… C'est un peu vague.

— Des camionnettes, des marcheurs, des petits avions… Toutes les régions visées seront quadrillées en moins de trente-six heures.

Canal VOX, 11 h 32

Vous connaissez maintenant le format de notre émission. Chaque semaine, La Fracture s'intéresse à une cause différente de fracture à l'intérieur de notre pays. La semaine dernière, nous avons abordé la fracture sociale sous l'angle économique. Vos commentaires sur notre site Internet ont été nombreux.

> Cette semaine, exceptionnellement, nous allons aborder une fracture qui se manifeste à l'échelle mondiale : je veux parler de la fracture alimentaire.
> Champs dévastés en Asie, nouvelles maladies qui attaquent les céréales, baisse de la production mondiale, menaces climatiques sur les zones cultivables... Sommes-nous à la veille de connaître une disette mondiale de céréales ? Sommes-nous à la veille d'avoir une humanité qui mange et une humanité qui ne mange pas ?... C'est à cette question que nous avons demandé à nos invités de répondre. Comme vous le verrez...

Paris, Ladurée, 17 h 34

Hurt évitait de regarder trop directement vers la table de Joyce Cavanaugh et se concentrait sur son thé glacé.

En arrivant, il avait déposé l'appareil photo sur la table, l'objectif tourné vers lui. Le viseur, par contre, était dirigé vers la table de Cavanaugh.

Avant de déposer l'appareil sur la table, Hurt avait fait glisser un bouton, ce qui avait eu pour effet de transformer le viseur en objectif de caméra. Les images que captait l'appareil étaient immédiatement transmises à son iPhone et relayées à son ordinateur, chez lui, lequel en réacheminait aussitôt une copie à Chamane.

Un bref coup d'œil lui permit de voir que Cavanaugh et l'homme qu'elle avait rejoint se tenaient maintenant les mains. Ils se regardaient dans les yeux. Toutefois, quelque chose dans leur attitude contredisait l'impression d'intimité qu'ils s'efforçaient de communiquer.

Hurt aurait pu trouver un prétexte pour passer à côté d'eux, histoire de vérifier ses soupçons, mais il renonça à l'idée. Mieux valait ne pas courir le risque d'attirer l'attention sur lui. De toute façon, il pourrait revoir l'enregistrement quand il serait seul.

Montréal, 12 h 11

Yvan Lavigueur marchait de long en large dans son bureau, au dernier étage de l'édifice de Nature's Food. Il avait hâte de voir ce que les journalistes retiendraient de la conférence de presse qu'il avait donnée quelques heures plus tôt.

... L'ALLIANCE LIBÉRALE DU QUÉBEC SUBVENTIONNE SES AMIS POUR
QU'ILS ACHÈTENT LE QUÉBEC À LA PIÈCE. ET LE RESTE, LE PREMIER
MINISTRE LE VEND À RABAIS AUX ÉTRANGERS!...

Sur l'écran de la télé, l'image du chef du PNQ fut
remplacée par celle du présentateur.

DANS UNE CONFÉRENCE DE PRESSE TENUE CE MATIN, LE PDG DE
NATURE'S FOOD, YVAN LAVIGUEUR, A AFFIRMÉ NE PAS COMPRENDRE
COMMENT DES BOUTS DE DOIGTS ONT PU SE RETROUVER DANS DES
CONTENANTS DE YOGOURT PRODUITS PAR SON ENTREPRISE. ALLÉ-
GUANT LA RIGUEUR DES CONTRÔLES INTERNES À TOUTES LES ÉTAPES
DE LA PRODUCTION, IL A ÉVOQUÉ LA POSSIBILITÉ DE SABOTAGE.
EN RÉPONSE À UNE QUESTION SUR L'ÉVENTUELLE COMPLICITÉ D'UN
EMPLOYÉ DE L'ENTREPRISE, IL A REFUSÉ DE SPÉCULER SUR CE SUJET,
PRÉFÉRANT LAISSER AUX POLICIERS LE SOIN DE FAIRE LEUR TRAVAIL.

Un extrait de la conférence de presse apparut à l'écran.
On y voyait Lavigueur, cerné par une dizaine de micros,
répondre à une question d'un journaliste:

TOUT CE QUE NOUS POUVONS FAIRE, MÊME SI NOUS NE SOMMES
AUCUNEMENT RESPONSABLES DE CETTE SITUATION, C'EST DE RETIRER
TOUS NOS PRODUITS DES TABLETTES.

— Finalement, ça sort bien, fit Lavigueur.

Il prit une gorgée de scotch, regarda son verre vide
et le déposa sur son bureau. À la télé, la caméra revint au
présentateur.

LE PDG DE NATURE'S FOOD A TOUTEFOIS ÉTÉ INCAPABLE DE GARANTIR
QUE DE NOUVELLES ATTAQUES N'AURAIENT PAS LIEU CONTRE SES PRO-
DUITS...

— *Shit!*

HAMPSTEAD, 18 H 39

Leonidas Fogg avait décrété que c'était une bonne
journée et son organisme avait accueilli le décret de
bonne grâce: il se déplaçait sans canne et ses difficultés
respiratoires étaient minimales.

Au lever, il avait fait tous ses exercices sans trop de
difficulté. Autant ses exercices physiques que l'entraînement mental qu'il s'imposait quotidiennement.

Matin et soir.

On n'obtenait pas le poste qu'il occupait sans effort. Et on ne le conservait pas sans des efforts plus grands encore. Surtout quand on était dans sa situation.

Il avait construit son personnage patiemment. Méticuleusement. Cela représentait des années et des années de travail. Un travail discret. Mais incessant. Des années à surveiller ses moindres pensées. Ses moindres réactions. Pour en venir à agir spontanément comme le Fogg qu'il voulait être. Des années d'entraînement quotidien pour en venir à penser spontanément comme lui. En toutes circonstances… Être Fogg était un travail à temps plein. Mais les résultats étaient à la hauteur de ses efforts. Même ses rêves, la nuit, avaient fini par être ceux du Fogg qu'il construisait méticuleusement, chaque matin, dans sa pièce de visualisation au sous-sol.

— Nous allons liquider une partie des filiales du Consortium, dit-il.

Jessyca Hunter parut sincèrement étonnée.

— Pour quelle raison on ferait ça ?

— « Ces messieurs » ont été très clairs. J'ai donc élaboré un plan.

— Pour liquider nos filiales ?!

Fogg prit le temps de regarder un papier qu'il n'avait aucun besoin de consulter.

— Je me suis d'abord concentré sur Candy Store, reprit-il. Et j'ai pensé que ça vous ferait plaisir de vous occuper personnellement des négociations avec notre acheteur potentiel.

La femme ne put réprimer une légère surprise. Pour quelle raison Fogg lui confiait-il une telle tâche ? Parce qu'il croyait que ce serait pour elle une occasion de faire un faux pas ?… Par contre, ça pouvait aussi être une occasion de marquer des points. D'étendre son réseau de contacts.

— Si vous croyez que je suis la personne la mieux placée pour effectuer cette tâche…

— Cela va de soi. Pour les autres filiales, je vais vous fournir un projet détaillé d'ici quelques jours.

— Bien.

— Je devine que vous n'êtes pas entièrement d'accord avec cette rationalisation du Consortium.

Jessyca Hunter hocha la tête dans un geste qui pouvait tout aussi bien signifier qu'il avait deviné juste ou qu'elle enregistrait simplement ce qu'il disait.

— Moi-même, reprit Fogg, j'étais plutôt réticent, au début. Mais je dois dire que le point de vue de « ces messieurs » n'est pas sans intérêt.

Fogg avait choisi de demeurer vague. Pour voir ce qu'elle répondrait. Peut-être madame Messenger l'avait-elle déjà informée de tout ça ? Si c'était le cas, peut-être se trahirait-elle ?

À la surprise de Fogg, elle changea brusquement de sujet.

— Madame McGuinty est très satisfaite de son programme de recrutement, dit-elle.

Pourquoi changeait-elle de sujet ? se demanda Fogg. Avait-elle peur de révéler ce qu'elle savait en poursuivant cette discussion ?

— Bien, se contenta-t-il de répondre.

— Elle prévoit avoir terminé le recrutement initial dans un à deux mois. Par la suite, il s'agira de combler les besoins *ad hoc* des laboratoires.

— Vous paraissez très satisfaite de votre nouvelle recrue, dit Fogg en souriant.

Jessyca Hunter ne savait pas quoi penser de cette remarque. Était-ce un simple coup de sonde ? Fogg avait-il des doutes sur les allégeances de la nouvelle directrice de Brain Trust ?

— Je pense en effet que nous avons eu la main heureuse, dit-elle.

— Je suis assez d'accord avec vous… ce qui n'est pas une raison pour relâcher les procédures de vérification habituelles.

Puis il ajouta avec un sourire :

— La loyauté est une plante qui a besoin d'être entourée de beaucoup d'attention et de soins pour s'épanouir.

Après le départ de Jessyca Hunter, Fogg se dirigea vers la fenêtre pour regarder le jardin. Garder ses ennemis tout près de soi, songea Fogg. Jamais il n'avait aussi bien appliqué le principe.

Un instant, il songea à transmettre les coordonnées de Hunter à l'Institut. Ils la connaissaient déjà : leur intérêt pour elle n'aurait pas besoin d'être stimulé.

Puis il songea que ce serait trop évident. On penserait tout de suite à lui. Autant être patient et continuer à la surveiller de près.

Montréal, SPVM, 13 h 48

L'inspecteur-chef Théberge regardait la vidéo que Les Enfants de la Terre brûlée venaient de diffuser sur Internet. Le porte-parole avait un déguisement à la ZZ Top, lunettes fumées et guitare incluses. Mais sa stature et sa voix étaient celles d'un enfant.

> *La politique de la terre brûlée a été inventée par l'Occident. C'est la politique qu'elle a pratiquée à la grandeur de la planète : tout razzier, puis aller ailleurs quand il ne reste plus rien. L'Occident va maintenant goûter à sa propre médecine… Les Enfants de la Terre brûlée ne font que désigner les principales causes de scandale. Et ils encouragent les individus qui ont une conscience écologique à agir. À prendre leurs responsabilités. Il faut que, partout sur la planète, les initiatives écocitoyennes se multiplient…*

La figure du porte-parole disparut, remplacée par deux mots en blanc qui se détachaient sur fond noir :

BIOPUR SOLUTIONS

DIET'S PRO

Les deux prochaines cibles, songea Théberge. Puis il pensa aux cracks de l'informatique : réussiraient-ils, par l'analyse des images, à trouver quelque chose derrière le déguisement ?… Peu probable.

Paradoxalement, cette pensée le rassurait: il y avait encore des limites à ce que pouvaient réaliser les ordinateurs.

Comme il se levait pour aller à la fenêtre, la porte s'ouvrit devant Grondin.

— J'ai rencontré l'ex-femme de Hykes. Elle ne comprend pas pourquoi il aurait voulu disparaître. Elle dit qu'ils s'étaient séparés bons amis. Le problème, c'était qu'il travaillait tout le temps et qu'il n'avait pas de temps à consacrer à leur vie de couple. À sa connaissance, il n'avait personne dans sa vie.

— Il avait peut-être des problèmes financiers.

— Je lui ai posé la question. Du temps où il était avec elle, il mettait la moitié de son salaire de côté. À la banque, ils confirment que ses finances personnelles sont en bon état.

— Vous la croyez? demanda Théberge.

— Elle avait l'air vraiment sincère. Si elle joue un rôle, elle est meilleure que tous les candidats de *Jouez le rôle de votre vie*.

— L'émission de téléréalité, fit Théberge avec une moue. Vous écoutez ça?

Visiblement, il n'avait pas une haute opinion des critères de comparaison de Grondin.

En guise de réponse, ce dernier se contenta de hocher la tête et il se mit à se gratter le dessus de la main. Ne voulant pas prendre la responsabilité de déclencher une crise d'eczéma majeure chez son adjoint, Théberge s'empressa de changer de sujet.

— Donc, reprit-il, pas de problèmes financiers, pas de problèmes de couple... Allez questionner tous ceux qui le connaissent.

— D'accord.

Théberge fixa tout à coup Grondin comme s'il prenait conscience de quelque chose.

— Sous votre veston, c'est bien ce que je pense?

— Un gilet pare-balles.

— Il y a une raison particulière?

— J'ai regardé les statistiques. Il n'y a aucun moyen de prévoir assez précisément quand on peut en avoir besoin. Alors, je me suis dit que, si je voulais mettre toutes les chances de mon côté…

Théberge secoua la tête, mi-ébaudi, mi-découragé.

— C'est sûr, dit-il finalement, pour survivre aux conférences de presse…

Après le départ de Grondin, Théberge alluma sa pipe, ce qui augmenta sa mauvaise humeur : avec toute cette publicité anti-tabac, il n'arrivait plus à fumer avec le même plaisir qu'avant, même à doses homéopathiques. Et les enquêtes qui n'allaient nulle part…

Celle sur le meurtre de Brigitte Jannequin s'enlisait dans d'obscurs complots terroristes. Celle sur la mort de Gontran ne donnait aucun signe de vouloir avancer… Un instant, il se demanda s'il ne devrait pas aller discuter un peu avec lui – malgré son état. Mais il n'avait pas le cœur à rencontrer des morts.

LYON, 19 H 52

Martyn Hykes se trouvait dans un bureau de dimensions impressionnantes. Un des murs était entièrement occupé par un aquarium.

Le garde qui l'accompagnait n'avait qu'une télécommande à la main, mais c'était suffisant pour enlever à Hykes toute velléité de rébellion. D'une légère pression de l'index, il pouvait lui envoyer une décharge qui ferait contracter tout son corps pour ensuite le laisser sans force, incapable même de se tenir debout.

La femme assise derrière le bureau se leva et vint vers lui. Elle avait le profil de la secrétaire de direction de luxe : apparence soignée, blonde, bien faite, le regard intelligent et, accessoirement, hyper compétente. Hykes lui donna au plus une quarantaine d'années.

— Maggie McGuinty, dit-elle en lui tendant la main. Je suis la directrice de ce centre de recherche.

Hykes hésita à accepter sa poignée de main.

— Je serais plus heureux si je n'avais pas ça, dit-il.

Il montra les bracelets qu'il avait au poignet.

— Vous verrez, on s'y habitue vite. Et puis, tant que vous êtes dans l'édifice, ils vous protègent contre les différents systèmes de sécurité.

— Vous n'imaginez quand même pas que vous allez me garder ici indéfiniment !

— Bien sûr que non, dit la femme en feignant l'indignation devant une telle idée.

Puis elle ajouta avec un large sourire :

— Seulement le temps que vous nous serez utile.

Elle retourna au bureau prendre une petite télécommande, se tourna vers le mur aquarium et appuya sur un bouton. L'image animée de l'aquarium disparut. Elle fut remplacée par celle d'une salle couverte de sable où était disposée une longue rangée de chaises.

— On appelle cet endroit le séchoir, précisa McGuinty en revenant vers Hykes.

La plupart des chaises étaient vides. Seules quatre personnes y étaient assises. Elles étaient toutes attachées sur leur chaise. Deux semblaient mortes. Une autre était mal en point. La quatrième paraissait en bonne santé et suait abondamment.

— Si vous le désirez, vous pouvez les rejoindre, reprit-elle. Il y a encore plusieurs chaises de libres.

— Qu'est-ce qu'ils font là ?

— Ils sèchent.

Hykes avait de la difficulté à décoller son regard de la vitre.

— Quand ils seront tous complètement momifiés, reprit la femme, la salle deviendra une exposition permanente.

Puis elle ajouta, avec un sourire :

— Dans les milieux artistiques, ils appellent ça une « installation », je crois. Un *work in progress*. Je préfère parler de matériel pédagogique… Mais je lui ai quand même donné un nom.

Elle appuya de nouveau sur un bouton de la télécommande. Quelques mots apparurent dans le bas de la baie vitrée.

Le mystère de la Trinité

— À première vue, il s'agit d'un titre un peu hermétique. Mais une fois qu'on a fait le lien, ça devient évident… Vous saisissez ?

Hykes demeurait bouche bée. Son regard allait de la directrice à la pièce de sable comme s'il n'arrivait pas à croire à ce qu'il voyait.

— Dans un premier temps, la mort alimente la vie. Pensez à tous les animaux et à toutes les plantes qu'il a fallu tuer pour vous permettre de demeurer en vie. Dans un deuxième temps, la vie nourrit la mort. Pour ne pas disparaître, la mort doit sans cesse avoir de nouveaux vivants à tuer… Personnellement, ce qui m'intéresse, c'est la troisième étape : quand la mort immortalise l'image de la vie… La mort qui se nie elle-même pour faire accéder la vie à une forme d'éternité… J'ai aussi songé à un autre titre : *Le désert intérieur*. Mais ça me semblait trop évident.

Un sourire apparut sur le visage de la femme. Elle fixa Hykes un moment.

— Je vois que votre sensibilité artistique n'est pas tout à fait au point, reprit-elle. Alors, considérez cette œuvre comme un exercice pédagogique. Ces gens que vous voyez, ce sont nos chercheurs dissidents. Partout sur la planète, les dissidents se plaignent qu'on les empêche de se réunir… Ici, ils ont tout le temps du monde pour le faire.

Elle pointa la télécommande vers le mur et appuya de nouveau sur le bouton. La fenêtre reprit l'apparence de l'aquarium.

— Pour stimuler la motivation de notre personnel, reprit-elle, c'est très efficace. Presque trop, je dirais. Au rythme où vont les choses, je doute de pouvoir achever un jour l'exposition.

Puis elle changea de sujet.

— J'ai toujours aimé les aquariums. Pour créer un climat de détente, je ne connais rien de mieux. Toutes nos chambres en sont pourvues… De fenêtres aquariums, évidemment. Pas d'aquariums véritables. Imaginez le facteur de risque : des centaines d'aquariums ! Avec les recherches que nous poursuivons…

Elle retourna derrière son bureau et appuya sur le bouton de l'interphone.

— Envoyez-moi Calderon.

Puis elle revint à Hykes.

— Luis Felipe Calderon. Votre chef de laboratoire… Si vous avez besoin de quoi que ce soit pour vos recherches, il a la responsabilité de vous le procurer. Nous mettons un point d'honneur à assurer à nos collaborateurs les meilleures conditions de travail… Bien sûr, vous avez une obligation de résultat, mais à moyen ou long terme seulement. Nous ne sommes pas intéressés par des recherches bâclées en catastrophe à cause des impératifs de publication ou parce qu'il faut une annonce pour soutenir la valeur des actions de l'entreprise.

— Mais je n'ai pas le choix d'accepter ?

— Bien sûr que si. On a toujours le choix d'être dissident… mais pas celui des conséquences de la dissidence.

Un sourire balaya subitement les dernières phrases.

— Je suis certaine que vous vous plairez avec nous. Tout ce que vous désirez, vous pouvez l'obtenir. Dans les limites d'une certaine raisonnabilité, bien sûr. Nourriture, vins et alcools, cigares, femmes… Dans votre cas, je sais que vous préférez les femmes aux jeunes garçons… Voyez-vous, nous croyons au bonheur. L'expérience montre qu'une certaine dose de bonheur améliore la créativité.

— C'est le paradis, quoi ! ironisa Hykes.

— Presque… Évidemment, si nous voyons que vous sabotez vous-même votre recherche ou si vous tentez de vous enfuir, vous serez mis en dissidence.

— Pendant combien de temps ? répliqua Hykes sur un ton de défi. Un an ? Deux ans ?

— Vous exagérez, répondit la directrice en souriant. Il faut beaucoup moins de temps pour transformer un individu en un matériel pédagogique adéquat.

HEX-RADIO, 14 H 16

... POUR LES RÉSULTATS DE NOTRE CONSULTATION SUR « LA CIBLE DE LA SEMAINE ». VOS VOTES SONT MAINTENANT COMPILÉS. C'EST À UNE GRANDE MAJORITÉ QUE VOUS AVEZ ÉLU L'INSPECTEUR-CHEF GONZAGUE THÉBERGE, ALIAS LE NÉCROPHILE, COMME PERSONNALITÉ CIBLE DE LA SEMAINE. C'EST DONC À LUI QUE NOS ENQUÊTEURS VONT S'INTÉRESSER.

MONTRÉAL, SPVM, 14 H 37

Théberge regardait le titre qui faisait la une de l'*HEX-Presse*.

ÉLEVEURS DE CANARDS CANARDÉS

Tout en secouant la tête, il parcourut les premiers paragraphes. Un groupe végétaliste peu connu, Les Canards déchaînés, revendiquait l'attentat. La nuit précédente, la résidence privée d'un producteur de foie gras de canard avait été criblée de balles avec des armes de petit calibre. Les projectiles n'avaient aucune chance de traverser les murs et d'atteindre les résidents.

Le message des agresseurs au propriétaire de l'entreprise était toutefois plus menaçant :

La prochaine fois, vous serez enlevé et on va vous faire subir le traitement que vous infligez aux canards. Vous serez confiné dans un espace réduit, condamné à vivre couvert d'ordures et gavé jusqu'à ce que votre foie explose. Vous avez une semaine pour fermer votre entreprise.

Une photo de canard accompagnait l'article, le cou et la tête effectivement couverts de ce que les écologistes appelaient des immondices.

Se pouvait-il que les gens soient devenus si stupides ? se demanda Théberge. Puis il se corrigea mentalement : pas stupides, ignorants. Désespérément ignorants. À force de ne pas avoir de contacts avec les animaux, sauf à travers des reportages édulcorés, ils pouvaient croire n'importe quoi. Aucun citadin n'avait probablement jamais vu un canard plonger sa tête dans les marais à la recherche de scirpes… et la ressortir couverte de toutes sortes de résidus. Aucun citadin ne savait, selon toute probabilité, que les canards se gavaient naturellement avant les migrations, même si ce n'était pas au point où le faisaient les éleveurs. Et aucun ne savait, assurément, que la bonne santé du canard était une condition indispensable à la qualité du foie gras.

Bien sûr, il y avait des excès. Bien sûr, il y avait des éleveurs qui forçaient sur le gavage et négligeaient l'entretien des oiseaux, à la recherche de petits profits à court terme… ou simplement par bêtise. Mais un foie qui explose ?… C'était un danger qui menaçait beaucoup plus les touristes sur les plages d'Old Orchard que le canard d'élevage moyen !

Ce qui mettait le plus Théberge en furie, c'était que des reportages aussi primaires discréditaient les défenseurs des droits des animaux et nuisaient à leur travail pour corriger les situations vraiment intolérables, lesquelles ne manquaient pourtant pas. Au rythme où progressait la pollution, seules les espèces domestiques et celles conservées dans des zoos auraient une chance de survivre.

Théberge fut tiré de sa réflexion par l'arrivée de sa secrétaire. Elle précédait un homme d'une cinquantaine d'années qui avait un uniforme d'agent de sécurité.

— Je suis Vincent Marceau, responsable de la sécurité dans un marché d'alimentation, fit l'homme en tendant la main à Théberge. On m'a dit que c'est vous que je devais voir.

Puis il déposa un DVD sur le bureau.

— Je pense avoir des informations sur les doigts qui ont été trouvés dans des contenants de yogourt.

À son ton de voix calme et posé, Théberge jugea qu'il n'avait probablement pas affaire à un illuminé. Il l'invita à s'asseoir.

— Je vous écoute, dit-il.

Marceau raconta son histoire. Quand il eut terminé, Théberge lui demanda :

— Qu'est-ce qui vous a fait penser qu'il peut s'agir des individus qui ont mis les bouts de doigts dans les yogourts ?

— C'est en écoutant la conférence de presse du président de Nature's Food que j'ai eu le flash. À l'épicerie, ils avaient un comptoir spécial pour le mois : une promotion. C'est devant leur comptoir que se tenaient les deux individus suspects.

Ils regardèrent ensuite l'enregistrement ensemble. Théberge dut admettre que le comportement des individus était tout sauf naturel. Ils s'étaient effectivement placés de manière à ce que leurs mains échappent aux caméras.

— Je vous remercie, dit Théberge en raccompagnant Marceau à la porte de son bureau. Si jamais vous les apercevez de nouveau...

— Bien sûr...

Avant de sortir, l'agent de sécurité se tourna vers Théberge et lui dit, l'air hésitant, presque gêné :

— J'aurais une question à vous poser.

Théberge se contenta d'attendre qu'il poursuive.

— C'est vrai, ce qu'ils disent à la télé ?... Je veux dire, que vous parlez avec les morts ?

Le policier s'efforça de ne pas manifester trop ouvertement son agacement.

— Un des avantages qu'il y a à parler avec les morts, dit-il avec un sourire, c'est qu'ils ne posent jamais de questions indiscrètes.

— Bien sûr... Je comprends...

Marceau se dépêcha de partir.

Une fois seul, Théberge redémarra l'enregistrement. L'hypothèse de l'agent de sécurité était un peu tirée par les cheveux, mais elle méritait d'être vérifiée.

PARIS, RESTAURANT I GOLOSI, 20 H 41

Chamane et Poitras avaient une table installée dans la petite épicerie attenante au restaurant. Il n'y avait que quatre tables dans la pièce et les trois autres étaient vides. Autour d'eux, les armoires étaient remplies jusqu'au plafond de bouteilles de vin et de sachets de champignons déshydratés, de bidons d'huile d'olive, d'emballages de pâtes alimentaires…

— Je suis impressionné, fit Poitras en souriant.

Chamane rayonnait.

— Il paraît que les vins sont très bons, dit-il.

— Ah oui ?

— C'est ce qui est marqué sur Internet. Il y a quarante-trois clients qui ont écrit leurs commentaires. Paraît que c'est de la vraie cuisine italienne.

— Tu veux dire que tu as choisi le restaurant sur Internet ?

Poitras le regardait en se demandant si Chamane n'essayait pas de lui faire une blague.

— Faut être rationnel, dans la vie, *man*… Tu m'aurais vu en train d'essayer des restaurants jusqu'à temps que je trouve le bon ? J'ai pris la catégorie des restaurants italiens avec des tables d'hôte en haut de trente euros et j'ai regardé ce qu'il y avait à proximité de la Bourse. Je me suis dit qu'ils devaient avoir un menu qui tombe dans les cordes des hommes d'affaires.

Le serveur apporta la carte des plats et celle des vins. Chamane demanda à Poitras de s'occuper du vin.

— Sur Internet, qu'est-ce qu'ils conseillent ? demanda ce dernier en souriant.

Il prit la carte et l'ouvrit.

— Les barolos Clerico…

Puis, comme s'il avait un doute, il demanda à Poitras :

— Ça se peut, un barolo Clerico ?

Poitras parcourut la carte des yeux.

— Il y en a cinq, dit-il.

— On peut demander au serveur lequel prendre. C'est unanime dans les commentaires : on peut leur faire confiance pour choisir le vin.

— Si c'est écrit sur Internet…

Le serveur recommanda un Clerico Pajana 1996 qui n'était pas sur la carte. Poitras prit le temps de goûter le

vin avec application sous l'œil légèrement inquiet de
Chamane.

— Excellent, dit-il au serveur.

Le visage de Chamane s'illumina.

— Tu vois que j'avais raison, dit-il. On peut se fier à
Internet.

Lorsque le serveur fut parti, Poitras entreprit de résumer à Chamane ce qu'il avait trouvé.

— Il y a eu de la spéculation sur le titre au cours des
deux derniers mois. Mais ce ne sera pas facile à prouver… Par contre, en comparant les courriels et les projets
spéciaux mentionnés dans la comptabilité, on voit qu'il
y a eu des détournements de fonds. Peut-être du blanchiment…

— Ça, tu es capable de le prouver ?

— Moi, non. Mais avec ces renseignements-là, des
policiers qui ont le pouvoir de faire saisir des comptes
bancaires…

— *Yes !…* J'envoie ça tout de suite à Dominique !

— Le plus intéressant, c'est les projets auxquels
l'argent détourné a servi.

— Acheter des châteaux aux membres de la direction ?

— Plutôt des attaques contre des concurrents…

— Tu veux dire : des campagnes de pub ?

— Sabotage d'usines, empoisonnements de produits
de concurrents, harcèlement de la famille des dirigeants…
Il y a même deux transactions qui ressemblent à des
contrats pour faire éliminer des personnes.

— *Fuck !*

Poitras secoua la tête comme si lui-même n'arrivait
pas à croire à ce qu'ils avaient trouvé.

— Je ne comprends pas qu'ils aient gardé ça dans
leur ordinateur, dit-il.

— Qu'est-ce que tu veux, *man*, ça entre pas dans la
tête des gens, qu'un ordinateur, ça peut être piraté. C'est
comme le sida : ils pensent que ça arrive juste aux autres.

LONGUEUIL, 16 H 25

Victor Prose avait été élevé au milieu des livres. Littéralement. Enfant, il avait eu sa chambre dans la bibliothèque. À sa naissance, ses parents n'avaient eu le choix que de le faire dormir là en attendant d'avoir les moyens de déménager dans un appartement plus grand.

Mais les moyens n'étaient jamais venus. Les livres, par contre, avaient continué de se multiplier. De nouveaux rayons étaient apparus sur les murs.

Quand Prose avait atteint l'âge de sept ans, les quatre murs étaient couverts. Une sorte d'équilibre s'était alors instauré : les livres avaient le pourtour de la pièce, Prose avait le centre.

À cette époque, il avait eu une révélation : tous ces livres avec lesquels il avait tissé des liens de voisinage, ils parlaient. Pour les comprendre, il suffisait de connaître leur langue. Prose s'était alors empressé d'apprendre à lire. Et depuis, il n'avait jamais cessé. Les journées où il ne lisait pas, il se sentait vide. Isolé. Comme s'il se retrouvait seul devant sa mort imminente. Devant l'usure du temps. Les livres étaient pour lui des machines à effacer le temps.

Plus tard, il avait compris qu'ils pouvaient aussi être des professeurs. Mais en plus disponibles : on pouvait les arrêter et les remettre en marche quand on voulait, les faire répéter autant de fois qu'on voulait… Aux rapports de voisinage et d'accompagnement s'étaient alors ajoutés des rapports d'utilité : les livres lui apprenaient toutes sortes de choses.

Puis il y avait eu Internet. Des livres sur écran qui renvoyaient à toutes sortes d'autres livres…

Le rapport de Prose aux livres passait maintenant en grande partie par l'information électronique. Mais son vieux fond de connivence avec les livres de papier était demeuré. Quand il se retrouvait devant une situation inconnue ou angoissante, son premier réflexe était de se tourner vers les livres. C'est pourquoi, quand il avait

appris que HEX-Radio le prenait à partie et lançait des
rumeurs à son sujet, il s'était souvenu de Sun Tsu : *L'Art
de la guerre*. Et particulièrement du passage où Sun Tsu
parle de la supériorité que donne l'information, de la
nécessité de connaître son ennemi.

Prose avait alors décidé de syntoniser HEX-Radio
en continu pendant qu'il travaillait à son bureau. Et de
prendre plus de notes.

— Il s'appelle Hykes.
— Hykes ?
— Martyn Hykes. Avec un « y » à Martyn.
— Sais-tu si les flics ont essayé de le trouver ?
— C'est ce qu'ils disent. Mais si tu veux mon avis, ils ont pas
dû essayer fort fort. En tout cas, paraît qu'il est pas chez lui
ni à son bureau.
— Avoue que ça fait drôle... Le gars disparaît juste après
que son lab est démoli et on retrouve le cadavre de la fille
avec qui il travaillait dans un silo de céréales.
— La fille, tu penses que c'était sa maîtresse ?
— Ça se peut... Peut-être qu'elle était enceinte et qu'elle
voulait pas se faire avorter. Les laboratoires, c'est comme
les bureaux : ça serait pas le premier party de bureau qui
aurait mal tourné... Peut-être aussi que c'est une de ses ex
qui le faisait chanter ?... Quand les flics disent rien, on peut
faire toutes les suppositions.

Toujours les mêmes insinuations déguisées en questions, songea Prose. C'était une de leurs principales armes.
L'important, c'était de raconter une bonne histoire. Une
histoire qui accrochait... Que cette histoire ait le moindre
rapport avec la réalité, ça, par contre...

— Tu penses qu'il a été éliminé, lui aussi ?
— Non. On l'aurait trouvé. Regarde ça de façon réaliste, une
minute... T'as un gars qui a pas réussi à vendre sa compagnie.
Qui fait venir une fille à son bureau en fin de soirée... Et qui
disparaît en ne disant rien à personne. Comme par hasard, tous
les résultats de ses recherches disparaissent en même temps
que lui... C'est quoi, ta conclusion ?
— C'est sûr que vu comme ça...

Quand le carillon de la porte se fit entendre, Prose baissa le volume de la radio, se leva, se rendit à la porte et jeta un regard à travers l'œil-de-bœuf.

Encore des gens qu'il ne connaissait pas.

Il retourna à sa table de travail sans répondre. Depuis que HEX-Radio avait donné son adresse en ondes, à l'émission de l'avant-midi, c'était la troisième fois que des inconnus sonnaient à sa porte, par groupes de deux ou trois.

La première fois, les deux jeunes à qui il avait ouvert lui avaient déclaré qu'ils venaient pour voir de quoi il avait l'air. Ils voulaient savoir comment il se sentait, pourquoi il ne voulait pas donner d'entrevues. Puis ils s'étaient mis à rigoler, comme s'ils ne savaient pas quoi dire de plus.

La fois suivante aussi, il avait ouvert. Ils étaient trois. Ceux-là voulaient savoir s'il connaissait « la fille » depuis longtemps. Si elle était sa maîtresse. Un des trois lui avait même braqué une caméra devant le visage. Il avait eu le temps de prendre une brève rafale de photos avant que Prose referme la porte. Elles s'étaient retrouvées sur Internet dans l'heure suivante.

— Et celui qui a mangé avec elle au restaurant ?
— C'est vrai que ça fait une drôle de coïncidence… Mais les flics, eux autres, ils ont l'air de trouver ça normal.
— Moi, je me dis, ce gars-là, il doit bien avoir de quoi à dire.
— On l'a appelé tout à l'heure. Il a refusé de faire une entrevue. Pourtant, le mois passé, je l'ai vu à la télé.
— Peut-être que la radio, c'est pas assez glamour pour lui !

Tant qu'il avait écouté HEX-Radio de façon sporadique, pour documenter ses textes à venir, Prose était parvenu à demeurer relativement serein. Mais maintenant qu'ils s'en prenaient à lui, il trouvait plus difficile de contrôler ses mouvements d'humeur.

— En tout cas, il ne répond plus au téléphone.
— C'est étrange, ça.
— Ni quand on sonne à sa porte.
— D'habitude, quand on n'a rien à cacher…

> — SUR INTERNET, J'AI TROUVÉ DES PHOTOS DE LUI PRISES PAR CEUX À QUI IL A FERMÉ LA PORTE AU NEZ!

— C'est du grand n'importe quoi! fit Prose, excédé, en relevant les yeux vers la radio.

Il n'y avait pas de raisons qu'il tolère ça plus longtemps. Il ferma la radio, se leva, se dirigea vers le téléphone, composa le numéro du SPVM et demanda à parler à l'inspecteur-chef Théberge. S'il y avait quelqu'un qui pouvait comprendre ce que c'était que d'être pris pour cible par HEX-Radio…

MONTRÉAL, SPVM, 17 H 39

Comme Théberge allait sortir de son bureau, Crépeau s'encadra dans la porte.

— J'ai mis mon cerveau à *off*, dit préventivement Théberge. Il ouvre demain matin à neuf heures.

Crépeau ignora la remarque, entra et ferma la porte derrière lui.

— Deux minutes, dit-il. Il faut que je te parle de quelque chose. Tu mettras ça dans ta mijoteuse.

Théberge poussa un soupir de résignation.

— Pas un autre mort…

— Non. Cette fois, c'est un accident… Mais c'est quand même curieux.

Théberge s'assit sur le coin de son bureau.

— Un accident de la circulation, reprit Crépeau. La victime n'avait aucun papier d'identité. Ses empreintes digitales et sa photo ne sont dans aucune banque de données… Et il n'y a pas eu de disparition de signalée. Par contre, on a trouvé ça autour de son cou.

Il sortit de sa poche un Ziploc dans lequel il y avait un collier fait de cordelettes.

— T'as une idée de ce que c'est? reprit Crépeau.

— On dirait du macramé.

Théberge prit le sac entre ses doigts pour tâter le collier à travers le plastique.

— Tu penses que c'est important? demanda-t-il.

— Aucune idée. Mais c'est le seul élément qu'on a pour l'identifier.

— Le véhicule ?

— Là, c'est encore plus intéressant. Il a été loué aux États-Unis, il y a une semaine. Par quelqu'un d'autre… qui n'existe pas, lui non plus.

— Ça veut dire que le crime organisé est impliqué.

— Le crime organisé… ou une agence de renseignements américaine.

— C'est ce que je disais, répliqua Théberge, pince-sans-rire.

Crépeau sourit à peine.

— Ça fait quand même une drôle de coïncidence, dit-il. Deux morts en l'espace de deux mois, qui n'ont aucune identité.

— Sans compter les trois bouts de doigts…

— Ils sont rendus à six : ils en ont trouvé trois autres dans les yogourts rappelés.

— On sait s'ils appartiennent à Hykes ?

— Les nouveaux ? Pas encore…

Crépeau se leva.

— Pour le type qui n'existe pas, dit-il, j'ai fait reconstituer son visage par ordinateur pour enlever les traces de l'accident. Ça devrait être dans les médias aux informations de six heures… Peut-être qu'on va avoir un coup de chance.

Montréal, hôtel Ritz-Carlton, 19 h 02

Skinner entra dans sa chambre d'hôtel et jeta son manteau sur le lit. Un regard à sa montre lui apprit qu'il avait juste le temps d'allumer la télé pour écouter l'entrevue qui l'intéressait.

Quand l'écran s'éclaira, il syntonisa TV5.

Un animateur discutait avec un invité. Ils étaient assis de part et d'autre de la table. De façon assez prévisible, l'émission s'appelait *Face à face*.

— Monsieur Daudelin, vous publiez maintenant *Bio à mort*, un livre qui dresse un bilan des scandales liés à l'alimentation

BIO. VOUS SOULEVEZ DES CAS D'EMPOISONNEMENT, DE TRANSMISSION DE MALADIES, DE DÉSASTRES ENVIRONNEMENTAUX… EST-CE PAR GOÛT DE LA PROVOCATION ?

— ÇA DÉPEND DE CE QUE VOUS ENTENDEZ PAR PROVOCATION. J'ESPÈRE QUE LE LIVRE VA PROVOQUER CHEZ LES GENS UN MOUVEMENT DE RÉFLEXION. J'ESPÈRE QU'IL VA LES INCITER À SE LIBÉRER DES DISCOURS OBSCURANTISTES, SUPPOSÉMENT ÉCOLOGIQUES, QUI CACHENT, SOUS UNE VERSION ROMANTIQUE DE LA NATURE, UN PROFOND MÉPRIS POUR LA SCIENCE.

Une lueur d'amusement apparut dans les yeux de Skinner. Daudelin était doué. À l'écouter, on ne pouvait pas soupçonner qu'il n'avait pas écrit une seule ligne de ce livre. Sans doute son habitude de lire avec conviction des textes écrits par d'autres. De toute façon, c'était sans importance. La seule chose qui comptait, c'était sa performance durant les entrevues. Et, pour ça, il était vraiment doué. Quand il s'agissait d'embobiner les gens, on pouvait faire confiance à un politicien. Surtout un politicien temporairement recyclé dans les médias.

— VOUS N'AIMEZ PAS LA NATURE ?

— J'AIME LA NATURE. MAIS LA NATURE, CE N'EST PAS LE CLUB MED. C'EST LA LOI DE LA JUNGLE.

— LA LOI DU PLUS FORT…

— CE N'EST PAS CE QUE J'AI DIT. EXPRIMÉE DE FAÇON CRUE, L'ÉVOLUTION SE RAMÈNE À UN PROCESSUS TRÈS SIMPLE : ON ESSAIE TOUTES SORTES DE CHOSES, LA PLUPART NE SURVIVENT PAS, CERTAINES SURVIVENT À PEINE ET QUELQUES-UNES PROLIFÈRENT… JUSQU'À PROVOQUER LES CONDITIONS DE LEUR PROPRE DISPARITION.

Le prix payé pour sa collaboration était appréciable : un soutien financier à la campagne électorale de Daudelin aux prochaines élections et une tournée de promotion pour le livre en Europe.

La seule dépense que Skinner jugeait un peu excessive était l'à-valoir de 30 000 euros qu'il lui avait versé sur les droits d'auteur du livre. Mais, comme il aurait probablement l'occasion de récupérer l'argent, une fois l'utilité de Daudelin révolue…

— PARCE QU'ELLES SONT LES PLUS FORTES?

— OU LES PLUS INTELLIGENTES, OU LES PLUS CAPABLES D'EX-
PLOITER DE NOUVELLES RESSOURCES... OU PARCE QU'ELLES ONT DES
MOYENS PLUS DIVERSIFIÉS... MAIS LA LOI EST TOUJOURS LA MÊME: CE
QUI NE PEUT PAS S'ADAPTER NE SURVIT PAS. SAUF DANS UN ZOO.

On ne pouvait nier à Daudelin un certain sens de la
formule. Un vrai politicien. Tout en formules et en oppor-
tunisme. Inutile de regarder la suite de l'entrevue. Il était
clair que Daudelin allait continuer à mettre l'intervieweur
dans sa poche.

Skinner regarda sa montre: 19 heures 08. Il avait
encore le temps de syntoniser RDI et de prendre la fin
des informations.

... TROUVÉ LA MORT IL Y A DEUX JOURS DANS UN ACCIDENT DE LA
ROUTE. SI QUELQU'UN RECONNAÎT CET INDIVIDU, IL EST PRIÉ DE COM-
MUNIQUER IMMÉDIATEMENT AVEC LE SPVM...

En apercevant la photo de Stew, Skinner sentit une
fureur froide l'envahir: si l'homme était mort avant
d'aller chez Brigitte Jannequin, il n'avait pas pu opérer
la substitution de disque dur dans l'ordinateur. Toute la
mise en scène autour de la disparition de Hykes menaçait
de s'écrouler. Y compris les soupçons que la police
n'aurait pas manqué d'avoir à l'endroit de Victor Prose.

Et Cake ne lui avait rien dit!

Quand Skinner avait compris que le Victor Prose qui
s'intéressait à Tremblant était le même que celui qui
était en relation avec Brigitte Jannequin, il avait tout de
suite imaginé un plan pour faire d'une pierre deux coups:
« expliquer » la disparition de Hykes en incriminant
Prose et compromettre ce dernier aux yeux des policiers...
Malheureusement, tout était remis en question par l'ama-
teurisme d'un exécutant et l'irresponsabilité de son chef
de groupe.

Que Cake ait agi par crainte de représailles ou par
négligence ne changeait rien à l'affaire: Skinner ne
pouvait plus lui faire confiance. Des mesures de « normalisation » s'imposaient.

Mais, avant d'agir, il allait d'abord en parler avec Gravah. Ils devaient se rencontrer à vingt heures, au bar de l'hôtel. Gravah était censé lui donner une nouvelle série d'instructions.

TV5, 19 H 11

— NOUS TRANSFORMONS LA PLANÈTE EN UN IMMENSE ZOO POUR UNE ESPÈCE DE MOINS EN MOINS ADAPTÉE AU MILIEU NATUREL !

— ET POUR QUELLE RAISON L'ÊTRE HUMAIN SERAIT-IL DE MOINS EN MOINS ADAPTÉ ?

— NOS OUTILS, NOS INVENTIONS SONT DES MOYENS D'ADAPTATION. AVEC LE TEMPS, CERTAINS DEVIENNENT DÉSUETS. ILS PEUVENT MÊME DEVENIR ANTI-ADAPTATIFS. QUAND CELA SE PRODUIT, NORMALEMENT, ON LES MODIFIE. OU ON LES ABANDONNE.

— JE NE VOIS PAS TRÈS BIEN OÙ VOUS VOULEZ EN VENIR.

— J'Y ARRIVE... NOS CULTURES SONT NOS INVENTIONS LES PLUS GRANDIOSES. CE SONT CELLES QUI ONT LE PLUS D'IMPACT SUR LA MANIÈRE DONT NOUS NOUS ADAPTONS À LA PLANÈTE. ET POURTANT, PERSONNE NE PEUT, SOUS PEINE DE LYNCHAGE, POSER LA QUESTION DE LA VALEUR ADAPTATIVE D'UNE CULTURE. ON NE PEUT PAS METTRE EN QUESTION LE DOGME SELON LEQUEL ELLES ONT TOUTES LA MÊME VALEUR.

— AVEC CE TYPE D'IDÉES, VOUS FLIRTEZ AVEC LE RACISME, NON ?

— ÇA M'ÉTONNERAIT. VOYEZ-VOUS, LA CULTURE QUI M'INQUIÈTE LE PLUS N'EST PAS LA PROPRIÉTÉ DE QUELQUE RACE QUE CE SOIT, C'EST LA CULTURE OCCIDENTALE. PARTICULIÈREMENT DANS SA FORME NORD-AMÉRICAINE, QUI EST EN TRAIN DE SE RÉPANDRE SUR L'ENSEMBLE DE LA PLANÈTE.

MONTRÉAL, HÔTEL RITZ-CARLTON, 20 H 14

Une fois encore, Gravah lui avait fixé un faux rendez-vous. Au lieu de le rencontrer en personne, comme prévu, il lui avait envoyé un messager. Au bar de l'hôtel, l'homme lui avait remis un BlackBerry avec l'instruction de se rendre à sa chambre, de l'ouvrir et d'entrer un code de deux mots : « Earth-Emergency ». Sans oublier le trait d'union entre les deux mots et les deux majuscules.

Jean-Pierre Gravah était une des rares personnes avec qui Skinner n'était pas à l'aise. La chose n'était pas étrangère au fait qu'il ne connaissait presque rien de lui. Et cela, malgré les recherches qu'il avait effectuées sur les mystérieux commanditaires du Consortium.

À ses yeux, les « commanditaires », comme les appelait parfois Fogg, n'avaient d'abord été que ce que le terme suggérait : des investisseurs qui voulaient en avoir pour leur argent. Qu'ils aient les moyens de mettre leur existence privée à l'abri de recherches poussées leur conférait maintenant une réalité plus inquiétante.

De retour à sa chambre, Skinner ouvrit l'ordinateur de poche et suivit les consignes. Quelques instants plus tard, il avait établi une liaison vidéo avec Gravah. Il lui présenta un rapport concis sur le déroulement des opérations.

— Parlez-moi de cette complication, fit Gravah lorsque Skinner mentionna qu'il y avait eu un imprévu au laboratoire de BioLife Management.

— Ce n'est pas vraiment une complication. Simplement une personne qui a rencontré Brigitte Jannequin juste avant qu'elle se rende au laboratoire.

— Vous savez de qui il s'agit ?

— Une sorte d'écrivain.

— Vous allez bien sûr vous occuper de cette complication.

— Cela va de soi. Pour la suite des opérations, qu'est-ce que je fais ?

— Le responsable de groupe a déjà ses instructions. Il suffit de lui dire de procéder.

— Je doute que le nouveau responsable soit en mesure de le faire.

— Quel « nouveau » responsable ?

Un soupçon de contrariété avait percé dans la voix de Gravah.

— Un des opérateurs a eu un accident. Un accident définitif qui aurait pu compromettre l'opération. L'ancien responsable a négligé de m'en aviser.

— Vous disiez qu'il n'y avait pas de complications…

— Parce qu'il n'y en a pas. L'opération se déroule comme prévu. Mais vous comprenez que je ne pouvais plus faire confiance à ce responsable. Il a été remplacé dans les heures qui ont suivi.

Ce n'était pas encore fait, mais Skinner préférait présenter la chose comme réalisée pour éviter que Gravah lui demande de surseoir à sa décision.

— C'est contrariant, fit Gravah.

— Les chevauchements hiérarchiques provoquent souvent ce genre de contrariété.

Skinner avait de la difficulté à ne pas sourire de satisfaction.

— D'accord, fit Gravah. Voici les instructions que vous allez transmettre au nouveau responsable.

DRUMMONDVILLE, 21 H 03

Dominique s'attendait à ce que les recherches de Chamane et de Poitras confirment les activités de blanchiment de NutriTech Plus. Par contre, les activités de harcèlement de l'entreprise contre ses concurrents l'avaient surprise. Elle sentit le besoin de montrer le message à F.

— Je ne comprends pas qu'ils aient écrit ça en clair dans leurs courriels.

— S'ils croyaient leur système impénétrable…

— J'envoie ça à Tate ?

F secoua légèrement la tête.

— À Claude, dit-elle. Il saura à qui le transmettre… et ça lui permettra de marquer des points. Dans sa situation, ça ne peut pas faire de tort.

Dominique se rendit à son ordinateur et elle expédia sans attendre à monsieur Claude tout le dossier sur NutriTech Plus. Puis elle revint au bureau de F.

Cette dernière la regarda un long moment.

— Tu doutes encore de la valeur de sa collaboration ? demanda-t-elle.

Elle n'eut pas besoin de préciser de qui elle parlait. Dominique était la seule que F avait informée de sa collaboration avec Fogg. C'était une précaution indispensable dans l'éventualité où il lui serait arrivé quelque chose.

— Je ne suis toujours pas à l'aise, répondit Dominique.

— Dans ce genre de situation, être à l'aise serait dangereux.

— Je pensais que vous aviez confiance en lui !

— C'est vraiment ce que tu crois ?

— Je n'arrive pas à me défaire de l'idée qu'il nous manipule pour qu'on fasse son sale travail.

— Si je te disais qu'il n'essaie pas de nous manipuler, tu ne me croirais pas.

— Mais alors…

— L'important, c'est d'avoir une vue claire de notre objectif, qui est la destruction du Consortium. Si, en travaillant à l'atteindre, on lui permet de poursuivre des objectifs secondaires…

Dominique se retourna vers F.

— Et Théberge ? Qu'est-ce que je fais ?

— Tu continues de lui envoyer ce qu'on a sur Terre brûlée. Autant qu'il sache à quoi il a affaire… Les attentats, on en est où ?

— Toujours à treize. Blunt trouve que ça ressemble à une stratégie de go : ils posent des pions pour amorcer des territoires un peu partout sur la planète.

F examinait Dominique… Elle n'aurait pas de difficulté à prendre la relève. Ses capacités d'analyse avaient trouvé dans la géopolitique de la criminalité un terrain où s'épanouir. Quant à sa capacité de jauger les êtres humains et de savoir composer avec eux, son travail au Palace lui avait donné une formation que plusieurs lui auraient enviée.

Côté compétence, il n'y avait rien à lui reprocher. Son apprentissage se déroulait comme prévu. Le seul sujet d'inquiétude, c'était sa capacité d'assumer la solitude et la pression qu'impliquaient ses responsabilités. Il était visible que son travail au Palace, que la possibilité d'aider certaines danseuses à s'en sortir, lui manquaient. Comme lui manquaient ses contacts avec Théberge et son escouade fantôme.

Prendre soin de la couverture des agents de l'Institut constituait pour elle un certain dérivatif à ce besoin de s'occuper des gens. Tout comme le fait de superviser la sécurité des membres de la Fondation. Elle s'en acquittait avec un soin extrême. Mais F doutait que cela fût suffisant. Peut-être, un jour, rencontrerait-elle quelqu'un comme Gunther. Et peut-être serait-elle plus chanceuse qu'elle-même ne l'avait été…

— Des nouvelles de Hurt? demanda-t-elle avec une certaine brusquerie pour échapper au cours de ses pensées.

— Chamane n'a rien eu depuis qu'il lui a transmis l'information sur June Messenger.

— Eh bien, on va attendre, soupira-t-elle. Dans notre travail, c'est souvent la partie la plus difficile.

TVA, 22 H 06

… LE GROUPE ÉCOTERRORISTE AFFIRME DANS SON MESSAGE AVOIR DE LA COMPASSION POUR LES VICTIMES ET LEURS PROCHES, MAIS IL PRÉCISE QUE « CES DOULEURS INDIVIDUELLES SONT NÉGLIGEABLES COMPARÉES AU POIDS ÉCRASANT DE NOTRE RESPONSABILITÉ COLLECTIVE ENVERS LES CÉRÉALES DE LA PLANÈTE ». LES AUTORITÉS POLICIÈRES N'ONT PAS PU CONFIRMER L'AUTHENTICITÉ DE CE NOUVEAU COMMUNIQUÉ…

Montréal, hôtel Ritz-Carlton, 23 H 37

Skinner ouvrit la porte de la suite au membre du commando qui avait pour nom Pizz. Il le fit asseoir à la petite table de conférence.

— Pour le moment, vous allez travailler seul, dit-il. Directement pour moi. Dans quelques jours, vous prendrez la relève pour diriger le groupe. Mais, d'ici là, il est essentiel que vous n'ayez aucun contact avec eux.

Pizz se contenta de hocher la tête en guise d'assentiment: il n'aurait pas été opportun de s'enquérir de Cake. Si l'information avait de l'importance pour le déroulement de sa mission, on la lui transmettrait. Dans le cas contraire, moins il en savait, mieux c'était.

— Votre première tâche est de vous occuper de cet homme, dit Skinner.

Il montra une photo à Pizz.

— Mémorisez la photo ainsi que le nom qui est inscrit derrière, poursuivit Skinner. Cela devrait vous suffire pour le trouver.

— Bien.

C'était le premier mot que prononçait Pizz.

— Je vous donnerai ensuite les détails de la prochaine mission, reprit Skinner.

Nouveau hochement de tête.

Pizz jeta un dernier regard à la photo, puis il sortit. Le nom était facile à retenir : Victor Prose.

Quand Pizz fut parti, Skinner s'assit dans un fauteuil et se mit à penser à la manière dont il disposerait de Cake. Lui aussi, il pouvait être créatif. Et comme le thème de l'opération semblait être la nourriture…

C'est alors que son BlackBerry se manifesta. Un message texte. Quelques mots seulement.

Demain. 18 h. À mon bureau. Fogg.

Un autre aller-retour !… Un instant, il jongla avec l'idée de répondre qu'il ne pouvait pas s'y rendre. Puis il songea que son choix n'était pas encore fait. Il ne savait pas jusqu'à quel point il aurait besoin de Fogg. Le contrarier n'était pas une option réaliste.

Par contre, le voyage l'obligeait à s'occuper de Cake au cours de la nuit, s'il voulait le faire avant son départ.

Les superprédateurs ne peuvent pas agir au hasard : ils doivent se concerter et avoir un plan. Ce lieu de concertation est le Cénacle. Le plan s'appelle le Projet Apocalypse.
Les superprédateurs doivent aussi survivre à l'Apocalypse. Au moment de son déclenchement, il faut qu'ils puissent se retirer dans un lieu sûr, de manière à être en position de gérer l'Apocalypse. Ce lieu est l'Arche. Et le moment de ce retrait est l'Exode.

Guru Gizmo Gaïa, *L'Humanité émergente*, 2- Les Structures de l'Apocalypse.

JOUR - 4

NEUILLY, 5 H 21

Monsieur Claude, l'ancien patron de la DGSE, trouvait le sevrage difficile. Malgré les multiples sites spécialisés auxquels il avait accès, malgré sa lecture des journaux et malgré sa fréquentation assidue des journaux télévisés de plusieurs pays, il était en manque. Tout ce qu'il avait, c'était de l'information traitée, formatée, choisie en fonction des besoins de ceux qui la présentaient... ou de ceux de leurs commanditaires.

Depuis sa mise à la retraite complète, il n'avait plus accès à cette véritable information, qui est rarement présentée publiquement, mais qui est sous-jacente à toute celle qui l'est. Il n'avait plus accès à ces données essentielles qui permettent de comprendre les grandes orientations de la planète, ces données auxquelles ont accès – et que produisent – les véritables décideurs.

Bien sûr, il pouvait en deviner une bonne partie à travers le déluge redondant du baratin officiel. Il avait également quelques amis qui laissaient filtrer des bribes à son intention, autant pour satisfaire sa curiosité que pour lui rappeler que, eux, ils faisaient encore partie du cercle des initiés, qu'ils avaient toujours accès à cet univers où il est possible de découvrir, sinon la vérité, du moins des mensonges plus transparents, plus aisément décodables.

Mais ses amis s'étaient raréfiés. Leurs visites s'étaient espacées. Et monsieur Claude avait vu son accès à ces bribes se réduire… Ses amis devaient se protéger. La fréquentation d'un ex-directeur de la DGSE pouvait facilement être mal vue. Cela pouvait soulever des questions. Lui servaient-ils d'indicateurs? L'aidaient-ils à préparer un coup de force à l'intérieur de son ancien service? Pouvait-on avoir confiance en eux?… Autant de questions peu susceptibles de favoriser l'avancement d'une carrière.

C'est pour cette raison que monsieur Claude avait perçu l'arrivée des informations sur NutriTech Plus comme un véritable cadeau. C'était de l'information utile. Essentielle. De l'information qui n'était pas encore publique. Et qui pouvait lui permettre de marquer des points auprès des nouveaux maîtres du service. De rappeler à ceux qui étaient au pouvoir qu'il ne fallait pas l'enterrer trop vite.

Quand l'information était apparue sur son ordinateur, il était levé depuis plus d'une heure déjà: il y avait plusieurs années qu'il se réveillait à quatre heures. Comme si l'approche de la mort lui rendait la vie plus précieuse. Qu'il voulait inconsciemment en perdre le moins possible à dormir.

Au début, il avait cru à une blague. Puis à un test de ses anciens employeurs. Mais l'information était trop précise. Ça ne pouvait venir que de l'Institut. Lequel n'existait plus. À moins que F ait réussi à orchestrer une fausse disparition. Pourtant, le message ne faisait aucune référence à la directrice de l'Institut. Toutes les rumeurs la donnaient par ailleurs comme morte. Peut-être quelqu'un d'autre avait-il pris en main les restes de l'Institut. Mais alors, pourquoi lui envoyer ces informations? Pourquoi à lui? Se pouvait-il que F ait survécu?... Les quelques années qu'il lui restait à vivre promettaient tout à coup d'être plus intéressantes qu'il ne l'aurait cru.

Restait à savoir comment et à qui présenter cette information. Il ne pouvait pas dire qu'elle provenait de l'Institut: cela suffirait à le discréditer. Le mieux était de laisser l'origine des informations dans le flou. De leur laisser croire qu'il avait encore de nombreux contacts dont ses anciens collègues ne savaient rien.

Finalement, il décida d'en expédier une partie directement à l'un des proches du directeur, un homme avec qui il s'entendait particulièrement bien du temps où il dirigeait l'organisation. Si cet homme trouvait l'échantillon intéressant, ce qui était probable, des représentants du service ne tarderaient pas à se manifester.

PARIS, 10 h 37

Poitras suivait le cours des actions de NutriTech Plus. La chute de leur valeur se poursuivait, entrecoupée de sursauts provoqués par des achats massifs. D'après les numéros de courtiers qui apparaissaient à l'écran, les achats provenaient de quatre firmes différentes. Entre les vagues d'acquisitions, ces firmes procédaient comme les autres à des ventes de titres, mais en plus petites quantités.

Juste avant que le titre atteigne le seuil où les transactions auraient été arrêtées, de nouveaux acheteurs se manifestèrent. La vague d'achats fut encore plus massive que les précédentes.

Un coup d'œil aux statistiques avait permis à Poitras de constater que le scénario se répétait depuis deux jours.

Parmi ceux qui monopolisaient les achats, Poitras reconnut le numéro d'un des quatre courtiers par qui passaient les plus gros blocs de transactions. Il décida de l'appeler.

— Jenkins ! répondit une voix affairée.

— Ulysse.

— Ulysse ?… T'étais pas censé être mort ?

— Depuis quand tu te fies aux rumeurs ?

— Les rumeurs paient les trois quarts de mon salaire.

— Quand ce sont les autres qui les écoutent !

— Plus un mot ! Il ne faut pas vendre la mèche !

— NutriTech Plus, ça te dit quelque chose ?

— Paraît que la compagnie va être poursuivie.

— C'est sérieux ?

— Le genre *deep shit*. C'est ce qui a fait dégringoler le titre.

— Ça n'empêche pas certains d'acheter.

— Tu sais ce que c'est. Il y en a toujours qui se pensent plus intelligents que le marché.

— Quatre, si j'ai bien compté.

— Quatre courtiers. Ça peut faire pas mal de clients.

— Ou un seul client qui essaie de brouiller les pistes.

Il y eut un silence au bout du fil. Quand la voix du courtier reprit, elle avait perdu toute trace d'humour.

— Tu réalises ce que ça veut dire ?

— Que le client en question a pas mal de fric.

— Mais pourquoi acheter une compagnie dont le prix est en train de passer à travers le plancher ?

— Peut-être que la compagnie est en bon état. Que les poursuites viseront uniquement les principaux dirigeants…

— T'es sérieux ?

— J'essaie juste d'imaginer une explication.

— Merci du tuyau.

— Ton acheteur ?

— Tu sais que je ne peux pas te dire ça.

— Comme je n'étais pas censé te dire que la compagnie est probablement en bon état.

Un silence d'une dizaine de secondes suivit.

— Écoute, je ne peux pas te donner un nom.

— Mais…

— Il y a une compagnie de distribution alimentaire qui multiplie actuellement les acquisitions.

Bruxelles, 10 h 49

Jessyca Hunter regardait son interlocuteur droit dans les yeux. Non pas pour l'intimider, ce qu'elle n'avait pas la présomption de faire, mais pour ne pas paraître, elle, intimidée. Qu'elle soit une femme était au départ un handicap : l'homme serait plus réticent à la prendre au sérieux. C'était pour cette raison qu'elle était venue à la rencontre seule, alors que l'autre était accompagné d'un garde du corps.

— Il s'agit d'une organisation d'envergure mondiale, résuma-t-elle. Avec des contacts en Afghanistan, au Pakistan et en Birmanie, des réseaux de distribution relativement restreints mais implantés partout sur la planète, une liste de politiciens que l'on tient par chantage dans chacun des pays… Un des éléments les plus intéressants est la filière Hong Kong-Vancouver-New York, en passant par la réserve amérindienne d'Akwesasne. Ça vous donne un accès direct au marché américain.

— Ce que je comprends mal, c'est pourquoi vous voulez vendre ce réseau. S'il a autant de valeur que vous le dites…

— Nous abandonnons cette ligne d'affaires. C'est la raison pour laquelle nous vous demandons aussi peu… Nous avons songé à vous l'offrir gratuitement, ajouta-t-elle en souriant, mais nous avons pensé que vous ne prendriez pas l'offre au sérieux.

L'homme sourit à son tour.

— Même avec ce que vous me dites, il est difficile de la prendre au sérieux. Je pense plutôt que vous essayez d'en tirer un peu d'argent avant que ça s'écroule. Nous n'avons qu'à attendre pour ramasser les morceaux.

Jessyca Hunter durcit le ton.

— Sachez, monsieur Whaley, que nous avons soigneusement vérifié l'état du marché. Vos principaux compétiteurs se sont tous montrés intéressés par notre produit. La logique économique aurait voulu que nous procédions par enchères. Mais la stabilité de notre environnement d'affaires est une chose à laquelle nous accordons beaucoup de valeur… Nous avons calculé que vous étiez le mieux placé pour établir un réseau dominant sur le plan mondial.

— J'admets que votre offre pourrait être intéressante… Mais il faudrait qu'elle nous soit présentée par quelqu'un qui a plus de crédibilité.

Jessyca Hunter se leva. L'homme continuait de la regarder en souriant.

— Ça ne veut pas dire que cette rencontre est inutile, reprit-il. Une belle femme a toujours son utilité.

Jessyca Hunter sourit à son tour. Elle contourna la table. Comme elle arrivait à côté du garde du corps, son bras droit se propulsa brusquement en avant et ses doigts se plantèrent dans la gorge de l'homme.

Elle les dégagea d'un mouvement sec. L'homme s'écroula par terre, le corps saisi de convulsions.

— Même sans poison, il n'aurait pas survécu, dit-elle en regardant Whaley dans les yeux.

Elle s'avança vers lui, approcha ses doigts ensanglantés de sa gorge.

Whaley demeura impassible.

— Si vous me tuez, dit-il, vous n'aurez aucune chance de conclure cette transaction.

— Je sais. J'ai simplement voulu établir… ma crédibilité.

Elle essuya ses doigts sur le veston de Whaley et elle retourna s'asseoir en face de lui.

— Où en étions-nous, déjà? dit-elle… Ah oui, je vous expliquais que vous étiez le mieux placé pour profiter des synergies que…

Dix minutes plus tard, ils avaient une entente.

— C'est un plaisir de faire affaire avec vous, madame Hunter. L'expérience a été… divertissante.

— Je suis sûre que vous la trouverez également enrichissante.

— J'attends de vos nouvelles avec impatience.

— Les mesures de transition seront amorcées dans l'heure qui suivra le versement des fonds.

Quand Whaley fut parti, Jessyca appela le service de nettoyage de Vacuum pour qu'ils s'occupent du garde du corps. Puis elle sortit à son tour de la suite de l'hôtel, avec le sentiment d'avoir amélioré sa position dans l'organisation.

La prise de contrôle de Candy Store porterait un coup à l'influence de Fogg : le directeur de cette filiale était un de ses supporters au bureau de direction du Consortium ; or, lui et ses adjoints disparaîtraient dans le cadre des mesures transitoires.

France Info, 11 h 03

... DE CE NOUVEAU SCANDALE DANS L'INDUSTRIE ALIMENTAIRE. PLUSIEURS HAUTS DIRIGEANTS DE LA MULTINATIONALE DIET'S PRO ONT ÉTÉ ARRÊTÉS CE MIDI DANS LE CADRE D'UNE OPÉRATION ANTI-DROGUE. ILS AURAIENT UTILISÉ LE RÉSEAU DE DISTRIBUTION DE L'ENTREPRISE POUR EXPÉDIER DE LA DROGUE DANS UNE VINGTAINE DE PAYS À PARTIR DE LEUR SUCCURSALE EN THAÏLANDE.

DIET'S PRO AVAIT RÉCEMMENT REPOUSSÉ AVEC SUCCÈS UNE OPA HOSTILE DE SA RIVALE HOMNIFOOD. CETTE DERNIÈRE A RÉAGI EN DISANT QU'ELLE N'EXCLUAIT PAS LA POSSIBILITÉ DE RÉACTIVER SON OFFRE, MAIS QUE LA CHUTE DU TITRE DE DIET'S PRO DEVRAIT ÊTRE PRISE EN COMPTE...

Paris, 11 h 14

Hurt tourna devant le Café des Philosophes et se rendit au fond de l'allée. La voix de Sharp se fit entendre à l'intérieur de lui.

— *C'est quoi, cette idée stupide d'aller au fond d'une ruelle sans issue ?*

— Chamane a des caméras qui surveillent toute la ruelle, murmura Hurt. Il m'aurait averti s'il y avait un problème.

Lorsqu'il arriva devant la porte de l'appartement, elle s'ouvrit d'elle-même pour ensuite se refermer derrière lui.

— *Et maintenant, s'il y a un problème, on est faits comme des rats.*

— *Relaxe*, répliqua calmement Steel. *Il y a deux voies d'évacuation qui donnent sur deux autres rues. On peut aussi fuir par les toits.*

En entrant dans l'appartement, Hurt demanda à Chamane s'il avait bien reçu les photos qu'il lui avait envoyées.

— Quand ?

Le visage de Hurt prit un air inquiet.

— Hier...

— Pas de panique, répondit Chamane. Si tu les as envoyées, c'est sûr que je les ai.

Il se rendit à son ordinateur.

— Il faut trouver qui c'est, reprit Hurt.

— Pas de problème.

Chamane naviga quelques instants dans une arborescence de dossiers et récupéra les photos que Hurt avait prises chez Ladurée. Sur chacune, on pouvait apercevoir la femme que Hurt connaissait sous le nom de Joyce Cavanaugh en compagnie de l'homme qu'elle y avait rencontré.

— C'est l'homme qui m'intéresse, dit Hurt.

— D'accord, je regarde ça.

— Mais si tu as quelque chose de plus sur la femme...

— Madame Cavanaugh ? Sûr...

— Tu peux faire ça sans déclencher d'alarmes nulle part ?

Chamane se tourna vers lui et le regarda.

— Il n'y a rien qui est absolument sans risque. Mais en passant par les banques de données des journaux...

— Ça va.

— Par contre, ça risque d'être plus long.

— Raison de plus pour commencer tout de suite.

Chamane isola la photo du visage de l'homme et lança plusieurs recherches simultanées. L'écran s'obscurcit durant quelques secondes puis la photo de l'homme qu'ils cherchaient à identifier s'afficha à l'intérieur d'une fenêtre, dans le coin supérieur gauche de l'écran. Dans trois autres fenêtres, des photos défilaient à toute vitesse.

— On a le temps de prendre un café, dit Chamane. T'en veux un, maintenant que j'en ai du vrai ?

— *Si tu te civilises, il faut encourager ça,* ironisa Sharp.

— C'est pas moi, c'est Geneviève qui me civilise. Elle a acheté une cafetière espresso italienne *full* automatique pour tout. Elle dit que les Français ne savent pas faire de café.

Il se dirigea vers la cuisine et mit la cafetière sous tension.

— Toi, comment ça va ?

— *Qu'est-ce que tu veux dire ?* répondit la voix neutre de Steel.

— *Man*, relaxe !… Tu sais que t'es la seule personne assez paranoïaque pour vouloir savoir ce qu'on veut dire quand on lui demande comment ça va ?

— *Ça dépend de qui tu parles*, répondit la voix ironique de Sharp.

— Si tu me faisais un topo global…

Ce fut la voix impassible de Steel qui lui répondit.

— *Buzz est redevenu normal. Il marmonne de temps en temps à voix basse, mais ça ne dérange pas trop les autres. Zombie dort depuis plusieurs mois. Nitro, lui, explose de plus en plus souvent. Rien de vraiment sérieux, mais ça finit par créer des tensions.*

— Le Curé fait encore des sermons ? demanda Chamane avec un sourire.

— *Non. Et ça, c'est vraiment une amélioration !*

Depuis le temps qu'il le connaissait, Chamane était devenu familier avec les nombreuses personnalités intérieures de Hurt. Il lui avait même déjà fait un organigramme pour tenter de rendre compte de leur fonctionnement intégré. Chacun des alters, comme on les appelait dans le jargon psychologique, avait une fonction précise et son existence se définissait par cette fonction.

Alors que la thérapie classique recommandait d'amener progressivement les alters à fusionner, le collectif qui constituait Hurt avait choisi de négocier un mode de coexistence interne. Au cours des ans, cette coexistence s'était améliorée. Ceux qui créaient des perturbations se manifestaient de moins en moins. Seul Nitro semblait réfractaire à cette intégration.

— Et Radio ? demanda Chamane.

— *Il ne se manifeste presque plus. En fait, il reste surtout Sweet et Nitro.*

— Et Sharp…

— *Ils ne peuvent pas se passer de moi*, déclara ce dernier avant que Steel ait eu le temps de répondre. *Je suis le seul à pouvoir faire ce que je fais.*

— Se moquer de tout le monde ? demanda Chamane, pince-sans-rire.

— *Sharp se définit comme un détecteur de* bullshit, répondit Steel sur un ton égal.

— *Aucun danger que je manque de travail !* compléta Sharp.

— Et le Vieux ? demanda Chamane. Vous le voyez encore ?

Il posa une tasse sur la table devant Hurt.

— *Oui… On le voit encore.*

Le ton de Steel fit comprendre à Chamane qu'il était préférable de ne pas insister.

— Après ce qui s'est passé l'autre jour, dit-il, j'ai réexaminé le modèle que j'avais fait du fonctionnement de tes alters. J'ai pensé à une nouvelle façon de vous classer.

— *Et ça va changer quoi, de nous « classer » autrement ?* répliqua la voix ironique de Sharp.

— Ça peut aider à comprendre comment vous fonctionnez, répondit Chamane, imperturbable.

Puis, comme s'il avait fermé une parenthèse, il amorça son explication.

— Je vois trois groupes principaux, dit-il. Un groupe de survie : Sharp, Steel et Nitro. Un groupe de pilote automatique : Zombie, Buzz, Tancrède, Radio… Et un groupe qui se manifeste durant les états de crise : Aargh, Panic Button, Curé…

— *Et Sweet ?*

— Lui, je pense qu'il va fusionner avec Hurt quand vous allez finir par comprendre qu'il y a autre chose à faire dans la vie que de courir la planète pour éliminer des débiles… Mais ça, remarque, c'est juste mon point de vue… Par contre, il y a une chose dont je suis pas mal certain : on n'a pas encore été au fond de ce que Buzz sait…

Il fut interrompu par l'ordinateur, qui se mit à jouer les premières notes de l'*Hymne à la joie*.

— Il a trouvé quelque chose, dit Chamane.

Après examen, aucun des onze candidats retenus par l'ordinateur ne présentait une ressemblance totalement convaincante. Chamane effectua quand même une recherche sommaire sur les trois candidats en tête de liste, mais les informations convainquirent rapidement Hurt qu'ils faisaient fausse route.

— Il va falloir essayer du côté des Américains, conclut Chamane.

— *Tu as encore accès à leurs banques de données ?* demanda Sharp avec une certaine méfiance.

— Blunt m'a donné ses codes d'accès. Tout est légal. Mais il ne faut pas que je les énerve trop… Le plus simple, ce serait d'envoyer l'image à Blunt. Il pourrait leur demander de faire le travail pour lui.

— *Moins il y a de monde au courant…*

— Comme tu veux…

— Quand tu as quelque chose, tu l'envoies à l'Institut. Je retourne m'occuper de Cavanaugh.

MONTRÉAL, SPVM, 8 H 43

L'inspecteur-chef Gonzague Théberge tirait à intervalles irréguliers de petites bouffées d'air de sa pipe éteinte. Il n'aimait pas ce que le Québec devenait. L'enquête sur l'attentat contre l'oratoire Saint-Joseph était toujours dans les limbes : juste assez d'exécutants morts pour calmer l'opinion et les politiciens, mais rien sur les commanditaires… Un noyé était retrouvé dans le four d'un crématorium… HEX-Radio continuait de sévir. Des gens sans identité venaient mourir à Montréal. L'Union de la Droite Québécoise progressait et des petits groupes d'agités de la boîte à neurones multipliaient les interventions bio-responsables, sans parler de l'Alliance Libérale du Québec qui poursuivait, petit pétant, la vente aux enchères…

… DANS UNE RÉSIDENCE POUR PERSONNES ÂGÉES DU CONNECTICUT. ON COMPTE JUSQU'À MAINTENANT QUATORZE VICTIMES. LES YOGOURTS DE MARQUE ÆTERNITY ONT IMMÉDIATEMENT ÉTÉ RETIRÉS DU MARCHÉ. LA COMPAGNIE QUI LES FABRIQUE…

Crépeau entra dans le bureau.

— Tu voulais me voir ?

Théberge lui fit signe d'attendre un instant et se concentra sur la radio.

… A ASSURÉ QUE SES PROCESSUS DE CONTRÔLE DE QUALITÉ N'ÉTAIENT PAS EN CAUSE ET QUE LE DRAME ÉTAIT LIÉ À UNE MANIPULATION DE LEURS PRODUITS PAR UNE TIERCE PARTIE. LE PORTE-PAROLE DE L'ENTREPRISE A DE PLUS ANNONCÉ QU'ELLE UTILISERAIT DES CONTENANTS ENCORE PLUS DIFFICILES À TRAFIQUER ET QUE CELA S'EFFECTUERAIT SANS AUGMENTATION DU COÛT DES PRODUITS.

ÆTERNITY EST LA QUATRIÈME ENTREPRISE DE PRODUITS ALIMENTAIRES VICTIME D'UNE MANIPULATION MALVEILLANTE DE SES PRODUITS. COMME DANS LES CAS PRÉCÉDENTS, UN MESSAGE DU GROUPE ÉCOLOGISTE RADICAL LES ENFANTS DE LA TERRE BRÛLÉE A RAPIDEMENT SUIVI POUR REVENDIQUER L'ATTENTAT ET DÉNONCER L'IRRESPONSABILITÉ DES GRANDES ENTREPRISES DE PRODUITS ALIMENTAIRES.

Théberge baissa le volume de la radio.

— Tu penses que c'est lié à l'histoire des doigts ? demanda Crépeau.

— Ça fait beaucoup de coïncidences.

— Ici, on n'a pas eu de morts.

— Non… mais on ne sait toujours pas qui il y avait au bout de ces doigts.

— Tu as raison… Tu voulais me voir pour quoi ?

— J'ai reçu un appel de Prose, hier. Il se plaint de harcèlement. Des gens qui lui téléphonent, le relancent jusque chez lui…

— Tu penses qu'il est en danger ?

— Probablement pas, mais on ne sait jamais. Un illuminé…

— Je suis pas mal à court d'effectifs. Trouver quelqu'un pour le protéger…

— Je pensais que tu pourrais envoyer quelqu'un pour voir à quel point c'est sérieux, passer un peu de temps avec lui… lui montrer qu'on s'occupe de son cas.

— Je peux toujours lui envoyer Grondin…

Après le départ de Crépeau, Théberge continua de penser aux cas d'empoisonnement dans le centre pour personnes âgées. Comme si le vieillissement n'apportait pas déjà à lui seul une part suffisante de problèmes !

Puis il pensa à sa propre femme, qui ne rajeunissait pas et qui avait été opérée durant l'hiver. Rien de grave. Un kyste sur un ovaire. Pas de traces de cancer. Mais il s'était inquiété. Une erreur médicale… Et puis, les hôpitaux étaient les endroits où l'on attrapait les bactéries les plus dangereuses. Au point qu'on accélérait la sortie des patients pour les protéger !

La sonnerie du téléphone coupa court à ses réflexions.

— Ici Morne.

— D'accord. Je prends note que vous existez encore. Si on passait maintenant aux bonnes nouvelles…

— Jannequin menace de déposer des poursuites contre la Ville et contre le Service de police.

Théberge sentit le besoin de reprendre sa pipe.

— Pour quelle raison ?

— L'affaire n'est pas suffisamment prise au sérieux, l'enquête n'avance pas, on ne lui donne pas assez d'informations… Est-ce que j'ai besoin de vous faire un dessin ?

— Il n'a aucune chance de gagner.

— Ce n'est pas une question de gagner ou de perdre, c'est une question d'image.

— Suis-je bête ! J'avais oublié que la réalité n'avait pas d'importance ! On est dans l'ère des médias !

— Si on gagne, c'est encore pire : on va avoir l'air d'avoir manipulé la justice pour couvrir l'affaire.

— À ce compte-là, on devrait rétablir le lynchage : les choses étaient plus simples.

Morne ignora la remarque.

— Sur l'affaire Jannequin, vous n'avez vraiment rien de nouveau ?

— Rien. Ni sur cette affaire, ni sur celle du corps découvert au crématorium. Ni sur l'homme sans identité qui est mort dans un accident de voiture. Ni sur les bouts de doigts…

— Les doigts, ça ne pourrait pas être le chercheur qui a disparu ?

— Les empreintes digitales ne sont pas les siennes. On les a comparées avec celles qu'il y avait dans le système de sécurité de l'entreprise.

— Ils avaient les empreintes digitales de leurs employés ? s'étonna Morne.

— Tous les locaux du secteur de la recherche étaient contrôlés par des lecteurs d'empreintes digitales.

— Vous avez trouvé à qui elles appartiennent ?

— Pas encore…

— Le PM commence à raisonner en mode « bouc émissaire » : il se demande qui jeter en pâture aux médias. Comme votre nom y est souvent mentionné depuis quelque temps…

— Je constate qu'il est toujours un fan de HEX-Radio, fit Théberge.

— Il y a des milliers de personnes qui écoutent HEX-Radio et HEX-TV !

— Des milliers de néandertaliens, oui.

— Peut-être. Mais des néandertaliens qui votent. Et comme ce sont eux qui crient le plus fort…

— Un concours de décibels !… C'est la nouvelle définition *in* de la démocratie ?

— Personne n'a jamais dit que la démocratie était le meilleur système : seulement le moins pire.

— Moi qui croyais vivre dans le « plus meilleur pays du monde » !

— J'ai appelé pour vous prévenir. Ce serait une bonne idée de ne pas trop attirer l'attention sur vous.

— Ce n'est pas à moi qu'il faut dire ça.

— Ce qu'il vous faudrait, c'est un coup d'éclat. Si vous pouviez régler une des grosses affaires qui traînent…

— Je vais voir dans ma réserve. On en garde toujours cinq ou six, qu'on laisse traîner en attendant d'avoir besoin de les résoudre !

— Écoutez, Théberge, je ne suis pas votre ennemi.

— Je suppose que c'est un des rares cas où deux négations n'équivalent pas à une affirmation.

La conversation marqua une pause. Morne reprit ensuite d'une voix plus froide.

— Il y a autre chose que vous voulez que je transmette au PM ?

— Simplement qu'il ne pourra pas faire disparaître les problèmes à coup de déclarations fracassantes et de grands gestes. À mon avis, on n'a encore rien vu. Les problèmes viennent seulement de commencer.

— Je me ferai un devoir de lui apprendre la bonne nouvelle.

Théberge raccrocha sans répondre.

FORT MEADE, 9 H 12

— Pensez-vous vraiment que je suis au courant de toutes les demandes d'information que font les milliers d'employés de l'Agence ? fit Tate.

Sa voix trahissait une profonde exaspération.

— Est-ce que vous êtes en train de me dire qu'elle est devenue trop grosse pour être contrôlée ? répliqua Paige.

Tate secoua la tête comme pour échapper à la question.

Ce qu'il ne fallait pas entendre. C'était le directeur du Department of Homeland Security qui lui demandait ça ! Lui dont l'agence avait battu tous les records en termes de croissance débridée ! Puis Tate se mit à réfléchir aux vrais motifs de cet appel. Paige ne faisait pas grand mystère de sa volonté de rapatrier au DHS une partie des opérations de la NSA. Cherchait-il un prétexte pour amorcer le transfert ?

— Quel est son nom, déjà ? demanda Tate.

— Joyce Cavanaugh.

Tate se tourna vers son ordinateur portable, entra quelques instructions et fit apparaître le dossier de Joyce Cavanaugh. Il avait été créé la veille et le numéro d'accès qui y était accolé était celui de… Blunt.

— Je vais m'informer, fit Tate.

— J'exige que vous preniez des mesures pour que ça ne se reproduise plus.

— Bien sûr.

S'il y avait une chose dont Tate était certain, c'était qu'il ne révélerait jamais à Paige les véritables raisons de cette demande d'information. Il invoquerait une confusion d'identité, quelque chose du genre… Et la deuxième chose dont il était certain, c'était que Joyce Cavanaugh monterait en priorité 1 sur la liste des personnes dont l'agence suivait les communications à la trace.

Qu'est-ce qui pouvait bien avoir poussé Blunt à effectuer cette recherche ? L'histoire des terroristes islamistes ?

— Et je veux savoir pourquoi elle a fait l'objet de cette demande d'information, ajouta Paige.

— Cela va de soi.

Après avoir remis son téléphone dans sa poche, Tate examina l'origine des informations. Elles provenaient du secteur AAAA de la banque de données du Pentagone. C'était un des endroits les mieux protégés de leur système. Une chance qu'il avait demandé à Blunt d'être discret dans ses recherches… Il reconnaissait bien là le style effronté des agents de l'Institut. Ce qui l'amena à penser à F…

Tate avait de la difficulté à croire à la disparition de l'Institut. Pourtant, ses réseaux avaient été détruits. Plusieurs de ses meilleurs éléments avaient été éliminés. F elle-même était présumée morte. Et Blunt travaillait maintenant pour lui…

Puis son esprit revint à la demande d'information. « Le niveau AAAA », songea-t-il en souriant. Pas étonnant que Paige ait cru qu'il était au courant !

Un message apparut sur l'écran de son portable. Seuls ceux touchant les sujets les plus importants y étaient relayés automatiquement.

Le message provenait du bureau de New Delhi. On lui confirmait que le gouvernement indien avait bel et bien reçu un ultimatum. Les terroristes exigeaient cinquante millions d'euros pour garantir l'intégrité des récoltes du pays. S'ils n'avaient pas de réponse dans les vingt-quatre heures, la contamination continuerait. Pour les zones déjà contaminées, la seule solution était de tout raser.

En elle-même, la menace de chantage n'était pas sérieuse. Cinquante millions, pour l'Inde, ce n'était rien. Mais Tate était persuadé que c'était simplement un test. Et une démonstration à l'intention des autres pays.

Un des pires scénarios anticipés dans les jeux de guerre se réalisait. Il fallait contacter le secrétaire à l'Agriculture et le mettre au courant de la situation. Ensuite, il irait voir Paige pour lui demander de prendre en charge la totalité de l'opération. S'il acceptait, tous les cafouillages éventuels lui appartiendraient. Et s'il refusait, Tate pourrait toujours se défendre en prétextant qu'il avait demandé une opération anti-terroriste globale et qu'on ne l'avait pas écouté.

Mais, avant tout, il allait téléphoner à Blunt. C'était le genre de situation pourrie dont l'Institut avait autrefois l'habitude de s'occuper. Même si l'Institut n'existait plus, Blunt avait probablement conservé assez de contacts pour monter une opération parallèle.

Québec, Université Laval, 9 h 34

Jérome Lajoie souriait de façon retenue. Il avait sorti la table roulante de la chambre froide sans enlever le drap qui recouvrait le corps et il l'avait amenée au centre de la pièce. Dans son dos, plusieurs étudiants riaient nerveusement. Ils en étaient tous à leur première expérience.

— Approchez, dit-il sans se retourner. Si vous restez là, vous allez tout manquer.

Lentement, les jeunes prirent place autour de la table.

— Aujourd'hui, dit-il, nous allons plonger dans la vie intérieure des êtres humains.

Il aimait bien profiter de ce moment où, pour la première fois, les étudiants allaient assister à une leçon d'anatomie sur cadavre. Malheureusement, ce serait bientôt chose du passé. Son laboratoire était le dernier de la province où ce type d'enseignement se donnait. Entretenir des cadavres coûtait trop cher. La plupart des écoles les avaient remplacés par du matériel pédagogique moins dispendieux. C'était une simple question de temps avant que Laval emboîte le pas aux autres institutions. Lajoie prendrait alors sa retraite.

Puis il secoua sa tristesse. C'était bête de gâcher ses dernières années d'enseignement en regrets. Il prit le coin du drap et l'enleva d'un geste dramatique.

— Ça, c'est la réalité, dit-il.

Puis son regard se fixa sur le cadavre.

Lajoie perdit son sourire. Il releva les yeux vers les étudiants. Les parcourut du regard.

— Qui est l'auteur de cette sinistre plaisanterie ? finit-il par demander.

Mais, à voir l'air pétrifié de chacun d'eux, il était clair que le coupable ne se trouvait pas dans la pièce.

Lajoie remit le drap sur le corps et demanda aux étudiants de l'attendre à l'extérieur de la salle. Il allait appeler la police. La mutilation de cadavre était un crime.

PARIS, 16 H 03

Poitras reposa le téléphone et sourit. Les trois autres courtiers n'avaient pas été faciles à joindre, mais deux des trois avaient confirmé l'information. À demi-mot seulement, mais cela suffisait. Il était temps de s'intéresser à HomniFood.

Il découvrit rapidement que la compagnie avait un excellent bilan financier, qu'elle n'avait aucune dette et que ses réserves de liquidités étaient élevées. En fait, tous ses ratios étaient supérieurs à ceux de l'industrie. Elle était dans une situation idéale pour lancer une OPA.

Le seul élément un peu inhabituel était que son actionnaire majoritaire, à cinquante-trois pour cent, était une corporation privée : HomniCorp. Une entreprise sur laquelle Poitras ne réussit à trouver aucune information, hormis le fait qu'elle était enregistrée au Lichtenstein. Peut-être Chamane pourrait-il découvrir quelque chose…

Il lui envoya un courriel.

> HomniCorp. Trouve ce que tu peux…

Puis il ajouta :

> … si tu peux.

Il n'y avait rien comme un peu de défi pour motiver Chamane.

Venise, 16 h 27

La position sur le goban laissait Blunt perplexe. Il ne comprenait pas à partir de quelle analyse le grand maître avait décidé que son influence sur la zone d'affrontement principale était suffisante pour qu'il puisse se permettre de jouer une pierre à l'autre bout du goban, en plein territoire ennemi, ce qui lui avait permis, une cinquantaine de coups plus tard, de provoquer un affaiblissement de ce territoire et de gagner la partie par un point.

Il avait beau connaître la partie par cœur, le raisonnement stratégique qui avait motivé ce coup lui échappait. Tous les jours, il y revenait au moins une demi-heure. Depuis un mois.

Kathy s'encadra dans la porte.

— Ton ordinateur fait des bruits bizarres, dit-elle en souriant. Je pense que tes amis ne peuvent pas se passer de toi.

Trois icônes clignotaient sur l'écran, indiquant que trois messages étaient entrés. Dans le bas de chaque icône, un nom apparaissait. Poitras. Chamane. Tate.

Il cliqua d'abord sur le message de Poitras. Un court texte s'afficha.

> À surveiller : HomniFood. Au centre de plusieurs activités financières douteuses. Toutes ses activités visent des entreprises liées au domaine de l'alimentation. Également à surveiller : HomniCorp, actionnaire majoritaire d'HomniFood. Aucune autre information disponible. Chamane a entrepris une recherche. Je suggère une rencontre.

Le message de Chamane contenait simplement la photo d'un homme accompagnée d'une question:

Rien trouvé. Qu'est-ce que je fais?

La question ne pouvait avoir qu'un sens: Chamane n'avait rien trouvé dans les banques de données de la NSA. Il lui demandait l'autorisation de pirater celles des autres agences à partir de son accès NSA. Avant de l'y autoriser, Blunt décida de prendre le message de Tate. Ce dernier lui demandait simplement de communiquer avec lui, sans plus de précisions.

LONGUEUIL, 10 H 36

Victor Prose était assis à sa table de travail. Les quatre murs de la pièce étaient couverts de livres. Tous les jours, à heure fixe, il s'assoyait à sa table de travail pour écrire sur des tablettes quadrillées. Parce que ça encadre l'écriture et les idées, expliquait-il quand on lui demandait pourquoi. Il écrivait toujours avec un porte-mine. Parce que, de cette manière, il pouvait effacer. C'était plus lisible.

Dans les journaux du jour auxquels il était abonné par Internet, il venait de découvrir deux événements qu'il allait incorporer à sa compilation sur les aberrations de l'espèce humaine. Le premier relatait la montée des viols et de la violence envers les femmes au Congo.

CONGO'S CHAOS TRIGGERS
EPIDEMIC OF BRUTAL RAPES

Des hôpitaux qui débordaient, des médecins horrifiés, un degré de brutalité qui dépassait tout ce qui avait été vécu ailleurs, même pendant le génocide au Rwanda... On y parlait entre autres des Rastas, un groupe formé d'ex-membres des milices hutus qui vivaient dans la forêt, portaient des survêtements clinquants et des gilets des Lakers. Rien de moins!... Ils avaient la réputation de brûler des bébés vivants, d'enlever des femmes pour les violer et de découper en morceaux, au sens littéral, à peu près tous ceux qui se trouvaient sur leur chemin... Si c'était ça, le retour à la nature!

La carillon de la porte fit sursauter Prose. Sans doute des auditeurs de HEX-Radio qui venaient le relancer. Il décida de ne pas répondre.

Il venait à peine de finir de copier le deuxième article dans son répertoire sur la bêtise humaine que la sonnerie du téléphone se manifestait à son tour. Il consulta l'afficheur. Quatre lettres seulement apparurent : SPVM… Au moins, on répondait à son appel.

— Oui ?

— Ici l'inspecteur Grondin. Je suis devant votre porte. Seriez-vous assez aimable pour ouvrir ?

— Oui, oui, bien sûr… Tout de suite.

En ouvrant, il surprit Grondin qui se frottait le dos contre le cadre de la porte.

— Désolé, s'excusa ce dernier. La démangeaison était vraiment insupportable.

Prose le fit entrer.

— Je vous offre un café ?

— Vous en avez sans caféine ?

— Il doit en rester du temps où ma mère venait…

Ils traversèrent le corridor le long duquel s'alignaient les caricatures. Grondin prit le temps de s'arrêter quelques secondes devant chacune.

— Vous les collectionnez ?

— Pas vraiment. Mais je trouve que ça correspond bien au monde dans lequel on vit.

Voyant que Grondin ne comprenait pas, il ajouta :

— Un défilé de caricatures sans rapports clairs les unes avec les autres. Juste une parenté de style.

Quelques instants plus tard, Grondin s'arrêtait devant un tableau abstrait d'assez grand format.

— Un Giunta, fit Prose.

— Vous aimez la peinture moderne, à ce que je vois ?

— Avec mauvaise conscience. Je trouve que l'expressionnisme et l'abstraction, ça habitue les gens à l'idée que c'est acceptable de torturer les traits humains ou de les faire disparaître. Ce tableau-là, je l'ai acheté d'un ami auteur de polars : il en parlait dans un de ses livres.

— Et ça veut dire quoi ?

— Qu'est-ce que vous voyez ?

Grondin s'approcha pour examiner le tableau de près.

— Toutes sortes de choses mêlées, dit-il… Des bouts de ficelle, un morceau de soucoupe en porcelaine, une lanière de cuir tressé… tout ça pris dans la peinture… des taches de couleurs qui percent à peine à travers le noir… beaucoup de noir… comme si on l'avait étendu par-dessus la couleur pour l'étouffer… et le blanc…

Prose regardait Grondin, étonné de le voir décrire surtout ce qu'il voyait au lieu de chercher une image.

— Le blanc est intéressant, dit-il. Il a été ajouté à la fin de tout, comme pour effacer une partie du tableau… Je me suis toujours demandé pourquoi.

— Peut-être pour que ça soit moins désespérant ? suggéra Grondin.

— Ou peut-être simplement parce que ça rend l'ensemble du tableau plus dynamique.

— On dirait que tout a été jeté n'importe comment…

— C'est exactement ça. On se trouve devant un monde sombre et chaotique, où les choses sont agglomérées n'importe comment… Mais ça dégage quand même une impression de force et d'unité.

Grondin semblait perplexe.

— C'est très neuf, finit-il par dire… Très moderne.

— Bien sûr. Il a été fait il y a à peine cinquante ans.

Voyant l'air confus de Grondin, Prose le prit par le bras et l'entraîna dans la cuisine.

— Venez, dit-il. Pendant que je vous fais un café, vous pourrez regarder les autres tableaux.

Une fois le café servi, ils se rendirent au bureau pour discuter.

Grondin fut de nouveau impressionné par le sentiment d'ordre que dégageait la pièce. Tous les livres, tous les meubles, tous les objets sur le bureau semblaient exactement à leur place.

— Vous avez vraiment tout ce qu'il vous faut, dit le policier.

Prose lui montra alors sa réserve de tablettes quadrillées, de porte-mines, de boîtes de mines et de gommes à effacer qui s'ajustaient aux porte-mines.

— Ils sont à la veille de cesser d'en fabriquer, dit-il. Sauf pour les tablettes. J'ai prévu des réserves pour une quinzaine d'années.

— C'est comme moi, fit Grondin. J'ai toujours une réserve de médicaments contre les allergies. Si jamais les pharmacies cessaient d'être approvisionnées, j'aurais une autonomie de deux ans.

Prose s'assit derrière son bureau. Grondin, comme s'il se rappelait soudainement le but de sa visite, amorça la discussion.

— Brigitte Jannequin, dit-il. J'aimerais que vous me racontiez de nouveau votre dernière rencontre avec elle.

— Je croyais que vous étiez venu à cause du harcèlement.

— Bien sûr. Mais tant qu'à être ici... Peut-être vous rappellerez-vous un détail. Souvent, dans des conditions stressantes comme celles que vous avez connues, la mémoire nous joue des tours.

— Si vous voulez...

Après une dizaine de minutes, Prose interrompit la discussion.

— Votre tasse est vide, dit-il. Inutile de la laisser traîner devant vous. Je vais aller la porter dans le lave-vaisselle.

— Je peux très bien...

— Non, non... Je vous assure...

Pendant que Prose se dirigeait vers la cuisine, Grondin se rendit derrière le bureau de l'écrivain. Il jeta un coup d'œil à l'écran de l'ordinateur, qui affichait l'article que Prose était en train de lire quand il était allé lui ouvrir :

Émission de gaz carbonique du réseau routier par habitant

Américain moyen : 7,8 tonnes par an.

Français moyen : 3,7 tonnes par an.

Britannique moyen : 3,1 tonnes par an.

Irlandais moyen : 3,0 tonnes par an.

Allemand moyen : 2,4 tonnes par an.

Totalement absorbé par sa lecture, il n'eut aucunement conscience qu'une balle lui percutait la poitrine : il en ressentit simplement l'impact en même temps qu'il entendait confusément le bruit de la vitre qui était fracassée. Puis, sans savoir ce qui lui arrivait, il s'écroula.

HEX-RADIO, 10 H 46

— ... NEWS PIMP EST AVEC MOI POUR SA CHRONIQUE : « LE BOUFFON DE LA SEMAINE ». C'EST QUI, TON BOUFFON, CETTE SEMAINE, PIMP ?

— LES MÉDIAS AU GRAND COMPLET !

— WOW ! TU COGNES FORT !

— T'AS VU LEUR COUVERTURE DE L'ATTENTAT CONTRE BIOLIFE MANAGEMENT ?... LES PHOTOS À PLEINES PAGES, LE MOT « TERRORISME » PARTOUT...

— TU PEUX PAS LEUR REPROCHER ÇA. TOUT LE MONDE EST DANS LA *GAME* POUR FAIRE MONTER SES COTES D'ÉCOUTE. MÊME CEUX QUI JOUENT AUX INTELLECTUELS.

— C'EST PAS QU'ILS EN PARLENT ! C'EST CE QU'ILS DISENT !

— PARAÎT QUE C'EST PAS LA FAUTE DES TERRORISTES. QU'ILS ONT DE BONNES INTENTIONS. QUE C'EST JUSTE QU'ILS PRENNENT DES MAUVAIS MOYENS... QUE LES RESPONSABLES, C'EST LES MULTINATIONALES QUI SACCAGENT LA PLANÈTE. ET QUE DANS LE FOND, C'EST LA FAUTE À TOUT LE MONDE PARCE QU'ON LES LAISSE FAIRE. PARCE QU'ON S'OCCUPE PAS ASSEZ DE LA NATURE...

— T'EN PENSES QUOI, DE ÇA ?

— DE-LA-*BULL-SHIT* !... C'EST POURTANT PAS COMPLIQUÉ : SI UNE BOMBE TUE DU MONDE, LE COUPABLE, C'EST CELUI QUI A POSÉ LA BOMBE !... TOUT ÇA, C'EST À CAUSE DES *BOOMERS* !

— LÀ, T'ES PAS FACILE À SUIVRE.

— LA NATURE, LES FLEURS, LES TI-ZOISEAUX, C'EST UNE OBSESSION DE *BOOMER* EN PHASE TERMINALE... PAS SURPRENANT QU'ILS SOIENT CONTRE LES OGM.

— LES OGM !...

— LES TERRORISTES, LES INTELLOS ET LES *BOOMERS*, C'EST PAREIL : LES TROIS RADOTENT LA MÊME VIEILLE PROPAGANDE DE *HIPPIES* ATTARDÉS QUI VEULENT ARRÊTER LE PROGRÈS. ILS TRIPENT SUR LE RETOUR À LA NATURE !... CRISS, LA NATURE, C'EST TOXIQUE. Y A RIEN DE PLUS DANGEREUX QUE LA NATURE !

— C'EST QUAND MÊME *CUTE*...

— *CUTE*, OUI... C'EST LE CARNAGE PERPÉTUEL ! TOUTT' MANGE TOUTT' ! LÂCHE UN *BOOMER* DANS LA VRAIE NATURE, IL DURE PAS VINGT-QUATRE HEURES !

— MAIS ÇA FERAIT DE LA BONNE TÉLÉRÉALITÉ !

— Arrange ça comme tu veux, quand t'es contre les OGM, t'es pas seulement contre le progrès, t'es pour la barbarie. Tu préfères laisser du monde mourir de faim pour sauver tes « tites amies les plantes naturelles », qui sont tellement naturelles qu'elles sont même pas foutues de survivre toutes seules !

— Tu vas pas te faire d'amis chez les écocos qui défendent l'environnement !

— T'as vu ce qu'ils font, tes écocos ? Ils défendent la nature en faisant le contraire de la nature ! Ils protègent toutt' avec des lois !... La nature, c'est la lutte pour la survie : pas un racket de protection !

— Comme ça, toi, tu penses que les OGM vont nous sauver ?

— Sûr !... Penses-y deux minutes ! Sélectionner des graines pendant deux ou trois mille ans par l'agriculture ou provoquer une mutation en dix minutes, c'est la même chose. Mais en plus rapide. Tu gagnes du temps...

Fort Meade, 10 h 58

John Tate avait attendu que l'inspection électronique quotidienne de son bureau soit terminée avant de contacter Blunt. Normalement, il n'y avait pas de danger de surveillance électronique : il transportait en permanence dans sa mallette un détecteur qui aurait réagi si un appareil d'écoute avait été activé à l'intérieur d'un rayon de quinze mètres.

Mais deux précautions valaient mieux qu'une. Avec Paige, il fallait s'attendre à tout. Ce n'était rien, pour lui, de subvertir un de ses collaborateurs, par chantage ou en l'achetant, pour lui faire installer un micro.

— C'est quoi, ton *stunt* dans la banque AAAA du Pentagone ?... Une chance que je t'avais demandé d'être discret !

À l'écran, le visage de Blunt afficha une amorce de sourire. Par mesure de sécurité, Tate avait exigé que les communications se déroulent le plus souvent possible en télé-vidéo : de cette façon, il pouvait contrôler les paramètres biométriques de son agent pour s'assurer de son identité.

— Je pensais que la guerre au terrorisme avait priorité sur les frontières et les luttes de territoire bureaucratiques, fit Blunt.

— Sur quelle planète tu vis? Le directeur du Depart-ment of Homeland Security m'a appelé en personne pour me demander pourquoi je m'intéressais à Joyce Cavanaugh!

— C'est intéressant. Ça veut dire qu'elle a des con-tacts... Pour quelqu'un qui n'a aucun poste officiel dans l'administration, c'est quand même particulier.

— Paige n'était pas seulement furieux. Il avait l'air inquiet.

À l'écran, le sourire de Blunt s'élargit.

— Et ça ne t'intéresse pas d'en savoir plus au sujet de cette madame Cavanaugh? demanda-t-il.

— D'accord, qu'est-ce que je devrais savoir à son sujet?

— En la faisant suivre, je pense avoir identifié un autre membre du Consortium.

— Vraiment? Le mystérieux Consortium?

Tate n'avait pas pu s'empêcher de laisser passer un peu d'ironie dans sa voix. À l'écran, la figure de Blunt se contentait de le regarder en souriant.

— Et qui est le mystérieux membre de cette mysté-rieuse organisation? reprit Tate au bout d'une dizaine de secondes.

— C'est justement ce que j'aimerais savoir. C'est pour ça que je faisais de la recherche sur les deux photos que je t'ai envoyées. Peut-être que tu auras plus de chance que moi.

Tate eut un geste d'impatience.

— La NSA n'est pas ton assistant de recherche per-sonnel. Les relations sont censées aller dans l'autre sens.

— Vous êtes les meilleurs!

— D'accord, d'accord... Je vais voir ce que je peux trouver. Mais toi, essaie d'effacer tes traces si tu dois aller dans les banques gouvernementales. Je ne veux pas qu'on puisse m'associer à ce que tu fais.

— Entendu... J'aurais aussi besoin d'informations sur une entreprise. HomniFood.

— La NSA ne fait pas d'espionnage industriel.

— Sûr… Mais si tu tombes sur quelque chose…

Officiellement, la NSA ne surveillait pas les entreprises. Mais, dans les faits, un des principaux mandats de l'agence consistait à soutenir le développement des entreprises américaines en les aidant à obtenir un avantage compétitif sur le marché international. Et, pour avoir ce type d'avantage, la meilleure façon était d'obtenir de l'information confidentielle sur leurs compétiteurs des autres pays. Ce que la NSA s'efforçait de leur transmettre.

— HomniFood, tu dis ?

— Oui.

— Ils fabriquent quoi ?

— Ils sont spécialisés dans la distribution de produits alimentaires. Principalement des céréales.

— D'accord, je vais voir ce que je peux trouver. Parlant de céréales…

HEX-TV, 11 h 05

… Après la pause, nous allons à la plogue littéraire en compagnie de Guy-Claude Belles-Îles. Il reçoit pour nous Renaud Daudelin, auteur du livre *Bio à mort*, un réquisitoire poético-romanesque contre — et je le cite — « l'attitude anti-progrès des pépés et des mémés *boomers* qui n'en finissent plus d'enterrer le discours public sous les retombées anti-progrès et rétrogrades de leurs obsessions narcissiques »… Wow !… On n'est pas trop sûr de ce que ça veut dire, mais c'est jeune, c'est nouveau et c'est hyper crucial !…

Venise, 17 h 09

Le visage de Tate occupait la moitié de l'écran. Derrière lui, le décor de son bureau n'avait pas changé.

— Cinquante millions ! fit la voix de Tate. C'est ridicule !

— C'est peut-être un test ? répliqua Blunt.

— Exactement ce que j'ai pensé !

Il avait l'air satisfait d'être parvenu à la même conclusion.

— S'ils paient, ça va permettre de gagner du temps, reprit Blunt.

— Ils ont posé une nouvelle condition : en plus des cinquante millions, ils veulent l'engagement du gouvernement à convertir progressivement l'ensemble de la culture du pays à l'agriculture biologique. Plus aucun pesticide non certifié vert d'ici cinq ans.

— Est-ce qu'ils excluent aussi les OGM ?

— Au contraire. Leur emploi est encouragé. Ils disent que c'est le seul moyen de rendre l'agriculture vraiment bio.

— C'est bien ce que je pensais.

Blunt n'expliqua pas davantage sa pensée.

— Des indices sur les prochaines cibles ? demanda-t-il après un moment de silence.

— Rien encore. S'ils n'ont pas de réponse d'ici deux jours, ils menacent de rendre publique l'ampleur actuelle de la contamination des récoltes.

— Ça va créer une panique à la grandeur du pays.

— Le gouvernement a déjà commencé à brûler les zones contaminées. Il y a des vidéos sur Internet.

— Tu penses sérieusement que les médias ne feront pas de recoupements ?

— Je me fous des médias ! Ce que je veux, c'est que tu travailles à plein temps là-dessus !

— Qu'est-ce qui est arrivé à ton ancien *prime mover*, le terrorisme islamiste ?

— Pour l'instant, c'est toujours sur la glace.

— Le problème, c'est que les terroristes, eux, ne sont pas sur la glace. Ils continuent de se préparer.

— Je le sais. Mais les politiques, c'est comme les médias : ils souffrent d'un syndrome de vision tunnel. Ils ne peuvent pas avoir plus qu'un sujet *hot* à la fois… Et quand ils en ont un, ils ne voient plus rien d'autre. Je veux que tu t'occupes de cette affaire de céréales.

— C'est déjà ce que je fais.

— Vraiment ?

À l'écran, le visage de Tate affichait un mélange de surprise et de méfiance.

— Toi, il y a quelque chose dont tu ne m'as pas parlé, reprit Tate.

— Les attentats de Terre brûlée… Le seul point commun que j'ai trouvé jusqu'à maintenant concerne les céréales.

— Qu'est-ce que tu fais des laboratoires ? des savants enlevés ?

— La plupart des savants et des laboratoires étaient impliqués dans la recherche sur les céréales.

À l'écran, le visage de Tate se figea quelques secondes, comme s'il luttait pour intégrer des informations trop disparates.

— De quelle façon ça pourrait être lié ? demanda-t-il finalement.

— Comme tu le disais tout à l'heure, ceux qui font le chantage n'ont pas parlé des OGM.

— Et… ?

— J'ai pensé à nos vieux amis du Consortium.

— Tu ne veux quand même pas me faire croire qu'ils se sont recyclés dans l'agriculture ! C'est un secteur contrôlé par une brochette de multinationales.

— Pour l'instant, c'est une hypothèse.

— Si c'est le genre d'hypothèses à partir duquel vous aviez l'habitude de travailler à l'Institut…

L'incrédulité manifeste de Tate fit sourire Blunt.

— Si tu m'avais dit al-Qaida, là… peut-être, reprit Tate.

— Il y a quatre-vingt-neuf virgule quatre pour cent des chances que la même maladie frappe les États-Unis dans les prochaines semaines.

— Selon ton hypothèse…

— Je suis sûr que vous avez tiré les mêmes conclusions aussitôt que vous avez eu l'information.

— Il est trop tôt pour parler de conclusions.

— Est-ce qu'ils savent à quoi la contamination est due ?

— Un champignon.

— Ce qui signifie que n'importe quel petit avion peut disséminer des spores au-dessus des récoltes sans attirer l'attention.

— Tu te rends compte de ce que ça signifie ? demanda Tate, plus inquiet qu'il ne voulait le laisser paraître.

— Ça veut dire que ça pourrait se répandre à la grandeur des États-Unis…

— *Shit!*

— … et de la planète.

Montréal, Hôpital général de Montréal, 11 h 43

Quand il avait vu Grondin étendu sur le lit, la première réaction de Théberge avait été de se demander s'il aurait été capable de lui parler, comme il le faisait avec les autres, s'il avait été mort.

Grondin ouvrit les yeux.

— Je vous attendais, dit-il. J'ai travaillé à me rappeler le mieux possible ce qui est arrivé.

— Tu devrais travailler à te reposer et à guérir, maugréa Théberge.

— J'ai seulement une côte endolorie. Elle n'est même pas cassée.

— D'accord, raconte-moi ce qui s'est passé. Mais ensuite, repos intensif et soutenu!

— Je vous assure que je vais bien. Les calmants ont même fait disparaître mes démangeaisons.

— D'accord, d'accord…

— J'ai ressenti un choc puis je me suis retrouvé par terre. Ensuite, la douleur est apparue. J'ai quand même saisi mon arme, j'ai enlevé le cran de sûreté puis je me suis relevé.

— Tu aurais pu prendre une deuxième balle!

— J'ai aperçu quelqu'un dans la cour. Il avait un pistolet dans la main. J'ai ouvert la fenêtre et j'ai tiré un coup de semonce en criant « Police ». Il s'est enfui… Ensuite, j'ai tiré en l'air en lui criant d'arrêter.

— En l'air?

Théberge était sidéré.

— Je n'allais quand même pas lui tirer dans le dos.

— Non, bien sûr, approuva Théberge comme si cela allait de soi.

Puis il explosa.

— Il n'avait pas de jambes, ton agresseur?

— Trop dangereux de rater et de l'atteindre plus haut.

Pour toute réponse, Théberge se contenta de se frotter lentement l'estomac.

De retour dans son automobile, il s'en voulait d'avoir engueulé Grondin. D'autant plus qu'il l'avait enguirlandé la veille parce qu'il portait une veste pare-balles.

Il ouvrit la radio.

> ... DE TYLER PAIGE. LE TSAR DU DEPARTMENT OF HOMELAND SECURITY VIENT DE PLACER LES ENFANTS DE LA TERRE BRÛLÉE, UN GROUPE ÉCOLOGISTE RADICAL, SUR LA LISTE DES ORGANISATIONS TERRORISTES LES PLUS DANGEREUSES. IL A PAR AILLEURS AFFIRMÉ SON INTENTION DE RENFORCER LA LUTTE ANTI-TERRORISTE EN UNIFIANT SOUS UNE COORDINATION UNIQUE LES SECTIONS ANTI-TERRORISTES DE TOUTES LES AGENCES AMÉRICAINES.

Ainsi, Les Enfants de la Terre brûlée avaient maintenant le statut de groupe terroriste international officiellement reconnu, songea Théberge. Ça en boucherait un coin à Jannequin... Puis il pensa à Dominique. Il se demandait comment elle se débrouillait, au milieu de toutes ces intrigues.

Aussitôt arrivé au SPVM, il alla retrouver Victor Prose, qui avait fini d'enregistrer sa déposition depuis un certain temps déjà et qui avait hâte de retourner chez lui.

— Ce serait prudent de vous éloigner un peu pendant quelques jours, fit Théberge. De demeurer ailleurs.

— C'est hors de question.

Théberge s'efforça de garder une voix calme.

— Vraiment?

— Je ne vais quand même pas me laisser intimider. Ce serait admettre qu'ils ont gagné.

— Écoutez, on n'est pas dans un film...

— Si vous étiez à ma place, vous feriez la même chose.

Théberge ne put s'empêcher de penser à l'offre que l'Institut leur avait faite, à lui et à son épouse, de les mettre à l'abri, et au choix qu'ils avaient fait ensemble de refuser cette protection.

— Moi, c'est différent, dit-il avec la plus parfaite mauvaise foi. Je suis policier.

— Et moi, je suis écrivain. Je ne prendrai pas le risque de me stériliser en changeant mes habitudes.

— Vous stériliser ?

— L'écriture est un processus complexe. Tous les auteurs ont des conditions particulières dans lesquelles leur travail d'écriture est favorisé.

— Si vous restez chez vous, vous risquez une forme de stérilisation autrement plus radicale.

— Me protéger chez moi ou ailleurs, je ne vois pas la différence.

— N'importe qui peut s'infiltrer sans se faire voir jusqu'à la cour arrière en passant par le petit ravin. C'est couvert d'arbres derrière chez vous…

Prose remarqua soudain le collier de cordelettes dans le Ziploc, sur le bureau de Théberge.

— Je peux ? dit-il en le prenant.

— Vous connaissez ça ? grogna Théberge, étonné.

— C'est un quipu, répondit Prose en le sortant du sac avant que Théberge ait eu le temps de protester.

Il démêla rapidement les cordelettes et il montra le collier à Théberge en le tenant par la corde centrale à laquelle toutes les cordelettes étaient attachées.

Il le posa ensuite sur le bureau et répartit les cordelettes des deux côtés de la corde centrale.

— Ça sert à quoi ? demanda le policier.

— C'est un truc maya. C'est la première fois que j'en vois un en dehors d'un musée.

Il sourit avant d'ajouter :

— C'est quand même bizarre de trouver ça dans un poste de police.

— Ça sert à quoi ?

— C'est une sorte de langage qu'on n'a pas encore fini de décoder. Les nœuds représentent des chiffres…

— Vous pouvez le lire ? s'enquit Théberge, subitement intéressé.

Prose prit le temps de le regarder attentivement avant de répondre :

— Non. Ça ne correspond pas à ce que je connais. Si vous voulez…

La sonnerie du téléphone portable de Théberge l'interrompit.

Théberge jeta un coup d'œil pour voir qui le dérangeait, puis haussa les sourcils. Son visage afficha un air de plaisir contenu.

— Excusez-moi un instant, dit-il à Prose en appuyant sur le bouton pour prendre l'appel.

Puis, sur un ton franchement joyeux, il amorça la conversation téléphonique par un vigoureux :

— Gustave ! Comment tu vas ?

Sa mine s'assombrit à mesure qu'il écoutait. Théberge demeura silencieux pendant près d'une minute avant de demander :

— Tout de suite ?... Avant cinq ou six heures, c'est difficile... Bon, d'accord... OK, en attendant, je t'envoie ce que j'ai.

Hampstead, 18 h 08

Assis derrière son bureau, Fogg affichait une mine réjouie. Il regarda Skinner et Daggerman prendre place devant lui, dans des fauteuils de cuir brun.

Skinner semblait de moins bonne humeur.

— Foutues caméras ! On ne peut plus se déplacer dans Londres sans avoir l'impression d'être continuellement filmé !

Daggerman, quant à lui, affichait la même sérénité impassible qu'à l'accoutumée.

— Il faut voir le bon côté des choses, dit-il. GDS n'a jamais fait autant d'argent avec la vente d'équipement de sécurité.

Fogg attendit que le silence se fasse pour prendre la parole.

— Jusqu'à maintenant, je n'ai pu vous dire qu'une partie de la vérité. Je vais maintenant combler certaines lacunes dans l'information que je vous ai transmise.

« Certaines » lacunes... Skinner et Daggerman notèrent tous les deux la restriction, mais ni l'un ni l'autre ne jugea pertinent de la relever. Déjà, qu'ils soient là était une forme de reconnaissance de leur valeur. Même Tomas Gelt, le pourtant puissant directeur de Safe Heaven, n'assistait pas à ces réunions restreintes.

— « Ces messieurs » m'ont prié de procéder à une restructuration du Consortium, poursuivit Fogg. Cette demande est en réalité une exigence. Ils veulent que nous conservions uniquement trois filiales : GDS, Safe Heaven et cette nouvelle filiale que nous allons créer : White Noise. Nous avons six mois pour disposer des autres filiales, à l'exception de Brain Trust, qui bénéficie d'un sursis.

Skinner sourit.

— C'était donc ça, dit-il, la simulation que vous m'avez demandé de préparer pour Candy Store.

Fogg tourna légèrement la tête de manière à le regarder directement.

— Votre simulation va être utile plus rapidement que prévu. La proposition que madame Hunter a négociée concernant Candy Store vient d'être acceptée par l'acheteur. C'est le temps de procéder au nettoyage préliminaire. Si vous nous résumiez ce que vous avez préparé ?

— D'abord une attaque contre le centre de contrôle de la filiale. Destruction de tous les ordinateurs, de tous les dossiers qui relient Candy Store au Consortium. La direction de la filiale est décapitée au cours de l'opération. Vous décrétez l'isolement préventif des filiales. Tous les codes sont changés. Le lendemain matin, les liens avec les filiales restantes sont rétablis. Vous annoncez au bureau des directeurs que le reste de Candy Store sera vendu. Hunter enclenche le mécanisme de transfert des informations à l'acheteur pour qu'il ait accès à toutes les ressources des filiales.

— Durée de l'opération ?

— Vingt-quatre heures.

— Est-ce qu'il n'y a pas un danger que ce soit interprété par les directeurs comme un aveu de faiblesse ? demanda Daggerman.

Skinner, à qui la question s'adressait, se contenta de tourner la tête vers Fogg.

— Ça dépend de quelle manière on présente les choses, répondit ce dernier. Je vais présenter GDS, Safe Heaven et Brain Trust comme les filiales sur lesquelles nous jugeons essentiel de maintenir un contrôle direct. Il y a aussi White Noise, qui va s'occuper des médias. Les autres se verront offrir leur autonomie dans le cadre d'une privatisation.

— Les directeurs des filiales qu'on garde ne seront pas très heureux.

— Après une rencontre privée pour leur expliquer les tenants et aboutissants de cette rationalisation, je suis certain qu'ils seront enchantés de maintenir leur lien corporatif avec le Consortium.

— Et pourquoi ces filiales-là plutôt que les autres ?

— Là est toute la question, répondit Fogg.

Son sourire s'accentua.

— Pour y répondre, reprit-il, je dois vous parler de nos commanditaires… Comme je vous l'ai dit, ce sont eux qui désirent cette restructuration. Ils invoquent le fait que les filiales conservées dispensent les services de base – violence, argent, idées – aux autres filiales, qui sont seulement des lignes d'affaires dérivées… Personnellement, je crois que cette rationalisation n'est qu'une première étape.

— En vue de quoi ? demanda Daggerman.

— D'une prise de contrôle complète du Consortium, ou de ce qu'il sera devenu, par des gens à eux.

Il laissa Skinner et Daggerman digérer ses paroles.

— C'est pourquoi, reprit-il, j'ai pensé qu'il était temps que le Consortium acquière une pleine autonomie.

LYON, 19 H 14

La venue de Jean-Pierre Gravah au laboratoire d'HomniFood était toujours un événement. À l'exception de Killmore, il était le seul membre du conseil d'administration qui avait accès à tous les locaux. Le personnel avait ordre de répondre à toutes ses demandes.

Cette fois, il avait demandé à Maggie McGuinty que les responsables de la recherche, de la production et de la mise en marché rendent compte personnellement des activités de leurs départements respectifs.

— Nous sommes parvenus à stabiliser la nouvelle souche du champignon, fit Wendell, le responsable de la recherche. La contamination est plus rapide et les spores sont plus légères, ce qui accroît la surface de dissémination.

— La résistance ? demanda Gravah.

— Les produits classiques éliminent cinquante à soixante pour cent des champignons. Il en reste assez pour que la contamination se propage de manière satisfaisante. Ils vont avoir besoin de notre fongicide.

— La production ?

McLane, le responsable de la production, s'empressa de répondre.

— Elle est déjà amorcée. On peut entreprendre la dissémination à grande échelle.

— Et le fongicide ?

Le visage de McLane trahit un certain malaise. Il jeta un regard en direction de McGuinty, qui demeura impassible.

— De ce côté-là, les choses avancent plus lentement. On en a encore pour deux semaines – et c'est un minimum ! – avant de pouvoir entreprendre la production industrielle.

— Deux semaines, donc, répondit Gravah. Peut-être trois.

McLane acquiesça d'un hochement de tête et murmura une approbation indistincte.

— Ça demeure un délai raisonnable, conclut Gravah. Rien ne s'oppose à ce qu'on amorce immédiatement une dissémination plus large.

Il regarda McLane.

— Si vous décevez la confiance que madame McGuinty et moi plaçons en vous et que le fongicide n'est pas prêt à temps, c'est toute la planète qui risque d'avoir un sérieux problème.

Il regarda ensuite les deux autres hommes.

— Il y a autre chose que je devrais savoir ? Vous avez tout le personnel dont vous avez besoin ?

— À peu près, répondit Wendell.

— Ce qui veut dire ?

— J'aurais besoin de deux chercheurs de haut niveau pour régler certains problèmes techniques.

— J'imagine que vous en avez parlé à madame McGuinty.

— Euh… pas encore.

— Vous avez des suggestions ? se dépêcha d'intervenir la femme.

— Oui. Ils travaillent dans deux laboratoires différents : un en Suisse, l'autre en Italie.

— Eh bien, qu'est-ce que vous attendez pour m'envoyer leur nom et tous les renseignements que vous avez sur eux ? Si vous voulez que j'envoie le dossier au service de recrutement…

— Ce sera fait dans moins d'une heure.

Gravah avait suivi l'échange avec un regard amusé.

— Bien… Autre chose ? demanda-t-il.

Roger Galant, le directeur de la mise en marché, s'avança d'un pas. Il regardait alternativement Gravah et McGuinty comme s'il ne savait pas à qui s'adresser.

— Il reste un problème avec le fongicide. La planification veut qu'on mette en marché un fongicide qui a une période d'efficacité d'un an. Le marketing trouve que c'est une période trop courte, qui nous donne une image de voracité… Selon eux, une durée de cinq ou sept ans serait plus raisonnable. Comme pour les vaccins.

— Alors, on va faire un compromis, répondit McGuinty : trois ans.

Elle ramena son regard vers Wendell.

— Vous pouvez arranger cela ?

— Ça devrait aller.

— Bien.

Gravah regarda les trois responsables.

— D'autres problèmes ?… Non ?… Excellent !

Une fois seul avec Maggie McGuinty, son visage prit une expression moins distante, plus intéressée.

— Killmore m'a parlé de votre projet particulier. Ça avance ?

— Encore une semaine, maximum dix jours, avant la mise en ligne des premières dégustations.

— Bien, bien… Les membres du club sont impatients de voir votre travail.

— Je vais m'efforcer de ne pas les décevoir.

— Je n'en doute pas… Pour ce qui est du laboratoire, je vous sais très occupée, ajouta-t-il avec un sourire. Mais vous devriez quand même leur tenir la bride un peu plus serrée. Vous ne pensez pas ?

De retour à l'hélicoptère qui l'avait amené au centre de recherche, Gravah dit au pilote de mettre le cap sur Briançon, dans les Alpes françaises.

Pendant le trajet, il planifia sa prochaine rencontre avec les représentants de l'Inde et de la Chine. Puis il prévint l'équipe de Vacuum réservée à ses besoins qu'elle allait devoir s'occuper en priorité de deux autres livraisons de personnel spécialisé. Les deux noms allaient leur parvenir au cours de la journée par le canal habituel.

HAMPSTEAD, 18 H 33

— « Ces messieurs », comme vous dites, vous savez qui ils sont ? demanda Skinner.

— Je connais leur représentante. Elle se présente sous le nom de June Messenger. Son vrai nom est Joyce Cavanaugh. L'Institut s'en occupe. Par elle, ils devraient remonter plus haut.

— L'Institut !

Seul Skinner avait parlé, mais Daggerman paraissait tout aussi surpris.

— On ne peut pas courir le risque qu'ils découvrent que nous sommes sur leur piste, répondit calmement Fogg. « Ces messieurs » pourraient précipiter leur action contre le Consortium. Au contraire, il faut maximiser notre utilité à leurs yeux.

— Et vous faites faire le travail par l'Institut ? fit Skinner, qui dissimulait avec difficulté son étonnement.

— J'ai utilisé un de leurs contacts pour attirer leur attention sur madame Cavanaugh.

Fogg concentra son regard sur lui et sourit.

— C'est pour cette raison que je vous ai demandé de harceler l'inspecteur-chef Théberge, mais de ne pas mettre sa vie en danger trop rapidement. Votre travail est de vous en servir pour remonter jusqu'à l'Institut... puis d'attendre. Nous interviendrons seulement en temps utile, quand l'Institut – ou ce qu'il en reste – aura terminé les menus travaux dont il s'occupe à notre bénéfice.

Les deux hommes regardèrent un instant Fogg sans rien dire, ne pouvant dissimuler une certaine admiration.

— Et cette histoire avec Gravah ? finit par demander Daggerman.

— Ça, à mon avis, c'est le grand projet de « ces messieurs ». Leur idée n'est pas mauvaise : ils veulent se servir du Consortium pour consolider la domination planétaire d'un certain nombre de multinationales.

— Et tant qu'ils nous jugeront rentables, reprit Daggerman, comme s'il poursuivait la pensée de Fogg, ils retarderont le moment d'agir contre nous.

— Rentables... ou utiles à leurs plans.

— Peut-être qu'on ne peut pas les éliminer, fit Skinner, mais on peut se mettre hors d'atteinte.

Fogg regarda Skinner avec un sourire, comme un joueur d'échecs qui voit son adversaire jouer précisément le coup qu'il attendait.

— Pour cela aussi, j'ai un plan. Mais tout n'est pas encore au point. C'est pourquoi nous devons gagner du temps.

Le sourire de Fogg s'élargit.

— Heureusement, nous avons l'Institut !

— Comment pouvez-vous être sûr de leur collaboration ? demanda Daggerman.

— Je leur ai promis de les aider à démolir le Consortium.

Les deux le regardèrent, incrédules.

— Et ils vous ont cru ? finit par demander Skinner.

— Je leur permets de procéder au démantèlement de nos filiales devenues obsolètes… Avouez que ça constitue un argument de poids.

— Ils vont quand même se méfier.

— Je communique directement avec F. C'est elle, mon contact.

DRUMMONDVILLE, 14 H 49

Dominique répondait aux questions d'un père qui venait de découvrir que son enfant était atteint de trisomie-22. Presque tous les jours, elle participait pendant une heure à un forum de discussions sur Internet.

La trisomie-22 était une maladie quasi orpheline. Le nombre des victimes n'était pas suffisant pour justifier des investissements par les grandes pharmaceutiques et les entreprises de biotechnologie. Par ailleurs, la disparité des symptômes faisait qu'elle était mal connue du public… et même d'une grande partie du personnel médical. Les groupes de soutien sur Internet étaient souvent la principale ressource des parents.

F lui avait recommandé de laisser tomber cette activité. C'était comme le go pour Blunt. Sa maladie était connue : si on voulait la retrouver, les sites consacrés à cette maladie seraient un des premiers endroits où on la chercherait.

Dominique s'était contentée de demander à Chamane de sécuriser sa connexion au site, de faire en sorte qu'on ne puisse pas remonter jusqu'à elle par ce moyen.

Un « B » se mit à clignoter dans le coin gauche, au bas de l'écran. Dominique termina la réponse qu'elle était en train d'écrire au père et elle lui promit d'être sur le site du forum le lendemain, à la même heure. Puis elle quitta le forum de discussion, activa le logiciel de messagerie et ouvrit le message de Blunt.

Blunt n'avait pas pris la peine de mentionner les questions auxquelles répondaient les informations qu'il lui envoyait. Les réponses défilaient les unes après les autres.

Le contact de Cavanaugh se nomme Jean-Pierre Gravah. Diplômé de l'École des Mines et de l'ENA. La famille a fait fortune dans le commerce des bois rares et des pierres précieuses. Seule activité professionnelle connue : membre de différents conseils d'administration, dont celui d'HomniFood. Très peu d'activités publiques. Vie privée extrêmement privée. A participé à plusieurs expéditions de spéléologie.

....

Pour le moment, rien de plus sur HomniFood que les informations accessibles sur le portail public de l'entreprise ou dans les journaux. Poitras s'y intéresse.

....

La contamination en Inde est due à un champignon. Tate craint que les États-Unis soient une des prochaines cibles. Je pense qu'il a raison. Convergences de plus en plus inquiétantes...

....

Poitras travaille sur les multinationales et les labos spécialisés dans les recherches sur les céréales. Beaucoup d'activité boursière possiblement illégale. Beaucoup d'activité en dehors des marchés. Probabilité de lien avec les attaques contre les récoltes : maintenant quatre-vingt-douze virgule huit pour cent.

Dominique devait d'abord décider quelle suite donner à l'information sur Gravah. Hurt ne pouvait pas s'en occuper s'il continuait à suivre Cavanaugh. Par ailleurs, il réagirait probablement mal si on lui imposait de changer de cible. Mieux valait le laisser sur la piste de Cavanaugh et confier la couverture de Gravah à quelqu'un d'autre. Moh et Sam ? Ils surveillaient déjà St. Sebastian Place... Claudia, peut-être ?... Une chose était certaine, elle ne pouvait pas compter sur les Jones. À quelques exceptions près, ils avaient entrepris une nouvelle étape dans leur lutte contre les ravages de l'ego. Une étape qui exigeait de longs mois de solitude. Le message lui avait été relayé par F, qui tenait l'information de Bamboo Joe.

Évidemment, cela n'avait pas empêché les dossiers spéciaux de s'accumuler. Il y avait le chantage alimentaire contre les États... l'écoterrorisme des Enfants de la Terre brûlée… les magouilles boursières… Quel lien pouvait-il y avoir entre tous ces événements ?

Elle décida de présenter ses réflexions à F.

WWW.LEMONDE.FR, 20 H 58

> … À LA SUITE DE CE QUI SEMBLE ÊTRE UN ATTENTAT ÉCOTERRORISTE. UN RÉSIDENT DU VILLAGE QUI EXPLOITE UNE PETITE TERRE À BOIS A ÉTÉ GRIÈVEMENT BLESSÉ QUAND LA CHAÎNE DE SA SCIE MÉCANIQUE LUI A DÉCHIRÉ LE VISAGE. LA CHAÎNE A LITTÉRALEMENT EXPLOSÉ APRÈS ÊTRE ENTRÉE EN CONTACT AVEC UN CLOU DE TRENTE CENTIMÈTRES ENFONCÉ DANS LE TRONC D'UN ARBRE. CETTE TACTIQUE DES ÉCOLOGISTES, QUI VISE À EMPÊCHER LA COUPE DES ARBRES…

DRUMMONDVILLE, 15 H 04

F avait écouté Dominique sans l'interrompre. À la fin, elle sourit.

— Je suis certaine que tu sauras prendre les bonnes décisions, dit-elle.

— Mais…

— Tu as un meilleur jugement que tu crois. Le rapprochement entre l'écoterrorisme, l'industrie alimentaire et le chantage contre les États est une excellente idée qui mérite d'être approfondie… Allez, je ne te retiens pas. Je n'ai pas assez de tout mon temps pour ce qu'il me reste à faire.

Dominique retourna à son bureau avec un sentiment ambigu. D'une part, il y avait là une marque de confiance évidente. Mais, en même temps, elle exposait l'organisation au risque d'une mauvaise décision. Et cela, au moment où s'amorçait, de l'aveu même de F, la phase cruciale de l'affrontement contre le Consortium. Dominique ne comprenait pas pour quelle raison F acceptait de faire courir un tel risque à l'organisation.

Dix minutes plus tard, elle avait quand même pris ses décisions et les instructions avaient été envoyées à Blunt. Il s'occuperait de gérer l'opération et de transmettre à Moh les instructions nécessaires.

Elle avait hésité un moment sur la tâche à leur confier. Mais suivre Gravah lui semblait être la priorité, malgré l'intérêt qu'il y avait à surveiller St. Sebastian Place. Et même si la mention de saint Sébastien dans le message de Buzz donnait plus de poids à l'information de Fogg…

Se pouvait-il que Hurt ait découvert quelque chose, à Bangkok, sur cette mystérieuse organisation dont parlait Fogg ? Se pouvait-il qu'il s'agisse d'une organisation liée au Consortium ?… Dans ces circonstances, ce n'était pas une mauvaise idée de s'intéresser à ce qui s'y passait.

Il fallait qu'elle trouve quelqu'un pour prendre la relève et s'occuper de St. Sebastian Place… Elle décida finalement de demander à Chamane de se renseigner « en profondeur » sur l'endroit.

Montréal, SPVM, 15 h 18

Théberge passa un doigt sur le bureau de Crépeau. Sa surface était complètement dégagée : pas un papier, pas un stylo, pas un dossier… Pas même un grain de poussière.

— Comment tu fais ? demanda Théberge.

— S'il y a quelque chose sur le bureau, je trouve quelqu'un pour s'en occuper… On appelle ça déléguer, ajouta Crépeau avec un sourire. Tu devrais savoir ce que c'est, tu m'as délégué ton poste au complet !

Théberge plaça le journal qu'il tenait à la main devant Crépeau. On y voyait la tête des deux clients suspects du marché d'alimentation. Les photos avaient été extraites de l'enregistrement.

— J'ai fait vérifier ce que tu m'as demandé, dit Crépeau. Tous les achats sont concentrés dans trois marchés d'alimentation ; il y en a deux qui viennent de celui où travaille ton agent de sécurité.

— Ça ne peut pas être une coïncidence… Et les vérifications dans les banques de photos ?

— Toujours rien. Tes clients sont inconnus des milieux policiers.

D'un geste, Crépeau désigna les photos.

— Tu penses que ça va donner quelque chose de les avoir envoyées aux médias ?

— On sait jamais…

Théberge se dirigea vers la fenêtre et laissa son regard porter au loin.

— Tu as été voir Grondin à l'hôpital, fit Crépeau. Comment il va ?

— Il insiste pour reprendre le travail demain ! Il veut continuer à assurer la protection de Prose… Il dit que ça le démange !

Théberge secoua ensuite la tête comme s'il s'agissait là d'une absurdité de plus dans la longue série des comportements insolites de Grondin.

— On ne peut pas dire qu'il a tort de s'inquiéter pour l'écrivain, fit Crépeau.

— Je suis d'accord. Mais de là à ne pas prendre les journées de maladie auxquelles il a droit !

— Moi, compte tenu du manque de personnel…

— Je veux te parler d'autre chose, fit Théberge en continuant de regarder dehors. J'ai eu une idée un peu folle…

Crépeau rit doucement.

— Si c'est pour m'annoncer ça que tu es venu me voir !…

Théberge se tourna vers lui.

— Dans le message du groupe écolo, il y a une phrase qui m'a frappé.

— Quel groupe ?

— Les Enfants de la Terre brûlée… Ils parlent des savants qui ont leurs doigts dans notre nourriture.

— Tu penses que… ?

— Je sais que c'est un peu tordu comme rapprochement. Mais…

Un geste acheva d'exprimer son impuissance à conclure.

RDI, 15 h 21

— JE PENSE QUE NOUS AVONS DU NOUVEAU SUR L'AFFAIRE BRIGITTE JANNEQUIN, LOUIS-GASTON ?

— EN EFFET, JULIE-ODETTE. VICTOR PROSE, LE DERNIER TÉMOIN À L'AVOIR VUE VIVANTE, A LUI-MÊME ÉTÉ VICTIME D'UNE TENTATIVE DE

MEURTRE. L'ÉVÉNEMENT S'EST PRODUIT À SON DOMICILE ET, SELON NOS INFORMATIONS, C'EST À L'INSPECTEUR GRONDIN, DE LA CÉLÈBRE ÉQUIPE DES CLONES, QUE PROSE DOIT D'AVOIR LA VIE SAUVE.

— ON VOULAIT DONC LE FAIRE TAIRE ?

— C'EST CE QUE SE DEMANDENT LES POLICIERS… ON S'EN SOUVIENDRA, VICTOR PROSE EST PAR AILLEURS CET ÉCRIVAIN QUI VIENT DE PUBLIER *LES TAUPES FRÉNÉTIQUES*, UN ESSAI SUR LE NARCISSISME TOUS AZIMUTS ET LE PHÉNOMÈNE DE MONTÉE AUX EXTRÊMES QUI CARACTÉRISENT NOTRE SOCIÉTÉ. QU'IL SOIT LUI-MÊME VICTIME D'UN ATTENTAT REPRÉSENTE POUR LE MOINS UNE CURIEUSE COÏNCIDENCE.

— EST-CE QUE LES POLICIERS ONT FAIT UN LIEN ENTRE CET ATTENTAT ET LA CAMPAGNE DE NOS COLLÈGUES DE HEX-RADIO ? CE SONT EUX QUI ONT RENDU PUBLIQUE SON ADRESSE, NON ?

— EN EFFET, JULIE-ODETTE. SON ADRESSE ET SON NUMÉRO DE TÉLÉ-PHONE… POUR LE MOMENT, LES POLICIERS REFUSENT DE FAIRE LE MOINDRE COMMENTAIRE SUR LE SUJET.

— EH BIEN… VOUS NOUS PRÉPAREZ UN TOPO SUR TOUT ÇA POUR LE BULLETIN DE VINGT ET UNE HEURES, SI J'AI BIEN COMPRIS ?

— EXACTEMENT, JULIE-ODETTE.

— MERCI, LOUIS-GASTON… C'ÉTAIT LOUIS-GASTON VALLENDREAU, EN DIRECT DES LOCAUX DU SPVM… SUR LA SCÈNE FINANCIÈRE MAINTENANT, L'INDICE DES MATIÈRES PREMIÈRES A ÉTÉ ENTRAÎNÉ À LA HAUSSE PAR UNE FORTE POUSSÉE DU PRIX DES CÉRÉALES. SELON LES EXPERTS, CE SONT LES RUMEURS PERSISTANTES SUR LA MÉDIOCRITÉ DES RÉCOLTES INDIENNES ET CHINOISES QUI ALIMENTERAIENT CETTE NOUVELLE FLAMBÉE DES COURS…

LONDRES, 20 H 36

— Ton appartement n'a pas encore sauté ? fit Samuel Stocks quand Mohammed ibn Sa'id entra dans la Bentley.

C'était devenu un rituel. Alors que Stocks demeurait à proximité de la City, le célèbre quartier des affaires, Mohammed avait une chambre dans le Londonistan, près de la mosquée de Finsbury Park, dont un imam avait été reconnu coupable sous onze chefs d'accusation d'inci-tation au meurtre.

— C'est le seul endroit de Londres où il n'y a aucun danger d'attentat, répliqua Moh.

— À moins qu'une bombe en cours de fabrication saute par accident.

— Si c'est la volonté d'Allah…

Ils étaient la plus vieille équipe de l'Institut. Ils étaient connus sous les noms de Moh et Sam. Au début, ils avaient travaillé pour le Rabbin. F les avait ensuite récupérés.

Moh s'était installé sur le siège arrière, à l'abri des vitres teintées. Sam, qui avait troqué son habit d'homme d'affaires pour une livrée de chauffeur, conduisit la Bentley devant un édifice à proximité de St. Sebastian Place.

Après avoir immobilisé le véhicule, il prit le *Times* qui était sur le siège du passager, le plia pour le rendre plus facile à manipuler et se plongea dans la lecture comme s'il attendait le retour de son patron.

À l'abri des vitres teintées, Moh s'occupait de la surveillance, filmant tous ceux qui entraient dans l'édifice ou en sortaient.

— Comment on fait pour repérer les membres du club ?

— On commence par éliminer tous ceux qui ne sont pas millionnaires ou qui ne sont pas des personnalités connues.

— Et après ?

— On verra… De toute façon, on va bientôt changer de cible.

Moh le regarda, intrigué.

— Jean-Pierre Gravah. Aussitôt qu'ils l'ont localisé, on le prend en filature.

— Et pour le club ? demanda Moh en rangeant sa caméra dans son étui.

— Dominique a peut-être trouvé quelqu'un d'autre pour s'en occuper. Peut-être que ce n'est plus important…

— Tu ne trouves pas que ça commence à ressembler à l'époque du Rabbin ?… Les ordres à la dernière minute sans qu'on sache pourquoi…

— Si tu as raison, répondit Sam avec un léger sourire, ça veut dire qu'on ne va pas s'ennuyer.

Québec, Université Laval, 18 h 22

Quand Théberge et son ami l'inspecteur Gustave Lefebvre arrivèrent à l'entrée principale du pavillon

Vandry, Jérome Lajoie les attendait. Les présentations furent réduites au minimum. Lajoie les amena sans attendre à la salle d'études anatomiques.

— J'ai tout de suite fait sortir tout le monde, dit-il à l'intention de Théberge.

À sa première visite, Lefebvre avait eu droit à la même explication.

Lajoie leur montra les mains du cadavre, leur laissa quelques instants pour les examiner sous différents angles, puis il rabattit le drap.

— C'est votre type des contenants de yogourt, dit-il en se tournant vers Théberge.

En lui-même, Théberge se demandait pourquoi Lajoie avait décidé que c'était « son » type. Croyait-il que les victimes appartenaient d'office aux policiers qui s'en occupaient ? Puis il songea à sa propre habitude de converser avec les cadavres… Bien sûr, c'était une façon de les apprivoiser. Mais il était également probable qu'il y avait chez l'être humain une répugnance profonde à considérer qu'un individu puisse exister en dehors de toute appartenance. À se le représenter autrement qu'inscrit dans un réseau de relations… Or la mort mettait fin à tout cela. D'où les efforts de réintégration des survivants. On attribuait rétroactivement au défunt toutes sortes de qualités. On gommait ses défauts. On rappelait les moments les plus marquants de son existence. Autrement dit, on mettait en valeur ce qui le rattachait aux autres et on atténuait ce qui l'en séparait…

Au fond, les policiers ne faisaient que participer à cette vaste tentative de réintégration des morts dans l'ordre des vivants. Pour eux aussi, ils étaient « leurs » morts… Et c'était sans doute une des raisons pour lesquelles Théberge leur avait toujours parlé. Une des raisons pour lesquelles il continuait à garder autant de pensionnaires à « l'hôtel », cette partie de son esprit où résidaient les victimes dont il n'avait pas réussi à élucider le crime… Pour ne pas les abandonner. Pour qu'ils ne se retrouvent pas seuls dans le vide de leur inexistence, sans recours pour élucider les circonstances de leur mort…

— Vous êtes sûr ? se contenta de demander Théberge.

— J'ai examiné les clichés que vous avez envoyés : les doigts sont sectionnés à la même hauteur, les diamètres paraissent identiques… Si vous le désirez, je peux mettre le cadavre à votre disposition. Votre spécialiste pourra procéder lui-même aux vérifications… Mais il faudrait que ça se fasse assez rapidement. Je ne peux pas retarder très longtemps mon cours.

Théberge grogna un assentiment, puis il se tourna vers Lefebvre.

— Je peux compter sur toi pour faire les vérifications habituelles ?

— Tu penses à quoi ?

— Interroger les étudiants… faire le tour du personnel qui peut avoir eu accès à la salle où les corps sont conservés…

— Sûr.

En lui-même, Lefebvre pensait à la longueur de la liste des personnes à retrouver et à la quantité d'heures supplémentaires que ça prendrait pour interroger tout le monde… Puis son sourire s'élargit subrepticement. Il se reprendrait durant leur prochain voyage de pêche : ce genre de travail, ça valait facilement deux ou trois soupers de plus. Deux ou trois soupers où ce serait Théberge qui s'occuperait de préparer le repas. Avec tout ce que ça impliquait de gastronomie exubérante.

CBFT, 22 H 03

… TOUJOURS RIEN DE NOUVEAU SUR L'ATTENTAT TERRORISTE SURVENU À L'ORATOIRE SAINT-JOSEPH. C'EST CE QU'A DÉCLARÉ CE MATIN LE PORTE-PAROLE DU SPVM, L'INSPECTEUR RONDEAU, EN RÉPONSE À UNE QUESTION DE NOTRE REPORTER. COMME L'INSPECTEUR RONDEAU L'A CANDIDEMENT AFFIRMÉ : « … LES PETITS DÉBILES QUI ONT FAIT SAUTER LE FRÈRE ANDRÉ ONT TOUS ÉTÉ ÉLIMINÉS ; IL NE NOUS RESTE PLUS DE PISTES POUR REMONTER JUSQU'AUX ORDURES QUI ONT COMMANDITÉ L'ATTENTAT » …

Montréal, 22 h 08

Assis à son bureau, Prose avait relevé les yeux de son travail pour jeter un regard à la télé. Un topo de quatre minutes sur les dernières frasques de Paris Hilton venait de se terminer. On parlait maintenant d'un curieux cas de maladie affectant les céréales.

Sur fond de champ de blé, la caméra présentait un fermier qui montrait un champ où la couleur dorée du blé était marbrée de taches brun-roux.

— C'est apparu subitement, disait le fermier. En deux jours, ça s'est répandu dans la moitié du champ.

Une image en gros plan montra les taches brun-roux qui envahissaient les plants. Puis la caméra revint au présentateur.

— Selon les experts consultés, cette infection ne serait pas liée à la présence d'insectes. Jusqu'à maintenant, les champs contaminés se retrouvent sur une dizaine de kilomètres le long d'une même route. Par mesure de sécurité, les autorités ont ordonné de tout raser cinq cents mètres autour des champs infectés.

Un plan d'ensemble montra des machines agricoles, dans des champs, en train de couper des céréales.

— Le porte-parole du département de l'Agriculture s'est fait rassurant, affirmant que la contamination était contrôlée. À un journaliste qui lui demandait s'il fallait faire un rapprochement avec les maladies qui affectent les céréales en Chine et en Inde, il a répondu que toute comparaison de ce genre relèverait de la science-fiction puisque les céréales affectées en Asie étaient des plants de riz et qu'ici, il s'agit de blé.

Prose quitta la télé des yeux et prit une note sur la tablette quadrillée placée devant lui.

Contamination des céréales. Rien de grave, affirme le gouvernement. Mais les champs contaminés sont rasés et la nouvelle est diffusée en prime time *sur Fox!*

DORVAL, 22 H 46

La réunion avait été brève, mais Skinner ne regrettait pas d'avoir fait le voyage. Pendant le retour, il avait réfléchi à ce qu'il avait appris. Le projet de Fogg de subvertir le Consortium l'obligerait à prendre parti plus rapidement que prévu. Il faudrait qu'il parle à Jessyca Hunter.

Quand il descendit de l'avion, un douanier insista pour examiner méticuleusement le seul bagage qu'il avait. C'était un jeune et il semblait prendre son travail très au sérieux. Il insista pour tout vérifier, y compris les achats que Skinner avait effectués à la boutique hors taxes de Heathrow : la bouteille de scotch, le gâteau aux fruits, les cigares… Chaque article était prétexte à une foule de questions.

Une heure et demie après l'atterrissage, Skinner franchissait finalement la barrière de sortie. Excédé, il se dirigea vers la section des départs et s'installa au bar du restaurant situé en face de la librairie.

Pendant qu'il attendait la bière qu'il avait commandée, son regard fut attiré par un journal abandonné sur le comptoir à sa droite. À la une, il y avait la photo des deux opérateurs qui avaient procédé à la distribution des yogourts contenant des doigts.

Il prit le journal et commença anxieusement à lire. Puis sa tension se relâcha : ils n'avaient pas été arrêtés et on ne savait rien d'eux. Ils avaient seulement été photographiés dans un magasin d'alimentation et on les recherchait comme témoins importants.

Il y avait peu de chances qu'on les retrouve : ils étaient retournés en Australie le lendemain même de leur opération. Mais il était préférable de ne courir aucun risque : dès son retour à l'hôtel, il prendrait des dispositions pour s'assurer que personne ne puisse les retrouver.

Il se mit ensuite à penser à Théberge : c'était probablement lui qui avait pensé à faire le relevé des caméras de surveillance des magasins d'alimentation. Le harcèlement dont il était l'objet n'était de toute évidence pas suffisant pour le distraire et lui faire perdre ses moyens. Il fallait trouver une façon d'augmenter la pression... Fogg ne voulait pas qu'on s'en prenne directement à lui. Mais il n'avait rien spécifié au sujet de son entourage.

L'arrivée de sa bière vint interrompre ses réflexions. Puis ce fut son BlackBerry. Un appel de Pizz.

Le Cénacle constitue le premier cercle des Essentiels. S'y retrouve l'élite des superprédateurs : ceux qui s'occupent de la planification stratégique et ceux qui supervisent sa mise en œuvre dans le monde extérieur. Il a pour tâche externe de concevoir et de faire appliquer la stratégie d'Émergence. Il a pour tâche interne de régir l'Archipel et de coordonner le travail des Essentiels du deuxième cercle.

Guru Gizmo Gaïa, *L'Humanité émergente*, 2- Les Structures de l'Apocalypse.

JOUR - 5

MONTRÉAL, 3 H 49

Pizz se faisait du mauvais sang. La veille, en écoutant les informations, il avait appris qu'il n'avait pas tiré sur la bonne personne. C'est avec appréhension qu'il entra dans la voiture garée au deuxième étage du stationnement de la Place Ville-Marie.

Un homme habillé de noir l'attendait sur le siège du conducteur. Jeans, chemise et veste de cuir. Bottes. Lunettes fumées. Tout ce qu'il portait était aussi noir que ses cheveux.

Pizz s'assit derrière le volant.

— Votre blessure, c'est grave ? demanda l'homme en noir.

— Non. Je suis tombé.

— Il faut montrer ça à un médecin.

— Ce n'est pas nécessaire.

— Je tiens à m'assurer que vous êtes en pleine forme avant votre prochaine tentative.

Pizz sentit un immense soulagement. On lui donnerait l'occasion de se reprendre.

— Si vous y tenez, dit-il.

— J'ai pour principe de ne jamais négliger le moindre détail. Démarrez.

Une heure et demie plus tard, Skinner enlevait ses vêtements noirs et s'installait devant son ordinateur. Il expédia un courriel au SPVM, à l'intention de l'inspecteur-chef Gonzague Théberge.

> Cher Gonzague,
> Vous me permettez de vous appeler Gonzague ? Il y a si longtemps que je suis votre carrière. C'est comme si vous faisiez maintenant partie de la famille... Je veux vous informer que l'auteur de l'attentat raté contre Victor Prose est dans une des cuves d'équarrissage de l'usine Doggy's Best. Si vous voulez avoir quelque chose de significatif à récupérer, vous feriez mieux de vous dépêcher. Pour ce qui est de Prose, ce n'est que partie remise, bien sûr. La perspective de la cuve d'équarrissage devrait servir de motivation au prochain contractuel !
> Mes salutations à votre épouse. Dites-lui que je pense souvent à elle.

Inutile de préciser le nom de Pizz. Ni, surtout, que Cake l'avait précédé dans la cuve d'équarrissage. Cette information-là, il la sortirait plus tard, quand il serait sûr que toutes les boîtes de nourriture pour chien auraient été achetées. Ça ferait une excellente diversion pour occuper les policiers.

Il envoya ensuite un deuxième courriel. À Parano Kid, celui-là.

> L'auteur de l'attentat raté contre Victor Prose a terminé sa vie dans une fosse d'équarrissage à l'usine Doggy's Best. Si les flics ne se dépêchent pas, il ne sera pas facile de savoir dans quelles boîtes de nourriture pour chien le corps va se retrouver. Ni à quels points de vente les boîtes vont aboutir.

« Deux bonnes choses de faites », songea-t-il. Mais il ne pouvait pas encore se coucher: dans quelques minutes, il devait suivre l'opération qui se déroulait à Londres. Heureusement qu'il voyageait en première classe: même si l'aller-retour lui était toujours aussi désagréable, il avait pu dormir quelques heures dans l'avion qui l'avait ramené de Heathrow.

En entrant dans l'avion, il avait aperçu, derrière le rideau, les cabines cordées de la classe économique. À la simple idée d'y passer six heures, coincé entre deux autres passagers, à sentir toutes sortes d'odeurs corporelles et à entendre d'interminables conversations insipides… Et dire que certaines compagnies avaient entrepris de réduire encore plus l'espace entre les sièges !

Cette pensée le fit frissonner. Comment les gens acceptaient-ils de renoncer à ce point à leur espace vital ?

PARIS, 11 H 27

Chamane amena Poitras dans l'immense pièce qui lui servait à la fois de bureau et d'entrepôt pour son matériel.

— C'est mon refuge, dit Chamane.

Poitras repéra une pointe de pizza à peine entamée dans une assiette, à côté du clavier principal, avec une bouteille de Coke Light vide.

— Ton petit déjeuner ?

— Collation… J'ai passé la nuit sur le Net.

Puis il ajouta, avec une bonne humeur un peu forcée :

— Il faut bien que quelqu'un mette un semblant d'ordre là-dedans.

— Ton fameux groupe ?

— Hun hun…

— Il s'appelle comment, déjà ?

— Les U-Bots, répondit Chamane en prenant place devant un des ordinateurs. Mais c'est de moins en moins « mon » groupe.

— Des problèmes ?

— Non, c'est juste que je n'ai plus le temps de m'en occuper.

Poitras approcha une chaise, s'installa à sa gauche et regarda l'immense écran de verre transparent devant le clavier.

— Je veux tout ce que tu as trouvé sur HomniCorp, dit-il.

— Il n'y a rien. Aucun des moteurs de recherche ne donne autre chose que des références à des compagnies dans lesquelles ils ont des actions.

— C'est peut-être une sorte de club d'investisseurs privés.

Ils furent interrompus par l'arrivée de Geneviève.

— Je voulais juste te dire bonjour. Je vous laisse travailler.

— Tu ne déranges pas, fit Chamane.

— Il faut que je me couche. On répète cet après-midi.

Après avoir salué Poitras, elle sortit.

— Leur nouvelle pièce, précisa Chamane avec un peu de dépit dans la voix. Ils travaillent souvent jusqu'au milieu de la nuit.

Londres, hôtel St. Michael, 10 h 33

Antoine Lioret avait réuni ses six collègues de la direction de Candy Store dans une suite de l'hôtel St. Michael. Chacun n'avait qu'un portable devant lui. Le champagne et les petites bouchées étaient demeurés dans la salle à manger.

— C'est la réunion la plus importante de notre histoire, attaqua d'emblée Lioret. Vous avez probablement entendu des rumeurs sur la restructuration du Consortium. Eh bien, ce ne sont pas des rumeurs. Notre filiale est la première à être privatisée. Et comme la direction du Consortium est particulièrement satisfaite de notre travail, elle nous offre la possibilité d'en être les bénéficiaires. Nous pouvons racheter la filiale : il suffit de réunir deux cent quarante millions… Nous avons trois heures.

Les quatre hommes et les deux femmes se regardaient, se demandant qui casserait la glace.

— Deux cent quarante millions, c'est un prix ridicule, dit celui qui était le plus ancien. Pourquoi le Consortium nous ferait-il un tel cadeau ?

— Parce qu'il aime la stabilité. Il compte sur nous pour maintenir des rapports de bonne collaboration.

— Pourquoi pas le statu quo, alors ?

— Le Consortium recentre ses activités sur les filiales impliquées dans des activités moins « voyantes » que les nôtres.

— Un cas classique de gentrification, murmura une des deux femmes avec un sourire un rien condescendant.

— Probablement, admit Lioret. Il reste que cela crée pour nous une occasion.

— Deux cent quarante millions, ça peut se trouver, fit l'autre femme. Mais pas en trois heures.

— J'ai déjà trouvé cent vingt millions, répondit Lioret. Si chacun de vous peut trouver vingt millions…

— Acceptez-vous les chèques? ironisa un des hommes.

— Non, mais les portables qui sont devant vous sont reliés à des téléphones satellite et ils sont équipés de tous les outils nécessaires aux opérations financières habituelles. Les coordonnées du compte dans lequel vous devez effectuer les virements bancaires sont affichées dans la page d'ouverture.

Lioret parcourut le groupe du regard.

— Il ne reste plus qu'à savoir qui est prêt à investir, conclut-il. Et combien.

— Si on n'investit pas, qu'arrivera-t-il? insista celui qui avait ironisé sur les chèques.

— Nous n'avons pas prévu de prime de séparation.

La remarque fit sourire tout le monde.

— Je suis certain que chacun de vous a des réserves pour ses vieux jours, reprit Lioret sur un ton bon enfant… Évidemment, il y aura quelques clauses de confidentialité à respecter. Mais comme nous sommes tous dans le même bateau, je ne vois pas qui aurait intérêt à faire des vagues.

En face de l'hôtel St. Michael, dans le salon d'un appartement de luxe, un technicien vérifiait que l'enregistrement de la réunion s'effectuait correctement et qu'il était retransmis par satellite à deux spectateurs attentifs. L'un se trouvait à Montréal, l'autre dans les Alpes françaises.

PARIS, 11 H 56

Une fenêtre occupait la partie centrale de l'écran de verre. Dans le coin inférieur gauche de la fenêtre, un hamster tournait dans la roulette de sa cage. L'image indiquait que le logiciel téléphonique était activé et que les messages couraient sur les lignes. Plus le débit était élevé, plus le hamster courait vite.

— La dernière fois, tu as fait sonner des alarmes jusque chez le directeur du Department of Homeland Security, fit la voix de Blunt, qui semblait provenir de partout dans la pièce.

Un rien d'impatience avait percé dans sa voix.

— Je ne suis pas sorti des paramètres autorisés, répondit Chamane.

— C'était absolument nécessaire d'aller jusqu'au niveau AAAA de la banque de données du Pentagone ?

— L'information, *man*, on sait jamais où on va la trouver.

Un court silence suivit.

— Toi, Ulysse, qu'est-ce que tu en penses ? reprit la voix de Blunt.

— Les titres de plusieurs compagnies de céréales ont connu des difficultés : NutriTech Plus, Brokinhaus Food & Grain, Diet's Pro… Ce sont toutes des compagnies auxquelles HomniFood s'est intéressée. À mon avis, ça mérite une ou deux vérifications.

— Une ou deux vérifications, reprit Blunt avec une ironie perceptible… Écoute, je veux bien. Mais à la condition que tu le surveilles pour l'empêcher de faire des conneries. Penses-tu pouvoir en être capable ?

Poitras jeta un coup d'œil à Chamane, qui affichait un air de victime injustement accusée.

— Ça devrait, répondit Poitras.

— Bon… puisque me voilà rassuré !

Quelques secondes plus tard, Chamane désactivait le logiciel téléphonique.

— Si tu n'avais pas été là, il n'aurait pas accepté, dit-il.

Poitras le regarda sans pouvoir s'empêcher de sourire.

— On se demande pourquoi !

— Les mystères de la vie, *man*.

— Tu as compris ce que Blunt a dit : pas de conneries.

— Tu me connais…

— Justement.

Chamane entra les coordonnées du réseau interne de la NSA, puis l'identifiant et les mots de passe que Blunt lui avait fournis à mesure que l'ordinateur les lui demandait.

— Dans les répertoires, il n'y a rien sur HomniCorp, reprit Chamane quelques minutes plus tard. Il va falloir faire de l'écrémage.

— Ce qui veut dire ?

— On met « HomniCorp » dans le moteur de recherche et on lui demande de relever toutes les conversations où le mot apparaît.

— Il y en a pour longtemps ? demanda Poitras avec une certaine appréhension.

— Des jours… peut-être des semaines…

— Il n'y a rien de plus rapide ?

— J'ai programmé la recherche pour qu'elle m'envoie chacun des résultats à mesure que le moteur les trouve… Si tu veux, on peut aller manger et voir en revenant quels résultats il a trouvés.

— D'accord, mais c'est moi qui t'invite.

— On va où ?

— Un vrai restaurant italien… Avec du vrai vin et des vrais serveurs. Ça te va ?

Le visage de Chamane s'éclaira.

— T'as vraiment aimé ça !

— Qu'est-ce que t'en penses ?… Mais il va falloir y aller mollo sur le barolo.

— Ça ferait un bon titre de BD ou de polar : mollo sur le barolo…

MONTRÉAL, HÔTEL RITZ-CARLTON, 8 H 26

Sur l'écran de son portable, Skinner observait la réunion qui se déroulait dans la suite de l'hôtel St. Michael. Le dernier des dirigeants venait d'effectuer son virement de vingt millions.

Une fenêtre s'ouvrit dans le coin de l'écran. Le chiffre de trois cent quarante millions s'y afficha.

Skinner entra une brève série de commandes. Dans la seconde suivante, le programme de réallocation s'exécuta : dix pour cent de la somme se retrouva dans le fonds général de Safe Heaven ; le reste fut divisé en trois parts de trente pour cent, lesquelles furent transférées dans des comptes appartenant à Fogg, Daggerman et Skinner.

Puis la fenêtre se referma.

Skinner se concentra alors sur ce qui se passait dans la suite de l'hôtel : les invités levaient leur verre au succès de leur nouvelle entreprise.

PARIS, 14 H 35

Au retour du déjeuner, le moteur de recherche de la banque de données de la NSA n'avait toujours rien trouvé. Chamane avait alors ouvert deux autres fenêtres sur l'écran de verre pour permettre à Poitras de suivre le marché : l'une affichait Bloomberg, l'autre Reuters.

— Ça peut prendre la journée, l'avait prévenu Chamane. Si tu veux retourner à ton hôtel…

Poitras avait préféré rester.

— Je sens qu'on va être chanceux, avait-il dit.

Chamane se demandait si c'était parce que ça lui faisait du bien de sortir de chez lui.

Il y avait plus d'une heure que le moteur de recherche de la NSA filtrait les millions d'heures d'enregistrement que l'agence avait conservées dans sa banque de données.

— Tu veux un vrai café ? demanda Chamane.

— Du vrai ?

— Geneviève a acheté une vraie cafetière. Italienne !

— D'accord. Un café italien…

Au moment où Chamane se levait, son ordinateur émit un bruit d'alerte. Il eut à peine le temps de se rasseoir qu'un autre signal se faisait entendre.

— Deux *hits* ! fit Chamane, tout excité.

Deux petites fenêtres d'enregistrement sonore s'affichèrent. Chamane cliqua sur le bouton de démarrage du premier.

> — … *l'opération est un succès, mais on va avoir besoin du soutien financier d'HomniCorp.*
> — *Combien ?*
> — *Trois cent quatre-vingt-deux millions.*
> — *Entendu.*

Puis l'enregistrement s'arrêta.

— C'est tout ? fit Poitras, étonné.

— C'est la fin de la conversation. Le logiciel a probablement gardé uniquement la référence au montant et ignoré le reste.

— Le reste, on peut le retrouver ?

— Normalement, oui. Tous les extraits ont un tag de répertoire.

Chamane fit démarrer le deuxième enregistrement.

> — *Réunion demain à 16 heures. Au bureau du représentant d'HomniCorp.*
> — *Les autres responsables y seront ?*
> — *Oui.*
> — *Toujours un seul point à l'ordre du jour ?*
> — *Oui. Le plan d'attaque contre la concurrence.*

— Ça ne dit pas grand-chose, fit Chamane.

— Ça dit qu'ils ont les moyens de consacrer trois cent quatre-vingt-deux millions à « un » de leurs projets. Et ça dit que « un » de leurs projets est d'attaquer la concurrence… S'ils le font avec ce genre de budget, je n'aimerais pas être dans la peau de la concurrence.

— Je continue de laisser tourner le moteur de recherche. Peut-être qu'il va frapper autre chose.

— Si tu restes branché trop longtemps, tu n'as pas peur d'être repéré ?

— Pourquoi ? Je ne fais rien d'illégal. Blunt a un accès autorisé au moteur de recherche. Je passe par son ordinateur. Pour le système, c'est comme si un des employés de l'agence interrogeait la banque de données. Du moment que le code d'accès est bon, il ne peut pas y avoir de problème.

Poitras continuait de poser sur Chamane un regard sceptique.

— En gestion de risque, dit-il, la première chose qu'on apprend, c'est de se méfier des événements qui n'étaient pas censés se produire… Les médias sont remplis de catastrophes qui avaient une probabilité d'occurrence de quinze ou vingt écarts types.

— Relaxe, *man*. Tu travailles avec un pro qui a lui-même une probabilité d'existence de vingt-cinq ou trente écarts types… Ça devrait compenser pour ton risque de catastrophe, non ?

Poitras secoua légèrement la tête et sourit malgré lui.

Londres, hôtel St. Michael, 12 h 48

Antoine Lioret lava et essuya son verre avec méticulosité. Il essuya ensuite la section de la table devant laquelle il s'était assis, ainsi que le dossier de sa chaise. Pour le reste, c'était une précaution inutile. En entrant, il avait gardé ses gants, le temps de « préparer » les bouteilles de la petite fête. Il ne les avait enlevés qu'au moment de prendre place à la table.

Il jeta un dernier regard à la pièce. Les six personnes de la direction de Candy Store étaient mortes. Leurs corps gisaient autour de la table. Certains étaient morts sur leur chaise, quelques instants après avoir porté un toast à leurs succès. D'autres avaient réussi à se lever et à faire quelques pas avant de s'écrouler. Un seul avait semblé comprendre ce qui se passait. Il avait regardé Lioret avec étonnement avant de s'affaler sur la table, la tête dans un plat de marinades.

Toutes les possibilités de fuite étaient maintenant colmatées. À l'intérieur de la filiale, plus personne d'autre que lui ne connaissait l'existence du Consortium. C'en était fini de Candy Store. Il allait maintenant travailler avec Skinner. Ce nettoyage était la première mission qu'il lui avait confiée.

En refermant la porte derrière lui, Lioret pensa à l'avenir qui l'attendait au sein de Vacuum. Deux ou trois ans dans l'ombre de Skinner, puis son tour viendrait. Soit parce que Skinner aurait accédé à la direction du Consortium, soit parce qu'il aurait raté sa chance et qu'il aurait été éliminé. Dans les deux cas, Lioret estimait probable de pouvoir le remplacer.

Quand il entra dans la limousine, il jeta un coup d'œil rapide au chauffeur et se cala dans le siège. Cette idée d'avoir un chauffeur au crâne rasé et vêtu d'un col mao !

— Les valises sont dans le coffre ? demanda-t-il.

— Comme monsieur l'a demandé.

— Vous pouvez y aller.

— Bien, monsieur.

Il ouvrit le bar, prit une bouteille de Martel Cordon bleu et se servit un verre. Puis il jeta un nouveau regard au chauffeur... Ce serait une des premières choses qu'il changerait quand il serait l'adjoint de Skinner. Il le remplacerait par « une » chauffeure !... Mais, pour l'instant, le plus urgent était de se mettre à l'abri. Dans vingt-quatre heures au plus tard, probablement moins, les policiers seraient en train d'examiner les bandes vidéo de la sécurité de l'hôtel. Il était peu probable qu'on remarque sa présence, mais il aurait été stupide de courir le risque qu'on l'identifie.

Pour lui, une nouvelle vie commençait. Avec une nouvelle identité. Et un nouveau visage.

La limousine l'amenait à Heathrow, d'où il s'envolerait pour la Hollande. Sa place était réservée dans une clinique de chirurgie plastique. Il y serait dans moins de six heures.

À travers les vitres teintées, Lioret jeta un coup d'œil distrait aux façades des maisons qui défilaient. Puis il prit une gorgée de XO.

Il esquissa aussitôt une grimace à cause de la curieuse odeur d'amande qui se mêlait à celle du cognac. Puis son esprit fut accaparé par une préoccupation plus urgente : maîtriser les convulsions qui tordaient son corps.

MONTRÉAL, 9 H 43

Théberge avait fait digitaliser une photo du quipu. Il la joignit au message qu'il avait rédigé à l'intention de Dominique, puis il appuya sur la touche d'expédition. Il referma ensuite le rabat de son portable et il se tourna vers Crépeau qui entrait.

Crépeau jeta un œil aux manchettes des journaux étalés sur le bureau de Théberge.

L'ENQUÊTE PIÉTINE
LA POLICE EST AU POINT MORT
MONTRÉAL : NOUVELLE PLAQUE TOURNANTE DU TERRORISME

— Imagine ce que ça va être demain ! dit-il en s'assoyant dans le fauteuil le plus confortable.

Théberge le regarda, l'air brusquement déprimé.

— C'était donc vrai ? dit-il.

— Il était dans une des cuves d'équarrissage. Il avait commencé à se défaire, mais on a récupéré une bonne partie des morceaux.

Théberge afficha une moue de dégoût.

— Des indices ?

— Il est probablement mort d'une balle dans la tête… On n'a pas retrouvé la balle.

— Elle est peut-être dans la cuve…

— J'ai demandé de passer tout le contenu au détecteur de métal.

Théberge se leva, prit sa pipe et entreprit de la bourrer.

— J'ai envoyé ses vêtements au labo, reprit Crépeau. Pour l'instant, tout ce qu'on peut dire, c'est qu'ils ont probablement été achetés dans une succursale d'une grande chaîne américaine.

Théberge se leva de sa chaise et se dirigea vers la fenêtre en tirant sur sa pipe éteinte. Puis il revint s'asseoir.

— Les menaces contre Prose, demanda-t-il, qu'est-ce que t'en penses ?

— S'ils veulent l'éliminer, je ne vois pas pourquoi ils t'avertissent.

Théberge porta de nouveau sa pipe éteinte à sa bouche et aspira quelques bouffées.

— Peut-être qu'ils ne veulent pas seulement l'éliminer, dit-il. Peut-être qu'ils veulent le faire avec un maximum de publicité.

— Pourquoi ils feraient ça ?

Théberge haussa les épaules.

— Le plus curieux, reprit-il après un moment, c'est le côté personnel du message. Quand j'ai vu la référence à Bertha…

— C'est peut-être une sorte de défi.

— Ou d'intimidation.

— À moins que ce soit quelqu'un que tu connais…

Théberge songea immédiatement au Consortium. À madame Hunter.

— C'est possible, se contenta-t-il de répondre.

— J'ai demandé qu'on fasse des vérifications pour tous ceux que tu as arrêtés, qui ont été condamnés et qui sont sortis de prison au cours de la dernière année.

Théberge se rassit.

— Ça pourrait aussi être une diversion, reprit Crépeau.

— Une diversion pour quoi ?

— Si Prose est impliqué dans l'affaire du laboratoire, c'est une bonne façon de détourner les soupçons. Il devient une des victimes.

— Tu l'imagines sérieusement en train d'éliminer quelqu'un ?

— Ça… Mais tu sais comment c'est…

Crépeau n'avait pas besoin de développer davantage. Tout au long de leur carrière, ils avaient rencontré une longue série d'assassins improbables : grand-mère qui faisait du bénévolat, père de famille modèle, jeune espoir sportif qui avait l'avenir devant lui, jeune fille effacée…

— En plus, reprit Théberge, il aurait fallu qu'il organise la fausse attaque contre lui… Il n'avait aucune façon de prévoir le moment où Grondin irait le rencontrer.

— Tu as probablement raison.

Théberge redéposa sa pipe sur le bureau.

— L'information sur l'usine d'équarrissage va sortir à quelle heure ? demanda-t-il.

— À l'émission de Bastard Bob, vers l'heure du dîner. Ils ont déjà commencé à annoncer qu'ils auraient un *scoop* sur la poursuite du terrorisme à Montréal.

— Du terrorisme, reprit Théberge sur un ton découragé.

— Ils disent qu'ils nous ont fait une fleur en nous avertissant avant que l'information sorte !

— Parlant de terrorisme, t'as eu des nouvelles de la GRC et du SCRS ? Ils ont trouvé quelque chose sur nos poseurs de bombes ?

— Rien.

— Rien ?

— Rien qu'ils sont prêts à nous donner, en tout cas.

— Davis est toujours aussi agréable ?

— Une soie…

Théberge ne put s'empêcher de sourire : Crépeau avait répondu avec une totale apparence de sincérité.

— Et le cadavre de l'école de médecine ? demanda-t-il.

— Ça, c'est particulier. D'après les papiers qu'ils ont, ce n'est pas le bon cadavre. Il y aurait eu une substitution.

— Pas le bon cadavre… Parce que maintenant, il y a des bons et des moins bons cadavres !

Crépeau ignora le mouvement d'humeur de son collègue.

— C'est une curieuse façon de se débarrasser de quelqu'un, dit-il. Pourquoi se donner autant de mal ?

— Peut-être que le cadavre est un message.

— Tu penses que c'est lié aux écolos ?… à propos des savants qui ont les doigts dans notre nourriture ?

— Je pense surtout qu'il y a du drôle de monde qui s'amuse à jouer avec nos nerfs.

HAMPSTEAD, 15 H 31

Fogg sourit légèrement en voyant le courriel s'afficher sur son écran.

> La fabrique de bonbons a été fermée. Le Ginseng oriental est prêt à lui donner une nouvelle vie.

Avec son humour très particulier, Skinner lui annonçait que la direction de Candy Store avait été neutralisée et que l'organisation était prête pour sa nouvelle vie, aux mains de la triade chinoise.

Fogg ferma le courriel puis envoya un message au chef de la triade. Moins d'une minute plus tard, un montant de deux cent quarante millions apparut dans un compte bancaire au Lichstenstein. Il y demeura quelques minutes, le temps que Fogg expédie une adresse Internet à l'acheteur et que ce dernier télécharge les informations qui s'y trouvaient. L'argent fut alors libéré du compte temporaire et réparti dans une dizaine d'autres comptes. Puis, l'instant d'après, le compte temporaire fut fermé et toute trace de son existence effacée.

— Voilà une bonne chose de faite, murmura Fogg.

Il ouvrit un document qui contenait les principales informations stratégiques sur Candy Store : points de vente, lieux de production et fournisseurs, filières de transport de drogue et d'argent, liste des personnes impliquées à un haut niveau dans l'organisation, hommes politiques contrôlés par la filiale…

Après avoir relu le document, il le referma avec un sourire de satisfaction et il en expédia une version électronique à F.

Comme il la connaissait, elle ne tarderait pas à l'appeler.

HEX-RADIO, 10 H 38

> … ON NOUS TRAITE EN DEMEURÉS ! ON NOUS MENT. ON NOUS CACHE LA VÉRITÉ SOUS PRÉTEXTE QU'ON N'EST PAS ASSEZ ÉQUIPÉS, CÔTÉ *BRAIN*, POUR FAIRE FACE À LA MUSIQUE… VOUS SAVIEZ ÇA, VOUS AUTRES, QUE LES CATHÉDRALES, C'ÉTAIT JUSTE LE DÉBUT ? QUE LES ISLAMISTES SE PRÉPARAIENT À ATTAQUER TOUTES NOS INSTITUTIONS CULTURELLES ?… EN TOUT CAS, C'EST CE QUE DISENT LES RUMEURS SUR INTERNET. APRÈS LES ÉGLISES, ÇA VA ÊTRE LES THÉÂTRES, LES CINÉMAS, LES BIBLIOTHÈQUES, LES ÉCOLES, LES POSTES DE RADIO ET DE TÉLÉ…

DRUMMONDVILLE, 10 H 40

— Vous n'allez pas vous plaindre de ma collaboration, j'espère ! dit Fogg.

Sur l'écran, son visage affichait un mince sourire.

— Pour l'instant, répondit F, j'exécute votre travail à votre place en éliminant vos adversaires.

— Mes alliés, vous voulez dire !

Fogg amorça un petit rire qui se termina par une quinte de toux.

— Prochain contact quand ? demanda F.

— Ce ne sera pas très long. J'ai déjà commencé à examiner la situation d'une autre filiale.

Après avoir coupé la communication, F se tourna vers Dominique, qui feuilletait les documents transmis par Fogg. La page qu'elle lisait contenait une liste de noms de villes ; chaque nom était suivi d'une série de caractères alpha-numériques. Un court paragraphe, dans le haut de la page, expliquait qu'il s'agissait des codes d'identification de conteneurs qui arriveraient dans différents ports américains au cours des prochains jours. Chaque numéro était suivi du nom d'un navire.

Dominique releva les yeux vers F et lui demanda, mi-incrédule :

— C'est vraiment ce que je pense ?

— On dirait bien.

— C'est presque trop beau pour être vrai. Le réseau couvre la planète. On a tout : des numéros de conteneurs des livraisons en cours jusqu'aux réseaux de distribution et d'approvisionnement !

— Tu as des raisons de douter des informations ?

— Pas pour l'instant… Mais c'est quand même bizarre. On dirait que Fogg… On dirait qu'il travaille vraiment pour nous.

F sourit.

— Crois-moi, dit-elle, Fogg n'est pas un agent de l'Institut ! Ne commets jamais l'erreur de le sous-estimer.

— Qu'est-ce qu'on fait des informations ? On n'a pas les moyens d'utiliser ça !

— Pas dans des délais aussi courts.

— Ça pourrait nous acheter pas mal de collaboration dans d'autres agences…

— Tu les enverrais à qui ?

— À monsieur Claude…

— Pour ce genre d'affaire, les Américains me semblent mieux placés. Je demanderais à Blunt de les envoyer à Tate sans attendre. Et de lui donner seulement quelques jours pour agir… Mais je lui dirais que, passé ce délai, tout va se retrouver à la une des médias avec la mention que la NSA était au courant : ça devrait le motiver.

— D'accord.

— J'enverrais aussi à Blunt une photo de l'objet en corde que Théberge a trouvé. Des fois que ça lui ferait penser à quelque chose…

Puis elle ajouta avec un sourire :

— Évidemment, tu fais ce que tu veux.

LONGUEUIL, 11 H 17

Victor Prose entra au cégep en compagnie de Grondin. C'était le compromis auquel ils étaient arrivés après avoir longuement discuté : Prose ne voulait rien savoir de renoncer à ses activités, mais il acceptait que Grondin l'accompagne, habillé en civil.

Ils se rendirent dans le bureau de Prose. Ce dernier s'installa derrière son bureau, laissant à Grondin une petite table avec une chaise, en retrait dans un coin. Grondin ouvrit un livre. Prose commençait à peine à revoir ses notes pour le prochain cours lorsqu'un étudiant entra.

En s'ouvrant, la porte dissimula Grondin à la vue de l'étudiant. Ce dernier s'avança jusqu'au bureau de Prose.

— Je viens pour négocier les notes, dit-il.

— Quelles notes ? demanda Prose.

— J'ai été délégué par la classe pour négocier la moyenne et l'écart type.

— Vous ne préférez pas négocier le Z-score du groupe, tant qu'à faire ?

L'étudiant hésita un moment, déconcerté à la fois par la réponse et par le sourire amusé de Prose.

— On a droit à un cours de qualité, reprit-il. C'est dans la nouvelle charte des droits des étudiants.

— Bien sûr.

— Et si le cours est de qualité, ça veut dire que la grande majorité des étudiants va passer et qu'on va avoir des bonnes notes.

— C'est ce que vous allez avoir si vous travaillez et si vous comprenez la matière.

— Si la moyenne de la classe est en bas de celle des autres groupes, c'est pas normal.

— Ça peut dépendre de la classe.

— Comment ça, la classe ? fit l'étudiant, comme si Prose avait évoqué une explication horriblement complexe.

— Dans votre classe, la plupart ont obtenu leur diplôme de secondaire de peine et de misère.

— Pis ? On l'a, le papier ! Qu'est-ce qu'il faut de plus ?

Il était de toute évidence décontenancé. Il ajouta ensuite sur un ton théâtralement confiant et détaché :

— Moi, j'y peux rien… mais si on n'a pas d'entente, ça risque d'être moins drôle quand les étudiants vont faire ton évaluation, à la fin de la session.

— Est-ce que c'est du chantage ?

— C'est pas du chantage, c'est la démocratie. La majorité a toujours raison.

Prose tourna les yeux en direction du policier, derrière l'étudiant.

— Je vous présente monsieur Grondin.

Le jeune se tourna à son tour vers Grondin et se figea, stupéfait.

— Vous êtes « le » Grondin ?… Je veux dire, vous êtes un des Clones ?

— C'est moi, répondit Grondin après une hésitation.

— Est-ce que vous êtes à l'école à cause de la *dope* ?

— Monsieur Grondin est un ami, se dépêcha de répondre Prose. Il n'est pas ici en tant que policier. On s'intéresse tous les deux aux problèmes environnementaux et…

L'étudiant ne le laissa pas terminer.

— Comme ça, vous connaissez une vedette ! s'exclama-t-il en se tournant vers Prose.

Puis il revint à Grondin :

— J'ai une collection de vidéos de vous et de Rondeau. Toutes les semaines, je fais le tour des sites qui vous concernent… Vous pouvez me donner un autographe ?

— Le SPVM n'encourage pas le vedettariat, se contenta de répondre Grondin, qui luttait pour ne pas se gratter trop furieusement l'intérieur de la main gauche.

— *Too bad…*

L'étudiant tourna les talons et se dirigea vers la porte. Avant de sortir, il se retourna vers Prose et lui lança :

— Pour les notes, pensez-y ! Quand on est une vedette, on peut pas se permettre d'avoir une mauvaise image !

LONDRES, 16 H 29

Sam regarda son iPhone et lut le message qui s'affichait à l'écran. Puis il remit l'appareil dans la poche de son veston et se tourna vers Moh.

— C'est Dominique, dit-il. Changement de programme. Il faut être à Charles-de-Gaulle avant huit heures demain matin.

Il fit démarrer la limousine et passa devant l'entrée de St. Sebastian Place. Moh l'interrogea du regard.

— Ils viennent de trouver Gravah, fit Sam. À Paris. Il y a des billets d'avion réservés à son nom.

— Est-ce qu'elle est sûre que c'est le bon Jean-Pierre Gravah ?

— Il y a trois réservations : une au nom de Jean P. Gravah pour un vol en direction de Buenos Aires ; une deuxième au nom de Jean-Pierre Gravah vers Singapour ; et une troisième au nom de Pierre Gravah pour Londres… Ce serait surprenant que ce soit une coïncidence.

La tactique était coutumière. Réserver trois ou quatre billets et choisir à la dernière minute lequel sera utilisé.

Ceux qui voulaient pousser les mesures de sécurité un cran plus loin engageaient des gens pour utiliser les autres billets. De la sorte, si quelqu'un effectuait une recherche après coup, ça brouillait les pistes : tous les billets avaient été utilisés.

CNN, 11 H 35

> … ATTENTAT EN PLEIN CŒUR DE LONDRES. TROQUANT LES BOMBES POUR LE POISON, LES TERRORISTES ONT EMPOISONNÉ LES ALIMENTS D'UN GROUPE DE CLIENTS QUI ÉTAIENT RÉUNIS POUR UN PETIT DÉJEUNER D'AFFAIRES AU CHIC HÔTEL ST. MICHAEL.
>
> DANS UN MESSAGE TRANSMIS À CNN, LE GROUPE S'EST IDENTIFIÉ SOUS LE NOM DE DYING PLANET. DÉCLARANT SUIVRE L'EXEMPLE DES ENFANTS DE LA TERRE BRÛLÉE, IL AFFIRME VOULOIR S'ATTAQUER À L'HYPERBOURGEOISIE MONDIALE ET À SES VALETS LOCAUX PARTOUT OÙ L'OCCASION SE PRÉSENTERA. LES PRINCIPALES PERSONNES VISÉES SERONT, ET JE CITE : « … CELLES QUI S'ABRITENT DERRIÈRE DES ENTITÉS ABSTRAITES ET DES SOCIÉTÉS ANONYMES À RESPONSABILITÉ LIMITÉE POUR METTRE À SAC LES RICHESSES DE LA PLANÈTE, DÉTRUIRE LA NATURE, EXPLOITER LES TRAVAILLEURS ET HUMILIER LES PEUPLES EN DÉTRUISANT LEUR CULTURE » …

FORT MEADE, 11 H 38

Tate examinait les informations que Blunt lui avait expédiées. C'était une occasion unique de gagner des points auprès de Monroe, à la DEA. Il décida de l'appeler sur sa ligne personnelle.

— Monroe !

— Ici Tate, j'ai un cadeau pour toi.

— Un instant, je déclenche les systèmes de protection… Bon, ça y est, tu peux parler.

— Homme de peu de foi !

— À Washington, personne ne fait de cadeaux.

— Je ne suis pas exactement à Washington.

— Alors, c'est quoi, l'attrape ?

— Une opération clés en main. Un réseau mondial : des points d'approvisionnement jusqu'aux réseaux de distribution. Les filières bancaires, les adresses des entrepôts…

— Ça n'existe pas. Les seuls réseaux de ce genre-là, c'est ceux qu'on a installés nous-mêmes ! Et ils sont dans des pays amis ! Pas question d'aller y mettre nos gros sabots !

— Je te jure que le Pentagone n'a rien à voir dans ce réseau-là. Ni la CIA.

— Si tout est prêt, pourquoi est-ce que tu t'en occupes pas toi-même ?

— La *dope*, aux dernières nouvelles, c'était encore ta juridiction.

— Si la NSA se met à respecter les juridictions, là, je suis vraiment inquiet !… C'est quoi, la prochaine étape ? Vous allez arrêter les écoutes illégales ?

Tate ignora la remarque.

— Il faut que la première phase soit bouclée d'ici quatre jours, dit-il. Et comme c'est une opération à la grandeur de la planète… Franchement, je ne suis pas équipé pour ça.

— Et si ça tourne mal, c'est moi qui encaisse !

— Si tu veux, on peut faire une opération conjointe : tu dis que les renseignements viennent de la NSA et que tu t'occupes des opérations. Si ça dérape, tu pourras toujours me mettre la faute sur le dos.

— Et pourquoi quatre jours ? On n'a jamais monté d'opération en quatre jours.

— Dans quatre jours, tout va sortir dans les médias. Avec une note comme quoi on avait l'information et qu'on n'a pas bougé… Moi, je ne pourrai pas faire autrement que de dire que j'ai acheminé l'information aussitôt que je l'ai eue.

— T'es encore plus pourri que je pensais !

— Je n'ai pas eu le choix : les informateurs exigeaient que tout se fasse en deux jours. J'ai réussi à négocier quatre.

— Écoute, aujourd'hui, j'ai une journée de fou. On peut regarder ça ensemble demain matin.

— D'accord. Et quand tout va être fini, tu vas me remercier.

Tate riait encore quand son principal adjoint, Jim Spaulding, entra dans son bureau et déposa un dossier devant lui.

— C'est confirmé, dit Spaulding. Contamination par un champignon… À première vue, c'est la même chose qu'en Inde.

— Vous avez fait isoler la zone ?

— Un demi-kilomètre de chaque côté de la route. Trente kilomètres de long. Tout a été rasé.

— Toujours pas de nouvelles des terroristes qui ont répandu le champignon ?

— Rien.

C'était une bonne stratégie : laisser monter la pression avant de formuler des demandes… À moins qu'il n'y ait pas de demandes. Que ce soit le début de la guerre.

— Les équipes de décontamination du FBI sont déjà à l'œuvre, reprit Spaulding. Elles vont nettoyer une zone tampon d'un kilomètre supplémentaire autour des secteurs rasés.

Tate ouvrit le dossier et le parcourut rapidement.

— Paige est au courant ?

— Le FBI s'est dépêché d'agir avant que Paige ait le temps de prendre le contrôle des opérations.

Tate sourit.

— Ça va être intéressant à suivre !

Une fois seul dans son bureau, Tate téléphona à Blunt. À la fois pour le remercier des informations sur le réseau de drogue et pour le tenir informé des développements sur la contamination.

Il en profita également pour lui dire qu'il avait augmenté son temps d'accès aux banques de données. Cela serait interprété comme un geste de confiance. Et surtout, il préférait que Blunt travaille à partir de l'accès qu'il lui accordait : les services internes pouvaient surveiller plus facilement ce qu'il faisait.

Banlieue de Londres, 17 h 01

Tous les directeurs étaient réunis dans un chalet attenant à un club de golf qui appartenait à GDS. Fogg n'avait pas eu besoin de mentionner que c'était une réunion d'urgence : l'isolement des filiales, déclenché quelques heures plus tôt, constituait une indication suffisamment explicite.

Comme à l'habitude, seule son ombre se découpait sur l'écran.

— La réunion sera courte, déclara Fogg d'entrée de jeu. Compte tenu de l'attaque contre Candy Store, toutes les filiales vont désormais fonctionner de façon isolée. Les seuls liens maintenus sont les liens d'affaires avec Safe Heaven et GDS.

— La réaction n'est pas excessive ? demanda Tomas Gelt, le directeur de Safe Heaven.

— Je vous rappelle que toute la direction de Candy Store a été éliminée d'un coup. Cela signifie que les attaquants avaient de l'information privilégiée. Probablement quelqu'un qui occupait un des postes de direction de Candy Store... Ce ne serait pas responsable de prendre le risque que la contamination s'étende.

— Vous croyez que notre comité pourrait être infiltré ?

— Je ne crois rien. Je prends des mesures de protection en fonction de ce qui pourrait arriver de pire. Nous avons déjà perdu Paradise Unlimited. Et maintenant, Candy Store... Je ne compte pas Meat Shop, qui n'existerait plus sans le magnifique travail de reconstruction de madame Hunter. C'est à se demander si l'épisode Heldreth n'a pas laissé des traces plus profondes qu'on le croyait.

— Il n'y a aucune preuve que ce soit relié, répliqua vivement Jessyca Hunter.

— Vous avez raison. Mais il n'y a aucune preuve que ça ne le soit pas. Je vous demande donc à tous d'appliquer la procédure d'urgence et de maintenir la mise à jour en continu de votre site de relève plutôt que de faire une sauvegarde une fois par vingt-quatre heures. Il faut que vous soyez en situation de prendre la relève des opérations, vous ou votre adjoint, quels que soient les événements qui affectent votre bureau central.

En termes crus, cela équivalait à prendre des dispositions pour que tout puisse continuer à fonctionner normalement si jamais ils étaient assassinés et que leur bureau était détruit.

— C'est une mesure temporaire, je présume ? fit Gelt sur un ton acide.

— Temporaire jusqu'à ce que la lumière soit faite sur ces attaques. Étant donné la situation, il se peut également que certaines filiales se voient offrir leur autonomie plus rapidement que prévu.

— Est-ce que la décision finale a été arrêtée sur les filiales qui seront privatisées ?

— Comme je vous l'indiquais dans mon dernier message, les seules qui sont exclues d'office du processus de privatisation sont GDS et Safe Heaven. Pour les autres, les évaluations sont en cours. Une chose est cependant assurée : dans tous les cas de privatisation, les équipes de direction seront les premières à qui les filiales seront offertes. À un prix avantageux.

— Et les conditions de fonctionnement ?

— Tarif corporatif privilégié pour les services de Safe Heaven et de GDS, comme si les filiales faisaient encore partie du Consortium. Possibilité de *joint venture* avec le Consortium dans certains projets… Ce qui vous sera proposé, c'est une sorte de partenariat Consortium-privé, sur le modèle des partenariats public-privé. Mais sans les tracasseries qu'occasionne habituellement la présence de fonctionnaires et d'hommes politiques.

Autour de la table, quelques sourires retenus s'esquissèrent.

RDI, 12 H 07

… A NIÉ CONSIDÉRER VICTOR PROSE COMME UN SUSPECT. LES POLICIERS CRAINDRAIENT PLUTÔT UN NOUVEL ATTENTAT CONTRE SA PERSONNE. TOUJOURS SUR LA SCÈNE POLICIÈRE, LE CORPS RETROUVÉ DANS UNE USINE D'ÉQUARRISSAGE CONTINUE DE MYSTIFIER LES POLICIERS. LE CORPS AYANT ÉTÉ CONSIDÉRABLEMENT *PROCESSÉ*, POUR REPRENDRE LA FORMULE EMPLOYÉE PAR LE PITTORESQUE INSPECTEUR RONDEAU, LES POLICIERS AURAIENT PEU D'ESPOIR DE PARVENIR À IDENTIFIER LA VICTIME…

LONDRES, SWISSÔTEL THE HOWARD, 19 H 24

Hurt était installé à la table isolée, au bout du comptoir du bar de l'hôtel, juste devant le cabinet à whisky. Son casque d'écoute relié à l'ordinateur portable ouvert devant lui, il passait en revue une présentation PowerPoint sur l'état démographique, économique, social et politique de la planète. Toutes les informations étaient tirées du *CIA Fact Book*.

— Pourquoi se compliquer la vie ? avait dit Chamane. Si t'as juste besoin d'un dossier que tu peux utiliser comme couverture pour avoir l'air de faire quelque chose, je ne perdrai pas mon temps à t'en fabriquer un. On va prendre ce qui existe.

Il avait alors téléchargé le document de la CIA.

En biais, à une table située devant le comptoir, deux femmes discutaient. L'une était Joyce Cavanaugh. L'autre, Jessyca Hunter.

Dès qu'il l'avait reconnue, Hurt avait envoyé un courriel à Chamane pour qu'il prévienne l'Institut. Si les deux femmes se séparaient, il continuerait de suivre Cavanaugh. Mais, avec un peu de chance, l'Institut réussirait à envoyer quelqu'un pour prendre l'autre en filature à la sortie de l'hôtel.

Il avait ensuite continué de paraître absorbé dans la présentation Power Point. La tête penchée vers l'écran, appuyée contre sa main droite de manière à dissimuler ses traits, il semblait totalement pris par son travail. En réalité, grâce à son casque d'écoute, il se concentrait sur la discussion que captait le micro directionnel dissimulé dans l'ordinateur portable.

HEX-RADIO, 14 H 27

— DANS UNE CUVE D'ÉQUARRISSAGE, CALVAIRE ! POUR FAIRE DE LA BOUFFE À CHIENS ! ET ILS SONT OBLIGÉS DE NOUS APPELER À LA RADIO POUR NOUS LE DIRE PARCE QUE LES FLICS VOIENT RIEN PASSER !

— ÇA, C'EST LE PREMIER QU'ON EST AU COURANT : Y A RIEN QUI DIT QU'Y EN A PAS EU D'AUTRES AVANT.

— J'IMAGINE LES 'TITES MADAMES QUI VONT SE DEMANDER CE QUE LEURS TOUTOUS ONT MANGÉ AU COURS DES DERNIÈRES SEMAINES !

— PAS SEULEMENT LES TOUTOUS… Y A PLEIN DE VIEUX QUI EN MANGENT.

— T'ES DÉGUEULASSE !

— J'SUIS PAS DÉGUEULASSE. CE TRUC-LÀ, C'EST STÉRILISÉ, C'EST ÉPICÉ… C'EST MIEUX QUE PAS MAL DE *FAST FOOD*.

— T'EN MANGERAIS, TOI ?

— C'EST SÛR QUE POUR LE MONDE NORMAL, SI TU PEUX FAIRE AUTREMENT… MAIS QUAND T'ES PAUVRE, QUE T'ES VIEUX ET QUE T'ES RENDU AU MANGER MOU, C'EST UN CHOIX QUI SE DÉFEND.

— SI TU CONTINUES, LES BS VONT ENCORE ENVOYER UNE PÉTITION AU CRTC POUR FAIRE SAUTER TON ÉMISSION !

— QUAND T'AS LES BS CONTRE TOI, ÇA DOIT ÊTRE LE SIGNE QUE TU FAIS QUELQUE CHOSE DE CORRECT... MAIS T'AS RAISON, ON VA REVENIR À NOTRE SUJET.

— LES FLICS QUI ARRIVENT PAS À RIEN RÉGLER.

— FAUDRAIT PARTIR UNE NOUVELLE CHRONIQUE : « QUI LES FLICS ONT LAISSÉ TUER CETTE SEMAINE ? »

— ILS SERONT PAS CONTENTS SI TU LEUR METS LE NEZ DANS LEUR TAS.

— ILS ONT JUSTE À NETTOYER LA VILLE : ON LES PAIE PAS SEULEMENT POUR MANGER DES BEIGNES.

— EN TOUT CAS, ON DEVRAIT AU MOINS AVOIR UNE RUBRIQUE NÉCRO-LOGIQUE... NOMMER CHAQUE JOUR LES MORTS QUE LES FLICS ARRIVENT PAS À RÉGLER. POUR PAS QU'ON LES OUBLIE.

— AU BOUT D'UN AN, ON VA PASSER LA MOITIÉ DE L'ÉMISSION JUSTE À ÇA !

— C'EST QUAND MÊME DU DRÔLE DE MONDE QU'ILS ONT : UN TOURETTE, UN AUTRE QUI SE GRATTE PARTOUT...

— UN QUI PARLE AUX MORTS...

— FAUDRAIT FAIRE UNE ENTREVUE DE FOND AVEC LE NÉCROPHILE.

— SI TU VEUX MON AVIS, ÇA DONNERAIT UNE ENTREVUE DE FOND DE TONNE... PARAÎT QU'IL BOIT PAS MAL... C'EST UN GROS CLIENT DE LA SAQ.

— S'IL BOIT AUTANT QU'IL MAGOUILLE POUR AVOIR DES PRIVILÈGES...

LONDRES, 19 H 32

Toujours plongé dans sa présentation PowerPoint, Hurt continuait d'écouter la conversation de Cavanaugh et de Jessyca Hunter.

— Nos informateurs dans les principales mafias affirment qu'ils n'ont entendu parler de rien, fit Jessyca Hunter. Ni avant ni après l'exécution des responsables de Candy Store.

— Et vous croyez que c'est l'Institut qui est responsable de ce désastre ? demanda Cavanaugh.

Ainsi, quelqu'un d'autre s'attaquait au Consortium, songea Hurt. Est-ce que c'était une opération de l'Institut dont on ne lui avait pas parlé ? Compte tenu de ses rapports avec eux, c'était bien possible. Sinon... Sinon ça ne pouvait venir que d'un autre groupe criminel.

Il n'avait pas le choix : il faudrait qu'il en discute avec quelqu'un de l'Institut.

— Ce serait tout à fait dans son style, reprit Hunter. Ce n'est pas la première fois qu'on découvre sa trace dans une attaque contre une de nos filiales. Pensez à la campagne qu'il a menée contre Meat Shop.

Hurt sourit. Il avait un souvenir très vif de ces opérations. Puis ses traits redevinrent sérieux. Steel avait repris le contrôle. Il importait de ne pas avoir de réactions qui attireraient l'attention sur lui, de se concentrer sur son rôle d'homme d'affaires occupé à retravailler une présentation.

— Vous n'avez aucune preuve.

— Je sais, admit Hunter. Mais cette façon d'éliminer la tête de l'organisation…

— J'imagine que Fogg va trouver le moyen de régler ce problème.

— Peut-être qu'il va faire appel à son mystérieux informateur…

— Quel informateur ?

— Il prétend que plusieurs agents de l'Institut ont survécu et qu'ils ont réussi à se regrouper.

— C'est aussi ce que nous pensons…

— Sauf que lui, il affirme avoir établi un contact avec un des survivants.

— Ça, il ne nous l'avait pas dit ! Ça expliquerait pourquoi il tient à ce que Skinner passe autant de temps au Québec.

— La raison qu'il nous a donnée, fit Hunter, c'est que Skinner va se servir des anciens contacts de l'Institut pour remonter jusqu'à F… ou à la personne qui la remplace si elle est morte.

Puis elle ajouta, sur un ton agacé :

— Mais les gens de l'Institut ne sont quand même pas assez stupides pour rester au Québec avec tout ce qui s'est passé là-bas ! Ils ont failli être éliminés !

— À moins que ce soit précisément leur raisonnement !

À l'intérieur de Hurt, Steel avait de plus en plus de difficulté à maintenir le calme. Nitro avait failli exploser en entendant Cavanaugh mentionner l'existence d'un contact de Fogg à l'intérieur de l'Institut. Il voulait se précipiter sur la femme pour la forcer à dire de qui il s'agissait.

Steel parvint tout de même à rétablir un certain ordre. Pour l'instant, il fallait en apprendre le plus possible. On déciderait ensuite de ce qu'il convenait de faire de l'information.

Vingt-quatre minutes plus tard, Hurt recevait un courriel de Chamane. Dominique avait utilisé Finnegan, un des contacts de l'Institut au MI5. Des hommes étaient postés à l'extérieur de l'hôtel pour prendre Hunter en filature.

Le message ramena Hurt à la question de la taupe à l'intérieur de l'Institut. À qui pouvait-il faire confiance ?

Parmi ceux qui constituaient le noyau central, tous paraissaient au-dessus de tout soupçon. Mais est-ce que ce n'était pas justement le propre d'une taupe de rivaliser avec les autres en matière d'orthodoxie et de comportement irréprochable ?

Peut-être la taupe était-elle la personne la moins soupçonnable ?

Montréal, 14 h 39

Théberge regardait la ville par la fenêtre de son bureau. Mais il regardait sans voir. Son esprit était accaparé par sa conversation téléphonique avec l'homme du PM.

— Il faut qu'on puisse démentir qu'il s'agit d'un autre attentat relié au terrorisme, fit la voix de Morne.

— Même si c'est la seule hypothèse qui a du sens ? répliqua Théberge. Pour quelle raison quelqu'un essaierait de descendre un prof de cégep qui écrit des livres qu'à peu près personne ne lit ?

— C'est à vous de le trouver. Il a peut-être un squelette dans son placard… Une étudiante qu'il a harcelée.

Ou bien il a couché avec la femme d'un collègue…
Peut-être que c'est lui-même un terroriste…

— Vous lisez trop de romans policiers !

— Et vous, vous ne lisez pas assez les sondages. La
population est inquiète. Et quand la population est inquiète, les politiciens sont inquiets.

— Pour leurs votes, oui.

— Le terrorisme n'est pas quelque chose que l'on
peut prendre à la légère.

— Pour ça, il y a la GRC et le SCRS.

— Il y a aussi cette histoire de cadavre retrouvé dans
une usine d'équarrissage. Vous l'avez identifié ?

— Avec ce qui restait…

— Pour reprendre les mots du premier ministre, ça fait
terriblement désordre.

— Je promets de réutiliser l'expression, fit Théberge,
sarcastique. Je suis sûr que ça fera un très bel effet dans
un rapport.

— Je pensais que nous avions établi une relation cons-
tructive.

— Si vous me disiez clairement pourquoi vous m'appelez au lieu de me resservir votre salade sur les angoisses
ministérielles.

Un silence suivit.

— D'accord, fit Morne. J'aimerais avoir votre avis sur
une information qui a été portée à notre connaissance.

— C'est ce que vous appelez être clair ?

— Je parle d'une information de HEX-Radio comme
quoi les principales cibles des terroristes seraient désormais des institutions culturelles. Il s'agit d'une information
qu'ils affirment avoir trouvée sur plusieurs sites Internet.

— Comment voulez-vous que je vérifie ça ?

— Ça vaudrait quand même la peine d'essayer, non ?

— On en a déjà par-dessus la tête avec l'attentat
contre le laboratoire de BioLife Management et l'histoire
de l'usine d'équarrissage. Alors, les élucubrations de
HEX-Radio…

— Je veux bien croire que le saccage d'un laboratoire
vous préoccupe ; mais une menace contre des institutions

qui sont le symbole de notre vie collective, c'est quand même autre chose. Il n'y a pas de commune mesure entre les deux.

— Vous voulez dire qu'il y a des morts qui sont importants et d'autres qui le sont moins? ironisa Théberge.

— Humainement, bien sûr que non. Mais symboliquement... Si on commence à s'en prendre aux gens ordinaires plutôt qu'aux capitalistes et aux hommes politiques... Si on s'attaque aux écoles, aux bibliothèques publiques, aux hôpitaux...

— Je suis d'accord avec vous : les politiciens, ce serait un moindre mal !

OTTAWA, 16 H 22

Le premier ministre du Canada, Jack Hammer, faisait les cent pas en attendant l'arrivée de l'ambassadeur américain. Pour l'instant, il était loin de dégager l'impression d'assurance tranquille et souriante qu'il se faisait un devoir d'afficher en public. Et plus loin encore de la force brutale et obtuse à laquelle les caricaturistes avaient associé son nom : celle d'un marteau-piqueur.

« Une force brute, une zone d'impact limitée et un acharnement aveugle », avait résumé un caricaturiste au cours d'une entrevue.

La remarque avait été reprise brièvement par les médias, frileux à l'idée de véhiculer une caricature portant sur le nom d'une personne. Mais elle s'était propagée sur Internet, plusieurs internautes s'amusant à développer la métaphore, à y ajouter textes et dessins...

Quelques jours plus tard, un blogueur avait évoqué les accointances de Hammer dans l'industrie pétrolière. L'amalgame s'était fait et le surnom s'était alors imposé : Jack « the Drill » Hammer.

Pendant qu'il faisait les cent pas dans son bureau, le premier ministre était cependant loin de manifester cet amalgame d'acharnement obtus, souriant et imperméable à la critique que lui reconnaissaient à la fois ses admirateurs et ses détracteurs. Pour qualifier son attitude, il aurait plutôt fallu employer la rhétorique que Hammer lui-même avait utilisée pour caricaturer et détruire son dernier adversaire politique : un mélange d'impuissance et de frustration mal dissimulée.

L'ambassadeur américain lui avait annoncé qu'il venait le rencontrer à son bureau. Cela avait forcé Hammer à retarder sa participation à un souper-bénéfice prévu depuis des mois. Tout de suite après la rencontre, il faudrait qu'il prenne un hélicoptère. Et encore, il arriverait tout juste pour le plat principal. Ça l'obligerait à rester une heure ou deux en soirée, pour que les invités ne se sentent pas floués. Le parti ne pouvait pas se permettre de mécontenter ses principaux donateurs.

Quand l'ambassadeur Petrucci entra dans la pièce, il affichait son sourire de combat.

— Désolé de bousculer votre horaire, dit-il. J'espère que vous n'aviez rien de trop important.

Au moins, il faisait mine d'être poli, songea Hammer.

— Il a fallu que je retarde une activité avec des militants, dit-il.

— Bien. On ne les fera donc pas attendre plus que nécessaire. J'irai droit au but. Nous allons fermer la frontière à tous les produits agricoles et alimentaires canadiens. Y compris le bétail.

— Quoi !

— Bien sûr, on demandera votre collaboration. Si vous le désirez, on peut même présenter ça comme une décision conjointe.

— Mais pourquoi ?

— La nouvelle maladie qui attaque les céréales… Le lobby des producteurs de blé met de la pression sur le Sénat et sur le Congrès. Il y a un rapport non officiel qui circule sur le « champignon canadien ». Le Président va devoir montrer qu'il fait quelque chose. Il y en a qui lui reprochent déjà d'être trop ouvert sur la question du libre-échange !

— Mais… c'est de chez vous que vient la contamination !

— D'après ce qu'on sait pour le moment.

Le ton de l'ambassadeur impliquait que d'autres éléments d'information étaient sur le point d'être rendus publics.

— Mais… ça ne peut pas venir de chez nous !

— Comment pouvez-vous en être sûr ? Absolument sûr, je veux dire… Il y a des rumeurs qui circulent dans les corridors, au Pentagone. Ce n'est qu'une question de temps avant qu'elles se propagent au Congrès et dans les médias.

— Et si c'est votre blé qui contamine le nôtre ?

— Raison de plus pour fermer la frontière, non ?

— Et le vent ? Si c'est le vent qui amène la contamination chez nous… Est-ce que vous allez nous donner une compensation ?

— Croyez-moi, vous ne désirez pas aller devant une cour internationale avec ce genre d'argument, fit l'ambassadeur sans perdre son sourire.

— Si la contamination a pu avoir lieu dans un sens, elle peut avoir eu lieu dans l'autre.

— Si vous nous provoquez, il va y avoir des pressions pour qu'on ferme la frontière complètement.

Le sourire de Petrucci s'élargit, mais le ton de sa voix se durcit et son débit se ralentit progressivement.

— Vous savez bien que vous ne pouvez pas vous le permettre, ajouta-t-il sur un ton presque chaleureux. Il faut vous habituer à l'idée : vous avez besoin de nous et nous pouvons nous passer de vous.

— Je n'aurai peut-être pas le choix.

— Ce serait le premier cas de suicide économique d'un pays.

— Je vous imagine mal vous passer de notre pétrole et de notre électricité. Sans parler des projets de terminaux méthaniers et d'exportation d'eau.

La voix de Petrucci perdit toute trace d'amabilité.

— Pour l'instant, on vous permet de sauver la face. Notre nouveau président aime bien faire ami-ami avec le reste de la planète. Mais nos intérêts, eux, n'ont pas changé. Il ne faudrait pas jouer avec les nerfs des représentants au Congrès. Juste de savoir que vous avez évoqué ces menaces… Il faut vous rendre à l'évidence : vous n'êtes pas l'Iran ni l'Irak. Votre population est douillette et vous ne trouverez jamais de volontaires pour jouer aux martyrs avec une ceinture de bombes. Votre plus gros moyen de pression, c'est les deux ou trois centrales syndicales qui vont adopter une proposition condamnant les États-Unis. Peut-être qu'elles vont aller jusqu'à organiser une manifestation et distribuer des tracts ! Vous pensez vraiment que c'est avec ça… ça et une flopée d'illuminés qui sont tous fichés, que vous allez pouvoir vous opposer ?… Croyez-moi, une opération pour sécuriser nos approvisionnements serait une promenade de santé. Et trouver des politiciens canadiens pour justifier après coup notre intervention prendrait au plus quelques heures ! Vous n'avez pas le choix : c'est dans votre intérêt de vous contenter de votre statut de « tiers monde de luxe » des États-Unis. Et quand je dis « votre » intérêt, je parle aussi de votre intérêt personnel. Imaginez comment réagiraient vos amis du secteur pétrolier, si vous menaciez de réduire leurs ventes en direction de notre pays ! Quelque chose me dit que les contributions à votre caisse électorale s'amenuiseraient… Et cela, c'est sans compter tous ces postes qui vous attendent dans différents CA après votre carrière politique.

L'ambassadeur retrouva brusquement son sourire.

— Les Américains sont un peuple sentimental : ils sont prêts à accorder à votre pays une rente généreuse en échange de vos richesses naturelles si vous leur laissez croire qu'ils sont *fair-play*, qu'ils vous aident à vous hausser à leur niveau. Mais si vous les provoquez…

Son sourire s'élargit.

— Ne vous inquiétez pas. Je ne mettrai pas en péril l'entente que nous allons signer en évoquant ces remarques qui ont certainement dépassé votre pensée.

HAMPSTEAD, 21 H 43

Hurt avait suivi sans trop de mal Joyce Cavanaugh jusqu'à un édifice à logements de grand luxe situé dans une banlieue où l'on avait pris le soin de laisser le plus d'arbres possible. L'édifice était situé au fond d'un immense parc.

À travers le zoom de sa caméra, Hurt vit la voiture de Cavanaugh disparaître dans un garage souterrain. Il prit quelques photos de l'édifice et les expédia à Chamane en lui demandant de voir les renseignements qu'il pouvait trouver sur cette maison.

La réponse lui parvint quelques minutes plus tard sous la forme d'un plan des environs, accompagné d'un bref message.

> Demain matin, je fouille dans les banques de données et je te reviens.

AFP, 17 H 02

... LE MYSTÈRE DE LA DISPARITION D'ANTOINE LIORET, APRÈS LE CARNAGE À L'HÔTEL ST. MICHAEL, N'A PAS TARDÉ À ÊTRE ÉLUCIDÉ. SON CORPS A ÉTÉ DÉCOUVERT EN FIN D'APRÈS-MIDI DANS L'ENCLOS DES OURS, AU ZOO DE LONDRES. DES PIÈCES D'IDENTITÉ RETROUVÉES DANS LES VÊTEMENTS DE LA VICTIME ONT PERMIS L'IDENTIFICATION DU CORPS.

UN NOUVEAU GROUPE TERRORISTE, *DYING PLANET*, A REVENDIQUÉ SON EXÉCUTION. DANS SON MESSAGE, LE GROUPE AFFIRME VOULOIR RÉPONDRE AU TERRORISME CORPORATIF QUI SACCAGE LA PLANÈTE PAR UN TERRORISME ANTICORPORATIF. *DYING PLANET*, QUI DIT S'INSPIRER DU GROUPE ÉCOTERRORISTE LES ENFANTS DE LA TERRE BRÛLÉE, ANNONCE DES ATTENTATS DANS TOUS LES PAYS DÉVELOPPÉS ET DÉCLARE COMPTER SUR LA PEUR POUR AMENER LES RESPONSABLES DU TERRORISME CORPORATIF À REVOIR LEURS PRATIQUES...

HAMPSTEAD, 21 H 49

June Messenger descendit de sa voiture à l'intérieur du garage, sous la résidence de Fogg. L'image de ses traits fut transmise à l'ordinateur, analysée et comparée à celle que l'appareil gardait en mémoire. La comparaison s'étant avérée positive, la porte menant à l'intérieur de la résidence s'ouvrit.

Messenger franchit la porte, enfila le corridor à sa droite et se dirigea vers le petit bureau-salon où Fogg l'avait reçue, les deux fois où elle s'était rendue chez lui.

Fogg l'accueillit debout, sans l'aide d'une canne. Sa poignée de main était assez énergique pour être convaincante. Sans doute tenait-il à afficher une image de vigueur retrouvée, songea-t-elle. À moins que sa maladie soit une mise en scène… Se pouvait-il qu'il ait joué la comédie durant des années pour paraître moins dangereux aux yeux des commanditaires du Consortium ?… À chaque « résurrection » de Fogg, elle se posait la question.

— Je vous ai préparé une synthèse de la situation, fit d'emblée Fogg.

— Sur Candy Store ?

— Globalement, tout est réglé. Les acheteurs sont entrés officiellement en possession de la filiale.

— J'ai vu de quelle manière vous avez disposé du problème de la direction.

— Un peu de diversion ne fait jamais de tort.

— Plutôt tapageur, non, comme diversion ?

— Précisément… Il faut créer l'impression qu'il y a différentes sortes de terrorisme. Inévitablement, les autorités en viendront à établir des priorités. En contrôlant ce qui fait le plus de bruit, on contrôle ce qui est au sommet de leurs préoccupations… De cette manière, les autorités policières et les agences de renseignements seront contraintes de consacrer moins de temps et d'énergie à nos activités les plus importantes.

Messenger ne pouvait qu'admirer la stratégie de Fogg – ce qui rendrait d'autant plus nécessaire son élimination, une fois son utilité révolue. Le Cénacle n'avait pas intérêt à laisser en vie un tel adversaire. Même vieillissant. Car il était évident que Fogg n'accepterait jamais la liquidation complète du Consortium. Ni d'être relégué à un poste honorifique pour les années qu'il lui restait à vivre.

— « Ces messieurs » sont chanceux de pouvoir compter sur un opérateur tel que vous, dit-elle.

Fogg se demanda si le choix du terme « opérateur » était volontaire, si c'était une façon subtile de le remettre à sa place en enrobant le tout dans un compliment ou si c'était un lapsus qui trahissait le mépris avec lequel elle le considérait.

— Pour ce qui est des autres filiales, dit-il, j'avais déjà annoncé au comité des directeurs notre décision d'en privatiser un certain nombre. Je les ai prévenus que notre échéancier serait peut-être légèrement devancé.

Messenger observa qu'il avait parlé de « notre » décision, comme s'il la faisait sienne et qu'il y adhérait. Cette démonstration de loyauté devait cacher quelque chose.

— Le choix logique pour la prochaine opération est Meat Shop, reprit Fogg.

— C'est pourtant la filiale qui fonctionne le mieux, objecta Messenger sans réussir à dissimuler complètement sa désapprobation. J'aurais cru qu'elle serait la dernière sur votre liste.

— Madame Hunter a effectivement réalisé un travail remarquable. C'est précisément pour cette raison qu'elle est un choix logique. Nous pourrons en tirer bien plus que de Candy Store… Quelques centaines de millions supplémentaires ne déplairont pas à « ces messieurs ».

— Je croyais tout de même que vous alliez commencer par les canards boiteux.

— N'ayez crainte, ils y passeront. Je n'oublie pas que le mandat que vous m'avez donné est de réduire le Consortium à son noyau dur : le bras financier, le bras armé et le bras médiatique. Il me reste cependant un problème à régler.

— Je croyais que c'était votre tâche de régler les problèmes pour qu'on puisse se concentrer sur les orientations.

— C'est exactement de cette façon que je conçois mon rôle. Mais j'ai cru saisir que madame Hunter avait un statut spécial à vos yeux.

— Vous désirez l'éliminer ? Comme Lioret ?

Fogg savoura la surprise que son interlocutrice n'avait pas pu empêcher de filtrer dans le ton de sa voix. Mais il n'en laissa rien paraître.

— Qu'est-ce qui a bien pu vous faire penser une telle chose ?

— Une impression… quelques réticences à l'occasion.

— Si je songe à l'enterrer, c'est plutôt de travail, reprit Fogg.

— Un meurtre à petit feu, quoi !

La voix de June Messenger trahissait maintenant un certain amusement.

— C'est précisément parce que j'ai besoin de madame Hunter de façon urgente, reprit Fogg, que j'ai décidé de liquider Meat Shop aussi rapidement. Et je vous rassure : ce n'est pas le fait qu'elle rêve de prendre ma place – et qu'elle ne se contente pas d'en rêver – qui va altérer mon jugement. J'y vois au contraire le signe d'une saine compétitivité et d'un bon sens du leadership.

Messenger l'écoutait en se demandant s'il disait cela uniquement pour la frime, s'il n'envisageait pas malgré tout de l'éliminer.

— Je peux savoir quels sont ces plans que vous avez pour madame Hunter ?

— Vous devez certainement vous en douter…

Il fit une pause pour goûter le malaise de son interlocutrice, qui ne voulait pas laisser croire qu'elle n'avait pas songé à la réponse, mais qui ne voulait pas non plus ouvrir son jeu.

— Elle aura amplement l'occasion de mettre en évidence ses nombreux talents, reprit Fogg. J'entends lui confier la mise sur pied de White Noise… On peut difficilement trouver un poste plus important, compte tenu des projets de « ces messieurs ».

Messenger devait admettre que c'était une manœuvre brillante. Tout en lui accordant une promotion, il l'enterrait de travail. Elle aurait peu de temps à consacrer à la prise de contrôle du Consortium.

— Une fois cette tâche remplie, conclut Fogg, comme s'il avait suivi le cours des pensées de Messenger, elle pourra se consacrer à l'avancement de sa carrière. De toute façon, j'ai un âge suffisamment avancé pour que « ces messieurs » jugent bientôt que je suis mûr pour la retraite.

Messenger n'arrivait pas à savoir si le sourire légèrement ironique de Fogg était une façon de dissimuler son admission qu'il aurait bientôt fait son temps ou si c'était une manière de laisser voir qu'il connaissait les plans de « ces messieurs » le concernant et qu'il s'en moquait parce qu'il avait les moyens de les déjouer.

— Je suis certaine que « ces messieurs » sauront toujours apprécier votre contribution à sa juste valeur, dit-elle.

— Pour ça, je leur fais totalement confiance, répondit Fogg, dont le sourire s'élargit. Totalement confiance.

BROSSARD, 17 H 11

En descendant de sa voiture, l'inspecteur-chef Théberge se sentait déprimé. La plupart des pistes ne menaient nulle part. L'interrogatoire des étudiants en médecine n'avait rien donné et le cadavre aux doigts coupés demeurait inconnu. Quant à l'Église de l'Émergence, elle n'existait que sur Internet. Son site était hébergé quelque part en Bulgarie. Ses seuls représentants étaient des pèlerins qu'on pouvait rencontrer sur les trottoirs, solitaires, étalant leurs messages sur des pancartes comme les travailleurs d'une grève oubliée qui persistent à afficher leurs revendications.

Quant à Hykes, s'il fallait en croire le témoignage des proches, il ne pensait qu'à son travail. C'était d'abord pour pouvoir poursuivre ses recherches sans contraintes qu'il avait refusé de vendre sa compagnie. L'argent ne l'intéressait pas. Toutes les personnes interrogées trouvaient ridicule l'idée qu'il ait pu vendre les résultats de ses recherches. Et encore plus impensable qu'il ait pu tuer quelqu'un.

Théberge fit quelques pas vers la porte, s'immobilisa, hésita un moment et retourna chercher une grosse mallette de cuir noir dans sa voiture.

— Tiens, tiens… murmura Skinner en observant Théberge, notre bon inspecteur apporte du travail à la maison.

La démarche du policier paraissait plus lourde, comme si son niveau d'énergie avait diminué. Skinner sourit. « La pression commence à faire effet », songea-t-il.

Quand Théberge referma la porte de la maison derrière lui, Skinner baissa ses jumelles, fit démarrer sa voiture et s'éloigna lentement.

Tout se déroulait de façon satisfaisante. Au travail, la pression augmentait. Quant aux médias, ils avaient commencé à s'intéresser plus sérieusement au policier. Dans quelques jours, Skinner ouvrirait un nouveau front : il s'occuperait personnellement de madame Théberge.

CBFT, 18 H 09

… QU'IL N'Y A AUCUN DANGER DE PÉNURIE DE CÉRÉALES AU PAYS, NI À COURT TERME NI DANS UN AVENIR PRÉVISIBLE. LE PREMIER MINISTRE HAMMER A PAR AILLEURS DÉNONCÉ LES SPÉCULATIONS IRRESPONSABLES DU CHEF DE L'OPPOSITION, L'ACCUSANT DE VOULOIR JOUER AVEC LA PEUR DES GENS À DES FINS ÉLECTORALES…

BROSSARD, 18 H 14

L'inspecteur-chef Théberge écoutait les informations de façon distraite en prenant un porto. C'était un écart à son régime, écart autorisé par madame Théberge, qui lui avait temporairement donné accès à la cave à vin ; la journée avait décidément été pourrie, les enquêtes piétinaient…

Une idée saugrenue lui passa par l'esprit : qu'est-ce que les enquêtes étaient en train de piétiner, quand on disait qu'elles piétinaient ? Quels plans de carrière, quelles possibilités d'avancement seraient foulés au pied ?… À moins qu'il s'agisse des réputations qui demeureraient salies… des injustices qui ne pourraient être réparées… des victimes à venir dont la vie ne pourrait être sauvée ?…

… LES MANIFESTATIONS DES FERMIERS AMÉRICAINS SE SONT POURSUI-VIES À LA SUITE DE LA DÉCISION DES AUTORITÉS DE BRÛLER PLUSIEURS KILOMÈTRES CARRÉS DE CHAMPS DE BLÉ…

Sur l'écran, les images de champs en flammes alternaient avec des séquences montrant des agents en combinaisons isolantes qui alimentaient l'incendie avec des lance-flammes.

Théberge songea brièvement à des images de films de science-fiction où des extraterrestres en scaphandres incendiaient la Terre. Puis il regarda sa montre : il était temps de syntoniser HEX-TV.

— Il y a de plus en plus d'affiches de l'UDQ, déclara à brûle-pourpoint son épouse sans lever les yeux de ses mots croisés. Et on n'est même pas encore en campagne électorale.

— Les politiciens sont en campagne électorale à longueur d'année.

— Tu penses qu'ils peuvent gagner ?

— Si ça arrive, je prends ma retraite. Une vraie retraite… Il n'est pas question que je travaille pour une administration de néandertaliens infatués de leurs mesquines et ridicules personnes.

> … L'INEFFICACITÉ MONUMENTALE DES FORCES POLICIÈRES ! LES ATTENTATS TERRORISTES ET LES CRIMES SE MULTIPLIENT. APRÈS L'ATTENTAT DE L'ORATOIRE SAINT-JOSEPH, OÙ TOUS LES HOMMES DE MAIN ONT ÉTÉ ASSASSINÉS ET OÙ ON N'A PLUS RIEN POUR REMONTER LA PISTE… APRÈS MONSIEUR X, QUI EST ALLÉ SE NOYER DANS UN FOUR… APRÈS LA FRANÇAISE QU'ON A LAISSÉE MOURIR DANS UN SILO ET LA DISPARITION DU PRINCIPAL SUSPECT… APRÈS LA TENTATIVE D'ASSASSINAT CONTRE VICTOR PROSE, QUI ÉTAIT CENSÉ ÊTRE SURVEILLÉ PAR LA POLICE ET QUI SAIT PEUT-ÊTRE DES CHOSES SUR LA FRANÇAISE… APRÈS TOUT ÇA, ON A MAINTENANT UN CADAVRE À MOITIÉ COMPOSTÉ DANS UNE CUVE D'ÉQUARRISSAGE !… ET QU'EST-CE QUE FONT LES FLICS ? IL Y EN A UN QUI SE GRATTE, UN AUTRE QUI DÉCONNE AU MICRO ET UN AUTRE QUI PARLE AUX MORTS !… SÉRIEUSEMENT, EST-CE QUE C'EST AVEC ÇA QU'ON PENSE QU'ON VA SE BATTRE CONTRE LE TERRORISME ?…

— C'est vrai, cette histoire de terrorisme, Gonzague ?

— Ça commence à ressembler à ça.

Madame Théberge leva brièvement les yeux dans sa direction puis replongea dans ses mots croisés.

> … DES FOIS, JE ME DEMANDE SI ÇA NE FAIT PAS LEUR AFFAIRE : PLUS IL Y A DE VIOLENCE, MOINS IL Y A DE CRIMES RÉSOLUS, PLUS LE

MONDE A PEUR ET PLUS ILS SONT PRÊTS À DONNER DU POUVOIR À LA
POLICE...

Théberge pointa la télécommande en direction de la télé.

— Le pire, dit-il avec humeur, c'est qu'il y a probablement des politiciens qui raisonnent exactement comme ça !

Il syntonisa RDI.

... PAS TARDER À INTENTER DES POURSUITES. DES PLAINTES ONT ÉTÉ
FORMELLEMENT DÉPOSÉES CONTRE LES DIRIGEANTS DE DIET'S PRO.
DANS SA DÉCLARATION...

> Pour que les superprédateurs puissent concentrer toute
> leur énergie sur leur tâche essentielle, qui est la régu-
> lation de la population mondiale, il faut qu'ils soient
> affranchis des problèmes techniques liés à la mise en
> œuvre de leurs décisions.
> En conséquence, pendant la période de transition, qui
> débute avec la mise en route de l'Apocalypse et qui
> s'étend jusqu'à la fin de l'Exode, il faut mobiliser une
> population aux compétences diversifiées pour assister
> les superprédateurs.
>
> Guru Gizmo Gaïa, *L'Humanité émergente*, 2- Les
> Structures de l'Apocalypse.

JOUR - 6

PARIS, CHARLES-DE-GAULLE, 8 H 23

À leur arrivée à l'aéroport Charles-de-Gaulle, Moh et
Sam furent accueillis par Olivier Renaud, le responsable
de la sécurité.

— Toujours au service de l'empire ? demanda le
Français.

— Toujours, répondit Sam en prenant son accent britannique.

— Il va bien falloir que quelqu'un se décide à vous
le dire.

— Que Madonna est la fille naturelle du prince
Charles ?

— Que votre foutu empire n'existe plus.

— Entre gens civilisés, on ne dit pas ce genre de
choses. Ce serait…

— *Shocking ?*

— *Precisely.*

Comme s'il s'avisait de la présence de Moh, Renaud lui tendit la main.

— Olivier Renaud.

— Massoud al-Massoud, fit Sam en guise de présentation pendant que Moh se contentait de le regarder droit dans les yeux et de lui serrer la main.

Renaud haussa légèrement les sourcils, attendant visiblement un complément d'information.

— Notre expert maison en terrorisme, compléta Sam.

L'euphémisme était suffisant. Renaud comprendrait que le travail de Moh consistait à infiltrer les groupes terroristes islamistes — ce qui était l'explication qu'il était le plus à même d'accepter.

— La photo que vous m'avez envoyée a permis d'identifier votre suspect, reprit le Français. C'est celui qui va à Londres.

— Et les autres billets ?

— Il y en a un qui a été réclamé. Monsieur Jean P. Gravah a un billet pour Singapour. Il a pris un billet de retour pour le lendemain de son arrivée.

— Et l'autre billet ?

— Celui pour Buenos Aires n'a pas encore été réclamé. Mais comme le vol part un peu plus tard...

— Tu as pu nous avoir des billets sur le même vol ?

— Vous allez partir vingt minutes après lui, mais son vol sera retardé à l'arrivée... J'ai contacté un collègue à Heathrow. Vous aurez le temps de le prendre en charge.

— Tu peux considérer que je t'en dois une, fit Sam.

— Occupez-vous de le mettre hors d'état de nuire. Ce sera bien suffisant.

Puis l'homme ajouta, autant pour lui-même que pour Sam :

— Foutus terroristes... Ils sont rendus à s'en prendre aux églises ! Ça va être quoi, ensuite ? Les maternelles ? Les hôpitaux ?

— Pour Notre-Dame de Paris, il y a du nouveau ?

— Ils ont trouvé le menu fretin. Comme par hasard, ils sont tous morts.

— C'est comme à Londres. Officiellement, l'enquête sur l'attentat à l'abbaye de Westminster se poursuit. Mais, en privé, le Yard dit qu'ils n'ont plus rien pour avancer. Ce qu'ils espèrent, c'est que le prochain attentat ne fera pas trop de victimes et que, cette fois, ils auront une piste.

— Les Américains disent la même chose. Mais, avec eux, on ne peut jamais être sûr.

— Ça…

— Allez, suivez-moi! Il n'y a pas de raisons pour que vous passiez à travers les contrôles… À Heathrow, quelqu'un vous prendra en charge pour éviter les formalités. Vous avez une voiture, là-bas?

— Oui.

— Parfait. Il vous conduira directement à votre véhicule.

Puis il ajouta, avec un sourire:

— Faire le détour par Paris pour aller de Londres à Heathrow, j'avoue que c'est la première fois que je vois ça!

Ni Moh ni Sam ne répondirent. Mais tous les deux pensaient que Renaud n'avait rien vu. Évidemment, il n'avait pas, comme eux, travaillé durant des années pour le Rabbin…

Paris, L'Étoile Manquante, 9 h 11

Chamane prenait un café crème à la terrasse de L'Étoile Manquante. Son ordinateur portable était relié au réseau wifi du café. Sur l'écran, une carte de Londres était affichée. Une succession rapide de zooms l'amena jusqu'à l'édifice de St. Sebastian Place.

Il envoya le plan des rues avoisinantes à sa banque de données, chez lui, puis il se leva quelques instants pour se rendre sur le trottoir, où il regarda des deux côtés de la rue… Aucune trace de Geneviève.

Il se rassit et entra une autre adresse Internet dans le logiciel. Une nouvelle succession de zooms fit apparaître un immeuble ressemblant à un édifice à logements qui aurait voulu se donner des airs de château. L'édifice était situé dans un immense parc, au cœur d'un quartier parsemé de boisés et de résidences luxueuses.

Chamane expédia également le plan de ce quartier à son ordinateur, chez lui. Puis, tout en continuant de jeter des coups d'œil rapides des deux côtés de la rue, il se rendit sur le site où l'on pouvait consulter les archives foncières de la ville de Londres. Il effectua une recherche sur les deux édifices.

Le premier était la propriété conjointe d'un certain Lord Hadrian Killmore et d'une compagnie privée : Émergence Building Management. Le deuxième appartenait en exclusivité à la même compagnie. Chamane saisit les deux pages de données et quitta le site des archives foncières.

Il se leva et se rendit de nouveau sur le trottoir : Geneviève n'arrivait toujours pas.

Il termina son café crème, en commanda un autre au serveur et il entra « Hadrian Killmore » sur Google. L'outil de recherche identifia plusieurs dizaines de milliers de mentions en une fraction de seconde.

Chamane commença à les parcourir. Une vingtaine de minutes plus tard, il avait réussi à construire une esquisse de la biographie de Killmore et il disposait de dix-neuf photos. Sur la plupart, le sourire était le même : poliment prédateur. Quant à sa vie, s'il fallait en croire les médias, elle se résumait à profiter de son héritage, à participer à des conseils d'administration, à faire des dons à des œuvres charitables et à soutenir des causes environnementales aux quatre coins de la planète.

Après avoir regardé sa montre, Chamane entreprit de vérifier si le nom de Killmore apparaissait dans les banques de données d'Europol et dans celles des autres grandes agences. Les résultats furent négatifs : Lord Killmore semblait être un citoyen sans histoire qui avait réussi à se tenir à l'abri de la curiosité des agences de renseignements.

En relevant les yeux de l'écran, Chamane vit Geneviève debout devant lui. Il sentit aussitôt la tension refluer dans son corps.

Geneviève se pencha par-dessus l'ordinateur pour l'embrasser et s'assit devant lui.

— On a fini de répéter à cinq heures du matin, dit-elle. Ensuite, on est allés manger ensemble.

— Vous continuez aujourd'hui ?

— Cet après-midi…

Elle prit le reste du croissant dans l'assiette de Chamane.

— Tu es sûre que tu as mangé ? se moqua ce dernier.

— Je ne sais pas ce que j'ai, ces temps-ci, je mangerais tout le temps… Toi, qu'est-ce que tu fais ?

— J'ai travaillé une partie de la nuit sur des trucs pour Blunt et pour Poitras. J'ai dormi un peu. Puis j'ai décidé de venir prendre mon café ici… pour changer de décor.

Geneviève lui prit la main.

— C'est vrai qu'on n'a pas eu beaucoup de temps ensemble, au cours des dernières semaines… C'est la pièce.

— Je sais.

Un silence suivit.

— Bon… Il va falloir que j'y aille, dit-elle en se levant. Si je veux dormir un peu avant de retourner répéter.

— Ce soir, on pourrait faire quelque chose de spécial pour le dîner.

— Tu vas m'en vouloir…

Elle avait l'air sincèrement désolée.

— Vous répétez encore toute la soirée ?

— La générale est dans deux jours, il reste des tas de choses à placer.

Chamane la regarda s'éloigner, puis il entreprit des recherches sur Émergence Building Management.

Sur le site Internet de l'entreprise, il découvrit qu'elle assurait la gestion des deux édifices. Pour le moment, c'étaient les deux seules propriétés qu'elle gérait. Trois nouveaux développements étaient cependant annoncés pour 2012 dans les îles Anglo-Normandes. Les clients éventuels pouvaient laisser leur adresse de courriel : on les contacterait.

Constatant qu'il n'apprendrait rien de plus sur le site, Chamane opta pour une autre stratégie : avec un peu de chance, l'entreprise aurait un VPN. Et si elle en avait un, il finirait sûrement par trouver une faille dans sa sécurité.

CNN, 4 H 07

> ... LA ROUILLE COULEUR SANG QUI S'ATTAQUE AUX CÉRÉALES SERAIT CAUSÉE PAR UN CHAMPIGNON MICROSCOPIQUE. DES DIZAINES DE KILO-MÈTRES CARRÉS DE RÉCOLTES ONT DÛ ÊTRE BRÛLÉES POUR ENDIGUER LA PROPAGATION DE LA MALADIE.
> LE DÉPARTEMENT DE L'AGRICULTURE A PAR AILLEURS DÉMENTI LES RUMEURS SUR L'ORIGINE TERRORISTE DE CETTE ÉPIDÉMIE. UNE DES HYPOTHÈSES EN-VISAGÉES EST CELLE DE SPORES APPORTÉES PAR LE VENT. L'AMBASSADEUR DES ÉTATS-UNIS AU CANADA A D'AILLEURS RENCONTRÉ LE PREMIER MINISTRE CANADIEN À CE SUJET, LEQUEL L'A ASSURÉ DE SON ENTIÈRE COLLABORATION POUR LE CAS OÙ LES SPORES SERAIENT D'ORIGINE CANADIENNE...

LONDRES, 10 H 36

Moh et Sam suivaient la voiture à distance. Le contact de Renaud, à Heathrow, avait trouvé le moyen de dissi-muler un localisateur dans la limousine qui attendait Gravah à l'aéroport. La suivre était un jeu d'enfant. Il suffisait de se laisser guider par le point rouge qui se dé-plaçait sur la carte électronique.

La voiture les amena au cœur de Londres. Puis le point s'immobilisa sur la carte. Moh et Sam passèrent lentement à côté du véhicule arrêté devant l'entrée prin-cipale de St. Sebastian Place. Ils eurent le temps de voir Gravah serrer la main d'un homme à l'entrée du club. Après cet échange de salutations, les deux hommes en-trèrent dans l'édifice.

— Tu as eu quelque chose ? demanda Sam.

— Une dizaine de secondes d'enregistrement.

— On dirait qu'on va pouvoir faire les deux surveil-lances en même temps...

Sam alla tourner un peu plus loin et revint garer la voiture du côté opposé de la rue, un peu en biais par rapport à l'édifice. Moh se pencha et prit la petite valise dissimulée sous son siège. Il en sortit un micro-canon, alla s'installer sur la banquette arrière, descendit légèrement une des vitres teintées et il dirigea le micro-canon vers l'édifice.

— À partir du huitième étage, toutes les fenêtres sont brouillées, dit-il après plusieurs minutes de vérification. Si j'insiste, il y a des chances qu'ils nous repèrent.

Sans avoir besoin de plus d'explications, Sam démarra et la voiture s'éloigna à vitesse raisonnable.

— Il va falloir aller voir nous-mêmes ce qui se passe, dit-il.

— Si quelqu'un y va, c'est toi. Depuis les attentats dans le métro, tout ce qui n'est pas Blanc est automatiquement surveillé.

MONTRÉAL, HÔTEL RITZ-CARLTON, 5 H 41

Aussitôt que le livreur eut refermé la porte, Burg se rendit au coin cuisine de la suite, déposa le colis sur la table et défit l'emballage.

Quelques secondes plus tard, il ouvrait la boîte. Il examina d'abord la photo : une femme d'une trentaine d'années qui souriait en regardant la caméra. Sur son visage, on pouvait lire un mélange de curiosité, d'humour et de défi. Une certaine inquiétude, aussi.

Au dos de la photo, on avait écrit le nom de la femme : Pascale Devereaux.

Juste sous la photo, une feuille imprimée à l'ordinateur précisait à quelle adresse et à quelle heure aller lui porter l'enveloppe matelassée jaune qui était dans le fond de la boîte. On lui donnait également les grandes lignes de l'argumentation à utiliser pour expliquer pourquoi il lui remettait l'enveloppe.

Burg relut le message et s'assura d'avoir bien mémorisé les instructions, puis il déchira la feuille et jeta les morceaux dans la toilette.

Décidément, il avait de la chance : non seulement était-il logé dans un hôtel agréable, mais les missions étaient d'une facilité déconcertante. Ça faisait changement du travail précédent en Côte d'Ivoire.

LONDRES, ST. SEBASTIAN PLACE, 10 H 43

Gravah entra dans la pièce, ferma la porte derrière lui et se dirigea vers le bureau derrière lequel Killmore était assis. Ce dernier lui fit signe de prendre place dans un des fauteuils.

— Je vous remercie de vous être déplacé, dit Killmore. Je sais que la chose n'est pas évidente avec un horaire comme le vôtre.

— C'est toujours un plaisir de vous rencontrer, répondit Gravah.

Un mince sourire apparut sur ses lèvres, comme pour confirmer ce qu'il venait de dire, mais ses yeux, eux, ne souriaient pas.

— Si vous me donniez l'essentiel de votre rapport…

Gravah prit quelques secondes de réflexion avant de commencer.

— Le projet Alliance avance bien. Toutes les compagnies que nous avions visées tiennent à en faire partie. Les modalités de leur intégration devraient être arrêtées d'ici deux semaines. Nous aurons une présence solide à chacun des conseils d'administration.

— Et la concurrence ?

— Celle qui compte a commencé à éprouver des difficultés : désertion de personnel clé, incendies de laboratoires, compromission de hauts dirigeants dans des activités frauduleuses, perte de fournisseurs et de clients, menaces d'attentats terroristes, dénonciation par des groupes de pression environnementaux… Selon nos contacts dans les grandes agences de notation, la plupart devraient être en difficulté dans un mois ou deux. À partir de ce moment-là, les événements vont débouler : décotes, chute du cours des actions à la Bourse, rappel de prêts… Elles seront mûres pour être cueillies.

Pendant que Gravah présentait son rapport, Killmore s'était levé et s'était mis à marcher de long en large dans la pièce.

— J'ai vu que la contamination commençait à faire les manchettes, dit-il.

— En Inde, les négociations sont sur le point de se conclure. Le gouvernement est d'accord pour faire affaire uniquement avec HomniFood et les autres entreprises de l'Alliance.

— En Chine ?

— C'est encore plus avancé : il ne reste pratiquement qu'à signer.

— J'aurais cru qu'ils résisteraient davantage.

— Ils n'ont pas le choix de traiter avec nous, répondit Gravah. N'importe quelle pénurie suffirait à faire éclater le pays.

— Et les États-Unis ?

— Tout se déroule comme prévu. Ils essaient de gagner du temps en rejetant la responsabilité sur le Canada, mais le gros de la contamination achève. Ils n'auront pas le choix d'accepter de financer la mise sur pied de l'Alliance.

— Comment comptent-ils vendre ça à la population ?

— Une nouvelle guerre.

— Une guerre ?

— La guerre à la faim ! Pour sauver l'humanité de la pénurie alimentaire !

Killmore sourit comme si on venait de lui raconter une blague particulièrement amusante.

— Le capitalisme au secours de l'humanité, dit-il. Pas mal !

— Avec ça et un ennemi terroriste bien identifié, le taux d'approbation dans la population va monter à quatre-vingts pour cent !

Killmore retourna derrière son bureau, appuya les deux mains sur la plaque de verre qui servait de surface de travail et regarda Gravah.

— Des félicitations sont appropriées, déclara-t-il.

Gravah se contenta d'incliner légèrement la tête. Il ne comprenait toujours pas pour quelle raison Killmore avait tenu à le rencontrer en personne. Un courriel – à la limite une conversation téléphonique – aurait été suffi-sant. Après tout, si une organisation avait les moyens de protéger ses communications, c'était bien le Cénacle. Et puis, il y avait madame Cavanaugh.

— Aucun point négatif, donc ? reprit Killmore, comme si la question avait peu d'importance et que la réponse allait de soi.

« C'est donc ça », se dit Gravah. Ce qui intéressait Killmore, c'était le seul point dont il n'avait pas parlé. Un instant, il songea à ne rien dire. Mais si Killmore abordait le sujet, c'est qu'il était déjà au courant.

— Tout ce que je vois, répondit Gravah, c'est un léger retard dans la mise au point du fongicide. Ils n'arrivent pas à dépasser soixante-quatre pour cent d'efficacité dans l'éradication du champignon.

— L'objectif est toujours de laisser de quatre à six pour cent de contamination résiduelle ?

— Oui. C'est la proportion nécessaire pour que les producteurs soient obligés de racheter le fongicide l'année suivante.

— Vous avez une explication pour ce contretemps ?

— Au laboratoire, ils disent que c'est le passage à la production industrielle qui pose un problème. Avec le prototype, c'était efficace à quatre-vingt-quinze pour cent…

— De quatre-vingt-quinze à soixante-quatre, c'est beaucoup.

— L'automatisation de la production à une grande échelle est toujours une étape délicate, paraît-il.

Killmore sourit.

— Surtout quand on perd du personnel clé.

— J'en ai parlé à madame McGuinty. Elle m'a donné l'assurance que de tels événements ne se reproduiraient pas.

Gravah s'efforçait de maintenir une attitude décontractée. Intérieurement, il fulminait. Quelqu'un, au laboratoire, avait coulé l'information. Ça voulait dire que Killmore avait un informateur. Quelqu'un d'assez haut placé pour avoir une vue globale de ce qui se passait dans les laboratoires.

Comme McGuinty n'avait aucun intérêt à révéler les difficultés internes de sa propre organisation, les principaux suspects étaient ses trois adjoints. Il faudrait qu'il fasse effectuer une enquête approfondie sur chacun d'eux.

À court terme, cela ne changerait rien. Mais Gravah détestait ne pas savoir exactement à quoi s'en tenir sur les gens qui travaillaient pour lui, même indirectement.

— J'imagine que vous lui avez demandé de revoir les procédures de sécurité, reprit Killmore.

— Cela va de soi.

— Alors, je crois que ce sera tout.

Comme Gravah allait franchir la porte, Killmore le relança avec une question.

— Est-ce que je dois comprendre que l'échéancier de production du fongicide sera respecté ? que nous n'aurons pas à suspendre le programme de contamination ?

Gravah se retourna et se força à répondre.

— C'est exactement ce dont je voulais vous assurer. Je suis désolé de ne pas avoir été suffisamment clair.

— Il n'y a donc aucun problème ?

— Aucun.

PARIS, 11 H 50

Quand le logiciel de communication téléphonique se manifesta, dans le coin de l'écran, Chamane mit un écouteur dans son oreille gauche et activa le logiciel.

— Magic Fingers *speaking* !

— *Du nouveau ?* se contenta de demander la voix de Steel.

— J'ai des infos sur l'édifice à logements dans le parc : l'adresse, le nom de la compagnie qui l'administre, le prix des loyers… ce genre de trucs.

— *Il me faut la liste des locataires.*

— Tu veux ça pour hier, je suppose ?

— *Avant-hier serait préférable*, coupa Sharp. *Mais si tu ne peux pas faire mieux…*

— Je peux te dire que la plupart des appartements sont loués à très long terme par des gens qui ne les

habitent pas. Ils les sous-louent à court terme le double
du prix.

— *Ça change quelque chose ?*

— Comment tu veux que je le sache ? C'est toi,
l'espion.

— *Tu peux me trouver ça pour quand ?*

— Je te rappelle aussitôt que je peux. Pour l'instant,
il faut que je m'occupe d'une commande de Blunt…

— D'accord. Mais j'ai besoin d'autre chose. Et ça,
c'est plus pressé. Il me le faut pour ce soir. C'est à propos
de Joyce Cavanaugh.

WASHINGTON, 8 H 35

Quand Tate arriva au bar de l'hôtel, Monroe était
assis à une petite table au fond de la pièce. Il avait une
bière devant lui et il travaillait à vider un plat de graines
de sésame. Partout autour de lui, les gens en étaient à
leur petit déjeuner.

— Il paraît que c'est une drogue, fit Tate en s'assoyant
devant lui.

— Je me suis levé à trois heures pour une conférence
téléphonique. Je suis rendu à mon apéro avant le déjeuner.

— Je parlais des graines de sésame.

Insensible à l'humour, le directeur de la DEA garda
les yeux fixés sur Tate en continuant d'avaler les graines
de sésame avec une régularité mécanique.

— Fermer le plus gros réseau de drogue de la planète,
ça t'intéresse ?

— Tu veux fermer Hollywood ? demanda Monroe sur
un ton égal.

— Je ne parle pas de la drogue qu'on retrouve sur les
écrans. Je parle de celle qui se vend dans les rues.

— T'es sérieux ?

Tate posa un DVD sur la table.

— Tu regardes ça. Et tu n'en parles à personne sauf à
ceux qui vont planifier l'opération.

— C'est ça que je dois faire en quatre jours ?

— Ça peut s'étirer. Mais il faut que les opérations
commencent d'ici quatre jours.

— Qu'est-ce que c'est ? demanda Monroe en prenant le disque de la main gauche.

— Les filières des ports de New York, Boston, Miami, Seattle, San Francisco et Los Angeles. Avec les numéros de conteneurs et les dates d'arrivée.

— Où est-ce que tu as eu ça ? fit Monroe d'un air méfiant.

Il reposa le DVD sur le comptoir comme si ç'avait été une chose dangereuse.

— Il y a aussi leurs sources d'alimentation à l'étranger, leurs chemins d'approvisionnement, les hommes politiques et les policiers à leur solde…

— Autrement dit, tu me donnes ce qu'il faut pour réaliser le plus gros coup de ma carrière ?

— Tu es le mieux placé pour t'en servir.

— En échange, tu veux quoi ? Être nommé président des États-Unis à vie ?

— Je me contenterais de ton vote dans nos réunions avec le DHS.

— Ça, tu l'as déjà. Il va me falloir une meilleure explication.

— Je n'ai pas le temps de m'en occuper. Je suis sur quelque chose d'encore plus gros. Toute l'agence est mobilisée.

Monroe regarda Tate un long moment.

— Le truc des céréales ? finit-il par demander. Le champignon canadien ?

Tate se contenta de hocher la tête en signe d'assentiment. Puis, après un moment, il ajouta :

— Il y a aussi le terrorisme islamiste. On n'a toujours pas de piste pour remonter aux commanditaires.

— Tu n'as qu'à mettre ça sur le dos d'al-Qaida !

— Ce n'est pas ce que disent nos sources.

Le visage de Monroe prit un air soucieux.

— Tu t'attends à une nouvelle série d'attentats ?

— Tu as déjà vu des terroristes s'arrêter d'eux-mêmes ?

— L'Irgun…

— Les terroristes israéliens avaient obtenu ce qu'ils voulaient : les Britanniques avaient capitulé et leur avaient concédé le pouvoir. Ils n'avaient plus besoin de faire sauter de bombes.

MONTRÉAL, 9 H 28

Avec l'aide de Maltais, l'inspecteur-chef Théberge naviguait depuis une dizaine de minutes sur le site de Gizmo Gaïa, le guru écologiste dont se réclamait le groupe terroriste Les Enfants de la Terre brûlée.

Dans un texte parsemé de liens Internet et de photos illustrant différentes catastrophes environnementales, le guru déplorait les attaques contre notre Mère, la Terre, et il appelait tous les êtres humains à la défendre.

Sans encourager le recours à la violence, il affirmait comprendre les égarements de certains, qui, en leur âme et conscience, choisissaient d'utiliser des moyens extérieurs au cadre actuel de la légalité.

Le texte qu'ils étaient en train de lire se terminait par une condamnation de ceux qui pervertissaient les fruits de la terre, vidaient les océans et empoisonnaient l'eau, qui était la source de toute vie.

Le jour est proche où les empoisonneurs de la vie seront à leur tour empoisonnés ! Je le vois. Le jour est proche où les millions d'empoisonneurs deviendront des millions de victimes. La Terre les empoisonnera à leur tour. Leurs cadavres nourriront la terre qui en sera régénérée !… Je le vois. Les océans monteront à l'assaut de leurs orgueilleuses constructions pour balayer toute trace de leur présence…

— Eh bien, Cassandre, à côté de lui, c'est de la littérature de divertissement !

Maltais attira son attention sur le compteur, au bas de la page d'accueil. Il affichait 643 831 visites.

— Vous voulez dire qu'il y a plus d'un demi-million de personnes qui ont visité ce site ? demanda Théberge, impressionné.

— Certains l'ont probablement visité à plusieurs reprises. Mais il y a eu 643 831 visites.

— Et on ne peut pas fermer ça ?

— Il n'y a aucune incitation à la violence. Les désastres environnementaux dont il parle sont réels. Les prophéties sont de simples prophéties. Il n'y a pas de menaces comme telles…

— Même s'il formule ses visions de manière à donner des idées à ses ouailles ?

— Quand quelqu'un déclare : « Il ne faudrait pas s'étonner que telle ou telle chose arrive, que des gens fassent telle ou telle chose… », de façon stricte, ce n'est pas de l'incitation.

Théberge savait que Maltais avait raison. S'il fallait se mettre à arrêter tous les esprits dérangés qui s'adonnaient à la prophétie apocalyptique et qui annonçaient la fin du monde ou d'autres catastrophes équivalentes…

Il sourit légèrement, repensant à l'expression qui venait de lui traverser l'esprit. Quelle catastrophe pouvait bien être équivalente à la fin du monde ?… C'était à croire que le style de HEX-Radio commençait à déteindre sur lui.

— De toute façon, reprit Maltais, le temps d'entreprendre des démarches pour fermer le site, il serait déjà *hosté* dans un autre pays.

— *Hosté*, reprit Théberge en secouant légèrement la tête.

Le téléphone se manifesta. Théberge prit l'appareil et signifia à Maltais qu'il n'avait plus besoin de ses services.

— Lui-même, se contenta-t-il de lancer d'un ton bourru dans le combiné.

— Je vous prends à un mauvais moment ?

Théberge reconnut la voix de Morne.

— Cela fait partie de vos habiletés.

— Moi qui ne songe qu'à vous éviter des ennuis !

— Je vous propose d'économiser l'argent des contribuables en me disant ce que vous voulez tout de suite, sans préambule, sans précautions oratoires et sans flaflas rhétoriques.

— Soit… Le premier ministre a rencontré les parents de mademoiselle Jannequin.

— Dire que j'ai raté ça !

— Il leur a assuré que l'enquête progressait et il leur a dit que je les tiendrais informés. Ils sont très impatients que cette affaire soit réglée… Je dois dire à leur défense que ce qu'ils entendent dans les médias sur votre département et sur la qualité de votre travail n'est pas de nature à les rassurer.

— Je ne peux quand même pas en pondre un, un coupable !

— Rien de neuf sur Prose ?

— Pour l'instant, il est plutôt à ranger parmi les victimes. Mais on ne sait jamais… Ça pourrait être une mise en scène particulièrement tordue.

— Et les terroristes ?

— Là, j'ai du nouveau : j'ai visité le site Internet de leur guru.

— Vous voulez dire qu'il s'affiche publiquement ?

— En toute légalité, semble-t-il.

Puis il ajouta, sur un ton qui était une caricature de bonne foi :

— On ne peut quand même pas lui reprocher d'avoir des disciples qui interprètent ses textes de façon tordue… Ce serait comme mettre en cause la Bible à cause de l'Inquisition, des magouilles financières du Vatican et des positions du pape contre les préservatifs pour lutter contre le sida. Quoique, à bien y penser…

— Il me faut quelque chose pour calmer le député français, répondit Morne, insensible à l'ironie.

— Vous avez pensé au Prozac ?

Morne ignora la remarque.

— Ils veulent des résultats. Et s'il n'y en a pas, ils veulent que des têtes tombent.

— Je pensais que la France avait aboli l'usage de la guillotine.

— Dans les colonies, il y a toujours un certain décalage avec ce qui se passe dans la capitale, paraît-il.

— Vous voulez ma démission ?

— Le nom que j'ai entendu mentionner est celui de votre ami Crépeau.

— Ça, c'est une dégueulasserie.

— En termes politiques, c'est une « pression amicale ».

HAMPSTEAD, 14 H 39

Même s'il avait activé la fonction « mains libres », Leonidas Fogg parlait près de l'appareil de manière à ne pas avoir à élever la voix.

— Vous êtes donc prêt à débuter aujourd'hui même ?

— L'opération est déjà amorcée, répondit Skinner. Le colis pour mademoiselle Devereaux est en route.

— Bien. Vous allez recevoir une nouvelle liste de cibles pour lesquelles vous devrez préparer des équipes d'intervention.

— Une liste élaborée par Gravah, ironisa Skinner.

— Il faut voir le bon côté des choses : nous connaissons à l'avance les compagnies ciblées.

— La prochaine étape, c'est quoi ? On lui remet les clés de Vacuum ?

Fogg émit un petit rire.

— Je sais que vous n'aimez pas beaucoup cette situation, dit-il. Pour tout vous dire, moi non plus, je ne l'apprécie guère. Mais il faut savoir se concentrer sur l'essentiel.

— Vous avez une idée de ce qu'ils doivent penser de nous ?

— Bien sûr. C'est d'ailleurs une de leurs faiblesses que j'entends exploiter… Même si c'est au prix de quelques atteintes à notre orgueil professionnel.

RDI, 10 H 02

… CONTRE LA HAUSSE DU PRIX DES ALIMENTS. LE CHEF DU PARTI AUTHENTIQUE UNIFIÉ DU VRAI QUÉBEC, MAXIM L'HÉGO, A DÉCLARÉ QUE LES POLITIQUES IRRESPONSABLES DU GOUVERNEMENT ÉTAIENT LA VÉRITABLE CAUSE DE CETTE AUGMENTATION. IL A ACCUSÉ LE PREMIER MINISTRE DE SE CACHER DERRIÈRE LA CRISE MONDIALE ET LE TERRORISME POUR ÉVITER DE RÉPONDRE À LA POPULATION DES EFFETS DÉSASTREUX DE…

HAMPSTEAD, 15 H 04

Après avoir raccroché, Fogg parcourut de nouveau la liste des cibles en fonction desquelles il avait demandé à Skinner de préparer des équipes d'intervention. Il ne fallait pas beaucoup d'imagination pour comprendre la logique du projet de « ces messieurs ».

Fogg écrivit trois mots sur un bloc-notes :

CÉRÉALES — EAU — ÉNERGIE

Puis, après une hésitation, il ajouta :

PHARMACEUTIQUES ?

Il rangea la feuille dans le tiroir de son bureau et se tourna vers le moniteur de télévision, où il fit repasser l'enregistrement qu'il examinait avant l'appel de Skinner.

L'enregistrement vidéo avait été réalisé la nuit précédente dans le parc du complexe résidentiel. Il n'y avait aucun doute sur l'identité de l'individu qui s'y dissimulait pour surveiller les lieux. C'était Paul Hurt.

Un mince sourire apparut sur le visage de Fogg. Hurt était décidément plein de ressources. Difficile de ne pas le trouver sympathique. Mais il n'était pas question de le laisser bousculer des plans soigneusement établis depuis des années. Il fallait s'occuper de lui.

DRUMMONDVILLE, 10 H 13

F demanda à Dominique de se placer derrière l'écran pendant la communication. De cette manière, elle pourrait assister à l'échange sans que Fogg aperçoive son visage.

— Qui vous dit qu'il ne fait pas la même chose ? demanda Dominique.

— C'est un risque que je dois courir.

Puis elle ajouta avec un sourire amusé :

— ... mais j'ai de bonnes raisons de croire qu'il n'y a pas de danger.

Dix minutes plus tôt, elle avait reçu un message de Fogg lui demandant une communication directe. F avait alors pris le temps d'aller chercher Dominique, qui travaillait au suivi des activités de la Fondation.

— C'est toujours un plaisir de vous voir, fit la voix de Fogg.

— De cette façon, vous savez que les équipes du Consortium qui sont à ma recherche ne travaillent pas sur une piste fantôme.

— Il faut bien que je donne le change! Si j'arrêtais toutes les activités contre ce qui a survécu de l'Institut, ce serait suspect.

— Vous pourriez invoquer une rationalisation. Une réaffectation plus utile des effectifs?

— J'ai bien peur que ce ne soit pas suffisant.

— Vos commanditaires ne peuvent quand même pas être contre une allocation plus rationnelle des ressources!

— Il n'y a rien de rationnel dans la méfiance de « ces messieurs » à l'endroit de l'Institut.

— Un jour, je vais finir par me demander si vous n'avez pas inventé « ces messieurs » de toutes pièces pour vous permettre de tenir un double discours.

— Femme de peu de foi!

— Dans notre métier, la foi est inversement proportionnelle à l'espérance de vie.

— Pour vous démontrer une fois de plus ma bonne volonté, je suis prêt à partager avec vous de nouvelles informations.

— Un autre travail dont vous voulez que l'Institut se charge à votre place?

— Même pas... c'est au sujet de « ces messieurs ». Je pense avoir une certaine idée de leurs projets.

F ne réagit pas. Mais si Fogg avait réellement réussi à percer à jour les plans des commanditaires du Consortium, c'était un développement majeur.

— Je pense avoir découvert les secteurs dans lesquels ils veulent concentrer leurs activités... Les céréales et l'eau sont les plus évidents. Il y a aussi l'énergie...

— Ils pensent se reconvertir en *gentlemen farmer* et en exploitants pétroliers?

— Vous n'avez pas complètement tort. Mais leur approche est assez particulière : sabotage de laboratoires, élimination de dirigeants d'entreprises, recrutement musclé de personnel clé et de chercheurs, scandales impliquant la qualité des produits…

— Vous êtes sûr que vous ne parlez pas du plan d'affaires standard d'une multinationale ?

Fogg échappa une quinte de toux qui, à l'origine, semblait avoir été un rire retenu.

— L'ampleur des moyens qu'ils sont prêts à y consacrer et la nature de ces moyens les rangent clairement dans une catégorie à part. À mon avis, ils veulent privilégier certaines entreprises en éliminant leurs concurrents.

— En langage clair, ça veut dire quoi ? Qu'ils ont opté pour une forme particulièrement agressive de capitalisme ?

— J'ai la conviction que ce qui est en jeu est quelque chose de beaucoup plus inquiétant que ce que vous appelez du capitalisme agressif.

F resta un moment sans répondre.

— Qu'est-ce que vous attendez de moi ? demanda-t-elle finalement.

— Si vous êtes au courant de leurs intentions, vous serez peut-être un jour en mesure de faire des liens…

— Je comprends.

Et ce n'était pas une formule rhétorique. On ne pouvait jamais savoir à l'avance quel renseignement aiderait un jour à établir le lien qui permettrait de situer l'ensemble des informations à l'intérieur d'une explication cohérente.

— Autre chose ? demanda F.

— Un dernier détail : un de vos agents se promenait hier soir dans un parc à proximité de chez moi. Compte tenu de l'entente que nous avons, je ne vois pas très bien l'utilité de la chose.

— Vous faites sûrement erreur.

— Je ne crois pas.

Une photo apparut sur l'écran de F. On y reconnaissait clairement Hurt.

— Monsieur Hurt a des objectifs personnels qui échappent en partie à mon contrôle.

— C'est la raison pour laquelle j'ai pensé vous transmettre certaines informations. Elles devraient éveiller
suffisamment son intérêt pour qu'il modifie ses priorités.

Une fenêtre de téléchargement apparut à l'écran.

— La reconstruction de Meat Shop est pratiquement
achevée, reprit la voix de Fogg. La nouvelle direction
va se réunir pour relancer l'expansion de ses opérations.
Les directeurs régionaux vont tous assister à cette rencontre. Vous avez la date et le lieu de la rencontre ainsi
que l'identité des participants. Votre monsieur Hurt devrait
y trouver de quoi satisfaire ses obsessions et son besoin
de vengeance.

WWW.HUFFINGTONPOST.COM, 10 H 34

> ... UNE HAUSSE DE TRENTE-HUIT POUR CENT DES ACTIVITÉS CRIMINELLES
> DEPUIS QUE LA CRISE A FRAPPÉ LES ÉTATS-UNIS. PAR COMPARAISON, LA
> FRANCE A CONNU UNE HAUSSE DE SEULEMENT QUATORZE POUR CENT. LES
> CHERCHEURS EXPLIQUENT CETTE DIFFÉRENCE PAR LA FAIBLESSE DU FILET
> SOCIAL QUE NOTRE PAYS OFFRE AUX VICTIMES DE LA CRISE. POUR EN PARLER
> AVEC NOUS...

DRUMMONDVILLE, 10 H 37

Quand l'ordinateur fut éteint, F releva les yeux vers
Dominique.

— Qu'est-ce que tu en penses ?

— Le début était une simple introduction. Ce qu'il
veut, c'est qu'on le débarrasse de Hurt.

— Qu'est-ce que tu ferais ?

— J'essaierais de rétablir le contact avec Hurt et de
lui offrir de l'aide pour remonter la piste de Fogg. Si on
réussit à couper la tête du Consortium...

F souriait.

— De son point de vue, dit-elle, il aurait été beaucoup
plus simple de le faire éliminer.

— S'il a besoin de votre collaboration...

— S'il t'avait dit qu'un de ses gardes avait abattu Hurt
avant qu'il puisse intervenir et si, du même souffle, il
t'avait donné les moyens d'éliminer d'un coup la nouvelle

direction de Meat Shop, tu aurais suspendu ta collaboration avec lui ?

— Probablement pas, admit Dominique.

— Il nous a également informées que Hurt connaissait les environs de l'endroit où il réside. Penses-tu qu'il aurait commis ce genre d'erreur, sachant que nous avons la possibilité d'obtenir l'information de Hurt ?

— Tout le monde peut faire des erreurs… Mais vous avez raison : ça ne cadre pas avec ce qu'on sait de lui.

— Mais peut-être Fogg a-t-il un plan à plus long terme ? reprit F. Peut-être veut-il endormir notre méfiance ? Épargner Hurt ne lui coûte pas beaucoup et ça lui permet de renforcer l'idée qu'il collabore de bonne foi…

— Qu'est-ce que vous allez faire ?

— Tu as une suggestion ?

Dominique hésitait.

— Je te laisse réfléchir, dit F. Pour l'instant, j'aimerais savoir ce que tu penses de l'information qu'il nous a transmise sur les projets de « ces messieurs » ?

— Elle ne dit pas grand-chose.

— Les céréales, l'eau, l'énergie…

Dominique mit plusieurs secondes à réaliser à quoi F faisait référence.

— Vous pensez que… Ça voudrait dire que le terrorisme et la contamination des céréales…

— Je pense que ça vaut la peine que tu creuses la question.

— Et l'eau ?… L'énergie… ?

La question sembla perturber F.

— Espérons que ce sont pour eux des activités secondaires, se contenta-t-elle de répondre après une longue hésitation.

MONTRÉAL, 10 H 48

La réunion se tenait à l'hôtel Reine-Élizabeth. Depuis près de deux heures, Robert Madden, un haut fonctionnaire du ministère de l'Agriculture, discutait avec un groupe de représentants de l'industrie du blé. Ils étaient

unanimes à réclamer une augmentation de l'aide gouver-
nementale.

— Soixante pour cent de nos membres ont des salaires
de famine, fit Brandon Shottenheimer.

Au ministère, il passait pour le défenseur autopro-
clamé des petits producteurs.

— Je comprends votre position, répondit patiemment
Madden. Mais le prix des céréales monte en flèche.
Avec l'augmentation de la demande, la diminution des
cultures au profit du maïs pour les biocarburants… Vous
allez bientôt nager dans l'argent.

— Nos récoltes à nous sont en grande partie vendues
à l'avance : on n'a pas la trésorerie nécessaire pour attendre. Ceux qui vont profiter de la hausse des prix, ce
sont les multinationales !… Ce qu'il nous faut, c'est plus
qu'une simple compensation pour finir l'année : c'est un
vrai programme de subventions.

— Avec la reprise économique qui n'en finit plus de
se faire attendre, le terrorisme et la guerre au Moyen-
Orient, les règles de l'Alena, ce n'est pas facile d'aller
chercher d'autres subventions pour l'agriculture.

— Et les subventions pour la recherche sur les
OGM ?… Ça sert juste à subventionner les multinationales !

— Techniquement, ce ne sont pas des subventions à
l'agriculture mais à la recherche.

— Techniquement, la moitié de nos membres sont
au bord de la faillite ! Encore deux ou trois ans comme
ça et il va rester seulement des multinationales ! Même
avec l'assurance-récolte on n'y arrive pas !

— Écoutez… Je viens quand même de vous annoncer
un programme d'aide ! Il me semble que ce n'est pas
rien !

— Seulement pour l'année en cours, répliqua un autre
producteur. Ça reste une mesure temporaire.

Madden se tourna vers lui.

— Si d'autres cas se présentent…

Un troisième producteur renchérit.

— Justement ! Qu'est-ce que vous allez faire pour le champignon qui a commencé à causer des ravages aux États-Unis ?

— Qu'est-ce que vous attendez pour nous donner de l'information sur cette maladie-là ? reprit Shottenheimer.

Pendant près d'une heure, Madden s'efforça de les rassurer du mieux qu'il le pouvait. C'est avec soulagement qu'il vit l'employé de l'hôtel lui faire signe, du fond de la salle, que le déjeuner était prêt.

Un simple buffet à la bonne franquette, avait annoncé Madden en début de réunion. Tout au plus y aurait-il du champagne pour fêter l'annonce du programme de compensation.

Le groupe se déplaça dans une salle attenante. Madden se dirigea immédiatement vers la table où étaient alignées les bouteilles de champagne : il avait rarement eu l'impression d'avoir autant mérité un remontant.

TQS, 12 h 02

… LES PERSONNES DONT LES NOMS SONT MENTIONNÉS À LA FIN DE CE COMMUNIQUÉ VONT MOURIR. TOUT EFFORT POUR LES PROTÉGER SERA UN GASPILLAGE DE FONDS PUBLICS. CES PERSONNES SONT DÉJÀ MORTES. SIMPLEMENT, ELLES NE LE SAVENT PAS ENCORE.

LES GENS DE L'INDUSTRIE DE L'ALIMENTATION VONT GOÛTER À LEUR PROPRE MÉDECINE. PARTOUT SUR LA PLANÈTE, LEURS PRATIQUES CUPIDES SONT RESPONSABLES DE LA DISPARITION ACCÉLÉRÉE DES ESPÈCES. DE L'ASSÈCHEMENT DES NAPPES PHRÉATIQUES. CHAQUE ANNÉE, LEUR NÉGLIGENCE CAUSE DES CENTAINES D'EMPOISONNEMENTS. CE SONT EUX QUI ONT PROVOQUÉ L'APPARITION DU CHAMPIGNON TUEUR DE CÉRÉALES.

CES EXPLOITEURS SANS CONSCIENCE DÉTRUISENT LA PLANÈTE. ILS MENACENT LA SURVIE DE L'HUMANITÉ DANS SON ENSEMBLE. LEUR ÉLIMINATION EST UN ACTE D'AUTODÉFENSE.

ALORS, VOILÀ ! CE MESSAGE EST PARVENU À NOTRE BUREAU IL Y A UNE HEURE. IL EST SIGNÉ : « LES ENFANTS DE LA TERRE BRÛLÉE ». APRÈS L'AVOIR COMMUNIQUÉ À LA POLICE, LA DIRECTION DE LA STATION A DÉCIDÉ QU'IL ÉTAIT DE SON DEVOIR D'EN RENDRE PUBLIQUE LA TENEUR. TOUTEFOIS, PAR RESPECT POUR LA VIE PRIVÉE DES ÉVENTUELLES VICTIMES, NOUS NE…

DUBAÏ, 20 h 07

La réunion avait lieu sur le nouveau complexe insulaire dessiné en forme de planisphère. Les cinq hommes étaient arrivés depuis quarante-huit heures. Ce séjour dans un des endroits les plus luxueux de la planète faisait partie de la stratégie de persuasion de Killmore. Ce qu'il avait à leur proposer n'intéressait pas seulement leurs pays : eux aussi y trouveraient leur compte. Il importait de leur donner une idée des avantages personnels qu'ils pourraient tirer en acceptant l'offre qu'il allait leur soumettre.

Lee Washington, Donald B. Archer, Jean-Pierre Guérant, Jochen Mueller et Steve Milligan. Mais leurs noms n'avaient pas d'importance. Les cinq hommes étaient des militaires. Ils représentaient respectivement les États-Unis, la Grande-Bretagne, la France, l'Australie et l'Allemagne. Aucun ne faisait partie des colombes. Et chacun siégeait aux plus hautes instances décisionnelles de son pays. Chacun avait fédéré autour de lui un certain nombre de collègues. Leur mandat consistait à écouter la proposition qui leur serait soumise, à poser des questions et à faire un rapport à leur groupe.

La salle où ils étaient réunis était truffée d'appareils électroniques sophistiqués destinés à empêcher toute écoute. Il n'y avait aucune table dans la pièce. Les militaires étaient assis dans des fauteuils, un verre à la main, comme s'il s'était agi d'une simple rencontre sociale.

L'homme qui s'adressait à eux, lui, était debout.

Il se présenta sous le nom de Lord Hadrian Killmore. Il était connu de plusieurs de ses interlocuteurs même si c'était la première fois qu'ils le rencontraient dans ce contexte. Sa réputation d'héritier désœuvré, défenseur de l'environnement et menant la grande vie le précédait. Un tel messager n'augurait rien de très sérieux… Sauf que les militaires avaient rencontré deux de ses représentants à plusieurs reprises et que ces rencontres avaient été tout sauf banales. C'était lui qui les avait poussés à tisser des liens pour créer une sorte de réseau international chargé de défendre leurs intérêts communs. Ils étaient curieux de savoir ce que Killmore avait à leur dire.

— Nous, Occidentaux, sommes en train de devenir minoritaires, commença-t-il. Et je ne parle pas seulement de notre taux de fécondité en chute libre, même si cela est en soi une tragédie. Au rythme où vont les choses, les États-Unis seront bientôt bruns, jaunes, noirs et cuivrés, avec des îlots de Blancs ici et là dans des enclos protégés… Mais le problème que nous avons est à plus court terme. Je veux parler de notre disparition économique. Pour tenter de juguler la crise, nous nous sommes endettés comme jamais un pays ne l'a été. Les Chinois sont maintenant en mesure de faire chanter les États-Unis : il suffirait qu'ils cessent d'acheter les titres de dette des États-Unis et qu'ils mettent sur le marché ceux qu'ils possèdent pour faire exploser les taux d'intérêt américains et provoquer une récession pire que la dernière… Et je ne parle même pas de la guerre informatique qu'ils planifient pour 2015.

— S'ils font ça, on va leur botter le derrière, répliqua l'Américain.

— Vous allez faire quoi ? demanda Killmore, comme s'il était réellement curieux de connaître la réponse.

— On va leur montrer ce que c'est, une vraie armée !

— Vous allez les bombarder, peut-être ?

La voix de Killmore était brusquement devenue ironique.

— Parce qu'il faudrait se priver ?!

— Et vous allez gagner quoi ? Vos multinationales vont perdre leurs usines délocalisées qui leur assurent des profits records. En prime, elles vont voir disparaître un marché potentiel de plus d'un milliard d'habitants…

— Au moins, ils vont payer !

— Admettons que vous réussissiez à en faire disparaître trois ou quatre cents millions en comptant ceux qui seront victimes des maladies dues à la destruction des services de santé… Ça va juste leur rendre service. Et vous, vous allez payer autant qu'eux. Votre population n'est pas prête à vivre dans des conditions que les Chinois, eux, sont prêts à accepter.

— C'est bien beau, les discours, répliqua l'Américain avec humeur, mais vous proposez quoi ? Qu'on les laisse faire ?… Il n'y a pas une semaine qui passe sans qu'ils essaient d'acheter une de nos compagnies. Leurs méga-compagnies semi-privées, qui sont contrôlées par le gouvernement, prennent des parts dans les plus grandes multinationales américaines. Ils ont même essayé d'acheter les installations des deux extrémités du canal de Panama !

— Je sais, répondit Killmore. Dans tous vos pays, la situation est la même. Les gouvernements sont impuissants à empêcher les délocalisations et les prises de contrôle.

— J'ai cru comprendre que vous aviez une proposition à nous faire, insista l'Allemand.

— C'est exact. Mais avant d'y arriver, je voudrais vous soumettre les quelques constats sur lesquels cette proposition est fondée.

— Je vous avise que je dois partir dans quarante minutes, fit l'Australien. J'ai un avion à prendre.

Killmore poursuivit sans s'occuper de la remarque :

— Le premier constat est que nous, Occidentaux, nous sommes trop mous pour nous défendre. On rêve de guerres à zéro mort, on tolère les groupes qui prêchent la violence et réclament l'élimination de l'Occident… On pense tellement à court terme qu'on soutient les régimes les plus anti-occidentaux pour acheter quelques années supplémentaires de paix et de pétrole… Sans vouloir offenser personne, nous sommes comme les Français de 1938 devant Hitler.

Le représentant de la France se sentit obligé d'intervenir.

— Je vous ferai remarquer que ce ne sont pas tous les Français qui…

— Je sais, je sais, l'interrompit Killmore… Pour ce qui est des non-Occidentaux, ce n'est pas plus réjouissant. Eux, ils vivent dans l'illusion. Ils croient qu'ils ont seulement à cueillir ce que nous avons construit parce que nous sommes trop mous pour nous défendre, alors qu'eux, ils ont eu l'irresponsabilité de proliférer comme des fourmis… C'est toute l'humanité qui est foutue.

— Vous proposez quoi ? demanda l'Américain, sarcastique. Qu'on s'unisse pour les attaquer pendant qu'il est encore temps ?

Quelques sourires apparurent dans l'assistance.

— On ne peut pas les attaquer directement, répondit Killmore. D'une part, notre population n'accepterait pas le prix à payer pour une telle guerre ; d'autre part, leur population à eux engendrerait des dizaines de milliers – que dis-je ? des centaines de milliers – de terroristes.

— Autrement dit, vous nous avez demandé de venir ici pour nous expliquer qu'on ne peut rien faire !

— En effet. Rien… Rien de conventionnel.

Killmore sourit et laissa passer quelques secondes.

— Et ce n'est pas aux armes non conventionnelles que je pense, ajouta-t-il.

— C'est quoi, votre proposition ? Vous voulez les empoisonner ? demanda le Français, mi-sérieux.

— J'ai beaucoup mieux.

Les regards se firent plus attentifs.

— C'est une stratégie en deux volets, reprit Killmore. Dans un premier temps, il faut créer un ennemi qui va rendre nos populations dociles, qui éliminera leur résistance à la guerre et qui les amènera à accepter de concentrer toutes les forces des nations sur leur survie. Il faut que les gens identifient leur survie personnelle à celle de leur nation. Il faut que l'armée apparaisse comme le dernier rempart capable de les protéger de la disparition.

— Je l'ai toujours dit, grogna le Britannique en s'adressant à l'Américain : c'était stupide de faire disparaître les communistes.

D'autres sourires plus ou moins appuyés accueillirent la boutade… qui n'en était pas vraiment une.

— Le deuxième volet, reprit Killmore, c'est de développer un nouveau répertoire d'armes de destruction massive.

— Quel type d'armes ?

— Ce sont des armes qui existent déjà. Les Chinois nous montrent d'ailleurs la voie. Regardez à quoi ils s'intéressent prioritairement : l'eau, l'énergie, les céréales et la recherche scientifique de pointe… En adoptant ces priorités, on peut développer un arsenal d'armes de destruction massive absolument indétectables… indétectables comme armes, j'entends.

Il fit une pause avant d'ajouter :

— Celui qui contrôle les céréales, l'eau, l'énergie et les médicaments contrôle l'humanité… Imaginez que vous ayez à votre disposition des armes comme la faim, la soif, la santé… Que vous ayez le pouvoir de paralyser toutes les machines qui assurent le confort des gens.

— Pour le cas où vous ne l'auriez pas remarqué, nous sommes des militaires, fit le Britannique, pince-sans-rire. Pas des agriculteurs ou des financiers.

— Ni des savants, je sais, répliqua Killmore, sarcastique. Mais ce sont des défauts qui se soignent.

— Je ne vous permets pas…

— Il est temps que ces choses que vous méprisez soient prises en main par des militaires.

— Vous nous proposez une dictature mondiale, en somme ? ironisa l'Allemand. Nous avons déjà essayé et ça n'a pas très bien fonctionné.

Quelques gloussements ponctuèrent son intervention.

— Pas une dictature, répliqua Killmore. Un mode de gestion. Une gestion mondiale des ressources essentielles. Avec la collaboration de tous les pays qui comptent… Voyez-vous, sur ce point, les écologistes ont raison : il faut une gestion mondiale de la planète. Toute la question est de savoir entre quelles mains elle va se trouver.

— Il y a une faille dans votre raisonnement, fit l'Américain. Même si nos gouvernements s'entendaient pour établir ce type de gestion, il n'existe pas de marché unifié pour ces ressources. Comment allons-nous pouvoir les contrôler ?

— Très bonne question, en effet. Et c'est précisément la raison pour laquelle vous avez besoin de moi et de ce que je vous apporte.

— Et vous nous apportez quoi, exactement ? demanda le Britannique.

— À l'humanité, j'apporte l'Alliance. Et à vous personnellement, j'apporte encore plus.

MONTRÉAL, 12 H 25

Skinner suivait les informations à LCN. Il lui restait quelques minutes à tuer avant d'appeler Burg.

> … SURNOMMÉE LA ROUILLE DE SANG, À CAUSE DES TACHES BRUN-ROUX QUI SE MULTIPLIENT SUR LES PLANS CONTAMINÉS. IL EST DIFFICILE D'ÉTABLIR UN BILAN MONDIAL DE CETTE NOUVELLE CONTAMINATION, MAIS PLUSIEURS PAYS SERAIENT TOUCHÉS. DE NOMBREUX GOUVERNEMENTS REFUSENT TOUTEFOIS DE RENDRE PUBLIC L'ÉTAT DE LA CONTAMINATION À L'INTÉRIEUR DE LEURS FRONTIÈRES. UNE RÉUNION SPÉCIALE DES MINISTRES DE L'AGRICULTURE DU G-20 EST PRÉVUE EN DÉBUT DE SEMAINE…

Hunter avait raison, songea Skinner. Le monde ne serait décidément plus le même, une fois cette opération terminée. Il faudrait qu'il choisisse bientôt le parti qu'il allait prendre. Mais, pour l'instant, des décisions plus urgentes réclamaient son attention. Il sortit son BlackBerry de sa poche et composa le numéro de Burg.

— C'est le temps d'y aller, se contenta-t-il de dire après que l'autre eut répondu.

Puis il raccrocha. Il se tourna ensuite vers la télé pour faire la tournée des chaînes d'informations.

GENÈVE, 19 H 32

La conférence de presse avait été convoquée à la Cour des Augustins, un hôtel concept situé au cœur de la vieille ville. Le sujet de la convocation de même que la qualité attendue du buffet avaient garanti une forte participation des journalistes.

— Je serai bref, fit le présentateur. Je sais que je n'ai aucune chance de soutenir la compétition avec le chef cuisinier de l'hôtel. Essentiellement, HomniFood tient à annoncer deux choses : la première est que nous confirmons l'existence d'un champignon particulièrement agressif qui s'attaque aux plants de céréales. Les rumeurs n'étaient pas seulement des rumeurs. La présence du champignon a d'abord été relevée en Chine, en Inde et en Indonésie. Plus récemment, elle a été attestée en Europe et en Amérique du Nord. Nos analyses prouvent qu'il s'agit du même champignon qui s'attaque au riz et au blé. Le soja et le millet commenceraient également à être affectés.

Une forêt de mains se leva pour poser des questions.

— Quelle est l'étendue de la contamination ?

— Le stock mondial de céréales est-il menacé ?

— Faut-il prévoir une famine planétaire ?

— Quels sont les pays les plus touchés ?

— Existe-t-il des moyens pour lutter contre ce champignon ?

Tous les journalistes parlaient en même temps. Le présentateur les calma en faisant des gestes d'apaisement avec les mains. Puis il reprit la parole.

— Jusqu'à tout récemment, il était impossible de combattre ce champignon. HomniFood a toutefois réussi à mettre au point des céréales génétiquement modifiées qui y résistent avec un taux de succès de quatre-vingt-deux pour cent.

— Depuis quand travaillez-vous sur ces plants modifiés ?

— Très peu de temps. Il s'agit en réalité d'un véritable coup de chance. Nous avons découvert par hasard que les souches de riz et de blé auxquelles nous avions intégré un insecticide résistaient également à la contamination par les champignons. HomniFood va lancer un programme de deux milliards d'euros pour financer un projet de recherche visant à perfectionner ces céréales et à mettre au point des souches complètement résistantes. Des études seront également entreprises pour adapter cette technique aux autres céréales, notamment au soja et au maïs.

— Comment expliquez-vous l'apparition de ce champignon ?

— C'est une information que nous n'avons pas.

Puis il ajouta avec un sourire :

— Mais je suis certain que des adeptes de la théorie du complot vont nous accuser de l'avoir créé.

Il y eut quelques rires dans l'assistance.

— Quelle est l'ampleur de la menace que représente ce champignon ? demanda un autre journaliste.

— Si nous réussissons à commercialiser à temps nos céréales génétiquement modifiées, la baisse de la production mondiale devrait se limiter à quinze ou vingt pour cent.

— Et si vous ne réussissez pas à le faire à temps ?

— Je n'ose pas imaginer ce qui pourrait se produire.

— Est-ce qu'il y a un moyen de protéger les cultures existantes ?

— Nous travaillons également à la mise au point d'un fongicide qui détruirait le champignon. Mais son efficacité est encore limitée… Comme nos variétés de céréales résistantes sont prêtes pour la production industrielle, nous préférons y concentrer la plus grande part de nos ressources. C'est la façon la plus sûre d'éviter le pire.

— Vous avez amorcé la production ?

— Ce n'est pas tout de pouvoir produire, il faut que la commercialisation soit autorisée par les divers gouvernements, que l'on puisse construire rapidement de nouvelles usines… Cela va exiger des investissements majeurs. C'est pourquoi nous commencerons par les pays dont nous obtiendrons le plus grand soutien financier et législatif.

— Est-ce que votre souche génétiquement modifiée est sans danger ?

— Ce serait malhonnête de ma part de vous garantir qu'elle est absolument sans inconvénient. Mais, considérant le choix devant lequel nous nous trouvons…

PARIS, 19 H 39

Poitras avait regroupé sur un même écran les principaux titres de l'industrie alimentaire. Sur un autre moniteur, il avait rassemblé vingt-trois titres de biotechs axées sur l'alimentation. La valeur des titres était mise à jour en continu.

Pendant qu'il travaillait sur les états financiers de Diet's Pro, que Chamane avait piratés à son intention, un clairon de cavalerie se fit entendre. Poitras releva les yeux : cela signifiait que l'un des titres avait augmenté de plus de cinq pour cent. Le temps qu'il repère le titre sur l'écran, trois autres clairons avaient sonné : le titre d'HomniFood venait de gagner sept pour cent. Sa valeur se situait maintenant à 47,82 $.

Sur le fil d'information, au bas d'un des écrans, il aperçut la nouvelle de la découverte effectuée par HomniFood. Il décida alors d'examiner l'encours des options sur le titre de l'entreprise. Il y avait un très grand nombre d'options d'achat émises et leur prix d'exercice se situait déjà en dessous de la valeur actuelle du titre, qui continuait de monter. Si le prix ne retombait pas, les détenteurs de ces options, qui avaient le droit de les acheter à leur prix d'exercice, réaliseraient des profits colossaux. Et ceux qui leur avaient vendu les options devraient acheter massivement les titres pour les leur livrer – ce qui contribuerait à faire monter encore plus le prix du titre et à augmenter d'autant le profit des détenteurs d'options.

Quelques minutes plus tard, la valeur du titre avait atteint 51,07 $ et la poussée ne donnait aucun signe de ralentissement.

Poitras téléphona à Blunt.

MONTRÉAL, 14 H 11

Little Ben prenait sa tisane à la camomille à sa table habituelle, devant la fenêtre du café. Par habitude, il observait les gens qui allaient et venaient dans la rue. Quand un homme d'une quarantaine d'années escalada les quelques marches qui menaient à l'appartement de Pascale Devereaux, son attention se concentra sur lui.

L'homme semblait nerveux. Il tournait fréquemment la tête pour jeter de rapides coups d'œil de chaque côté de la rue. Little Ben déposa trois dollars sur la table pour le cas où il aurait à sortir rapidement.

Quand Pascale ouvrit, l'homme lui tendit une enveloppe matelassée jaune.

— Ouvrez-la vous-même, dit-elle en reculant d'un pas.

L'homme l'ouvrit, en sortit une enveloppe blanche, plus petite, l'ouvrit à son tour. Puis il tendit les deux enveloppes à Pascale.

— Qu'est-ce que c'est ? demanda-t-elle en les prenant.

— C'est en rapport avec l'attentat contre le laboratoire… BioLife Management.

— Qui êtes-vous ?

L'homme semblait de plus en plus mal à l'aise.

— Je suis tombé sur ça par hasard, dit-il. Je ne veux pas avoir de problèmes… Je sais que je peux vous faire confiance.

Voyant l'air sceptique de Pascale, il ajouta :

— J'ai suivi ce qui vous est arrivé, il y a quelques années… Ils en ont parlé dans les journaux et à la télé.

Sur ce, il tourna les talons, descendit l'escalier et s'éloigna rapidement. Little Ben lui emboîta le pas quand il passa à la hauteur du café.

HEX-RADIO, 15 H 03

> … NOS PETITS DÉBILES DE LA TERRE BRÛLÉE RÉCIDIVENT. ILS VIENNENT DE CONDAMNER À MORT UNE VINGTAINE DE DIRIGEANTS DE L'INDUSTRIE AGRICOLE CANADIENNE. ET DEVINEZ QUI ILS ONT CHOISI POUR PUBLIER LA LISTE DES FUTURES VICTIMES ? PARANO KID EN PERSONNE. ILS DISENT QUE JE SUIS LE SEUL EN QUI ILS ONT CONFIANCE POUR LA PUBLIER MALGRÉ LES PRESSIONS DES FLICS. VOICI DONC, EN PRIMEUR, SANS LA CENSURE DU SPVM ET DES AUTRES CORPS POLICIERS, LA LISTE DES PERSONNES QUE LES TERRORISTES ONT DÉCIDÉ D'ÉLIMINER POUR FAIRE UN EXEMPLE : MONSIEUR TIMOTHY BLANDON, MADAME CARMELLA…

MONTRÉAL, 15 H 36

Pascale avait aligné sur la table, l'une à côté de l'autre, les cinq pages de la lettre. Le texte avait été imprimé sur des feuilles de format huit pouces et demi par onze.

Pour quelle raison lui avait-on envoyé ça ? Pourquoi ne pas l'avoir expédié directement à la police ? Parce que l'auteur du message se méfiait des policiers ? Parce qu'il avait peur qu'ils enterrent l'affaire ?

La lettre identifiait le commanditaire de l'attentat contre le laboratoire de BioLife Management. Il s'agissait de Biotope Technologies, une compagnie qui travaillait à la mise au point d'un test diagnostic sur les maladies du blé et dont BioLife Management avait refusé l'offre d'achat.

Le rôle de chacun des intervenants était détaillé. Le chercheur en fuite avait emporté avec lui tous les résultats des recherches. Son rôle avait été d'attirer Brigitte Jannequin au laboratoire. Il fallait qu'elle disparaisse parce qu'elle en savait trop sur les découvertes effectuées. Des hommes de main avaient été engagés pour s'occuper d'elle. Leur responsable avait pour nom de code : Cake. Il avait été éliminé de la même manière que Pizz, qui s'était retrouvé dans la cuve d'équarrissage.

Pascale lisait le texte pour la troisième fois quand le carillon de la porte la fit sursauter. Avant d'ouvrir, elle regarda dans l'œil-de-bœuf. Le visage déformé de Little Ben lui apparut.

Elle ouvrit la porte en souriant, se leva sur le bout des pieds et embrassa Little Ben sur les joues. Ce dernier se contenta de prendre délicatement les épaules de Pascale, comme s'il avait peur de briser quelque chose.

— Qu'est-ce qui t'amène ?

— Rien de particulier. Ça faisait un bout que je n'étais pas venu prendre un café.

— Si c'est tout ce que ça prend pour te faire plaisir !

Elle l'entraîna vers la cuisine.

— Évidemment, ta visite n'a rien à voir avec le fait que Graff est en Belgique, dit-elle en préparant deux espressos.

— Il est parti ? demanda Little Ben avec une mauvaise foi évidente.

— Et c'est par hasard que tu passes ton temps dans la vitrine du café d'en face depuis qu'il est parti…

— Là aussi, le café est bon, se défendit en souriant Little Ben.

— Mais pas aussi bon que le mien…

— La perfection est rare.

Elle déposa les deux tasses sur le comptoir de la cuisine et elle s'assit en face de lui.

— Et je suppose que ça n'a rien à voir non plus avec la visite que j'ai reçue tout à l'heure, reprit-elle en plantant son regard dans celui de Little Ben.

— J'ai trouvé qu'il avait un drôle d'air, admit Little Ben.

— Il m'a apporté un drôle de message.

D'un geste, elle lui montra les feuilles sur la table derrière lui. Little Ben se rendit à la table et parcourut rapidement le long message.

— Il veut que tu fasses un article ? demanda-t-il.

— J'ai surtout l'impression qu'il veut empêcher que la police enterre l'affaire.

— Qu'est-ce que tu vas faire ?

— Appeler Théberge, je suppose.

— Si tu en as besoin, j'ai l'adresse de celui qui a apporté le message.

LONDRES, 20 H 54

À l'aide des informations que Chamane lui avait transmises sur les caractéristiques des serrures et sur les dispositifs de sécurité de l'édifice, Hurt avait réussi assez facilement à pénétrer dans l'appartement de Joyce Cavanaugh.

À mesure qu'il passait d'une pièce à une autre, il décrivait à Chamane ce qu'il voyait. L'écouteur dans son oreille gauche et le micro épinglé à sa poche de chemise étaient reliés à son iPhone.

Le salon et la salle à manger ne révélèrent rien de particulier. Quand il entra dans la cuisine, la communication faiblit. Tout, dans la pièce, était en métal : les tables, les chaises, l'horloge, les meubles de rangement… On aurait dit un laboratoire. Mais ça ne suffisait pas à expliquer l'interférence. Il gratta la peinture sur un des murs.

— Du métal, murmura-t-il à l'intention de Chamane.

— Attention de ne pas te retrouver à l'intérieur d'une cage de Faraday, fit Chamane. Tu vas…

Dans l'écouteur de Hurt, la voix s'éteignit en même temps qu'une porte claquait derrière lui.

Il se retourna.

Joyce Cavanaugh était debout devant lui, un pistolet à la main.

— Restez tranquille et vous ne souffrirez pas, dit-elle.

— *Vous allez appeler la police ?* demanda la voix posée de Steel.

— J'ai ici ce qu'il faut pour m'occuper moi-même de cette contrariété.

Elle fit un pas vers lui.

— Notre laboratoire médical a les équipements nécessaires pour éliminer les déchets biologiques.

— *Vous projetez un suicide ?* répliqua Sharp.

Cavanaugh fut sensible au changement de voix.

— C'est donc vrai, cette histoire de multiples personnalités. J'avais toujours cru à une invention de Fogg pour justifier ses échecs… À moins que ce soit une invention de votre part.

— *Si vous avez l'intention de m'endormir à force de parler, je vais m'asseoir.*

Il mit la main sur le dossier de la chaise à sa droite.

— Dites-moi, répliqua Cavanaugh, c'est vrai ce qu'on raconte au sujet de vos enfants ? Qu'ils ont été… ?

Sa phrase fut interrompue par la chaise que Hurt avait saisie et projetée sur elle. Un coup de feu retentit en même temps que Cavanaugh tombait à la renverse. Sa tête heurta le bord de la table de métal, puis elle se retrouva par terre.

Hurt se précipita sur elle pour la maîtriser, mais c'était inutile. Elle ne bougeait plus. Il vérifia son pouls : rien. Quand il toucha la tête, elle roula sans résistance sur le côté.

Elle s'était fracturé la colonne cervicale en se frappant la nuque contre le bord de la table.

Hurt se releva et ouvrit la porte, ce qui rétablit la communication.

— *Tu m'entends ?* demanda-t-il.

— Qu'est-ce qui s'est passé ?

— *La pièce est isolée. Quand on ferme la porte, ça coupe.*

— La prochaine fois, il faut que tu prennes un téléphone-vidéo, que je puisse enregistrer les images.

Hurt ignora la remarque. De la main gauche, il toucha l'extérieur de son bras droit, esquissa une grimace. La balle que Cavanaugh avait eu le temps de tirer n'avait pas totalement raté sa cible.

Puis son visage devint impassible. Steel avait pris le contrôle.

— *Tu me donnes deux minutes pour faire le tour de l'appartement,* dit-il, *et tu envoies la police.*

Puis, se ravisant, il ajouta :

— *Si F a toujours ses contacts, c'est le temps de les utiliser pour qu'ils n'envoient pas n'importe qui.*

— Qu'est-ce qui se passe ?

— *Il y a un cadavre. Ça devrait les intéresser.*

— Tu l'as trouvé où ?

— *Cadavre au féminin… C'est elle qui m'a trouvé.*

Six minutes plus tard, Hurt était de retour dans sa voiture, garée en biais de l'autre côté de la rue. Sur le côté droit de son blouson, la tache rouge avait gagné du terrain. Il attendait l'arrivée des policiers.

Montréal, 16 h 02

Théberge répondit au téléphone sur un ton bourru, mais son humeur changea aussitôt qu'il reconnut la voix de Pascale Devereaux.

— Que me vaut le plaisir, gente damoiselle ?

— Il faut que je vous parle de quelque chose.

— Pour vous, j'ai tout mon temps. Enfin, presque : parce qu'aujourd'hui…

— Je sais. J'ai entendu, à Radio-Canada.

— Avec le communiqué des écoterroristes… et les débiles de HEX-Radio qui ont publié la liste des personnes visées…

— Il faut quand même que je vous parle. En personne.

— Ici, c'est le bordel…

Théberge s'interrompit brusquement, comme s'il avait réalisé avec un décalage de quelques secondes ce que Pascale lui avait dit. Quand il reprit, sa voix avait perdu toute trace de badinerie.

— Vous voulez venir dîner à la maison? Vous amènerez votre ami qui fait des petits dessins!

— Il faut qu'on se voie plus rapidement.

— Il ne vous est rien arrivé? demanda Théberge, subitement inquiet.

— Non, non… mais j'ai quelque chose qui va vous intéresser. Et qui ne peut pas attendre, j'ai l'impression.

— D'accord. Je suis chez vous dans quinze minutes. Mais vous venez quand même souper à la maison. Dix-neuf heures trente.

Comme elle hésitait, Théberge lui déclara qu'il y allait du rabougrissement prématuré de son espérance de vie si jamais madame Théberge apprenait qu'il avait laissé passer l'occasion de l'inviter.

Pascale finit par accepter, mais elle viendrait seule : Graff était en Belgique pour négocier les droits d'une nouvelle série de BD.

LONDRES, 21 H 43

Les deux agents du MI5 avaient l'ordre de récupérer le cadavre, de l'escamoter discrètement et de saisir les ordinateurs. L'assistant-directeur leur avait fourni une adresse et il leur avait dit qu'il les attendrait personnellement dans une maison de sûreté de l'agence.

Si on faisait appel à leurs services pour ce genre de travail, et si l'assistant-directeur était personnellement impliqué, il devait s'agir d'un cadavre particulièrement important.

Les agents avaient apporté une malle, qu'ils déposèrent dans le corridor. Puis ils sonnèrent, même s'ils n'attendaient aucune réponse. Après une attente d'une quinzaine de secondes, un des agents sortit un trousseau de pics de sa poche de veston et il en introduisit un dans la serrure. Ce faisant, il appuya légèrement sur la porte, qui s'ouvrit sans qu'il ait à faire quoi que ce soit d'autre.

Les deux hommes se regardèrent brièvement puis entrèrent.

Un coup d'œil à la boîte de contrôle du système d'alarme, à côté de la porte, leur révéla qu'il n'était pas amorcé.

Ils sortirent leurs armes puis entreprirent d'explorer l'appartement. Ils ne trouvèrent ni cadavre ni ordinateur. Il y avait toutefois du matériel informatique sur un bureau : des haut-parleurs, une imprimante, un scanner et une bonne quantité de fils. Quelqu'un semblait avoir emporté l'ordinateur qui était là peu de temps auparavant.

Sur le plancher, ils trouvèrent deux petites taches de sang. Un des deux agents en préleva un échantillon. Peut-être l'analyse de l'ADN donnerait-elle quelque chose.

Ensuite, ils vérifièrent de nouveau l'adresse qu'on leur avait donnée, puis ils décidèrent d'aller sans délai rencontrer l'assistant-directeur. Avant de partir, ils mirent le scanner et l'imprimante dans la malle, pour le cas où les cracks du département d'informatique réussiraient à dénicher des renseignements dans la mémoire des appareils.

Sur le trottoir, pour se rendre à leur voiture, ils passèrent à côté de la limousine à l'intérieur de laquelle Hurt était dissimulé pour observer leurs allées et venues. Il les vit soulever la grande malle, la mettre dans la valise du véhicule puis repartir.

Son travail était fait. Il était temps de s'occuper de sa blessure.

BBC, 22 H 02

... ALLÉGUANT QUE DES CAS DE CONTAMINATION AURAIENT ÉTÉ CACHÉS PAR LE CANADA, LES ÉTATS-UNIS SERAIENT SUR LE POINT D'EXIGER DES DROITS COMPENSATOIRES À LA HAUTEUR DES DÉVASTATIONS SURVENUES ET

‖ à survenir. Pour le moment épargné par cette épidémie, le
‖ Royaume-Uni songe à…

Montréal, 17 h 16

En revenant de voir Pascale, Théberge se rendit directement au bureau de Crépeau.

— J'ai du nouveau sur BioLife Management, dit-il en mettant l'enveloppe jaune sur la table.

— Un suspect?

Théberge s'assit en face de Crépeau avant de répondre.

— Quelqu'un nous a fait parvenir les détails de l'opération.

Il prit l'enveloppe qu'il avait posée sur le bureau et montra les feuilles qu'elle contenait à Crépeau.

— On a les noms de toutes les personnes impliquées, dit-il. Les caractéristiques des explosifs qu'ils ont utilisés, le chemin qu'ils ont emprunté dans le parc pour se rendre au laboratoire, la porte par où ils sont entrés… Le nom de l'employé qu'ils ont soudoyé pour avoir la clé de la porte. Le numéro de vol de l'avion que Hykes a pris pour quitter le pays et le nom qui était sur son faux passeport… Le montant d'argent qu'on lui a remis, en liquide, pour les données compilées dans la banque de données de BioLife Management…

Théberge ponctuait son énumération de brèves pauses.

— Il manque le nombre de crèmes qu'il met dans son café, se contenta de répondre Crépeau.

— Exactement ce que je pense.

Lui aussi se méfiait de ce type de résolution d'enquête clés en main. Il s'en méfiait d'autant plus que l'enveloppe jaune dans laquelle les renseignements avaient été transmis à Pascale était identique à celle que Théberge avait lui-même reçue Chez Margot.

— Au moins, ça va permettre de calmer les politiciens un jour ou deux, reprit Crépeau.

— Et de contenter le Français.

— On n'a pas arrêté Hykes.

— Non, mais on sait qu'il est en France. Jannequin aura juste à aller voir son « ami » des Renseignements généraux.

Crépeau fit un geste en direction des feuilles que Théberge avait redéposées sur son bureau.

— On a les moyens de confirmer ça ?

— En bonne partie.

— Et le nom du commanditaire derrière l'attentat ?

— On a une piste.

Crépeau haussa les sourcils, attendant la suite.

— L'homme qui a livré ces informations à Pascale Devereaux : il a une chambre au Ritz-Carlton.

— Tu as appris ça comment ?

— Par un des amis de mademoiselle Devereaux, reprit Théberge. Little Ben.

Voyant que Crépeau ne semblait pas reconnaître le nom, il ajouta :

— La montagne humaine…

— Ah…

— Quand le messager est sorti de chez Pascale, il l'a suivi jusqu'à son hôtel. Il a aussi déniché son numéro de chambre.

— Je ne vois pas comment je peux justifier une perquisition.

— Je pensais plutôt à une surveillance… Il va bien finir par rencontrer quelqu'un.

— Je suis déjà *over* dans mon budget d'heures supplémentaires.

— Si c'est relié au terrorisme, ça va passer.

Crépeau se contenta d'acquiescer en hochant la tête.

— Avec Davis, comment ça se passe ? reprit Théberge.

— Pour une fois, je suis heureux que ce soit la GRC qui prenne les choses en main. S'il arrive quelque chose aux victimes de menaces, ce sont eux qui vont écoper.

— Pour le cadavre, à l'université, tu as du nouveau ?

— Peut-être. Il y a un membre du personnel d'entretien qui est introuvable. Plus de téléphone, appartement désert… le loyer est payé jusqu'à la fin de l'année.

Théberge fit une moue.

— Ça ressemble de plus en plus à du travail de professionnel.

En fait, ça faisait beaucoup de crimes qui portaient la marque d'un travail de professionnel : le cadavre du crématorium, l'homme aux doigts coupés et redistribués dans des contenants de yogourt, Brigitte Jannequin enterrée dans le silo…

Était-ce un hasard si ces événements coïncidaient, d'une part, avec les attaques lancées contre lui par HEX-Radio et HEX-TV et, d'autre part, avec le message qui lui était parvenu Chez Margot ? Était-il en train de céder à la paranoïa ?

Il se passa lentement la main sur l'estomac.

— Quelque chose qui te tracasse ? demanda Crépeau.

— Ma digestion.

CBFT, 19 H 03

… POUR DISCUTER AVEC NOUS DE CETTE NOUVELLE POLÉMIQUE SUR LES MÉRITES DES ALIMENTS BIO. LES PROFESSEURS JOHN AUSTER ET CLÉMENT DE MANDIARGUE PUBLIENT AUJOURD'HUI LES RÉSULTATS D'UNE VOLUMINEUSE RECHERCHE SOULIGNANT LES NOMBREUX DANGERS DE L'ALIMENTATION BIO ET METTANT EN QUESTION LES MÉRITES QUI Y SONT GÉNÉRALEMENT ATTRIBUÉS. LES RÉSULTATS DES DEUX SCIENTIFIQUES TENDENT À PROUVER QUE LE PRÉJUGÉ FAVORABLE GÉNÉRALEMENT PARTAGÉ À LEUR ENDROIT NE SERAIT PAS…

BROSSARD, 19 H 14

L'inspecteur-chef Théberge prenait un premier apéro au salon en compagnie de son épouse. Son régime était chose du passé. Il avait négocié avec madame Théberge son ajournement *sine die*. L'expression qu'il avait employée était : « jusqu'à ce que les niaiseries se calment ». Ce qui, dans son esprit, lui laissait une bonne marge de manœuvre. On pouvait se fier à la bêtise humaine pour continuer de proliférer.

En contrepartie, il avait accepté de « faire attention ». D'où la dégustation lente de son apéro.

Le dîner était prêt et ils attendaient l'arrivée de Pascale Devereaux. La télé diffusait une émission d'informations.

— Moi, j'essaierais un beaujolais avec le lapin à la moutarde, dit-elle. Du moment qu'il est assez frais…

— Le beaujolais, ce n'est pas du vin, trancha Théberge.

— On finit toujours par prendre du chardonnay avec ma recette de lapin, protesta sa femme. On pourrait changer, pour une fois.

— Chaque fois, on change de producteur! répliqua Théberge avec la plus totale mauvaise foi. Ou même de pays!

En guise de représailles, son épouse se replongea ostensiblement dans ses mots croisés. Théberge laissa son attention flotter vers la télé.

> ... A ÉTÉ VIVEMENT DÉNONCÉ PAR LES MANIFESTANTS. ILS ACCUSENT LES AUTORITÉS FÉDÉRALES DE COMPROMETTRE LA SÉCURITÉ ALIMEN-TAIRE DU PAYS EN LAISSANT LE CHAMPIGNON CANADIEN DÉVASTER LES RÉCOLTES DU MIDWEST. LE PORTE-PAROLE DE LA MAISON-BLANCHE...

La sonnerie du téléphone tira Théberge de la somnolence dans laquelle il était en train de glisser. Il se leva et se dirigea par réflexe vers l'appareil le plus près.

— C'est dans ton bureau, fit madame Théberge sans lever les yeux de ses mots croisés.

Quelques instants plus tard, Théberge prenait la communication sur son ordinateur portable.

— Je veux d'abord vous remercier pour le quipu dont vous m'avez envoyé une image, fit Dominique.

— Vous avez trouvé ce que ça signifie?

— Pas encore. Mais vous aviez raison: c'est un objet rituel maya. Il y a toutes les raisons de croire que c'est une façon de transmettre de l'information. Malheureusement, on n'a pas réussi à percer le code. Ça ne correspond pas à ce qu'on connaît des quipus.

— J'ai autre chose pour vous. Quelqu'un a envoyé une lettre à Pascale Devereaux pour dénoncer les auteurs de l'attentat contre le laboratoire de BioLife Management.

— Laissez-moi deviner: c'est un concurrent qui a décidé d'avoir recours aux grands moyens.

— Vous avez déjà reçu l'information? demanda Théberge, surpris.

— Non, mais il commence à y avoir un *pattern*. Au cours des dernières semaines, il y a eu plusieurs incidents impliquant des entreprises du domaine de l'alimentation, particulièrement des céréales.

— Est-ce que c'est relié au groupe terroriste qui a annoncé la mort des producteurs de blé ?

— Sur ça, je ne sais rien de plus que ce que j'ai entendu aux informations. Est-ce que vous les avez fait protéger ?

— L'information a été transmise à la GRC. Ils sont censés s'en occuper.

— Si vous apprenez quoi que ce soit, vous me le transmettez immédiatement.

— Chère dame, tous les prétextes sont bons pour goûter les plaisirs de votre éblouissante conversation.

Dominique ne put s'empêcher de rire.

— Pour en revenir au message reçu par mademoiselle Devereaux, dit-elle, vous en pensez quoi ?

Théberge reprit sans transition son ton professionnel.

— À part le fait de dénoncer ceux qui sont morts, il charge le savant qui a disparu. Ce serait lui qui aurait fourni les informations pour préparer l'attentat. Et ce serait lui qui aurait approché des compagnies pour vendre les résultats des recherches effectuées par BioLife Management… Dans les documents, on a tous les détails de l'opération : la seule chose qui nous manque, c'est une vidéo du *making of* !

— Et le nom des commanditaires, je suppose ?

— Et le nom des commanditaires.

— Vous allez fermer l'enquête ?

— Il nous reste une piste : l'homme qui a livré le message à Pascale Devereaux. Il a une chambre dans un hôtel du centre-ville. J'ai deux hommes qui le surveillent.

— J'ai une autre information pour vous : on a retrouvé la trace de madame Hunter.

— Elle est revenue au Québec ?

Théberge n'avait pu empêcher une certaine préoccupation de passer dans sa voix.

— Pour le moment, elle est en Europe. Mais si votre épouse et vous décidez de profiter des moyens à la disposition de l'Institut pour assurer votre protection, l'offre tient toujours.

Quand Théberge remonta de son bureau, dix minutes plus tard, il informa sa femme que l'Institut avait retrouvé la trace de madame Hunter. Qu'il avait de nouveau refusé l'offre de protection de l'Institut.

— Tu as bien fait, se contenta de répondre madame Théberge sans relever les yeux de ses mots croisés.

La veille encore, ils avaient discuté des menaces indirectes auxquelles il était fait allusion dans l'enveloppe jaune ainsi que dans le mystérieux courriel qu'il avait reçu.

Comme à l'habitude, son épouse avait été intransigeante : non seulement refusait-elle d'aller passer du temps chez l'une ou l'autre de ses sœurs, mais il était hors de question qu'ils changent quoi que ce soit à leur façon de vivre. Ce n'était pas en cédant aux menaces des motards que Dominique avait mis sur pied le service d'aide qui s'occupait des danseuses dans les bars ; il était impensable que des menaces l'empêchent d'y faire son bénévolat. Ils n'allaient quand même pas commencer à se cacher !… « À nos âges, Gonzague ! Tu y penses ? »…

Autant Théberge l'admirait, autant il aurait préféré qu'elle se montre plus conciliante. Son instinct de policier lui soufflait que le danger était autrement plus sérieux, cette fois. Moins explicite, sans doute, mais plus létal.

Théberge poussa un soupir, se rassit dans son fauteuil, examina son verre presque vide et le redéposa sur la petite table à sa droite. Il attendrait l'arrivée de Pascale Devereaux avant de s'en servir un autre.

Impassible, la télévision continuait de répandre son flot d'informations.

… A VIGOUREUSEMENT NIÉ LES ALLÉGATIONS DES CHAÎNES D'INFORMATIONS AMÉRICAINES ET IL A EXPLIQUÉ QUE SON MINISTÈRE…

> Cette population vouée au service direct des super-prédateurs constitue le deuxième cercle des Essentiels. Elle est regroupée dans l'Alliance mondiale pour l'Émergence.
>
> Il importe de satisfaire suffisamment les besoins de cette population pour qu'elle manifeste un dévouement sans faille à l'endroit des superprédateurs.
>
> Guru Gizmo Gaïa, *L'Humanité émergente*, 2- Les Structures de l'Apocalypse.

JOUR - 7

VENISE, 8 H 06

Le vent balayait la poussière sur la place Saint-Marc. Assis devant un café, son portable ouvert devant lui, Blunt lisait le dernier courriel de Chamane.

> Rien dans les archives de la NSA. Il ne reste que les deux citations que j'ai trouvées. Les conversations dont elles proviennent ont été effacées pour faire de la place.

On approchait d'un équivalent informatique du déluge, songea Blunt. C'était au point que même la NSA manquait d'espace pour conserver l'information qu'elle recueillait. Les bibliothèques, les centres de documentation audiovisuelle et les musées faisaient face au même problème : il y avait de moins en moins d'espace pour archiver les documents écrits toujours plus nombreux, les films et les émissions de télé qui ne cessaient de se multiplier ; il y avait de moins en moins d'espace pour archiver les œuvres d'art proliférantes, dont la préservation elle-même exigeait des ateliers de restauration toujours plus vastes.

Bientôt se poserait la question : que fallait-il conserver et que fallait-il laisser sombrer dans l'oubli ?... Ferait-on des élections pour décider du *greatest hits* de l'humanité ? Demanderait-on à des experts de choisir ?... Quels pays auraient le plus de poids dans les décisions ?... La réponse ne faisait pas de doute : ce seraient ceux qui auraient le plus de pouvoir. Un pouvoir qui se traduirait de façon croissante par le contrôle de l'espace. Sous toutes ses formes.

L'espace physique était déjà happé par la même dynamique. Il y avait les cimetières, où l'on archivait les générations de plus en plus nombreuses qui disparaissaient ; les tours d'habitation, où l'on rangeait les vivants raisonnablement fortunés ; les banlieues, où se déversaient les classes moyennes ; les bidonvilles, où s'entassaient les plus démunis. Et cela, c'était sans compter les espaces de stationnement, que squattait un parc automobile mondial en furieuse expansion, et les dépotoirs, où s'accumulaient les déchets.

À une échelle plus grande, c'étaient les villes, les zones industrielles de production agricole et les autoroutes, qui grugeaient inexorablement les espaces naturels. On avait beau trouver des expédients, réduire la taille des logements, incinérer les morts pour qu'ils prennent moins d'espace, la surface disponible d'archivage du vivant diminuait à un rythme semblable.

Malgré lui, Blunt analysait le problème en termes de go, de stratégie de contrôle du territoire. Force lui était de constater que les agences de renseignements et les administrations publiques avaient déjà pris une sérieuse option sur le territoire de la mémoire collective. Et sur la partie qu'elles ne contrôlaient pas, elles exerçaient déjà de l'influence. Elles auraient leur mot à dire sur leur attribution et il y avait fort à parier que leurs besoins seraient prioritaires.

Ce qui voulait dire que la musique, les livres, les films devraient se partager le peu d'espace qui resterait. Un espace appelé à se restreindre à mesure que les administrations publiques et les agences continueraient de produire de l'information qu'il faudrait stocker…

Blunt fut tiré de ses pensées par un faible signal sonore. Un personnage de manga était apparu dans le coin gauche, au bas de son écran. Une femme aux yeux violets.

Il activa le logiciel de conversation protégée qui le reliait à l'Institut, sélectionna le mode « direct » et entra son code d'accès.

L'instant d'après, le visage de Dominique apparaissait à l'écran.

— Mauvaises nouvelles, dit-elle. La fouille de l'appartement de Cavanaugh n'a rien donné. Le corps avait disparu. L'ordinateur aussi. Les Anglais pensent qu'ils ont été transférés à un autre appartement, probablement à un autre étage, pour ensuite être évacués de l'édifice.

— Et Jessyca Hunter ?

— L'équipe qui la suivait a abandonné la filature quand ils ont croisé par hasard un des islamistes les plus recherchés du pays… F leur avait dit que c'était un travail de routine. Elle ne voulait pas trop attirer l'attention des Anglais sur elle.

— Donc, la seule chose qui nous reste, c'est la transcription de la conversation que Hurt a surprise ?

— On a au moins appris que les attaques contre leurs filiales leur causent des ennuis. Et qu'ils ont tendance à les attribuer systématiquement à Hurt.

— Ça veut dire qu'il y a un autre groupe que l'Institut qui s'intéresse à eux.

RDI, 7 H 02

… ON RAPPORTE DES ÉMEUTES DANS PLUSIEURS RÉGIONS DE L'INDE, OÙ DES FOULES ONT PILLÉ DES CONVOIS DE RIZ ACHEMINÉS VERS LES ZONES DÉVASTÉES. ALIMENTÉE PAR LA RUMEUR D'UNE DESTRUCTION MASSIVE DES RÉCOLTES, LA PANIQUE SEMBLE EN VOIE DE SE PROPAGER À LA GRANDEUR DU PAYS. L'ARMÉE A ÉTÉ MOBILISÉE POUR PROTÉGER LES ZONES DE PRODUCTION DE CÉRÉALES ET LES POINTS DE DISTRIBUTION.

> Dans un effort pour calmer les esprits, le premier ministre est intervenu publiquement pour démentir les allégations selon lesquelles le champignon tueur de céréales, comme l'a baptisé la population, aurait déjà détruit la moitié des récoltes.
> Toujours dans le domaine de l'industrie céréalière, deux entreprises, l'une suisse, l'autre italienne, ont annoncé hier, à quelques heures d'intervalle, la disparition de leur directeur respectif de la recherche, les professeurs Ibrahim Kolmar et Benedetto Fiori. Les deux étaient spécialisés en ingénierie génétique. Compte tenu de la multiplication des cas de disparition suspecte de chercheurs au cours des derniers mois, la police des deux pays...

Genève, 13 h 58

Frank Cooper avait toujours eu un faible pour les repas gastronomiques arrosés de bons vins. Il y voyait même un des principaux avantages à assumer la direction d'HomniFood. Tous les membres du conseil d'administration avaient un budget de recherche respectable. Leur description de tâche spécifiait qu'ils étaient tenus de manger régulièrement dans les meilleurs restaurants pour se tenir au fait de l'évolution des tendances alimentaires du gratin de la planète.

Quant aux classes moyennes et populaires, d'autres qu'eux s'occupaient d'effectuer le même type de suivi, avec des budgets plus réduits.

Les dix-huit premières bouchées de foie gras truffé lui avaient toutes paru superbes. Cooper avait néanmoins goûté les quatre dernières avec une joie moins intense. À la dix-neuvième, le plaisir avait commencé à devenir ambigu. Cooper avait fait quelques mouvements pour essayer d'être plus à l'aise sur la chaise. À la quarante-troisième, les nausées et les haut-le-cœur étaient apparus. S'il n'en avait tenu qu'à lui, il aurait interrompu l'expérience et il se serait levé. Mais les liens qui le retenaient sur la chaise étaient solides. Et il était encore loin de la dernière bouchée. De celle qui l'achèverait.

Franck Cooper allait entrer dans l'histoire comme la première personne tuée par gavage au foie gras.

Paris, 14 h 16

Blunt sortit les croissants du sac, les posa à côté de l'ordinateur de Chamane et parcourut la pièce du regard.

— Tu as fait du ménage ?

— Je fais juste ça, du ménage, *man* ! Si tu voyais le nombre d'heures par semaine que je perds à faire du ménage… Tu es sûr que je ne peux pas engager quelqu'un ?

— Trop risqué, fit Blunt. Sept point vingt-quatre pour cent de possibilité de cafouillage…

— Sûr… Sept point vingt-quatre.

— Geneviève n'est pas là ?

— Elle a couché chez des amis à côté du théâtre. La générale de leur spectacle est demain… Ils ont répété toute la nuit.

Voyant le malaise de Chamane, Blunt changea de sujet.

— Quoi de neuf avec les U-Bots ?

— Les jeunes prennent de plus en plus de place.

Blunt le regarda avec un sourire.

— Des jeunes, ça veut dire quoi ? Quatorze ? Quinze ans ?

— À peu près, répondit tout à fait sérieusement Chamane. Ces temps-ci, il se passe de drôles de choses sur le Net.

Il fit un geste en direction des croissants.

— Je peux ?

— Tant que tu m'en laisses un.

Chamane en sortit un du sac. Puis, avant de prendre une première bouchée, il ajouta :

— Avant, le piratage, c'était pour exposer les magouilles des capitalistes et des militaires. Écœurer Microsoft. Un peu pour niaiser les gouvernements, aussi… Aujourd'hui, le crime organisé est débarqué. C'est *weird* pas à peu près.

Les yeux de Blunt se rétrécirent. Si Chamane trouvait quelque chose *weird*…

— *Weird* comment ?

Chamane acheva sa bouchée.

— Ils font du recrutement. J'ai vu passer des offres de deux millions pour faire un contrat.

— Quel genre de contrat?

— Démolir le réseau interne d'une compagnie… détruire sa comptabilité… vider les banques de données d'un laboratoire de recherche… Même les pays s'y mettent. Quand un État reçoit officiellement le Dalaï Lama, le lendemain, le site d'une institution du pays est fermé par une attaque de *hackers*. Chaque fois, on remonte jusqu'à la Chine et on perd la piste… La Lituanie et l'Estonie ont goûté au même traitement quand ils ont indisposé les Russes…

— Tu penses encore qu'on va avoir une vraie guerre informatique?

— C'est clair que ça va arriver. La seule chose qu'on ne sait pas, c'est la date.

Il jeta un coup d'œil au croissant puis il ajouta avant de prendre une autre bouchée:

— Les banques et les grandes chaînes de magasins sont de plus en plus attaquées. Il y a deux semaines, il y en a une qui s'est fait voler les identifications de cent soixante-quinze mille cartes de crédit.

— Tu veux dire que le *hacker* a mis la main sur cent soixante-quinze mille cartes?

— La banque n'a pas eu le choix: elle les a toutes annulées. Et elle a contacté ses clients pour leur dire qu'en cas de problèmes, elle assumerait les pertes.

— Ça va leur coûter des millions!

— Pas nécessairement. Ils ont mis une dizaine de minutes à s'apercevoir que leur système avait été piraté. Il ne devrait pas y avoir trop de dégâts… De toute façon, la plupart du temps, les banques qui sont piratées ne disent rien. Si c'était connu, ça démolirait leur réputation… C'est bête à dire, mais les banques, c'est ce qu'il y a de plus sécuritaire à attaquer!

— T'exagères pas un peu?

— Moi, si j'avais de l'argent pour la peine, jamais je le mettrais dans une banque. Avant que je fasse confiance à un ordinateur!

— C'est une façon de me rassurer, fit Blunt en prenant un croissant.

— Pour l'Institut, c'est différent. Vous n'avez pas de débiles qui écrivent leurs mots de passe un peu partout pour ne pas les oublier… Et vous pouvez compter sur un des meilleurs concepteurs de réseaux !

— Une attaque de modestie ? fit Blunt sur un ton tout à fait sérieux.

— Pourquoi tu dis ça ?

— Avant, tu aurais dit : « le » meilleur !

Le visage de Blunt s'éclaira un moment d'un large sourire. Puis il redevint sérieux.

— Avec Hurt, comment ça s'est passé ? demanda-t-il.

— Il n'a pas été facile à convaincre, mais ça va aller. Il devrait être ici d'une minute à l'autre… J'oubliais : Poitras fait dire qu'il continue d'y avoir de l'action sur le titre d'HomniFood. Il m'a envoyé un courriel vers sept heures ce matin.

— Tu as trouvé autre chose ?

— Rien. Sauf que leurs affaires vont bien et que…

Chamane fut interrompu par un signal sonore en provenance de l'ordinateur. Il entra rapidement quelques instructions au clavier. Deux secondes plus tard, une voix d'aérogare annonçait : « La communication est sécuritaire. »

Blunt le regarda, un mince sourire sur les lèvres. Chamane appuya sur une autre touche.

— Magic Fingers *speaking* ! dit-il en s'approchant du micro.

— J'arrive dans trois minutes, répondit la voix de Hurt.

— D'accord, j'ouvre.

BBC, 13 H 23

… Joyce Cavanaugh, la riche héritière de la maison d'importation Cavanaugh & Cavanaugh, a été victime hier soir d'un accident de la circulation. Heurtée par un chauffard alors qu'elle marchait le long de la route en bordure de sa propriété, elle a été découverte quelques heures plus tard par un voisin, sur le talus où le choc l'avait projetée. La police recherche toujours le chauffard en fuite…

— Je n'ai aucune idée de ce que le rapport d'autopsie va dire. Quand le MI5 est arrivé sur les lieux, il n'y avait plus de corps dans l'appartement et son ordinateur avait disparu.

— *Quoi! C'est impossible.*

Hurt paraissait sérieusement troublé.

— *Je suis resté devant l'entrée jusqu'à ce que l'équipe du MI5 arrive*, reprit-il. *À part eux, personne n'est entré.*

— Il y a probablement un autre accès.

— *Mais comment est-ce qu'ils ont pu savoir ce qui s'est passé?*

— Il y avait peut-être une alarme que tu n'as pas vue… Ils étaient peut-être déjà sur place, dans un autre appartement…

Hurt ne répondit pas. Après un moment, Blunt le relança.

— Pour Shanghai, qu'est-ce que tu comptes faire?

— *Y penser*, répondit la voix neutre de Steel. *On ne sait jamais…*

Il prit le dossier sur la table et se leva. Se dirigea vers la porte. Puis il se retourna subitement comme s'il venait de prendre une décision.

— *À ta place, je me méfierais. Quand j'étais au bar, j'ai appris que Fogg avait une taupe à l'intérieur de l'Institut.*

— Fogg était là?!

— *Communication téléphonique par ordinateur*, rédit la voix de Steel.

Puis, sans attendre, il sortit.

OMBERG, 8 H 42

ONZE MORTS DANS LES ÉMEUTES QUI ONT ENFLAMMÉ LES QUARTIERS
PULAIRES DE MEXICO. PROTESTANT CONTRE LA HAUSSE DU PRIX DU
S…

14 H 45

nd Hurt fut parti, Blunt alla rejoindre Chamane
salle des ordinateurs.

Paris, 14 h 25

Hurt salua Blunt d'un bref signe de tête en entrant dans la pièce. Il s'assit à la table en face de lui et jeta un regard sur le dossier que ce dernier y avait déposé. Puis il fixa ses yeux sur Blunt.

— *Je veux bien parler*, fit la voix de Steel, *mais je ne réintègre pas l'Institut.*

— Je comprends. Mais j'ai quand même quelque chose pour toi.

— *J'écoute.*

Blunt remarqua son bras gauche en écharpe. Ça expliquait probablement les taches de sang à l'appartement de Cavanaugh.

— Ça va? demanda-t-il avec un geste en direction de son bras.

— *Ça va.*

Toute insistance aurait été perçue comme une tentative d'intrusion. Aussi, sans plus attendre, Blunt lui dressa un portrait global de la situation: la contamination des céréales, le chantage effectué contre l'Inde et la Chine, les déclarations des Enfants de la Terre brûlée, les enlèvements de chercheurs, les curieuses opérations financières sur les entreprises liées aux céréales…

— *Tu as raison*, admit Steel. *Ça mérite que l'Institut s'y intéresse.*

— Mais… ?

— *Ça ne change pas ma décision.*

Un silence suivit.

— *Le terrorisme religieux?* demanda Steel. *Il y a du nouveau?*

— Pour l'instant, c'est calme.

— *Le calme avant la tempête…*

— On a eu des informations comme quoi il y aurait une nouvelle vague d'attentats.

— *Les sources habituelles?*

— Non. Ça ne vient pas des milieux islamistes.

Une expression fugitive d'étonnement passa sur les traits de Hurt.

— C'est ce qui nous inquiète le plus, reprit Blunt.

— *Je comprends...*

— Mais tu as d'autres priorités.

— *Chaque fois que je me laisse distraire par les manœuvres de l'Institut, ça tourne mal.*

— Écoute, avec les illuminés de la Terre brûlée et le terrorisme religieux, on en a vraiment plein les bras... Alors, comme ça concerne Meat Shop, j'ai pensé que peut-être... compte tenu de tes priorités...

— *Meat Shop?... Aux dernières nouvelles, il ne restait plus grand-chose.*

— Ils ont récupéré d'anciens éléments et ils ont reconstruit. Plusieurs réseaux sont redevenus opérationnels. La nouvelle direction va se réunir à Shanghai. Ils veulent fêter le début de leur nouvelle expansion mondiale.

— *C'est une joke,* coupa la voix ironique de Sharp. *Si vous voulez me mettre au frigo, pourquoi ne pas me proposer carrément d'aller en Antarctique?*

— Les Chinois ont besoin de se faire du capital politique, poursuivit Blunt sans s'occuper de la remarque. Pour améliorer leur image. Avec les désastres environnementaux, les révoltes de paysans, les manifestations d'ouvriers un peu partout, je les comprends. Ils ne veulent pas, en plus, passer pour le refuge mondial des trafiquants d'organes.

WWW.LEMONDE.FR, 20 H 28

LES MANIFESTATIONS CONTRE LA HAUSSE DU PRIX DES ALIMENTS CONTINUENT DE SE MULTIPLIER DANS TOUS LES PAYS DE L'EUROPE. DES AFFRONTEMENTS AVEC LES FORCES POLICIÈRES ONT EU LIEU EN ITALIE, EN ALLEMAGNE ET EN BELGIQUE. (LIRE LA SUITE)

PARIS, 14 H 30

Hurt n'était toujours pas convaincu, mais il semblait moins réfractaire qu'à son arrivée à l'idée de s'occuper de Meat Shop. Il envisageait maintenant le projet sous un angle pratique.

— Aussitôt là-bas, dit-il, je vais avoir tous les services secrets chinois sur le dos.

— Ça, je peux t'assurer que non.

— *Tu as tes entrées au Parti communiste chinois, maintenant ?* ironisa Sharp.

— Il y a un conflit entre les paliers de gouvernement. Le pouvoir central pense à son image, à l'exposition internationale de Shanghai. Les pouvoirs municipaux et régionaux ont d'autres priorités, des gens à protéger, des alliances à respecter… Une intervention directe du pouvoir central créerait des problèmes.

— *Et ils demandent à l'Institut de faire leur travail !… Tu veux vraiment que je croie ça ?*

— L'information est destinée à la CIA. Mais la personne chargée de la transmettre est un informateur de l'Institut. Et tout ça est non officiel. Personne ne saura que l'information est arrivée sur le bureau de F deux semaines avant d'aboutir à la CIA.

Hurt considéra l'argument en silence pendant moment. Ce fut ensuite la voix froide de Steel qui re la parole.

— *Tu as des détails ?*

— Tout est dans le dossier sur la table. Les parti vont tous loger au Bund Hotel. Cela devrait te le travail… On avait réussi à éliminer presque to cienne direction. Pour nettoyer en profonde maintenant s'occuper de la relève. C'est ce propose… Si tu veux diminuer les chances est arrivé à tes enfants arrive à d'autres…

— *Tu es une ordure !* explosa Nitro en s

Il s'avança vers Blunt, puis s'immobi voix de Steel qui reprit.

— *Pourquoi tu me provoques ?*

— Je voulais tester ton contrôle.

— *Si tu ne me fais pas confiance.*

— Ta dernière opération en Angl succès époustouflant.

— *C'était un accident. Le rap le confirmer. Elle est tombée à brisé le cou sur le coin d'une ta*

— Il faut que j'y aille, dit-il.

— Hurt va accepter le travail ?

— Peut-être.

— Tu retournes à Venise ?

Blunt se demanda pour quelle raison Chamane lui posait ces questions. Puis il secoua la tête comme pour se défaire d'une idée déplaisante.

— Non, dit-il. J'ai une chambre à l'hôtel du Louvre.

Il n'y avait rien de pire que les accusations comme celle lancée par Hurt pour paralyser une organisation. Tout le monde finissait par se méfier de tout le monde et chacun se sentait justifié d'être méfiant en raison de la méfiance qu'il sentait chez les autres.

Blunt avait beau passer en revue les personnes qui gravitaient dans l'entourage de F, il ne voyait pas qui pouvait être une taupe.

Après y avoir réfléchi, Blunt décida de ne pas inclure les allégations de Hurt dans son rapport. Aussi bien interrompre tout de suite la chaîne de la méfiance… ce qui ne l'empêcherait pas de procéder discrètement à quelques vérifications.

DRUMMONDVILLE, 9 H 32

Dominique acheva de lire le rapport de Blunt puis elle le redirigea vers l'ordinateur de F. Elle se rendit ensuite à la cuisine se préparer un thé avant d'aller trouver F à son bureau.

— Qu'est-ce que tu en penses ? lui demanda aussitôt F.

— Je ne suis pas certaine qu'on a bien fait d'éloigner Hurt… Vous croyez qu'il va accepter ?

— Il a pris le dossier, non ?

— Il reste seulement Moh et Sam pour surveiller St. Sebastian Place. Suivre Gravah. Et maintenant, ce Killmore…

— Qu'est-ce que tu proposes ?

— Avec les contacts que vous avez là-bas…

— Pour un travail ponctuel comme l'appartement de Cavanaugh, ça peut aller. Mais pour suivre une piste…

— Je pourrais envoyer Kim et Claudia.

F hésitait.

— Tu as raison, dit-elle finalement. Il faut une autre équipe.

— Je pensais donner Gravah à Claudia et à Kim. Laisser Moh et Sam s'occuper de Killmore et de St. Sebastian Place.

— Je suis certaine que tu feras pour le mieux.

En retournant à son bureau, Dominique se demandait pour quelle raison F avait semblé réticente à envoyer une deuxième équipe. Était-ce parce qu'elle voulait garder des effectifs en réserve pour le cas où il se présenterait une urgence ? pour éviter que l'Institut se fasse remarquer par une trop grande activité ?…

LA PREMIÈRE CHAÎNE, 9 H 38

— DES EXPÉRIENCES ONT DÉMONTRÉ QUE LE BLÉ TRANSGÉNIQUE CANADA II, COMMERCIALISÉ PAR AGGRO-VIE, RÉSISTE MIEUX AU CHAMPIGNON TUEUR DE CÉRÉALES : LES PERTES SE SITUENT À SEULEMENT TRENTE-HUIT POUR CENT. LE PRODUIT D'HOMNIFOOD, LUI, RÉSISTE À QUATRE-VINGT-QUINZE POUR CENT... COMMENT VOULEZ-VOUS QUE LES ESPÈCES NATURELLES FASSENT LE POIDS ? ELLES SONT DÉCIMÉES À QUATRE-VINGT-DIX-HUIT POUR CENT PAR LE CHAMPIGNON TUEUR !

— SELON VOUS, QU'EST-CE QUI EXPLIQUE CETTE DIFFÉRENCE ?

— POUR VOUS RÉPONDRE, IL FAUDRAIT QUE JE CONNAISSE LA FORMULE GÉNÉTIQUE DES PRODUITS COMMERCIALISÉS PAR AGGRO-VIE ET HOMNIFOOD.

— À VOTRE AVIS, UN PRODUIT COMME CELUI D'HOMNIFOOD, EST-CE QUE ÇA PEUT COMPORTER DES DANGERS À LONG TERME ?

— CE N'EST PAS IMPOSSIBLE. PAR CONTRE, CE QUI EST CERTAIN, C'EST QUE, SANS CES CÉRÉALES TRANSGÉNIQUES, IL N'Y AURA MÊME PAS DE LONG TERME. NOUS SERONS PRESQUE TOUS MORTS DE FAIM... OU DU DÉSORDRE SOCIAL QUI SE PROPAGERA À L'ENSEMBLE DE LA PLANÈTE.

— MONSIEUR SANTINI, JE VOUS REMERCIE D'AVOIR PRIS LE TEMPS DE RÉPONDRE À NOS QUESTIONS. RAPPELONS QUE MONSIEUR SANTINI SERA DANS DEUX SEMAINES L'INVITÉ DE LA PRESTIGIEUSE...

TORONTO, 9 H 49

Gaylor Sorkin échappa un juron lorsque la crampe lui traversa l'abdomen. Il y avait environ deux heures qu'il n'avait pas ressenti de douleur et il croyait la crise passée.

Pendant près de quarante minutes, il avait cru mourir. En plus des crampes, il avait eu des nausées et il avait vomi. Il avait même eu la diarrhée. Puis tout s'était brusquement arrêté. Il s'était alors allongé sur le lit pour récupérer. Il se sentait littéralement vidé.

Un problème de digestion, sans doute. Au dîner, il n'aurait pas dû manger de moules. Il y en avait probablement une qui n'était pas fraîche.

Mais cette deuxième crise était pire encore. La douleur était plus atroce. Jamais il n'avait autant souffert. Et il était seul dans sa chambre d'hôtel, dans une ville où il ne connaissait personne. Sa nuit de bon temps à Toronto, avant de rentrer à Winnipeg, il allait la regretter longtemps.

MONTRÉAL, 10 H 06

Crépeau entra dans le bureau, posa un DVD devant Théberge et se laissa tomber lourdement dans le fauteuil.

— Qu'est-ce que c'est ? Les meilleurs moments de ton dernier voyage de pêche ?

— On peut appeler ça un voyage de pêche…

— Ça vient d'où ?

— Perquisition au Ritz.

— Je pensais que tu voulais remonter la piste.

— La piste s'est fait refroidir.

Théberge fronça les sourcils.

— Comme dans… refroidir ?

— Comme dans Magnum 357 à trente centimètres derrière la tête.

Théberge imaginait facilement les dégâts que pouvait causer ce type de balle à la sortie.

— Pamphyle et son équipe sont encore en train de ramasser les morceaux, reprit Crépeau. Un méchant casse-tête.

Il sourit de son humour involontaire.

— Comment c'est arrivé ? demanda Théberge.

— On ne sait pas encore. C'est une femme de chambre qui l'a trouvé.

— Tu n'avais pas une équipe qui le surveillait ?

— Il y a eu du retard. Un problème d'heures supplémentaires à régler.

Théberge se leva et prit sa pipe sans l'allumer.

— Tu penses qu'ils nous l'ont balancé volontairement ?

— Ils ont peut-être su qu'il était repéré et ils s'en sont débarrassés.

L'hypothèse de Crépeau impliquait que les terroristes avaient un informateur à l'intérieur du SPVM. Ou, du moins, assez près du service de police pour être informés.

Théberge tira une bouffée de sa pipe éteinte.

— Le type, vous avez pu l'identifier ?

— Il est inscrit à l'hôtel au nom de Brad Pitre.

— Brad Pitre…

— Il avait une carte de crédit à ce nom-là.

Théberge regardait Crépeau, se demandant s'il lui faisait une blague.

— Tu veux dire que c'est son vrai nom ?

— Par contre, il n'y a aucune trace de Brad Pitre dans les banques de données. Et la carte n'est plus valide.

— Il avait d'autres papiers sur lui ?

— Rien. Aucun objet personnel… Le seul indice qu'on a, c'est un billet d'autobus. Il est arrivé de New York il y a deux semaines.

— Vous avez trouvé quelque chose d'intéressant dans la chambre ?

— Dans un tiroir : une confession sur une feuille imprimée.

Théberge, incrédule, regarda Crépeau.

— Il confesse quoi ? Son suicide ?

— L'attentat contre BioLife Management. Il dirigeait la cellule locale des Enfants de la Terre brûlée. C'est lui qui a tout organisé avec l'aide de Hykes.

— Et il a eu des remords, ironisa Théberge.

— Exactement. Quand il est allé remettre les papiers à Pascale Devereaux, il avait prévu s'enlever la vie dans les jours suivants.

— Une bonne âme lui a évité la corvée.

— Je ne vois pas comment il aurait pu se tirer une balle derrière la tête... et ensuite faire disparaître l'arme.

Théberge secoua la tête, découragé.

— Cette fois, on n'a vraiment plus de piste, dit-il.

— Quand on est entrés, il y avait ce DVD-là qui jouait.

LONDRES, ST. SEBASTIAN PLACE, 15 H 23

Le verre de sherry était presque vide. Hadrian Killmore hésitait à le terminer. Il n'aimait pas l'idée de ne pas avoir l'entière maîtrise de ses facultés.

> ... UNE FORTE HAUSSE DU COURS DES ACTIONS D'HOMNIFOOD. L'ENTREPRISE A ANNONCÉ HIER QU'ELLE AMORÇAIT LA COMMERCIALI- SATION DE VARIÉTÉS DE BLÉ ET DE RIZ RÉSISTANTES AU CHAMPIGNON TUEUR. LE TAUX DE SURVIE DE CES CÉRÉALES MODIFIÉES GÉNÉTI- QUEMENT DÉPASSERAIT LES QUATRE-VINGT-DIX POUR CENT. HOMNIFOOD A ÉGALEMENT ANNONCÉ QU'ELLE TRAVAILLAIT À LA MISE AU POINT D'UN FONGICIDE SUSCEPTIBLE D'ENRAYER L'ÉPIDÉMIE QUI DÉVASTE LES CHAMPS DE CÉRÉALES DE LA PLANÈTE...

La lumière vacilla à deux reprises. Killmore éteignit le moniteur télé avec la télécommande, se leva et fit disparaître son verre dans le lave-vaisselle derrière le bar. Puis il se dirigea vers la porte.

Il attendit quelques secondes et il ouvrit juste au moment où Gravah arrivait. Ce dernier entra sans dire un mot, se contentant d'un bref salut de la tête, et s'assit dans un fauteuil. Killmore referma la porte et se tourna vers son invité.

— Cette convocation sans préavis vous a probablement créé des complications. J'en suis désolé.

— Je présume que vous avez de bonnes raisons, ré- pondit Gravah sur un ton froid.

— En effet. J'ai moi-même dû revenir d'urgence de Dubaï.

Killmore se rendit derrière le bar, ouvrit une armoire et en sortit une boîte de biscuits.

— J'ai fait préparer du thé blanc et des sablés. Cela vous va ?

Gravah murmura un acquiescement. Autant il se montrait accommodant pour le thé, autant il se montrait sélectif pour les biscuits : il ne prenait que des sablés.

Killmore fit le service avec minutie, dégusta une première gorgée de thé, prit le temps d'en goûter une seconde, puis il reposa délicatement la tasse dans la soucoupe.

— Désormais, dit-il, vous communiquerez directement avec moi.

— Et madame Cavanaugh ?

— Elle a eu un accident.

Gravah se contenta d'attendre la suite de l'explication.

— Un chauffard, reprit Killmore. Elle marchait en bordure de la route.

— Vous aviez coupé son budget de transport ? ironisa Gravah.

Killmore esquissa un sourire.

— Il s'agit bien sûr de la version officielle. En réalité, quelqu'un a pénétré chez elle et l'a un peu bousculée.

— Quelqu'un est entré chez elle, l'a un peu bousculée... et elle est morte ? fit Gravah en haussant les sourcils.

— Elle est mal tombée. Elle s'est brisé la colonne cervicale.

— Vous savez qui est responsable de...

— Quelqu'un qui nous a évité du travail, coupa Killmore. Nous avons découvert que madame Cavanaugh faisait l'objet d'une filature.

— Quand je l'ai rencontrée à Paris...

— Nous n'avons aucun moyen de savoir si elle était déjà surveillée. Mais quand on a fouillé son appartement, il n'y avait aucune trace d'appareils d'écoute... à l'exception des nôtres, bien sûr. À mon avis, c'est très récent.

Puis il reprit, avec une trace de moquerie dans la voix :

— Il suffira de vous faire un peu plus discret.

Gravah grignota le coin de son biscuit avant d'ajouter comme s'il réalisait tout à coup un problème majeur :

— Elle était compromise. Et elle venait vous voir ici, à votre bureau…

Killmore sourit.

— Un bureau est loué à son nom, cinq étages plus bas. Cela devrait satisfaire la curiosité de ces messieurs de la police… ou des éventuelles agences de renseignements. Ils n'ont aucune raison de croire qu'elle avait accès aux étages du club.

Pendant quelques instants, Gravah parut ruminer la réponse de Killmore.

— Mais vous avez raison, reprit Killmore. Un peu de prudence s'impose. Désormais, à moins de circonstances spéciales, je vous contacterai électroniquement… De façon exceptionnelle, il se peut que madame McGuinty nous serve de relais.

Les traits de Gravah perdirent les légers signes de tension qui s'y étaient manifestés.

— Il ne faut pas se laisser distraire, reprit Killmore. Ce qui importe, c'est la réalisation du plan. Une fois les choses amorcées, qu'on vous suive ou non pendant quelques jours ne fera plus de différence… Il suffit que vous vous montriez plus prudent que madame Cavanaugh en ce qui a trait à votre sécurité personnelle. Pour ça, j'imagine que je peux compter sur vous.

Gravah ne répondit pas. Il se contenta de regarder Killmore, attendant qu'il poursuive.

— Puisqu'on parle de notre plan, reprit ce dernier, que devient la campagne d'information ?

— Il ne se passe plus un jour sans que des savants et des groupes en vue prennent position publiquement sur les dangers du bio. Ça sort maintenant un peu partout sur la planète. Cela devrait créer un effet d'entraînement.

— Je compte sur vous, dit Killmore sur un ton chaleureux.

Puis il ajouta, après avoir pris la dernière gorgée de son thé et avoir regardé un moment le fond de sa tasse :

— Je détesterais être déçu.

MONTRÉAL, 10 H 41

Théberge et Crépeau étaient au laboratoire d'informatique, assis devant un écran au plasma sur des chaises rapatriées des bureaux d'à côté. L'image de synthèse d'un enfant apparut à l'écran. Il parlait directement à la caméra. Sa voix était également celle d'un enfant.

Les Enfants de la Terre brûlée ont entrepris la libération de la planète. Pendant que des millions de personnes meurent par manque de nourriture et d'eau potable ou à cause des conséquences de la malnutrition, d'autres sont malades de trop manger. Pendant que des enfants meurent littéralement de faim, une petite minorité accapare la capacité alimentaire de la planète.

Le visage de l'enfant avait cédé la place à des images de champs desséchés, de populations squelettiques et d'enfants mourant de faim harcelés par des mouches.

La prochaine guerre mondiale est commencée. Ce n'est pas une guerre nucléaire ou bactériologique, c'est une guerre alimentaire. Il y a une minorité d'affameurs, qui mangent trop et gaspillent la nourriture, et il y a une vaste majorité d'affamés, qui ne mangent pas assez... ou pas du tout. Notre guerre est une guerre défensive. Une guerre de survie.

Suivirent des images de comptoirs débordants, de consommateurs obèses et de banquets somptueux. Puis ce furent des conteneurs remplis de nourriture derrière les centres commerciaux, des poubelles pleines de restes de table dans des restaurants de *fast food*, des restaurants gastronomiques pour chiens...

Détruire les multinationales et les gouvernements qui servent les affameurs, c'est libérer les peuples qu'ils exploitent. Tuer un Nord-Américain, c'est redonner à manger à des dizaines d'affamés. Nous allons affamer les affameurs.

Des images de champs de céréales en train de pourrir sur pied et d'incendies de forêt envahirent l'écran.

Partout, des gens vont se lever. Des millions de gens. Nous allons pratiquer la politique de la terre brûlée. Les affameurs vont goûter à leur propre médecine... Nous allons retourner l'arme de la faim contre eux. Et quand le monde sera un désert, nous pourrons reconstruire sur de nouvelles bases. Parce qu'à ce moment-là nous aurons tous le même intérêt : nous serons tous affamés.

Seule la politique de la terre brûlée peut nous redonner une planète verdoyante.

La vidéo s'acheva sur des images de vertes prairies, d'arbres en fleurs, de champs de maïs et de canola, de vignes chargées de raisins.

Libérez la planète des Nord-Américains et de leurs valets occidentaux. Joignez-vous au combat des Enfants de la Terre brûlée.

L'écran devint noir.

— Diantre ! se contenta de dire Théberge en guise de commentaire.

Le technicien éteignit l'appareil.

— Le message est repris dans quatre autres langues, dit-il.

Crépeau se tourna vers Théberge.

— Est-ce que des vidéos semblables ont déjà été trouvées ailleurs ?

— Pas à ma connaissance, répondit Théberge.

— Tu penses que le tueur a fait exprès pour qu'on trouve le DVD ?

— Peut-être... peut-être aussi que celui qui a tué Pitre s'est contenté de tout laisser en place.

— Pourquoi ils choisiraient Montréal pour rendre public leur message ? Si c'est international...

Crépeau fut interrompu par la vibration du téléphone portable de Théberge.

— Théberge ! fit le policier en collant l'appareil contre son oreille.

— Si ce n'est pas notre aimable inspecteur-poète à l'humeur bucolique ! dit la voix dans l'appareil.

« Morne », songea Théberge. Décidément, l'homme du PM en faisait une habitude, de le parodier.

— Si vous êtes en manque de mauvaises nouvelles, je peux vous accommoder.

— Ce n'est pas exactement ce que j'espérais.

— Vous pouvez maintenant inscrire l'écoterrorisme sur la liste des priorités gouvernementales.

— Je pensais que vous aviez comme tâche de circonscrire ce genre d'activités.

— J'ai une vidéo à vous montrer.

— Faites-la porter à mon bureau. Je vous promets de la regarder dans les meilleurs délais.

— Il va falloir que vous veniez à Montréal.

— Vous êtes sûr que c'est bien nécessaire ?

— C'est une pièce à conviction.

— Dans l'affaire BioLife Management ?… Je croyais pourtant que c'était réglé.

— C'est ce que certains médias appelleraient du terrorisme positif.

— Il y a eu un autre attentat ?

Une certaine inquiétude s'était infiltrée dans la voix de Morne.

— Rassurez-vous, reprit Théberge, c'est seulement un crime. Nous venons de retrouver celui qui a planifié et organisé l'attentat contre BioLife Management.

— Pourquoi est-ce que vous ne le disiez pas ? Je viens justement de parler à monsieur Jannequin…

— Il y a de bonnes chances qu'un des responsables de la mort de sa fille soit décédé.

— Un des responsables ?

— Celui qui aurait aidé Hykes à monter l'opération.

— Qui est-ce ?

— Ça, c'est plus compliqué.

Boston, 11 h 25

Comme souvent après leur entraînement du matin, Kim et Claudia se rendirent au Parish Cafe dans la rue Boylston, près de la station de métro Arlington. Elles se dirigèrent vers les deux places au bout du bar. Ces places étaient presque toujours libres. Les deux femmes les avaient rapidement adoptées : c'était la partie la plus éloignée de la terrasse et des bruits de la rue.

Domenico, le barman, déposa d'office deux eaux minérales devant elles.

— Zuni Roll, fit Claudia sans même regarder la carte.

Kim l'ouvrit et montra du doigt le Benny, un sandwich au poulet à la vietnamienne accompagné de légumes.

Depuis le temps qu'elles venaient, les deux femmes connaissaient presque par cœur l'abondante sélection de sandwiches sur laquelle le restaurant avait bâti sa réputation.

— *Bene*.

Le barman récupéra les cartes et se dirigea vers l'autre bout du comptoir, où des clients le réclamaient bruyamment.

Ce qui avait commencé comme des vacances prenait tranquillement des allures d'installation semi-permanente. Les deux femmes appréciaient la ville, qui était un mélange d'américanité la plus *basic* – Red Sox, Bruins, Patriots, *fast food*... – et d'héritage européen – vieux édifices, tradition universitaire, bars à vin et rues labyrinthiques...

Quelques jours après leur arrivée, elles avaient entrepris un programme d'entraînement, histoire de se garder en forme.

— C'est le nouvel idéal à la mode, avait ironisé Claudia. Mourir en parfaite santé.

Sauf que l'entraînement était rapidement devenu beaucoup plus qu'une question de forme et de santé. Après quelques semaines, elles s'étaient inscrites dans un dojo pour perfectionner leur maîtrise de différents arts de combat. Elles s'entraînaient tous les jours. Deux séances de deux heures. Sauf les week-ends, où elles se limitaient à une seule séance par jour.

— Tu penses qu'on s'entraîne simplement pour combler un vide ? demanda Claudia en se retournant vers Kim.

>>> Est-ce que ça changerait quelque chose ? <<< répondit cette dernière en langage des signes.

Elles en avaient parlé à plusieurs reprises au cours des semaines précédentes. Les longues vacances que leur avait imposées F commençaient à leur peser. Mais la directrice de l'Institut avait été catégorique : elles devaient se reposer, se changer les idées… et ne pas revenir tant qu'elles n'en recevraient pas l'ordre. Elle n'avait pas besoin de junkies de l'action, avait-elle ajouté avec un sourire qui démentait, mais à peine, le sérieux de l'accusation.

Évidemment, ça n'empêchait pas l'action de leur manquer. Pas nécessairement de la même façon que les premières semaines, quand elles s'étaient jetées sur l'entraînement pour avoir une activité qui structurerait leurs journées, mais elles supportaient de plus en plus mal de ne rien faire. La lutte contre le Consortium avait beau s'être déplacée sur le terrain du renseignement et les missions de terrain s'être raréfiées, se sentir impliquées de façon quotidienne leur manquait.

Domenico arrivait avec leurs plats lorsque le iPhone de Claudia fit entendre la sonnerie associée à l'Institut.

La conversation dura moins d'une minute. Claudia se contenta de prendre acte de ce qu'on lui disait par des réponses monosyllabiques.

En remettant son iPhone dans son sac, elle se tourna vers Kim.

— Les vacances sont terminées, dit-elle. On prend l'avion ce soir. Pour Paris.

Quand elles quittèrent le café, Claudia laissa un billet de cent dollars comme pourboire. Quand le barman réaliserait qu'elles ne reviendraient plus, il comprendrait que c'était une façon de lui dire adieu.

HEX-RADIO, 11 H 34

… *L'EXÉCUTEUR*, AVEC PETER « BAD PETE » FOUNTAYNE. NOS CANDIDATS À L'EXÉCUTION CETTE SEMAINE SONT : LE PM, POUR INSIPIDITÉ CHRONIQUE ET « BABYBOOMAGE » RAVAGEUR… LE NÉCROPHILE, POUR PARASITISME DE FONDS PUBLICS… LE PRÉSIDENT DE LA CENTRALE DES ENSEIGNANTS, POUR PLEURNICHAGE RÉPUGNANT SUR LES CONDITIONS DE TRAVAIL DES VIEUX PROFS GRAS DURS… Y EN AURA PAS DE FACILE ! JE RAPPELLE À NOS TROIS PANÉLISTES QU'ILS DOIVENT TRANCHER : UN SEUL CANDIDAT PEUT ÊTRE JETÉ DANS LE DÉPOTOIR VIRTUEL DU SITE INTERNET DE LA STATION… PAUSE PUB ! ON REVIENT DANS DEUX MINUTES POUR LE VERDICT…

ISSY-LES-MOULINEAUX, 17 H 47

Hurt s'était loué une chambre à proximité de la station de métro. Il avait besoin de temps pour examiner le dossier que lui avait remis Blunt.

En d'autres circonstances, il n'aurait aucunement hésité à accepter la mission : achever le nettoyage de Meat Shop faisait partie des objectifs auxquels il tenait. Mais Blunt était suffisamment intelligent pour savoir que, s'il voulait le détourner de la piste de Londres, il lui fallait un prétexte plausible.

Hurt ne parvenait pas à se défaire de l'idée qu'il y avait effectivement une taupe du Consortium à l'intérieur de l'Institut. Si c'était Blunt, la mission à Shanghai n'était peut-être pas seulement une diversion. Elle pouvait également être un piège.

— Fuck *l'Institut !* fit Nitro. *On continue et on descend tous ceux qu'on peut.*

— *Ce n'est pas parce qu'il y a une taupe que tout l'Institut devient inutile,* temporisa Steel. *Ils ont souvent des informations qui peuvent nous servir.*

— *Et si les informations viennent de la taupe ?* objecta Sharp. *Qu'est-ce qu'on fait ? On fonce tête baissée dans le piège ?*

— *Il faut leur dire qu'on ne veut plus rien savoir !* renchérit Nitro. *Et s'ils insistent…*

— *Qu'est-ce que tu vas faire ?* répliqua Steel. *Les éliminer ?*

— *Il n'a pas complètement tort*, ironisa Sharp. *Les éliminer tous, c'est le meilleur moyen d'éliminer la taupe.*

— *C'est comme Segal qui voulait tous nous faire disparaître pour régler le problème de Nitro*, reprit Steel d'une voix calme. *Vous voulez vraiment qu'on fasse comme le bon docteur ?... Et qu'en plus on fasse le travail du Consortium et de la taupe ?*

À l'intérieur de Hurt, l'agitation se calma.

— *On ne peut quand même pas ignorer la conversation qu'on a entendue dans le bar, entre les deux femmes !* protesta Sharp.

— *C'est évident*, répondit calmement Steel. *Mais est-ce qu'il y en a un seul qui pense que Chamane peut être une taupe ?*

— *Ce serait surprenant*, admit Sharp. *Mais il est peut-être tombé sur un hacker meilleur que lui. C'est possible qu'il soit une taupe à son insu.*

— *Où est-ce que tu veux en venir, encore ?* grogna Nitro.

— *On devrait lui expliquer la situation*, fit Steel.

— *À Chamane ?* demanda Sharp.

— *À Chamane. Je suis certain qu'on peut s'entendre avec lui pour qu'il soit notre seul contact.*

— *Si c'est le système informatique qui est infiltré...*

— *On va lui demander de tout revérifier.*

— *Ça ne garantit rien.*

— *On ne peut jamais éliminer tous les risques*, fit soudainement la voix du Vieux.

— *C'est pas une raison pour être suicidaire !* répliqua Sharp.

Il y avait plusieurs mois que le Vieux ne s'était pas manifesté. Et il le faisait avec de plus en plus de discrétion. Cela avait eu pour effet d'atténuer la résistance de Sharp et de Nitro à son endroit. Ils le percevaient encore comme un intrus, mais leurs protestations se cantonnaient dans le registre de l'ironie.

— *Le simple fait de vivre...* dit le Vieux.

— *Je sais, je sais*, répliqua Sharp. *On finit tous par mourir.*

— *La seule chose qui importe, c'est l'intérêt du voyage avant d'arriver au terme. Si les informations de l'Institut peuvent aider à rendre le voyage plus intéressant...*

Une dizaine de minutes plus tard, Hurt réservait un billet d'Air France par téléphone.

QUÉBEC, 12 H 56

Archibald Bilodeau venait à peine de se remettre de sa quatrième crise. Chacune avait été pire que la précédente. Le médecin l'ausculta et prit sa température : elle était normale. Il lui demanda de décrire une fois encore ses symptômes.

Rien n'avait changé : des douleurs qui lui traversaient le ventre, des crampes, des nausées, des diarrhées... Le vomitif que lui avait administré le premier médecin n'avait visiblement pas amélioré la situation.

— Vous avez uriné récemment ? lui demanda le spécialiste appelé en renfort.

Bilodeau s'efforça de se concentrer.

— Non, pas que je me souvienne, dit-il finalement.

— Est-ce que vous avez mangé des champignons ?

— Euh... peut-être... Vous croyez que c'est ça ?

— C'est une possibilité.

— Je ne sais pas... peut-être dans la pizza...

— Je vous demande de faire un effort... Si vous avez mangé des champignons et que d'autres que vous en ont mangé, il faut les retrouver.

— Vous savez ce que j'ai ?

Il y avait subitement un immense espoir sur le visage rougi de Bilodeau.

— Probablement...

— Avec tout ce que j'ai vomi... avec la diarrhée... je ne comprends pas que je sois encore malade.

— Si c'est ce que je pense, vomir ne sert à rien. La toxine est maintenant dans votre organisme. Les symptômes apparaissent de douze à vingt-quatre heures après...

— Vous voulez dire que ça pourrait être ce que j'ai mangé à l'hôtel où je travaille ?

— Qu'est-ce que vous avez mangé ?

— Je travaille dans un hôtel à Montréal. Hier midi, j'ai servi un dîner dans un salon privé. Comme il restait du potage, j'en ai pris… Un potage aux champignons.

Puis il ajouta comme pour se justifier :

— Pour pas que ça se perde, vous comprenez…

— Si je vous comprends bien, il y a tout un groupe qui a mangé de ce potage ?

— De vingt-cinq à trente personnes, je dirais.

Le médecin se tourna vers l'interne qui l'accompagnait.

— Allez immédiatement informer le directeur de la situation : il saura avec qui communiquer. Il faut tout de suite avertir les autorités pour qu'elles retrouvent ces personnes. Moi, je reste ici pour m'occuper de monsieur Bilodeau.

Le patient regardait maintenant le médecin avec inquiétude.

— Ça va durer combien de temps ? demanda-t-il.

Le médecin hésita avant de répondre. Comment expliquer à quelqu'un que, s'il était chanceux, ce serait très court ? Parce que chaque crise serait pire que la précédente. Et qu'à terme, lorsque la toxine aurait achevé de détruire son foie, il mourrait.

— Ça dépend du champignon que vous avez mangé, dit-il.

Si, comme il le pensait, c'était de l'amatoxine qui ravageait ses organes internes, il avait très peu de chances de s'en tirer. La rumeur voulait que ce soit le poison qui ait été responsable de la mort d'Arafat. Une fois qu'il était dans l'organisme, il n'y avait plus rien à faire, ce qui était sans doute la raison pour laquelle il avait été choisi.

LONGUEUIL, 13 H 25

Sur l'écran de l'ordinateur, les manifestants s'agitaient en silence. Victor Prose venait de couper le son. Les bruits de foule n'ajoutaient rien à l'information. L'important, c'était l'ampleur de la manifestation. Plus de cent mille personnes. Elles réclamaient que leur gouvernement agisse contre le *Canadian Killer Mushroom*.

Plusieurs pancartes affichaient les trois lettres BCK. Quelques-unes affichaient le message au complet : *Bomb the Canadian Killer*.

En clair, on réclamait que l'aviation américaine bombarde et rase les champs de blé canadiens susceptibles d'être contaminés.

Prose quitta le site de YouTube et entra au clavier *desourcesure.com*. La page d'accueil du site apparut. Comme chaque fois, le nom du site le fit sourire : comme si cela existait, une source sûre !

Il cliqua sur un lien qui l'amena à un article du *Soir*. L'auteur interviewait un membre du Congrès américain. L'homme politique s'interrogeait sur la contamination des récoltes américaines par le champignon canadien : est-ce que cela pouvait être assimilé à un acte de guerre biologique ? Les pays qui étaient victimes de cette forme d'agression pouvaient-ils exiger des compensations financières du Canada à titre réparatoire ? Était-il justifié de fermer totalement l'exportation de fruits et de légumes en direction du Canada à titre de représailles ?

— Du grand n'importe quoi ! fit Prose pour lui-même.

Il ferma la page d'accueil du site et fit pivoter son siège pour se lever. Il avait à peine commencé à s'étirer que le carillon de la porte d'entrée se faisait entendre.

« Encore des débiles de HEX-Radio », songea-t-il. À moins que ce soit Grondin. Chaque jour, le policier venait passer plusieurs heures avec lui. Il tenait particulièrement à l'accompagner quand il devait sortir.

Prose alla à la porte regarder à travers l'œil-de-bœuf : l'inspecteur-chef Théberge lui apparut, déformé par la courbure du verre.

— Il y a du nouveau ? demanda Prose aussitôt après avoir ouvert.

— Toujours rien. Je suis simplement arrêté voir si tout va bien.

— Un ou deux coups de téléphone, rien de plus. Des appels effectués à partir de boîtes publiques, m'a dit l'inspecteur Grondin.

Prose hésitait à croire que l'inspecteur-chef Théberge s'était arrêté chez lui uniquement pour s'informer de son bien-être.

— Je peux faire quelque chose pour vous ? demanda-t-il.

Théberge sauta sur l'occasion.

— Puisque vous en parlez… J'aimerais jeter un coup d'œil à l'endroit où l'inspecteur Grondin a été blessé.

Prose amena Théberge au bureau. Dans le passage, le policier remarqua de nouveau les caricatures de Graff.

— Il a vraiment beaucoup de talent, dit-il. Vous avez vu sa nouvelle série de BD ?

— J'ai les trois albums, répondit Prose, surpris. Vous le connaissez ?… Je veux dire, personnellement.

— Par une amie commune.

En arrivant dans le bureau, Théberge nota immédiatement le sentiment d'ordre qui se dégageait de la pièce. Pourtant, un détail incongru attira son attention : le papier collant transparent dans la vitre pour boucher le trou fait par la balle.

Prose surprit son regard.

— Je n'ai trouvé personne pour remplacer la vitre avant la semaine prochaine.

Puis, avec un geste de la main en direction du fauteuil derrière le bureau :

— Il était debout derrière le bureau.

Théberge se rendit derrière le bureau. Il regarda d'abord la cour arrière à travers la fenêtre panoramique. Son regard parcourut ensuite la surface du bureau devant lui et continua vers la table de travail.

— Vous travaillez sur quoi, exactement ? demanda-t-il.

Il cherchait une façon d'engager la conversation pour passer plus de temps dans la pièce.

Prose le regarda un moment avant de répondre.

— Vous pensez que ça peut être lié à mon travail ?

— Je ne veux écarter aucune possibilité, répondit prudemment Théberge.

La réponse parut surprendre Prose.

— Je tenais pour acquis que c'était lié à la mort de Brigitte.

Puis il se reprit.

— Vous avez raison, il ne faut rien écarter.

Il fit un geste vers la table de travail.

— Les trois piles de documents sont liées à mes trois projets en cours : un palmarès des comportements les plus destructeurs de l'humanité ; une suite aux *Taupes frénétiques* ; et un début de roman : *Le Rabatteur*.

— Le *Rabatteur* ?

— Sur le projet Rabaska. Le personnage principal est ce que les Américains appellent un *fixer*. Son travail est de s'occuper des problèmes et d'éliminer toutes les formes d'opposition : gérer les politiciens, acheter la population locale, obtenir l'appui des dirigeants municipaux, discréditer les opposants les plus visibles, alimenter les médias en articles scientifiques favorables aux projets... Il joue le même rôle que les rabatteurs pour les chasseurs, qui ramènent le gibier à l'endroit où l'attendent les chasseurs. Les gens seraient surpris de voir l'ampleur des budgets qui sont à la disposition de ces spécialistes. Pensez à Karlheinz Schreiber...

— Vous voulez dire qu'ils achètent les gens ?

— Je ne pourrais pas prouver en cour qu'ils ont acheté quelqu'un. Mais je peux montrer dans un roman comment ils font... On appelle ça de la fiction.

— On pourrait vous objecter que vous faites de la calomnie et du salissage de réputations en vous abritant derrière le fait que c'est de la fiction, répliqua Théberge.

Il trouvait visiblement le procédé douteux.

— La satire sociale n'a jamais servi à autre chose, répondit sèchement Prose. La caricature et la fiction sont l'arme de ceux qui n'en ont pas.

— C'est aussi la ligne de défense de tous ceux qui utilisent les ondes pour salir les réputations : ils disent qu'ils parlent au nom du vrai monde, de ceux qui n'ont pas accès à la parole publique…

— Parce que vous m'assimilez aux débiles de HEX-Radio?

Théberge fit une pause de plusieurs secondes.

— Bien sûr que non, dit-il sur un ton posé.

Puis, dans un effort visible pour changer de sujet :

— Vos autres projets?

— La suite des *Taupes frénétiques*? Ça m'étonnerait que ça indispose quelqu'un. C'est uniquement une suite du premier livre : une recension des manifestations les plus récentes de l'obsession narcissique et de la montée aux extrêmes.

— Et votre palmarès?

— Un genre de bestiaire des comportements aberrants de l'humanité. Surtout en matière d'environnement.

— Par exemple?

— Vous avez vu ce qui se passe avec les céréales? Il y a déjà huit cents millions de personnes qui souffrent de malnutrition sur la planète. Et le prix des céréales qui explose : avec le champignon tueur, on est en voie de dépasser les prix de 2007! Tout ça parce qu'il en manque. Et pendant ce temps-là, chaque année, aux États-Unis, le bétail mange plus de céréales que ce qu'il faudrait pour nourrir l'Inde et la Chine! Et comme si ce n'était pas assez, on va maintenant en consommer dans nos moteurs!… En quarante ans, la surface des forêts tropicales a diminué de moitié. Et elles abritent quatre-vingt-dix pour cent des espèces de la planète! Il en disparaît cent soixante-quatre mille kilomètres carrés par année! C'est cinq fois la superficie de la Belgique!

Théberge était à la fois impressionné et perplexe devant cette avalanche de chiffres.

— C'est nos petits amis de la Terre brûlée qui seraient fiers de vous entendre.

— Sur le fond de la question, ils ont raison.

— Et le fond de la question, c'est quoi?

La perplexité de Théberge se teintait maintenant de méfiance.

— Au rythme où vont les choses, la planète ne pourra pas supporter la vie humaine encore longtemps. L'humanité au complet est dans la situation des Rapanuis !

Voyant que Théberge ne comprenait pas, il ajouta :

— Les habitants de l'île de Pâques. La principale différence, c'est qu'on ne se contentera pas de disparaître seuls : on va entraîner une très grande partie des espèces de la planète avec nous.

— Autrement dit, si l'humanité disparaissait prématurément, ce serait une bonne chose pour la planète !

— Pour la planète ? Sûrement !

Théberge resta un moment silencieux. Se pouvait-il que Prose ait des contacts avec Les Enfants de la Terre brûlée ?... Dans ce contexte, ses rapports avec Brigitte Jannequin prenaient une tout autre dimension. Tout comme l'attentat contre Grondin. Se pouvait-il que ce soit une mise en scène visant à le disculper ? Une mise en scène à laquelle collaborait allégrement HEX-Radio sans le savoir ?

— Je suis heureux de voir que tout va bien, reprit Théberge pour changer le cours de la conversation. Vous n'avez donc rien de particulier à signaler ? Aucun incident ?

— À part le fait que l'inspecteur Grondin prend son rôle d'ange gardien un peu trop au sérieux, non, je n'ai rien à signaler.

Il esquissa un sourire avant d'ajouter :

— Tout à l'heure, je croyais que c'était lui qui arrivait.

PARIS, 20 H 13

Horace Blunt regardait le journal télévisé en terminant le repas qu'il avait fait monter à sa chambre.

... DE FRANK COOPER, LE PRÉSIDENT DU GROUPE ALIMENTAIRE HOMNIFOOD. LA CAUSE DE LA MORT SERAIT UN ARRÊT CARDIAQUE PROVOQUÉ PAR UN GAVAGE ANALOGUE À CE QUI EST INFLIGÉ AUX OIES ET AUX CANARDS. POUR L'INSTANT, LA PRÉSIDENCE DE L'ENTREPRISE SERA ASSUMÉE PAR UN MEMBRE DU CONSEIL D'ADMINISTRATION, MONSIEUR JEAN-PIERRE GRAVAH...

Quelques minutes plus tôt, Chamane l'avait appelé pour lui rendre compte de la conversation téléphonique qu'il avait eue avec Hurt. Ce dernier acceptait d'aller à Shanghai, mais il ne voulait plus avoir de contacts avec personne de l'Institut autre que lui. « Il ne me fait pas complètement confiance », avait dit Chamane, « mais il pense que je suis celui qui représente le moins de risques pour lui. Je ne sais pas pourquoi, mais on dirait qu'il se méfie autant de l'Institut que du Consortium. »

> ... REVENDIQUE CE NOUVEL ATTENTAT. NOUS N'AVONS PAS ENCORE OBTENU DE CONFIRMATION DE LA PART DES AUTORITÉS SUISSES, MAIS SI LES ALLÉGATIONS DES ENFANTS DE LA TERRE BRÛLÉE S'AVÈRENT, CE JOUR MARQUERA UNE NOUVELLE ÉTAPE DANS L'ESCALADE À LAQUELLE L'ÉCOTERRORISME...

Blunt, qui avait laissé son esprit dériver vers sa conversation avec Chamane, avait raté le début de cette nouvelle information. Il se rendit à son bureau et releva l'écran de son ordinateur portable. La nouvelle ne tarderait pas à être sur tous les sites d'information, si elle n'y était pas déjà.

Avant qu'il ait eu le temps de commencer à chercher, un personnage de bande dessinée traversait l'écran, laissant sur son passage une traînée de vêtements. Puis les vêtements se regroupèrent pour former le mot « STEF ».

Il activa le logiciel de messagerie. Le message de Stéphanie apparut à l'écran.

> Jsui dan 1 boutik. G kekchose pr twa.
> Jte txt 1 pic.

À croire que ses nièces passaient leur vie dans des boutiques. Depuis quelques semaines, elles avaient décidé de prendre son habillement en main. Par solidarité avec Kathy, qu'elles avaient dit. Pour la libérer du noir auquel se résumait une grande partie de la garde-robe de Blunt.

Il ouvrit l'image. On y voyait un mannequin habillé d'un habit blanc, la tête recouverte d'un panama de la même couleur.

Avant qu'il ait le temps de réagir, un autre message apparaissait.

Katy va vrm A-Do-Ré.

Puis un autre.

Si t oqp, jle pren. Tu me $ + tar.

Blunt ne put s'empêcher de sourire. Ça, c'était leur truc, à elle et à Mélanie. Espérer qu'il n'ait pas le temps de répondre pour le mettre devant le fait accompli.

Il décida de ne pas répondre. Cela lui donnerait le sentiment d'une victoire.

Ça ferm. I sra pu la dmin. Jle pren.

LCN, 15 H 02

... DU MINISTÈRE A CONFIRMÉ L'ISOLEMENT DE TROIS FERMES EN ALBERTA. DANS CHACUN DES TROUPEAUX, PLUSIEURS BÊTES SERAIENT ATTEINTES DU SYNDROME DE LA VACHE FOLLE. CETTE NOUVELLE ÉPIDÉMIE SERAIT LE FRUIT D'UNE CONTAMINATION DÉLIBÉRÉE. C'EST DU MOINS CE QUE REVENDIQUE LE GROUPE ÉCOTERRORISTE LES ENFANTS DE LA TERRE BRÛLÉE. VOICI UN EXTRAIT DU MESSAGE VIDÉO QUE LE GROUPE A FAIT PARVENIR AUX MÉDIAS.
LIBÉREZ LES CÉRÉALES POUR LES ENFANTS QUI MEURENT DE FAIM. LUTTEZ CONTRE LA POLLUTION. RÉPANDEZ LA MALADIE DE LA VACHE FOLLE.
DES CÉRÉALES NÉCESSAIRES POUR PRODUIRE DU BŒUF, CINQ POUR CENT SONT TRANSFORMÉES EN PROTÉINES, QUATRE-VINGT-QUINZE POUR CENT EN FUMIER. FORCER L'ABATTAGE D'UN TROUPEAU, C'EST RENDRE DISPO-NIBLES LES CÉRÉALES POUR CEUX QUI MEURENT DE FAIM. C'EST RÉDUIRE LA PRODUCTION DE FUMIER. LE FUMIER DÉTRUIT LES SOLS, CONTAMINE LES NAPPES PHRÉATIQUES ET PRODUIT DU MÉTHANE QUI DÉTRUIT LA COUCHE D'OZONE... LA MALADIE DE LA VACHE FOLLE, C'EST LE REMÈDE À LA FOLIE DE L'HUMANITÉ...

LONDRES, 20 H 06

Lord Hadrian Killmore examinait les devis d'aména-gement des différents sites de construction. Ils avaient beau différer radicalement les uns des autres du point de vue de l'architecture, ce qui constituait un accom-modement inévitable au climat et aux mœurs locales, le dispositif de sécurité, lui, était identique : tout pouvait être contrôlé à partir du bureau du directeur local. Si une partie du domaine, ou même d'un simple édifice, tombait entre les mains d'agresseurs externes ou de mutins, le directeur pouvait prendre le contrôle total de la zone impliquée.

Cette mesure n'était évidemment pas destinée à être connue de l'ensemble de la population. Ni même des adjoints des directeurs locaux.

De la même manière, aucun des directeurs locaux ne savait que Killmore, de son bureau, pouvait prendre le contrôle de n'importe lequel des sites. Ou même de l'ensemble de l'Archipel.

Killmore ne prévoyait pas de mutinerie de la part des directeurs des sites. Trop d'incitatifs, financiers et autres, les attachaient à leurs fonctions. Mais, dans l'univers de Killmore, une précaution inutile était une contradiction dans les termes.

Un signal sonore l'arracha aux devis. Son BlackBerry venait d'enregistrer l'arrivée d'un courriel de priorité 1. C'étaient les seuls dont l'arrivée était signalée sans délai.

Killmore lut le courriel. Puis il le relut.

Le nouveau responsable d'HomniFood lui annonçait que le réseau informatique de l'entreprise avait probablement été pénétré par un pirate informatique. Il comprenait mal comment une telle chose avait pu se produire.

Killmore décida de ne pas répondre à l'expéditeur. Il le laisserait se faire du mauvais sang jusqu'au lendemain. Par contre, il expédia sans attendre un message à un destinataire dont l'adresse de courriel, sur le réseau interne du Cénacle, était connue de lui seul.

> Le système était censé être étanche. Pouvoir résister à toute tentative de pénétration. Ça n'a pas empêché un pirate d'entrer sur le réseau interne d'HomniFood. Je veux savoir qui ! Je veux savoir ce qu'il a fait ! Et je veux savoir pourquoi vous n'avez pas été capable d'empêcher ça... J'attends vos explications de vive voix.

La dernière remarque, malgré son apparence anodine, était probablement celle qui traduisait le plus fortement sa mauvaise humeur. Car s'il y avait une chose que la personne responsable du réseau informatique abhorrait, c'étaient les contacts directs.

DRUMMONDVILLE, 15 H 39

Dominique prenait des notes à mesure que Théberge parlait. Ce n'était pas par crainte de perdre des informations, puisque l'ordinateur enregistrait leur conversation. C'était plutôt une façon de se concentrer.

— À votre avis, il reste des survivants?

— D'après ce que nous savons, dit Théberge, Pitre était le dernier membre de la cellule.

— Vous êtes absolument certain que c'est le groupe qui est responsable de l'attentat?

— Dans les documents qu'il a remis à Pascale, il y avait les plans du laboratoire, les spécifications des explosifs utilisés, le nom de code et la photo de chacun des membres qui sont décédés... Il y avait aussi une liste des prochaines cibles.

— D'autres laboratoires?

— Des entreprises... Greenspam, AcresGold... Homni-Food...

Le stylo de Dominique s'immobilisa au-dessus de la feuille. Si HomniFood faisait explicitement partie des cibles des écoterroristes, cela allait à l'encontre des hypothèses de Blunt.

— Vous avez des détails sur les attentats projetés? demanda-t-elle.

— Non. Je fais numériser tout le dossier et je te l'envoie avec le message vidéo.

— J'apprécie.

— Est-ce qu'il y a eu d'autres messages du genre?

— À ma connaissance, un seul. Ça vient de sortir il y a quelques minutes. Le corps du président d'HomniFood vient d'être retrouvé. Il est mort par gavage.

— Par gavage... comme les canards?

Théberge semblait incrédule.

— Exactement. L'exécution a été revendiquée par Les Enfants de la Terre brûlée.

Un silence suivit.

— Ils sont vraiment cinglés, dit finalement Théberge.

— Dans leur message, ils prétendent que c'est une revanche symbolique. La nature qui remet à l'espèce humaine la monnaie de sa pièce.

— Ils mettent les êtres humains sur le même pied que les animaux.

Un nouveau silence suivit.

— Il y a eu un autre attentat à Londres, reprit Dominique. Un groupe qui dit s'appeler *Dying Planet*. Il affirme s'inspirer des Enfants de la Terre brûlée.

— S'il commence à y avoir des groupes qui les imitent, on n'est pas sortis du bois.

— J'ai peur que tu aies raison. À mon avis, ça ne fait que commencer.

Théberge nota que Dominique, pour cette remarque de nature plus personnelle, avait troqué le « vous », qui englobait l'ensemble du corps policier, pour le « tu ». Il en ressentit de la satisfaction.

— Pour le message enregistré que vous avez trouvé dans la chambre d'hôtel, reprit Dominique, qu'est-ce que vous allez faire ?

Cette fois, le « vous » était revenu.

— Pour l'instant, il va rester sous clé, répondit Théberge. C'est une pièce à conviction.

— S'ils ont l'intention de le rendre public, il va sortir ailleurs.

— C'est ce que je pense. Mais je ne vais certainement pas faire le travail à leur place… Pour la liste de personnes condamnées à mort par Les Enfants de la Terre brûlée, la GRC les a toutes retrouvées. Ce sont des producteurs de blé. Ils participaient à une réunion à Montréal. Il y en a dix-neuf de malades sur les vingt : empoisonnement par une toxine de champignon ou quelque chose du genre…

— Ils risquent réellement de mourir ?

— Les médecins refusent de se prononcer. Mais ils n'ont pas l'air optimistes.

— Tu me tiens au courant ?

— Ça va de soi. Je ne vois pas pour quelle raison je me priverais du plaisir de votre conversation.

Il ajouta ensuite, après une hésitation :

— Je peux te poser une question personnelle ?

— Sûr.

— Est-ce que tu t'ennuies parfois de ton travail au Palace ?

Dominique hésitait à répondre.

— J'avoue que ça m'arrive. Quand je pense aux filles, aux membres de l'escouade fantôme… à nos conversations au bar…

— Moi aussi, ça m'arrive…

Après une pause, il poursuivit sur un ton plus ferme :

— Bertha m'a prié de te transmettre ses amitiés quand j'en aurais l'occasion.

— Dis-lui que je pense à elle. Est-ce qu'elle fait toujours son bénévolat ?

— Toujours.

— Bien… Si jamais les choses deviennent trop compliquées, vous pouvez venir nous rejoindre. On aurait facilement de quoi vous occuper tous les deux.

— Les choses ne devraient pas en arriver là, répondit Théberge en s'efforçant de prendre un ton décontracté.

Mais quand il pensait aux menaces indirectes qu'il avait reçues concernant sa femme, il en était moins certain. Il y avait aussi le harcèlement des médias à son endroit. Au début, il n'y avait eu que HEX-Radio, à mots plus ou moins couverts, sur le ton de l'humour. TéléNat avait emboîté le pas. Puis des échos de leurs attaques avaient commencé à filtrer dans d'autres médias.

Des chroniqueurs avaient commencé à se demander si la Ville ne serait pas mieux servie avec de vrais policiers, qui auraient une formation plus moderne. Peut-être l'heure était-elle venue d'un changement de garde ?… Peut-être la nouvelle criminalité et les nouvelles formes de terrorisme exigeaient-elles de nouveaux policiers, avec de nouvelles méthodes ?

On ne demandait pas encore ouvertement sa tête, mais le dénigrement se faisait maintenant de façon ouverte à HEX-Radio. Ailleurs, on soulevait des questions de transparence, de méthodes peu orthodoxes…

Une chance que les choses allaient bien !

Montréal, 16 h 11

Rondeau parcourut la salle du regard avant de revenir au journaliste qui avait posé la question. Puis il haussa les épaules et secoua la tête dans un geste de découragement.

— Il est mort, répéta-t-il. Ceux qui faisaient partie de son équipe sont morts. Vous avez publié leurs photos. Qu'est-ce que vous voulez de plus ? Qu'on déterre ces petites merdes de terroristes pour que vous puissiez faire de nouvelles photos plus réalistes ?

— Vous oubliez Hykes.

— Je ne l'oublie pas : c'est lui qui veut se faire oublier.

— Autrement dit, le vrai responsable court toujours ? lança une voix à sa droite.

— Si les informations que nous avons trouvées sont vraies…

— Vous voulez dire que vous doutez des informations que vous avez rendues publiques ?

— Est-ce que vous croyez toujours ce qui est écrit ?

Théberge observait l'échange sur un moniteur dans une pièce voisine. Lui aussi avait des doutes sur les documents que Pitre avait transmis à Pascale. Mais c'était une bonne façon de faire baisser la pression. De gagner du temps… Et voilà que Rondeau était en train de tout saboter !

— Et vous, reprit un autre journaliste, est-ce que vous ne seriez pas en train de brouiller les pistes pour faire oublier le fait que vous n'avez pas retrouvé Hykes ?

— Du calme, les nécrophages ! fit Rondeau. J'ai évoqué une possibilité, rien de plus. Les recherches pour retrouver Hykes se poursuivent… Même si on est presque sûrs qu'il est en France.

— Et le cadavre dans la cuve d'équarrissage ? Vous savez qui c'est ?

— Pas avec certitude.

— Et l'autre ? Celui qu'on n'a pas retrouvé parce qu'il est probablement dans des boîtes de nourriture pour chiens ?

— Il n'y a aucune preuve qu'il ait fini ses jours dans la bouffe à toutous.

— Ça n'a pas empêché la compagnie de rappeler tous ses produits.

— Elle n'avait pas le choix : avec les rumeurs que vous avez répandues…

La représentante de HEX-TV profita de la vague de murmures pour intervenir.

— À votre avis, est-ce que la population peut encore marcher dans les rues de Montréal sans risquer de se retrouver dans des boîtes de nourriture pour chiens ?

— Le corps que nous avons découvert ne correspond au signalement d'aucune personne disparue. Par contre, il correspond – encore un peu – à la description de l'un des terroristes… Je ne vois pas comment vous pouvez conclure que c'est la population qui est menacée : ce sont les terroristes qui s'éliminent entre eux.

Théberge prit une grande respiration. Finalement, Rondeau s'en sortait à peu près correctement.

— C'est le point de vue officiel du SPVM ? insista la journaliste de HEX-TV.

— C'est seulement l'hypothèse la plus sensée.

— L'enquête se poursuit ?

— Sûr. On n'est pas dans les médias ; on n'a pas le luxe de zapper de sujet aux vingt-quatre heures, que l'affaire soit réglée ou non.

— Et l'Oratoire ? lança une voix dans le fond de la salle. Rien de neuf ?

C'était le représentant de HEX-Radio.

— Toujours pas de miracle, répondit Rondeau, imperturbable.

— C'est ce que vous attendez, un miracle ?

— C'est l'essence même de mon travail : attendre des questions également intelligentes de la part de tous les journalistes.

— Si les enquêtes sont confiées au nécrophile, on n'est pas sortis du bois. Il va attendre que tous les suspects soient morts avant de commencer à leur parler !

Quelques rires soulignèrent la dernière remarque.

— Écoutez-moi bien, ma petite enflure. L'empesteur-chef Théberge se fait du vrai souci pour les victimes. C'est pour ça qu'il leur parle. Et c'est mieux de confier une enquête à un nécrophile, comme vous dites, que de confier un reportage à un nécrophage ! Il y a ceux qui aiment les morts, qui les respectent, et il y a ceux qui s'en nourrissent !

Les journalistes, qui avaient observé la passe d'armes entre Rondeau et le journaliste de HEX-Radio, étaient médusés. Rondeau saisit l'occasion de mettre un terme à la rencontre.

— Puisque c'est tout, je vous laisse. Allez, mes petits nécrophores, allez répandre la bonne nouvelle chez vos ouailles !

Il parcourut l'assistance du regard, l'air satisfait.

— C'est un mot que l'empesteur-chef m'a appris, dit-il. Le fréquenter est très éducatif.

Théberge ferma l'appareil.

Rondeau avait été singulièrement poli et les grossièretés avaient été contenues au minimum. Avait-il fait un effort ?... Une fois de plus, il se posa la question : quelle part, dans les déclarations de Rondeau, relevait de l'insulte volontaire ? Et quelle part était à imputer au syndrome de Gilles de la Tourette ?

CNN, 16 H 35

▌ ... Le nettoyage des champs contaminés autorisé par les autorités fédérales a fait une victime inattendue. Le corps de Scott Graham, un résident de Menoken, a été retrouvé complètement calciné dans un des champs incendiés. Les autorités de la petite ville du Dakota du Nord ne s'expliquent pas...

Alpes françaises, près de Briançon, 22 h 09

Jean-Pierre Gravah était appuyé au parapet qui servait de garde-fou. Il prenait un verre de vin en regardant le paysage qui s'étalait à ses pieds. Pour le symbole, il avait choisi un Terre rouge, de la Shenandoah Valley.

L'absence habituelle de brume et de brouillard, liée à la faible hydrométrie de l'endroit, lui permettait de voir clairement la ville de Briançon, au loin, près de mille mètres plus bas. En contre-plongée, comme ça, on n'aurait pas dit que c'était une des villes les plus élevées de France.

C'était une drôle de région que le Briançonnais : quelques centaines de millions d'années plus tôt, c'était une île ; le territoire avait ensuite sombré au fond de l'océan après la dislocation de Pangée ; puis, beaucoup plus tard, l'île était réapparue, emportée par le soulèvement des Alpes. Une île au sommet des montagnes...

Gravah avait souvent songé à cette image. Il y voyait une métaphore du Cénacle. Un groupe d'hommes isolés, dont l'existence s'était enfoncée dans les replis souterrains de la vie sociale, et qui réémergeraient pour trôner sur les cimes de l'humanité afin de servir de point de référence aux autres...

Le refuge de Gravah était installé à plus de deux mille mètres d'altitude. Il avait profité d'une grotte naturelle qu'il avait fait transformer. Derrière lui, le mur vitré du refuge était suffisamment en retrait pour échapper au regard des curieux. Pour plus de sécurité, un rideau de camouflage descendait pour dissimuler l'entrée de la grotte lorsqu'il était absent.

Quand il avait découvert ce refuge, Gravah s'était souvenu d'un vieux film : *Les Canons de Navarone*. Aussi avait-il fait aménager plusieurs entrées dérobées. Puis il avait orchestré un certain nombre d'accidents : aucun des ouvriers qui avaient participé au chantier n'était encore vivant pour révéler où se dissimulaient ces entrées.

Il prit une gorgée de vin, apprécia sa couleur foncée dans le verre, puis reporta son regard sur l'horizon, où le ciel et la terre se confondaient. C'était de cette manière, appuyé au parapet, en laissant son regard flotter sur le paysage, qu'il réfléchissait le mieux.

Se faire discret, avait dit Killmore. Quel meilleur endroit pour mener une existence discrète que son refuge personnel dans les Alpes ?

À son arrivée, un message de Killmore l'attendait. Le réseau informatique interne d'HomniFood avait été victime de piratage. Bien sûr, il n'avait pas été difficile de trouver une parade à court terme. Mais le fait de ne pas savoir qui s'intéressait à HomniFood dérangeait Gravah. Peut-être était-ce simplement un concurrent qui voulait dérober de l'information stratégique ou saboter leur système informatique. Si c'était le cas, il n'y avait rien là de bien inquiétant. Cela faisait partie des pratiques de concurrence normales. HomniFood était protégée contre ce type d'intrusion par plusieurs dispositifs de vérification et de relève.

Ce qui inquiétait vraiment Gravah, c'était que l'intrusion informatique coïncidait avec la mort de madame Cavanaugh. Si les deux événements étaient liés, cela signifiait probablement qu'une agence de renseignements avait encore le loisir de s'occuper d'eux… Il était temps de procéder à une diversion majeure.

Gravah entra dans son refuge et envoya un court message à Skinner.

Diversion. Phase 2

PARIS, 22 H 41

Monsieur Claude se sentait rajeunir.

Le jour même où il avait fait parvenir les informations sur NutriTech Plus à son ex-collègue, celui-ci l'avait invité à dîner. Il était venu accompagné d'un spécialiste de la criminalité financière. Monsieur Claude leur avait alors présenté l'ensemble des documents que lui avait transmis l'Institut.

Après plus d'une heure de discussion, ils avaient convenu de deux choses : tout d'abord, que l'intervention serait rapide ; et ensuite, que le nom de monsieur Claude serait murmuré dans les quelques oreilles qui comptaient. Pour leur rappeler qu'il existait toujours, qu'il avait encore des contacts et qu'il pouvait s'avérer utile de maintenir une certaine forme de relation avec lui.

Il venait de recevoir, par courrier spécial, un message de monsieur Raoul, son actuel successeur à la direction de la DGSE. Ce dernier avait pris la tête de l'agence quand monsieur André, celui qui avait remplacé monsieur Claude, était décédé d'un banal AVC.

À l'époque, monsieur Raoul n'avait pas jugé utile de maintenir la relation que monsieur André entretenait avec monsieur Claude. Et voilà qu'il prenait maintenant la peine de l'informer personnellement des résultats de son initiative. La brigade de lutte contre le blanchiment d'argent avait saisi la comptabilité de l'entreprise. Plusieurs cas de disparition de chercheurs avaient trouvé leur explication : NutriTech Plus avait payé pour faire éliminer un certain nombre de scientifiques travaillant chez ses concurrents.

Cette dernière information ne serait cependant pas rendue publique : il n'était pas dans l'intérêt du bon fonctionnement de l'économie que ce genre de pratique soit connu. En conséquence, on lui demandait une discrétion absolue sur la question.

Pour le blanchiment d'argent, par contre, les médias seraient abreuvés sans retenue : ce type de délinquance – et sa répression – faisait partie des connaissances générales qu'il était utile de rendre publiques. Il importait de souligner toutes les occasions où les autorités parvenaient à tenir en échec les escrocs éhontés qui prétendaient laver les fruits de leurs trafics illégaux.

Le dernier paragraphe du message remerciait monsieur Claude de sa discrétion et de sa fidélité à son exemployeur. Monsieur Raoul lui signifiait également qu'une voie de communication directe avec son bureau serait établie à son usage. Si jamais il recevait d'autres informations de cette nature, ce serait plus efficace.

Ce n'était pas une réhabilitation, songea monsieur Claude, mais cela équivalait à une sortie des limbes dans lesquels il avait été relégué : on prenait acte de son existence et même de son éventuelle utilité.

Désormais, c'était à lui de profiter de cette occasion. Son premier geste fut de recueillir toute l'information disponible sur l'industrie céréalière. Si l'Institut s'y intéressait, l'enjeu devait être plus important que le simple comportement mafieux d'une entreprise donnée.

Élargissant son champ d'intérêt à l'ensemble du domaine des céréales, il avait vite compris les enjeux géopolitiques que représentaient les menaces de famine en Inde et en Chine. Sans parler des autres pays d'Asie et d'Afrique. C'était un univers dans lequel son esprit était à l'aise. Un univers où la paranoïa était souvent l'outil le plus sûr pour découvrir les liens secrets existant entre des événements en apparence isolés.

À la lumière de ce portrait global, la propagation du champignon tueur de céréales prenait une autre dimension. Tout comme les enlèvements de savants.

Tenant pour acquis que les céréales représentaient le point de convergence de tous ces événements, il avait programmé son ordinateur pour qu'il lui rapporte toute information relative aux céréales et à l'industrie céréalière. Aussi ne fut-il pas vraiment surpris quand Les Enfants de la Terre brûlée publièrent un nouveau message annonçant la mort prochaine d'un certain nombre de dirigeants européens de l'industrie céréalière. C'était cohérent avec tout le reste. Et cohérent avec l'attentat du même genre qui avait été perpétré au Québec quelques jours plus tôt.

Décidément, la vie redevenait passionnante. Il avait de nouveau suffisamment d'informations pour comprendre le cours en apparence chaotique des événements.

Il réalisait aussi à quel point l'information était une drogue à forte accoutumance. Mais, s'il avait peu d'espoir de retrouver un rôle semblable à celui qui avait jadis été le sien, au moins, il échapperait au manque. Et à l'ennui.

Fort Meade, 17 h 53

Tate raccrocha le téléphone avec brusquerie. Finnegan, du MI5, venait de lui confirmer que le parlement britannique avait reçu le même message – tout comme ceux de la France, de l'Allemagne, de l'Italie, de l'Espagne et des autres pays du G-20. Ils étaient mis en demeure par Les Enfants de la Terre brûlée de couper leur production industrielle du tiers dans la prochaine année, faute de quoi le tiers des céréales de la planète disparaîtrait. Au moins le tiers. Et avec les céréales, un certain nombre d'entreprises alimentaires liées à la mise en marché des produits céréaliers.

La liste des entreprises ciblées par les écoterroristes accompagnait le message. Sur les marchés boursiers, elles avaient toutes commencé à perdre de la valeur. Prudents, les investisseurs se retiraient, ce qui avait pour effet de faire reculer le prix des titres, et d'augmenter d'autant plus la méfiance des investisseurs.

Tate songea au rapport qu'il devrait faire au Président le lendemain. Être porteur de mauvaises nouvelles n'était jamais favorable à l'avancement d'une carrière. Ni même à sa poursuite. C'est pourquoi il avait besoin d'une bonne nouvelle pour atténuer l'annonce du chantage exercé par les écoterroristes. Surtout que leur demande était carrément impossible à satisfaire.

Il décida d'appeler Monroe.

— Tu as un autre tuyau ? lui demanda ce dernier sur un ton presque aimable.

— J'appelais pour savoir comment ça se déroule.

— On a saisi un premier lot de conteneurs à Seattle. Pour le moment, on a réussi à garder ça à l'abri de la presse pour ne pas compromettre les autres opérations.

— Justement…

— Tu ne veux pas faire une conférence de presse, toujours ?

— Non… Sauf que ça m'arrangerait si on pouvait dévoiler les premiers résultats au Président.

— Tu es malade !

— Je ne parle pas de rendre ça public !

— Et qu'est-ce que tu penses qu'il va faire, lui ?... Il va le répéter à ses principaux conseillers, qui vont chacun en parler *off record* à leur journaliste préféré.

— Ils ne sont pas débiles à ce point-là !

— Ils ne sont pas débiles, ils font leur job. Et leur job, c'est de tapisser les médias avec tout ce qui peut faire bien paraître le Président. Même pour vingt-quatre heures... Viens pas me faire croire que tu n'y avais pas pensé !

Après une courte pause, la voix de Monroe reprit sur un ton plus modéré, comme s'il en appelait au côté raisonnable de Tate :

— Les républicains tapent sans arrêt sur le déficit qu'il va laisser aux générations futures. Sur la crise qui traîne malgré tout l'argent qu'il a lancé par les fenêtres. Et sur le terrorisme qui recommence... Penses-tu sérieusement que la Maison-Blanche refuserait de laisser filtrer une bonne nouvelle ?

— Tu as raison.

— Écoute, je fais le job que tu m'as proposé. Et je le fais dans des conditions complètement débiles. Alors, laisse-moi au moins travailler sans me mettre les politiques dans les jambes !

— D'accord. Mais ça ne règle pas mon problème.

— Ton problème, c'est quoi ?

Tate l'informa du chantage dont le pays faisait l'objet.

— Je te comprends de ne pas avoir envie de lui annoncer ça. T'en as parlé à Paige ?

— Pas encore. J'y vais.

— Bon courage.

Cette fois, il n'y avait aucune restriction dans la sympathie que traduisait la voix de Monroe.

HEX-RADIO, 18 H 31

— Vous écoutez *Pimp mes News*, avec News Pimp, sur les ondes de HEX-Radio. Parano Kid est avec moi. Pour commencer, Kid, qu'est-ce qui flashe dans les *news* ?

— LES FLICS ET LE GANG ALIMENTAIRE. J'AI ASSISTÉ À LA CONFÉRENCE DE PRESSE DES CLONES.

— LES BEIGNES ÉTAIENT BONS?

— PAS EU LE TEMPS DE VÉRIFIER, ILS AVAIENT TOUT MANGÉ AVANT QUE J'ARRIVE.

— GROSSE NOUVELLE!

— SI JE TE DIS: PIZZ, PIE, STEW, CAKE ET POGO... À QUOI TU PENSES?

— AUCUNE IDÉE. C'EST TON SOUPER?

— T'AS PAS COMPLÈTEMENT TORT. C'ÉTAIT LE PREMIER POINT À LA CONFÉRENCE DE PRESSE DES CLONES: LE GANG ALIMENTAIRE.

— C'EST QUOI, ÇA: UN GANG DE RUE QUI ATTAQUE LES PIZZERIAS ET LES COMPTOIRS DE BEIGNES?

— SELON LES FLICS, CE SERAIENT EUX QUI AURAIENT CAMBRIOLÉ LE LAB DE BIOLIFE MANAGEMENT ET ASSASSINÉ LA FRANÇAISE.

— UN COMMANDO ALIMENTAIRE! ÇA VA ÊTRE QUOI, LE PROCHAIN GROUPE? LES 5 À 7?... ILS VONT FAIRE SAUTER 5 À 7 PERSONNES EN APÉRO, JUSTE AVANT DE PASSER À TABLE?!

— PARAÎT QU'ILS SONT TOUS MORTS. MAIS C'EST PAS LES FLICS QUI LES ONT DESCENDUS. NON NON NON!

— ILS SE SONT SUICIDÉS D'UNE BALLE DERRIÈRE LA TÊTE?

— EN TOUT CAS, LES FLICS DISENT QUE C'EST PAS EUX. MÊME CELUI QUI ÉTAIT DANS LA CHAMBRE D'HÔTEL. IL PARAÎT QU'IL ÉTAIT DÉJÀ MORT QUAND ILS SONT ARRIVÉS.

— AU MOINS, ON VA SAUVER L'ARGENT DES PROCÈS.

— IL MANQUE JUSTE HYKES, LE GARS DU LAB. ILS DISENT QU'IL EST EN FRANCE.

— COMMENT ILS ONT FAIT POUR SAVOIR ÇA? EST-CE QU'IL Y A UN FLIC QUI A REÇU UNE GREFFE DE CERVEAU?

— PRESQUE... ILS ONT EU L'AIDE D'UNE AGENCE DE RENSEIGNEMENTS.

— COMMENT TU SAIS ÇA?

— MA SOURCE SECRÈTE. PARAÎT QUE LE NÉCROPHILE A DES CONTACTS.

— QUAND MÊME PAS DANS LA POLICE MONTÉE!... REMARQUE, IL A PEUT-ÊTRE SOUDOYÉ UN CHEVAL!

— NON, PAS UN CHEVAL, NI LA POLICE MONTÉE: UNE VRAIE AGENCE! UNE AGENCE AMÉRICAINE.

— ILS ONT DIT ÇA À LA CONFÉRENCE DE PRESSE?

— PENSES-TU! EN CONFÉRENCE DE PRESSE, ILS DISENT RIEN, MAIS COMME ILS PRENNENT UNE HEURE POUR LE DIRE, ON PEUT PAS SE PLAINDRE QU'ILS DISENT RIEN... NON, ÇA, JE L'AI APPRIS PARCE QUE, MOI AUSSI, J'AI DES CONTACTS.

— LES MYSTÉRIEUX CONTACTS DE PARANO KID!

— LE MEILLEUR BOUT, C'ÉTAIT QUAND RONDEAU A PÉTÉ LES PLOMBS POUR DÉFENDRE THÉBERGE. J'TE DIS, CE GARS-LÀ, IL DEVRAIT FAIRE DE LA RADIO!

— T'EXAGÈRES PAS UN PEU?

— J'te jure ! Il serait assez bon pour que tu l'invites comme chroniqueur.

— Bon bon, on verra… Ils ont parlé de Prose ?

— Toujours pas de nouvelle attaque. En tout cas, ils n'ont rien dit.

— Tu savais qu'il y a un *pool* sur Internet ?

— Sur quoi ?

— Sur Prose. On peut gager sur le nombre de jours avant qu'il y ait une autre attaque. Les mises s'accumulent. Les gagnants vont se partager le total.

Montréal, SPVM, 18 h 54

Théberge avait demandé à Pamphyle de venir à son bureau. Écourtant les salutations, il lui montra le nouvel enregistrement du message que Les Enfants de la Terre brûlée venaient d'expédier à Radio-Canada.

Tous les empoisonneurs dont les noms ont été publiés ont été atteints. Le poison est maintenant dans leur corps. Aucun remède ne peut les sauver. Leur mort est en marche.

Ceux qui empoisonnent la Terre à coup de pesticides et d'insecticides seront empoisonnés à leur tour. Le combat pour la libération de la planète ne fait que commencer. Tous ceux qui empoisonnent Gaïa, dans tous les pays, vont subir le sort qu'ils infligent à la planète.

— Qu'est-ce que tu en penses ? demanda Théberge quand l'enregistrement fut terminé. C'est vrai qu'on ne peut plus rien pour ceux qui ont bouffé cette saloperie ?

— S'ils ont vraiment mangé de l'amanite phalloïde…

Il secoua la tête avant d'ajouter :

— … il n'y a pas grand-chose à faire. À part leur dispenser des soins palliatifs pour améliorer un peu leur état. Certains vont peut-être survivre. Mais ils risquent de se retrouver avec des lésions permanentes. Surtout au foie.

— Tous les participants à la réunion ont maintenant les mêmes symptômes… Sauf un, qui n'avait pas pris de potage.

— C'est vraiment une des pires choses qu'on peut infliger à quelqu'un, reprit le pathologiste. Juste de penser à ce qu'ils doivent endurer…

Théberge avait rarement vu Pamphyle aussi ébranlé.

— Veux-tu bien me dire où ça pousse, des champignons qui peuvent provoquer ça ?

— Un peu partout… sous les feuillus… les chênes, les châtaigniers… Tu peux trouver des espèces apparentées dans les pelouses, les sous-bois… Au Québec, il y a souvent des cas d'empoisonnement accidentel. Souvent, ça arrive dans les semaines qui suivent une émission de télé sur la cueillette des champignons. Les gens s'imaginent que, s'ils en ont entendu parler un quart d'heure et qu'ils ont acheté un livre, ils peuvent se débrouiller… Il y a aussi ceux qui se fient à des vieux livres. Plusieurs espèces qu'on croyait comestibles sont maintenant classées toxiques… Prends les morilles… est-ce que tu savais que, cru, ça peut être toxique ?… Cuit, par contre, c'est comestible.

Pour toute réponse, Théberge se passa avec inquiétude la main sur l'estomac.

> On trouve dans les rangs de l'Alliance mondiale
> pour l'Émergence ceux qui, par leurs qualités entre-
> preneuriales, sont devenus les figures de proue de
> l'activité économique de l'humanité, l'âme de son
> développement.
> Ceux-là ont le talent et les moyens d'être les maîtres
> d'œuvre de l'Apocalypse.
>
> Guru Gizmo Gaïa, *L'Humanité émergente*, 2- Les
> Structures de l'Apocalypse.

LONDRES, 13 H 21

Hadrian Killmore regardait le visage de la femme sur l'écran de son BlackBerry. Ses yeux bleus et ses cheveux blonds contrastaient avec le caractère volontaire de son visage.

— Vous me confirmez que vous êtes prête à amorcer les opérations à la date prévue ? demanda Killmore.

— Il ne reste que deux ou trois détails à régler. L'échéancier sera respecté.

— Bien. À moins d'un contre-ordre explicite, pro-cédez comme convenu.

Si seulement tous les opérateurs pouvaient être aussi fiables qu'Hessra Pond, songea-t-il après avoir coupé la communication.

Il ouvrit la boîte de courriels. Le seul qu'il n'avait pas lu était une réponse sur l'infiltration du réseau d'Homni-Food.

> Je vous avais prévenu que de laisser aux di-
> recteurs locaux la possibilité de modifier certains

paramètres de sécurité était une bêtise. Maintenant, pour répondre à vos questions :

1. Il y a eu pénétration.

2. Le pirate a eu accès à tout le réseau, mais il n'a rien détruit.

3. La cause du problème est l'imbécile qui a modifié les paramètres de sécurité sans savoir ce qu'il faisait.

Je travaille à une solution. Vous pouvez m'appeler.

Norm/A

Malgré le caractère alarmant du message, Killmore éclata de rire. C'était la seule personne qui osait lui parler sur ce ton. Et ça, c'était quand elle acceptait de lui parler !... Mais le pire, c'était qu'elle ne se rendait probablement même pas compte de ce que son attitude avait de provocateur.

Norm/A menait une vie de recluse dans une maison entièrement automatisée : cela faisait partie de ses conditions de travail. Ça et le matériel de première qualité que Killmore s'était engagé à lui fournir. En échange, tous les systèmes informatiques bénéficiaient d'un entretien et d'une protection de premier niveau. Il était assuré de ses services par contrat pour encore trois ans. Après, elle n'aurait plus le choix de travailler pour lui. Compte tenu de son état et de l'état probable de la planète à ce moment-là...

Il ferma le courriel et activa le logiciel de communication télé. Quelques secondes plus tard, une photo de Marilyn Monroe s'affichait à l'écran.

Il sourit : il lui avait seulement demandé des explications de vive voix, il ne lui avait pas précisé qu'il voulait la voir.

— Qu'est-ce que vous allez faire pour l'imbécile qui a bousillé le système de sécurité ? demanda sans préambule une voix de femme.

— Qu'est-ce qu'il a fait de si terrible ? répliqua Killmore.

— Il a désactivé le blocage automatique de tous les ports ! Et il l'a remplacé par un bricolage d'amateur.

— En termes clairs, ça veut dire…

— Qu'il s'est contenté de bloquer manuellement les ports les plus utilisés, enchaîna Norm/A sans attendre qu'il ait fini : 110 pour récupérer les courriels POP, 25 pour envoyer les courriels à un serveur SMTP, 80 pour les navigateurs Web, 21 pour les documents FTP… Mais tous les ports non assignés étaient ouverts !

— Pourquoi il aurait fait ça ?

— Parce qu'il ne voulait pas qu'il y ait de traces de ses visites aux sites pornos !… Il débloquait le port 80 pour y aller, puis il le rebloquait après chaque visite. Et il s'imaginait que ça ne laissait pas de traces !… J'espère que vous allez l'engueuler de ma part !

— L'imbécile en question ne travaille plus pour nous, répondit Killmore. Un nouveau directeur a été nommé.

— Bien.

— Est-ce que tu sais qui est le visiteur ?

— Non. Mais je travaille sur quelque chose pour le coincer.

— Tu as sécurisé le réseau ?

— Pas encore. Pour le coincer, il faut que je le laisse revenir.

— Je veux savoir ce qu'il a fait sur le réseau, s'il a téléchargé des dossiers… ce genre de choses.

Killmore fit une pause. Puis il lui demanda en s'efforçant de ne pas paraître trop intéressé :

— As-tu eu le temps de regarder le projet que je t'ai envoyé ?

— ZéroBit ?

— Oui.

— C'est un nom pourri… À moins que ce soit le pseudo d'un impuissant.

— Ce qui ne fait pas vraiment partie de nos préoccupations, répondit Killmore sur un ton amusé.

— C'est un projet complètement délirant.

— Pourquoi ?… À part la raison évidente, je veux dire.

— Parce que celui qui le mettrait en application ne pourrait pas en profiter. Ça lui donnerait quoi de faire sauter l'ensemble du réseau ?

— D'après toi, c'est réalisable ?

— Pour la destruction des infrastructures d'Internet, sûrement. Pour la partie informatique, c'est plus difficile… il n'y a pas grand monde qui aurait les moyens. La Chine, peut-être, si elle mobilisait l'ensemble de ses équipes de *hackers*… Mais pour quelle raison quelqu'un ferait ça ?

— Je n'en ai aucune idée.

— C'est un projet réel ?

— Probablement pas, répondit Killmore en s'efforçant de ne pas paraître trop concerné par cette éventualité. C'est simplement une info qui a atterri sur mon bureau. La dernière du même genre concernait de nouvelles révélations sur Roswell !

Montréal, studio de HEX-Radio, 9 h 04

Bastard Bob acheva de vider le premier des trois verres de café qui étaient alignés à côté de son micro. Son style veston-cravate contrastait avec la tenue négligée de son coanimateur, qui ressemblait à un rescapé de l'époque hippie.

— Ici Bastard Bob, pour une autre chronique de « Sortez les poubelles ». La formule est simple : vous sortez vos poubelles et on discute ensemble de ce qu'on y met. Avec moi pour la prochaine heure, Philo Freak, le philosophe du vrai monde… Salut, Philo !

— Salut, Bastard.

— Avant de passer à notre chronique, on fait un tour rapide de l'actualité. Toi, Philo, qu'est-ce que tu retiens, dans ce qui s'est passé cette semaine ?

— Moi, c'est la nourriture pour chiens. Imagine : tu achètes de la bouffe à chien et tu sais pas s'il y a des morceaux de quelqu'un dans la boîte. Tu te vois, tomber sur un œil qui te r'garde ?… T'sé, comme l'œil de Caïn dans l'fond de la tombe…

— Là, tu me perds ! C'est encore une de tes affaires de philo ?

— Espèce d'inculte, c'est du Victor Hugo. Une chance que je suis là pour remonter le niveau de ton émission !

Un air de contrariété passa sur le visage de l'animateur.

— En tout cas, dit-il en s'adressant au micro, ça ferait un bon gag. Tu débouches une boîte et tu tombes sur un œil !… Mais ça n'arrivera pas : tout est écrasé, mixé, compacté…

— Ça fait quand même drôle, quand tu y penses : les toutous risquent de manger de l'écrapou de mon'oncle Hector.

— À part ça, autre chose qui t'a frappé ?

— Mon deuxième choix, c'est Prose. En fait, lui, il a pas l'air débile, juste un peu *weird*. Mais de voir les cotes des *pools* sur Internet… Ça, c'est débile rare.

— Comment ça, « des » *pools* ?

— Il y en a un sur le nombre de jours avant le prochain attentat. Un autre sur ses chances d'être encore vivant dans trois mois…

— C'est assez pour rendre quelqu'un *weird*, si tu veux mon avis !

LONGUEUIL, 9 H 14

Le compteur indiquait maintenant 4 contre 9. Depuis la veille, le chiffre avait peu varié. Les joueurs semblaient avoir atteint un consensus sur ses chances de survie. Ils étaient plus de trois mille à avoir parié. En moyenne, on lui accordait 4 chances contre 9 d'être encore en vie dans trois mois.

Un instant, Prose fut tenté de parier sur sa propre survie, ne serait-ce que pour affirmer sa volonté de vivre en dépit de ce qu'une majorité croyait être son destin. Puis il renonça à cette contestation, qui ne serait symbolique qu'à ses propres yeux et qui servirait objectivement à alimenter le système.

Il quitta le site de pari en ligne et entra sur celui du journal *Le Monde*. La radio jouait en sourdine. Pendant qu'il activait son profil, il entendit distraitement que des manifestations anti-canadiennes avaient eu lieu aux États-Unis.

… LES MULTIPLES POURSUITES ENTREPRISES PAR DES PRODUCTEURS AGRICOLES DES ÉTATS-UNIS CONTRE LE GOUVERNEMENT CANADIEN. L'ANIMATEUR FROST LIMBO A PAR AILLEURS RÉCLAMÉ QUE LES ÉTATS-UNIS AILLENT NETTOYER EUX-MÊMES LES ZONES INFESTÉES SUR LE TERRITOIRE CANADIEN POUR S'ASSURER QUE LE TRAVAIL SOIT BIEN FAIT. INVOQUANT COMME PRÉCÉDENT LE DROIT D'INGÉRENCE POUR MOTIF HUMANITAIRE…

Prose murmura un juron et ramena son attention sur l'ordinateur. Parcourant en diagonale les articles que lui proposait le site, il s'arrêta au quatrième. C'était une publicité. Il en nota des extraits sur la tablette de papier quadrillé.

Les abeilles disparaissent par milliards partout dans le monde… 80 % des fleurs, fruits ou végétaux, à la base de l'alimentation mondiale et de la biodiversité, dépendent exclusivement de la pollinisation par les abeilles.

L'article était coiffé d'une citation d'Albert Einstein :

Si l'abeille disparaît, l'humanité en a pour quatre ans.

Prose continua sa lecture en songeant aux gènes insecticides qu'on intégrait aux OGM sans avoir testé leurs conséquences à long terme sur les insectes autres que ceux visés. Pour justifier leur absence de prévoyance, les dirigeants des multinationales alimentaires appliquaient leur maxime favorite : « On traversera le pont quand on sera rendu à la rivière »… Le problème, c'était qu'une fois rendu, il risquait de ne pas y avoir de pont… et peut-être même plus de rivière.

Au huitième article, il ajouta quelques mots sur la feuille quadrillée :

… épiceries attaquées aux États-Unis…

Puis, quelques articles plus loin :

… émeutes en Inde. Entrepôts de riz saccagés…

C'étaient encore des événements relativement isolés. Mais il y avait toutes les chances que ça se généralise. Et alors, si la production mondiale de céréales diminuait, comme il était prévisible qu'elle le fasse…

Il resta un bon moment immobile, le porte-mine dans la main, en se demandant si toute cette recherche qu'il effectuait le mènerait quelque part. Bien sûr, cela satisfaisait sa manie compulsive de compilation et de classement. Sa paranoïa, aussi, aurait ajouté Brigitte en riant.

Le souvenir de la jeune femme réveilla sa culpabilité. Il se demandait si les informations qu'elle lui avait fournies, le travail qu'elle avait accepté d'effectuer pour lui, n'avaient pas contribué à sa mort… Bien sûr, l'explication la plus plausible était celle que semblaient avoir retenue les policiers : elle avait été éliminée à cause de ce qu'elle savait du processus de nettoyage génétique. Mais ce n'était qu'une explication plausible. Pas une certitude…

Et si c'était vraiment pour ça qu'on l'avait fait disparaître, était-ce pour la même raison qu'on avait tiré sur lui ? Au cas où elle lui aurait confié des informations sur le sujet ?… Peut-être que ce n'était pas simplement un illuminé ameuté par la rhétorique de HEX-Radio qui l'avait pris pour cible…

Ces questions le ramenèrent à sa supposée paranoïa. Était-il paranoïaque ?… Il s'était souvent posé la question. La réponse variait. Tout dépendait du sens que l'on donnait au mot. Si on en faisait un synonyme de tendance à la délusion, à imaginer des complots là où il n'y en avait pas, il n'était pas paranoïaque. Au contraire, il avait pour passion de collectionner les faits et de documenter les relations entre les faits.

Mais si on faisait de la paranoïa un intérêt à débusquer les intentions cachées, une propension à ne rien tenir pour acquis, à mettre au jour des stratégies occultes mais existantes – bref, à saisir la réalité sous l'angle des enjeux de pouvoir masqués –, alors oui, il était paranoïaque.

Ses pensées furent interrompues par la sonnerie du téléphone.

— Oui.

— Ici News Pimp, de HEX-Radio.

— Je ne suis pas intéressé à vous donner d'entrevue.

— Avant de répondre, tu pourrais au moins écouter ce que j'ai à dire.

Prose résista à son impulsion de raccrocher immédiatement. Il détestait se faire tutoyer de la sorte. La curiosité en lui l'emporta néanmoins sur l'exaspération.

— Je te propose un quart d'heure, enchaîna rapidement News Pimp. Tu dis ce que tu veux. Sans interruption. Sans intervention de personne. Après, tu réponds à des questions durant un quart d'heure… Tu peux pas dire que c'est pas *fair* !

— Je n'ai rien à dire sur ce qui est arrivé à Brigitte Jannequin. Ni sur l'attentat contre le laboratoire de BioLife Management. Je ne sais rien.

— Tu as sûrement quelque chose à dire sur d'autre chose. Quelqu'un qui se retrouve du jour au lendemain une célébrité sur Internet… Je sais que ça doit pas être drôle d'avoir un *pool* sur sa tête, mais que tu le veuilles ou non, tu es devenu une personnalité publique. Le monde a le droit de te connaître.

— Et moi, j'ai le droit à ma vie privée, répondit sèchement Prose.

— Si tu refuses de venir, le monde va penser que t'as quelque chose à cacher. Tu vas recevoir encore plus d'appels et de *e-mails*. Tandis que si tu dis ce que t'as à dire…

Prose savait que News Pimp avait en partie raison. Plus il refuserait de parler, plus il donnerait prise aux rumeurs qui circulaient sur lui. Par contre, il était loin d'être certain que de faire une intervention publique les calmerait.

— Écoutez, dit-il, je vais réfléchir à votre proposition.

— Réfléchir, ça veut dire quoi ?

— Disons que je vous donne une réponse dans deux jours.

— *Come on, man*… Deux jours, dans le monde de l'information, c'est une éternité. Faut battre l'affaire pendant qu'elle est chaude ! Si tu me donnes le OK, je peux t'arranger ça pour le *show* de ce soir.

— Tout de suite, ma réponse serait non.

— Qu'est-ce que tu veux ? Un cachet ?

— Ça n'a rien à voir avec l'argent.

Le ton de Prose était de plus en plus impatient.

— OK, je te laisse deux jours, fit News Pimp.

Après avoir raccroché, Prose se dit qu'il avait seulement reporté le problème. La question restait entière. D'une part, la proposition pouvait être intéressante. Les quinze minutes à *Parano.com*, il pouvait les utiliser pour parler de tous les recoupements qu'il avait faits sur la question des céréales. C'était en plein dans leur créneau. Pour une fois, ça toucherait à des enjeux réels… D'un autre côté, ça pouvait aussi être un piège : on le laisserait parler pendant quinze minutes, puis, sans s'occuper de ce qu'il aurait dit, on le harcèlerait sur l'histoire du laboratoire et sur le *pool* qu'il y avait sur sa tête… Et tout continuerait comme avant. Probablement en pire.

KOMO-TV, 9 h 33

... L'ARRESTATION DE NEUF PERSONNES ET LA SAISIE D'UNE DEMI-TONNE DE COCAÏNE. L'OPÉRATION CONJOINTE DE LA DEA, DU DÉPARTEMENT DE POLICE DE SEATTLE A PERMIS...

New York, 9 h 37

Skinner entra dans la pizzeria, repéra l'homme qu'il devait rencontrer et alla s'asseoir sur la banquette devant lui.

Monky avait toujours les mêmes vêtements noirs, le même col mao et le même crâne rasé qui lui donnaient l'air d'un moine bouddhiste qui se serait rallié à Darth Vader.

— Vous avez décidé de modifier mon karma ? demanda Monky.

— Qu'est-ce qui vous fait dire ça ?

— Si ce n'était pas important, vous auriez téléphoné.

— Vous déménagez à Londres. Un travail de surveillance.

Comme à son habitude, Monky ne manifesta aucune réaction.

— Qui dois-je surveiller? se contenta-t-il de demander.

— Les plus hautes autorités du Consortium.

— Toutes?

Skinner esquissa un mince sourire.

— Non. Vous aurez une cible particulière.

— Difficile à approcher?

— Vous allez travailler pour lui. Comme adjoint exécutif et garde du corps. Évidemment, vous allez me tenir informé de ses faits et gestes.

Quatorze minutes plus tard, Skinner sortait de la pizzeria et prenait un taxi. Pendant le trajet, il relut le message que Fogg lui avait expédié plus tôt sur son BlackBerry. Une fois décodé, il ne faisait que quelques lignes.

> En plus de monsieur Gravah, madame Pond va désormais avoir recours à vos services. Une communication de sa part suivra sous peu.

Skinner avait effectivement reçu un message dans l'heure suivante. Cette fois, le message s'étalait sur plusieurs pages. Il comprenait les grandes lignes du projet Tsunami. C'était d'abord pour cette raison que Skinner était venu à New York. Il allait activer un nouveau réseau des US-Bashers.

Mais avant, il devait rencontrer Hussam al-Din, son contact avec les islamistes.

MONTRÉAL, STUDIO DE HEX-RADIO, 9 H 45

Bastard Bob avait sérieusement entamé son troisième verre de café. Fidèle à lui-même, Philo Freak ne buvait que de la tisane. Aujourd'hui, il avait opté pour tilleul menthe. Il en était encore à sa première tasse.

— C'est à mon tour d'avoir une question pour toi, dit-il.

— *Shoote!*

— C'est vrai que t'as commencé à stocker de la nourriture dans ta cave ?

La question prit Bastard Bob au dépourvu. Il jeta un regard contrarié à son coanimateur. C'est néanmoins sur un ton joyeusement ironique qu'il répondit :

— Les nouvelles vont vite !

— Comme ça, c'est sérieux ?

Philo Freak semblait sincèrement étonné.

— T'as vu comme moi ce qui se prépare : on va avoir une pénurie à la grandeur de la planète. L'avenir appartient à ceux qui voient plus loin que les autres ! À ceux qui pensent à long terme !

— T'exagères ! C'est pas encore la catastrophe.

— Pas encore. C'est justement pour ça qu'il faut commencer à stocker. Faut en profiter avant que les prix montent... Moi, j'ai déjà commencé. Les prochaines semaines, je remplis ma cave.

— Tu vas te retrouver avec des caisses et des caisses de nourriture en trop.

— C'est justement ça, l'idée. Quand le monde va se réveiller, les prix vont monter en flèche. Imagine le profit que je vais faire en vendant mes surplus.

— C'est un peu crosseur, non ?

La réplique indisposa sérieusement Bastard Bob. Il s'efforça de garder un ton pédagogique, comme lorsqu'on essaie de faire comprendre une évidence à une personne particulièrement bouchée.

— Ce serait crosseur si je faisais ça dans le dos du monde. Si j'utilisais des informations que les gens n'ont pas. Mais je le fais ouvertement. La pénurie alimentaire qui s'en vient, tout le monde est au courant. Tout le monde peut faire comme moi. Je conseille à tous ceux qui nous écoutent de le faire. Après, ce qu'ils font, c'est leur problème. Mais ils sauront qui blâmer quand les épiceries seront vides.

— Si je t'avais pas posé la question...

Bastard Bob avait l'air de plus en plus contrarié, presque furieux.

— Si tu n'avais pas posé la question, t'aurais pas *scoopé* mon sujet de la deuxième heure. C'est avec ça que je voulais commencer.

Puis, changeant de ton pour s'adresser aux auditeurs, il ajouta :

— On met une toune, le temps que j'explique les choses de la vie à mon ami Philo, et on revient avec notre chronique « Le débile de la semaine ».

Une pièce musicale se fit entendre. La lumière indiquant qu'ils étaient en ondes s'éteignit.

— C'est quoi, ton hostie de problème ? explosa Bastard Bob. Tu es sur mon *show*. Et sur mon *show*, j'invite pas du monde pour qu'ils viennent me planter !

Philo Freak semblait peu impressionné.

— Prends ça zen, Bastard... Si on peut plus s'amuser...

— Une autre de même et tu vas aller t'amuser ailleurs.

ÉTAT DU MONTANA, UN RANCH, 9 H 23

Ce n'était pas une réunion officielle. À l'abri du regard inquisiteur des médias, les discussions étaient plus libres, les problèmes abordés de manière plus crue. Aucun journaliste ne les attendrait à la sortie de la salle de réunion pour essayer de leur faire expliquer les compromis auxquels ils étaient parvenus à la condition de ne pas les révéler !

Pour l'occasion, les ministres chargés de la sécurité de chacun des pays du G-8 étaient accompagnés de leurs collègues de l'Agriculture. Des représentants de l'Inde et de la Chine assistaient également à la réunion. Ils étaient tous arrivés la veille par hélicoptère sur le ranch de Tyler Paige, le responsable américain du Department of Homeland Security.

Chacun des ministres de l'Agriculture avait commencé par dresser le bilan de la situation dans son pays : état de la contamination des céréales, prévision des pénuries pour les prochaines années... Les chiffres annoncés étaient tous plus ou moins « nettoyés ». Cela allait de soi. Après tout, il s'agissait d'informations stratégiques dont d'autres pays auraient pu tirer avantage. Mais la gravité de la situation était suffisamment reconnue pour inciter les représentants à un minimum de transparence.

Une fois le tour de table terminé, Paige prit la parole.

— Je pense que le constat est assez évident pour qu'on passe au point suivant de l'ordre du jour.

Son regard parcourut l'assistance.

— Il faut décider de ce qu'on fait pour la recherche, reprit-il. Il faut décider de la manière dont on gère les pénuries et de l'attitude à adopter face à nos populations.

Les ministres tournèrent quelques pages des dossiers ouverts devant eux. La section « recherche » commençait par une page sur laquelle il n'y avait qu'un seul mot :

HomniFood

— C'est le candidat que notre sous-comité recommande. À son avis, c'est la firme la mieux équipée pour piloter la recherche sur le plan mondial.

Il tourna la page. Cette fois, une liste de vingt-deux noms couvrait la page.

— Vous avez ici la liste des entreprises qu'il faut intégrer au projet.

— Par intégrer, vous entendez quoi, exactement ? demanda la ministre de l'Intérieur de la France.

— L'idéal serait que HomniFood les achète et les restructure en fonction des objectifs poursuivis. Cette solution est toutefois impraticable. D'une part, elle susciterait une vague de protestations qui intéresserait les médias ; d'autre part, elle attirerait l'attention sur Homni-Food elle-même, qui n'a pas intérêt à apparaître comme exerçant un contrôle mondial. Aussi, différentes mesures de contrôle indirect sont prévues pour chacun des cas : achat par des fonds de *private equity* ou par des fonds souverains, remplacement de personnel clé, regroupement de certaines entreprises… C'est ce que vous trouvez dans les pages suivantes.

— Ça ne règle pas tous les problèmes, fit remarquer le délégué britannique. Il faudra que nous mettions nous-mêmes l'épaule à la roue.

Des hochements de tête marquèrent l'approbation de l'assemblée.

— Je ne parle pas seulement de faciliter les consolidations et les prises de contrôle, poursuivit le Britannique. Si on veut que ce projet de recherche réussisse, il faudra le subventionner… libéraliser les lois sur la recherche génétique… améliorer la protection des brevets…

Il se tourna vers le directeur du DHS, esquissa un sourire.

— Je ne sais pas comment vos fondamentalistes chrétiens vont trouver ça !

— Tant qu'on ne touche pas au génome humain, répondit Paige, il y a moyen de les contrôler.

— Il faudra aussi favoriser l'apport de capital privé dans ces entreprises.

— Vous pensez à des mesures fiscales ? demanda le Français.

— Bien sûr, cela va nécessiter des mesures fiscales, répondit le Britannique. Mais je pensais aussi à quelque chose comme les bons de la Victoire pendant la Deuxième Guerre mondiale… à des loteries… Tous ces projets pourraient être intégrés dans le cadre d'une guerre contre la faim.

— On devrait plutôt présenter la chose comme la défense du patrimoine alimentaire mondial, suggéra l'Allemand. Ça donne une image moins agressive et ça inculque l'idée qu'il est menacé. En Allemagne, ce serait beaucoup mieux accepté.

— Pourquoi ne pas utiliser les deux types de programme ? fit Paige. Chacun contribuera au programme qui correspond le mieux à son idéologie… La seule chose qui importe, c'est que le plus grand nombre de gens y mettent de l'argent.

La discussion se poursuivit pendant plusieurs minutes. Des serveurs vinrent s'enquérir discrètement de ce que désiraient boire les participants réunis autour de l'immense table en bois.

— Est-ce que je peux considérer que j'ai votre accord sur cette partie du projet ? demanda Paige en profitant d'un silence dans la conversation.

Une vague de murmures affirmatifs lui répondit.

— Nous en sommes donc à notre dernier point : la gestion des pénuries.

Il y eut de nouveaux bruits de feuilles tournées.

— Nos experts ont étudié les différents moyens de mettre en place une forme de rationnement, fit le délégué allemand. L'introduction d'un système de coupons dans chaque pays entraînerait des coûts prohibitifs. Sans compter que ça provoquerait l'apparition d'un marché noir dans les jours suivant la mise en place du système. Les groupes criminels se lanceraient dans l'extorsion des coupons auprès des groupes les plus démunis... Notre conclusion est qu'on ne peut pas contrôler le rationnement en passant par les individus.

— Et par les fournisseurs ? demanda le Français.

— Ça favorise encore plus le marché noir. Déjà, les groupes criminels font des razzias contre les centres de distribution dans les pays où il y a de l'aide alimentaire.

— Sans parler des files d'attente quand les magasins sont vides, fit le ministre russe de l'Agriculture. C'est très mauvais pour l'image du pouvoir.

— Entièrement d'accord, approuva l'Allemand. C'est pourquoi nos spécialistes nous recommandent de nous en remettre au système actuel.

Les yeux de tous ses collègues se fixèrent sur lui. L'Allemand prit le temps de soutenir leurs regards interrogateurs en souriant pendant quelques secondes.

— Le marché, dit-il. Tout le monde y est habitué. Plus une chose est rare, plus son prix est élevé. Les gens sont entraînés à faire ce genre de raisonnement. Il suffit de nous assurer que les prix reflètent correctement la disponibilité de la nourriture.

— Si les prix continuent de monter, il va y avoir encore plus de protestations, fit l'Italien. Déjà, les policiers ont de la difficulté à contrôler les foules.

— C'est vrai, renchérit le Français. Il faudrait au moins prévoir des centres de distribution pour les plus pauvres.

— Par contre, reprit l'Allemand, s'il y a suffisamment d'informations dans les médias pour inquiéter les gens, les classes moyennes vont se mettre à stocker la nourriture, à l'économiser...

— Un autre avantage du système de marché, ajouta le Britannique, c'est qu'avec des prix suffisamment élevés, leur peur d'en manquer va prendre le dessus sur leur idéologie : ceux qui vont continuer à protester contre les OGM vont se faire lyncher par le public.

Paris, 16 h 44

Blunt regardait les différents écrans couverts de chiffres en se demandant duquel Poitras extrairait une nouvelle série d'informations. Ce fut finalement celui à sa gauche qui s'anima, le tableau de chiffres étant remplacé par une série de titres de nouvelles que Poitras faisait défiler.

— Ce sont tous des incidents qui concernent des entreprises impliquées dans le commerce des céréales et l'alimentation, dit-il.

— Personne n'a encore fait de recoupements ? demanda Blunt.

— La plupart des entreprises ont plusieurs activités et elles ne sont pas toutes regroupées dans la même industrie. Celles qui font les recherches sur les céréales sont surtout dans les biotechs ; les distributeurs sont dans la consommation de base... Et la plupart des producteurs de céréales ne sont pas cotés en Bourse.

— Qu'est-ce qui va arriver ?

— Pour le moment, il y a de l'activité sur les compagnies ciblées explicitement par Les Enfants de la Terre brûlée. Les analystes conseillent à leurs clients de réduire leurs positions. Plus tard, si les compagnies sont vraiment en difficulté, les *hedge fund* qui s'occupent de fusions-acquisitions vont racheter leurs actions et vendre celles des entreprises qui se positionnent pour les acheter... Avant, on va voir le prix des contrats à terme sur les céréales partir à la hausse. Ça, c'est déjà commencé. La plupart des céréales sont fortement en contango… Mais si les attentats se poursuivent, on n'a encore rien vu. Ça va être comme pour le pétrole quand les menaces de guerre au Moyen-Orient s'amplifient.

— Si tu le dis…

Poitras partit à rire.

— Désolé… Je peux traduire en langage humain, si tu veux.

— Je pense que j'ai compris l'essentiel. La liste d'incidents vient d'où ?

— Je l'ai construite à partir des nouvelles de Reuters. Puis j'ai vérifié sur Bloomberg. Il n'y a pas beaucoup de différences entre les deux sources.

— C'est rassurant, non, que les nouvelles ne changent pas trop d'une source d'information à l'autre ? fit Blunt avec un sourire.

— Tant que ce n'est pas parce que l'une des deux a copié sur l'autre !

Le sourire de Blunt s'élargit. Poitras se leva de sa chaise à roulettes et s'étira. Puis il alla à la petite cuisine se chercher une bouteille d'eau minérale.

Quand il revint au bureau, Blunt n'avait pas bougé de son fauteuil. Il semblait plongé profondément dans ses pensées. Poitras se rassit devant les écrans et fit apparaître une nouvelle série de données.

— À ton avis, à qui ça peut profiter ? demanda Blunt.

— Hier, je t'aurais dit HomniFood. Mais avec l'attentat contre leur président…

— Est-ce que ça affecte la compagnie ?

— C'est justement ce que je regardais.

Il lui montra un des écrans du doigt.

— Après l'annonce de la nouvelle, le titre a perdu sept pour cent. Mais il est déjà en train de remonter.

— Et c'est rapide ?

— La compagnie n'a rien perdu de sa capacité de production. Elle a des réserves financières de plusieurs milliards pour financer la production de son fongicide et des souches résistantes de céréales. Deux pays ont déjà annoncé leur intention de collaborer avec eux. D'autres devraient suivre… Ils nagent dans l'argent ! Il va probablement leur en rester assez pour acheter plusieurs de leurs concurrents en difficulté.

— Et si les empoisonnements continuent ?

— À moins que leur fongicide et leurs souches résistantes soient de la frime, le prix de leurs actions va exploser…

— Est-ce qu'il y a moyen de savoir s'il y a des gens qui se placent pour profiter de ce qui va arriver ?

— Il suffit de regarder quatre choses. Ceux qui ont déjà investi dans HomniFood, ceux qui achètent des options d'achat sur le titre, ceux qui vendent à découvert les titres des compagnies mentionnées par les terroristes et ceux qui achètent des contrats à terme sur les céréales de façon massive en escomptant une hausse des prix… Avec ça, tu devrais avoir une bonne idée de qui veut prendre avantage d'une catastrophe sur les céréales.

— Tu peux le faire ?

— J'ai commencé. Mais je n'ai pas trouvé grand-chose avant les annonces des Enfants de la Terre brûlée.

— Et après ?

— Ce n'est pas clair. C'est peut-être des spéculateurs qui ont décidé de profiter de la nervosité du marché.

— Tu peux expliquer ?

— Si j'achète des options d'achat sur un contrat à terme à un prix d'exercice supérieur au prix courant, tout ce que je risque, c'est le prix de l'option : autrement dit, presque rien. C'est comme miser sur un billet de loto. Si le prix ne monte pas, je perds le prix que m'a coûté l'option. Mais si le prix se met à monter, je peux exiger qu'on me vende la quantité de céréales déterminée par le contrat à terme, au prix inscrit sur le contrat.

— Quelle que soit la hausse qui est survenue ?

— Exactement ! Quelle que soit la hausse !… Si elle est importante et que tu as acheté beaucoup de contrats, c'est l'équivalent du gros lot au casino… Et si tu es sûr de ce qui va se passer, tu vends des options de vente :

avec la prime que tu reçois, tu compenses celle que tu
paies. C'est comme si tu finançais ton billet de loto que
tu sais gagnant en vendant un billet de loto que tu sais
perdant.

— On a le droit de faire ça?

— En finances, si c'est assez compliqué, on peut faire
ce qu'on veut, répliqua Poitras avec un sourire ironique.
Mais c'est à mon tour de te poser une question: c'est
quoi, la probabilité que les terroristes donnent suite à
leurs menaces?

— Quatre-vingt-un virgule six cent quarante-trois
pour cent, je dirais… Environ.

La précision du chiffre fit sourire Poitras.

— Et la probabilité que la contamination s'étende à
la planète?

— Cinquante-six pour cent.

— Pas de décimales?

— Les données sont trop incertaines, répliqua Blunt,
imperturbable. Pourquoi tu me demandes mes prévisions?

— Parce qu'il faut que je décide ce que je vais faire
de l'argent de la Fondation.

FORT MEADE, 11 h 08

L'image à l'écran présentait un plan d'ensemble des
gens réunis autour de la table en bois. Paige avait la
parole.

Messieurs, je propose qu'on fasse une pause avant
d'aborder notre troisième point.

Tate releva les yeux de l'écran. « Il veut que les gens
aient le temps de discuter en privé de façon informelle »,
songea-t-il. « Il doit lui rester du travail au corps à effectuer. »

Il se leva de son bureau et regarda un autre moniteur
où défilait une liste de nouvelles. Une des lignes était
en rouge.

La mort de Frank Cooper, président et chef de
la direction d'HomniFood, ne changera pas les

> orientations fondamentales de l'entreprise. Dans
> une déclaration qui se voulait rassurante pour
> les investisseurs et les clients de l'entreprise…

Rien qui réclamait son attention de manière urgente. Il faudrait simplement qu'il envoie un message à Blunt, au cas où l'information lui aurait échappé… ce qui était peu probable.

Tate regarda un autre moniteur, qui diffusait en direct une allocution du président de la France… Rapidement, il cessa de l'écouter. Son esprit revint à la réunion au ranch de Paige, ce qui le fit sourire. Ce dernier avait eu beau se surnommer le « tsar » de la lutte au terrorisme, il n'était même pas foutu de protéger efficacement son ranch contre l'écoute électronique.

Tate se demandait à quelle version abrégée de cette rencontre il allait avoir droit par les canaux officiels… Et ça, c'était à la condition qu'on lui en parle !

Il prit son portable et téléphona à son courtier.

Deux minutes plus tard, il avait acheté pour cinquante mille dollars d'options d'achat à long terme sur le titre d'HomniFood. Son courtier l'avait convaincu d'utiliser cette stratégie plutôt que d'acheter simplement le titre à son cours actuel : il multiplierait ses profits.

Ce que Tate ne savait pas, c'était que le courtier avait lui-même pris une position deux fois plus importante que celle de Tate sur les mêmes options.

ÉTAT DU MONTANA, UN RANCH, 10 H 42

— Le problème majeur va être de contrôler la population, fit le ministre de l'Intérieur de l'Italie.

Il se tourna vers le Chinois avant d'ajouter :

— Nous n'avons pas tous votre expérience… ni votre avantage en ce qui a trait aux médias.

Le Chinois sourit.

— Si on faisait le quart de ce que vous faites… reprit l'Italien.

— Je n'ai jamais compris votre attitude, répondit le Chinois. Vous admettez pourtant que l'information est un instrument de pouvoir… Je me trompe ?

— Vous ne vous trompez pas.

— Alors, pourquoi cet instrument de pouvoir n'est-il pas entre les mains de ceux qui sont élus pour exercer le pouvoir ?

— *Check and balance*, répondit Paige. Mais je suggère que nous poursuivions cette discussion philosophique après la réunion. J'aimerais entendre le point de vue de chacun d'entre vous sur le sujet qui nous occupe.

Le Britannique fut le premier à prendre la parole.

— Si la menace alimentaire est suffisamment prise au sérieux, dit-il, les gens vont accepter qu'il y ait plus de contrôles. La chasse aux terroristes islamistes et aux écoterroristes devrait nous donner les moyens de contrer les contestations les plus excessives... Mais – et j'insiste ! – il faut que la menace soit crédible : on ne peut pas se permettre une réédition de l'épisode des armes de destruction massive.

Tous les yeux se tournèrent vers Paige, curieux de voir sa réaction. Impassible, ce dernier se contenta d'attendre la suite.

Ce fut le Russe qui enchaîna.

— Pour imposer notre message, nous devrons nous assurer d'un contrôle efficace des médias. Chez nous, ça ne devrait pas soulever de difficultés, ajouta-t-il avec un sourire retenu. Mais chez vous...

— Pour la France, répondit la ministre française de l'Intérieur, une tentative pour établir un contrôle direct des médias serait éminemment contre-productive. Quand les Français peuvent se plaindre d'une chose dans les médias et dans les cafés, ils peuvent la supporter indéfiniment... Ce dont nous avons besoin – et là, je suis d'accord avec mon collègue russe –, c'est que, partout sur la planète, la menace alimentaire fasse la une des médias. Peu importe ce que les gens en disent. L'important, c'est l'impact. Il faut que tout le monde en parle. Que ça devienne le cadre à l'intérieur duquel tout le monde pense.

Une série de hochements de tête approuva sa déclaration.

— Et le terrorisme islamiste ? demanda l'Américain.

— Ce n'est plus notre priorité.

— Ils peuvent bien faire sauter une ambassade ou une église ici et là, ajouta le Britannique. En termes de dégâts, ça ne peut pas se comparer à ce que représente le terrorisme alimentaire.

WWW.BUYBLE.TV, 12 H 03

> ... Vous écoutez Buyble-TV, la télé où on peut acheter son ciel et faire de l'argent en le vendant à d'autres. Cette semaine, tous les profits générés par la vente de bibles seront acheminés aux missionnaires que nous subventionnons en Afrique centrale, où le taux de conversion a bondi au cours des dernières semaines, pour atteindre...

Montréal, 12 h 16

Comme chaque fois qu'il était obligé de différer un repas, l'inspecteur-chef Théberge était d'humeur brouillonne. Depuis la fin de l'avant-midi, les bousculades dans les épiceries s'étaient multipliées. Il y avait également eu plusieurs vols de nourriture.

La plupart des personnes interpellées avaient fourni la même explication : il y aurait bientôt une pénurie de nourriture ; elles avaient le droit de faire des provisions pour ne pas mourir de faim. Les autorités essayaient de cacher la situation au public, mais les gens savaient à quoi s'en tenir ! Il n'était pas question qu'ils se fassent prendre quand il n'y aurait plus rien dans les épiceries et qu'il n'y aurait plus moyen d'acheter de nourriture !

Certains semblaient réellement affolés par la possibilité d'une pénurie, mais d'autres prenaient la chose avec le sourire, comme si ce n'était qu'une occasion d'affaires. Ceux-là avaient procédé à des achats massifs et ils avaient été agressés au cours des incidents, alors que leurs agresseurs se retrouvaient surtout parmi ceux qui étaient paniqués et dont les moyens financiers étaient limités.

Ils avaient cependant tous un point commun : ils avaient appris l'imminence de la pénurie en écoutant

HEX-Radio, ce qui expliquait la présence de l'inspecteur-chef Théberge au domicile de Bastard Bob.

— C'est quoi, l'idée d'envoyer les gens vider les épiceries ? demanda Théberge.

— Je n'ai envoyé personne nulle part. J'ai simplement dit que moi, je faisais des provisions.

— Et vous n'avez pas pensé que les gens vous prendraient au sérieux ?

— J'espère bien qu'ils me prennent au sérieux !

— Vous êtes une belle ordure !

Bastard Bob regarda un instant Théberge en silence avec un sourire ironique.

— Toute cette discussion est ridicule, dit-il. On ne pourra jamais s'entendre. Vous n'êtes même pas capable d'imaginer que je puisse penser réellement ce que je dis.

Théberge supprima la réplique qui lui était venue à l'esprit. C'était vrai qu'il n'avait pas envisagé la possibilité que l'animateur puisse être de bonne foi.

— De quelle manière est-ce qu'il faut que je vous le dise ? reprit Bastard Bob sur un ton insistant. Il y a réellement une pénurie qui nous menace. Les débiles de Terre brûlée vont continuer d'empoisonner de la nourriture… J'en suis convaincu. Certain. Complètement sûr… Et ceux qui auront stocké de la nourriture auront plus de chances de s'en tirer… Avouez que vous n'avez pas pensé à ça !

En lui-même, Théberge était obligé d'admettre que cette hypothèse ne lui avait pas effleuré l'esprit. Peut-être parce qu'il craignait inconsciemment qu'elle soit vraie. Mais ça ne justifiait en rien l'irresponsabilité de l'animateur.

— Supposons, fit Théberge. Supposons que ce soit vrai… Vous, avez-vous imaginé un instant ce que peut provoquer une déclaration comme celle que vous avez faite ?

— Ma job à moi, c'est de rendre publique l'information disponible. Ce que les gens en font, c'est leur problème.

Théberge le regarda longuement. Puis il lui demanda :

— Vous croyez vraiment ce que vous dites ?

— Et vous, la liberté d'expression, vous y croyez ?…
C'est comme ça que fonctionne la société. Chacun a
accès à l'information et chacun en dispose au mieux de
ses intérêts. C'est à chacun de décider. Moi, j'assure un
service essentiel pour que le système fonctionne : je donne
accès à l'information.

— Et si vos belles informations ont pour effet de
pousser les plus vulnérables à la violence ? à des gestes
désespérés ?

— Ce n'est pas mon rôle de surprotéger les gens. La
connaissance amène toujours une certaine dose de désespoir : on appelle ça de la lucidité. Et ça fait partie de ce
qu'on appelle devenir adulte.

— Autrement dit, vous militez pour l'élévation intel-
lectuelle du débat social.

Le sourire de Bastard Bob s'élargit.

— Vous me plaisez, inspecteur Théberge. Pour un flic,
vous argumentez plutôt bien. Vous avez même un certain
sens de l'humour. Mais il y a un point qui nous sépare.

— Je serais étonné qu'il n'y en ait qu'un seul.

Bastard Bob poursuivit sans s'occuper de la remarque
du policier.

— Moi, je respecte l'intelligence des gens, dit-il. Je
pense qu'ils sont suffisamment adultes pour qu'on leur
dise la vérité… Vous, vous les croyez infantiles. Vous
pensez qu'il faut choisir ce qu'on leur dit. Je vous regarde
et je comprends que des gens puissent se prononcer de
bonne foi en faveur de la censure.

Puis il ajouta, comme si cela devait clore le débat :

— Ça se ramène à l'image qu'on se fait de l'être
humain : un individu adulte et libre… ou un être infantile
qu'il faut protéger de lui-même.

— Je dirais plutôt que ça se ramène à une question
d'argent, répliqua doucement Théberge. Il y a ceux qui
ont intérêt à ce que la vie soit pacifiée et il y a ceux qui ont
intérêt à créer des émeutes parce que ça fait monter les
cotes d'écoute.

— Comme il vous plaira.

— Au lieu de vous contenter d'emprunter une expression ici et là à Shakespeare, vous auriez intérêt à le lire. Comme réflexion sur la violence, ça pourrait vous ouvrir les idées !

Genève, 19 h 25

Jean-Pierre Gravah regardait les journalistes avec un mélange de satisfaction et de sentiment de dérision. De la part d'un nouveau président, ils s'attendaient tous à un programme de restructuration de l'entreprise, à l'énoncé de grandes orientations. Bref, à des propos lénifiants pour rassurer les actionnaires. Ils allaient avoir une surprise.

— Mesdames, messieurs, je suis conscient de l'heure inhabituelle à laquelle j'ai convoqué cette conférence de presse. Je suis désolé si cela vous occasionne un quelconque inconvénient. Je tiens à faire le point avec vous sur un certain nombre de sujets que j'estime d'intérêt public. Vous comprendrez dans quelques minutes pourquoi je ne pouvais attendre à demain.

Son regard parcourut de nouveau les journalistes puis acheva sa course sur la forêt de micros sur la table.

— Si vous le permettez, je vous épargnerai les énoncés habituels de bonnes intentions, les blagues élaborées par les spécialistes en communication ainsi que les détails de mon CV. La situation est grave et HomniFood entend faire sa part dans la lutte qui s'annonce pour assurer la survie alimentaire de la planète.

Il fit une pause. Il avait maintenant leur attention.

— J'annonce la signature de deux ententes, avec l'Inde et Israël, pour la construction de centres de production de céréales génétiquement modifiées capables de résister au champignon tueur. D'autres ententes sont en voie de finalisation et seront annoncées dans les jours qui viennent.

Inutile de préciser que l'annonce de ces premières ententes mettrait de la pression sur les autres pays puisque les projets seraient réalisés dans l'ordre des signatures. Les derniers à signer risquaient fort de devoir attendre un an ou plus le début des mises en chantier.

Dans l'assistance, des mains se levèrent.

— S'il vous plaît, un peu de patience, fit Gravah. J'ai encore quelques annonces à faire.

Les mains se baissèrent. Tout le monde s'était imaginé que cette nouvelle justifiait à elle seule la tenue d'une conférence de presse.

— Je veux aussi annoncer la signature d'une alliance de long terme avec Greenspam, la société qui est *la* référence en matière de suivi de performance environnementale pour l'industrie alimentaire. Toutes les nouvelles usines d'HomniFood seront évaluées par Greenspam. Nous sommes fiers d'annoncer que tous nos produits, y compris ceux des anciennes usines, seront désormais certifiés et porteront le sceau Greenspam.

L'annonce était rigoureusement exacte. Gravah avait omis un seul détail : Greenspam serait désormais contrôlée en sous-main par HomniFood. Rien d'officiel. Mais, parfois, certains arrangements informels, particulièrement lorsqu'ils étaient assortis de menaces et de récompenses, étaient plus sûrs que des contrats... L'entreprise ferait tout ce qu'il faudrait pour sauver les apparences et justifier la certification des produits. Certaines critiques seraient même faites sur certaines usines ou certains produits pour donner un vernis de crédibilité aux décisions de certification. Mais la curiosité de Greenspam serait bridée et certains secteurs des activités d'HomniFood demeureraient à l'abri des gros sabots des certificateurs.

Des murmures parcoururent l'assistance. Quelques mains se levèrent. Gravah les ignora.

— J'annonce également que, désormais, le tiers des profits réalisés par nos usines sera redistribué sous forme de nourriture et de services de santé aux populations environnantes. En tant que citoyen corporatif, Homni-Food estime juste et équitable de redistribuer cette part des profits aux populations qui lui font confiance et qui travaillent dans ses usines.

Gravah souriait. Il devait se retenir de ne pas rire ouvertement. C'était d'une ironie délicieuse. L'entreprise fixait ses prix de manière à doubler ses profits puis elle en redistribuait une partie en « largesses ». Au net, les profits augmentaient de trente-trois pour cent !

— C'est la preuve que le capitalisme bien compris peut contribuer non seulement à l'enrichissement de l'humanité, mais à l'avancement de la justice sociale et des droits économiques des populations.

— Autrement dit, vous les achetez ? ironisa un reporter.

— Si vous voulez dire que les entreprises qui traitent convenablement leurs employés et la population locale les achètent, je veux bien admettre que nous les achetons. Personnellement, je trouve cette attitude plus morale que de les laisser dans la pauvreté sous prétexte de respecter leur « authenticité ». Mais peut-être n'avons-nous pas les mêmes valeurs…

— Ce que vous leur donnez n'est rien en comparaison des profits que vous réalisez.

Pour répondre, Gravah adopta un ton plus grave.

— Au cas où vous ne l'auriez pas saisi, dit-il, nous sommes face à une crise alimentaire aux dimensions planétaires. Tous nos profits non redistribués seront investis dans la recherche et dans la construction de nouvelles usines. Car il ne faut pas se tromper : c'est l'espèce humaine comme telle dont la survie est menacée… Nous sommes à une époque du capitalisme où il faut faire payer les riches pour sauver l'humanité. Et les riches, ce ne sont pas uniquement ces quelques milliers de milliardaires éparpillés dans des yachts sur les océans du monde : c'est l'armée des classes moyennes occidentales, qui dépensent individuellement, bon an mal an, de mille à dix mille fois le revenu moyen de plus d'un milliard de personnes. Les nouveaux capitalistes, dont je me targue de faire partie, ont compris la responsabilité qui vient avec leur charge. Et c'est notre devoir de montrer l'exemple.

Les journalistes restèrent cois. Aucun ne s'attendait à ce type de discours, à la limite de la prédication.

— Vous pouvez considérer que c'est mon discours d'adieu, reprit Gravah avec un sourire. Ma tâche de président intérimaire est achevée. Je n'ai pas de plan de carrière et j'ai maintenant terminé le travail que l'on m'avait confié : trouver un remplaçant à notre président, qui est mort dans des circonstances regrettables.

— Vous ne prenez quand même pas votre retraite ? lança un journaliste.

— Ceci est ma dernière activité publique, répondit Gravah. Dans quelques minutes, je vais retrouver avec plaisir l'anonymat de la vie privée.

Il ne mentionna pas que cet anonymat était une condition indispensable pour les activités qu'il allait désormais poursuivre. Après une pause, il enchaîna sur un ton presque solennel :

— Pouvoir bénéficier d'une vie privée est un luxe largement sous-estimé et plus menacé qu'on ne le croit. Si des catastrophes alimentaires ou autres devaient survenir, précipitant des mouvements de population à l'échelle continentale…

— C'est ce que vous prévoyez ? coupa un des journalistes.

Gravah prit quelques secondes pour le regarder avant de répondre.

— Je ne pense pas qu'on puisse « prévoir » l'évolution de l'humanité. Trop de facteurs interviennent en même temps. Mais on peut travailler à se prémunir contre certains avenirs possibles, contre certaines dérives… C'est désormais ce que je vais m'employer à faire, à l'abri des caméras et de l'attention publique.

Puis son visage redevint souriant.

— Laissez-moi maintenant vous présenter le nouveau président d'HomniFood, Steve Rice.

PARIS, 19 H 37

Quand Chamane rentra chez lui, Geneviève n'était toujours pas là. Il se dirigea vers la salle d'ordinateurs en se disant qu'il faudrait qu'il se décide à lui parler. Ça ne pouvait plus continuer comme ça. Des colocataires devaient se voir plus souvent qu'eux !

En apercevant l'écran central, il esquissa une grimace : Geneviève avait collé un *Post-it* au centre de l'écran. Elle lui demandait de l'appeler au numéro qu'elle avait inscrit au bas de la note. Le numéro lui semblait familier. Une vérification sur Internet lui apprit que c'était celui du théâtre.

Probablement pour l'avertir qu'elle ne rentrerait pas, songea-t-il. Il pensa à l'appeler plus tard. Puis il prit le téléphone.

— Geneviève ?

— Un instant, fit une voix qu'il ne reconnut pas.

Une dizaine de secondes plus tard, il entendit la voix de Geneviève :

— Allô ?

— C'est moi.

— J'avais peur que tu ne voies pas mon mot.

— Tu ne peux pas venir souper ?

— Non... mais j'aimerais que tu viennes me rejoindre. Autour de vingt et une heures, ça va ?

— Tu es sûre ?

— Pourquoi ?

— D'habitude, tu n'aimes pas que je te regarde répéter.

— Pour cette fois, on va faire une exception, dit-elle en riant.

BROSSARD, 13 H 43

La femme de l'inspecteur-chef Théberge écoutait les informations de Radio-Canada en terminant ses mots croisés sur le coin de la table. Il lui restait encore une heure avant d'aller faire son bénévolat. Nancy, la barmaid du Palace, lui avait demandé de passer vers le milieu de l'après-midi. Une jeune danseuse voulait utiliser la filière.

... A DÉJOUÉ UN PROJET D'ATTENTAT CONTRE LA GRANDE MOSQUÉE DU HARAM À LA MECQUE. LES AUTEURS SERAIENT MEMBRES D'UN GROUPE FONDAMENTALISTE CHRÉTIEN : « LES CROISÉS DE LA VIERGE BLANCHE »...

Madame Théberge ferma la radio, car elle ne voulait pas en entendre davantage : elle avait déjà eu sa dose de nouvelles déprimantes pour la journée.

Au téléphone, Nancy lui avait parlé de la jeune femme qu'elle allait rencontrer... Une adolescente qui dansait depuis l'âge de quatorze ans ; son ami-propriétaire-gérant, comme l'avait appelé Nancy, était un proche des motards ; quand elle était tombée enceinte, il l'avait forcée à mener sa grossesse à terme, puis il avait vendu le bébé sur le marché de l'adoption. Il lui avait ensuite donné un mois pour se « remettre en *shape* » et recommencer à danser, sinon il la vendait à un réseau d'Amérique du Sud : il n'avait pas l'intention de l'entretenir à rien faire. Le délai expirait dans cinq jours.

C'était une des danseuses du Palace qui avait parlé de la filière à la jeune femme. Elle avait mis deux semaines à se décider.

Maintenant que sa décision était prise, il fallait agir rapidement. Ces filles étaient toujours dans un état de grande fragilité. Souvent, une partie d'elles-mêmes luttait pour ne pas s'enfuir. Madame Théberge en avait trop vues changer d'idée à la dernière minute, vouloir faire une dernière tentative pour arriver à un compromis avec leur *pimp*, et qui s'étaient ensuite retrouvées à l'hôpital... ou qui avaient carrément disparu.

Elle retourna à sa grille de mots croisés. Avant même qu'elle ait fini de lire une première définition, le téléphone sonnait.

— Madame Théberge ? fit une voix qu'elle trouva immédiatement froide et désagréable.

— Oui...

— On n'aime pas beaucoup les gens qui mettent le nez dans nos affaires. La vie est courte. Un accident est si vite arrivé… À votre place, j'en parlerais à votre mari. À deux, vous allez peut-être réussir à entendre la voix de la raison.

Un déclic mit fin à l'échange.

La première réaction de madame Théberge fut de s'inquiéter pour la jeune danseuse : son « propriétaire » avait peut-être eu vent de son projet de fuite. Puis ce fut l'indignation qui prit le dessus : s'ils pensaient l'intimider, ils se trompaient.

Elle referma le journal, se leva, se rendit à la salle de bains, jeta un coup d'œil à son maquillage, nota quelques ajustements qu'elle aurait aimé y apporter, mais décida que ça suffirait pour l'instant. Il n'y avait pas une minute à perdre : elle se rendrait immédiatement au Palace.

En chemin, elle téléphonerait à Nancy pour la prévenir : elle pourrait faire appel à l'escouade fantôme. De cette façon, si le propriétaire de la danseuse décidait de se pointer au club…

Puis elle songea à son mari. Elle décida rapidement que lui parler du coup de fil était hors de question. Il avait assez de problèmes sans qu'elle lui ajoute cette source d'inquiétude. Lui qui avait déjà tendance à s'en faire inutilement pour sa sécurité !

Londres, 19 h 38

Lord Hadrian Killmore n'était pas mécontent. La première phase du projet se déroulait relativement bien. Désormais, les événements suivraient leur cours sans presque qu'il ait besoin d'intervenir. Il pourrait consacrer l'essentiel de ses efforts à la phase II.

Il prit un livre dans la bibliothèque et commença à lire au hasard.

En comparant la grandeur des organisations religieuses qu'on a devant les yeux avec l'imperfection ordinaire de l'homme en général, on doit recon-

naître que la proportion entre les bons et les mau-
vais est à l'avantage des milieux religieux. On trouve
naturellement aussi dans le clergé des gens qui se
servent de leur mission sacrée dans l'intérêt de
leurs ambitions politiques, des gens qui, dans la
lutte politique, oublient d'une façon regrettable
qu'ils devraient être les dépositaires d'une vérité
supérieure et non les protagonistes du mensonge et
de la calomnie ; mais pour un seul de ces indignes,
on trouve mille et plus d'honnêtes ecclésiastiques,
entièrement fidèles à leur mission, qui émergent
comme des îlots au-dessus du marécage de notre
époque mensongère et corrompue.

Un sourire ironique apparut sur ses lèvres. On aurait pu croire qu'il s'agissait d'un extrait de programme électoral, songea-t-il. Le programme d'un parti qui voulait raviver les valeurs religieuses et bourgeoises. Vraiment peu de gens auraient pu identifier l'auteur du livre.

Le timbre discret de son BlackBerry l'arracha à sa lecture. Pas question de ne pas répondre. Moins de dix personnes avaient ce numéro et aucune d'elles ne l'appellerait sans une raison importante.

— Oui ?

— Il y a eu un accident au laboratoire, fit la voix de madame McGuinty. Provoqué par un membre du personnel.

— Vous avez fait ce qu'il convient ?

— Il n'est plus avec nous.

— Personne n'est irremplaçable. Je suis sûr que vous trouverez rapidement quelqu'un d'autre.

— La totalité des souches de fongicide a été détruite.

— Détruite… de quelle manière ?

Le ton de Killmore était à peine plus froid.

— Le chercheur s'est barricadé dans un laboratoire. Un des gardes a tiré un coup de feu. Des éprouvettes ont explosé. Du matériel s'est enflammé. Avant qu'on ait le temps d'intervenir, le feu s'était propagé au local d'entreposage, juste à côté du laboratoire.

— Vous avez pris des mesures envers l'auteur de cette brillante initiative, j'espère !

— Lui non plus ne travaille plus pour nous.

— Bien… Et les souches de fongicide ?

— Au moins six mois pour les reconstituer, selon le chef du labo. Il faut presque repartir de zéro… Juste au moment où la production industrielle allait démarrer !

— Rappelez-lui que ces incidents ne changent rien à notre échéancier.

— Il ne sera pas très heureux.

— Il n'est pas payé pour être heureux, mais pour livrer un résultat.

Après avoir interrompu la communication, Killmore resta immobile quelques secondes, l'appareil dans la main, puis il fit un appel.

— Ici le gardien du Cénacle, dit-il. Nous allons peut-être avoir besoin de l'Arche plus rapidement que prévu. Il faut qu'on se rencontre.

Il raccrocha, retourna à son fauteuil et reprit son livre. Il l'ouvrit à quelques endroits, mais sans parvenir à s'y intéresser.

Il se leva alors pour le ranger dans la bibliothèque, dans un espace libre à côté de *La République de Platon*. Sur l'épine, on pouvait lire : *Mein Kampf*.

Paris, 20 h 54

Anxieux, Chamane était arrivé largement en avance. Pour passer le temps, il avait pris une bière dans un café, à deux coins de rue du théâtre.

— J'ai une surprise pour toi, dit Geneviève en l'embrassant.

— De pouvoir te voir, c'est déjà une surprise !

— Je sais, je n'ai pas été beaucoup là ces derniers temps. Mais, crois-moi, ça valait la peine… Viens !

Elle l'amena dans les coulisses.

— C'est la porte du fond, dit-elle avec un signe de la main… Tu peux entrer, je te rejoins.

Chamane ouvrit la porte et fit deux pas dans la pièce avant de s'immobiliser.

Au centre, une immense table était couverte de plats. Assis autour, des amis de Geneviève le regardaient en souriant, un verre à la main.

— Bonne fête! lancèrent-ils en chœur, joignant leurs voix à celle de Geneviève qui arrivait derrière lui.

Toutefois, ce qui frappa le plus Chamane, ce fut le décor. Geneviève avait trouvé le moyen de reproduire le décor virtuel de la salle de réunion des U-Bots.

Sur le mur du fond, une dizaine d'écrans de télé avaient été fixés. Sur chacun apparaissait un des amis que Chamane rencontrait fréquemment sur Internet. Tous levaient également un verre à sa santé.

— Comment t'as fait? demanda Chamane en se tournant vers Geneviève.

— Ils m'ont aidée, se contenta-t-elle de répondre avec un geste en direction des gens autour de la table.

— Mais… quand?

— Après les répétitions… On prenait une heure ou deux pour faire avancer le projet.

Chamane jeta un coup d'œil en direction des gens, à la table.

— Et… pourquoi ils ont fait ça?

— Si ça prend une raison, disons qu'ils n'ont pas oublié les montages vidéo que tu as faits pour le spectacle.

Elle l'entraîna vers les deux places libres à la table.

HEX-RADIO, 17 H 08

— PAS D'OGM! PAS DE PRODUITS CHIMIQUES! JUSTE DU BIO! JUSTE DU NATUREL!… QUAND EST-CE QUE LE MONDE VONT S'EN RENDRE COMPTE? LA NATURE, C'EST TOXIQUE!

— TU RADOTES, JERK!

— REGARDE LES GARS DE L'HÔTEL QUI ONT MANGÉ DE LA SOUPE AUX CHAMPIGNONS. DES CHAMPIGNONS CENT POUR CENT BIO! ILS VONT PROBABLEMENT MOURIR. TOUT LE MONDE. ILS AURAIENT AVALÉ DES PESTI-CIDES, ÇA SERAIT MOINS GRAVE!

— C'EST SÛR QUE ÇA FAIT PAS UNE PUBLICITÉ TERRIBLE POUR LES LÉGUMES BIO.

— LES VRAIS LÉGUMES BIO, KID, C'EST CEUX QUI EN MANGENT!

— TU DÉLIRES, JERK.

— Tu trouves?!... On a des champignons qui tuent le monde. On a le champignon tueur, celui qui tue les céréales. Ma cour est pleine de champignons. Même ma blonde a des champignons! Les champignons sont partout!

— C'est dans le cerveau que t'as des champignons!

— Des fois, je pense que les *freaks* de la Terre brûlée ont raison. La nature a entrepris de nous éliminer!... T'as vu les images?

— Lesquelles?

— Les champs de céréales couverts de taches brun-roux, comme du sang séché. D'après moi, c'est juste une question de temps avant que ça arrive ici.

— Peut-être que c'est déjà arrivé et qu'ils nous le cachent.

— Regarde le parano...

— Dans un univers de complots, les paranoïaques sont les seuls lucides!

— Tu nous annonces un débarquement de p'tits hommes verts pour quand, Kid?

— Tu te trompes de couleur. C'est les Chinois et les Indiens qui vont débarquer! Quand ça va se mettre à crever de faim pour de vrai là-bas...

— On peut pas dire que t'es pas logique.

— Normal! La parano, y a rien de plus logique!

— Pis c'est implacable.

— Comme la pub... Après la pub, je retrouve mon invité, Écolo-Jerk, pour la suite de sa chronique, « Restants de planète ».

Lyon, 23 h 17

L'homme était maintenant enlisé jusqu'à la taille. Ses mains étaient agrippées à une corde composée de fibres de plastique tressées. L'autre bout de la corde était attaché à un arbre, une dizaine de mètres plus loin.

Au cours des vingt minutes précédentes, l'homme avait progressé d'un mètre. Il était encore à trois mètres du bord de la trappe de sables mouvants.

Le plus difficile, c'était le dernier mètre. À partir de là, la corde était enduite de graisse. C'était le moment où la plupart de ceux qui n'avaient pas encore disparu dans les sables mouvants abandonnaient: quand ils se rendaient compte que leurs mains se mettaient à glisser; qu'il leur faudrait serrer la corde encore plus fort malgré leur épuisement; malgré l'acide lactique qui s'accumulait dans les muscles de leurs bras.

Parmi ceux qui n'abandonnaient pas, la majorité ne faisait même pas un demi-mètre. Un seul avait réussi à s'extraire des sables mouvants.

Madame McGuinty s'en souvenait encore. Pour lui, il avait fallu imaginer autre chose… après lui avoir donné un répit de quelques semaines, histoire qu'il se persuade qu'il s'en était tiré. Qu'il reprenne goût à la vie. Parce que, sans désir de vivre, il n'y avait pas de mort intéressante.

Elle mit l'enregistrement à « Pause », regarda un instant l'image de l'homme agrippé à la corde, figé dans son effort pour s'arracher au piège de sable. Puis elle ferma tour à tour la vidéo et le dossier dans lequel elle était rangée. À l'écran de l'ordinateur, il ne restait plus que l'icône du dossier avec son titre : *Les Dégustateurs d'agonies – Les sables émouvants*.

Collectionner des vidéos de morts n'avait pour elle rien de morbide. Au contraire. Voir ces gens qui, de différentes façons, persistaient à lutter contre une mort inexorable, cela renforçait son sentiment d'être vivante. Un sentiment semblable, probablement, à ce qu'auraient pu éprouver des dieux en regardant les humains s'agiter pendant leur existence éphémère avant de disparaître.

Sauf que madame McGuinty ne croyait pas qu'il existât des dieux. Pas encore, du moins. S'il y en avait un jour, ce serait au terme de l'évolution humaine. En attendant, tout ce qu'on pouvait faire, c'était de contribuer à cette évolution. Et de se pratiquer à ressentir ce que ressentiraient un jour les dieux.

Elle avait classé les vidéos en deux catégories. Il y avait les morts-explosions, des morts où le fil de vie était tranché en une fraction de seconde. Ces morts-là avaient une capacité particulière de lui faire ressentir le caractère brutal et définitif de la fin d'une existence humaine.

Et puis, il y avait les morts-sabliers, des morts qui se prolongeaient, s'éternisaient, des morts où la vie s'émiettait lentement – si lentement qu'on pouvait à peine saisir le moment où s'effectuait le passage de la vie à la mort. Ces morts-là exprimaient au mieux la façon que la mort a de s'installer dans la vie, de la gruger de l'intérieur, imperceptiblement, mais sans jamais s'arrêter…

Killmore avait souri quand elle lui avait expliqué cette classification. Sans nier l'intérêt qu'elle présentait, il avait mis McGuinty en garde contre l'obsession classificatrice.

— Ne perdez jamais de vue l'essentiel, lui avait-il dit.

Aux yeux de Killmore, l'essentiel, c'était la valeur symbolique de l'ensemble de l'exposition. Il fallait que les gens puissent contempler dans des œuvres d'art concrètes le processus global qu'ils étaient incapables de saisir parce qu'il se déroulait sur le plan de l'humanité.

Sans se lever de son bureau, McGuinty fit pivoter sa chaise vers le mur aquarium. Des poissons de toutes les tailles et de toutes les couleurs nageaient en tous sens, dessinant un tableau de coloris et de motifs en perpétuelle recomposition.

Elle prit la télécommande, la pointa vers l'aquarium et appuya sur un bouton. *Le Mystère de la Trinité* remplaça la vidéo des poissons.

L'individu attaché sur la troisième chaise semblait maintenant mort. Le quatrième était mal en point. Encore quelques jours et ce serait terminé pour lui aussi : sa transformation se poursuivrait sans qu'il s'en aperçoive.

Madame McGuinty était impatiente de terminer cette œuvre, mais la matière première lui faisait défaut. Un instant, elle avait songé à ajouter Hykes au tableau. Hélas, le chercheur était trop utile au projet pour qu'elle le sacrifie.

Elle n'aurait pas le choix. Si elle voulait présenter cette vidéo aux membres du club, il faudrait qu'elle se contente des quatre participants actuels. Killmore l'avait rassurée : même incomplet, ce serait une contribution remarquée. Personne n'avait encore filmé d'aussi longues agonies.

Madame McGuinty sourit. Killmore serait fier de son exposition. Et plus il serait fier d'elle, meilleures seraient ses chances de gravir les échelons dans le Cénacle.

NEW YORK, 18 H 29

L'homme regardait Skinner droit dans les yeux avec une intensité qui réussissait presque à rendre son interlocuteur mal à l'aise. Son visage souriait sans chaleur.

— Je suis très satisfait, fit Hussam al-Din.

— Un client satisfait est un client fidèle.

— Si j'ai bien compris votre message, nous pouvons enclencher la deuxième vague.

— Ils en ont plein les mains avec les écoterroristes.

— Une attaque de trop grande envergure peut modifier leurs priorités.

— Pas si elle est concentrée dans le temps et si elle est suivie d'une autre vague d'attentats écologistes. Entre leur sécurité alimentaire et la protection de deux ou trois édifices, les gens ne mettront pas beaucoup de temps à choisir. Les politiciens vont suivre.

— Je ne peux pas nier que votre plan soit ingénieux. Nous avons pu revendiquer les derniers attentats et en tirer profit dans le monde musulman sans risquer de représailles majeures… Nous sommes en voie de devenir une des principales organisations de référence pour les musulmans qui veulent lutter contre la nouvelle croisade de l'Occident.

— C'était le but de l'exercice, non ?

Ce que l'Arabe ne savait pas, c'était que le plan prévoyait exactement l'inverse : quand l'écoterrorisme prenait trop d'importance dans les priorités des agences de renseignements, une vague de terrorisme islamiste était déclenchée pour les forcer à revoir leurs priorités. Il n'y avait rien comme toucher les gens dans ce qui était le plus près d'eux pour leur faire oublier le long terme et les perspectives globales.

Skinner vit que son invité n'avait pas touché au verre de vin qu'il lui avait servi. Hussam al-Din surprit le regard de Skinner et porta le verre à ses lèvres. Il en prit une gorgée, la goûta et reposa le verre sur la table du salon avec un sourire.

— L'Islam est une religion accommodante, dit-il. En présence d'un Infidèle, on peut boire avec lui, si cela est pour le plus grand bien de l'Islam.

— Commode, en effet, ironisa Skinner.

— Allah connaît notre cœur, répondit Hussam al-Din sur un ton plus tranchant. Celui qui le ferait avec pour seule intention de satisfaire son plaisir ne mériterait pas le nom de musulman.

Puis son visage redevint souriant.

— Si vous m'expliquiez plutôt de quelle façon vous me suggérez de procéder.

TV5, 20 H 33

> — NOUS RECEVONS AUJOURD'HUI MONSIEUR RENAUD DAUDELIN, AUTEUR D'UN DES PLUS RÉCENTS BEST-SELLERS : *BIO À MORT*. MONSIEUR DAUDELIN, BONSOIR.
>
> — BONSOIR, MADAME DESJARDINS.
>
> — MONSIEUR DAUDELIN, VOTRE LIVRE, QUAND ON LE LIT, PEUT PARAÎTRE PROVOCANT : VOUS ÉVOQUEZ LE DANGER QU'IL Y A À SE FIER AVEUGLÉMENT À LA NATURE ET À NE PAS ACCÉLÉRER LE DÉVELOPPEMENT DES OGM. VOTRE PREMIER CHAPITRE EST MÊME CONSACRÉ SPÉCIFIQUEMENT À CE QUE VOUS APPELEZ LES RAVAGES DE L'ALIMENTATION BIO.
>
> — LE PRINCIPAL DANGER, C'EST DE NE PAS ACCEPTER NOTRE RESPONSABILITÉ D'ÊTRE HUMAIN, DE NE PAS PRENDRE EN CHARGE LA NATURE. TOUT LE MONDE LE SAIT, DANS MOINS D'UN SIÈCLE, NOTRE PLANÈTE NE SUFFIRA PAS À NOURRIR L'HUMANITÉ. NOUS N'AVONS PAS LE CHOIX. IL FAUT RENDRE L'AGRICULTURE PLUS PERFORMANTE. IL FAUT DOPER LA CROISSANCE DE LA PRODUCTION ALIMENTAIRE. C'EST ÇA, OU BIEN NOUS PUBLIONS LA LISTE DES GENS QUE NOUS ALLONS REFUSER DE NOURRIR... OU BIEN LES OGM, OU BIEN LA MORT DE MILLIONS DE PERSONNES.
>
> — QU'EST-CE QUE VOUS RÉPONDEZ À CEUX QUI VOUS DISENT QUE VOUS JOUEZ À DIEU ?
>
> — EST-CE QUE L'HUMANITÉ A DÉJÀ FAIT AUTRE CHOSE ?
>
> — C'ÉTAIT UNE BOUTADE...
>
> — PAS DU TOUT ! NOUS SOMMES, PAR NATURE ET PAR CULTURE, UNE ESPÈCE GÉNÉTIQUEMENT MODIFIANTE...

BROSSARD, 20 H 42

L'inspecteur-chef Théberge se leva de son fauteuil pour répondre au téléphone. Il fut surpris de reconnaître la voix de Morne.

— J'appelais pour savoir si vous avez bien reçu le colis que je vous ai expédié.

— Vous êtes sûr que c'est légal ?

— J'ai agi uniquement à titre d'intermédiaire.

— Je peux savoir ce qui me vaut cette flambée intempestive de générosité ?

— Jannequin a apprécié votre efficacité.

— De là à m'expédier une caisse de Cos d'Estournel 1990 !

— Je présume qu'il a été impressionné quand son ami, celui qui était aux Renseignements généraux, lui a expliqué tout le bien qu'il pensait de vous.

— Vous voulez dire qu'il a vérifié ? fit Théberge en riant.

— Entre nous, comment l'avez-vous connu ?

— Désolé. Secret d'État.

Après avoir raccroché, Théberge vint se rasseoir dans son fauteuil. À la télé, l'auteur continuait de défendre son livre.

— PAR NOTRE SIMPLE PRÉSENCE, NOUS FORÇONS DES ESPÈCES À DISPARAÎTRE, D'AUTRES À SE MODIFIER POUR S'ADAPTER. PENSEZ À LA PRESSION DE L'AGRICULTURE ET DE L'ÉLEVAGE SUR LA SÉLECTION DES CÉRÉALES ET DES ESPÈCES ANIMALES : C'EST DE LA MODIFICATION GÉNÉTIQUE ORIENTÉE ! MAIS ELLE A L'EXCUSE DE SE DÉROULER SUR UNE PLUS LONGUE PÉRIODE ET DANS UNE RELATIVE IGNORANCE DES CONSÉQUENCES DE NOS GESTES !... CE QUE MON LIVRE PROPOSE, C'EST QUE NOUS ASSUMIONS NOTRE RÔLE ET QUE NOUS LE FASSIONS DE FAÇON CONSCIENTE ; QUE NOUS FASSIONS DE FAÇON RATIONNELLE CE QUE NOUS FAISONS DÉJÀ DE FAÇON BROUILLONNE ET INCONSCIENTE DEPUIS DES MILLÉNAIRES.

Théberge arrivait mal à se concentrer. Il essayait d'imaginer la figure de Jannequin quand il avait parlé de lui à son ami. Au plaisir que ce dernier avait dû prendre à s'appesantir sur leurs liens d'amitié, à mentionner les parties de pêche auxquelles son « ami québécois » l'avait convié, dans « les grands espaces sauvages du Québec » !

— JE REPRENDS MA QUESTION : EST-CE QUE CE N'EST PAS JOUER À DIEU ?

— SI VOUS ÊTES CHRÉTIENNE, VOUS VOUS SOUVENEZ CERTAINEMENT DES PREMIÈRES PAGES DE LA BIBLE.

— OÙ VOULEZ-VOUS EN VENIR ?

— Relisez le début de la Genèse. Dieu y donne à l'homme le mandat explicite de dominer la nature. En termes plus modernes : le propriétaire de la création a fait de l'homme son contremaître. Par la recherche génétique, qui vise à améliorer la nature, l'homme se comporte simplement en bon contremaître... en bon fiduciaire, si vous préférez. Tandis qu'en ne faisant rien, il laisse la démographie et les chocs technologiques ravager la planète.

Théberge prit la télécommande et ferma la télé. Ce n'était pas impossible que l'humanité en vienne à détruire les réserves alimentaires de la planète. C'était même possible que certains fassent tout en leur pouvoir pour accélérer le processus au nom d'une idéologie ou d'une autre. Bien sûr, il travaillerait de son mieux à contrer cette nouvelle forme de bêtise militante. Mais, pour l'instant, il voulait se concentrer sur le Crozes-Hermitage cuvée Louis Belle qu'il avait décanté une heure plus tôt pour le laisser respirer. Un petit vin qui dépassait en qualité bien des vins plus cotés... et significativement plus chers.

Il se rendit dans la cuisine, où madame Théberge achevait sa grille de mots croisés en surveillant périodiquement l'évolution de son fond de veau. Le poulet chasseur, lui, n'avait besoin d'aucune surveillance : il serait prêt dans une vingtaine de minutes.

— On vit dans un drôle de monde, Bertha.

— Tu viens de t'en rendre compte ? répondit sa femme sans lever les yeux de sa grille.

— Pendant que d'aucuns s'esquintent à saccager les réserves alimentaires de la planète et que des millions d'autres meurent littéralement de faim, il y en a qui expédient des caisses de Cos d'Estournel 1990 comme s'il s'agissait d'une carte de remerciement.

Sa femme ne répondit pas. Après un moment, Théberge marmonna pour lui-même :

— Mais c'est quand même du 90...

Il prit une gorgée de Crozes-Hermitage, mais le cœur n'y était pas. Comme si ce qu'il venait d'entendre à la télé avait contaminé le vin, lui laissant un arrière-goût désagréable.

LCN, 21 H 04

> ... LA MINISTRE RESPONSABLE DE LA SÉCURITÉ CIVILE A QUALIFIÉ D'ALAR-
> MISTES ET D'IRRESPONSABLES LES INCITATIONS À L'ENTREPOSAGE DE DENRÉES
> LANCÉES PAR L'ANIMATEUR DE RADIO BASTARD BOB. LA MINISTRE A
> SOULIGNÉ LE DANGER QUE DE TELS PROPOS, S'ILS DEVAIENT ÊTRE SUIVIS
> PAR UN NOMBRE SUFFISANT DE GENS, NE PROVOQUENT DE MANIÈRE ARTIFI-
> CIELLE LA PÉNURIE QU'ILS DISENT CRAINDRE, CE QUE...

DRUMMONDVILLE, 21 H 21

Dominique pensait à Hurt, qui était parti pour Shanghai.

« Fogg et F ont obtenu ce qu'ils voulaient », se surprit-elle à songer, un peu mal à l'aise de les avoir réunis de cette manière dans un même projet.

Elle décida de relever les informations qui s'étaient accumulées dans la boîte aux lettres « Fil de presse ». Le logiciel de traitement de données élaboré par Chamane, qu'elle avait baptisé Pantagruel, pouvait trier les informations diffusées par différentes agences de presse au moyen de mots clés et les rangeait dans un dossier auquel était associée une icône de boîte aux lettres.

Dominique avait fait le relevé une heure plus tôt. Trois informations étaient apparues depuis le relevé précédent.

HomniFood annonçait la prise de contrôle de la société Aggro-Vie, qui commercialisait le blé transgénique Canada II, ainsi que la signature d'une entente de partenariat avec l'Indonésie. Cette entente concernait la mise sur pied de huit usines de production de la nouvelle souche de riz résistante au champignon tueur.

La deuxième information venait d'Allemagne : il y avait un nouveau cas d'empoisonnement collectif avec des champignons ; il s'agissait cette fois des employés d'un laboratoire de recherche sur le blé transgénique, à Monheim. Un des chercheurs était décédé et l'on craignait pour la vie des autres. L'attentat avait été revendiqué par Les Enfants de la Terre brûlée.

C'était le quatrième cas d'empoisonnement aux champignons. Dans quatre pays différents. Après Montréal, il y avait eu Milan et Genève. Et maintenant Monheim. Chaque fois, le procédé était le même. Et chaque fois, l'attentat était revendiqué par Les Enfants de la Terre brûlée.

Le troisième élément d'information concernait *Dying Planet*. Contrairement à ce que craignait Dominique, il ne s'agissait pas d'un nouvel attentat, mais de l'adresse Internet d'une agence de voyages ! Par curiosité, elle entra sur le site : on y faisait la promotion des endroits qu'il fallait visiter pendant qu'ils existaient encore. Il y avait une liste, par pays, des choses qu'il fallait voir avant qu'elles disparaissent. La particularité de cette liste était qu'elle ne comprenait pas seulement des lieux ou des espèces en voie de disparition, mais aussi des ethnies, ou des individus qui étaient parmi les derniers à parler une langue ou à maîtriser une technique particulière.

VOYEZ CE QUE VOUS NE VERREZ PLUS JAMAIS !

VOYEZ CE QU'AUCUN AUTRE ÊTRE HUMAIN NE REVERRA !

On pouvait s'abonner au guide *Dying Planet*, qui maintenait à jour les différentes listes, y ajoutant annuellement de nouvelles espèces, de nouvelles ethnies ou de nouvelles langues menacées… retirant celles qui avaient définitivement disparu.

Mal à l'aise, elle quitta le site. On en était maintenant à payer pour être le spectateur privilégié de la disparition de la vie… Était-ce là le seul avenir qui restait à l'humanité ?

Dominique fut tirée de ses réflexions par l'arrivée de F, qui avait l'air particulièrement préoccupée.

— On a un problème, dit F en s'assoyant à côté de Dominique. Tu te souviens du livre de Fogg sur l'apocalypse ?

Même si ce n'était pas une vraie question, Dominique répondit que oui.

— Je commence seulement à réaliser à quel point il avait raison.

Elle fit une pause comme si elle cherchait à trouver les mots les plus précis possible, avant d'ajouter :

— Je viens de recevoir un appel de Blunt, qui tient l'information de Tate. La contamination des céréales est maintenant mondiale. La NSA prévoit une famine de dimension planétaire. Toutes les zones de production sont contaminées. Ça touche toutes les principales céréales. Les fongicides traditionnels ont une efficacité limitée : ils éliminent de trente-cinq à soixante pour cent des champignons selon les espèces de céréales… L'épidémie va continuer de se répandre.

— Le produit annoncé par HomniFood devrait limiter les dégâts.

— Leur laboratoire principal a été rasé par un incendie.

— Quoi !?

— L'information vient juste de sortir.

— Une autre attaque des Enfants de la Terre brûlée ?

— Non. Il semble que ce soit vraiment un accident… La rumeur veut que tout leur stock de fongicide ait été détruit. Ce qui implique un retard d'au moins six mois dans la production… Il va falloir gérer le manque de nourriture à la grandeur de la planète.

— Les prévisions de Guru Gizmo Gaïa se réalisent.

— Reste à savoir si c'étaient des prophéties ou l'énoncé d'un plan… Qu'est-ce que tes recherches ont donné ?

— Sur le guru ? Toujours rien.

Puis elle ajouta après un moment :

— Je me demande comment les gouvernements vont gérer ça.

— Je suppose qu'ils vont essayer d'attribuer en priorité les céréales qui restent à la population. Ça veut dire la disparition d'une partie du bétail, la ruine des éleveurs… Les pays qui le peuvent vont faire de la surpêche pour compenser, ce qui va accroître la dégradation du stock poissonnier des océans…

— Dans plusieurs pays, ça va quand même être la famine. Les émeutes vont se multiplier… Si, en plus, les pays riches cessent leur aide alimentaire !

— Même les pays riches qui n'ont pas d'autonomie agricole vont avoir des problèmes… Les gouvernements n'auront pas le choix : il va falloir qu'ils gèrent l'apocalypse.

— Comme le disait Fogg…

F regarda Dominique avec intensité.

— Tu comprends pourquoi je n'ai pas le choix d'avoir des rapports avec lui, dit-elle. Sans lui, on n'aurait pas eu l'information sur NutriTech Plus et on n'aurait pas entrepris aussi rapidement des recherches sur les entreprises qui s'occupent de céréales.

— Et si c'est une ruse pour vous attirer dans un piège ?

Un instant, F se demanda si Dominique ne commençait pas à deviner ce qui était réellement en train de se passer. Puis elle se dit que non. Même avec une imagination débridée, Dominique ne pouvait pas envisager sérieusement l'ampleur des événements auxquels elle était mêlée.

— C'est un risque que je dois courir, se contenta-t-elle de répondre.

LIVRE 2

Les Musées meurtriers

Pour exercer leur influence sur le reste de la planète après l'Exode, les superprédateurs ont besoin d'intervenants clés dans le monde extérieur, des alliés capables d'assurer un minimum d'ordre et d'intervenir au besoin pour corriger certains excès.

Les mieux placés pour s'occuper de ce travail de régulation sont les grands groupes criminels. Dans le monde chaotique qui s'annonce, eux seuls disposeront des moyens et de l'organisation nécessaires pour imposer leurs décisions. Eux seuls auront la possibilité d'accaparer une part suffisante des ressources pour maintenir leurs structures et s'assurer d'un fonctionnement continu.

Ils constituent la partie extérieure du deuxième cercle des Essentiels.

Guru Gizmo Gaïa, *L'Humanité émergente*, 2- Les Structures de l'Apocalypse.

JOUR - 1

MONTRÉAL, 3 H 27

La pluie fine et froide transperçait les rares spectateurs qui s'étaient amassés sur le trottoir. À l'abri des éléments, dans le confort plus ou moins climatisé de la voiture de service, l'inspecteur-chef Théberge observait l'incendie.

Le premier avait éclaté un peu après minuit. À l'annonce du cinquième, Crépeau, le directeur du SPVM, était venu le tirer de son lit. Ensemble, ils avaient fait la tournée des sites. La simultanéité des embrasements et la rapidité de la propagation des flammes suffisaient à éliminer le moindre doute sur leur origine criminelle.

— Une autre galerie d'art, dit Crépeau.

Depuis le début de la nuit, c'était la septième. À plusieurs endroits, les flammes avaient débordé sur d'autres édifices. On ne comptait plus le nombre d'alertes. Des pompiers de l'extérieur de l'île avaient été appelés en renfort.

— Tu penses que c'est un peintre frustré? fit Théberge. Peut-être qu'il n'a pas digéré que les galeries refusent ses tableaux…

Il acheva son explication par un geste d'impuissance.

Il avait beau examiner la question dans tous les sens, il ne parvenait pas à formuler d'hypothèse sur les motifs des incendies. La seule bonne nouvelle, c'était que la série semblait s'être arrêtée à sept: depuis plus d'une heure, aucun nouveau sinistre ne s'était déclaré.

En guise de réponse, Crépeau haussa les épaules.

Théberge prit sa pipe, craqua une allumette, regarda la flamme, regarda l'incendie à l'extérieur, puis il éteignit l'allumette avec un geste d'exaspération.

— Combien de victimes? demanda-t-il en remettant la pipe dans son étui.

— Pour le moment, quatre. Une mère et ses trois enfants. Ils sont restés pris dans leur logement, au cinquième étage, quand le feu s'est communiqué à leur édifice.

— Le père, comment il prend ça?

— Il est en Afghanistan. Avec l'armée.

Théberge regarda Crépeau et secoua lentement la tête, incapable de répondre. Si on avait voulu un exemple pour souligner l'ironie et la cruauté du destin…

— Il revient dans une semaine, ajouta Crépeau.

Théberge songeait à toutes les statistiques qu'agitaient les politiciens pour soutenir tantôt que tout allait de mal en pis, tantôt que tout allait de mieux en mieux. Comment pouvait-on inclure des événements comme celui-là dans des statistiques?… Puis il songea aux pays où de telles tragédies constituaient la trame normale du quotidien.

— Je vieillis, dit-il en passant la main sur les rares cheveux qui lui restaient sur le dessus du crâne.

— Tout le monde vieillit, répondit Crépeau.

— Peut-être… Mais depuis un mois ou deux, j'ai l'impression de vieillir en accéléré.

Venise, 11 h 53

Blunt examinait avec intérêt la position sur le goban. Par certains côtés, on aurait dit une attaque de débutant : un engagement local rapide qui sacrifiait les perspectives de long terme. Sauf que son adversaire n'avait pas l'habitude de jouer des coups de débutant…

Il y avait longtemps qu'un joueur ne l'avait pas mis en difficulté aussi tôt dans une partie. Rien n'était perdu, mais c'était contrariant. Il allait devoir se préoccuper rapidement de mesures défensives. Son développement stratégique risquait d'en souffrir.

Il posa un pion sur le goban. Puis, au moment où il allait transmettre son mouvement sur le site Internet, Kathy entra dans la pièce.

— Il y a eu un attentat !

Blunt leva immédiatement la tête, sensible à l'inquiétude dans la voix de Kathy.

— Ici ? À Venise ?

— Au Guggenheim.

Quelques mois plus tôt, ils avaient revisité le musée ensemble. L'endroit était consacré aux œuvres de la collection personnelle de Peggy Guggenheim.

— L'attentat a été revendiqué ?

— Un groupe musulman…

Kathy s'arrêta un moment avant de poursuivre, comme si elle avait de la difficulté à se souvenir du nom.

— Les Djihadistes quelque chose… Les mêmes que pour les cathédrales.

Montréal, studio de HEX-Radio, 8 h 34

La pluie qui tombait sur la ville depuis trois jours n'affectait pas l'humeur de Bastard Bob : il débordait d'exubérance. Difficile de trouver plus *hot* qu'une série d'incendies criminels. Surtout qu'il y avait des victimes.

Le problème, c'était que tout le monde en parlerait. Il fallait qu'il se trouve un angle, une façon d'aborder le sujet qui le démarquerait des autres. Il songea alors à Théberge. Le clou était un peu usé, mais ça continuait de fonctionner. Les attaques de Bastard Bob contre les policiers, et particulièrement contre le nécrophile, étaient en train de devenir sa marque de commerce.

Comme il se levait de son bureau pour se rendre au studio d'enregistrement de l'émission, un signal en provenance de l'ordinateur le fit sursauter. Un courriel venait d'entrer. Le message était bref :

> Les Djihadistes du Califat universel revendiquent
> les attentats contre les galeries d'art perverties.

Un document audio était attaché au courriel. Après l'avoir écouté, Bastard Bob comprit qu'il avait mieux qu'un angle : il avait un *scoop*.

HEX-RADIO, 9 H 07

> ... APRÈS AVOIR PILLÉ NOTRE CIVILISATION POUR EMPLIR LEURS MUSÉES, LES CROISÉS OCCIDENTAUX CONTINUENT DE DÉTRUIRE NOS ŒUVRES D'ART. ILS ONT SACCAGÉ LE MUSÉE DE BAGDAD, JETÉ DES BOMBES SUR NOS PLUS BELLES MOSQUÉES. ET MAINTENANT, AVEC INTERNET ET LEURS MÉDIAS, ILS RÉPANDENT LEUR ART CORROMPU SUR LA TERRE DE L'ISLAM... LEURS ŒUVRES SACRILÈGES PROFANENT LA FIGURE HUMAINE ET EXPLOITENT LE CORPS DES FEMMES. CES IMAGES DÉGRADANTES SONT DES ABOMINATIONS QUI CONTAMINENT NOS CŒURS, CORROMPENT NOS ÉPOUSES, PERVERTISSENT NOS FILLES ET INSULTENT LA RELIGION DU PROPHÈTE.
> LES DJIHADISTES DU CALIFAT UNIVERSEL VONT DÉTRUIRE CES INSTRUMENTS DE PERVERSION ET DE PROPAGANDE. QUE LES INFIDÈLES QUI VONT AU MUSÉE ET DANS LES GALERIES D'ART LE SACHENT ! QUE CEUX QUI DEMEURENT PRÈS DE CES ENDROITS DE PERDITION LE SACHENT ! QUE TOUS CEUX QUI ENCOURAGENT LA PRODUCTION DE CES ŒUVRES SATANIQUES LE SACHENT !... ILS LE FERONT DÉSORMAIS AU PÉRIL DE LEUR VIE. NOUS ALLONS DÉTRUIRE...

MONTRÉAL, SPVM, 9 H 41

L'inspecteur-chef Gonzague Théberge réécoutait le message en compagnie de son ami Crépeau, le directeur du SPVM.

... détruire la contamination à sa source. L'Islam est un monde accueillant, mais il ne saurait accueillir la perversion. Les Infidèles qui alimentent la perversion connaîtront la colère des Djihadistes. Le Califat universel traquera partout sur la planète le virus de la perversité occidentale.

Une fois le message terminé, Théberge arrêta l'enregistrement et se tourna vers Crépeau. Ce qu'il avait prévu se confirmait. Les terroristes éliminés après l'attaque contre l'Oratoire n'avaient été que des exécutants. La tête de l'organisation était intacte et prête à lancer de nouvelles opérations.

— C'est reparti, dit-il.

— À moins que ce soit pour cacher les vrais motifs...

— Tu penses à quoi?

— Les assurances.

— En brûler sept pour en dissimuler un?

Théberge était visiblement sceptique.

— J'ai demandé de vérifier s'ils ont le même assureur, répondit Crépeau.

Théberge le regarda, puis un sourire apparut sur ses lèvres. L'idée de Crépeau, c'était que le but n'était pas de ramasser les primes d'assurance, mais de mettre de la pression sur l'assureur. De le mettre en difficulté financière. Avec, à la clé, la menace de déclencher d'autres sinistres s'il n'acceptait pas de payer un certain pourcentage pour sa protection.

Si tel était le cas, le message du groupe musulman était une simple couverture destinée à maquiller l'opération aux yeux du public. L'assureur, lui, saurait à quoi s'en tenir. Il aurait même un prétexte tout trouvé pour ne pas dénoncer le chantage: c'était du terrorisme.

Mais Théberge n'était pas convaincu: le plus probable, c'était qu'il s'agisse d'un attentat des Djihadistes. Et comme il était dans la nature des fanatiques de ne jamais s'arrêter, il fallait tenir pour acquis qu'il y en aurait un troisième, un quatrième...

Paris, 16 h 34

Ulysse Poitras regardait Chamane avec un sourire amusé.

Tout en ratissant Internet à la recherche d'informations récentes sur HomniFood, le jeune *hacker* lui avait parlé successivement de la nouvelle table informatique de Microsoft, des entrepôts de céréales qui avaient été pillés par la population en Inde, des progrès de l'informatique quantique, d'un groupe de musique montréalais qui jouait du punk celtique, du problème de la congestion des autoroutes informatiques, de la chaise « bureau intégral » d'une jeune compagnie québécoise…

Il en était maintenant à parler de Geneviève.

— Hier, elle s'est levée à quatre heures du matin pour se faire des toasts au miel avec du jambon.

Puis il ajouta, comme si la conclusion allait de soi :

— Les filles, ça a vraiment des goûts bizz.

— T'es sûr qu'elle n'est pas enceinte ? demanda Poitras en s'efforçant de ne pas trop laisser paraître son amusement..

Chamane se tourna vers lui, l'air sidéré.

— Tu penses que ça se peut ?

— C'est pas à moi qu'il faut le demander !

— OK, OK…

Chamane se concentra sur l'ordinateur. Deux minutes plus tard, il affichait une feuille à l'écran.

— La liste des pays, dit-il. Il y en a maintenant onze.

Poitras la parcourut rapidement.

— C'est logique, dit-il. HomniFood signe en priorité avec les pays les plus riches et les plus populeux.

— Comme ça, ils vont sauver l'humanité ?

— Sûrement. Si c'est rentable…

— Ça ne peut pas être entièrement mauvais de fabriquer des céréales qui résistent au champignon tueur.

— Tu sais comment ça fonctionne, les OGM ?

Poitras regardait Chamane avec un sourire retenu, comme s'il venait de lui poser une bonne colle.

— Je suppose qu'ils triturent l'ADN… un truc du genre.

— Je parle de la mise en marché.

Tout en écoutant Poitras, Chamane continuait de répertorier des articles de journaux et des extraits de bulletins de nouvelles qui parlaient d'HomniFood.

— Quand ils vendent les graines, poursuivit Poitras, c'est seulement la première étape. Ensuite, il faut que tu achètes l'herbicide, l'insecticide, des fois deux insecticides différents… Il y a aussi les engrais, chacun ajusté à une étape particulière de la croissance… Tout ça, ça coûte pas mal plus cher que les semences.

— Autrement dit, c'est un *racket*. C'est comme quand ils te donnent un téléphone mais qu'il faut que tu signes un abonnement de trois ans. Et qu'ils peuvent changer les contrats sans que t'aies rien à dire.

— Dans le style, mais en plus tordu. Parce que tu n'es pas obligé d'acheter les autres produits. Mais tu perds la garantie de rendement. Parce que les produits sont conçus pour fonctionner ensemble. Que tu te retrouves avec une récolte désastreuse. Et que t'es obligé d'acheter le kit complet l'année suivante, si tu ne veux pas faire faillite… en supposant que tu n'as pas été totalement ruiné la première année.

— Comment ça se fait que tu sais ça ?

— Ça fait partie de leur *pitch* aux investisseurs.

Chamane regarda Poitras comme s'il parlait une langue inconnue.

— Leur *pitch* de vente, reprit Poitras. Pour expliquer à quel point ça va être rentable. À quel point ils tiennent leurs clients par les couilles. Ils appellent ça les fidéliser… Le problème, c'est que la plupart des paysans qui achètent leurs semences n'ont pas les moyens d'acheter les autres produits. Ils se retrouvent avec des rendements inférieurs à ce qu'ils obtenaient avant avec leurs semences locales. Mais ils ne peuvent pas revenir en arrière parce qu'il ne reste plus assez de semences locales. Elles ont été remplacées à peu près partout par les OGM… ou elles ont été contaminées.

— C'est toi qui as été contaminé, se moqua Chamane sans cesser de regarder son écran. Tu parles comme un *freak* écolo.

— Les risques écologiques, tu n'as pas le choix de regarder ça avant d'investir. Tous les risques extrafinanciers, en fait. Autrement...

Poitras s'interrompit brusquement. Son regard était rivé sur la partie droite de l'écran de verre, où Chamane avait ouvert une fenêtre pour qu'il puisse suivre les informations sur le site de France Info. Sur le fil de presse, au bas de la fenêtre, un message rouge en caractères gras défilait.

> **Attaque terroriste à Paris. Deux bombes au Louvre. Huit morts. Sarkozy doit prendre la parole sous peu.**

— T'as vu ça ?

Sans prendre le temps de répondre, Chamane avait déjà ouvert une nouvelle fenêtre dans la partie gauche de l'écran de verre. Il s'agissait de l'espace de travail où il avait regroupé les plus importantes sources officielles d'information. Les pages de chacune des grandes agences et des principaux journaux commençaient à s'afficher, l'une à côté de l'autre : BBC, Reuters, UPI, Fox-News, Le Monde, Al-Jazeera, France Presse...

Longueuil, 11 h 02

Victor Prose était perplexe. Son compte chèque affichait 10 882,44 $, ce qui faisait exactement dix mille dollars de trop. Sans doute une erreur de saisie de données.

Au moins, l'erreur était à son avantage. Mais il faudrait qu'il contacte sa succursale. On lui demanderait sûrement de remplir des formulaires. Même si l'erreur n'était pas la sienne !

Il quitta le site Internet de la banque et se rendit sur le site de TF1, où il choisit l'écoute en direct. À l'écran, un présentateur était cadré en gros plan.

> ... merci à vous, Jean-Marie Colombier. On se retrouve après la conférence de presse pour vos commentaires sur la déclaration du président.

— Juste à temps, murmura Prose.

Une image de la façade du Louvre remplaça le visage du présentateur. Puis une autre image apparut, montrant le président de la France devant la façade du Louvre. Un garde du corps tenait un parapluie de golf au-dessus de sa tête pour le protéger de la pluie fine qui tombait. Une foule de journalistes, également protégés par des parapluies, tendaient des micros devant lui.

Le président avait dû insister pour faire la conférence sur les lieux de l'attentat, songea Prose : pour montrer qu'il était sur le terrain, qu'il s'occupait vraiment des problèmes.

Prose monta le volume de la télé.

> Avant tout, je veux présenter, au nom des Français et des Françaises, mes condoléances aux proches des victimes... Il s'agit d'un acte barbare...

Le président parlait sur un ton grave, par phrases courtes, avec des pauses de deux à trois secondes entre chaque bout de phrase, comme pour laisser au public le temps d'assimiler son discours par petits morceaux. À la fin de chaque bout de phrase, sa voix baissait, comme pour souligner par une chute le côté accablant de la situation.

> ... D'une attaque insensée... Les responsables de cette abomination seront poursuivis avec toute la force de l'État... Ils seront traduits en justice et punis... Je m'y engage... La France ne laissera pas un groupe de voyous semer la terreur dans la population... Ces terroristes, ils ne s'attaquent pas seulement aux symboles de notre civilisation... Ils dénaturent la religion dont ils se réclament... Dégradent son image... C'est l'islam lui-même que l'État français s'engage à défendre... En éradiquant ceux qui veulent l'instrumentaliser à des fins barbares...

Le chef de l'État fit une pause particulièrement longue, qui laissa de nombreuses secondes au mot « barbares » pour déployer tout son sens. Puis il reprit sur un rythme accéléré. Les pauses cessèrent de découper aussi fortement les phrases. On aurait plutôt dit une accumulation d'efforts, comme si chaque nouvelle affirmation se dépêchait de venir appuyer la précédente, de la renforcer.

À MA DEMANDE, UNE RÉUNION DU GOUVERNEMENT A ÉTÉ CONVOQUÉE. NOTRE RÉACTION SERA RAPIDE. ÉNERGIQUE. DÉTERMINÉE. JE VOUS L'ASSURE… JE SAIS QUE CE SONT DES HEURES DIFFICILES. MAIS JE SAIS AUSSI POUVOIR COMPTER SUR LA COLLABORATION DE TOUS LES FRANÇAIS. DE TOUTES LES FRANÇAISES… LA FRANCE NE SE LAISSERA PAS INTIMIDER. ELLE DEMEURERA LA TERRE DE LA TOLÉRANCE QU'ELLE A POUR VOCATION D'ÊTRE. LA TERRE DU RESPECT DE L'AUTRE ET DE LA SOLIDARITÉ. LA TERRE DE LA COHABITATION PACIFIQUE DES DIFFÉRENCES… VIVE LES FRANÇAIS! VIVE LES FRANÇAISES! VIVE LA FRANCE!

Une fois sa déclaration terminée, Sarkozy s'éloigna d'un pas rapide, entouré de ses nombreux gardes du corps et des porteurs de parapluie, comme s'il devait déjà être ailleurs, que d'autres événements réclamaient de façon urgente sa présence.

Victor Prose quitta le site de TF1. S'il avait besoin des commentaires du présentateur, dont la tête avait de nouveau envahi l'écran, il pourrait les retrouver sur Internet.

Il ouvrit le dossier contenant les marque-pages des sites d'informations auxquels il était abonné: les commentaires sur les événements devaient déjà affluer.

Comme la page du premier site s'affichait, les onze premières notes d'une pièce de Coltrane se firent entendre: il avait du courrier… Sans s'en rendre compte, il se mit à murmurer les premiers mots de « Kulu Se Mama ».

Montréal, 11 h 26

Depuis une vingtaine de minutes, Théberge arpentait les salles dévastées du Musée des beaux-arts de Montréal en compagnie du conservateur de l'institution, Jean-Louis Dandeneault. Dans chaque salle, c'était le même scénario: les pièces qui avaient le plus de valeur s'étaient

volatilisées. Sur les murs, il ne restait que les enca-
drements vides.

— Je n'ai jamais rien vu de tel, fit Dandeneault.

Puis il ajouta, comme si c'était le comble de la barbarie :

— Ils ont fait un travail de salauds !

— Ceux qui attentent au bien d'autrui sont rarement
des parangons de délicatesse, répondit Théberge.

Le conservateur se tourna vers Théberge. L'indignation
le submergeait. Au point que l'accent français qu'il
avait mis des années à cultiver faiblissait par moments.

— Vous ne voyez donc pas ?... Ils ont taillé dans les
toiles ! Regardez !... Ils les ont... arrachées !

Son ton était celui d'un professeur exaspéré qui essaie
de faire comprendre un problème élémentaire à un cancre.
De la main, il lui montrait les murs.

À plusieurs endroits, des morceaux de toiles mal
coupés ou arrachés pendaient des cadres vides.

Dandeneault était atterré.

— Ce ne sont pas des professionnels, ajouta-t-il comme
s'il s'agissait d'un degré supplémentaire dans l'horreur.

Puis, voyant que Théberge ne semblait décidément
pas comprendre la raison de son émoi, il ajouta :

— La plupart du temps, quand les œuvres sont « retrouvées », c'est parce que les voleurs ont contacté la
compagnie d'assurances et qu'ils se sont entendus sur
un prix pour leur restitution. Dans ces cas-là, on est sûr
qu'elles ont été bien conservées et qu'elles n'ont pas été
abîmées... Mais là... là...

— Et quand ce ne sont pas les voleurs qui contactent
les assurances ?

— Souvent, ce sont des vols sur commande. Un col-
lectionneur laisse savoir qu'il désire tel ou tel tableau,
qu'il est prêt à acheter des œuvres de tel ou tel style. Il
existe des groupes spécialisés qui travaillent à satisfaire
cette demande... Dans ces cas-là aussi, les œuvres sont
bien traitées. Elles peuvent refaire surface dix ans, vingt
ans... ou même cinquante ans plus tard.

— Tandis qu'ici...

— Je ne comprends pas. Ils ont fait l'effort de choisir les œuvres les plus reconnues… les plus modernes…

Il fit un geste de la main.

— Et regardez ce qu'ils ont fait !

Lui qui pouvait disserter durant des heures – Théberge se souvenait d'un dîner officiel au cours duquel Dandeneault avait sévi durant quarante-sept minutes entre l'entrée et le plat principal ! –, il était maintenant pantois.

Théberge, pour sa part, était aux prises avec une hypothèse qui le laissait à court de réactions. Se pouvait-il que les incendies aient été allumés dans le seul but de faire diversion ? d'accaparer les policiers et de laisser le champ libre aux voleurs pour leur opération au musée ?

RADIO FRANCE INTERNATIONALE, 18 H 07

… POUR LE MOINS INSOLITE. DES MANIFESTANTS ÉCOLOGISTES, QUI AFFIRMENT APPARTENIR À UN GROUPE QUI A POUR NOM LES ENFANTS DU DÉLUGE, DESCENDENT PRÉSENTEMENT LA SEINE SUR UN RADEAU QUI SE VEUT UNE RECONSTITUTION DU CÉLÈBRE RADEAU DE LA MÉDUSE.

TOUT LE LONG DU PARCOURS, LE GROUPE S'EST ARRÊTÉ À PLUSIEURS REPRISES POUR DISTRIBUER DES BROCHURES ANNONÇANT LA FONTE PROCHAINE DES GLACIERS ARCTIQUES ET ANTARCTIQUES. SELON LES MANIFESTANTS, CE CATACLYSME DEVRAIT PROVOQUER UN NOUVEAU DÉLUGE QUI VIENDRA LAVER LES PÉCHÉS ÉCOLOGIQUES DE L'HUMANITÉ, TOUTES RELIGIONS CONFONDUES. DANS LE SILLAGE DE CE CATACLYSME, DISENT-ILS, DES TEMPÊTES DE GRANDE VIOLENCE VONT BALAYER LA PLANÈTE, LA DYNAMIQUE DU GULF STREAM VA SE MODIFIER ET L'EUROPE SERA PLONGÉE DANS UNE NOUVELLE ÈRE GLACIAIRE…

VENISE, 18 H 35

Blunt marchait de long en large dans la pièce, allant de la fenêtre, qui donnait sur le Grand Canal, à son bureau, où son ordinateur portable le reliait au bureau du directeur de la NSA. Ils parlaient depuis près de dix minutes, dressant ensemble le bilan des attentats.

Au musée d'Orsay, le tableau de Courbet, *L'Origine du monde*, avait été vandalisé. Au Louvre, les salles exposant des œuvres de la Renaissance et des toiles de Rubens avaient été plastiquées. Le British Museum, le Prado, le musée Gutemberg à Mayence, ainsi que les musées Guggenheim de New York, de Bilbao et de Venise avaient également été la cible d'attentats. Et, comme la fois précédente, un attentat avait eu lieu à Montréal, alors que la ville n'abritait aucune institution de niveau égal à celles des autres endroits visés.

Partout, les attaques contre les musées avaient été revendiquées par le même groupe. La rhétorique des messages était la même. Jusqu'au profil de l'opération qui était semblable. On aurait cru à une réédition de la vague d'attentats contre les cathédrales.

— Les islamistes sont redevenus le *prime mover*, fit la voix de Tate.

— Vous voulez que je laisse tomber les céréales ?

— Vous allez sûrement trouver le moyen de vous occuper des deux dossiers… Au Louvre, les kamikazes sont entrés par la porte réservée aux livraisons.

— Ils avaient un complice à l'intérieur ?

— Ils travaillaient tous les deux au musée. Les Français ont encore des détails à vérifier, mais ils sont sûrs de les avoir identifiés.

En arrivant devant la fenêtre, Blunt s'immobilisa un instant pour regarder la pluie qui tombait sur le Grand Canal.

— Ailleurs ? demanda-t-il en se retournant.

Sur l'écran, le visage de Tate continuait de regarder fixement devant lui.

— Rien encore, répondit-il. Mais on épluche la liste des employés. Des fois qu'ils auraient utilisé la même méthode partout…

Montréal, SPVM, 13 h 51

En compagnie de Crépeau, Théberge examinait la bande vidéo qu'un des policiers affectés à l'enquête avait récupérée. On y voyait une fourgonnette se garer le long du trottoir. Six hommes en sortaient et se dirigeaient vers le Musée des beaux-arts, rue Sherbrooke.

Deux heures vingt minutes plus tard, on les voyait sortir du musée et retourner à la fourgonnette. Le véhicule s'éloignait ensuite à vitesse modérée.

— Ils ont dû mettre les toiles dans un autre véhicule, fit Théberge.

— On n'a rien sur les caméras de surveillance extérieures.

— Et à l'intérieur ?

— Pas une seule image. Toutes les caméras ont été neutralisées.

Théberge releva les yeux vers Crépeau.

— Il n'y a pas eu d'alarme ?

— La centrale de la compagnie de sécurité a continué de recevoir des images normales jusqu'à ce matin.

— Du travail d'expert.

— Des experts qui ont fait du travail de cochon en arrachant les toiles.

Théberge partageait la perplexité de Crépeau. Il n'y avait aucune logique dans cette affaire. Une pièce importante du casse-tête devait leur manquer.

— Ce que je ne comprends pas, reprit Crépeau, c'est comment ils ont fait pour sortir les œuvres.

— Peut-être qu'ils ne les ont pas sorties…

Crépeau regarda un moment Théberge, le temps de réaliser les implications de ce qu'il suggérait.

— Ils les auraient cachées à l'intérieur pour retourner les chercher une fois les choses calmées ?

Deux minutes plus tard, Crépeau avait Dandeneault au bout du fil. Il lui demanda d'effectuer des recherches à la grandeur du musée et de porter un intérêt particulier aux faux plafonds, aux recoins abandonnés et aux pièces rarement utilisées.

— Je n'aime pas ça, se contenta de dire Théberge en guise de commentaire quand Crépeau eut raccroché.

Pourquoi se donner tout ce mal pour mettre la main sur des œuvres qu'ils n'avaient même pas pris le soin de ne pas abîmer ?

HEX-Radio, 14 h 02

… SEPT GALERIES D'ART INCENDIÉES ! UNE CHANCE QUE LA POLICE NOUS PROTÈGE ! AUTREMENT, CE SERAIT QUOI ?… EST-CE QU'IL VA FALLOIR DEMANDER À LA GRC DE VENIR PATROUILLER DANS LES RUES DE LA

VILLE? EST-CE QU'IL VA FALLOIR DEMANDER L'AIDE DE L'ARMÉE? QU'EST-CE QUE ÇA VA PRENDRE POUR QUE LES TERRORISTES ARRÊTENT DE FAIRE CE QU'ILS VEULENT DANS MONTRÉAL? C'EST PAS UN SERVICE DE POLICE QU'ON A, C'EST UN ZOO!... D'ACCORD, J'EXAGÈRE: C'EST PAS UN ZOO, C'EST UNE CLINIQUE PSYCHIATRIQUE. ON EN A UN QUI PARLE AUX MORTS. UN QUI CONTRÔLE PAS CE QU'IL DIT. UN AUTRE QUI SE TORTILLE COMME UN MALADE POUR SE GRATTER... VOUS EN PENSEZ QUOI, VOUS AUTRES, DE ÇA? ÊTES-VOUS D'ACCORD QUE ÇA PRENDRAIT UN GRAND MÉNAGE DANS LA POLICE DE MONTRÉAL?... J'ATTENDS VOS APPELS.

MONTRÉAL, 14 H 13

Théberge donna un brusque coup de frein pour éviter le camion à ordures qui s'était immobilisé devant lui. Maugréant, il braqua ensuite les roues et se faufila dans la circulation, plus dense qu'à l'habitude à cause de la pluie. Un peu plus loin, il gara sa voiture dans un stationnement interdit et il se dirigea vers le musée.

— On n'a rien trouvé, fit le directeur du musée en l'apercevant.

— Je sais.

— Comment ça, vous savez? fit Dandeneault, décontenancé.

— C'est vous qui m'avez donné la solution. Quand vous m'avez dit qu'ils avaient découpé les toiles sans ménagement, au mépris de leur valeur.

— Je ne comprends pas.

— Les œuvres ne les intéressent pas. Je veux dire, ils ne s'intéressent pas à leur valeur marchande... ce qu'ils veulent, c'est les faire disparaître.

— Et ils les ont fait disparaître... où?

— Vous avez vérifié dans les bacs à ordures?

Dandeneault pâlit.

— Mon Dieu...

— Si je ne me suis pas trompé, vous devriez pouvoir les récupérer...

— Le ramassage des ordures!

Dandeneault semblait en proie à une nouvelle crise d'agitation. Il regarda sa montre, puis il se précipita à travers une série de pièces et de couloirs, entraînant

Théberge à sa suite. La dernière porte qu'il ouvrit donnait sur la cour extérieure. En sortant, il vit les pinces mécaniques d'un camion saisir un des bacs et en vider le contenu dans la benne.

Dandeneault courut jusqu'au camion et frappa dans la portière du conducteur jusqu'à ce qu'il baisse la vitre.

— Il ne faut pas compacter ! hurla Dandeneault. Il ne faut pas compacter !

Le conducteur le regardait, l'air contrarié, se demandant sans doute sur quel illuminé il venait de tomber. De la main, il lui fit signe de s'éloigner.

Quelques instants plus tard, Théberge arrivait, essoufflé, le col de son veston relevé dans un effort dérisoire pour se protéger de la pluie. Il montra son insigne du SPVM au conducteur.

Perplexe, ce dernier arrêta néanmoins le compactage.

DRUMMONDVILLE, 14 H 48

Il y avait plus de deux heures que Dominique parcourait les informations que Pantagruel avait recueillies.

Aucun doute n'était permis. L'opération était concertée sur le plan mondial : même type de cibles, même communiqué pour revendiquer l'attentat, signé par le même groupe, même choix des heures d'affluence, comme si l'on avait voulu maximiser le nombre de victimes.

Il y avait toutefois un détail qui clochait. À Montréal, il y avait eu une série de petits incendies au lieu d'un attentat unique. Et les terroristes ne s'étaient apparemment pas préoccupés de multiplier les victimes… Pourquoi avaient-ils ainsi dérogé à leur plan général ?

Ça ressemblait aux attentats contre les cathédrales. D'ailleurs, en y réfléchissant bien, l'attaque contre l'oratoire Saint-Joseph se démarquait, elle aussi, dans la série des attaques contre les cathédrales… Pourquoi cet intérêt des terroristes à l'endroit de Montréal ? Le gouvernement avait beau avoir adopté une attitude servile face aux Américains, ça ne faisait quand même pas de l'Oratoire une référence mondiale du niveau de Notre-Dame de Paris ou de l'abbaye de Westminster !

Dominique décida d'aller en parler à F.

Lorsqu'elle entra dans le bureau de la directrice de l'Institut, celle-ci se contenta de prendre acte de son arrivée d'un léger mouvement de la tête. Une voix d'homme, un peu enrouée, sortait de l'ordinateur.

— Je n'ai pas d'informations sur ces petites explosions de fanatisme. À mon avis, ce n'est que du bruit.

Fogg !

Dominique s'assit devant le bureau de F de manière à ne pas entrer dans le champ de la caméra.

— C'est quand même du bruit difficile à ignorer, répliqua F avec un sourire.

— C'est justement pourquoi, si j'étais vous, je n'y accorderais pas trop d'importance. C'est trop « médiatique » pour ne pas avoir été conçu en fonction des médias.

— Vous croyez que c'est une diversion ?

— Comme vous le savez, je ne crois pas à grand-chose… Cela dit, je pense que ceux qui ont exécuté ces attentats étaient probablement sincères et à la recherche de publicité. Par contre, ceux qui leur ont fourni les moyens de les exécuter… eh bien, disons que j'ai quelques réserves sur leurs intentions véritables.

Une partie de l'esprit de Dominique suivait la conversation entre F et Fogg ; une autre se demandait pour quelle raison F ne l'avait pas prévenue de cette rencontre téléphonique.

— Ceux qui les subventionnent, vous avez une idée de leur identité ? demanda F.

— Je pense que vous êtes sur une bonne piste en vous intéressant aux céréales.

— Qu'est-ce que des fondamentalistes religieux ont à voir avec les céréales ?

— C'est précisément dans l'espoir que vous le découvriez que je vous en parle.

— C'est une de vos intuitions ou c'est une manière de m'envoyer sur une fausse piste ?

Fogg protesta avec une indignation jouée.

— Jamais je ne ferais une telle chose ! De toute façon, je vous connais : même en suivant une fausse piste, vous finiriez par découvrir la vérité.

— Si vous sortez la flatterie, c'est parce que vous voulez vraiment m'endormir !

Un rire étouffé se fit entendre, suivi de quelques raclements de gorge.

— Vous me connaissez trop bien, dit Fogg.

La familiarité du ton de la discussion rendait Dominique mal à l'aise. Elle se demandait si cette collaboration « tactique » avec le Consortium n'allait pas trop loin. Au cours de la dernière année, la fréquence des discussions de F avec Fogg s'était accrue. Peut-être était-elle en train de perdre son esprit critique face à lui.

— Dans notre métier, on ne choisit pas toujours ses fréquentations, répliqua F sur un ton qui se voulait moqueur.

Elle avait relevé les yeux. Par-dessus l'écran, elle fixait Dominique.

— Comme vous avez raison !… En terminant, je tiens à vous remercier d'avoir envoyé votre agent travailler sous de nouveaux cieux.

— Éliminer une direction de filiale, ça ne se refuse pas.

Londres, un studio de la BBC, 20 h 01

La présentatrice paraissait émue. Elle quittait plus souvent la caméra des yeux pour regarder sa feuille. Elle aurait pu se contenter de fixer le téléscripteur, mais l'émotion aurait moins bien passé.

Les auteurs de l'attentat à la roquette contre le British Museum nous ont fait parvenir il y a quelques heures un message que nous avons décidé, après discussion avec les autorités, de vous faire entendre.

Sur l'écran incrusté dans son bureau, la présentatrice fut remplacée par un Arabe vêtu d'un costume traditionnel et dont le visage était dissimulé par un *keifih* et des verres fumés.

Les Croisés occidentaux ont saccagé notre culture et pillé nos mosquées. Ils détruisent l'art musulman. Ils veulent nous imposer à la place un art sacrilège. Un art qui profane le visage humain. Qui caricature tout ce qui est sacré. Leurs œuvres sont des bombes à retardement qui vont exploser dans la tête des Croyants. Elles visent à dégrader le corps de nos femmes. À corrompre nos esprits et à offenser Allah. Tous les croyants doivent lutter contre cette attaque perfide des Infidèles. Les Djihadistes du Califat universel vont détruire leurs images sacrilèges et répandre la terreur chez ceux qui les produisent.

La présentatrice reprit son commentaire. Cette fois, son air était plus décidé :

Toute personne qui aurait des informations relatives à l'attentat est priée de communiquer avec les autorités au numéro…

DRUMMONDVILLE, 15 h 05

— Si d'autres informations susceptibles de vous être utiles se manifestent à mon attention, dit Fogg, je vous en aviserai.

— Je ferai de même, répondit F.

Après avoir coupé la communication, elle ramena son regard vers Dominique et sourit.

— Ne t'inquiète pas, dit-elle. Je ne suis pas victime du syndrome de Stockholm.

Dominique resta sans voix de se voir aussi clairement percée à jour. F éclata de rire.

— Je n'ai pas grand mérite, dit-elle. À ton âge, j'aurais probablement réagi de la même façon.

Son regard se perdit un instant sur la rivière, que l'on voyait par la fenêtre.

— Peut-être même plus violemment…

Puis elle revint à Dominique.

— Fogg est un être remarquable, dit-elle, et très agréable à fréquenter. Sur plusieurs sujets, nos opinions se rejoignent. Il a un don surprenant pour voir au-delà de la surface des événements. Il se trouve simplement qu'il travaille pour une organisation concurrente que nous devons éliminer.

— Vous ne craignez pas que cela crée inconsciemment des liens ?

— Bien sûr que cela crée des liens. Tout rapport humain crée des liens. Mais cela ne servirait à rien de le diaboliser… Quand je prends la décision de faire éliminer quelqu'un, je tiens à être consciente que c'est d'un être humain qu'il s'agit. C'est beaucoup moins plaisant, mais ça place les choses dans une perspective plus juste. Ça aide à prendre des décisions plus mesurées.

Elle regarda un moment Dominique en silence, comme si elle hésitait sur ce qu'elle allait ajouter.

— Évidemment, reprit-elle, il y a des individus plus difficiles que d'autres à voir comme des êtres humains… Mais bon, rien n'empêche d'essayer.

Elle se frotta le visage avec les mains, les passa dans ses cheveux pour les replacer.

— Maintenant, parle-moi de ta discussion avec Théberge, dit-elle.

— Il a retrouvé presque tous les tableaux.

Quand Dominique lui eut appris de quelle façon il les avait retrouvés, F demeura un moment songeuse.

— C'est cohérent avec le vandalisme dans les autres musées, finit-elle par dire.

— En tout cas, ça élimine les réseaux de trafiquants.

— Fogg a raison : c'est médiatique. C'est fait pour choquer, pour créer des remous dans l'opinion publique.

— On dirait que leur but est de provoquer une guerre de religion… ou de civilisation.

— Oui, mais pourquoi Montréal ?… Tu as une idée ?

Fidèle à sa ligne de conduite, F refusait de plus en plus souvent de lui donner son opinion avant que Dominique ait formulé la sienne – de la même manière qu'elle se dégageait de plus en plus des décisions courantes, laissant la plupart du temps Dominique les prendre seule.

Même si elle comprenait que le procédé avait un but didactique, Dominique n'arrivait pas tout à fait à s'y habituer. S'efforçant de ne pas laisser voir son agacement, elle parla à F de ses interrogations sur les différences entre les attentats de Montréal et ceux du reste de la planète.

— Si on se fie à leur logique, conclut-elle, je suis obligée d'être d'accord avec Fogg : ils veulent provoquer une réaction. La question, c'est : qui veulent-ils faire réagir à Montréal ?

— D'après toi ?

Dominique hésita un moment avant de répondre :

— Quand même pas l'Institut !

— Avoue que ce serait habile…

Puis elle ajouta sur un ton plus grave.

— Tu devrais prévenir Théberge.

Dominique acquiesça d'un mouvement de la tête. Si F lui faisait une recommandation aussi claire, elle devait être réellement inquiète pour le policier.

— Je vais lui téléphoner, dit-elle.

Puis elle reprit le fil de sa réflexion.

— Si c'est pour provoquer l'Institut, on peut penser que les gens qui sont derrière les attentats sont reliés au Consortium.

— C'est une possibilité.

— Ça expliquerait que Fogg vous ait suggéré de ne pas vous occuper des attentats.

— On pourrait aussi penser qu'il a dit ça précisément pour que je m'y intéresse.

Dominique regarda F, étonnée.

— Je comprends, dit-elle après un moment.

— Mais comme il connaît suffisamment le métier pour savoir que c'est de cette façon que je vais réagir…

Cette fois, Dominique se contenta de regarder F et d'attendre la suite du raisonnement.

— D'un autre côté, reprit F comme si elle monologuait à haute voix, il faut garder un esprit ouvert. Il est possible que Fogg n'ait rien à voir dans tout ça. C'est peut-être une initiative de quelqu'un d'autre à l'intérieur du Consortium…

Dominique avait l'air sceptique.

— Quelqu'un qui serait l'équivalent de ce que Hurt est pour nous, poursuivit F. Une sorte de *loose cannon*…

— Peut-être…

Dominique n'était pas convaincue, mais c'était une possibilité qu'elle ne pouvait pas écarter.

— Et si c'était quelqu'un à l'extérieur du Consortium ? reprit F. Dans le monde du renseignement, il y a encore plusieurs personnes qui doutent de ma disparition et qui rêvent de me retrouver.

Dominique se demandait si cet exercice d'hypothèses était réalisé uniquement à son intention, pour brouiller les pistes et justifier la poursuite de la collaboration avec Fogg.

— Mais tu as raison, conclut F. Il y a probablement la main du Consortium derrière tout ça.

Elle se rassit et ajouta avec un sourire amusé :

— Raison de plus pour suivre de près ce qu'ils font. Vous connaissez le principe : garder ses ennemis le plus près possible !

NEW YORK, 16 H 32

Jeremy Swaggarth entra dans l'entrepôt à peu près vide, ouvrit une porte au fond de l'immense pièce et descendit un escalier. Au bout d'un corridor d'une dizaine de mètres, il ouvrit une autre porte et il entra dans un bureau ultra-moderne.

Une femme l'y attendait, assise derrière un bureau en acajou. Les traits marqués de son visage et son complet-veston cravate lui donnaient un air masculin qu'atténuaient son maquillage et le bleu pâle de ses vêtements. Swaggarth la connaissait sous le nom de Valerie Vale.

— Tout est prêt pour demain ? demanda la femme.

Swaggarth n'était jamais à l'aise en sa présence. Son sourire, toujours un peu ironique, sa façon de tout traiter comme s'il s'agissait simplement de faire des affaires… Vale ne croyait à rien, Swaggarth en était sûr. Mais elle lui apportait les moyens de faire avancer sa cause.

— Tout est prêt, répondit-il. Et personne ne connaît mon vrai nom.

— Ils vont avoir toute une surprise ! Eux qui pensent qu'il s'agit seulement d'une opération publicitaire.

— Une surprise, oui, approuva Swaggarth.

Le sourire de Vale s'accentua.

— Monsieur Swaggarth, je sais que vous me méprisez.

— Mais…

— Et c'est très bien comme ça. Nos motivations sont à l'opposé : vous avez un idéal et je veux faire de l'argent. Mais notre objectif est le même : il faut que les gens prennent conscience que l'eau n'est pas inépuisable. De cette manière, ils y feront davantage attention, ce qui est votre objectif, et ils seront prêts à payer pour la conserver, ce qui est le mien.

Elle se leva de son bureau.

— Venez, je vais vous montrer quelques-uns des projets que nous conservons sur la glace.

Elle l'amena dans une autre pièce, la traversa puis ouvrit une autre porte.

— Une chambre froide, fit Swaggarth, surpris.

— C'est bien ce que je vous avais dit.

Vale lui donna une poussée qui le précipita dans la pièce puis elle referma rapidement la porte.

— Ça fait du bien de se retrouver dans le feu de l'action, dit-elle pour elle-même.

Ignorant le bruit des coups contre la porte de la chambre froide, elle retourna à son bureau en souriant de son trait d'esprit, ramassa les quelques documents qui étaient sur la table et les mit dans son attaché-case. Puis elle sortit de l'entrepôt et marcha vers la limousine qui l'attendait.

L'aéroport était à moins d'une heure. Elle serait au-dessus de l'Atlantique quand les événements qu'elle avait enclenchés se produiraient. Par mesure de sécurité, elle avait éliminé tout document compromettant de son ordinateur portable. Si, par un hasard improbable, les responsables de la sécurité, à Roissy, voulaient vérifier son contenu, ils n'y trouveraient que de la musique, des photos de voyage et des courriels anodins échangés avec des amis amateurs de voyages.

Une fois sur le vieux continent, elle changerait à nouveau d'identité pour couper définitivement les pistes, puis elle se rendrait en Irlande, où elle redeviendrait Hessra Pond.

MONTRÉAL, 18 H 04

Théberge avait décidé de se rendre à pied chez Margot. Sa femme ne revenait que dans la soirée. Elle était partie pour rendre visite à la plus jeune de ses sœurs et il n'avait pas envie de manger seul.

La sœur de madame Théberge venait de recevoir un diagnostic de début d'Alzheimer. Pour Théberge, c'était probablement la pire maladie qui puisse exister : se voir dépossédé de soi-même jour après jour. Un peu plus chaque jour… Assister à sa propre mort au ralenti… Et plus on était jeune, plus la maladie progressait rapidement, semblait-il. Sa femme lui avait expliqué différentes choses concernant cette maladie, mais il n'y avait pas beaucoup prêté attention. Il avait surtout écouté ce qui se disait derrière ses mots, la peine qu'elle s'efforçait de contenir… Même si elle lui parlait, elle était déjà en pensée avec sa sœur. Elle était en train de se mettre dans un état d'esprit qui lui permettrait de se centrer sur elle, de l'écouter, de lui apporter de l'aide… ce qu'il avait un jour appelé son mode « bénévolat ».

Un frisson le parcourut. Il s'ébroua pour dissiper ces pensées désagréables et se concentra sur ce qui se passait autour de lui. À cause de la bruine qui tombait, les gens marchaient vite, essayant de se protéger en réduisant leur temps d'exposition aux éléments. Pourtant, plusieurs avaient un téléphone portable collé contre l'oreille. D'autres avaient une oreillette, ce qui leur permettait de garder les deux mains dans leurs poches.

C'était hallucinant, la quantité de gens qui marchaient sur le trottoir et qui avaient l'air de parler seuls. Était-ce à cela que menaient les progrès de la communication : des gens qui passent de plus en plus de temps seuls, à parler dans le vide ?

À deux coins de rue de Chez Margot, il aperçut la devanture d'une épicerie dont les vitrines avaient été sommairement bouchées avec du contreplaqué. Une autre victime des actes de vandalisme qui s'étaient multipliés…

Subitement, il se sentit fatigué. L'idée lui traversa l'esprit de retourner immédiatement chez lui et de se coucher sans souper.

La dernière semaine avait été particulièrement pénible. Le « champignon tueur venu du Canada », comme l'appelaient les Américains, avait entraîné toutes sortes de complications pour les policiers : multiplication de vols dans les magasins d'alimentation à la suite de rumeurs de pénuries alimentaires, manifestations devant le consulat des États-Unis pour protester contre la fermeture de la frontière aux produits canadiens, vandalisme contre les bureaux de multinationales de l'alimentation…

Au Québec, à l'Assemblée nationale, il y avait eu un début d'émeute. Un député de l'Union de la Droite Québécoise avait proposé qu'on refoule les étrangers aux frontières pour protéger le patrimoine alimentaire de la province. En réponse, un député de l'Alliance Libérale du Québec l'avait traité d'attardé de souche. Le député de l'UDQ avait répliqué qu'un État normal avait le devoir de nourrir en priorité ses propres citoyens. Le député de l'ALQ avait prédit que les autres pays réagiraient en mettant tout le Québec en quarantaine, ce qui détruirait l'économie… Des insultes avaient été échangées. Puis des coups… D'autres députés s'en étaient mêlés…

Dans les tribunes téléphoniques, il était souvent question de famine mondiale et des moyens que le Québec devait prendre pour y survivre… Les partisans des OGM accusaient les écologistes de prôner l'agriculture sauvage et de nuire aux chances de survie de l'humanité en bloquant la recherche. Les écologistes accusaient les partisans des OGM d'avoir provoqué cette catastrophe : il n'était pas question de les laisser aggraver la situation avec de nouvelles expériences…

Toute la planète semblait prise de folie. Chaque pays développé avait son lot d'épiceries dévalisées et de camions de transport de nourriture attaqués… Même les banques alimentaires avaient dû se doter de services de sécurité. Quant aux producteurs, plusieurs avaient constitué des milices pour protéger leurs récoltes.

Dans les pays en développement, c'était encore pire. Pas un jour ne passait sans que les médias ne recensent de nouvelles émeutes, de nouvelles répressions policières ou militaires, de nouveaux attentats… Les dépôts de nourriture étaient gardés de façon aussi musclée que les dépôts de munition et les rumeurs d'interruption de l'aide alimentaire en provenance des pays riches nourrissaient l'agitation.

Les groupes écologistes radicaux prospéraient. Les groupes anti-écologistes prospéraient. Les premiers accusaient l'humanité de détruire la planète ; les seconds accusaient les premiers de vouloir sauver les animaux au détriment des êtres humains…

Théberge fut tiré de ses réflexions par une voix qu'il mit un certain temps à reconnaître… Cabana !

— Si c'est pas l'inspecteur-*in-chief* Théberge !

Le journaliste souriait comme un comédien de publicité pour dentifrice et il avait un micro à la main.

— Du nouveau sur les galeries d'art incendiées ? demanda-t-il.

— Pas de commentaires, répondit Théberge en poursuivant son chemin.

Le journaliste lui emboîta le pas.

— J'ai entendu dire que ce sont les mêmes qui ont fait le saccage au musée, dit-il en tendant le micro à bout de bras pour le maintenir devant le visage de Théberge.

Ce dernier s'immobilisa et le regarda.

— Si vous avez des informations à communiquer, je veux bien vous accompagner au SPVM pour enregistrer votre déposition.

Cabana ignora la remarque.

— Vous êtes sur une piste ?

Théberge reprit son chemin sans répondre.

— Est-ce que vous êtes à pied parce que vous allez rencontrer un informateur ?… Quelqu'un qui ne veut pas être vu avec la police ?

Le policier s'efforça de se contrôler. Sans cesser de marcher, il tourna la tête vers Cabana.

— Pour l'instant, dit-il, ce que je vais chercher, ce sont des protéines savoureuses et accessoirement sustentatrices, assorties de racines vitaminées et assaisonnées d'une décoction de graines d'arbustes – le tout dans une atmosphère exempte de toute contamination chimique, biologique ou médiatique.

— Très drôle… Mais quand vous refusez de donner de l'information au public, vous savez que vous laissez toute la place aux rumeurs ?

Théberge s'immobilisa.

— Cabana, est-ce que vous feriez une fixation sur ma personne ?

— Pas du tout : c'est pour le travail. Au journal, ils m'ont mis à plein temps sur votre cas.

QUÉBEC, HÔTEL DU PARLEMENT, 18 H 28

Quand Morne entra dans le bureau du premier ministre Jean-Yves Mouton, ce dernier parcourait un dossier contenu dans une chemise cartonnée de couleur marine. La radio jouait en sourdine. Elle était syntonisée à HEX-Radio. Morne reconnut la voix de News Pimp.

> … VOUS EN PENSEZ QUOI, VOUS AUTRES ? ON A LE CHOIX : OU ON LAISSE LE PRIVÉ CONSTRUIRE LES ROUTES, ON PAIE PLUS CHER ET ON A DES ROUTES QU'ON N'EST PAS OBLIGÉS DE RÉPARER AUX DIX MINUTES ; OU ON LAISSE ÇA DANS LES MAINS DU GOUVERNEMENT, ÇA COÛTE UN PEU MOINS CHER SUR LE COUP, MAIS ON SE RUINE À LES RÉPARER CHAQUE PRINTEMPS…

Le premier ministre fit signe à Morne de s'asseoir dans le fauteuil en face de son bureau.

— J'en ai pour une minute, dit-il.

Il feuilleta rapidement le reste du dossier ouvert devant lui, prenant une ou deux notes sur un bloc de papier jaune. La radio continuait de jouer. Un auditeur donnait maintenant son avis sur la question posée par l'animateur.

— Moi, je pense que les réparations, c'est fait exprès pour donner des contrats aux amis des politiciens. Ça finit tout le temps par coûter plus cher et on se r'trouve quand même chaque printemps au royaume des nids-de-poule. Ce qu'il faudrait, c'est un mélange des deux.

— Que ça coûte cher à construire et cher à entretenir?

L'animateur prit le temps de rire de sa propre plaisanterie, puis il ajouta sur un ton complice:

— J'te niaise…

— Faut pas suggérer ça aux politiciens, sont capables de le faire!

— Qu'est-ce que tu voulais dire par « mélange des deux »?

— Le truc public-privé… comment ils appellent ça, déjà?… les BPC?…

Le premier ministre baissa le volume de la radio.

— Il faut savoir garder le contact, dit-il. C'est toujours utile d'entendre en direct ce que pense le peuple.

Morne se contenta de regarder ailleurs.

— Je sais, je sais… reprit le premier ministre sans lever les yeux du dossier. Ça ne vole pas toujours très haut. Mais au moins, avec eux, on a l'heure juste.

— J'aurais cru que l'incendie des galeries d'art serait le sujet du jour.

— Ils en ont parlé une partie de la journée. Mais comme il y a eu un autre morceau de ciment qui s'est détaché d'un pilier de l'autoroute Ville-Marie…

— Il y a des victimes?

— Pour le moment, la seule victime certaine, c'est celui qui a supervisé les travaux de restauration il y a deux ans. J'ai demandé au ministre de faire un exemple.

Il releva les yeux vers Morne et sourit avant d'ajouter:

— Il doit encore être en train de chercher qui c'est. Je lui ai dit que je voulais le nom au plus tard demain matin. Je vais annoncer une commission d'enquête. Ils vont questionner deux ou trois fonctionnaires durant des semaines. À la limite, ça va leur donner un sous-ministre. Ça devrait satisfaire le besoin de coupables du public.

Mouton referma le dossier. Sur la couverture marine, quatre mots étaient écrits en majuscules sur un carré blanc : traitement des eaux usées. Dans le code de couleur du bureau du premier ministre, le marine désignait les dossiers qui avaient obtenu l'aval politique du cabinet.

Morne s'empressa de laisser glisser son regard vers la bibliothèque du mur gauche. Si Mouton voulait lui parler du dossier, il lui en parlerait.

— C'est quoi, cette folie-là, à Montréal ? reprit le premier ministre.

Le regard de Morne revint vers lui.

— Des galeries d'art brûlées par des islamistes ! enchaîna Mouton. Les Indiens, quand ils font leurs *stunts*, je comprends qu'on puisse pas bouger : ça fait partie de leurs droits ancestraux de pouvoir nous écœurer sans qu'on réagisse. Les Juifs non plus, on ne peut rien dire : on se ferait accuser de nier la Shoah ! Mais les Arabes !... Ils ont quand même pas un lobby si fort que ça !

Morne retint la réplique qu'il avait sur le bout des lèvres : il ne servait à rien de préciser qu'avec les pétrolières de leur côté, les Arabes n'avaient pas besoin de lobby ; que l'exfiltration du clan ben Laden des États-Unis, au lendemain des attentats du 11 septembre, témoignait largement de leur influence.

— Qu'est-ce qu'il fait, ton Théberge ? reprit le premier ministre.

— Je tiens à préciser que ce n'est pas « mon » Théberge.

— Je veux que tu lui dises qu'il a trois jours pour régler l'affaire. Il n'est pas question que je laisse Montréal sombrer dans l'anarchie.

— Trois jours...

— Sinon, il saute. La dernière fois, il était censé avoir arrêté tous les terroristes : il ne peut pas en rester tant que ça ! Il a trois jours pour régler le problème.

— Je ne suis pas certain que cette menace soit la meilleure approche.

— Ce n'est pas une menace, c'est une promesse. Tu as vu les sondages ?... Il n'est pas question que je laisse mon parti être rayé de la carte parce que les rues de Montréal se mettent à ressembler à celles de l'Irak ou de l'Afghanistan. On n'est quand même pas à Kaboul !

— Menacer de le faire sauter, quand il est resté en poste uniquement parce qu'on a insisté... On n'ira pas loin avec ça.

— Allons donc ! Il te fait marcher. Tout le monde tient à son poste.

— C'est vraiment quelqu'un d'assez particulier, répliqua Morne. Je suis persuadé qu'il ne demanderait pas mieux que de prendre sa retraite... Son point faible, ce sont ses collègues. Il ne voudrait pas qu'il leur arrive quoi que ce soit.

— On dirait presque que tu l'admires, dit Mouton avec un mélange d'étonnement et de réprobation.

— Disons que c'est une personnalité plus complexe que l'image qu'en donne HEX-Radio.

Il était difficile pour Morne d'aller plus loin sans compromettre la relation qu'il avait avec le premier ministre. Cela n'aurait servi à rien de lui expliquer que le contenu des lignes ouvertes était manipulé par le choix des sujets abordés et des questions posées, par le discours des animateurs avant les appels, par l'encouragement ou non des animateurs aux auditeurs à poursuivre leur argumentation, par leur capacité d'éteindre les arguments qui leur déplaisaient... Dans l'esprit de Mouton, HEX-Radio et HEX-TV avaient contribué à le faire élire en prenant ouvertement partie en sa faveur ; alors, forcément, ce qui s'y disait avait du sens.

Mouton regarda longuement Morne avant de répondre.

— Comme ça, il est sensible au sort de ses collègues...

Le premier ministre médita l'affirmation un moment, comme s'il la remuait dans sa tête à la recherche d'un sens caché.

— Eh bien, dis-lui que s'il échoue, on va faire un grand ménage dans le SPVM. Et qu'on va s'occuper en priorité de ses collègues. Et pas seulement de Crépeau. De tous ceux qui sont proches de lui.

Puis il ajouta, après un soupir :

— Au moins, ça va donner au public l'impression qu'on agit.

Cette fois, Morne se contenta d'acquiescer d'un signe de tête, puis de répéter :

— Trois jours…

— Je veux également ton avis sur la personne la plus apte à le remplacer.

Voyant l'air dubitatif de Morne, Mouton ajouta avec un sourire entendu :

— Il doit bien avoir des ennemis à l'intérieur du service. Quelqu'un qui ne demanderait pas mieux que de faire un grand ménage, de placer ses hommes à lui… Une femme, peut-être… Ce serait encore mieux : ça court-circuiterait les critiques !

— À l'interne, je ne vois pas qui d'autre que Crépeau.

— Allons donc, les cimetières sont remplis de gens irremplaçables !

— Crépeau est très apprécié à l'intérieur de l'organisation. Autant que Théberge. Les meilleurs candidats de l'interne font partie de son entourage. Plusieurs sont des amis personnels… Ils ne voudront pas avoir l'air de collaborer à sa mise au rancart.

Le premier ministre regarda Morne avec un air contrarié, puis son visage s'éclaira.

— Si c'est comme ça, on va prendre un civil.

Son sourire s'élargit.

— C'est exactement ce qu'il nous faut ! poursuivit-il. Un civil ! Ça fait démocratique. Ça va bien paraître dans les médias. On dira que le remplacement n'a rien à voir avec les personnes en cause. Que c'est une question de principe. De philosophie.

— Ce ne sera pas facile à trouver.

— Il y a sûrement un sous-ministre qui traîne quelque part !

— Il faut quand même qu'il connaisse un peu le dossier.

— Moins il en sait, plus il va être obligé de faire confiance à ceux qu'on va mettre autour de lui. Et tant qu'à faire, on s'arrange pour que ce soit « une » sous-ministre.

Mouton fit un clin d'œil à Morne.

— Va annoncer la bonne nouvelle à Théberge.

TQS, 19 H 06

— En tout cas, moi, monsieur Lévesque, je pense que c'est la fin du monde qui s'en vient. La nature est rendue folle. La glace fond au pôle Nord, les ouragans ravagent les États-Unis et le Mexique, la canicule tue du monde en Europe, la Grèce au complet a passé proche de passer au feu... En Californie, ça brûle chaque année... Les maladies d'Afrique se répandent partout... Je parle du sida, du virus du Nil... Les abeilles sont en train de disparaître... Et ben Laden, le monde l'a pas encore compris, mais c'est l'Antéchrist !

— Je me permets de vous interrompre, monsieur Cousineau. Vous posez un diagnostic intéressant et pour le moins pittoresque sur l'état de la planète, mais avez-vous une suggestion sur ce qu'il conviendrait de faire ?

— Il n'y a plus rien à faire. C'est ça, le problème. Pour l'humanité, c'est *game over*. C'est juste une question de temps. Le mieux qu'on peut faire, c'est raconter ce qui se passe. Des fois qu'il y aurait une espèce plus intelligente que nous autres qui apparaîtrait. Elle pourrait apprendre de nos erreurs tout ce qu'il faut pas faire !...

LONGUEUIL, 21 H 09

Victor Prose écoutait l'émission d'une oreille moins distraite qu'à l'habitude.

Au cours des dernières semaines, toutes les chaînes semblaient s'être donné le mot pour traiter des mêmes sujets dans leurs émissions d'information. L'essentiel des commentaires et des entrevues avait tourné autour des épiceries dévalisées, des vols de nourriture dans les cafétérias des écoles, des graffitis sur les édifices appartenant à des entreprises d'alimentation et des manifestations devant le consulat des États-Unis... Aujourd'hui, par contre, un nouveau sujet majeur avait fait son apparition sur les ondes : les attentats contre les galeries d'art.

La plupart des reportages qu'il avait écoutés s'étaient efforcés de trouver un angle régional, proche du spectateur. L'un s'intéressait aux emplois disparus, entrevues à l'appui avec des travailleurs en chômage forcé. Un autre avait tenté d'évaluer la valeur des œuvres d'art saccagées et les coûts de restauration pour celles qui n'avaient pas complètement disparu ; était-il raisonnable d'y consacrer de l'argent alors qu'une famine mondiale pointait à l'horizon ? Un autre encore avait recueilli le témoignage d'une « victime collatérale » devant son logement rasé par l'incendie... Plusieurs témoins avaient été interrogés sur la qualité du travail des pompiers... Auraient-ils pu agir plus vite ? Avaient-ils sacrifié un trop grand nombre d'édifices sous prétexte de protéger les autres ? Avaient-ils trop tardé à demander du renfort de la Rive-Sud ?...

Quant aux attentats similaires sur la planète, contre des institutions beaucoup plus réputées, ils servaient surtout d'arrière-fond pour faire ressortir les drames locaux.

Ces attentats étrangers ne manquaient pourtant pas d'attrait médiatique : les destructions étaient importantes et les victimes nombreuses. Mais ces dernières avaient probablement le tort d'être mortes à des milliers de kilomètres et de ne pas encore avoir de nom.

Prose fut tiré de ses réflexions par la remarque d'une victime qu'un reporter interviewait.

... MOI, J'ME DIS, C'EST PAS PAR HASARD QUE ÇA ARRIVE EN MÊME TEMPS. J'PENSE QUE LES TERRORISTES, C'EST LES MÊMES. C'EST POUR NOUS MÉLANGER QUE, TEMPS EN TEMPS, ILS FONT SAUTER DES ÉGLISES OU DES MUSÉES. LE RESTE DU TEMPS, ILS TRAVAILLENT POUR QU'ON MEURE DE FAIM. C'EST UN COMPLOT INTERNATIONAL POUR NOUS ÉLIMINER. JE SUIS SÛR QUE LE BLOC DE CIMENT SUR L'AUTOROUTE VILLE-MARIE, C'EST EUX AUTRES...

Un autre adepte des théories de la conspiration, songea Prose. Puis son regard revint au courriel qu'il avait reçu plus tôt dans la journée. Il était sur la table à côté de son fauteuil. Pour la énième fois, il le relut, se demandant ce qu'il devait en faire.

> Ma patience a des limites. J'ai déposé un premier versement dans votre compte. Il va de soi que ce n'est qu'une avance. Je vous contacterai sous peu pour la signature de votre contrat et le versement du reste de l'à-valoir, que nous acceptons de majorer à cent mille dollars.
>
> Je vous rappelle les termes de ma proposition : des assistants de recherche s'occupent du contenu ; il ne vous reste qu'à « écrire » les livres à partir de leurs travaux en suivant le plan proposé. Une fois le livre publié, vous assumerez l'image publique d'auteur. Une partie importante de votre travail consistera à rencontrer les médias. Bénéfice marginal : vous passerez du statut « d'auteur peu connu » à celui « d'auteur célèbre ».
>
> Par contre, si vous persistez à refuser notre proposition, vous subirez les conséquences de votre décision. Comme vous avez pu le constater, nous vivons dans une époque dangereuse. Assurer sa sécurité financière est le meilleur moyen d'assurer sa sécurité tout court.

Les dix mille dollars dans son compte n'étaient donc pas une erreur. Le mystérieux éditeur l'avait relancé.

Maintenant, il se demandait si c'étaient ces mystérieux éditeurs qui avaient tenté de l'éliminer. Bien sûr, cela n'avait aucun sens. Même les éditeurs reculaient devant certaines pratiques. Du moins, la plupart des éditeurs… Mais il n'arrivait pas à se débarrasser de l'idée que c'étaient eux qui étaient responsables de l'attentat. Et si c'étaient eux, ça voulait dire qu'ils avaient changé de stratégie… À moins que ce soit volontairement qu'on ait tiré sur Grondin plutôt que sur lui…

Ou alors, c'était quelqu'un de différent. Mais qui ?…

Si ça continuait, lui aussi en serait réduit à imaginer des conspirations pour expliquer ce qui lui arrivait ! Déjà, il réfléchissait en termes de « eux », laissant dans le vague de ce pronom tous les candidats susceptibles d'être responsables de ses problèmes.

Le plus raisonnable aurait été d'en parler aux policiers, mais sa rencontre avec Théberge l'avait refroidi. À Grondin, peut-être…

HEX-RADIO, 22 H 17

> — ON EN EST OÙ, PIMP, AVEC LES MANGEURS DE CHAMPIGNONS EMPOISONNÉS?
>
> — IL EN RESTE TROIS DE VIVANTS. D'APRÈS MES SOURCES, S'IL Y EN A UN OU DEUX QUI SURVIVENT, ÇA VA ÊTRE BEAU.
>
> — ET IL Y A RIEN QU'ON PEUT FAIRE?… C'EST *WEIRD* PAS À PEU PRÈS. LA CLIENTÈLE DES RESTAURANTS D'HÔTELS A DÛ BAISSER.
>
> — SURTOUT LES GROS HÔTELS QUI ACCUEILLENT DES CONGRÈS. AILLEURS, ÇA RESTE CORRECT : LE MONDE SE DIT QUE ÇA VISE SURTOUT LES DIRIGEANTS D'ENTREPRISES, QUE LES TERRORISTES NE VONT PAS S'EN PRENDRE AU MONDE ORDINAIRE.
>
> — TU REVIENS DEMAIN POUR NOUS TENIR AU COURANT DU DÉCOMPTE?
>
> — SÛR…
>
> — PARFAIT! ON PASSE MAINTENANT À LA CHRONIQUE DE MANON, LA *PEOPLE FREAK*.
>
> — SALUT, BASTARD!
>
> — TU NOUS PARLES DE QUI, AUJOURD'HUI?
>
> — AUJOURD'HUI, JE GRATTE DERRIÈRE L'IMAGE DU PREMIER MINISTRE HAMMER.
>
> — T'AS PAS DÛ TROUVER GRAND-CHOSE!
>
> — TU SERAIS SURPRIS. MÊME LES POLITICIENS LES PLUS CONSTIPÉS ONT DES CÔTÉS *WEIRD*. SAVAIS-TU QUE HAMMER A DÉJÀ ÉTÉ UN VRAI *FREAK*?
>
> — TU ME NIAISES!
>
> — UN *JESUS FREAK*!… C'EST PLEIN, DANS SON ENTOURAGE. Y A MÊME DES MINISTRES…
>
> — HAMMER : LE MARTEAU DE DIEU!
>
> — ÇA FERAIT UN BON TITRE POUR SA BIOGRAPHIE!
>
> — OK. APRÈS LA PAUSE, TU NOUS EXPLIQUES ÇA EN DÉTAIL.

HONG KONG, 13 H 24

Hadrian Killmore avait accepté de dormir quelques heures dans un lieu qu'il ne contrôlait pas totalement. C'était exceptionnel et c'était pour une période de temps très brève. Aussitôt la rencontre terminée, il quitterait l'hôtel et prendrait l'avion pour Londres.

Par précaution, il avait quand même réquisitionné la moitié de l'étage où était située la suite présidentielle. Cela lui avait permis de rencontrer Huang Po dans une autre suite située près la sienne, choisie à la dernière minute.

La rencontre avait été cordiale. Le représentant des deux triades lui avait confirmé que les dirigeants des deux organisations étaient intéressés à sa proposition. Avant de finaliser un accord, ils voulaient quand même prendre le temps de voir comment les choses se développeraient au cours des prochains mois.

— Je sais qu'en Chine on juge facilement les choses à l'aune des millénaires, dit Killmore. La perspective de long terme présente incontestablement des avantages. Mais quand le tigre approche du troupeau, le chasseur doit être prêt à utiliser son arme sans délai. Même s'il a guetté le tigre pendant des semaines…

Huang Po sourit.

— Il faut néanmoins que le chasseur ait pris le temps de connaître son arme avant de s'attaquer au tigre.

— Je suis certain que vos commettants n'ont plus rien à apprendre sur les armes à leur disposition.

— Je ne manquerai pas de leur faire part de la confiance que vous manifestez à leur endroit.

Killmore fit une pause pour prendre une gorgée de thé. Puis il reprit sur un ton plus sérieux, exempt de tout badinage.

— Le processus est amorcé. Il ne peut plus être arrêté. Il y a même des risques d'emballement. Je n'aurai plus le temps de m'occuper moi-même de la suite des négociations.

Une ombre passa sur le visage de Huong Po.

— Cela ne changera rien aux offres qui vous ont été présentées, précisa aussitôt Killmore. Toutes mes propositions antérieures sont maintenues. Des accommodements peuvent également être envisagés… Mais je ne pourrai plus me déplacer personnellement. Trop de choses vont m'accaparer au cours des prochains mois.

Puis il sourit avant d'ajouter:

— Lorsque les gens que vous représentez seront prêts, je suis certain que nous trouverons facilement une façon de formaliser notre accord.

Huang Po choisit d'interpréter la dernière remarque comme signifiant que la discussion était terminée. Même s'il avait le mandat de pousser plus loin la négociation, le faire immédiatement, après la mise au point assez catégorique de Killmore, pourrait être interprété comme une marque de faiblesse. La seule chose importante était de ne pas couper les ponts.

— Les gens que je représente apprécient grandement la proposition que vous leur avez soumise, dit-il. J'ai confiance qu'ils y répondront assez rapidement d'une façon que vous estimerez favorable.

— Je n'en doute pas, répondit Killmore. Transmettez-leur mes meilleures salutations. Et précisez-leur que c'est dans leur intérêt que je propose une conclusion rapide de cette entente.

Après le départ de Huang Po, Killmore téléphona immédiatement au pilote de son jet privé pour l'avertir qu'il arrivait. Ce dernier lui confirma que l'appareil était prêt à partir.

Puis l'esprit de Killmore revint à Huang Po.

Le Chinois avait tenu sa promesse : il l'avait mis en contact avec les deux principales mafias chinoises. Une fois cette étape réalisée, le reste n'était plus qu'une question de négociations et de délais : la domination sans partage d'une partie de la planète, ce n'était pas le genre d'offre qui se refuse. Il fallait simplement un peu de temps pour s'habituer à l'idée.

WWW.LEMONDE.FR, 5 H 47

> ... À LA SUITE DE L'ATTENTAT RATÉ CONTRE LA GRANDE MOSQUÉE DE HARAM. LES MANIFESTATIONS SE SONT POURSUIVIES DANS LA PLUPART DES PAYS MUSULMANS. PLUSIEURS ACTES DE VANDALISME...

LES ENFANTS DU DÉLUGE

Appartiennent au troisième cercle ceux qui ont pour fonction de maîtriser les différents savoirs de l'humanité, de manière à assurer un contrôle des populations soumises au processus de sélection.

Une autre fonction du troisième cercle est de garantir la qualité de vie des superprédateurs en leur fournissant des productions artistiques en tous genres.

Guru Gizmo Gaïa, *L'Humanité émergente*, 2- Les Structures de l'Apocalypse.

JOUR - 1

MONTRÉAL, 4 H 23

L'inspecteur-chef Théberge regardait le cadavre se bercer dans la chaise de Crépeau, près de la fenêtre. Le cadavre lui faisait face.

À chaque mouvement vers l'avant, ses bras décharnés se cramponnaient à ceux de la chaise et son corps s'avançait pour donner une impulsion supplémentaire qui amplifiait sa trajectoire. À chaque élan, la tête s'approchait un peu plus de celle de Théberge. Dans le visage carbonisé, les yeux, immobiles, demeuraient fixés sur ceux du policier.

Théberge était paralysé. Plus le visage du cadavre se rapprochait, plus l'angoisse montait en lui. Entre chaque mouvement, Cabana approchait un micro de son visage pour recueillir ses commentaires.

— Décrivez-nous ce que vous ressentez, inspecteur-chef Théberge. Le public a le droit de savoir.

Au moment où le visage du cadavre allait s'écraser contre le sien, Théberge s'éveilla en sueur.

Après de longues secondes à respirer de façon haletante, il vit que sa femme le regardait, à la fois soulagée et inquiète.

— Ça va, dit-il. C'est juste un cauchemar.

Sous-entendu : « Je n'ai aucun malaise physique », ce qui était la principale inquiétude de madame Théberge.

— C'est le deuxième, cette semaine.

Puis, voyant que son mari ne disait rien, elle demanda :

— Tu rêvais à quoi ?

— Aucune idée.

Inutile de lui encombrer l'esprit avec ces visions d'horreur.

— Il va falloir que tu fasses attention au rôti de porc, reprit madame Théberge.

Théberge émit un grognement de protestation, se leva et descendit lentement au salon, où il ouvrit la télé. Il avait surtout besoin de se changer les idées. Les « ravages de la bêtise militante » avec lesquels son travail le mettait en contact l'affectaient de plus en plus.

La chaîne Découverte présentait un reportage sur l'assèchement des nappes phréatiques en Amérique du Nord. Le grenier des États-Unis était menacé de devenir un désert. Sans parler des pénuries d'eau des grandes villes du Sud...

Le droit à l'information, songea Théberge. Le droit d'avoir des mauvaises nouvelles vingt-quatre heures sur vingt-quatre. Même sur les chaînes culturelles !

Il ferma la télé et se pencha pour ramasser la *Revue des vins de France*, qui était ouverte, sur le plancher, à côté de son fauteuil.

VENISE, 11 H 46

Blunt ouvrit le message que venait de lui envoyer Chamane et cliqua sur l'icône de la pièce jointe. Une barre illustrant le progrès du décryptage apparut brièvement. Puis Guru Gizmo Gaïa surgit à l'écran. Le visage dissimulé derrière le même masque de bouddha, il portait cette fois une djellaba bleue. Il se tenait debout, le dos tourné aux vagues déchaînées de l'océan.

Blunt démarra l'enregistrement. Sur un fond de mer en furie, l'homme se mit à prophétiser.

Le deuxième cavalier est en marche… Je vois venir des tempêtes. Des raz-de-marée. Des inondations… L'eau va purifier la planète du cancer qui la ronge.

Je vois des pluies torrentielles. Des ouragans qui ravagent les villes. Des digues brisées par la mer… Je vois des territoires inondés. Des maisons emportées par les flots… Je vois des populations déplacées, condamnées à l'errance et à la famine, obligées de boire de l'eau contaminée… Je vois des cadavres qui flottent dans les eaux. Des millions de cadavres…

En polluant l'eau de la planète, l'humanité profane la source de la vie. Mais la vie ne se laissera pas stériliser. Un déluge va s'abattre sur l'arrogance humaine… Nous sommes à l'aube de la huitième grande extinction. Sept fois déjà, la planète a relancé le processus de la vie en éliminant les espèces dont la domination était la plus arrogante.

Ce qui restera de l'espèce humaine sera transformé à jamais. Les nouveaux êtres humains seront les enfants du déluge. Ils bâtiront une humanité plus fluide, moins sclérosée par la raison et la technologie. Une humanité qui vivra en harmonie avec l'ensemble des vivants… Mais, pour cela, il faut d'abord que meure l'humanité ancienne. Il faut que disparaisse l'arrogance occidentale. Il faut que vienne le déluge…

Alors seulement, émergera l'humanité nouvelle.

C'était quand même ironique, songea Blunt : des savants faisaient ce genre de prévisions depuis des années, en se fondant sur l'évolution du réchauffement de la planète, et on les accusait de dramatiser, on les traitait d'alarmistes et on exigeait toujours plus de preuves. Mais quand un guru les reprenait sous la forme de prophéties et qu'il les présentait à l'intérieur d'un schéma apocalyptique, il se trouvait des milliers de personnes pour y croire et s'en faire du jour au lendemain les défenseurs acharnés.

Il envoya un bref courriel à Chamane.

> Les sept grandes extinctions, ça te dit quelque chose ?

Shanghai, 19 h 48

Du quatre-vingt-unième étage de l'hôtel Grand Hyatt, Paul Hurt regardait la forêt de gratte-ciel qui s'étalait devant ses yeux. Dix ans plus tôt, c'étaient des rizières. La ville était prise d'une frénésie entretenue à coups de milliards et savamment planifiée. Même l'éclairage luxuriant des édifices était encadré par un règlement municipal, dans des buts à la fois d'esthétique et d'économie d'énergie. Les autorités chinoises avaient décidé d'en faire « le » centre financier mondial. En conséquence, elles avaient mobilisé les moyens nécessaires à cette tâche. Les meilleurs architectes de la planète avaient été recrutés. La moitié du parc mondial de grues servant à construire des gratte-ciel y œuvrait depuis des années. Une fois l'exposition universelle de 2010 passée, ce qui resterait de cette immense campagne publicitaire, ce serait Shanghai. La ville qui aurait la tâche de s'opposer au « parc à thèmes de parcs à thèmes » qu'était en train de devenir Dubaï. Shanghai serait la ville qui aurait la responsabilité d'attirer en Asie les plus riches et les plus puissants de la planète.

Hurt ferma le rideau de la fenêtre et alla prendre une douche. La salle d'eau, où dominaient le marbre et le verre, lui donna l'impression d'entrer dans une galerie de glaces. Qui donc pouvait trouver plaisir à voir son image ainsi multipliée à l'infini comme n'importe quelle marchandise produite en série ?

Aussitôt sorti de la douche, Hurt se dépêcha de se sécher, de s'habiller et de descendre dans le hall d'entrée de l'hôtel. Une série de brefs coups d'œil dans toutes les directions lui assura un sentiment de sécurité minimal : personne ne semblait le suivre.

Il sortit, traversa le pont et se dirigea vers le Bund, l'ancien quartier hollandais. Une petite partie des édifices d'origine avait été préservée à des fins touristiques et d'image internationale.

Hurt se rendit à la terrasse du bar-restaurant M on the Bund et commanda une Tsingtao. De sa table, il voyait la rivière Huangpu sinuer à travers la ville sur fond de gratte-ciel. Depuis des siècles, le transport fluvial sur la rivière avait contribué à faire de Shanghai l'un des principaux centres commerciaux de l'Orient.

Quelques minutes après avoir reçu sa consommation, il vit un Chinois s'approcher de sa table et s'asseoir devant lui. Wang Li. Du moins, il correspondait à la description qu'on lui avait faite de son contact. Ce n'était pas trop tôt !

Il y avait deux semaines que Hurt poireautait à l'hôtel. Un message l'y attendait le premier jour, lui disant qu'il serait contacté sous peu.

Un second message avait suivi, quatre jours plus tard, lui annonçant que la réunion avait été reportée d'une semaine. En conséquence, la rencontre avec l'informateur de l'Institut était reportée d'autant. Par mesure de prudence.

Le même message mentionnait l'endroit probable de la réunion et lui demandait de dresser la liste de l'équipement dont il aurait besoin. Il n'avait qu'à la laisser sur son bureau, dans une enveloppe cachetée. Quelqu'un passerait la prendre pendant qu'il serait sorti dîner. Entre-temps, s'il avait besoin de quoi que ce soit, il pouvait le demander au maître d'hôtel attaché à sa suite : ce dernier avait ordre de lui fournir tout ce dont il pouvait avoir besoin.

Hurt s'était souvent demandé si tout ça n'était qu'une stratégie pour l'éloigner de Londres. Nitro, de son côté, avait fait plusieurs crises. Puis il y avait eu un autre délai : trois jours, celui-là. Pour calmer Nitro, Steel avait alors dû lui promettre qu'ils retourneraient immédiatement à Londres s'il y avait un autre délai.

À la date prévue, un message avait été glissé sous la porte de sa chambre pendant la nuit. Il contenait l'adresse d'un restaurant et une heure : 20 heures 30. Le rendez-vous était pour le soir même.

— Le dragon s'éveillera bientôt, dit Wang Li en guise d'introduction.

— Vous parlez de la Chine ? répondit Hurt.

— Je parle du dragon qui n'a pas encore trouvé l'apaisement.

Quand il avait pris connaissance de ces phrases de reconnaissance codées, Hurt s'était demandé s'il s'agissait d'une nouvelle manifestation de l'humour de Bamboo Joe.

— Vous avez préparé ce que j'ai demandé ?

— Bien sûr.

— Et pour la suite ?

— Dans le journal que je vais oublier sur votre table, vous trouverez un billet d'avion pour Xian.

— Xian ?

— Un vol direct de Shanghai pour l'étranger, ou même pour Beijing, serait suspect. Vous prendrez un vol pour Xian à l'aéroport de Pudong, vous passerez quelques jours là-bas, puis vous prendrez un vol en direction de Beijing, Vancouver, Montréal et Paris.

Pendant que Wang Li parlait, Hurt continuait de s'interroger sur le caractère subit de cette mission à Shanghai. Voulait-on l'éloigner de l'Europe ?... Bien sûr, sa mission avait toutes les apparences d'une véritable mission. Mais si on avait voulu l'éloigner, le leurre aurait nécessairement eu les apparences d'une véritable mission.

Hurt se rendit compte que le Chinois le regardait en silence depuis un long moment. Puis quelque chose se passa dans les yeux de Wang Li.

— Il faudrait que l'Institut consacre plus de ressources à la Chine, déclara ce dernier, comme si cela découlait d'un long raisonnement qu'il n'avait pas cru nécessaire d'expliquer.

— Avec ce qui se passe maintenant, il faudrait que l'Institut consacre plus de ressources à l'ensemble de la planète, répliqua Hurt avec humeur.

Un silence suivit. Dans le visage de Wang Li, aucun indice ne trahissait sa perplexité. Valait-il la peine d'expliquer sa pensée ? La remarque de l'étrange Américain décourageait la discussion. Pourtant, quelque chose dans sa façon d'être lui disait qu'il pouvait être un interlocuteur intéressant.

En fait, il émanait de sa personne une multitude de signaux contradictoires.

— La Chine est une illusion, reprit Wang Li. Elle existe… et elle n'existe pas.

Cette fois, Hurt se contenta de le regarder, attendant la suite de l'explication. Wang Li semblait chercher la formulation la plus adéquate.

— Il existe plusieurs Chine, dit-il finalement. Si jamais l'illusion qui les retient ensemble éclate…

— *Pour les tenir ensemble, vous pouvez compter sur le Parti communiste chinois !* répliqua la voix ironique de Sharp.

Wang Li enregistra le changement de voix de Hurt, mais il s'efforça de n'en rien laisser paraître.

— Le Parti communiste chinois est fort parce que la plupart des gens sont terrifiés à l'idée de ce qui arriverait s'il n'existait plus. Y compris ceux qui le critiquent.

— *Je doute que les victimes de Tienanmen apprécient cette théorie.*

— Beaucoup de gens se disent que Tienanmen était le prix à payer pour ne pas subir ce qui est arrivé en Russie.

— *Autrement dit, vous vivez au paradis ?*

— L'absence de paradis peut paraître un prix raisonnable pour éviter l'enfer.

— *L'enfer ? Vraiment ?*

— En Chine, nous avons emprunté une de vos images pour décrire l'enfer qui est en marche et contre lequel nous n'avons, pour nous protéger, que le faible voile du PCC : ce sont les quatre cavaliers de l'Apocalypse. Si cela vous intéresse, je vous montrerai un jour l'interprétation que nous en faisons. Le plan quinquennal du Parti communiste chinois est élaboré sur la base de la lutte contre les quatre cavaliers.

Il se leva. Puis il ajouta, avant de s'éloigner.

— Demain. Vingt heures. Au restaurant Va Bene.

New York, studio de LVT-TV, 8 h 09

Robert Prince avait pris discrètement une ligne de cocaïne avant le début de l'entrevue. Il voulait être au sommet de sa forme. Son invité, Tyler Paige, dirigeait le célèbre Department of Homeland Security; il était le responsable ultime de la sécurité du pays. Il avait en plus la réputation d'être arrogant et difficile à interviewer.

Les sept premières minutes s'étaient écoulées sans heurt. Prince aurait bien pris une autre ligne pour avoir un *boost* avant la finale, mais il pouvait difficilement le faire devant son invité.

> … LVT-TV, une station du groupe Levitt Medias. De retour au prince des intervieweurs, Robert Prince…

Aussitôt que l'indicatif de la station eut fini de jouer, Prince reprit avec la question dont il avait convenu avec son invité pendant la pause.

— Monsieur Paige, est-ce que le Department of Homeland Security confirme l'identité des auteurs de l'attentat?

— Pour le moment, Bob, je peux confirmer que l'attaque contre le musée Guggenheim est le fait de terroristes islamistes.

— Est-ce qu'il s'agit d'un groupe lié à al-Qaida?

— Comme vous le savez, Bob, les terroristes islamistes n'obéissent pas à une hiérarchie stricte. Ils forment plutôt une sorte de nébuleuse. Découvrir leur appartenance n'est pas toujours simple. Mais l'influence d'al-Qaida, elle, est certaine. Et tant que nous n'aurons pas fait un exemple en détruisant complètement toutes leurs organisations, leur mythe survivra et continuera d'influencer des cerveaux dérangés.

Prince détestait être pris pour un imbécile et il supportait mal le ton condescendant, faussement chaleureux de Paige. Il réprima néanmoins toute expression de déplaisir. C'était une entrevue téléguidée par le propriétaire du réseau : il n'était pas question d'indisposer Paige ni même de laisser paraître son agacement.

— Si on ne peut pas les identifier, est-ce que ça veut dire qu'on ne peut rien contre eux ?

— C'est une bonne question, Bob.

Encore ce ton paternaliste, cette façon de déguiser un profond mépris en fausse familiarité. On aurait dit l'ancien vice-président des États-Unis répondant aux questions de Larry King !

— De fait, poursuivit Paige, ce qu'on constate maintenant, c'est l'échec des moyens classiques pour contrôler ce type de terreur. On ne peut quand même pas faire surveiller toutes les églises et tous les musées du pays !

— C'est très vrai, lança Prince sur un ton exagérément approbateur.

Paige hésita un moment. De la colère passa dans ses yeux. Mais l'autre n'avait pas été suffisamment explicite dans sa moquerie pour qu'un éclat paraisse justifié.

— Il faut déployer de nouvelles stratégies axées sur la prévention, reprit-il. À moyen et à long terme. C'est un travail qui va demander l'implication active du public.

LVT-TV, 8 H 13

— PRENEZ L'EXEMPLE DES EMPLOYÉS DU MUSÉE : ILS AVAIENT DES AMIS, UNE FAMILLE, DES VOISINS… ILS FRÉQUENTAIENT DES ÉPICERIES, DES RESTAURANTS, DES DÉPANNEURS… ILS ALLAIENT DANS LES PARCS DE LA VILLE… JE SUIS SÛR QUE, PARMI TOUS CES GENS, IL Y EN A QUI ONT REMARQUÉ DES CHOSES DANS LEUR COMPORTEMENT.

— JE VOUS AI BIEN ENTENDU ? VOUS ALLEZ DEMANDER AU PUBLIC DE DÉNONCER LES GENS QUI LEUR PARAISSENT SUSPECTS ?

— C'EST UN ÉLÉMENT PARMI D'AUTRES DE NOTRE STRATÉGIE. VOUS COMPRENDREZ QU'AUCUNE AGENCE NE PEUT MOBILISER LE POUVOIR DE SURVEILLANCE DONT DISPOSE UN PUBLIC AVERTI, VIGILANT ET CONSCIENT DE SES RESPONSABILITÉS.

— VOUS NE CRAIGNEZ PAS QUE ÇA MÈNE À DES ABUS ?

— J'ADMETS QUE CELA PEUT CRÉER DES INCONVÉNIENTS. MAIS SI LES GENS N'ONT RIEN À SE REPROCHER, JE NE VOIS PAS CE QU'ILS ONT À

CRAINDRE... À PART LE FAIT DE PERDRE UN PEU DE LEUR TEMPS À S'EX-PLIQUER. VRAIMENT, PARLER D'ABUS ME PARAÎT EXCESSIF. SI VOUS VOULEZ MON AVIS, CE SONT PLUTÔT LES TERRORISTES QUI ABUSENT DES DROITS QUE GARANTIT NOTRE SOCIÉTÉ.

— J'IMAGINE DÉJÀ LA RÉACTION DES DIVERSES ASSOCIATIONS DE DÉFENSE DES DROITS DE LA PERSONNE!

— JE COMPRENDS LEUR POINT DE VUE ET JE LE RESPECTE. C'EST TRÈS NOBLE DE LEUR PART... MAIS IL FAUT BIEN QUE QUELQU'UN S'OCCUPE DE DÉFENDRE LE PAYS, SI ON VEUT QU'ELLES PUISSENT CONTINUER À MANI-FESTER LIBREMENT EN FAVEUR DE LEURS NOBLES IDÉAUX.

Montréal, 8 h 17

Dans sa chambre du Ritz-Carlton, Skinner dressait le bilan de la dernière vague d'attentats. Toutes les attaques avaient réussi. Les dégâts matériels avaient été significatifs. Mais ce qui avait eu le plus d'impact dans l'opinion, c'était le mode de recrutement des terroristes: dans tous les cas, il s'agissait d'employés de longue date, bien intégrés dans leur milieu. Pour le grand public, la conclusion s'imposait: on ne pouvait pas faire confiance aux Arabes... et à rien de ce qui y ressemblait.

Une nouvelle série de représailles s'était amorcée contre la communauté arabe, tant en Europe qu'aux États-Unis. Et les Arabes n'étaient pas les seuls à être pris à parti: des Pakistanais, des Turcs, des Indiens, des Kurdes, des sikhs et des Gitans avaient également été pris pour cible.

Bien sûr, les autorités avaient réagi promptement en multipliant les appels au calme, en augmentant la présence policière dans les rues et en asurant la protection des mosquées les plus en vue. La plupart des médias s'étaient indignés. Plusieurs l'avaient fait en multipliant les nuances, pour ne pas s'aliéner ce qu'ils croyaient être leur public. Les donneurs de leçons avaient stigmatisé la minorité de fanatiques responsables des représailles, les accusant d'alimenter l'escalade...

Mais le mal était fait. Pour une large partie de la population, la cause était entendue: la communauté arabe abritait des terroristes. Quant aux membres de la communauté arabe, ils avaient également compris le message : ils étaient l'ennemi. Ils avaient intérêt à ne pas se faire remarquer.

Pour favoriser le climat de conflit de civilisations que les Djihadistes voulaient instaurer, c'était idéal.

Du coin de l'œil, Skinner surveillait la télé. Il n'arrivait pas à comprendre l'étonnement de l'animateur : la stratégie de Paige était tellement prévisible, ses intentions tellement transparentes. Peut-être l'animateur s'efforçait-il simplement de donner une voix aux réactions du public.

— À PART FAIRE APPEL AUX DÉNONCIATIONS, QUELLES SONT LES AUTRES STRATÉGIES QUE VOUS ENVISAGEZ D'IMPLANTER ?

— IL VA FALLOIR RENFORCER LES POUVOIRS D'ENQUÊTE ET DE PERQUISITION... DIMINUER LES OBSTACLES LÉGAUX AU TRAVAIL DES POLICIERS... ET AFFRANCHIR LES AGENCES DE RENSEIGNEMENTS DU CORSET LÉGISLATIF ET MÉDIATIQUE QUI PARALYSE LEUR ACTION.

— ÇA NON PLUS, LES DÉFENSEURS DES DROITS DE LA PERSONNE NE VONT PAS L'APPRÉCIER.

— JE SUPPOSE QUE VOUS AVEZ RAISON... ET C'EST JUSTEMENT POUR ÇA QUE NOUS ALLONS AVOIR BESOIN DU PUBLIC.

— DE QUELLE MANIÈRE ?

— SI ON VEUT CHANGER LES LOIS ET RENDRE LE TRAVAIL ANTI-TERRORISTE PLUS EFFICACE, IL FAUT UN VASTE MOUVEMENT POPULAIRE POUR FAIRE CONTREPOIDS AU LOBBY DES GROUPES RADICAUX.

— EN ÉLARGISSANT AINSI LE TRAVAIL DES POLICIERS AU DÉTRIMENT DES DROITS INDIVIDUELS, EST-CE QUE VOUS N'AGISSEZ PAS EXACTEMENT COMME LE VEULENT LES TERRORISTES ?

— C'EST UNE BONNE OBJECTION, BOB. BEAUCOUP DE GENS LA SOULÈVENT ET IL EST IMPORTANT D'Y RÉPONDRE.

Skinner ne pouvait qu'apprécier la performance : l'animateur soulevait des questions en apparence brutale, mais, par son parti pris de ne pas intervenir afin de paraître objectif, il laissait toute latitude à Paige pour les transformer en tremplin pour ses réponses.

À l'écran, Paige poursuivait son argumentation.

— LE PROBLÈME, C'EST QU'ON N'A PAS À CHOISIR ENTRE UNE VERSION PARFAITE ET INTÉGRALE DES DROITS INDIVIDUELS, CE QUE TOUT LE MONDE TROUVE SOUHAITABLE — MOI LE PREMIER — ET DES DROITS RESTREINTS. LE CHOIX QUI NOUS EST PROPOSÉ EST SIMPLE : OU BIEN

UNE GESTION DE NOS DROITS QUI NOUS PERMET DE SURVIVRE COMME
SOCIÉTÉ LIBRE ; OU BIEN UNE ABSENCE DE GESTION QUI FAIT DE NOTRE
SOCIÉTÉ LA PROIE DE TOUS LES TERRORISTES QUI VEULENT SA
DESTRUCTION.

— CE N'EST PAS UN PEU MANICHÉEN COMME POSITION ?

— BIEN SÛR. MAIS C'EST LA RÉALITÉ QUI EST MANICHÉENNE. FACE À
UN TERRORISTE, IL N'Y A QU'UN CHOIX : VOUS L'ÉLIMINEZ OU IL VOUS
ÉLIMINE… ÊTRE RÉALISTE DEVANT UNE RÉALITÉ MANICHÉENNE, C'EST
CONSTATER QUE LA RÉALITÉ NOUS FORCE À ÊTRE MANICHÉEN. ADOPTER
UNE AUTRE ATTITUDE SERAIT SE BERCER D'ILLUSIONS. D'AILLEURS, JE
NE PARLE PAS SEULEMENT DES TERRORISTES ISLAMISTES. COMME LES
ATTENTATS DES ÉCOTERRORISTES NOUS L'ONT RAPPELÉ, TOUTES LES
CAUSES PEUVENT JUSTIFIER LE RECOURS À LA TERREUR.

— MONSIEUR PAIGE, JE VOUS REMERCIE D'AVOIR PRIS LE TEMPS
DE…

Skinner coupa le son de la télé. Au cours des prochains
jours, ce serait l'hystérie dans les médias, songea-t-il.
Au début, il y aurait un torrent de protestations. Tous
les spécialistes de l'indignation déchireraient leur
chemise sur la place publique.

Le Président ferait certainement une déclaration
pour atténuer celle de Paige. Il promettrait que tout
élargissement des pouvoirs policiers serait présenté et
débattu dans les deux Chambres. Il irait même jusqu'à
laisser entendre qu'il était personnellement contre de
tels élargissements. Mais il ne pourrait pas désavouer
clairement Paige. Pas avec ces nouvelles attaques terroristes. Et surtout pas dans un contexte où les républicains
dénonçaient sa politique de dialogue avec les États terroristes. La veille encore, l'ancien vice-président l'avait
accusé d'avoir provoqué cette recrudescence en étant
trop mou.

À mesure que de nouveaux attentats surviendraient,
des voix s'élèveraient pour réclamer une action plus
musclée. De plus en plus nombreuses. Les défenseurs à
tout crin des droits individuels se feraient plus discrets.
À la fin, une vague d'opinion publique musellerait les
derniers protestataires, comme au lendemain du 11 septembre. Pour survivre politiquement, le Président serait

obligé de remballer ses promesses aux libéraux et de se ranger sans réserve derrière Paige.

Sans savoir pourquoi, Skinner se demanda ce que Théberge pouvait bien penser de tout ça. Puis il sourit de ce brusque accès de curiosité. C'était une réaction classique : traquer quelqu'un, cela créait des liens. Une sorte d'intimité. Malgré lui, le chasseur se familiarisait avec sa proie et se prenait à vouloir entrer dans sa tête…

Pour traquer un gibier, il fallait repérer ses comportements répétitifs, découvrir ses routines. On pouvait alors mettre ces connaissances à profit pour le piéger. L'être humain ne faisait pas exception à la règle. Sauf que ses routines étaient plus complexes. Elles reposaient sur des motivations plus élaborées. D'où l'utilité d'avoir recours à une stratégie de renforcement : la désorientation.

C'est pour cette raison que Skinner, en plus d'utiliser les faiblesses évidentes de Théberge, comme son attachement à son épouse et à ses amis, lui envoyait des messages. Des messages suffisamment ambigus pour l'inquiéter, mais qui pouvaient laisser croire qu'il s'agissait d'indices. Pour que ça lui fasse un sujet de préoccupation supplémentaire… Et puis, il devait l'admettre, c'était toujours plaisant, ce genre de jeu du chat avec la souris.

Skinner sourit. Il imaginait la tête que ferait Théberge en lisant ce qu'il venait de lui envoyer.

Puis il se leva et se dirigea vers les toilettes.

« Foutue prostate », marmonna-t-il avec humeur. Il se rappelait la conversation avec le médecin… « On peut facilement régler le problème. »

Sauf que Skinner ne voulait rien savoir d'une opération. On ne savait jamais ce qui pouvait arriver. L'anesthésie qui tourne mal, une erreur médicale du chirurgien, une complication inattendue… Sans compter le simple fait de demeurer inconscient pendant des heures, totalement livré à des gens qui ont des scalpels dans les mains !

Quant à l'autre solution, les médicaments, c'était encore pire. Avec tous les produits contrefaits en circulation, tous les risques qu'ils représentaient pour la santé, il était irresponsable de se soigner à moins que ce soit absolument essentiel. Comment savoir dans quel médicament on découvrirait bientôt de la mélamine, de la mort aux rats ou du verre pilé?

Il fallait savoir gérer les risques. Toute la carrière de Skinner avait reposé sur la gestion des risques. Et les risques que représentait le traitement de sa prostate éclipsaient totalement l'inconvénient mineur que constituait le fait de devoir aller aux toilettes plus fréquemment.

LONGUEUIL, 9 H 34

Victor Prose s'était levé tôt. Depuis plus de deux heures, il travaillait à son article sur le roman pour une revue qui lui avait demandé une contribution.

L'article n'avançait pas. Pourtant, dans sa tête, les choses étaient relativement claires. Le roman, tel qu'il l'entendait, consistait à présenter des personnages aux prises avec des idées ou, plutôt, avec les effets de certaines idées. Depuis des siècles, la fiction, surtout la fiction française, s'acharnait à mettre en scène les terreurs les plus profondes de l'être humain, à illustrer les ravages de ces angoisses dans les relations entre les personnes. Et, curieusement, les idées étaient presque toujours innocentées. Comme si rien de mal ne pouvait arriver par les idées. Elles n'étaient presque jamais mises en cause. Sauf dans les histoires de savants fous. Et même dans ces cas-là, c'étaient les faiblesses des êtres humains qu'on s'acharnait à traquer: jamais celles de leurs idées.

Pourtant, les plus grandes folies de l'histoire, les délires les plus meurtriers s'étaient toujours abrités derrière des idées pour se propager et pour justifier les désastres qu'ils provoquaient.

Par exemple, il y avait cette idée de perfection, si proche de celle de pureté, qui se retrouvait dans toutes les formes de racisme et d'intolérance religieuse; dans sa version plus quotidienne, elle servait fréquemment à discréditer ce qui était faisable, ce qui aurait permis d'améliorer les choses, sous prétexte que ce qui était proposé n'était pas parfait.

Il y avait aussi cette idée de droits – droits individuels, droits commerciaux, droits des minorités ou de la majorité – qui pouvait être tordue de manière à devenir une arme contre n'importe quelle tentative de libération.

Une des idées qui fascinait Prose, une des idées qu'il trouvait particulièrement dangereuse bien qu'indispensable à toute société organisée, c'était celle du « devoir de mémoire » ; très souvent, elle avait servi à transformer la nécessité d'un enracinement historique en une fixation morbide sur le passé capable d'étouffer tout progrès… C'était comme si le potentiel de nuisance des idées était à la hauteur des vérités qu'elles portaient, que les pires enfers étaient la face cachée des plus nobles idéaux.

Prose sourit. Toutes ces phrases pour aboutir à un cliché banal : *l'enfer pavé de bonnes intentions.*

Quand il pensait à son sujet, Victor Prose avait l'impression que ses idées étaient claires. Mais quand il tentait de les écrire, il butait sur le choix d'un terme, imaginait des objections, changeait des mots pour contrer l'interprétation erronée qu'ils auraient pu permettre… et il finissait par tout raturer. Le taux de survie de ses phrases était très bas. Ce qui était classique à cette étape de son travail. Ça signifiait qu'il n'avait pas encore mûri suffisamment son sujet. Le problème, c'était qu'il ne lui restait plus beaucoup de temps pour le mûrir. L'article devait être remis dans trois semaines.

Au moment où il se levait pour se préparer un café – décaféiné parce qu'il en était déjà à son quatrième de la journée –, le « ping ! » de la messagerie électronique ramena son attention à l'ordinateur.

Le message qui s'afficha jeta momentanément la confusion dans son esprit.

> Vous avez choisi de magouiller avec les flics. Vous êtes responsable de la mort de nos camarades. Vous allez payer. Profitez des quelques jours qui vous restent. Ce n'est pas l'inspecteur-chef Théberge et ses clowns qui pourront vous protéger.
>
> Les Enfants de la Terre brûlée

Montréal, SPVM, 10 h 43

Crépeau travaillait depuis deux heures pour mettre à jour les différents rapports sur l'attentat contre le musée. Il avait empilé méticuleusement, à la portée de sa main gauche, tous les dossiers dont il allait avoir besoin. Le reste de la surface du bureau était totalement dégagé, comme dans un effort pour contenir l'envahissement.

Théberge entra dans le bureau.

— Je ne peux pas dire que ça me manque, fit Théberge en apercevant les dossiers.

— Maintenant que t'es une vedette des médias, t'es au-dessus de ces choses-là.

Théberge esquissa une moue.

— Ça aussi, je m'en passerais.

Crépeau fouilla dans la pile de dossiers, sortit une chemise cartonnée et la tendit à Théberge.

— Ça pourrait t'intéresser.

Théberge prit la chemise, jeta un regard intrigué à Crépeau et commença à lire son contenu.

— Ettore Vidal? fit Théberge après quelques secondes.

— C'est un expert en désalinisation. Il a reçu plusieurs menaces… Je me suis dit que c'était peut-être lié à l'autre cas.

— À BioLife?

Crépeau fit signe que oui.

— L'eau, les céréales, c'est pas exactement la même chose, dit Théberge.

— Un savant qui disparaît, un autre qu'on harcèle pour qu'il aille travailler à l'étranger… et à qui on laisse entendre qu'il pourrait disparaître s'il refuse.

— Il travaille où?

— Il est chercheur à McGill. C'est un expert de réputation mondiale. Il travaille sur un projet qui pourrait faire tomber le coût de la désalinisation. Il y a plusieurs ONG et plusieurs pays en développement qui suivent de près ses travaux.

— Tu penses le faire protéger?

— J'ai pas assez de monde pour ça. Mais je me suis dit…

— Tu veux quand même pas que je le prenne en pension chez nous !

Crépeau ignora le mouvement d'humeur.

— Si jamais c'est lié, dit-il, ça pourrait être une piste pour retrouver Hykes.

Théberge rumina un moment la suggestion de Crépeau.

— D'accord, dit-il, je vais passer le voir.

Théberge fit pivoter le journal posé sur le coin du bureau pour lire le titre d'un article.

Espagne : deux autres terroristes retrouvés morts

Puis il releva les yeux vers Crépeau.

— Qu'est-ce que ça donne, les assureurs ?

— Toutes les galeries d'art avaient un assureur différent.

Une autre idée qui allait terminer prématurément sa vie dans le grand cimetière des hypothèses erronées, songea Théberge. Parfois, il avait l'impression que l'essentiel du travail d'enquêteur consistait à formuler des hypothèses qui se révélaient fausses, jusqu'à ce qu'il finisse par tomber sur une idée juste.

Pas étonnant que ce soit un métier aussi dur, psychologiquement : en plus d'être témoin en première ligne des ravages de la bêtise humaine, il fallait faire l'expérience quotidienne de sa propre propension à proférer des inepties… Et les policiers n'avaient même pas la consolation qu'avaient les scientifiques : ils ne pouvaient pas se dire qu'ils participaient à une entreprise dont le progrès cumulatif était incontestable malgré le statut précaire de chaque nouvelle avancée… Bien sûr, plusieurs enquêtes se concluaient par l'arrestation des coupables. Mais qu'est-ce que ça changeait ? Est-ce que chacune de ces réussites faisait vraiment reculer le climat global de violence et d'insécurité ? Théberge avait plutôt le sentiment d'appartenir au petit groupe de ceux qui écopaient à la chaudière pendant que le Titanic s'enfonçait.

— T'as pas l'air dans ton assiette, dit Crépeau. C'est à cause de la campagne de HEX ?

— Probablement…

— Je me disais, aussi, que c'était autre chose.

Théberge sourit et jeta un bref regard à son ami. Un des inconvénients qu'il y avait à trop bien connaître quelqu'un, c'était qu'eux aussi vous connaissaient bien.

— Les experts disent qu'ils ont utilisé partout le même accélérant, reprit Crépeau.

C'était logique, songea Théberge. Ils se moquaient totalement des recoupements que les policiers pouvaient effectuer. C'était même à se demander s'ils ne voulaient pas les provoquer.

— C'est peut-être des représailles, suggéra Théberge. Un concurrent… un artiste qui s'est fait exploiter…

— D'après les spécialistes en arts visuels, reprit Crépeau, les galeries avaient des styles trop différents pour qu'un même artiste ait voulu exposer dans toutes les galeries.

— Donc, on n'a pas affaire à un artiste frustré qui a été refusé partout.

— Tu y crois, au gang islamiste ?

— Si c'est le même groupe qu'à l'Oratoire, on devrait trouver les exécutants exécutés quelque part ! répondit Théberge avec dépit. Ça va simplifier notre travail.

La Première Chaîne, 12 h 34

— Je vous rappelle notre question du jour : quel est le plus grand danger qui menace la ville ? Je passe à un deuxième appel : monsieur Dubeau, de Laval. Bonjour, monsieur Dubeau.

— Moi, monsieur Maisonneuve, je pense que c'est le pyromane artiste. Celui qui a fait brûler les galeries d'art. D'après moi…

— Je me permets de vous interrompre, monsieur Dubeau, mais si on en croit le message reçu par les médias, ce serait l'œuvre d'un groupe radical islamiste. Comment pouvez-vous parler d'un pyromane artiste ?

— Le message, c'est une stratégie ! Il savait que parler de terrorisme, ça ferait saliver les médias. Il les a utilisés pour mêler tout le monde.

— Eh bien, c'est une opinion intéressante. Merci, monsieur Dubeau. Nous passons maintenant à un autre appel. Nous avons au bout du fil monsieur Roland Lavoie, de Boucherville. Selon vous, monsieur Lavoie, quel est le plus grand danger qui menace la ville ?

— Pour moi, c'est les fonctionnaires qui ne font pas leur job.

— J'avoue que vous me surprenez, monsieur Lavoie. Est-ce que vous pouvez expliquer davantage votre point de vue ?

— C'est simple. Prenez l'inspecteur qui était supposé avoir inspecté les travaux de rénovation, sur l'autoroute Ville-Marie, il y a deux ou trois ans. Pontbriand, son nom... Quand les fonctionnaires font pas leur job, il y a du monde qui paie au bout. C'est pas toujours évident, mais il y a toujours quelqu'un qui paie.

— Avouez que c'est un exemple assez dramatique. Dans la réalité...

— Voulez-vous un autre exemple ?

— Si ce n'est pas trop long. Dans quelques instants, nous devons aller à la pause. Mais je vous écoute...

— Prenez le fonctionnaire qui a convaincu le ministre qu'on avait trop d'étudiantes en techniques infirmières dans les cégeps, qu'il fallait contingenter. Pas longtemps après, on a commencé à manquer d'infirmières dans les hôpitaux. Et celles qui restaient étaient à moitié mortes parce qu'elles étaient obligées de faire des heures supplémentaires. C'est depuis ce temps-là que ça se dégrade ! Je vous le dis...

— Je suis malheureusement obligé de vous interrompre, monsieur Lavoie...

Paris, 18 h 40

Kim attendait depuis une heure dix-sept minutes. Assise dans la Citroën, elle avait une vue directe sur la Jaguar de Jean-Pierre Gravah, de l'autre côté de la rue. Claudia avait suivi Gravah à l'intérieur d'un café-bistro, laissant à Kim le soin de surveiller la voiture. Il y avait maintenant deux jours qu'elles le surveillaient.

Quelques minutes après être entrée dans le bistro, Claudia avait joint Kim sur son portable pour la prévenir que l'attente serait assez longue : Gravah venait de commander un repas. Kim s'était alors empressée d'aller fixer un pisteur sous la Jaguar.

Depuis, elle attendait, derrière le volant de sa propre voiture, prête à démarrer aussitôt que Claudia la rejoindrait.

Inconsciemment, son esprit avait dérivé vers l'époque où Limbo l'avait aidée à venger sa famille, après l'avoir secourue dans la jungle du Sud-Est asiatique. Cela lui arrivait de plus en plus souvent d'y penser... Elle avait donné un sens à sa vie en la consacrant à aider Limbo. Puis, quand il était mort, elle avait transféré sur Claudia le sentiment de dette qu'elle avait eu envers lui. Parce qu'il le lui avait demandé. Mais elle n'était jamais parvenue à faire le deuil de sa famille. Ni celui de la femme qu'elle aurait pu être... Tout cela lui semblait si lointain, et pourtant si présent. De plus en plus souvent, des images de son enfance lui revenaient. À plusieurs occasions, elle s'était surprise à essuyer une larme sur sa joue sans s'être rendu compte qu'elle pleurait...

Elle fut brusquement tirée de ses pensées quand elle réalisa qu'une femme entrait dans la Jaguar de Gravah. Elle appela Claudia.

Cette dernière lui apprit que Gravah était aux toilettes depuis plusieurs minutes, mais qu'elle ne s'en était pas inquiétée parce qu'il avait laissé sa serviette de cuir à sa table.

Une minute plus tard, Claudia courait la rejoindre dans la Citroën: il n'y avait personne dans les toilettes; la serviette de cuir que Gravah avait laissée à sa table était vide et lui-même avait disparu. Heureusement, elles pourraient suivre la Jaguar à la trace.

Ce qui était moins clair, par contre, c'étaient les motifs de ce comportement de Gravah. Avait-il éventé la filature? Était-ce simplement une précaution de routine: utiliser un lieu public pour couper les pistes et laisser un tiers récupérer le véhicule?

L'autre possibilité, c'était que Gravah se soit déguisé en femme. Mais il n'avait pas eu beaucoup de temps pour le faire. Et, surtout, il n'avait rien avec lui quand il s'était rendu aux toilettes. Après avoir regardé les clichés pris par Kim, les deux femmes avaient jugé la chose peu probable. Surtout que la femme était montée dans la même voiture : si Gravah avait voulu échapper à une filature, il n'aurait pas repris une voiture qui avait toutes les chances d'avoir été repérée.

Leur seule solution était maintenant de suivre la Jaguar et de voir quels membres de l'entourage de Gravah cela leur permettrait d'identifier.

LONGUEUIL, 12 H 57

Victor Prose avait noté avec une satisfaction amère que les paris sur sa vie étaient moins défavorables. Sa cote de survie était maintenant de 4 contre 7.

Un journal était ouvert à côté de son ordinateur. Il parcourut rapidement l'article dont il avait souligné le titre. « L'Antarctique fond deux fois plus vite que prévu », annonçait le titre… Prose surligna une phrase en jaune :

Pour la seule année 2006, ce sont 190 milliards de tonnes de glace qui se sont retrouvées dans l'océan.

Encore quelques minutes avant l'arrivée de Grondin…

Par chance, le policier était d'un abord plus facile que son supérieur. Pour commencer, il n'avait pas l'air d'entretenir de doutes sur son innocence. Et puis, il lui avait sauvé la vie.

En pensant à Grondin, Prose se mit à sourire. Le policier avait la ponctualité d'un horloger suisse compulsif. S'il disait qu'il arrivait à dix heures, c'était dix heures. Pas dix heures une minute, pas dix heures moins une minute : dix heures. Pile. Prose aurait pu régler sa montre sur le timbre de la sonnette. Grondin attendait dans la voiture et il en sortait quelques secondes avant l'heure convenue pour se présenter à l'heure exacte sur le seuil de la porte.

C'était une autre raison pour laquelle Prose s'accommodait bien de sa compagnie : à côté de lui, ses propres comportements compulsifs paraissaient anodins.

À treize heures cinquante-neuf, Prose se dirigea vers la porte. Il ouvrit à l'instant même où Grondin allait sonner.

— On a le temps de prendre un café, dit-il. Mon cours commence seulement à trois heures.

Puis il ajouta, comme s'il se reprenait pour éviter une indélicatesse :

— Pour vous, bien sûr, ce sera une tisane.

Grondin l'accompagna à travers le corridor de l'entrée.

— Il faut que je vous montre un courriel que je viens de recevoir, dit Prose. Remarquez, c'est probablement une mauvaise blague d'étudiant. Mais, compte tenu de ce qui s'est passé…

REUTERS, 13 H 04

> … LES AUTEURS DE L'ATTAQUE CONTRE LE MUSÉE GUGGENHEIM DE BILBAO ONT ÉTÉ RETROUVÉS CE MATIN, ABATTUS DE DEUX BALLES DANS LA TÊTE. LES DEUX HOMMES TRAVAILLAIENT AU MUSÉE DEPUIS RESPECTIVEMENT TROIS ET QUATRE ANS. POUR LEURS COLLÈGUES, LE CHOC A ÉTÉ BRUTAL. TOUS S'ENTENDENT POUR LES DÉCRIRE COMME DES HOMMES AIMABLES, RÉSERVÉS ET TRÈS DÉVOUÉS À LEUR TRAVAIL. AVEC LEUR MORT, IL NE RESTE MAINTENANT QUE LES RESPONSABLES DE L'ATTENTAT DE MONTRÉAL QUI N'ONT PAS ENCORE ÉTÉ…

LONGUEUIL, 13 H 06

Prose et Grondin étaient assis au salon. Deux tasses fumaient sur la petite table devant eux.

— Vous avez reçu ce courriel quand ? demanda Grondin.

— Ce matin.

— J'imagine mal un étudiant vous envoyer ça.

Prose sourit.

— Je pense que vous imaginez mal ce que certains étudiants peuvent faire, dit-il.

Il se leva, disparut quelques instants dans son bureau et revint avec une petite enregistreuse de poche qu'il posa entre les deux tasses de café.

— J'ai des extraits de conversation à vous faire entendre, dit-il.

Il appuya sur un bouton.

— *Tu n'as pas le droit d'utiliser ton téléphone portable en classe.*

   — *C'est quoi, ton problème ? Je parle pas fort.*
   — *Tu n'as pas de boîte vocale sur cette bebelle-là ?*
   — *Pis ? Si c'est urgent ?*

Grondin regardait Prose, incrédule.
   — C'est vous ?
   — Avec un étudiant. C'est enregistré pendant un cours.
   — Il a répondu sur son téléphone portable pendant le cours ?

Prose fit signe que oui.
   — Et vous ne pouvez pas confisquer son appareil ?
   — Propriété privée. Selon les avocats du collège, ce serait assimilable à un vol. On peut seulement en interdire l'utilisation.

Grondin semblait éberlué. Prose lui fit entendre un autre enregistrement.

   — *L'ordinateur, c'est pas pour chatter sur MSN pendant les cours.*
   — *Qu'esse ça te crisse, toé, chose ?*
   — *Tu as besoin des cours pour passer l'examen.*
   — *C'est moi qui l'passe, l'examen, c'est pas de tes hosties d'affaires.*

Cette fois, Grondin était carrément sidéré.
   — Vous ne pouvez rien faire ?
   — Faire quoi ? Il a besoin de son ordinateur en classe pour prendre ses notes.
   — Mais…
   — Juridiquement, il est adulte. S'il ne dérange personne, je ne peux rien dire.
   — Mais le ton sur lequel il vous parle !
   — Je peux toujours déposer une plainte. Au mieux, ça ne va rien changer. Au pire, il va être encore plus agressif.

Prose fit démarrer un troisième extrait.

   — *Faut que tu changes ton calendrier. On n'a pas le temps de faire le travail.*
   — *Vous avez un mois !*
   — *On n'a pas le livre pour le faire !*
   — *Je vous l'ai dit, il est à la coop.*

— *Tu me niaises-tu? T'as vu la file d'attente, à la coop?*

— *C'est la même file pour tout le monde.*

— *Ben, nous autres, ça nous écœure de perdre deux heures à faire la file pour un hostie de livre. Pour aller à la coop, on va attendre la troisième semaine, quand le troupeau va être passé. Hein, gang?*

Des bruits d'approbation répondirent à la demande d'appui.

— *J'ai pas le choix: le règlement du collège dit que je dois fournir une évaluation la quatrième semaine.*

— *Hey, chose, pourquoi tu cherches le trouble? C'est à toi de t'organiser avec ça: t'as juste à trouver une passe.*

Prose interrompit l'enregistrement.

— Pour quelle raison vous enregistrez ça? demanda Grondin.

— S'il y a des problèmes, je veux être en position de me défendre.

— Êtes-vous sûr que c'est légal?

— Et les profs qui sont filmés avec des téléphones portables et qui se retrouvent sur YouTube, c'est légal?... C'est devenu une forme de chantage: t'as besoin d'être *cool* et de donner des bonnes notes, autrement tu vas te retrouver sur Internet. Avec ton nom, ton adresse et ton numéro de téléphone. C'est arrivé à un prof du département...

— Vous ne pouvez vraiment rien faire?

— Je vous l'ai dit, on ne peut pas interdire les téléphones portables en classe. Seulement leur utilisation... Il suffit qu'il y ait deux ou trois étudiants qui accaparent ton attention et qui s'amusent à te faire réagir pour qu'un autre te filme sans que tu t'en aperçoives.

— Comme ça, l'épisode de l'autre jour, pour les notes, c'était sérieux?

— Les notes, aujourd'hui, c'est un droit. Vous allez comprendre ce que je veux dire.

Prose fit jouer un autre extrait.

— *Je l'ai fait, le travail! T'as besoin de m'faire passer!*

— *Si tu l'as réussi, tu vas passer.*

— *Hey! Les nerfs!… Ah pis fuck! Si j'passe pas, j'vas faire réviser tous mes travaux… Hein, gang? On va tous faire réviser nos travaux. Les autres profs vont être en hostie… On peut pas tous se tromper: c'est toi qui vas avoir l'air fou. Le monde vont se dire que c'est toi, le problème.*

Prose arrêta l'enregistrement sur les rires dans la classe.

— Évidemment, dit-il, c'est un montage de ce que j'ai vu de pire. Ce n'est pas comme ça dans tous les groupes. Ni dans tous les cours. Mais c'est latent. Toujours suspendu dans l'air comme une menace possible. On ne sait jamais quand on peut être victime de cette sorte de chantage. Plusieurs profs préfèrent acheter la paix et leur donnent leurs notes.

— Et vous ne pouvez pas vous faire respecter? avoir de l'autorité?

— Si on n'est pas respecté par la société et par notre employeur, si la connaissance n'est pas respectée par la société… comment les élèves peuvent respecter des gens qu'on ne respecte pas, qui enseignent quelque chose qu'on ne respecte pas?… Il faut pas croire qu'ils font ça par méchanceté. C'est juste que les professeurs n'ont pas de légitimité. Au mieux, je suis leur *chum*. On est égal à égal… Comment je pourrais avoir de l'autorité?

Grondin paraissait totalement dépassé. Prose le regarda avec un sourire.

— Bienvenue dans l'univers des clients consommateurs: ils ont seulement des droits. Pas d'obligations, seulement des droits. Les profs, eux, ont seulement des obligations, pas de droits… J'exagère, mais ça donne une bonne idée de l'atmosphère, certains jours.

— Ils ne pensent quand même pas qu'ils peuvent avoir leur diplôme sans rien faire!

— Dans leur tête, ils ne font pas rien: ils assistent au cours. Ils font leur temps. S'ils fournissent un minimum d'efforts, ils ont le droit de réussir. C'est le principe de l'effort suffisant : j'ai fait un effort, c'est correct. Je mérite de passer.

— C'est effrayant !

— Ce qui est vraiment effrayant, c'est que, plus tard, ils vont transposer cette attitude-là dans la société.

Grondin semblait à court de mots. Ses démangeaisons avaient pris la relève. Il se frottait avec insistance le dessus de la main gauche.

— Maintenant, reprit Prose, comprenez-vous pourquoi j'ai pensé que ça pouvait être un étudiant qui avait envoyé le message ? Pour certains, ce serait seulement un moyen de pression.

— Vous pensez vraiment qu'il y en a qui pourraient faire ça ?

— Je me suis même demandé si le tireur, l'autre jour, n'était pas un étudiant.

— Vous êtes sérieux ?

— Il a peut-être seulement voulu me faire peur. Ça s'est déjà vu, des étudiants qui tirent des coups de feu sur la maison d'un prof pour se venger ou pour l'intimider.

— Et il m'aurait atteint par erreur ?

Grondin le regardait, incrédule. Prose esquissa un sourire ironique.

— Je sais, ça ne cadre pas avec le portrait des étudiants qu'on brosse dans les officines ministérielles. On est loin de l'apprenant en processus d'autoformation et des acquisitions de compétences « transvasées »…

— Comment vous arrivez à enseigner ?

— En dehors de certaines réactions excessives et de la défense acharnée de leurs intérêts, ils sont très *cool*, très agréables, même… Souvent plus brillants qu'on l'était à leur âge !

Puis il s'interrompit comme si une idée venait de le frapper.

— Avant que je l'oublie, reprit-il, vous direz à l'inspecteur-chef Théberge qu'il y a une vidéo de lui sur YouTube.

— Je suis certain que l'inspecteur-chef n'a jamais mis de vidéo de lui sur Internet, répliqua Grondin avec conviction.

— J'imagine ! Mais il y a quelqu'un qui l'a fait. J'ai pensé que ça l'intéresserait de le savoir.

New York, 13 h 30

La rencontre avait lieu par vidéo-conférence. Tous étaient membres de la cellule des militaires et tous étaient admis à participer au projet Archipel.

Hadrian Killmore n'aimait pas beaucoup son bureau de New York. Il préférait de loin celui de Londres. Mais il se faisait un devoir de tenir les rencontres avec les membres des divers groupes de l'Alliance à partir d'endroits différents. Question de sécurité. Même quand il s'agissait de rencontres télévisuelles.

Il appuya sur le bouton qui activait le système de communication. Une dizaine de visages apparurent sur le damier d'écrans qui couvrait le mur devant lui.

Regrouper les membres par cercles de compétences avait été une idée brillante. Cette décision, prise dès la mise en chantier du projet Émergence, lui simplifiait la vie. Il pouvait donner à chacun des cercles les informations que les membres étaient à même d'assimiler et leur épargner celles qui auraient suscité de trop longs débats.

— L'opération Ice Cube est en bonne voie, dit-il. Nos fonds d'investissement achèvent de prendre leurs positions.

— J'aimerais connaître les estimations de risques d'échec, fit un général américain.

— Sur le plan opérationnel, aucun.

— C'est absurde, il y a toujours des risques.

— Les deux sous-marins sont maintenant en place. À moins d'un bris technique… du mauvais fonctionnement du mécanisme de mise à feu…

— Et si ça se produisait ?

— Ce serait surprenant que ça se produise en même temps aux deux pôles.

— À quoi faut-il s'attendre ? demanda le Français.

— Un renforcement du climat d'inquiétude. Une hausse du prix du pétrole. Une accélération de la croissance des entreprises dans lesquelles vous avez investi. Une baisse de la valeur des terrains inondables. Une baisse de la valeur de la dette des pays affectés par la hausse prévue du niveau de la mer… Beaucoup plus d'instabilité et de foyers de tension, ce qui permettra aux États de justifier l'augmentation de leurs investissements militaires…

Killmore fit une pause avant d'ajouter :

— Qu'est-ce qu'il vous faut de plus ?

La question suivante vint d'un écran à sa droite.

— Quelle certitude avez-vous que les explosions auront les effets que vous prétendez ? demanda le Britannique.

— Même si l'effet climatique est moindre, l'impact psychologique et politique, lui, sera dévastateur. Et je ne parle pas de l'onde de choc qui balaiera les marchés financiers.

— J'ai besoin de l'assurance que ces explosions ne menaceront pas nos projets d'exploitation des fonds sous-marins de l'Arctique, fit le représentant russe.

— Il vous suffit de prévoir une suspension des travaux de vingt-quatre heures pour mettre vos équipes à l'abri, le temps des explosions.

Un silence suivit.

— Et le projet Archipel ? demanda l'Américain.

— Il avance comme prévu.

— Il serait temps que nous puissions visiter un de ces endroits, vous ne croyez pas ?

Le visage de Killmore se durcit.

— Non, je ne crois pas.

Puis son visage reprit son sourire.

— Tous les membres du projet seront avisés en même temps, vingt-quatre heures avant l'Exode.

— On dirait une expression biblique, fit remarquer un autre des visages du damier.

— Ce n'est pas sans similitude, admit Killmore. Vous constituez en quelque sorte le peuple élu.

— Même si personne n'a jamais voté pour nous, blagua une autre des figures sur l'écran.

— On peut dire que vous vous êtes élus vous-mêmes, répliqua Killmore.

— C'est un mode d'élection plus sûr, fit en souriant le militaire russe.

HEX-RADIO, 14 H 02

… *GÉNÉRATION HEX*, L'ÉMISSION DES GÉNÉRATIONS QUI MONTENT. AU MICRO JUSQU'À SEIZE HEURES, MIKE RYDER. AUJOURD'HUI, ON COMMENCE PAR « MOI, MES IDÉES PIS MES CHUMS », LA CHRONIQUE OÙ TOUT LE MONDE A LE DROIT DE DIRE SON OPINION. MÊME L'ANIMATEUR !… AU MENU : VACHES FOLLES ET CHAMPIGNONS QUI TUENT.
LES TERRORISTES ÉCOLOS ONT FRAPPÉ EN ARGENTINE. C'EST LE HUITIÈME TROUPEAU CONTAMINÉ PAR LA VACHE FOLLE. AU RYTHME OÙ ÇA VA, LE PRIX DU HAMBURGER VA ENCORE TRIPLER… LA QUESTION QUE JE VOUS POSE, C'EST : COMPTE TENU QUE LA VACHE FOLLE DONNE UNE MALADIE QUI PREND VINGT ANS À TUER QUELQU'UN, EST-CE QU'ON NE DEVRAIT PAS GARDER LA VIANDE CONTAMINÉE ET LA DONNER À CEUX QUI ONT PLUS DE SOIXANTE ANS ? EST-CE QUE ÇA SERAIT PAS PLUS ÉCOLO ?… NON, MAIS C'EST VRAI ! À LEUR ÂGE, LES EFFETS À LONG TERME, C'EST PAS VRAIMENT UN PROBLÈME ! EN PLUS, C'EST CES VIEUX-LÀ QUI ONT FABRIQUÉ LE BORDEL AVEC LEQUEL ON EST PRIS AUJOURD'HUI. ÇA SERAIT JUSTE NORMAL QU'ILS PAIENT, ME SEMBLE…

MONTRÉAL, 14 H 29

L'inspecteur-chef Théberge achevait de regarder la vidéo qui lui était consacrée sur YouTube. Il s'était vu sortir des locaux du SPVM et entrer dans sa voiture. Quelques plans très brefs avaient suivi, le montrant au volant : il avait été filmé à partir d'une voiture qui l'avait dépassé. Il se voyait maintenant garer son véhicule le long d'un trottoir, entrer dans une succursale de la Maison de la Presse, en sortir avec un journal, repartir, arriver chez lui, garer la voiture dans l'entrée de la cour, en sortir et entrer chez lui.

Théberge arrêta la vidéo, à la fois étonné et irrité. Irrité de voir des extraits de sa vie exposés ainsi à la curiosité du tout-venant, mais surtout étonné par l'ampleur des moyens mis en œuvre : le suivre pendant plusieurs jours, procéder de manière à ne pas être repéré, disposer d'un équipement assez sophistiqué pour le filmer à distance...

Son premier réflexe avait été de penser à une agence de renseignements. Puis, dans la seconde suivante, à Davis et Trammel... Mais c'était peu probable. D'une part, des agents de la GRC ou du SCRS ne l'auraient probablement pas filmé en train de simplement conduire sa voiture ou d'entrer chez lui. D'autre part, ils n'auraient pas mis la vidéo sur YouTube. À moins que ce soit pour faire pression sur lui... Mais dans quel but ? Pour qu'il démissionne ?... Cela ne s'accordait pas avec ce qu'il savait de Trammel. En fait, il avait plutôt confiance en lui. Davis, par contre...

Théberge fut tiré de ses réflexions par le téléphone. Il reconnut la voix légèrement affectée de Dandeneault, le directeur du musée.

— Je pense avoir mis au jour certains faits, dit-il.

— On peut savoir de quelle manière vous avez procédé à leur excavation ? demanda Théberge sur un ton d'où il s'efforça d'écarter toute trace trop apparente de moquerie.

Il y eut un bref silence, puis Dandeneault laissa entendre un petit rire.

— Une fouille dans les dossiers du personnel, dit-il. Nous avons deux employés absents sans motif et on n'arrive pas à les joindre. Leur téléphone est désactivé depuis plus d'un mois. Les autres employés du musée, que j'ai pris l'initiative d'interroger, ne savent rien d'eux. Alors, je me suis dit...

— Qu'ils étaient peut-être les auteurs du vol.

— Précisément.

— D'où vous est venue l'idée de ce rapprochement entre le vol et l'absence des deux employés ?

— C'est comme dans les romans policiers : quand un crime est commis, une des premières choses que les enquêteurs vérifient, c'est s'il y a des gens de l'entourage de la victime qui ont disparu.

— Et les victimes étant les œuvres du musée…

— Précisément !… J'ai pris la liberté de monopoliser un peu de votre temps pour vous prévenir. Je vais vous envoyer par courriel les quelques informations que nous possédons sur ces deux individus ainsi que leurs coordonnées.

Théberge jugea préférable de ne pas s'attarder sur le caractère douteux des procédures suivies dans la plupart des romans ou des films policiers. Dans la vie réelle, il n'y avait pas d'auteur pour arranger le déroulement de l'histoire de manière à éliminer les temps morts et pour s'assurer que les initiatives des enquêteurs soient généralement suivies d'effets.

Malgré tout, Dandeneault n'avait probablement pas tort de s'intéresser aux deux employés absents ; mais pas pour les raisons qu'il croyait. Théberge avait reçu un bref message de Dominique quelques minutes plus tôt : avec la découverte des auteurs de l'attentat de Bilbao, tous les terroristes avaient maintenant été retrouvés. Tous sauf ceux de Montréal. Et ils étaient tous morts. Comme pour la vague d'attentats qui avaient visé les cathédrales… Théberge n'avait plus aucun doute : les chances que l'on retrouve vivants les deux employés de Dandeneault étaient inexistantes.

— J'attends votre courriel, dit-il. Et je vous tiens informé de tout nouveau développement.

Après avoir raccroché, il releva les yeux vers Rondeau qui venait d'entrer dans son bureau, une enveloppe matelassée jaune à la main. Ce dernier le regardait curieusement.

HEX-TV, 14 H 40

... HEX-TV, LA TÉLÉ DES NOUVELLES GÉNÉRATIONS. AUJOURD'HUI, AU CLUB DES HEX, ON PARLE DE L'ÉPIDÉMIE DE VOLS DANS LES ÉPICERIES. EST-CE QUE VOUS PENSEZ QUE LES GENS QUI VOLENT DANS LES ÉPICERIES ONT RAISON D'AVOIR PEUR D'UNE FAMINE ? APRÈS LA PUB, JE PRENDS VOS COMMENTAIRES ET MES INVITÉS RÉPONDENT À VOS QUESTIONS...

MONTRÉAL, 14 H 44

Théberge examinait l'enveloppe avec un mélange de curiosité et d'appréhension.

— Elle est arrivée de quelle façon ?

— FedEx.

L'étonnement fit soulever les sourcils de Théberge.

— Vous avez l'adresse de l'expéditeur ?

Rondeau regardait Théberge avec un certain embarras.

— C'est sérieux, votre question ? demanda-t-il.

— Est-ce que j'ai l'air de m'épivarder à qui mieux mieux le grand zygomatique ?

Toujours perplexe, Rondeau mit plusieurs secondes à répondre.

— C'était votre adresse, empesteur-chef. Je pensais que vous vous l'étiez envoyée.

Sur le visage de Théberge, la contrariété le céda à l'incrédulité.

— Je me prends sans doute parfois pour un autre, grogna-t-il, mais jamais au point de m'envoyer du courrier !

Il ouvrit l'enveloppe. De façon prévisible, elle contenait une enveloppe blanche, qui en contenait une deuxième, qui en contenait une troisième… Théberge s'attendait à ce qu'elle en contienne une autre, mais il y trouva plutôt une feuille de papier bleu pâle repliée deux fois sur elle-même.

Théberge déplia la feuille, lut le message qu'elle contenait et le montra à Rondeau.

La vie n'est pas un long fleuve tranquille. Ni un voyage de pêche. Ce n'est même pas une partie de chasse. Vous n'avez aucune idée des prédateurs auxquels vous vous êtes attaqué.

Les nuages s'accumulent. L'orage se prépare. Quand les médias vont se mettre sérieusement à vous torpiller, vous allez être emporté par la vague : les politiciens n'auront pas le choix de vous laisser couler.

Un conseil : suivez la météo. Quand les véritables turbulences vont commencer, ce n'est pas d'une ceinture de sauvetage que vous allez avoir besoin : c'est d'une embarcation de secours pour vous sauver le plus loin possible. Il n'est pas trop tard pour vous bricoler une arche, dans un endroit retiré, avant que le déluge médiatique vous frappe de plein fouet.

Mes amitiés à votre épouse. Transmettez-lui toute mon admiration pour ses nobles entreprises.

En guise de signature, il y avait simplement trois caractères : H2O.

Rondeau releva les yeux du message.

— C'est quoi, ça ? demanda-t-il, l'air médusé.

— Une métaphore filée de nature aquatique, maugréa Théberge en reprenant le papier.

Visiblement, son mystérieux correspondant voulait lui faire comprendre qu'il savait beaucoup de choses sur lui : son goût pour la pêche, ses rapports difficiles avec les politiciens… Et pire : il semblait au courant du « bénévolat » de son épouse.

MONTRÉAL, 17 H 31

À l'écran, on voyait une manifestation devant le consulat des États-Unis. Les manifestants protestaient contre la décision américaine de resserrer les contrôles à la frontière soi-disant pour se protéger contre le « champignon tueur du Canada ».

Un reporter interviewait un participant.

— ILS BLOQUENT NOS PRODUITS ALIMENTAIRES, MAIS ILS VEULENT SIPHONNER NOTRE EAU. C'EST JUSTE UNE MAGOUILLE POUR CONTOURNER LE LIBRE-ÉCHANGE ! QUAND ÇA NE FAIT PAS LEUR AFFAIRE, ILS CHANGENT LES LOIS POUR NOUS ARNAQUER. ET NOS BRILLANTS, AU GOUVERNEMENT, ILS LES LAISSENT FAIRE !

— POURQUOI, PENSEZ-VOUS ?

— OU BIEN ILS SONT ÉPAIS RARE, OU BIEN ILS SONT ACHETÉS.

Skinner sourit. Les deux hypothèses ne s'opposaient pas nécessairement. Il écouta les entrevues quelques minutes encore, puis il éteignit la télé. « Il est temps de nourrir la bête », songea-t-il. Il composa le numéro du téléphone portable d'un animateur de HEX-Radio.

— Oui ?

— Vous ne vous êtes jamais demandé d'où vient le traitement de faveur de Théberge ? Pour quelle raison il a droit à des aménagements particuliers dans son bureau ?

— C'est supposé me mener où ?

— Quand on veut éclaircir un mystère, il faut suivre la piste de l'argent.

— Vous pensez qu'il pige dans la caisse ?

— Je pense seulement que l'argent vient de quelque part. Et que ce n'est pas du SPVM. Il y a peut-être quelqu'un qui paie pour lui…

Un silence suivit.

— Vous voulez dire qu'il est acheté ?

— Je vous laisse tirer vos conclusions.

Skinner raccrocha.

Le journaliste allait sûrement appeler Théberge : cela augmenterait la pression. Tôt ou tard, le policier finirait par communiquer avec l'Institut.

Par mesure de sécurité, Skinner avait mis sous surveillance les boîtes téléphoniques autour du bureau de Théberge. Si le policier appelait quelqu'un de l'Institut – et c'était inévitable qu'il le fasse –, Skinner aurait alors une piste qui lui permettrait éventuellement de remonter jusqu'à F.

Il suffisait d'être patient et de continuer le harcèlement.

Las Vegas, 16 h 38

Henry Kissinger souffrait depuis plusieurs années de son nom. Depuis le 11 septembre, en fait. La journée fatidique du 11 septembre 1973. Car sa femme était chilienne.

Le jour du coup d'État de Pinochet, elle était en visite dans sa famille, à Santiago. Elle lui avait téléphoné quelques heures avant d'aller à une manifestation. Il n'était pas question qu'elle n'accompagne pas sa sœur et son beau-frère. Tout le peuple était soulevé pour empêcher les généraux de prendre le contrôle du pays au nom des multinationales américaines.

C'était la dernière fois qu'il lui avait parlé. Selon des informations non confirmées, elle avait été emmenée au stade. Ensuite, on avait perdu sa trace.

À partir de ce moment, Henry Kissinger s'était intéressé à la politique extérieure de son pays. Il avait rapidement compris la responsabilité de son célèbre homonyme dans les événements du Chili. Peu d'universitaires avaient lu autant que lui sur le maître d'œuvre de la politique militaire américaine. Et plus il avait lu, plus sa haine avait augmenté. Une haine froide. Qui dépassait le bon docteur Henry, comme il l'appelait dans ses ruminations. C'était tout le système qui était corrompu. Et toute la population de son pays qui était complice. Il était donc normal que ce soit toute la population qui paie.

En apparence, Henry Kissinger avait refait sa vie. Il s'était remarié, avait eu des enfants. S'interdire cette consolation n'aurait en rien servi sa vengeance. Il avait même gardé son nom. Et il ne se privait pas de se payer du bon temps – comme ces deux semaines de vacances.

Par la fenêtre de sa chambre, au huitième étage, il regardait une des trois piscines de l'hôtel. Une vingtaine de personnes s'y baignaient. Il jeta un bref coup d'œil à sa montre.

Encore une minute…

Tout était en place. Plus rien ne pouvait empêcher les événements de suivre leur cours. Son travail était terminé. À cet instant, il aurait pu être dans l'avion avec sa famille. Il n'était pas nécessaire qu'il demeure sur place pour filmer l'événement. Quelqu'un d'autre aurait pu s'en charger. Mais Kissinger avait tenu à s'en occuper. De toute façon, même si on le trouvait en possession du film, ce qui était peu probable, il ne risquait rien. Qui irait soupçonner quelqu'un qui s'appelait Henry Kissinger et qui amenait sa famille en vacances sur les lieux de l'attentat ?

Il leva la caméra vidéo et commença à filmer.

— Qu'est-ce que tu filmes ? demanda sa femme, qui jouait aux cartes avec les deux enfants.

— La piscine.

— Tu filmes vraiment n'importe quoi ! dit-elle en riant.

— Avec le bleu, il y a un beau contraste de couleurs.

Par le viseur de la caméra, il vit trois touristes se jeter dans la piscine en projetant un nuage d'éclaboussures. Il imaginait le mélange de cris et de rires qui ponctuait leur arrivée. Aucun des baigneurs ne soupçonnait que, dans quelques secondes, un courant de plusieurs centaines de volts allait traverser leur corps.

Un instant, Kissinger songea à toutes ces victimes qui avaient, elles aussi, des familles. Plusieurs personnes passeraient des heures atroces à attendre un coup de fil. Elles passeraient ensuite des mois, des années, à essayer de comprendre. En vain… Il connaissait bien cette angoisse.

Mais rien ne servait de s'apitoyer sur les victimes. Il fallait regarder le but. Au moins, ces victimes-là ne mourraient pas pour permettre l'instauration d'une dictature. Au contraire, leur mort servirait à la destruction d'un système qui maintenait des dictatures au pouvoir partout sur la planète. C'était pour cette raison qu'il faisait partie des US-Bashers. Pour libérer la planète. Au-delà des victimes, il fallait voir le but.

Et, le plus ironique, c'était que, par ce type de raisonnement, il rejoignait le pragmatisme de son célèbre homonyme, pour qui la fin justifiait les moyens.

CBFT, 18 H 12

… DÉMONTRANT QUE LA GESTION PUBLIQUE DES RÉSEAUX D'AQUEDUC ET D'ÉGOUTS EST SYNONYME DE GASPILLAGE, D'ENTRETIEN NÉGLIGENT ET D'ESCALADE DANS LES COÛTS. LE PROFESSEUR EVERETT BLATCHFORD A NIÉ TOUT LIEN ENTRE LES CONCLUSIONS DE SON LIVRE, *SPOILED WATERS*, ET LE FAIT QUE SON UNIVERSITÉ AIT BÉNÉFICIÉ DES LARGESSES D'ENTREPRISES SPÉCIALISÉES DANS LE TRAITEMENT ET LA DISTRIBUTION D'EAU POTABLE. LE PROFESSEUR A RÉITÉRÉ QU'IL N'A PERSONNELLEMENT RIEN REÇU DE CES ENTREPRISES ET IL A NIÉ QUE DES CONDITIONS AIENT ÉTÉ POSÉES POUR LES DONS EFFECTUÉS À L'UNIVERSITÉ…

Montréal, 19 h 46

Le maire Justin Lamontagne n'aimait pas être invité au restaurant. Particulièrement dans un grand restaurant.

Être invité impliquait que ce n'était pas lui qui suggérait le menu, que ce n'était pas à lui que l'on tendait la carte des vins et que ce n'était pas lui qui décidait de la pertinence ou non d'inviter d'autres personnes. Bref, ce n'était pas lui qui était en position de contrôle.

Mais une invitation au Toqué ne se refusait pas. Surtout quand elle émanait de Gustav Sharbeck, qui était non seulement le représentant d'AquaTotal Fund Management, mais aussi l'ami personnel de Sam Breda.

Breda était le banquier du maire. Un banquier qui lui accordait des prêts confidentiels en dehors des structures financières officielles. Des prêts qu'il n'avait pas besoin de déclarer et qui étaient à des taux d'intérêt ridiculement bas, dans des monnaies qui se dévaluaient. Le rêve, quoi… Il suffisait de ne pas payer trop rapidement pour que la dette baisse d'elle-même.

Sharbeck avait insisté pour que le dîner ait lieu au Toqué parce qu'il était sûr qu'ils en viendraient à une entente. Et qu'il convenait de la célébrer.

— Vous n'avez pas le choix d'accepter notre proposition, attaqua Sharbeck dès l'apéro.

— Vraiment ?

Sharbeck éclata de rire.

— Je sais, dit-il, j'y vais parfois un peu rondement. Mais quand vous connaîtrez les détails de notre offre, vous allez comprendre que vous ne pouvez pas vous permettre de la refuser.

— Une offre qu'on ne peut pas refuser, reprit le maire, sarcastique. Il me semble avoir déjà entendu ça quelque part.

— On reconstruit l'ensemble de votre réseau d'aqueduc à quatre-vingt-dix pour cent des coûts de la soumission la plus basse que vous avez obtenue. Et on élimine les clauses d'indexation que les soumissionnaires avaient incluses dans leur proposition de service parce que leurs évaluations étaient trop basses de quinze à vingt pour cent.

Impressionné malgré lui, le maire s'efforça de regarder son interlocuteur d'un air dubitatif.

— Vous allez vous y prendre de quelle façon pour que ce soit rentable pour vos actionnaires ?

— Nos actionnaires sont patients.

— Patients, je veux bien. Mais suicidaires ?

— Nous allons perdre de l'argent au cours des deux années de mise à niveau du réseau. Nous allons ensuite faire nos frais pendant trois ou quatre ans. Puis, dans les vingt ou trente années suivantes, nous serons en situation de monopole : quand la rareté va frapper, nos profits vont exploser.

— Autrement dit, il ne faut pas que je pense me faire réélire plus d'une fois !

Sharbeck regarda fixement le maire avec un mélange subtil de déception et de résignation, comme s'il ne parvenait pas à s'habituer à devoir tout expliquer dans les moindres détails.

— Vous allez vraiment vous accrocher à cet emploi sous-payé ?

Puis un sourire bienveillant, presque complice, remodela ses traits.

— Nous allons avoir besoin de gens compétents, reprit-il. De gens qui connaissent l'humeur des électeurs. Si l'industrie des pâtes et papiers peut recruter des anciens ministres, on peut bien se payer un ou deux élus municipaux.

Le maire prit le temps d'assimiler la réponse.

— Vous voulez vraiment un contrat de vingt-cinq ou trente-cinq ans ? finit-il par demander.

— C'est courant dans ce type de PPP.

— Électoralement, c'est suicidaire.

— Pas si vous jouez la carte de l'économie des coûts. Pour toute la durée de votre mandat, nous vous proposons une réduction annuelle récurrente de dix pour cent des frais d'exploitation. Dix pour cent de marge de manœuvre que vous allez pouvoir consacrer à des promesses de réductions de taxes et à des projets bonbons. Vos électeurs vont adorer.

— Je ne comprends toujours pas comment vous pouvez dégager des profits en nous facturant quatre-vingt-dix pour cent des frais d'exploitation.

— Vous pensez que nous allons couper dans la qualité des services, fit Sharbeck en riant.

Puis il ajouta, après un moment :

— Excusez si je ris, mais c'est toujours la même réaction. Les gens ne réalisent tout simplement pas les avantages des participations public-privé.

Le maire n'aimait pas tellement être relégué au rôle de cancre de service. C'est sur un ton plutôt sec qu'il répliqua :

— Je ne demande qu'à être éclairé.

— Nos économies viennent de plusieurs sources, répondit patiemment Sharbeck, comme s'il n'avait pas remarqué le changement de ton du maire. Le fait d'être une multinationale nous permet, pour des raisons de volume, de réaliser des économies substantielles sur le coût des intrants. Nous avons également intérêt à veiller à l'entretien adéquat du réseau, ce qui se traduit à long terme par des économies de coûts de réparation... Regardez l'effet de vos économies de bouts de chandelles sur l'entretien de votre réseau routier et sur vos infrastructures de transport ! Vous vous ruinez à force d'économiser !

— Les canalisations d'eau, ça ne se voit pas. Les gens n'accepteront jamais qu'on mette des milliards là-dedans.

— Pas si vous les prenez tout d'un bloc sur le budget de la voirie ou du déneigement, c'est sûr. Mais si vous reportez les coûts à plus tard de façon partielle, progressive...

— Quand les coûts vont augmenter, vous allez avoir l'ensemble de la population contre vous.

— Faites-moi confiance, il n'y a rien qu'une bonne campagne d'information publique ne puisse résoudre. Surtout si elle est menée à l'échelle mondiale... Pour ce qui est de nos avantages, je peux aussi mentionner l'accès à de meilleures technologies – qui permet des gains de productivité –, sans parler de notre expérience dans la gestion de ce type de programme un peu partout sur la planète, de notre plus grande marge de manœuvre dans l'embauche du personnel…

— Et qu'arrivera-t-il si vous n'atteignez pas vos objectifs? Je veux dire, si vous n'assurez pas un service adéquat?

— Vous reprenez possession du réseau au prix coûtant.

Voyant l'air abasourdi du maire, Sharbeck ajouta:

— Inutile de vous réjouir trop vite, cela n'arrivera pas.

Puis son ton redevint sérieux.

— Notre offre tient pour les deux prochaines semaines. Après cette date, tout est à renégocier.

— Mais… c'est vous qui êtes en demande!

— Vous croyez?… Vous avez besoin de cette réduction des coûts pour équilibrer votre budget comme vous l'avez promis. Et vous ne pouvez pas hausser les taxes… Pas avec la récession qui n'en finit plus de s'étirer!

— Les gens ne sont pas préparés à ce type de choix.

— Croyez-moi, ils vont l'être… Je vais vous mettre en contact avec un de mes « créatifs » du département des communications. Il va vous aider à formuler une ligne argumentative convaincante. D'ici peu, vous allez passer pour un esprit clairvoyant. Peut-être même un prophète!

www.toxx.tv, 20 h 30

... VOUS ÉCOUTEZ TOXX-TV, L'ANTIDOTE AUX DISCOURS OFFICIELS QUI EMPOISONNENT LES ONDES ET INFECTENT LES ESPRITS. AVEC VOUS POUR LES PROCHAINES TRENTE MINUTES, MAX BRODEUR.

AUJOURD'HUI, ON PARLE DE LA PÉNURIE DE CÉRÉALES. TOUS LES GOUVERNEMENTS NOUS DISENT QU'IL N'Y A PAS DE PROBLÈME, QU'IL NE FAUT PAS SE PRÉCIPITER POUR FAIRE DES RÉSERVES. S'IL N'Y A PAS DE PROBLÈME, POURQUOI LES PRIX CONTINUENT DE MONTER? POURQUOI ON N'A ENCORE RIEN TROUVÉ CONTRE LE CHAMPIGNON TUEUR DE CÉRÉALES? ET POURQUOI, DANS LES BUNKERS DES GOUVERNEMENTS, EUX, ILS EN FONT, DES RÉSERVES?...

BROSSARD, 20 H 34

L'inspecteur-chef Théberge était assis dans son fauteuil, au salon. La télé était ouverte. La même série d'informations passait en boucle pour la troisième fois sans qu'il y prête vraiment attention. Son esprit était ailleurs.

Il avait essayé en vain de lier conversation avec Gontran. Mais, sans un visage à qui s'adresser, il n'arrivait pas à établir le contact. La discussion en restait au monologue. Peut-être les choses changeraient-elles quand le spécialiste aurait fini de reconstruire le visage du mort à partir de son crâne.

Normalement, Théberge aurait déjà dû avoir les résultats. Mais le seul spécialiste disponible était en Europe : un stage de perfectionnement. Et le SPVM n'avait pas les budgets pour engager un spécialiste américain !

L'esprit de Théberge avait ensuite dérivé vers les attentats de l'Oratoire et du musée. Même s'il avait pu établir un contact minimum avec les victimes, les résultats avaient été nuls. Aucune n'avait quoi que ce soit d'intéressant à lui apprendre. Sans doute parce que les causes de l'attentat étaient totalement en dehors de leur univers de référence. Mais, au moins, ces victimes avaient un nom et un visage. Tandis que le cadavre du crématorium…

— Tu crois que c'est possible que tout le monde devienne fou en même temps ? demanda-t-il brusquement à sa femme.

Cette dernière, assise dans son fauteuil de l'autre côté du salon, travaillait depuis une heure sur des problèmes de sudoku. C'était sa nouvelle passion. Elle avait troqué les mots croisés pour ce jeu de chiffres qui laissait son mari totalement indifférent.

Elle leva brièvement les yeux de sa revue de problèmes.

— Tu as besoin de vacances ?

Théberge prit un moment pour reconstituer la chaîne de raisonnements qui avait mené à cette question. Elle avait dû se dire qu'il devenait moins tolérant face aux aberrations du comportement humain, aberrations qui constituaient la base de son travail ; que ce manque de tolérance était en partie lié au harcèlement médiatique qu'il subissait ; que ce manque de tolérance l'amenait à généraliser abusivement la cause de ses frustrations en l'étendant à l'humanité entière ; que ce genre de généralisation abusive était de mauvais augure quant à l'état de sa santé psychologique et que, par conséquent, des vacances s'imposaient... Conclusion qu'elle avait eu la gentillesse de formuler sous la forme d'une question.

— C'était une vraie question, dit simplement Théberge. Je pensais à cette histoire de Djihad, à l'attentat contre l'Oratoire, à celui du musée, aux galeries d'art incendiées, au cadavre du crématorium... à la mort de Brigitte Jannequin...

Il ajouta, sur un ton mêlé d'ironie :

— À Grondin qui a eu la vie sauve parce qu'il trouve normal de porter en permanence une veste pare-balles !

Puis son air devint plus grave, presque découragé.

— Il y a aussi les groupes écoterroristes... avec leur guru... Il me semble qu'avant, c'était moins... moins...

Il n'arrivait pas à trouver de mots pour traduire sa pensée.

— Ton pire dossier, c'est lequel ?

— Le pire ? Je dirais le cadavre du crématorium. Faire ça à quelqu'un... Mais celui qui m'a le plus déprimé, c'est celui du musée... Quand tu es rendu à vouloir effacer jusqu'aux traces de ceux que tu trouves trop différents ! Quand tu veux partir une guerre pour effacer une civilisation. Pas juste les gens, la civilisation comme telle... Tu as vu les attentats dans les musées des autres villes ?

— Tu es sûr que c'est si différent de ce qui s'est déjà passé ? Les Espagnols ont éliminé jusqu'à la langue écrite des Mayas en brûlant tous leurs livres. La France s'est construite sur l'élimination des langues et des coutumes régionales... La colonisation de l'Afrique... la traite des esclaves, d'abord par les Arabes, durant des siècles, puis par les Européens…

— Si j'ai bien compris, tu tiens absolument à me remonter le moral !

Madame Théberge esquissa un sourire. Inutile de lui rappeler que tous ces exemples provenaient d'une de ses propres tirades, un soir de la semaine précédente, quand il avait voulu démolir la notion de bon vieux temps qu'une de ses sœurs avait naïvement évoquée.

— Tu sais que je n'aime pas te voir de mauvaise humeur, se contenta-t-elle de dire. Ça me rend triste.

— Je pensais à une bouteille de vino nobile. Carpineto 97. Rien d'excessif.

Il fut interrompu par le carillon de la porte.

— Laisse, fit Théberge en se levant.

Lorsqu'il ouvrit, il eut la surprise de voir Morne, qui le regardait d'un air perplexe.

— Je peux entrer ? demanda Morne après une hésitation.

— C'est une vraie question ? demanda Théberge en s'écartant pour le laisser passer.

Il le conduisit au salon. Si Morne lui rendait visite à domicile à l'extérieur des heures de bureau, c'était que la situation était grave.

Après les présentations, madame Théberge trouva rapidement un prétexte pour les laisser seuls.

— Je peux vous offrir quelque chose ? demanda Théberge.

— Je doute qu'il y ait de quoi fêter. C'est à la suite d'une conversation avec le premier ministre que je viens vous voir.

LCN, 21 h 05

… GABRIEL AUCLAIR, LE PRÉSIDENT ET FONDATEUR D'AKWAVIE. IL A RÉAFFIRMÉ QU'IL N'ÉTAIT PAS QUESTION QUE LUI ET SON ÉPOUSE VENDENT LEUR BLOC MAJORITAIRE D'ACTIONS. SANS LEUR APPUI, L'OPA LANCÉE PAR LE FONDS D'INVESTISSEMENT PRIVÉ AQUATOTAL FUND MANAGEMENT EST VOUÉE À L'ÉCHEC.

TOUJOURS DANS LE DOMAINE DU TRAITEMENT INDUSTRIEL DES EAUX, LA FAILLITE DE L'ENTREPRISE AQUAPRO WATER CONDITIONING SEMBLE SE

CONFIRMER. Affectée par des résultats financiers encore plus décevants que prévu et affaiblie par la disparition de son PDG, André Fontaine, il y a maintenant deux mois, l'entreprise a vu le cours de ses actions…

Brossard, 21 h 08

Après le départ de Morne, Théberge retourna au salon. Sa femme l'y attendait avec les clés de la cave à vin.

— Le petit Carpineto ? demanda Théberge.

— C'est un cas de force majeure. Ça exige un barolo. Minimum.

Une fois la réduction de la population achevée, le troisième cercle aura pour tâche d'aider les survivants à construire un monde plus humain, soucieux d'épanouissement intellectuel et artistique.

Pour toutes ces raisons, le troisième cercle ne sera recruté qu'après l'Exode.

Guru Gizmo Gaïa, *L'Humanité émergente*, 2- Les Structures de l'Apocalypse.

JOUR - 2

VENISE, 7 H 38

Horace Blunt avait installé un deuxième jeu de go devant la fenêtre pour analyser une partie de grand maître. L'autre jeu était réservé à la partie en cours qu'il jouait sur Internet.

Entre deux gorgées de *caffe latte*, son regard se perdait sur le Grand Canal. Depuis deux jours, l'*aqua alta* obligeait les Vénitiens à composer avec les trente centimètres d'eau qui recouvraient la place Saint-Marc et les zones inondables de la ville.

D'une année à l'autre, des projets pour contenir les débordements étaient élaborés, parfois réalisés en partie, puis jugés insatisfaisants, réévalués, modifiés. Pendant ce temps, la ville continuait de s'enfoncer. Et l'eau de monter. Comme si la ville représentait la vie, dont les efforts ne parvenaient au mieux qu'à retarder l'enlisement dans la mort. Encore un siècle ou deux de réchauffement climatique, probablement moins, et il ne resterait plus qu'un cimetière d'édifices dont les sommets crèveraient la surface des eaux mortes.

Était-ce là une image de ce qui attendait l'humanité ?

Blunt fut tiré de ses ruminations par la sonnerie étouffée en provenance de son ordinateur portable : les premières notes de *Born in the USA*. Il songea un instant à ne pas répondre, mais cela ne ferait que retarder l'inévitable : Tate le relancerait tant qu'il ne l'aurait pas joint.

Blunt se rendit dans son bureau et activa le logiciel de communication verbale. L'image du Tasmanian Devil s'anima sur l'écran. Il sourit malgré lui : à chaque inspection de son ordinateur portable, Chamane insistait pour personnaliser les messages d'alerte en fonction des interlocuteurs.

Pour accepter la communication, Blunt n'eut qu'à appuyer sur une touche. Le Tasmanian Devil se réduisit à une minuscule icône qui se mit à tourbillonner à travers l'écran avant de disparaître dans le coin inférieur gauche. Le visage de Tate s'afficha.

— Je te réveille ? demanda Tate.

— Pas de chance, je suis un lève-tôt.

— J'oublie toujours que tu es décalé. Ici, il est presque deux heures du matin.

— Tu as besoin de moi pour t'endormir ?

— Je voulais t'annoncer que tes vacances sont à l'eau.

Blunt jeta un coup d'œil à la fenêtre. Une pluie fine continuait de tomber sur la Cité des Doges.

— Quelles vacances ?

— Il y a eu un attentat à Vegas. Tous les détails sont sur CNN.

Blunt ne jugea pas utile de manifester ses doutes quant au fait que « tous » les détails seraient sur CNN. La collaboration des grands réseaux d'information avec les agences de renseignements américaines était un secret de polichinelle. Surtout quand il s'agissait de menaces terroristes.

— Il a été revendiqué ? demanda Blunt.

De la main gauche, il prit la télécommande et alluma la télé. L'écran au plasma fixé au mur s'illumina.

— Un groupe écologiste, répondit Tate. Les Enfants du Déluge.

Blunt syntonisa CNN.

— Jamais entendu parler, dit-il.

— Il y a quelques semaines, un de leurs groupes a descendu la Seine sur une copie du radeau de la Méduse.

À la télé, la caméra passait en revue les corps qui flottaient dans une piscine ; elle se déplaçait lentement, s'arrêtant ici et là, le temps d'un gros plan, comme pour permettre d'en dresser l'inventaire.

— Qu'est-ce qui s'est passé ? demanda Blunt.

— Ils ont branché une ligne d'électricité de six cents volts sur les trois piscines de l'hôtel, expliqua Tate. Tous ceux qui se baignaient ont été électrocutés.

— Il y a eu un message de revendication ?

— Je te l'envoie.

Une fenêtre s'ouvrit dans le coin supérieur droit de l'écran. Blunt prit le temps de lire le texte qui s'y affichait.

> Comment peut-on s'amuser dans l'eau quand plus d'un milliard d'êtres humains ont soif ? quand plus d'un milliard d'êtres humains n'ont pas accès à l'eau potable ? quand des millions d'êtres humains meurent chaque année à cause de l'eau contaminée ?... Ceux qui encouragent le gaspillage de l'eau s'exposent à des représailles. L'eau appartient à l'humanité. Ceux qui l'accaparent ou la dilapident sont coupables de crime contre l'humanité.
>
> Les Enfants du Déluge

— Vous avez une piste ? demanda Blunt.

— Rien de solide encore. Un agent infiltré dans les *freegans* affirme avoir déjà rencontré des membres de ce groupe.

— Les *freegans*, tu dis ?

— Des écolos radicaux qui se nourrissent exclusivement dans les poubelles des épiceries et des restaurants.

— Je pense que j'en ai entendu parler. Ce ne sont pas des groupes qui veulent réduire toutes les formes de consommation ?

Tate ignora la question.

— On a d'abord pensé que la revendication écolo était une couverture. Peut-être qu'un propriétaire d'hôtel avait décidé d'éliminer un concurrent. Peut-être que la mafia exerçait des représailles contre un hôtel qui refusait d'utiliser son agence d'escortes… Mais toutes mes sources disent qu'il n'y a pas de guerre commerciale en cours et que la mafia n'est pas impliquée.

— Est-ce qu'il y a eu d'autres attentats du même type ailleurs ?

— Rien pour l'instant.

— Ceux qui ont descendu la Seine en radeau, on les a retrouvés ?

— Les Français ont récupéré le radeau à l'île Saint-Louis. Les naufragés avaient disparu.

— Difficile de ne pas croire que c'est lié aux Enfants de la Terre brûlée.

— Paige et ses petits copains du Pentagone aimeraient mettre ça sur le dos d'al-Qaida. Ou du nouveau groupe, les Djihadistes… Mais je ne pense pas qu'ils soient impliqués.

— Vous en êtes où avec les Djihadistes ?

— On a confirmé que c'était partout le même *pattern* d'infiltration : des membres du groupe se sont fait engager par les musées deux ou trois ans à l'avance. Parfois même quatre ans.

— Ça veut dire une planification à long terme.

— Et qu'ils planifient de la même façon partout sur la planète.

C'était l'aspect le plus inquiétant : ça supposait l'intervention d'une organisation puissante, qui avait une envergure planétaire.

— Ils sont toujours le *prime mover* ? demanda Blunt sur un ton légèrement ironique.

— Pour l'instant. Mais ça pourrait changer. Ça va dépendre de la réaction des hommes d'affaires, des pressions de la mafia sur les hommes politiques… Le tourisme, à Vegas, c'est des milliards…

Tate n'avait pas besoin de lui expliquer pour quelle raison la mafia allait se sentir concernée. Blunt connaissait tout aussi bien que lui l'emprise qu'elle avait sur la ville, particulièrement sur ses activités « licites » : c'était une des pièces majeures de son dispositif de recyclage pour blanchir ses revenus illégaux.

— Il y a eu des réactions officielles ? demanda Blunt.

— Pas encore. Ça va probablement aller à demain. Les politiciens ont le droit de dormir, eux !

Après avoir raccroché, Blunt retourna à son jeu de go. Mais il n'arrivait plus à s'intéresser à la partie. Son regard demeurait fixé sur l'eau du Grand Canal.

À l'inverse de Venise, l'humanité n'aurait probablement pas besoin de l'acharnement tranquille et patient des éléments pour s'enfoncer dans l'oubli. Elle était tout à fait capable d'y parvenir toute seule.

CNN, 4 H 03

... CETTE CONTAMINATION DU RÉSEAU D'AQUEDUC AUX STAPHYLOCOQUES A FRAPPÉ DEUX DES QUARTIERS LES PLUS PAUVRES DE WASHINGTON. UNE MANIFESTATION DOIT AVOIR LIEU DEMAIN DEVANT L'HÔTEL DE VILLE POUR RÉCLAMER UNE MÊME QUALITÉ DE SERVICE POUR TOUS LES CITOYENS, QUELS QUE SOIENT LES QUARTIERS OÙ ILS HABITENT. UNE ENQUÊTE PUBLIQUE SERA MENÉE ET TOUS LES RESPONSABLES SERONT IDENTIFIÉS, A DÉJÀ PROMIS LE MAIRE FENTY.

À LAS VEGAS, LE NOMBRE DES MORTS ATTEINT MAINTENANT LE CHIFFRE DE CINQUANTE-QUATRE. RAPPELONS QUE LES VICTIMES ONT TOUTES ÉTÉ ÉLECTROCUTÉES DANS LES TROIS PISCINES DE L'HÔTEL WATERHOUSE LORSQU'UNE LIGNE ÉLECTRIQUE EST ACCIDENTELLEMENT ENTRÉE EN CONTACT AVEC LE SYSTÈME DE PURIFICATION D'EAU AUQUEL SONT RELIÉES LES TROIS PISCINES. EN DÉPIT DES RUMEURS QUI ONT COMMENCÉ À COURIR SUR INTERNET, LA THÈSE DE L'ATTENTAT EST POUR LE MOMENT ÉCARTÉE...

PARIS, 9 H 36

Hessra Pond portait un complet marine finement rayé. Sa silhouette n'avait cependant pas besoin de cet expédient destiné à la faire paraître plus mince. Ses yeux, d'un bleu intense, regardaient droit devant elle.

Comme lieu de rendez-vous, elle avait choisi un parc dans Montmartre. Elle était assise sur un banc public depuis un peu plus de quatre minutes lorsque Gustav Sharbeck s'était assis sur le banc adossé au sien. Il ne semblait pas affecté par le décalage horaire. En avion, il dormait toujours bien. Sa recette était simple : première classe et sédatif léger.

— Madame Messenger n'est plus disponible, dit Pond sans se retourner. Désormais, vous m'adresserez vos rapports directement. Vous recevrez sur votre portable les indications qui vous permettront de me joindre.

— Bien, répondit Sharbeck à voix basse, sans presque bouger les lèvres.

Pond s'absorba un instant dans la contemplation de la végétation devant elle.

— Où en êtes-vous dans la consolidation du secteur ? demanda finalement Pond.

— Toutes les équipes sont à pied d'œuvre.

Sharbeck se souvenait du schéma en trois points qu'elle lui avait montré.

ACQUISITION DE CIBLES STRATÉGIQUES
ET DU PERSONNEL CLÉ

ÉLIMINATION DES PRINCIPAUX COMPÉTITEURS

CONQUÊTE DU MARCHÉ PUBLIC À L'AIDE DE PPP

Chacun des points était ensuite subdivisé en des dizaines d'éléments représentant différents moyens d'action.

Après la rencontre, il s'était fait de mémoire une liste des plus marquants, pour le cas où il déciderait de la communiquer à Fogg :

- recrutement musclé de personnel scientifique et sabotage de l'eau potable dans plusieurs pays ;
- articles et reportages révélant des scandales et des données alarmantes sur les pénuries d'eau à venir pour alimenter l'inquiétude de la population ;
- financement de films ayant pour thème l'apocalypse, la fin du monde et les désastres écologiques ;
- engagement d'informaticiens pour pirater des VPN d'entreprises de désalinisation dans le but de mettre la main sur les résultats de leurs recherches, de détruire leurs banques de données ou de fausser leur comptabilité ;

- neutralisation de personnel politique, de fonctionnaires ou d'actionnaires d'entreprises opposés
aux projets de développement d'HomniFlow ;
- subventions à la recherche pour des projets démontrant la dégradation générale de la qualité de
l'eau et la supériorité de l'entreprise privée sur le
secteur public pour assurer l'accès à l'eau et aux
services sanitaires ;
- recrutement d'hommes politiques chargés de favoriser le développement de certaines entreprises
au détriment d'autres ;
- subventions à des groupes de citoyens ou au personnel politique dont l'action est jugée favorable
par HomniFlow.

C'était grâce à cette stratégie, en apparence éclatée
mais secrètement centralisée, qu'HomniFlow entendait
accaparer le marché mondial de la distribution de l'eau
potable et du traitement des eaux usées.

Il n'y avait là rien de bien neuf. La nouveauté résidait
dans l'utilisation coordonnée et méthodique des stratégies
politiques et financières, dans l'ampleur des moyens
mis en œuvre et, surtout, dans l'utilisation efficace de
« ressources périphériques » – ce terme désignant tout ce
qui se situait en marge de la légalité et qui était sous-traité
à Vacuum.

— Et la demande ? fit Pond.

Si la consolidation des entreprises à l'intérieur
d'HomniFlow visait à prendre le contrôle de l'offre, la
gestion de la rareté avait pour objectif de stimuler la
demande. C'était l'aspect du plan qui semblait l'inquiéter
le plus. À chaque rencontre, madame Messenger l'avait
interrogé à ce sujet.

— Le premier sabotage aura lieu dans deux jours,
répondit Sharbeck.

— Le processus de désalinisation ? Où en êtes-vous ?

— Ça, par contre, c'est moins avancé. On contrôle à
peine dix pour cent des brevets.

— À long terme, c'est le facteur clé. Celui qui contrôlera le processus contrôlera l'eau potable de la planète.

— Je comprends très bien les enjeux.

Le ton de Sharbeck véhiculait un message plus agressif que sa réponse. Un message du type : « Ne me prenez pas pour un imbécile. »

Pond sourit.

— J'en suis sûre, dit-elle. Ce n'est pas votre compréhension qui m'inquiète. Ce serait plutôt votre efficacité.

— Ce n'est quand même pas ma faute si les écolos ont choisi la mauvaise piscine !

Un peu d'irritation avait percé dans sa voix.

— L'hôtel qui offre un spectacle aquatique leur aurait donné une bien meilleure exposition médiatique, répliqua Pond, ne laissant filtrer qu'une légère réprobation dans sa voix… Imaginez que ce soit une cinquantaine d'artistes qui aient été électrocutés au lieu d'un ramassis de messieurs et de mesdames Tout-le-monde !

— Je repars pour New York demain. Je vais voir sur place comment on peut récupérer ça.

— Espérons que vous aurez un succès plus convaincant.

Sharbeck fut le premier à partir. Hessra Pond s'attarda un long moment sur le banc, en apparence occupée à surveiller les pigeons qui se disputaient quelques restes autour d'une poubelle ; dans les faits, elle jetait de fréquents coups d'œil dans toutes les directions pour voir si elle faisait l'objet d'une surveillance. Depuis qu'elle était sortie de l'hôtel où elle avait passé la nuit, elle avait la désagréable impression d'être suivie.

Quinze minutes plus tard, elle se levait et se dirigeait vers sa voiture. C'était sans doute un excès de nervosité causé par l'ampleur des événements auxquels elle serait bientôt mêlée. Sans doute… Mais ça ne pouvait pas nuire de redoubler de prudence.

LCN, 7 H 21

> … LE VICE-PRÉSIDENT DE L'UDQ, CHRISTIAN CARDINAL, A DE PLUS DEMANDÉ LE GEL DE L'IMMIGRATION POUR QUE L'ON CESSE DE NOURRIR DES BOUCHES ÉTRANGÈRES. L'UDQ RÉCLAME AUSSI QUE LA PROVINCE SE COUPE DU RESTE DU CANADA ET QU'ELLE RÉSERVE LA TOTALITÉ DE SA PRODUCTION ALIMENTAIRE À SES RÉSIDENTS.

TOUJOURS SELON MONSIEUR CARDINAL, LES RÉGIONS DEVRAIENT UTILISER
L'ARME ALIMENTAIRE POUR AMÉLIORER LEUR RAPPORT DE FORCE AVEC
MONTRÉAL ET NÉGOCIER DES RELATIONS PLUS ÉQUILIBRÉES, NOTAMMENT
PAR UNE AUGMENTATION DU NOMBRE DE LEURS DÉPUTÉS…

MONTRÉAL, CAFÉ CHEZ MARGOT, 7 H 33

Théberge en était à son deuxième espresso quand son ami Crépeau s'encadra dans la porte du café. Il parcourut la pièce d'un coup d'œil et se dirigea d'un pas tranquille vers la table où était Théberge.

— Ils vont finir par mettre une plaque sur le mur, dit-il en s'assoyant. Comme les cafés à Paris pour identifier la table de Maigret.

Théberge esquissa à peine un sourire.

— Il fallait que je te parle, dit-il.

Juste à son ton, Crépeau comprit que c'était sérieux. Il enleva son manteau et fit un signe à Margot, derrière le comptoir, pour désigner le café de Théberge.

— Hier soir, j'ai reçu la visite de Morne, reprit Théberge. À la maison…

Quand Théberge eut fini de raconter sa discussion avec l'homme du PM, Crépeau se recula sur sa chaise.

— Eh ben…

Margot, qui arrivait, déposa un café devant lui.

— Comme ça, il nous reste deux jours, fit Crépeau.

— J'ai réussi à nous gagner un peu de temps. À la condition qu'il n'y ait pas d'autre attentat.

— Qu'est-ce que tu vas faire ?

— Si c'était seulement de moi, les choses seraient simples. Mais il y a ma femme.

Crépeau se contenta de le regarder avec un peu plus d'insistance, attendant qu'il s'explique.

Théberge lui parla des enveloppes qu'il avait reçues. Des menaces voilées contre son épouse.

— Qu'est-ce qu'elle en dit ? demanda Crépeau.

— Qu'il n'est pas question de se laisser intimider. Et que je serais encore plus insupportable si je ne faisais pas ce que j'aime, ajouta-t-il en esquissant un sourire.

— Elle n'a probablement pas tort.

— Et puis, il y a vous autres. S'ils vous tirent dans les pattes un olibrius patenté pour diriger le service et qu'ils mettent tous ceux qui pourraient protester sur une voie de garage… Tout ça à cause de moi !… Comment tu penses que je vais me sentir ?

— On devrait être assez grands pour s'occuper de ça sans ton aide.

— C'est quand même le service qui va écoper.

Il acheva de vider sa tasse avant d'ajouter :

— Comme si on avait du temps à perdre avec cette bande de fauteuillocrates débiloférents !

— Ça, c'est vraiment pas ta meilleure…

— Tu vois ! Ils réussissent même à avoir un effet néfaste sur mes cellules grises !

Shanghai, 19 h 41

Quand Paul Hurt franchit la porte du Va Bene, Wang Li l'attendait dans le restaurant depuis près d'une demi-heure.

Le Chinois se leva pour l'accueillir à la table. Ils prirent le temps de commander le repas et d'échanger des propos sur la rapidité avec laquelle la ville se transformait.

— Il ne reste presque plus rien du vieux quartier hollandais, dit Hurt. À la place, il y a… ça !

Il fit un geste qui semblait englober le restaurant et tout le quartier.

Wang Li crut distinguer de la nostalgie dans la voix de son interlocuteur.

— Le gouvernement a de grands projets pour Shanghai, dit-il.

— Je sais. Ils veulent en faire « le » centre financier mondial, répondit Hurt.

Puis ce fut Sharp qui enchaîna :

— *Je ne suis pas certain que les milliers de pauvres qu'ils ont évacués de leurs quartiers pour construire les gratte-ciel ont beaucoup apprécié.*

— Il ne suffit pas toujours que les intentions soient pures…

— *Que les intentions soient pures*, répéta ironiquement Sharp.

Wang Li ne connaissait pas Hurt et ne savait rien des multiples personnalités qui l'habitaient. Ces brusques changements de voix et d'attitude le déconcertaient. Peut-être l'avait-il involontairement offensé… Les étrangers n'étaient pas très habiles à suggérer indirectement de telles choses pour que l'interlocuteur puisse réparer sa maladresse sans que personne ne perde la face.

— C'est à cause des nombreux paliers de gouvernement, dit-il à voix plus basse. Les décisions ont été prises par le gouvernement central. Ils ont voté un budget qui incluait des fonds pour reloger correctement les personnes déplacées. Mais les responsables politiques du palier régional ont modifié le projet et utilisé une partie des sommes à leurs propres fins… La même chose s'est produite aux niveaux provincial et municipal. Puis dans les quartiers concernés… À chaque étape, des personnes qui auraient pu retarder le projet, soulever des objections, créer des difficultés, ont dû être persuadées… accommodées…

— *Vous voulez dire « achetées » ?*

— De l'argent a effectivement changé de main, admit pudiquement Wang Li. Et, à la fin, il n'en restait plus pour relocaliser les personnes déplacées.

— Je pensais que le Parti communiste chinois contrôlait le pays !

— À toutes les étapes, c'étaient des gens du parti ou leurs associés qui étaient impliqués. Une personne qui n'est pas membre du PCC ne pourrait pas faire d'obstruction.

— Et la discipline de parti ?

Hurt avait l'air sincèrement surpris.

— En Chine, nous avons un proverbe…

— *J'oubliais que Confucius avait été réhabilité*, ironisa Sharp.

Wang Li sourit.

— Je ne sais pas, mais les paysans ont l'habitude de dire : « L'empereur est loin et les montagnes sont hautes »… En fin de compte, ce sont toujours les dirigeants locaux qui ont le dernier mot. À moins que Beijing décide de faire un exemple et envoie l'armée… Dans les faits, le maire de Shanghai a plus de pouvoir que le chef de bien des pays reconnus par les Nations Unies.

Wang Li vit que son argumentation ne semblait pas convaincre son étrange interlocuteur. Il jugea préférable d'orienter la discussion sur un autre sujet.

— Quelles régions de la Chine avez-vous visitées ?

— *Place Tienanmen*, répondit Sharp, sarcastique.

Wang Li s'efforça de ne pas laisser paraître sa contrariété.

— Un triste épisode, dit-il. Autant de bonnes intentions aussi mal employées…

Hurt le regardait, hésitant sur le sens à donner à cette réponse.

— Un regrettable gaspillage, expliqua Wang Li. Tous ces jeunes gens…

Il prit une gorgée de thé.

— Vous pensez vraiment que c'était un massacre inutile ? demanda Hurt.

— Pas inutile. Les autorités ne pouvaient pas reculer : elles auraient perdu la face. Et l'État ne peut pas perdre la face. Regardez ce qui s'est passé depuis, regardez qui est en train de gagner… Les principales priorités du PCC sont l'environnement, l'accès à l'eau, la réduction des inégalités sociales…

— *Mais pas la liberté de parole*, l'interrompit Sharp.

— Si vous avez à choisir entre la liberté… soit de dire à quel point vous êtes mal, soit d'être mieux sans pouvoir dire que ça pourrait encore s'améliorer, qu'est-ce que vous choisiriez ?

— *C'est une question piège.*

— Un piège que nous pose la réalité.

— *D'après vous, tout le monde aime le PCC ?*

Wang Li sourit. La question était tellement… occidentale. Tellement occidentale cette réaction d'approuver ce qu'on aime et de désapprouver ce qu'on déteste.

— Tout le monde déteste le Parti communiste chinois, dit-il en souriant. Mais tout le monde sait que la situation serait pire sans le Parti communiste chinois. Malgré ses imperfections…

— *Ses imperfections*… reprit Sharp, sarcastique.

— Le Parti communiste chinois maintient un certain ordre et travaille à l'amélioration de la vie des Chinois. Il y a maintenant plusieurs centaines de millions de mes compatriotes qui ont un niveau de vie presque occidental. Avant, tout le monde, ou presque, souffrait de la faim.

— *Et les paysans ? Et tous les travailleurs qui vivent dans des bidonvilles ?*

Wang Li sourit de nouveau et ne put s'empêcher de secouer la tête.

— Pardonnez-moi, dit-il, j'oublie toujours à quel point vous, Américains, vivez dans l'urgence. C'est sans doute parce que vous êtes si… jeunes…

Hurt regardait Wang Li avec un mélange d'irritation et de curiosité.

— Vous avez acheté une fausse Rolex ou une Mont Blanc contrefaite aux enfants qui en vendent dans la rue ? demanda Wang Li.

— Oui…

— Comment pensez-vous que ces enfants vous voient ? Comme inférieur ou supérieur à eux ?

— C'est encore une attrape ? demanda Hurt après un moment.

— Ce que je veux vous expliquer, c'est que chaque Chinois est convaincu que la Chine « est » la civilisation. Et souvent, malheureusement, qu'elle « est » l'humanité… Bien sûr, la Chine peut connaître une éclipse de quelques siècles, d'autres puissances peuvent occuper momentanément le devant de la scène… Mais, à la longue, la civilisation finit toujours par prévaloir. C'est la conviction profonde de la plupart des Chinois.

Hurt le regardait avec perplexité.

— La croissance industrielle de la Chine, depuis les réformes de Deng Xiao Ping, n'a fait que conforter cette conviction. Les Chinois sont convaincus que, à terme, les conditions de vie de la plupart des Chinois s'amélioreront.

Hurt recula sur sa chaise.

— Cet exposé sur la Chine est passionnant, dit-il, mais je suppose que nous avons maintenant accordé assez de temps au *guanshi* pour en venir à l'objet de notre rencontre.

Wang Li sourit sans arrière-pensée. Dans la même phrase, l'Américain lui signifiait qu'il connaissait suffisamment les usages chinois pour accorder du temps à l'établissement de relations avec son interlocuteur avant d'aborder l'objet de leur rencontre et il jouait sur son statut de barbare étranger pour précipiter une discussion directe sur le sujet. Finalement, il connaissait probablement mieux la Chine qu'il ne le laissait voir !

LA PREMIÈRE CHAÎNE, 8 H 03

... PUISQU'IL FAUT VINGT-CINQ MÈTRES CUBES D'EAU POUR PRODUIRE LE COTON D'UN SEUL T-SHIRT.

SUR LA SCÈNE NATIONALE, LE CHEF DU BLOC QUÉBÉCOIS S'EST INDIGNÉ À LA SUITE DE LA DÉCLARATION DU PREMIER MINISTRE JACK HAMMER, QUI EXPLIQUAIT L'ABSENCE D'ATTENTATS DANS LE ROC (THE REST OF CANADA) PAR LE CARACTÈRE CULTUREL, RELIGIEUX ET MORAL DIFFÉRENT DE CETTE PARTIE DU PAYS. LE PREMIER MINISTRE HAMMER S'EST DÉFENDU EN DISANT QU'IL AVAIT PARLÉ DE DIFFÉRENCE, ET NON PAS DE SUPÉRIORITÉ, ET QU'IL N'ÉTAIT PAS RESPONSABLE DU FAIT QUE SON ADVERSAIRE AVAIT SPONTANÉMENT PENSÉ À LA SUPÉRIORITÉ MORALE DU ROC...

SHANGHAI, 20 H 05

— J'ai mis dans une enveloppe l'adresse et le moment de la rencontre ainsi que le nombre de personnes invitées.

— Ce n'est pas dangereux ?

— Moins que de vous l'envoyer par courriel.

Compte tenu de la censure qui prévalait en Chine sur Internet, il avait sûrement raison, songea Hurt.

— Pour quelle raison tiennent-ils la réunion ici ?

— Parce que les cadres du Parti qui ont organisé la réunion aiment mieux venir ici plutôt que d'aller dans un trou perdu d'un ou deux millions d'habitants, répondit Wang Li avec un sourire.

— Si ce sont des cadres du Parti, ça veut dire que le Parti était d'accord avec la mise sur pied du réseau de trafic d'organes…

— Rappelez-vous ce que je vous ai dit sur l'empereur et les montagnes. Le Parti est contre le trafic d'organes parce que ça nuit à son image internationale. Par contre, certains dirigeants régionaux le tolèrent parce que c'est une source intéressante de revenus, soit pour eux, soit pour certains de leurs appuis électoraux… Il y a aussi le *guanshi*.

Hurt acquiesça d'un signe de tête. Ça, il le comprenait. C'était la clé des relations avec les Chinois. Le *guanshi*. Les bonnes relations. On faisait des affaires ensemble parce qu'on avait de bonnes relations. On prenait le temps de se rencontrer à plusieurs reprises pour établir de bonnes relations avant de faire des affaires ensemble… Dans une société soumise depuis des millénaires à l'arbitraire d'un pouvoir central autoritaire et à l'éventualité de catastrophes naturelles, les bonnes relations avaient une valeur de survie. La sentence décrétée par une autorité de haute instance pouvait se perdre dans les méandres administratifs avant de pouvoir être appliquée par une autorité inférieure. Elle pouvait aussi être suspendue ou reportée par cette autorité, pour peu que la personne soit en relation de *guanshi* avec la personne chargée de l'application de la sentence.

C'est ainsi qu'un prêt venu à terme pouvait être consolidé à des conditions avantageuses, ou carrément oublié, parce que vous aviez une relation de *guanshi* avec le responsable local de la banque… Le *guanshi* était le lubrifiant qui harmonisait le fonctionnement d'une bureaucratie rigide, omnipotente et par définition sans âme.

— Le Comité central du PCC pourrait agir de façon ouverte pour détruire cette organisation et sanctionner les responsables politiques qui s'y sont compromis, reprit Wang Li. Mais cela l'obligerait à leur faire perdre la face à eux et à tous ceux à qui ils sont liés par des relations de *guanshi*.

— Donc, ils ont recours à un étranger.

— Tout le monde sauve la face. Même les responsables locaux, qui auraient peut-être préféré se tenir à l'écart de cette entreprise, mais qui y ont été contraints par des relations de *guanshi*.

— *Si je comprends bien, je rends service au PCC en sabotant cette opération et en éliminant au passage quelques-uns de ses membres!* ironisa Sharp.

— Si ce n'était pas le cas, votre séjour en Chine n'aurait pas pu se prolonger plus de quelques heures.

Les traits de Hurt se durcirent.

— *Qui sait que je suis ici?* demanda la voix froide de Steel.

— Rassurez-vous, personne d'autre que moi ne connaît votre mission… Mais si on ne m'avait pas accordé les moyens de couvrir vos traces et de faciliter votre travail, vous auriez été repéré… Il a fallu que je fasse jouer beaucoup de *guanshi* pour que ça ne soulève pas de questions.

— Ça ne fait pas beaucoup de *guanshi* à mobiliser pour une seule personne?

— Un mandat spécial du Comité central pour régler le problème du trafic d'organes est un bon dispensateur de *guanshi*. Le mandat me laisse carte blanche pour les détails. De cette manière, si mes initiatives heurtent des gens, le Comité central pourra expliquer que leur mandataire a pris des moyens peu judicieux, regrettables même, et ils vont pouvoir s'en dissocier. Ceux qu'ils pourraient avoir offensés auront un prétexte pour ne pas leur tenir rigueur du geste. Tout le monde aura sauvé la face.

Hurt rumina la réponse pendant un moment.

— Je suppose que je n'ai pas d'autre choix que de vous faire confiance, dit-il.

— Un dernier détail. Il serait préférable que l'opération soit relativement brève et que vous partiez ensuite sans trop vous attarder. Les gens dont vous allez vous occuper ont des amis qui ont le pouvoir de fermer l'aéroport. Je peux ralentir un peu les choses, mais…

— Le *guanshi* ?

Wang Li se contenta de sourire et il ajouta :

— … je ne pourrai pas empêcher la fermeture très longtemps.

DRUMMONDVILLE, 8 H 42

F tournait les pages du dossier de presse que Dominique avait déposé sur son bureau un peu plus tôt. Chaque article était surmonté d'un titre sur le champignon tueur de céréales.

CANADIAN MADE KILLER
(Washington Post)

THE KILLER FROM THE NORTH
(USA Today)

UN TUEUR VENU DE L'OUEST
(La Presse)

INCERTITUDE SUR L'ORIGINE DE LA CONTAGION
(Le Devoir)

MORE REASONS TO BREAK CANADA,
SEPARATIST LEADER SAYS
(The Gazette)

Aux États-Unis, l'hystérie de la croisade anti-canadienne dépassait maintenant les tribunes téléphoniques des *preachers* ultra-libéraux et les sites Internet des groupes d'illuminés. Elle contaminait même les journaux les plus sérieux.

F leva les yeux vers Dominique qui entrait.

— Ils voudraient préparer une opération au Canada qu'ils ne s'y prendraient pas autrement, fit F.

Dominique jeta un œil à la revue de presse, le temps de voir de quoi F parlait.

— Hier, dit-elle, un animateur de radio a proposé sérieusement de raser les plaines de l'Ouest par mesure préventive.

— Ce n'est peut-être pas une mauvaise idée.

Bouche bée, Dominique regarda F. Après quelques secondes, cette dernière esquissa un sourire.

— Je plaisante, reprit F. Mais à peine. Le temps que les politiciens aient fini de peser le pour et le contre, la contamination se sera probablement propagée au reste de la planète. Dans ces conditions, raser les plaines pourrait être un moindre mal… si ça empêchait la catastrophe finale.

— En tout cas, d'ici la catastrophe finale, je peux vous dire que les pays vont avoir d'autres problèmes.

Dominique déposa un dossier sur le bureau.

— Blunt m'a envoyé ça, dit-elle. Ça vient de Tate.

Après l'avoir parcouru, F le rangea sur le coin de son bureau.

— Les Enfants du Déluge, dit-elle.

— Vous pensez que ça va devenir leur priorité ?

— Si les médias délaissent le « champignon tueur canadien » pour les piscines de Las Vegas, l'hystérie va peut-être diminuer un peu.

— Combattre une hystérie par une autre ? fit Dominique, sceptique.

— Tu as raison, il y a toujours le risque que ça s'additionne.

Montréal, 9 h 14

L'inspecteur-chef Théberge s'efforçait de demeurer calme, ce qui relevait de l'exploit. À la radio, l'animateur de HEX-Radio enfonçait le clou.

… Vous en pensez quoi, vous autres, du nécrophile ? Trouvez-vous ça normal qu'il ait des privilèges ? qu'on paie pour qu'il puisse fumer dans son bureau ?… Et ça, c'est seulement ce qu'on connaît ! Peut-être qu'il a droit à une toilette avec siège chauffant… à un service de massage… Là, je parle seulement de massages ordinaires. Je ne veux rien insinuer d'autre… Ou peut-être qu'il se fait livrer des repas par les grands restaurants… Remarquez, je n'ai pas de preuves. Mais comme il est supposé être gastronome… Ça coûte cher, la gastronomie.

On peut-tu se payer ça avec un salaire de mange-beignes, la gastronomie?... Là, je veux surtout pas insinuer qu'il pourrait recevoir de l'argent illégal ; je pose une question : la gastronomie et les vins à cent cinquante la bouteille, on peut-tu se payer ça avec un salaire de mange-beignes?... Et si c'est pas lui qui paie tout ça, et si c'est pas le SPVM, c'est qui?

Théberge ne put qu'admirer le « tout ça », qui ramassait dans un apparent constat ce qui n'était qu'une accumulation de suppositions et de questions. Bastard Bob était une ordure, mais une ordure intelligente. Il maîtrisait admirablement la manipulation et le sophisme.

Toutefois, il aurait fait un piètre stratège. Car la sienne, sa stratégie, était évidente. Trop évidente. Elle ne pouvait pas venir de lui… De qui était-il le haut-parleur? Qui pouvait bien avoir intérêt à l'attaquer de cette façon par l'intermédiaire des médias? Était-ce la même personne qui lui envoyait les enveloppes jaunes? Était-ce là l'amorce du déluge médiatique qu'on lui avait annoncé?

De toute évidence, quelqu'un était au fait des arrangements particuliers qu'il avait négociés avec le SPVM. Ce qui ouvrait deux pistes : ou bien quelqu'un de l'intérieur du service entendait régler des comptes, ou bien quelqu'un de l'extérieur avait une source à l'intérieur. Des deux hypothèses, Théberge ne savait pas laquelle l'inquiétait le plus.

Dominique l'avait averti d'être prudent, que le Consortium pouvait le provoquer pour l'amener à prendre contact avec l'Institut. Était-ce de cela qu'il s'agissait?

Il fut tiré de sa réflexion en prenant subitement conscience que Jones 23 se tenait debout devant son bureau.

L'homme était son seul lien non électronique avec l'Institut. Un habit marine finement rayé ton sur ton, une petite mallette de cuir assortie d'un monogramme discret, des souliers parfaitement cirés et une barbe rasée de si près qu'on aurait pu le croire imberbe, il incarnait une sorte d'image idéale de l'homme d'affaires telle qu'on la trouve dans les revues de mode. Un homme d'affaires que le vent ne décoiffe jamais, qui n'a jamais transpiré de sa vie, même pendant la canicule, qui n'a jamais taché sa cravate à l'occasion d'un déjeuner d'affaires, dont les lunettes sont toujours exemptes du moindre grain de poussière, dont les mains sont impeccablement manucurées et qui ne tombe jamais la veste… sauf à la demande d'un photographe pour faire une photo plus « naturelle ».

Jones 23 attendait patiemment que Théberge ait fini de l'examiner sans que son sourire se modifie d'un millimètre.

— Comment êtes-vous entré ? finit par demander Théberge.

— Personne ne m'a demandé d'arrêter.

Théberge le regarda un instant sans répondre. Jones 23 lui avait déjà confié qu'une de ses tâches quotidiennes était de s'exercer à passer inaperçu. Il appelait ça « la présence non obstrusive ».

— Vous désirez ou vous m'apportez quelque chose ?

— Je ne désire rien. Ou, du moins, je m'y efforce. Par contre, on m'a demandé de vous transmettre certaines informations.

Il tira une chemise cartonnée de son attaché-case.

— À l'intérieur, il y a un DVD. Vous y trouverez une synthèse de ce que vos amis ont réuni sur les Djihadistes du Califat universel, sur les Enfants de la Terre brûlée et sur les Enfants du Déluge.

Il déposa la chemise sur le bureau de Théberge.

— On m'a prié de vous en prévenir, reprit-il. Vous n'y trouverez peut-être pas beaucoup de matériel susceptible de faire avancer vos différentes enquêtes… Mais on ne sait jamais. La connaissance jaillit souvent des endroits les plus inattendus.

NORMANDIE, 15 H 26

Claudia et Kim roulaient dans la campagne française. Elles avaient quitté Paris depuis plus de trois heures. Sur la carte qu'affichait le iPhone de Kim, un point blanc progressait lentement. C'était leur véhicule.

Juste en avant du point blanc, à environ un demi-kilomètre de distance réelle, un point rouge se déplaçait à la même vitesse: c'était le véhicule de la femme qu'elles avaient commencé à suivre après avoir perdu la trace de Gravah.

Une photo de l'homme qu'elle avait rencontré dans le petit parc de Montmartre avait déjà été acheminée à l'Institut.

>>> On dirait qu'elle se prépare à prendre la direction de la côte <<<, fit la voix qui sortait de l'ordinateur de Kim.

— Un endroit au bord de la mer, répondit Claudia. C'est commode.

Elle ouvrit la radio et syntonisa France Info.

... LA RELANCE DU PROJET DE PRIVATISATION DES SOURCES D'EAU MINÉRALISÉE DE SAO LOURENÇO. LA NOUVELLE SEMBLE AVOIR MOBILISÉ L'ENSEMBLE DE LA POPULATION BRÉSILIENNE, QUI Y VOIT LE SYMBOLE DU PILLAGE DES RICHESSES DU PAYS AU PROFIT DES MULTINATIONALES. EN EUROPE, C'EST LA DISPARITION DES ABEILLES QUI RETIENT DE PLUS EN PLUS L'ATTENTION NON SEULEMENT DES ÉCOLOGISTES ET DE L'INDUSTRIE AGRICOLE, MAIS AUSSI DU MINISTRE DE LA SÉCURITÉ INTÉRIEURE. L'IMPACT APPRÉHENDÉ DE CETTE DISPARITION SUR LA CULTURE DES PLANTES À FLEURS, CONJUGUÉ À CELUI DU CHAMPIGNON TUEUR DE CÉRÉALES, COMMENCE EN EFFET À SUSCITER DES RÉACTIONS DE PANIQUE DANS LA POPULATION.

— Si ça continue, on va se retrouver comme dans les pays en développement, fit Claudia.

Kim acquiesça d'un léger mouvement de la tête.

LE PARLEMENT A RENFORCÉ HIER LES SANCTIONS CONTRE LES CONTRE-VENANTS SURPRIS À EFFECTUER DES RAZZIAS DANS LES COMMERCES D'ALIMENTATION AU DÉTAIL ET CHEZ LES PRODUCTEURS ALIMENTAIRES. LE PARTI SOCIALISTE, QUI A SOUTENU L'INITIATIVE, S'EST TOUTEFOIS PRONONCÉ CONTRE LE BLOCAGE TOTAL DE L'IMMIGRATION ANNONCÉ PAR LE PREMIER MINISTRE. CE DERNIER A PAR AILLEURS PROMIS D'AUGMENTER LES EFFECTIFS POLICIERS CHARGÉS DU RAPATRIEMENT DES IMMIGRANTS ILLÉGAUX, DE PLUS EN PLUS ATTIRÉS PAR LA PERSPECTIVE D'ÉCHAPPER AUX FAMINES QUI MENACENT LEUR PAYS...

Une dizaine de minutes plus tard, les deux jeunes femmes arrivaient en vue d'une petite maison bleue, sur le chemin qui bordait la falaise. Malgré le point sur l'écran, il n'y avait aucune trace de la voiture.

— Probablement le garage, fit Claudia en désignant d'un mouvement de la main une construction rustique à la gauche de la maison.

Un agrandissement de l'échelle de la carte révéla qu'elle avait raison : le point clignotait maintenant au centre du bâtiment secondaire.

Elles passèrent devant la résidence et continuèrent jusqu'à une chapelle, un peu plus haut. Les deux femmes y laissèrent leur véhicule dans le stationnement et redescendirent à pied vers la maison bleue.

WASHINGTON, 10 H 31

Tate avait suggéré que Snow et Paige assistent à la rencontre. Puis, après avoir hésité, il avait ajouté le nom de Bartuzzi à la liste. La CIA avait beau être la risée des services de renseignements et être paralysée par de multiples guerres internes qui n'avaient d'internes que le nom, elle demeurait quand même la plus importante agence de renseignements de la planète. À vingt pour cent de son efficacité, elle était encore, et de loin, une des plus efficaces. De toute façon, il valait mieux avoir plusieurs alliés pour contrer Paige.

Le Président regardait Tate avec un air légèrement amusé ; il se demandait sans doute pour quelle raison l'autre avait sollicité cette réunion à cinq.

— Alors, expliquez-moi le problème, attaqua d'emblée le Président. Il n'y a aucun moyen d'enrayer le champignon canadien ? Les terroristes islamistes demandent la fermeture de tous les musées du pays ? Vous avez découvert que des Chinois sont derrière l'attentat à Vegas ?

Tate décida d'y aller sans ménagement.

— Au moment où on se parle, il y a un sous-marin sous les glaces de l'Arctique. À son bord, il y a plusieurs charges nucléaires des centaines de fois supérieures à ce que nous avons largué sur Hiroshima. Un autre sous-marin, équipé de charges similaires, croise près des côtes de l'Antarctique ouest.

— Leurs charges peuvent nous atteindre ? demanda nerveusement le Président.

— Aucun danger. Si c'était le cas, la situation serait probablement moins grave.

Les trois autres responsables d'agences regardèrent Tate comme s'il avait perdu la tête.

— Dans l'Antarctique, les charges doivent exploser à des endroits qui ont été minutieusement choisis, poursuivit Tate. Leur effet probable sera de disloquer une partie de la banquise et de provoquer un écoulement des glaciers. Ce sont des milliers de kilomètres cubes de glace qui risquent d'être précipités dans la mer. Les charges du sous-marin dans l'Arctique, elles, devraient accélérer la fonte et l'émiettement de la banquise.

Le Président fut le premier à réagir.

— Vous tenez ça d'où ?

— Les responsables de ce « bricolage » nous ont aimablement avertis par courriel pendant la nuit. Ils ont poussé l'amabilité jusqu'à préciser les longitudes et latitudes où nos systèmes de surveillance peuvent observer les deux sous-marins.

— Totalement ridicule, fit Paige.

— Vous savez ce qu'ils veulent ? demanda le Président.

— Rien, répondit Tate. C'est une simple mise en garde contre notre habitude de gaspiller l'eau. Les explosions, qu'ils annoncent pour dans trois jours, sont censées être des avertissements… Le seul point positif, c'est qu'ils n'ont pas encore contacté les médias.

— Ça veut dire qu'il y a peut-être moyen de négocier, fit Bartuzzi.

— Vous avez repéré les deux sous-marins ? demanda le Président.

— On suit leurs déplacements en direct. Celui de l'Antarctique est à nous. Celui de l'Arctique aux Russes.

— Qu'est-ce que vous attendez pour les rayer de la carte ? s'écria Paige.

— Pour ça, il faudrait d'abord déployer des sous-marins d'attaque dans la région ou lancer des missiles à tête nucléaire. Mais le vrai problème, même en oubliant qu'un des deux sous-marins est russe, ce n'est pas de les faire sauter : c'est de les empêcher de sauter.

Pendant quelques secondes, la physionomie de Paige afficha un vide complet. Comme si toutes les expressions à sa disposition s'étaient subitement évanouies.

Puis il marmonna :

— Bien sûr.

— Moi, ce que j'aimerais savoir, dit le Président sur un ton glacial, c'est comment ils ont pu mettre la main sur un de nos sous-marins.

— J'ai contacté l'amiral Crowley pour lui poser la question. Je n'ai toujours pas eu de réponse.

— Crowley perdrait un de ses navires dans son bain, répliqua Paige, trop heureux de dénigrer le responsable de la marine au Joint Chiefs of Staff.

C'était Crowley qui avait mené la résistance contre la mise en tutelle des renseignements militaires par le DHS.

— Vous avez fait évacuer les pôles ? demanda le Président.

— Nos équipes scientifiques ont été prévenues. Il reste à aviser les autres pays. Il serait préférable que vous les contactiez au plus haut niveau. En commençant par la Russie. On pense qu'ils ne sont pas encore au courant.

— D'accord.

Tate tendit une feuille au Président, que celui-ci parcourut rapidement.

Snow profita du trou dans la conversation pour intervenir.

— S'ils ont formulé des demandes, dit-il, on peut essayer de négocier…

— Ils n'ont formulé aucune demande, répondit Tate. Seulement un avertissement : si on ne cesse pas de gaspiller l'eau, d'autres catastrophes suivront.

— Ça ne tient pas debout, fit Bartuzzi.

— Vous les avez identifiés ? demanda Snow.

— Ce sont les mêmes qui sont responsables de l'attentat à Vegas : les Enfants du Déluge. Leur première manifestation a eu lieu à Paris. Ils ont descendu la Seine sur une réplique du radeau de la Méduse.

Paige regarda Tate, l'air de ne rien comprendre.

— C'est une peinture, expliqua le Président. Ça représente des naufragés qui dérivent, entassés sur un radeau. Ils sont mal en point, trop nombreux, leurs vêtements sont en lambeaux et on devine que les survivants sont sur le point de manger les morts.

— Il y en a une reproduction dans le dictionnaire, ajouta Bartuzzi, pince-sans-rire.

Paige ignora la remarque.

— Pourquoi est-ce que des gens feraient ça ? demandat-il.

— On ne choisit pas toujours sa façon de faire naufrage, ne put s'empêcher de répliquer Tate.

— Je parlais de recréer le radeau et de descendre la Seine, précisa Paige.

— C'est symbolique. À leurs yeux, j'imagine, c'est une image de ce qui attend l'humanité. Ils prédisent un nouveau déluge à la suite de la fonte des glaces des deux pôles.

— Ah !… Ce sont des écologistes !

Paige avait totalement repris contenance. L'information entrait maintenant dans un cadre qu'il comprenait. Encore ces foutus écolos !… Snow et Tate échangèrent un regard.

— Pas des écologistes, rectifia Snow. Des écoterroristes.

— Terroristes… écologistes… écoterroristes… On n'est pas ici pour jouer sur les mots ! Qu'est-ce que vous proposez ?

C'était la question qu'attendait Tate.

— Comme c'est une menace terroriste contre la sécurité des États-Unis, dit-il en s'adressant à Paige, je pense qu'il faudrait vous confier le dossier. Bien sûr, nos trois agences vont vous apporter tout le soutien qu'elles peuvent. Mais, du point de vue de la juridiction, ça relève du DHS.

C'était l'instant où se jouait l'enjeu de la réunion. Tate attendait avec inquiétude la réponse du Président tout en espérant qu'il comprendrait sa stratégie. Ce dernier le regardait d'ailleurs avec un drôle d'air, comme s'il n'était pas sûr de ce qu'il avait entendu.

— Très bonne idée, fit le Président après y avoir réfléchi un moment.

Il ajouta en regardant Paige :

— Ça relève clairement de votre juridiction.

Puis il revint à Tate.

— C'est très loyal de votre part de respecter de la sorte la juridiction des différentes agences. C'est le genre d'attitude que j'attends de mes collaborateurs.

Son regard disait aussi qu'il était heureux de pouvoir se décharger de cette responsabilité sur Paige, qui alimentait en sous-main la critique républicaine à l'encontre du prétendu laxisme du Président dans sa lutte contre le terrorisme.

Ce serait lui, désormais, qui aurait la gestion de la crise entre les mains. Si l'opération échouait, ce serait de sa faute.

Tate jeta un regard à Snow et à Bartuzzi, qui avaient tous les deux de la difficulté à ne pas paraître trop rayonnants : eux aussi, ils avaient compris les implications de ce qui venait de se passer.

RDI, 11 h 03

> ... REGROUPEMENT POUR LA PROTECTION DE L'EAU A TENU UNE MANIFESTATION HIER SOIR DEVANT LES BUREAUX DU PREMIER MINISTRE, JEAN-YVES MOUTON, AFIN DE PROTESTER CONTRE LA LICENCE D'EXPORTATION QUE LE GOUVERNEMENT PRÉVOIT ACCORDER À LA MULTINATIONALE HYDROPUR RESEARCH. SELON LE PORTE-PAROLE DU GROUPE DE MANIFESTANTS, JEAN BOISSONEAU, CETTE MARCHANDISATION DE L'EAU EST CONTRAIRE AUX INTÉRÊTS COLLECTIFS DES QUÉBÉCOIS. SEULE SA NATIONALISATION PERMETTRAIT...

Montréal, 11 h 49

En arrivant à la résidence de Terrebonne, Théberge fut accueilli par les micros de Cabana et de News Pimp.

— Combien de morts, cette fois-ci, inspecteur ? demanda Cabana. Est-ce qu'il y a seulement les deux Arabes ?

— Pas de commentaires.

Ce fut au tour de News Pimp de le relancer.

— Sur l'affaire des champignons toxiques, il y a des progrès ?

— Ça relève de la GRC. C'est à eux qu'il faut poser la question.

Théberge poursuivit son chemin sans s'occuper des questions que continuaient de lui poser les journalistes.

— C'est vrai que l'avant-dernier de ceux qui restaient est mort ce matin ?

— Les deux Arabes, est-ce qu'ils ont été tués en représailles aux incendies des galeries d'art ?

— Allez-vous mettre des mesures en place pour protéger la communauté arabe ?

En apercevant la scène du crime, Théberge fut assailli par un sentiment de déjà-vu. Même le plus banal des crimes avait un aspect morne et répétitif : l'odeur du sang et de la mort, le malaise devant un corps outrageusement présent mais qui n'était plus à proprement parler quelqu'un, la gêne quand il fallait le manipuler... Mais là, le meurtrier s'était surpassé : les deux hommes avaient été abattus en position de prière, chacun de deux balles dans la nuque. La mise en scène était identique à celle de l'exécution des auteurs de l'attentat contre l'Oratoire.

Grâce à Dominique, Théberge savait qu'il en était ainsi à la grandeur de la planète. Le but était évident : signer les attentats. Pour qu'il soit clair que le groupe avait une dimension planétaire.

De façon prévisible, les policiers trouvèrent dans la résidence les preuves que les deux hommes exécutés étaient responsables du vandalisme au musée et de l'incendie des galeries d'art. Ils affirmaient vouloir s'attaquer à la profanation de l'image humaine que les Croisés occidentaux répandaient dans les pays musulmans.

« Case closed », comme on disait dans les séries de télé américaines. Sauf que ça ressemblait davantage à une piste qui s'interrompait qu'à une conclusion de l'affaire.

Ce serait quoi, la prochaine cible ? se demanda Théberge. Après les églises et les musées, les cinémas ? les hôpitaux?… Est-ce que ce n'était pas ce que HEX-Radio avait annoncé?… Un des journalistes était probablement branché sur les terroristes. Mais lequel?

Puis Théberge songea aux conséquences dans la population. Dans les jours à venir, les représailles contre les musulmans seraient de plus en plus difficiles à contrôler.

Après avoir pris congé des deux policiers en uniforme qui demeureraient sur place, Théberge se dirigea vers la sortie.

À l'extérieur, deux autres journalistes s'étaient joints à Cabana et à News Pimp pour l'attendre. Ils formaient une espèce de haie en demi-cercle pour l'empêcher de passer. Ça lui rappela sa jeunesse, quand il jouait au football et qu'il devait traverser la ligne ennemie.

— C'est quoi? Une réunion syndicale des nécrophages?

— Faut vous habituer, répondit Cabana. Maintenant que vous êtes une vedette…

Théberge fit un effort pour se contrôler. Un sourire se fraya même un chemin jusqu'à ses lèvres. Autant ne pas leur donner de matière à alimenter la cabale dont il était l'objet.

— D'accord, d'accord… Je veux bien répondre à deux ou trois questions. Qui pose la première?

Un des deux nouveaux arrivés saisit sa chance.

— Pierre-Yves Gautrin-Deslauriers, de Radio-Canada. Pouvez-vous confirmer que les deux victimes sont les responsables du saccage du musée et que ce sont des musulmans?

— Des indices le laissent croire. Mais je ne veux pas me substituer aux tribunaux.

News Pimp s'empressa de poser la deuxième question.

— Avec tous les morts qu'il y a eus à Montréal au cours des derniers mois, avez-vous encore le temps de parler à tout le monde?

Théberge le regarda un moment en silence, comme s'il observait une forme particulièrement répugnante de créature qu'il n'aurait jamais cru possible de rencontrer.

— Le respect dû aux morts n'a rien à voir avec leur nombre, dit-il finalement… Vous, allez-vous continuer à les utiliser pour faire de la cote d'écoute ? Est-ce que le nombre ne va pas tuer la nouveauté ? émousser le *scoop* ?

Il écarta ensuite les micros d'un geste de la main.

— Puisque vous n'avez plus de questions sur cette affaire…

Il se dirigea vers sa voiture, se glissa derrière le volant et démarra sans même jeter un regard aux journalistes qui essayaient de le relancer à travers la vitre de la portière.

Sans le savoir, le journaliste de HEX-Radio avait touché un point sensible : à cause de la multiplication des victimes dont il avait à s'occuper, il arrivait de moins en moins à avoir de véritables conversations avec elles. Cela avait commencé par le cadavre du crématorium, avec qui il n'avait pu établir aucun contact. Avec les autres, les conversations en étaient restées aux banalités.

Si cette habitude était un mécanisme de défense, comme le lui avait suggéré Dominique, si c'était une façon de digérer l'horreur à laquelle il était régulièrement confronté, cela n'annonçait rien de bien. Peut-être était-il sur le point de faire une indigestion…

FÉCAMP, 18 H 32

Kim et Claudia avaient arpenté la falaise pendant plus d'une heure, prenant des photos l'une de l'autre devant différents paysages, s'efforçant de donner une interprétation convaincante de leurs personnages de touristes. À aucun moment, elles ne s'étaient éloignées au point de ne plus voir la petite maison bleue.

Elles étaient maintenant de retour dans l'automobile. Leur surveillance n'avait rien donné.

— On ne peut pas attendre ici indéfiniment, fit Claudia.

Kim jeta un coup d'œil à l'écran de l'ordinateur portable. Le point représentant le mouchard collé à la Jaguar n'avait pas bougé. La femme qu'elles suivaient ne pouvait donc pas être très loin.

— C'est petit pour une résidence, reprit Claudia.

Kim pianota sur le clavier de l'ordinateur portable. La voix d'un synthétiseur vocal répondit à Claudia.

>>> Peut-être que la vraie résidence est sous terre. <<<

— Tu penses que le Consortium nous recherche encore ? demanda Claudia après un moment.

>>> Probablement. <<<

— Ute Breytenbach est morte.

>>> Jessyca Hunter est toujours là. Sa présence a été signalée en Europe. <<<

— C'est vrai.

Un silence de plusieurs minutes suivit. Quand elles étaient ensemble, Kim et Claudia parlaient peu. Elles se connaissaient depuis assez longtemps pour se comprendre à demi-mot. Et puis, il y avait le handicap de Kim. L'ordinateur lui permettait de communiquer mais, chaque fois qu'elle l'utilisait, ça lui rappelait les événements qui l'obligeaient maintenant à l'utiliser.

De ce passé, tout comme de celui de Claudia, les deux femmes parlaient rarement quand elles étaient en mission. Les souvenirs auraient pu les troubler et devenir un facteur de risque.

— Il faut faire quelque chose, déclara brusquement Claudia.

Kim se contenta d'approuver d'un hochement de tête.

— Si on allait voir ?

Kim secoua la tête en feignant le découragement.

— On a juste à dire qu'on cherche la maison d'Arsène Lupin !

>>> L'aiguille creuse est à Étretat. <<<

— C'est à sept ou huit kilomètres. On peut toujours prétendre que quelqu'un nous a mal renseignées.

>>> Et les caméras ? <<<

Sous-entendu : s'ils ont une surveillance vidéo des lieux, notre visage actuel va se retrouver dans les archives du Consortium.

— Si on reste ici trop longtemps, ça va devenir suspect.

Kim acquiesça.

Elle rédigea alors un message résumant ce qu'elles avaient découvert au cours des dernières heures, y joignit une photo d'elle et de Claudia où on apercevait la maison bleue et l'expédia à Dominique par courriel. S'il leur arrivait quoi que ce soit, d'autres pourraient reprendre l'enquête là où elles l'avaient laissée.

Sept minutes plus tard, elles frappaient à la porte de la petite maison. N'obtenant aucune réponse, elles insistèrent.

— S'il vous plaît, nous cherchons la maison d'Arsène Lupin !

Toujours pas de réponse. Claudia tourna la poignée. La porte s'ouvrit en grinçant.

Elles se retrouvèrent dans une pièce à peu près vide qui occupait la totalité de la maison bleue. Et le plus surprenant n'était pas que la porte n'ait pas été verrouillée : c'était qu'il n'y avait aucune autre porte. Elles étaient dans une pièce déserte, sans autre entrée, avec un calendrier datant de 2001 accroché à un mur, un tapis poussiéreux devant l'entrée et deux boîtes de carton remplies de vieux journaux.

Claudia examina les deux grandes fenêtres, qui étaient légèrement ouvertes ; en s'approchant, elle vit qu'elles surplombaient la falaise. La femme n'avait quand même pas sauté dans la mer !

Au-dessus de la France, hydravion, 18 h 47

Le ciel était calme et le voyage se déroulait sans incident. Le Caravan Amphibian avait été aménagé selon les directives de son occupante. Plus de la moitié des vingt sièges avaient été sacrifiés pour faire place à un bureau.

Hessra Pond consulta l'agenda ouvert sur l'écran de son ordinateur portable. Sur la page du lendemain, quatre points étaient inscrits :

conférence de presse AquaTotal

pôles

NÉGOCIATIONS AVEC LE LABRADOR

USINES DE DÉSALINISATION

À part la conférence de presse, elle ne serait impliquée de manière directe dans aucune des activités. Mais elle les suivrait toutes de près. Au besoin, elle serait disponible pour une consultation téléphonique.

Un voyant lumineux se mit à clignoter, signe qu'un événement requérant son attention s'était produit. Elle referma l'agenda puis elle ouvrit le logiciel de communication.

Quelques secondes plus tard, elle regardait un enregistrement vidéo. On y voyait deux femmes pénétrer dans la petite maison de la falaise de Fécamp. Elle appela l'équipe de surveillance de Vacuum, qui demeurait dans un petit hôtel du village, et elle leur demanda de procéder au nettoyage des lieux dans les plus brefs délais.

Puis elle sourit. Finalement, ce n'était pas un excès de nervosité. Ni cet excès de paranoïa qui se développe lorsque les agents atteignent la limite de leur vie utile. Ses réflexes étaient encore aiguisés. Elle était effectivement suivie. Depuis Paris, elle avait eu l'impression désagréable d'être observée. C'était la raison pour laquelle elle avait fait le détour par sa base de Normandie : elle voulait s'assurer de couper les pistes…

Pond rabattit le couvercle de son ordinateur et se concentra sur la préparation de la conférence de presse du lendemain.

CNN, 13 H 01

> … COMME QUOI DES TERRORISTES AURAIENT PRIS LE CONTRÔLE DE DEUX SOUS-MARINS NUCLÉAIRES ET QU'ILS MENACERAIENT DE LES FAIRE EXPLOSER AUX DEUX PÔLES. LE PENTAGONE A REFUSÉ DE COMMENTER LA RUMEUR, ALLÉGUANT QU'IL N'AVAIT PAS POUR POLITIQUE DE DISCUTER DES ÉLUCUBRATIONS QUI CIRCULENT SUR INTERNET.
>
> DANS UN AUTRE DOMAINE LIÉ AU TERRORISME, LES RECHERCHES SE POURSUIVENT TOUJOURS POUR RETROUVER LES COMMANDITAIRES DE L'ATTENTAT DE LAS VEGAS…

MONTRÉAL, SPVM, 13 H 28

En entrant dans le bureau de Crépeau, Théberge croisa Victor Prose, qui en sortait, accompagné de Grondin.

— Qu'est-ce qui se passe ? demanda Théberge avec un signe de tête en direction de la porte qui venait de se refermer sur Prose.

— Des menaces, répondit Crépeau. Quelqu'un qui lui reproche d'avoir fait arrêter ses « frères combattants ». Il a reçu un message hier après-midi par Internet. Il a mijoté ça toute la nuit avant de se décider à venir faire une déposition.

Théberge s'assit.

— Bizarre qu'ils l'avertissent.

— C'est peut-être quelqu'un qui a parié sur lui sur Internet. Il veut faire monter sa cote…

— Tu penses que c'est sérieux ?

— C'est toujours la même chose : comment savoir si un débile est dangereux ou s'il est seulement débile ?

— C'est sûr… À part ça, quoi de neuf ?

— Un noyé. Dans son bain. Gabriel Auclair.

— On l'a aidé ?

— Pamphyle va nous le dire. Mais c'est le deuxième accident dans la même entreprise en deux mois.

Théberge se contenta d'attendre que Crépeau poursuive.

— Denis Saint-Laurent, fit Crépeau. Il était vice-président. Un accident d'auto. Il se serait endormi au volant… Cette fois, c'est le président.

— Noyé dans son bain…

— Le locataire du condo voisin a remarqué l'eau qui coulait sous la porte, dans le corridor. Auclair était président d'une entreprise qui embouteille de l'eau. Akwavie.

— Il est marié ?

— Sa femme était chez sa mère. Elle est alzheimer. La mère, je veux dire. Les trois sœurs se relaient pour l'aider.

— C'est peut-être un suicide. Comme les policiers qui se suicident avec leur arme…

— C'est possible. On a trouvé plusieurs flacons de médicaments vides à côté du bain.

— Est-ce qu'il y avait une lettre expliquant qu'il s'est suicidé ? ironisa Théberge.

Crépeau comprenait la réticence de Théberge. Lui aussi se méfiait des indices trop évidents. Il restait néanmoins que plusieurs personnes se suicidaient réellement avec des médicaments dans leur bain et il leur arrivait fréquemment de laisser des lettres d'adieu, dans un dernier effort pour continuer à avoir de l'emprise sur ceux qui restaient.

— Ce qui me dérange, dit Crépeau, c'est que celui qui a eu un accident d'auto refusait, lui aussi, de vendre ses parts de la compagnie à un fonds d'investissement. Difficile de ne pas faire le lien... D'un autre côté, c'est tellement gros...

— Je comprends.

— S'ils avaient voulu le faire disparaître, il me semble qu'ils auraient été plus subtils !

— Tu as vu ce qui s'est passé à Las Vegas, hier soir ? Une cinquantaine de morts éparpillés dans trois piscines. Ici, on a un noyé dans un bain.

— C'est sûr que, par comparaison...

— Tu sais à quoi je pense ?

Théberge se dirigea vers la fenêtre. Il songeait au dernier message qu'on lui avait envoyé dans une enveloppe jaune. « Une métaphore filée de nature aquatique », avait-il dit. Maintenant, il se demandait si l'expéditeur n'avait pas des liens avec les Enfants du Déluge. S'il n'était pas informé à l'avance de la nouvelle série d'attentats...

— Il y a longtemps que j'ai renoncé, fit Crépeau au bout d'un moment.

La remarque tira brusquement Théberge de ses pensées.

— Quoi ?... Renoncé à quoi ?...

— À deviner ce que tu penses.

— Ah... ça...

FÉCAMP, 19 H 43

Après avoir échoué à trouver une sortie dissimulée, Claudia et Kim étaient ressorties de la maison et elles avaient repris leur surveillance. Rien à faire : la femme qui était entrée dans la petite maison ne réapparaissait pas.

Elles avaient alors décidé de se répartir les tours de garde : il ne servait à rien qu'elles s'épuisent toutes les deux.

Kim avait pris la voiture pour retourner à Fécamp : elle louerait une chambre d'hôtel et elle en profiterait pour envoyer un rapport plus détaillé sur les nouveaux développements. Après quoi, elle se reposerait un peu.

Comme à l'habitude, elle s'était proposée pour assurer le premier tour de garde, histoire de permettre à Claudia de se reposer. Chaque fois qu'il y avait une corvée, une tâche plus exigeante ou plus dangereuse, c'était le même manège : Claudia devait insister pour faire sa part. À chaque occasion, Kim lui offrait en souriant de s'en occuper, comme si rien ne pouvait affecter son humeur.

Même après toutes ces années, Claudia était encore étonnée par la vitalité et la joie de vivre de son amie. Avec ce qu'elle avait traversé… En plus de voir sa famille décimée sous ses yeux, Kim avait été violée, mutilée puis laissée pour morte… Pourquoi continuait-elle à risquer sa vie en travaillant pour l'Institut ? Si quelqu'un méritait de profiter en paix des années qu'il lui restait, c'était bien elle.

Toutes les fois que Claudia avait abordé le sujet, Kim avait trouvé le moyen d'écarter la discussion en souriant. Tant que Claudia continuerait de travailler pour l'Institut, elle continuerait d'être sa partenaire. Pour veiller sur elle. Elle l'avait promis à Limbo… Claudia pouvait comprendre ce genre de fidélité. Elle-même avait accepté de travailler pour l'Institut pour venger Klaus. Mais leur situation était quand même différente. Claudia n'avait pas été marquée dans son propre corps comme Kim l'avait été…

Les pensées de Claudia furent interrompues par la sensation de quelque chose de dur appuyé contre le bas de son dos. Au même moment, une voix grave, derrière elle, la prévenait de ne pas bouger :

— Pas de geste précipité. Si je tire, la balle va fracasser la base de la colonne vertébrale. Vous allez être paralysée pour le reste de vos jours.

Claudia, qui avait une main dans la poche de son manteau, appuya sur une touche de fonction de son iPhone pour le mettre en mode détresse. Aux yeux d'un observateur, l'appareil aurait l'air fermé. Mais, grâce aux modifications que Chamane y avait apportées, il continuerait de transmettre en continu.

— Sortez lentement la main de votre poche, fit la voix.

Claudia s'exécuta sans offrir de résistance. Pour le moment, cela n'aurait servi à rien. De toute façon, si son agresseur avait voulu l'éliminer, il l'aurait déjà fait. Aussi bien obtempérer et tenter d'en apprendre le plus possible.

Quelques instants plus tard, l'homme lui avait menotté les mains derrière le dos et il avait fait le tour de ses poches. Après avoir regardé son iPhone et constaté qu'il était fermé, il l'avait transféré dans sa propre poche de manteau.

Un autre homme surgit devant eux.

— Pas de traces de l'autre femme, dit-il.

Ainsi, leur intrusion avait été repérée. Cela signifiait que l'endroit était protégé par un système de surveillance assez sophistiqué pour échapper à leur détection.

L'autre homme exerça une pression avec le pistolet dans le bas du dos de Claudia.

— Où est-elle ? demanda-t-il.

— Repartie à Paris.

— Ne poussez pas votre chance.

— Je vous jure ! Elle était frustrée parce que je ne voulais pas déménager avec elle.

Un silence suivit.

— Tu crois ça ? demanda l'homme qui était derrière Claudia en s'adressant à l'autre.

— Non… Mais c'est possible.

— Est-ce qu'on l'attend?

— Si ça se trouve, elle nous a repérés et elle est partie se mettre à l'abri.

Claudia aurait souhaité que ce soit le cas, mais il ne servait à rien de s'illusionner. Ou bien Kim reviendrait à l'heure prévue sans savoir ce qui l'attendait, ou bien elle tenterait un coup de force pour la libérer, ce qui était l'éventualité la plus probable, compte tenu que Claudia avait mis son iPhone en mode « détresse ». Mais c'était le mieux que Claudia avait pu faire: tenter de la prévenir.

— D'accord, fit l'homme derrière le dos de Claudia. On va commencer par mettre celle-là à l'abri.

REUTERS, 13 H 51

… UNE VÉRITABLE SÉRIE NOIRE À L'HÔTEL WATERHOUSE DE LAS VEGAS. APRÈS L'ATTENTAT QUI A COÛTÉ LA VIE À CINQUANTE-QUATRE PERSONNES HIER, C'EST MAINTENANT UNE FAMILLE ENTIÈRE QUI EST RETROUVÉE MORTE DANS UNE SUITE DE L'HÔTEL. HENRY KISSINGER — AUCUN LIEN AVEC L'EX-SECRÉTAIRE D'ÉTAT AMÉRICAIN —, SON ÉPOUSE ET LEURS DEUX ENFANTS ONT ÉTÉ ABATTUS D'UNE BALLE DANS LA TÊTE À LA SUITE DE CE QUI SEMBLE ÊTRE UN CAMBRIOLAGE QUI A MAL TOURNÉ. IRONIQUEMENT, C'ÉTAIT LA DERNIÈRE NUIT QUE LA FAMILLE PASSAIT À L'HÔTEL. ILS DEVAIENT SE RENDRE LE LENDEMAIN À DISNEYWORLD POUR Y TERMINER LEURS VACANCES…

FÉCAMP, 19 H 56

Kim était allongée sur son lit au moment où son iPhone avait vibré. Le temps de se lever et de regarder l'écran, elle avait compris que c'était un signal de détresse de Claudia.

Maintenant l'appareil contre son oreille pour écouter la conversation que relayait le portable, elle était sortie de l'hôtel et elle avait pris sa voiture pour retourner sur la falaise. Elle avait alors appris que deux hommes surveillaient l'endroit et qu'ils l'attendaient.

Dans l'immédiat, Claudia ne semblait pas en danger. Ce qui n'empêchait pas Kim de s'en vouloir. Si seulement elle n'avait pas accepté que Claudia prenne le premier tour de surveillance !

Les remarques que Claudia glissait dans la conversation visaient clairement à la renseigner.

— *Vous n'allez pas m'enfermer dans la maison, il n'y a même pas de chaise où m'asseoir !*
— *Avancez…*

La voix de l'homme était ferme mais ne semblait pas menaçante.

Kim entendit des grincements. On aurait dit une porte dont les pentures manquaient d'huile. Quelques instants plus tard, la voix de Claudia reprenait :

— *Vous voulez vraiment que je descende là-dedans !*
— *C'est juste un mauvais moment à passer.*

La deuxième voix masculine s'était exprimée avec une certaine raillerie. L'autre voix reprit, sur un ton qui se voulait plus rassurant :

— *C'est juste un passage pour vous amener à l'endroit que vous cherchiez… On va satisfaire votre curiosité.*

Kim avait rangé la voiture à une distance prudente de la petite maison et continué à pied. Avec ses jumelles, elle observait la maison bleue. Il y avait plusieurs minutes qu'elle n'entendait plus rien en provenance du iPhone de Claudia. Sans doute était-elle enfermée quelque part dans un réduit souterrain. À moins que ses ravisseurs aient jeté son téléphone à la mer. Mais c'était peu probable : ils voudraient plutôt le conserver pour récupérer l'information qu'il contenait.

Dix minutes plus tard, les deux hommes n'étaient toujours pas ressortis. Kim s'en voulait de plus en plus. Elle hésitait.

Normalement, elle aurait dû communiquer avec l'Institut et attendre les instructions de F ou de Dominique. Peu importe laquelle des deux elle joindrait, le résultat serait probablement le même : on lui demanderait d'attendre des renforts avant d'intervenir. Même si chaque minute pouvait faire une différence pour Claudia.

Elle était paralysée, tiraillée entre la nécessité de prévenir l'Institut et le désir de voler immédiatement au secours de Claudia.

MONTRÉAL, SPVM, 18 H 13

La cafetière espresso émit deux ou trois gargouillements et s'arrêta. Au même moment, les petits voyants lumineux associés à différentes fonctions s'éteignirent.

La première idée qui traversa l'esprit de Théberge fut qu'il s'agissait d'une panne d'électricité. Un coup d'œil à son ordinateur lui suffit pour voir qu'il était toujours allumé. Et puis, les générateurs d'urgence auraient pris la relève. Il fallait chercher la cause ailleurs. Et la cause, malheureusement, semblait être la cafetière : il eut beau la brancher à différentes prises, les voyants demeuraient obstinément éteints.

Crépeau passa devant son bureau au moment où Théberge se tenait debout, la cafetière dans les mains, l'air de se demander quoi en faire.

— Tu réaménages ton bureau ? demanda-t-il en s'appuyant au cadre de la porte.

Théberge se contenta de répondre par un vague grognement et il posa la cafetière sur la petite table ronde.

— On se voit à huit heures aux quilles ? insista Crépeau.

— Tu as vraiment la tête à ça ?

— C'est déjà assez qu'ils nous emmerdent au travail, on ne va pas les laisser empoisonner notre vie privée.

Crépeau avait répondu sur un ton neutre, sans la moindre agressivité. À peine pouvait-on sentir un peu d'ironie dans sa voix.

— Je vais y penser.

Quand Crépeau fut parti, Théberge ouvrit son logiciel de courriels : toujours rien du SCRS. Trammel lui avait promis de lui donner toute l'information disponible sur les Enfants de la Terre brûlée. Mais il n'avait reçu jusqu'à maintenant qu'une brève compilation d'articles de journaux… Par chance, il avait l'Institut.

Théberge ferma le logiciel. Crépeau avait raison : ça ne servait à rien de bousiller sa vie privée. Autant prendre le temps de souper correctement avant d'aller jouer aux quilles.

Le téléphone le rattrapa au moment où il allait mettre son manteau.

— Inspecteur-chef Théberge ! Je suis heureuse de vous trouver là. Ici Christiane Martineau, la recherchiste de l'émission *La vérité dans vos propres mots*, à HEX-TV. Je suis certaine que vous nous connaissez.

— Vaguement.

Sans se laisser démonter, la recherchiste poursuivit avec le même enthousiasme.

— Jean-Pierre aimerait beaucoup vous avoir à l'émission.

— Dites à « Jean-Pierre » que je ne pense pas que ce soit une bonne idée, répliqua Théberge sur un ton sarcastique.

— Ces derniers temps, il y a eu beaucoup de rumeurs à votre sujet. À l'émission, on trouve important de donner la parole aux gens pour qu'ils aient l'occasion de s'expliquer eux-mêmes en direct, sans la moindre censure. Surtout quand ils ont fait l'objet de rumeurs.

Théberge connaissait trop bien l'émission. La recette était simple : on commençait par donner quelques minutes à une personne impliquée dans une controverse, soi-disant pour qu'elle s'explique « dans ses propres mots ». Puis, elle devait ensuite répondre aux questions du public et de trois journalistes, sous le prétexte de s'assurer que son message avait bien été compris. C'était alors la curée.

— Avec le travail que nous avons actuellement, je n'ai vraiment pas le temps.

— Ce n'est pas une petite demi-heure qui peut faire une si grande différence, répliqua la recherchiste sur un ton bon enfant. Efficace comme vous l'êtes, je suis certaine que…

— Je n'ai vraiment pas le temps ! l'interrompit assez brutalement Théberge.

— Je fais appel à votre sens des responsabilités. Le public a le droit d'avoir une information sérieuse, non biaisée, de la bouche même des personnes impliquées. Ne pas participer à notre émission, c'est laisser libre cours à toutes les rumeurs… C'est refuser de faire votre part pour assainir le débat public.

Théberge ne put se contenir plus longtemps.

— Il y a une façon très simple de lutter contre les rumeurs : c'est d'arrêter de les propager. Votre poste est le royaume de la fadaise malfaisante, de l'approximation néfaste, de la rodomontade mesquine et de l'élucubration toxique… Vous voulez assainir le débat : mettez un terme à votre psittacisme ordurier. Je vous recommande le mutisme militant et soutenu. La castration verbale… Ça, ça assainirait le débat !

Il raccrocha sans attendre la réponse. Il mit ensuite son manteau. Marcher lui ferait du bien. Par comparaison, même l'air pollué de la métropole lui serait salutaire.

Avant qu'il referme la porte de son bureau, le téléphone sonnait de nouveau. La recherchiste le relançait.

Il hésita un instant entre ne pas répondre et l'engueuler pour de vrai. Il décida finalement de décrocher.

— Qu'est-ce qu'il vous faut ? dit-il. Que je vous le répète en serbo-croate ? en koutchéen ? Que je vous l'écrive en linéaire B ?… Vous me cassez les pieds ! Si vous continuez de me harceler, je vous arrête pour bêtise militante et aggravée ! Pour utilisation pernicieuse et délétère des ondes publiques !

— On se calme la boîte à tapage, répondit calmement la voix de Rondeau en profitant d'une brèche dans la tirade de Théberge.

Théberge se figea.

— Ah, c'est vous…

— Vous avez des problèmes de digestion ?

— Je viens de parler à une recherchiste de HEX-TV, répondit Théberge comme si ça expliquait tout.

— Je vous appelle à cause du chercheur qui avait reçu des menaces : Ettore Vidal.

— Il est mort ?

La réponse de Théberge se situait à mi-chemin entre une question et un constat de fatalité.

— Disparu. Pour le moment, c'est tout ce qu'on sait.

— Peux-tu t'arranger pour que j'aie le dossier sur mon bureau demain matin ?

— Aucun problème, empesteur-chef !

En raccrochant, Théberge se sentait coupable. Il avait reporté le moment de le rencontrer et, maintenant, le chercheur était introuvable. Il avait l'impression de l'avoir laissé tomber. S'il avait pris le temps de le voir, cela aurait peut-être fait une différence.

Finalement, il n'avait plus tellement le goût de jouer aux quilles. Puis il songea à Crépeau. Il se dit qu'il ne pouvait pas le laisser tomber, lui aussi. Il essaierait de se défouler en imaginant des têtes de politiciens et de journalistes sur chacune des quilles : ça l'aiderait peut-être à en abattre un plus grand nombre.

HEX-TV, 19 H 06

... LA PLUPART DES ŒUVRES DES GALERIES D'ART INCENDIÉES ONT ÉTÉ DÉTRUITES. LA MAJORITÉ DES ŒUVRES DU MUSÉE DES BEAUX-ARTS DE MONTRÉAL DOIVENT ÊTRE RESTAURÉES. LE COÛT DE LA FACTURE ? PLUSIEURS MILLIONS... ÊTES-VOUS D'ACCORD POUR QU'ON PAIE ÇA AVEC NOS TAXES ? ÊTES-VOUS D'ACCORD POUR QU'ON REMBOURSE AUX ARTISTES LE PRIX DES ŒUVRES QUI ONT BRÛLÉ ? EST-CE UNE PRIORITÉ POUR VOUS ? PENSEZ-VOUS QU'ON DEVRAIT D'ABORD S'OCCUPER DES MALADES SUR LES LISTES D'ATTENTE ET DE CEUX QUI N'ONT PLUS LES MOYENS DE FAIRE L'ÉPICERIE À CAUSE DE LA HAUSSE DES PRIX ?... J'ATTENDS VOS APPELS AU CINQ DEUX NEUF HUIT TROIS...

DRUMMONDVILLE, 19 H 28

Dominique referma la chemise cartonnée bleu pâle. À la synthèse qu'elle avait rédigée pour F, elle avait joint un dossier de presse. Contrairement à ce qu'elle avait cru, le principal problème n'avait pas été de trouver l'information, mais de la trier. Les problèmes liés à l'eau étaient une préoccupation montante des médias. L'attentat de Las Vegas survenait dans un environnement média-tique prêt à l'accueillir.

Elle se leva, prit le temps de s'étirer, puis elle se dirigea vers le bureau de F.

— Justement la personne que je voulais voir, fit F.

Dominique déposa la chemise cartonnée sur le bureau. Elle ne jugea pas utile de souligner qu'elles étaient seules dans la maison et qu'elle comprenait mal qui d'autre F aurait bien pu désirer voir.

— Qu'est-ce que tu penses de l'hypothèse de Blunt ? reprit F en ouvrant la chemise.

— L'attaque de Las Vegas ?... Si c'est lié au terrorisme sur les céréales, pour quelle raison est-ce qu'ils prendraient un nom différent ?

— Brouiller les pistes... Besoin d'avoir un nom symbolique...

— Ça pourrait aussi être des groupes différents manipulés par une même organisation.

— Sur le modèle des réseaux terroristes... possible, oui.

Elle posa la chemise cartonnée bleu pâle sur une pile d'autres chemises de différentes couleurs.

— Je lis ton rapport et on en reparle... Où est-ce qu'on en est, dans le bilan des opérations contre Candy Store ?

— Quatre réseaux officiellement démolis à la suite des renseignements de votre informateur. Tate est ravi, paraît-il.

— Et l'attentat contre les dirigeants de la filiale ?

— Jusqu'à maintenant, il n'y a toujours pas eu de représailles de la part du Consortium. Du moins d'après ce qu'on sait.

— Tu en conclus quoi ?

— Ils ont décidé de ne plus les protéger. Ils ont dû penser qu'il y avait une fuite à un haut niveau et ils en profitent pour faire le ménage.

— Ça peut expliquer l'absence de représailles, acquiesça F.

— Votre informateur risque d'avoir des problèmes.

F se contenta de regarder Dominique, attendant qu'elle poursuive.

— Ils vont se dire que la fuite n'était peut-être pas dans la filiale, mais dans la direction du Consortium.

— C'est possible.

— À moins que tout ça soit un piège. Une sorte de sacrifice pour amener l'Institut à se découvrir.

F sourit.

— Ça me rassure que tu conserves ton esprit critique. La rationalité s'est construite sur la mise en question des apparences… Il y a du nouveau du côté de l'Europe ?

— Rien depuis le message de Kim.

— La femme sur les photos, vous avez trouvé quelque chose ?

— Rien pour l'instant…

F se pencha vers son bureau pour examiner les photos qui s'y trouvaient.

— Tu les enverras à Blunt, dit-elle sans cesser de les examiner.

Quatre minutes plus tard, Dominique recevait un deuxième message de Kim. Cette fois, elle leur annonçait que Claudia avait été kidnappée.

Elle se dépêcha d'aller prévenir F.

— Ça s'est passé pendant qu'elle surveillait la femme qui a pris la voiture de Gravah, dit-elle.

— Kidnappée par qui ?

— Deux hommes, selon Kim. Ils l'ont surprise pendant qu'elle surveillait la maison et ils lui ont demandé où était l'autre femme.

— Et Kim ?

— Je lui ai dit d'attendre avant d'entreprendre quoi que ce soit. Je lui ai promis qu'elle recevrait rapidement du renfort.

— À qui penses-tu ?

— Il n'est pas question que Blunt aille sur le terrain : j'en ai trop besoin pour l'analyse stratégique et les communications avec les Américains… Hurt n'est pas disponible…

— Moh et Sam ?

— Il faudrait qu'ils interrompent la filature de Killmore. Je pourrais toujours en envoyer un en Normandie et garder l'autre à Londres. Mais…

— Tu as raison, ils ne sont pas trop de deux.

— … s'ils surveillent Killmore, c'est pour identifier les gens de son entourage. Quand ils en repèrent un, Moh le suit pour obtenir ses coordonnées et Sam continue de filer Killmore.

— On ne peut pratiquement plus compter sur les Jones.

— Depuis que vous avez réorienté l'Institut vers le travail d'influence, le nombre de nos agents de terrain a fondu. Et ceux qui restent sont débordés.

— Je ne le sais que trop.

— Monsieur Claude ?

F réfléchit un moment.

— Tu as raison, dit-elle. Ça vaut la peine d'essayer… Je m'en occupe. Toi, préviens Kim et rappelle-lui d'attendre l'arrivée des renforts.

Font partie des Inessentiels utiles ceux qui ont pour tâche de veiller à l'entretien et à la satisfaction des besoins des trois premiers cercles. Leur poids numérique s'accroîtra de façon sensible après l'Exode.

Le simple fait de vivre dans l'Archipel constituera pour eux la plus grande récompense. Le rejet dans le monde extérieur sera la pire sanction. La simple menace d'être exclu devrait avoir un effet dissuasif suffisant pour assurer leur docilité et les amener à se contenter du statut de « pauvres de luxe ».

Guru Gizmo Gaïa, *L'Humanité émergente*, 2- Les Structures de l'Apocalypse.

JOUR - 3

FÉCAMP, 6 H 44

Kim savait qu'elle devait attendre les renforts que Dominique lui avait promis. D'un autre côté, chaque minute qui passait pouvait faire la différence entre la vie et la mort pour Claudia... Mais si elle se précipitait aveuglément dans un piège, elle ne pourrait plus l'aider.

Et les renforts qui n'arrivaient toujours pas !

Elle décida finalement de tenter le coup. D'entrer dans la petite maison malgré le risque d'être repérée.

Aussitôt à l'intérieur, elle entreprit d'examiner le plancher de bois. Il y avait nécessairement une trappe quelque part. Toutes les informations que le téléphone de Claudia lui avait permis d'entendre le suggéraient.

Localiser l'endroit approximatif fut assez rapide : l'espace entre les lattes était un peu plus large sur le pourtour de la trappe. Le mécanisme d'ouverture, par contre, fut plus difficile à découvrir : il se trouvait sous le rebord extérieur d'une des fenêtres qui ouvraient sur le vide, face à la mer.

Sous la trappe, il y avait un puits circulaire. Des barreaux métalliques fixés dans le ciment du mur tenaient lieu d'échelle.

Kim descendit jusqu'au fond du puits, une cinquantaine de mètres plus bas. De petites lumières assuraient un éclairage suffisant pour bien voir les barreaux.

Lorsqu'elle posa le pied sur le sol, la trappe, au-dessus de sa tête, se referma. L'espace d'un instant, Kim pensa qu'elle venait d'être prise au piège. Mais il y avait une porte de métal devant elle, qu'elle n'eut aucune difficulté à ouvrir.

Elle avança prudemment à l'intérieur d'un tunnel creusé dans le roc. Après quelques mètres, le tunnel faisait un coude, puis il se prolongeait une dizaine de mètres avant de se terminer sur une autre porte de métal.

Encore une fois, Kim l'ouvrit sans difficulté. De l'autre côté, il y avait une sorte de boyau transparent qui s'étirait au fond de la mer.

C'était donc ça! La maison bleue ne servait que d'entrée dissimulée. La vraie résidence était cachée au fond de l'océan.

Tous les dix mètres, des joints de métal et de caoutchouc reliaient les sections de verre. Kim continuait d'avancer. Au bout d'une cinquantaine de mètres, le boyau de verre déboucha sur une petite salle cubique, en verre, qui avait une armature de métal. Deux autres boyaux partaient de la salle: un vers la droite, l'autre vers la gauche. Chacun des boyaux était fermé par une porte de métal dont l'ouverture était commandée par un clavier numérique.

Kim entra dans la salle de verre et approcha de la porte du boyau de gauche. Au moment où elle toucha au clavier, la porte par laquelle elle venait d'arriver se referma derrière elle. Au même moment, les chiffres du clavier numérique s'illuminèrent par rétro-éclairage et une voix se fit entendre:

— Vous avez trente secondes pour entrer votre code.

Elle était prise au piège.

Trente secondes plus tard, après avoir effectué plusieurs tentatives, Kim s'aperçut que de l'eau s'infiltrait par de minces ouvertures, dans le bas des murs. Au-dessus du toit de verre, elle pouvait voir les bulles que faisait l'air en s'échappant.

Kim se mit à frapper sur une des portes, puis elle tenta de se jeter de tout son poids contre elle. Sans succès.

Cette idée de se jeter tête baissée dans un piège! Il fallait qu'elle se sorte de là. Et il fallait qu'elle le fasse vite. L'eau montait de plus en plus rapidement. Elle en avait maintenant à la taille. Si seulement elle avait attendu...

Kim frappait avec rage contre les parois de la cabine de verre.

Comment avait-elle pu être aussi stupide?... Elle s'était laissé aveugler par ses sentiments. Par sa culpabilité. Limbo l'avait pourtant mise en garde à plusieurs reprises. F aussi... C'est dans l'affolement que se prennent la plupart des décisions désastreuses.

Elle était maintenant debout sur la pointe des pieds. L'eau atteignait son menton... Il lui avait suffi d'une seule mauvaise décision pour être précipitée dans un engrenage impitoyable. C'était injuste. Mais elle n'y pouvait rien. C'était une des premières règles que Bamboo Joe lui avait apprises: cesser de vivre comme si elle était éternelle. Pour un être qui a l'éternité devant lui, les décisions ne sont pas importantes: il peut toujours les changer. Pour un être humain, au contraire, la moindre décision engage le reste de son existence...

À mesure que l'eau continuait de monter vers le plafond de la cabine, Kim nageait pour se maintenir à la surface et avoir accès au peu d'air qui restait. Et elle continuait de frapper sur les parois de verre.

Si seulement elle avait attendu l'aide que lui avait annoncée Dominique!... Elle revoyait le visage de Limbo... Si seulement... Elle ne serait pas sur le point de mourir! Et elle n'aurait pas failli à la promesse qu'elle avait faite à Limbo de toujours être là pour protéger Claudia.

Quand elle avala les premières gorgées d'eau, elle fut ramenée à des souvenirs plus anciens. Des images de la jungle envahirent son esprit. Elle revoyait les corps de sa famille, tous massacrés avec le reste de son village. Puis, brusquement, elle se retrouva au milieu d'eux, quand elle était plus jeune, à l'occasion d'une fête. Les gens dansaient… Après un moment, le spectacle de la fête se dissipa dans une lumière qui devint de plus en plus blanche.

Sa dernière pensée fut qu'elle avait maintenant le droit de se reposer.

FRANCE INFO, 13 H 17

> … DES AGRICULTEURS EN COLÈRE ONT BRÛLÉ EN EFFIGIE LE MINISTRE DE L'AGRICULTURE ET LE PREMIER MINISTRE. LES CRS ONT DÛ AVOIR RECOURS À LA FORCE POUR DISPERSER LES MANIFESTANTS, QUI MENAÇAIENT D'ENVAHIR LES BUREAUX DU MINISTÈRE.
> APRÈS LA MANIFESTATION, UN PORTE-PAROLE DU GROUPE SAUVONS NOS CAMPAGNES A REPROCHÉ AU GOUVERNEMENT SA MAUVAISE GESTION DE LA CRISE DU « CHAMPIGNON TUEUR » : IL A RÉAFFIRMÉ QUE LES AGRICULTEURS NE LAISSERAIENT PAS BRÛLER LEURS CHAMPS SANS UNE COMPENSATION ADÉQUATE.
> À GENÈVE, MAINTENANT. L'ALLIANCE MONDIALE POUR L'ÉMERGENCE, L'AME, A RENDU PUBLIQUE HIER SON EXISTENCE. L'ASSOCIATION REGROUPE DES REPRÉSENTANTS D'UN CERTAIN NOMBRE DE SOCIÉTÉS QUI TIENNENT POUR LE MOMENT À DEMEURER ANONYMES.
> PAR VOIE DE COMMUNIQUÉ DE PRESSE, L'ALLIANCE A ANNONCÉ DES SUBVENTIONS DE L'ORDRE DE HUIT MILLIARDS POUR FAVORISER LA RECHERCHE SUR LES QUATRE BIENS DE L'HUMANITÉ LES PLUS MENACÉS : LES CÉRÉALES, L'EAU, L'AIR ET L'ÉNERGIE. CE FONDS SERA MIS À LA DISPOSITION DE L'ONU À LA CONDITION QU'IL SOIT GÉRÉ PAR UN GROUPE SPÉCIAL, MI-PUBLIC MI-PRIVÉ, OÙ L'ALLIANCE AURA UNE REPRÉSENTATION PARITAIRE.

GENÈVE, 8 H 52

Hessra Pond prenait son petit déjeuner quand la sonnerie d'urgence de son BlackBerry se manifesta. Elle jeta un coup d'œil à l'appareil : c'était un membre de l'équipe de Fécamp.

Elle commença par regarder la vidéo qui montrait Kim, depuis le moment où elle était entrée dans la petite maison jusqu'à celui où elle achevait de se noyer. Elle en fit ensuite une copie sur DVD dans le but de la donner à Maggie McGuinty. Pour sa collection.

Puis elle envoya aux deux hommes en surveillance un message leur ordonnant de laisser tous les équipements sur place et de quitter immédiatement les lieux par la voie de secours.

Pour l'autre femme, celle qui était prisonnière, ils connaissaient déjà leurs ordres. Elle y ajouta néanmoins un raffinement de dernière minute.

Paris, 10 h 43

Blunt secoua son imper et son parapluie avant de frapper à la porte d'Ulysse Poitras.

— Bon voyage? demanda Poitras en refermant la porte derrière lui.

— Pourquoi est-ce que tout le monde ne demeure pas à Venise?

— Parce que le poids de la population ferait s'enfoncer la ville encore plus vite.

Il entraîna Blunt vers son bureau.

— J'ai quelque chose de curieux à te montrer, dit-il.

Il tira quatre feuilles d'un dossier ouvert sur sa table de travail et il les aligna devant Blunt. Chaque feuille contenait un graphique suivi de quelques paragraphes de commentaires. Blunt les parcourut rapidement. Les quatre graphiques reproduisaient sensiblement la même forme. Une ligne qui montait lentement, qui connaissait ensuite une brève montée fulgurante, puis qui reprenait sa croissance antérieure.

— C'est une devinette? demanda Blunt.

— Quelle est la probabilité que quatre compagnies d'assurances aient une croissance anormalement élevée mais similaire des primes qu'elles ont perçues?

— Ça dépend…

— … et que leurs compétiteurs – les autres compagnies d'assurances – aient maintenu une croissance régulière?

Blunt jeta de nouveau un regard aux graphiques.

— Elles assurent quoi ? demanda-t-il.

— J'ai trouvé un seul point commun : des contrats avec des usines de traitement des eaux.

— Des eaux usées ou de l'eau en bouteille ?

— Les deux. Elles assurent même des systèmes publics. Je suis tombé sur ça par hasard : une recherche de courtier qui portait sur la croissance anormale de certaines compagnies d'assurances.

— L'eau…

Le visage de Blunt se figea. Après quelques instants de concentration, l'image d'un goban se stabilisa à l'intérieur de son esprit. C'était le jeu sur lequel il transposait chaque jour les informations qu'il recueillait à propos des événements en cours.

Alors qu'il tentait d'intégrer cette information, de nouvelles zones d'influence lui apparurent tout à coup, qui reliaient des amorces de territoires jusque-là autonomes. Cela modifiait tout l'équilibre du jeu.

De multiples questions surgissaient dans l'esprit de Blunt.

Y avait-il un lien avec les deux sous-marins qui menaçaient les pôles ? avec les Enfants du Déluge ?… avec la vague de consolidations qui frappait le secteur de la commercialisation de l'eau ?… Bien sûr, c'était tiré par les cheveux. Mais les Enfants de la Terre brûlée s'étaient manifestés en même temps que les attentats liés aux céréales. Et en même temps que l'agitation au sein des multinationales spécialisées dans le commerce de céréales… Assistait-on maintenant au même type de coïncidences avec les Enfants du Déluge ? Le même type de logique était-il à l'œuvre derrière la succession apparemment anarchique des événements ?

Les pires délires avaient tous un point commun : leur impitoyable logique. Tous les psychiatres le savaient. Comme le savent également les chroniqueurs des principales manifestations de la folie humaine à travers l'histoire. Le délire est toujours logique. C'est l'application aveugle d'une idée. On applique le programme. Quoi qu'il arrive. Quels que soient les dégâts et le nombre des victimes collatérales.

Il faudrait qu'il en parle rapidement à Dominique. Si son intuition était juste, la situation était probablement pire que tout ce qu'ils avaient imaginé.

Ses pensées furent interrompues par la sonnerie de son iPhone. C'était une sonnerie qu'il n'avait pas encore entendue : un extrait musical qui lui rappela la musique techno qu'écoutait une de ses deux nièces.

Il prit l'appareil dans son étui, jeta un regard à l'écran : des notes de musique y dansaient. Puis elles se fondirent dans une image d'où émergea le visage de Mélanie. Sous le visage, il y avait trois lettres : MEL.

Il appuya sur Mel et fut dirigé au SMS que sa nièce venait de lui envoyer :

Dla miouz ki fo ktécoute. Ta juss a kliké. C hyper.

— Hyper… murmura Blunt, perplexe.

Il décida de remettre à plus tard le téléchargement des pièces musicales que sa nièce jugeait essentielles à sa culture. Il remit le iPhone dans sa poche, ramena son regard vers Poitras et lui demanda :

— Qui contrôle l'eau ?

Poitras s'assit devant un écran et tapa une série de chiffres sur le clavier.

— Dans le MSCI, l'eau embouteillée, on trouve ça au zéro zéro, cinquante et un, zéro zéro zéro.

— Le MSCI ?

— Un indice boursier. Il classifie par secteurs les principales entreprises de la planète inscrites en Bourse.

Une série de noms s'afficha à l'écran, dont ceux de Nestlé et de Coca-Cola.

— Une grande partie du secteur appartient aux multinationales impliquées dans l'alimentation, dit-il. Il y a aussi les brasseries, les compagnies de vins et spiritueux. Tout ça fait partie du secteur Consommation de base… Ensuite, il faut regarder le secteur des compagnies publiques de distribution.

Il entra d'autres instructions au clavier, ce qui fit apparaître une nouvelle liste.

— La plupart s'occupent à la fois de l'eau potable et du traitement des eaux usées, expliqua Poitras. C'est un domaine très concentré.

— Les prix n'ont pas fini de monter !

— Ce n'est pas nécessairement un drame.

— Faudrait poser la question aux habitants des bidonvilles, répliqua Blunt sur un ton assez sec.

Il était rare que Blunt ait des réactions personnelles aussi marquées. Poitras sourit et prit quelques secondes avant de répondre.

— Ça dépend des endroits. Et de combien ça monte… Qu'il y ait un réseau public ou pas, les pauvres ont besoin d'eau quand même. Ils la prennent dans des réseaux parallèles et ils paient souvent plusieurs fois le prix officiel. Il y a des *rackets*… Alors, si une compagnie double le prix et construit des infrastructures pour que l'eau se rende aux plus pauvres, pour eux, c'est quand même mieux que de la payer quatre fois plus cher sur le marché parallèle et d'en avoir seulement de temps en temps… sans aucune garantie de salubrité.

— On croirait entendre une multinationale, ironisa Blunt.

— Je n'ai jamais vu une multinationale refuser d'utiliser la vérité quand ça fait son affaire !

— Pourquoi alors est-ce qu'il y a autant de résistance ?

— Ce sont les plus riches et les classes moyennes qui protestent. Ce sont eux qui accaparent la plus grande partie de l'eau et ils ne veulent pas payer plus cher pour que l'eau se rende aussi dans les quartiers les plus pauvres.

Blunt resta un instant songeur.

— Les assurances et le truc de l'eau, tu peux creuser ça ?

— Je vais voir ce que je peux trouver.

Au même instant, le iPhone de Blunt se manifesta de nouveau. Un autre SMS de Mélanie.

Keski spass? Ta u mon msg? Pkoi tu repon pa? ;-(((

Blunt soupira. Ce n'était pas la première fois. Ses nièces ne comprenaient simplement pas qu'il ne réponde pas sans délai au moindre message.

En un sens, le SMS était le contraire du courrier électronique. Ce dernier permettait de différer la réponse. De se libérer de l'urgence qu'imposait un appel téléphonique. La messagerie instantanée, elle, ne rendait pas la communication disponible en tout temps aux humains : elle obligeait plutôt les humains à être disponibles en tout temps à la communication.

FOND DE L'OCÉAN, 16 H 08

Claudia passait en revue les détails du trajet pour ne pas les oublier : l'échelle interminable à l'intérieur d'un boyau creusé dans le roc, le bref tunnel à l'horizontale ; puis les boyaux de plastique au fond de l'océan, l'entrée dans le bâtiment sous-marin, le premier corridor, la bifurcation à droite ; et enfin, la petite chambre où elle était retenue prisonnière.

Allongée sur le lit, les mains derrière la nuque, Claudia dressait l'inventaire de son environnement. Un éclairage terne. Un lit, un bureau et une chaise. Un écran de télé était encastré dans le mur et protégé par une vitre. Une sorte de hublot permettait d'avoir un aperçu du fond de la mer.

Avant de l'enfermer dans la petite chambre, un des deux hommes lui avait dit qu'ils s'occuperaient d'elle plus tard. Qu'avec un peu de chance, son amie viendrait bientôt la rejoindre. Cela voulait dire qu'ils connaissaient l'existence de Kim. Mais qu'ils ne l'avaient pas encore capturée.

Le contraire aurait été étonnant. Kim avait eu tout le temps de se rendre à l'hôtel avant que les deux hommes la surprennent. Et elle ne pouvait pas ne pas avoir entendu le signal d'alerte. Avoir suivi leur conversation. Au moins pendant tout le temps qu'ils avaient été à la surface. Après, par contre, quand ils étaient descendus à l'intérieur du roc...

À l'heure qu'il était, Kim avait probablement averti l'Institut. Claudia ne doutait pas que ses amis mettraient tout en œuvre pour la retrouver. Mais la retrouver au fond de l'océan, ça risquait de ne pas être simple… Et il y avait Kim. Après avoir averti l'Institut, que ferait-elle ? Attendrait-elle l'arrivée de renforts, ce qui était la chose à faire ? Voudrait-elle se lancer, toute seule, à son secours ?…

Le plus difficile était de ne pas avoir conscience du temps écoulé. Avant de partir, les deux hommes l'avaient dépouillée de tous ses effets personnels. Y compris de sa montre.

Elle ne pouvait qu'attendre. Attendre sans repères dans le temps…

Attendre à ne rien faire. Parce que ses perspectives d'évasion étaient pratiquement nulles. Le hublot était trop petit pour lui permettre de passer et la seule autre ouverture était bouchée par une porte en acier absolument lisse : le seul dispositif d'ouverture était situé sur la face extérieure de la porte… Défoncer un mur ?… Elle avait donné quelques coups prudents pour évaluer le son. Ils semblaient aussi massifs que la porte.

La seule chose qu'elle pouvait faire, c'était se reposer. De manière à être alerte et en forme quand ils viendraient la voir.

Elle venait à peine de fermer les yeux qu'un signal sonore attirait son attention. La télé s'était allumée : sur l'écran, elle voyait quelqu'un marcher dans un des boyaux de plastique. En s'approchant, elle réalisa que c'était Kim. Puis elle vit la porte du sas se refermer sur elle pour l'emprisonner. L'eau se mit ensuite à monter à l'intérieur du sas.

Au cours des minutes suivantes, elle assista, impuissante, aux efforts de Kim pour tenter d'échapper à la mort. Claudia avait beau hurler, pleurer, frapper contre la porte… personne ne lui répondit. À l'écran, l'eau continuait inexorablement de monter.

Le film s'arrêta sur l'image du visage de Kim, dont le corps flottait, sans vie, au centre de la cabine de verre.

Claudia prit alors conscience que ses larmes s'étaient arrêtées. À l'intérieur d'elle, une rage froide avait balayé tout le reste. Elle était maintenant calme. Désormais, son seul but serait de demeurer en vie, de manière à pouvoir venger Kim lorsque l'occasion s'en présenterait.

Elle en était à élaborer des scénarios pour profiter du prochain moment où ses ravisseurs viendraient la voir lorsqu'elle se sentit brusquement la tête lourde. Elle avait de la difficulté à se tenir debout. Alors qu'elle se dirigeait vers le lit, elle s'écroula par terre.

Sa dernière pensée fut qu'elle ne pouvait pas mourir de cette façon. C'était trop injuste. Trop injuste…

Londres, 14 h 11

Moh et Sam avaient suivi Hadrian Killmore jusqu'au Royal Hospital de Chelsea. De leur voiture, ils pouvaient voir la limousine avec chauffeur qui attendait Killmore. Il y avait une dizaine de minutes qu'ils avaient amorcé la surveillance.

Suivre Killmore était un jeu d'enfant. L'homme ne faisait aucun effort pour déjouer d'éventuelles filatures. Du moins, en apparence. Car il lui arrivait de disparaître puis de réapparaître le lendemain à St. Sebastian Place comme si de rien n'était.

Cette visite au Royal Hospital intriguait Sam. L'institution abritait depuis trois cents ans des officiers de l'armée britannique infirmes ou à la retraite. Qui Lord Hadrian Killmore pouvait-il bien être venu voir ? La question était d'autant plus intrigante que l'institution n'avait pas la réputation d'abriter des membres de la classe dominante.

— Tu vois un lien entre St. Sebastian Place et le Royal ? demanda-t-il.

— Pourquoi ?

— Jusqu'à maintenant, on l'a surtout vu aller dans des banques, des grands restaurants et des clubs privés.

— Pour les questions de classes sociales et d'étiquette, c'est toi l'expert.

— Hum…

— Il a peut-être un vieil oncle qui a fait la guerre des Boers…

— Tu penses qu'il pourrait être encore en vie ?

— Ça pourrait être celle de 1914, quand ils se sont rangés du côté des Allemands…

— Ce qui lui donnerait au minimum… cent treize ans.

— À l'époque, ils les engageaient plus jeunes.

Sam se contenta de secouer légèrement la tête.

HEX-Radio, 8 h 16

> … Montréal, la nouvelle capitale de l'insécurité ! Hier, c'est un président de compagnie qui s'est noyé dans son bain. La police parle d'un accident. Il aurait pris des somnifères… Moi, j'aimerais ça qu'on m'explique comment quelqu'un qui patauge dans l'argent, qui a une femme qui ressemble à une bombe sexuelle, qui vient d'être élu l'homme d'affaires de l'année et qui est en parfaite santé peut avoir besoin de somnifères… Moi, me semble, j'voudrais rester réveillé le plus longtemps possible pour en profiter !
> Anyway, il a avalé un bouillon fatal. Est-ce qu'il a fait ça tout seul comme un grand ? Est-ce qu'il a eu de l'aide ? Pour l'instant, on sait rien. La version officielle, c'est qu'il s'est noyé dans son bain ! Point final ! Pour le reste, vous repasserez plus tard… Et la cerise sur le sundae : c'est le nécrophile qui s'occupe de l'affaire !… Parlant du nécrophile, vous avez entendu sa dernière ? Il est en faveur de la « castration verbale »…

Montréal, 8 h 18

Théberge regrettait son emportement de la veille avec la recherchiste de HEX-TV. Mais il était trop tard. Des extraits de ce qu'il avait dit circulaient maintenant sur Internet. Les animateurs de HEX-Radio les reprenaient dans leurs émissions. Ce n'était qu'une question de temps avant que les autres médias en parlent aussi.

> Il accuse les médias… comment il dit ça, déjà ?… Attendez un instant que je regarde mes notes… de « psittacisme ordurier ». Ça vous dit quelque chose, vous autres, le « psittacisme ordurier » ? En tout cas, la castration verbale, on peut imaginer ce que c'est !…

Théberge ferma la radio.

Désormais, il ne se passait guère de jours sans que HEX-TV ou HEX-Radio ne s'acharnent sur lui. Au début, ils avaient été les seuls à le faire. Puis, avec le temps, la rumeur et la répétition avaient produit leur effet. Le sujet avait été progressivement repris par d'autres médias.

Et lui, il leur servait sur un plateau du matériel pour les alimenter pendant plusieurs semaines! Quel imbécile il était!

Crépeau entra dans son bureau et vit son air renfrogné.

— Des problèmes?

— Toujours la même chose.

— Pamphyle a examiné Auclair. Mélange d'alcool et de médicaments. C'est plausible qu'il ait perdu la carte et qu'il se soit noyé.

— Mais ça n'exclut pas que ce soit un meurtre?

— Non. Mais je ne vois pas comment on pourrait le prouver.

— Il s'opposait à une offre d'achat d'Akwavie. Lui et sa femme avaient trente-cinq pour cent des voix.

— Et maintenant?

— Je suppose que c'est sa femme qui hérite.

— Tu penses qu'elle va vendre?

— C'est ce qui est arrivé à la femme de Saint-Laurent, le vice-président qui est mort dans l'accident de voiture. Dans la semaine qui a suivi, elle a vendu ses vingt pour cent d'actions.

— Ce qui donne cinquante-cinq pour cent…

Crépeau regarda un instant Théberge en silence avant de demander:

— Qui a acheté les actions du VP?

— AquaTotal Fund Management. Le fonds d'investissement à qui le président refusait de vendre.

LONDRES, 13 H 47

Malgré son décor banal, le petit salon était un des endroits les mieux protégés de la planète contre la surveillance électronique. Killmore et Whisper discutaient depuis quarante-six minutes, à l'abri de toute oreille indiscrète. Ils avaient passé en revue l'ensemble des opérations.

Whisper était arrivé en chaise roulante, même s'il n'avait aucune difficulté à se déplacer. Car ses problèmes de santé ne menaçaient pas sa mobilité : c'était son espérance de vie globale qui était en danger. Il avait moins d'un an à vivre, malgré son apparente bonne forme. Il suffisait qu'il limite ses activités à quelques heures par jour pour réussir à donner le change. Mais, dans une résidence pour personnes infirmes et retraitées, quoi de plus normal qu'un vieillard en chaise roulante ?

Killmore, lui, s'était rendu à la comptabilité, où il avait pris possession d'un certain nombre de documents. Quoi de plus normal pour un membre du conseil d'administration dont le mandat particulier était de superviser la vérification interne ?

Killmore s'était ensuite dirigé vers le petit salon où il avait ses habitudes, soi-disant pour travailler dans le calme, et il y avait attendu l'arrivée de Whisper.

Aux yeux de Killmore, les rencontres avec Whisper avaient toujours un caractère spécial. Ce dernier l'avait recruté quand il avait à peine vingt ans. À l'époque, Whisper était l'étoile montante du Cercle des Cullinans, qui régnait sur le commerce du diamant.

Sous la gouverne de Whisper, l'organisation avait évolué et elle s'était redéfinie en fonction d'un objectif beaucoup plus ambitieux : gérer l'apocalypse vers laquelle se dirigeait aveuglément l'humanité.

Dans une première étape, avec l'aide de Fogg, Whisper avait mis sur pied le projet Consortium. Puis il avait compris que ce ne serait pas suffisant. Qu'il fallait une approche plus globale. Et beaucoup plus radicale. La planète devait purger ses excès. Et cette purgation impliquait une souffrance. C'était inévitable. Comme lorsque l'économie d'un pays purge ses excès au moyen d'une récession. Les mesures pour l'éviter ne pouvaient, au mieux, que la retarder. Et la rendre plus dure.

La différence, c'était que les excès de la planète n'étaient pas seulement économiques : ils étaient aussi démographiques et sociaux. C'était donc sur tous ces plans que la récession était nécessaire.

HEX-RADIO, 9 H 19

> — T'AS ENTENDU LA RUMEUR ? PARAÎT QUE LES FONFONCTIONNAIRES PLANCHENT SUR LE CAS DU PRÉSIDENT DE COMPAGNIE QUI S'EST NOYÉ DANS SON BAIN. ILS VONT PONDRE UNE NOUVELLE LOI.
> — ÇA VA ÊTRE DÉFENDU DE SE NOYER DANS SON BAIN ?
> — NON, MAIS LES CEINTURES DE SAUVETAGE VONT ÊTRE OBLIGATOIRES. DÉFENSE DE PRENDRE SON BAIN SANS CEINTURE.
> — POUR LES BÉBÉS, ILS VONT SÛREMENT INVENTER DES SIÈGES DE BAIN. COMME DANS LES AUTOS…

LONDRES, 14 H 35

Whisper et Killmore avaient d'abord passé en revue les opérations en cours. Pour les céréales, les choses suivraient désormais leur cours sans intervention majeure de leur part. Pour l'eau, par contre, on en était à l'étape cruciale. Whisper avait posé de nombreuses questions sur les interventions des prochains jours et, comme à l'habitude, Killmore avait été impressionné par sa maîtrise des dossiers, dont il semblait posséder en mémoire les moindres détails.

Une fois le tour des opérations en cours achevé, la discussion avait porté sur l'Arche et les sanctuaires de l'Archipel. Whisper était manifestement anxieux de les voir achevés.

— C'est pour quand ?

— L'Arche ?… Au pire, tout sera terminé dans quatre mois. Plus probablement trois. Mais elle est déjà habitable.

— Je compte m'y installer sous peu.

— L'endroit est sécurisé et le service de sécurité est fonctionnel à cent pour cent. Pour l'aménagement des services d'appoint, par contre, il y a du retard.

— L'état des réserves ?

— Si on réduit les habitants au personnel essentiel, l'Arche dispose présentement d'une autonomie alimentaire de deux ans et demi. Le problème, c'est que les zones de production alimentaire n'ont pas encore un fonctionnement optimal.

— D'autres problèmes qui méritent d'être mentionnés ?

— La construction des secteurs d'habitation pour les travailleurs a aussi pris du retard. Mais ça ne devrait pas affecter votre confort.

— Et le reste de l'Archipel ?

— Tout se déroule comme prévu. L'essentiel sera terminé dans six à huit mois. Pour un fonctionnement idéal, il faudra attendre de deux à quatre ans… Par la suite, le développement sera ajusté à l'évolution de la situation.

Whisper hocha la tête en signe d'assentiment.

Killmore regardait son mentor avec un mélange de pitié et d'admiration. Admiration pour l'homme qu'il avait été et qu'il s'efforçait de continuer à être, pitié pour l'homme qu'il était devenu malgré lui… Son esprit était encore alerte, mais tout le reste se dégradait. Au mieux, il n'avait plus que quatre heures d'activité par jour.

La décision finale sur son avenir ne pourrait plus être reportée très longtemps. Car il était hors de question que Whisper déménage dans l'Arche. L'endroit serait son domaine exclusif. Lui seul déciderait qui y vivrait, qui en serait exclu ainsi que les règles qu'ils auraient à respecter. Un tel endroit, par définition, ne pouvait pas tolérer deux maîtres.

Vieillir, c'est faire le deuil de l'individu qu'on a été. Killmore avait déjà lu la phrase quelque part et il l'avait retenue sans savoir pourquoi… Il était maintenant clair que Whisper ne se décidait pas à assumer son âge. À faire le deuil de ce qu'il avait été. Il aurait besoin d'aide. Ne serait-ce que pour s'éviter à lui-même le spectacle de sa propre déchéance… Contrairement à la manière dont Whisper envisageait la fin de sa vie, celle-ci allait se terminer beaucoup plus sèchement – et beaucoup plus vite – qu'il ne l'entrevoyait.

GENÈVE, 16 H 07

Hessra Pond regardait les journalistes avec un sourire retenu. Son costume marine se détachait sur le fond bleu pâle de l'arrière-scène, qui représentait le ciel au-dessus des vagues de l'océan. La conférence de presse durait depuis six minutes. Les journalistes autorisés à y assister avaient été choisis en raison de leur appartenance aux médias les plus prestigieux de la planète. C'étaient tous des spécialistes de l'information économique.

— C'est vrai, dit Pond. AquaTotal Fund Management est un fonds d'investissement. Un fonds de *private equity*. Et je sais que ces fonds n'ont pas une bonne réputation. Dans les années quatre-vingt, plusieurs se sont faits une spécialité d'acheter des entreprises pour les démembrer et les revendre en pièces détachées. Plus récemment, plusieurs ont profité du crédit facile et des bas taux d'intérêt pour acheter des entreprises bien établies, les endetter afin de financer leur achat puis les revendre à profit... Ils sont même montrés du doigt comme des responsables de la dernière grande crise financière.

Elle promena son regard sur l'assistance avec un sourire qui évoquait celui du chat du Cheshire.

— Ça, reprit-elle, c'est ce que nous refusons de faire. Nous ne revendons pas les entreprises par morceaux. Nous n'utilisons pas le levier de façon déraisonnable. Notre utilisation du *leverage buy out* se situe dans une perspective de long terme. Nous sommes un investisseur patient. Pourquoi? Parce que nous avons compris qu'il est crucial d'introduire de l'ordre dans ce secteur qui est essentiel au bien-être – que dis-je? à la survie – de l'humanité. Et que restructurer un tel secteur prend du temps. Mais c'est la stratégie la plus rentable. De loin. En adoptant cette approche, nous faisons en sorte que le bien de notre entreprise coïncide avec celui de l'humanité. C'est pour cette raison que nous entendons montrer la voie à l'industrie. Que nous entendons être les pionniers du capitalisme humanitaire.

Elle promena de nouveau son regard sur la foule des journalistes. Au mieux, son auditoire était sceptique.

— Jusqu'à maintenant, reprit-elle, les capitalistes se sont contentés d'exploiter le monde ; le temps est venu de le transformer. Nous allons prendre la relève des politiciens. Parce qu'ils doivent se faire élire, les hommes politiques sont condamnés à penser à court terme. Dans le meilleur des cas, un homme politique a un horizon de mi-mandat : après, il est en mode électoral, pas en mode responsable. Et pour être élu, il doit se rabattre sur le plus petit dénominateur commun, sur ce qui va déranger le moins de gens... Nous, au contraire, nous situons notre action dans le long terme et dans l'intérêt supérieur de l'humanité. L'alignement des intérêts – profit pour l'entreprise, survie de l'industrie alimentaire pour l'humanité – est le meilleur gage de notre bonne foi... Évidemment, seules les entreprises d'envergure internationale ont les moyens de ce type de politique. Prenez Hydropur Research, un des fleurons de notre brochette d'entreprises : elle redistribue vingt-cinq pour cent de ses profits à des projets de traitement des eaux en Afrique.

Les journalistes bougeaient sur leurs chaises, visiblement impatients de poser des questions.

— Avant d'ouvrir la période de questions, poursuivit Pond, je voudrais apporter une dernière précision. AquaTotal Fund Management a été fondé spécifiquement pour assurer la préservation à long terme de ce bien essentiel à l'ensemble de l'humanité : l'eau. L'eau que nous buvons. L'eau dont nous nous servons pour nos besoins domestiques... L'eau que nous utilisons à des fins agricoles. L'eau qui circule dans les plans d'eau et qui nourrit la végétation... L'eau qui contribue à construire les paysages dans lesquels nous vivons... Protéger ce bien est notre priorité. Distribuer, récupérer, traiter et dépolluer l'eau sont nos activités *core*. C'est de cette manière que nous entendons contribuer au bien-être et, disons-le, à la survie de l'humanité. C'est cela, le capitalisme humanitaire.

Les journalistes se regardèrent puis plusieurs mains se levèrent simultanément. Pond fit un signe en direction de la représentante du *Wall Street Journal*.

— Est-ce que vous voulez établir un monopole mondial sur l'eau ? demanda la journaliste.

— L'eau est déjà sous l'emprise d'un monopole mondial : celui de l'incompétence, de l'imprévoyance, de la corruption, des intérêts à court terme, des lobbies politiques et des décisions à courte vue.

Le sourire de Pond s'élargit.

— Je blague, dit-elle.

Son visage redevint sérieux.

— Mais à peine... Je ne pense pas qu'un groupe puisse réaliser ce type de monopole. Par contre, je sais que plusieurs groupes comme le nôtre existent ou sont à se constituer. Bien que concurrents, nous partageons un but commun : créer des organisations suffisamment fortes pour résister aux pressions et au chantage des groupes d'intérêt ; préserver notre capacité d'agir en fonction du bien général de l'humanité.

— Allez-vous poursuivre vos acquisitions ? demanda le représentant du *Financial Times*.

— Nous allons les accélérer. Récemment, nous avons rendu publiques des offres d'achat sur deux entreprises : Akwavie et Aquapro Water Conditioning. D'autres annonces suivront dans les prochaines semaines. Peut-être même dans les prochains jours.

Le journaliste du *Herald Tribune* prit la parole.

— Vous vous engagez à ne pas endetter massivement les entreprises dont le fonds va se porter acquéreur. Comment allez-vous être en mesure de respecter votre engagement, compte tenu de l'ampleur des fonds dont vous allez avoir besoin pour tous ces projets ?

— Nos investisseurs disposent des moyens nécessaires pour soutenir notre développement.

— Vos mystérieux investisseurs dont on ne connaît pas le nom ?

— Ils préfèrent demeurer anonymes. Cela les soustrait aux pressions qui seraient inévitables si leur participation était connue.

— Le caractère privé de ces fonds, la relative opacité de leur gestion, ça ne vous inquiète pas ? D'un point de vue démocratique…

— La démocratie est mieux assurée par des décisions qui échappent au lobby des classes les plus riches, au clientélisme et aux trafics d'influence. C'est ce que nous entendons démontrer.

La femme fit une pause de quelques secondes et parcourut l'assemblée du regard.

— Je voudrais que ma position soit claire : l'eau est un bien trop précieux pour qu'on le laisse être géré de la façon anarchique dont il l'est présentement. C'est sur ce plan que le capitalisme mondial peut agir dans une perspective humanitaire : au sens propre du terme, il s'agit d'assurer la bonne gestion de l'un des biens les plus précieux de l'humanité.

— Vous ne pouvez quand même pas sauver l'humanité à vous tout seuls.

— Bien sûr que non. C'est pour cette raison que nous allons contribuer au fonds mis sur pied par l'Alliance mondiale pour l'Émergence. Notre première contribution s'établira à la hauteur de cent millions de dollars. Sans faire partie officiellement de l'Alliance, nous croyons à ce type d'action responsable. Par le passé, le capitalisme a démontré qu'il était le mode de gestion le mieux outillé pour produire de la richesse ; il doit maintenant relever le défi d'assurer la gestion de la planète de manière à garantir la survie de l'humanité.

OTTAWA, 10 H 23

— La proposition sera présentée formellement à l'ONU dans deux jours, fit John Petrucci, l'ambassadeur des États-Unis au Canada. Nous comptons sur votre appui.

Le premier ministre du Canada, Jack Hammer, prit la feuille qui résumait le long discours que prononcerait l'ambassadeur américain aux Nations Unies. Le titre le fit sourire : c'était le charabia habituel des organisations internationales. Le texte de la déclaration, par contre, à cause de sa limpidité, lui fit l'effet d'un coup de poing.

DÉCLARATION D'INTENTION
SUR LA GESTION DES RÉSERVES D'EAU DOUCE DANS UNE PERSPECTIVE DE PRÉSERVATION, DE MISE EN VALEUR ET DE PÉRENNISATION DU CAPITAL AQUIFÈRE DE L'HUMANITÉ

L'eau est un patrimoine de l'humanité. De ce fait, elle n'appartient à aucun pays. Elle ne peut pas être utilisée comme arme stratégique par un pays contre un autre : une telle utilisation équivaudrait à une déclaration de guerre.

En conséquence, les États signataires conviennent que :

- *sa distribution doit être dépolitisée et confiée au libre jeu du marché ;*
- *les lois qui empêchent ou limitent sa commercialisation doivent être abrogées ;*
- *les États peuvent exiger une rente raisonnable sur l'eau exploitée commercialement qui provient de leur territoire, comme pour n'importe quelle ressource naturelle ;*
- *dans le but de prévenir les abus dans l'utilisation de ce bien essentiel, les États doivent adopter le principe de l'utilisateur payeur à l'intérieur des frontières de leur propre pays ;*
- *les États peuvent constituer des réserves pour des utilisations déclarées stratégiques (militaires, agricoles, pétrolières…) ; ces réserves sont soustraites au libre jeu du marché.*

Hammer releva les yeux de la feuille de papier et regarda Petrucci un moment en secouant la tête.

— *No way*, dit-il. Je ne peux pas appuyer ça ! J'aurais l'air de vendre le pays.

— Entre le vendre et le mener à la ruine…

Tous les deux savaient à quelle menace Petrucci faisait allusion. Près de quatre-vingts pour cent des exportations du Canada étaient dirigées vers les États-Unis. Avec le boycott des produits alimentaires canadiens et les contrôles que les États-Unis imposaient à la frontière, l'économie du Canada flirtait déjà avec le marasme. Si les Américains imposaient d'autres sanctions…

— Nos réserves d'eau sont au bord de l'épuisement, reprit Petrucci.

— Vous avez épuisé vos nappes phréatiques et maintenant vous voulez vider les nôtres.

— Pas les vider, expliqua Petrucci avec un sourire. En acheter une partie.

Il poursuivit ensuite sur un ton plus sérieux.

— Il est effectivement possible que nous n'ayons pas géré au mieux notre capital aquifère. Mais le fait est que plusieurs régions de notre pays vont bientôt devoir importer de l'eau. Très bientôt.

— Si vous avez gaspillé vos réserves de façon irresponsable, ce n'est quand même pas notre problème !

— Pas encore… Mais vous avez le choix : ou bien ça se transforme en problème, ou bien ça devient une occasion d'affaires… Ou bien vous appuyez notre proposition, ou bien nous prendrons les moyens pour obtenir votre appui.

— Vous allez faire quoi ? demanda Hammer par provocation. Fermer complètement la frontière ?

— Dans une première étape.

Hammer regardait Petrucci, estomaqué. Il allait de soi que les États-Unis imposent à leurs alliés, du simple fait de leur force économique et militaire, un certain nombre de décisions. Mais c'était la première fois qu'ils le faisaient de façon aussi ouverte, sans aucun souci d'y mettre les formes.

— Nous allons aussi fermer nos aéroports à tous les vols en provenance du Canada, poursuivit Petrucci. Pour des raisons de sécurité… Nous allons également contacter les principales entreprises qui ont des filiales ou des succursales dans votre pays : je ne serais pas étonné qu'elles suspendent leurs opérations sur votre territoire, le temps d'en réévaluer la pertinence. Vous allez avoir des dizaines de milliers de chômeurs dans les rues… Bien entendu, nous allons cesser toute exportation de légumes et de fruits frais. Et nous allons présenter un projet de loi pour limiter le séjour des citoyens canadiens sur notre territoire.

Pendant qu'il égrenait ses menaces, Petrucci n'avait pas cessé de fixer Hammer dans les yeux. Comme le premier ministre allait répondre, Petrucci lui coupa la parole :

— J'oubliais : les agences de notation de crédit vont sûrement regarder avec inquiétude cette évolution des relations entre nos deux pays : je suis presque certain qu'elles vont réviser à la baisse la cote de crédit des gouvernements et des entreprises canadiennes, ce qui augmentera le coût de tous vos emprunts…

— Vous n'oseriez pas !

— Combien de jours pensez-vous pouvoir tenir ?

— Tous les pays vous condamneraient !

L'ambassadeur écarta l'objection d'un haussement d'épaules.

— Nous avons passé le stade où nous pouvions nous payer le luxe de nous faire aimer. De toute façon, la plupart des pays nous condamnent déjà.

— Comment votre nouveau président va-t-il justifier ça ? Lui qui propose de dialoguer avec tout le monde ?

— Il ne contrôle pas nécessairement chacune des décisions du Congrès.

Petrucci sourit et son expression se fit plus conciliante.

— On n'est pas obligés de présenter ça comme des représailles, reprit-il. Ça peut être des mesures de sécurité : réduction du trafic aérien, multiplication des contrôles aux frontières, exigences de sécurité supplémentaires pour les voyageurs… inquiétudes sur la situation économique et politique de votre pays qui amèneraient nos entreprises à être prudentes…

— C'est un jeu qui peut se jouer à deux. Les projets de développement énergétique peuvent être ralentis. Les lignes à haute tension qui approvisionnent la Nouvelle-Angleterre peuvent avoir des accidents…

Le sourire de l'ambassadeur s'élargit.

— Beaucoup de gens, au Congrès, aimeraient que vous ouvriez les hostilités. Cela leur permettrait d'exercer ouvertement des représailles au lieu de perdre du temps à finasser… Pour le moment, bien sûr, ce n'est pas la position de mon gouvernement. Mais si vous indisposez sérieusement le Congrès…

— Je ferai part de votre position au cabinet, répondit sèchement Hammer. Si vous n'avez aucune autre remarque à formuler…

— Un simple conseil : à votre place, je me méfierais des tendances séparatistes qui se manifestent en Alberta et en Colombie-Britannique. Une bonne partie de la population de ces deux provinces est déjà favorable à l'idée de quitter le Canada pour s'intégrer aux États-Unis. Si les gens apprennent que vous vous apprêtez à précipiter le pays dans une crise sans précédent avec leur principal partenaire économique…

SHANGHAI, 22 H 32

Hurt avait parcouru les alentours du restaurant une grande partie de la journée pour évaluer les mesures de sécurité. Bien qu'importantes, elles semblaient surtout destinées à éloigner les curieux et à prévenir l'irruption d'un commando suicide. Rien qui puisse lui causer le moindre problème !

Il était maintenant à son hôtel. De la fenêtre de sa chambre, au quatre-vingt-unième étage, il observait avec des jumelles l'endroit où le groupe dînerait : une terrasse située sur le toit d'un restaurant, de l'autre côté de la rivière Huangpu. S'il fallait en croire les informations de Wang Li, la réunion aurait bien l'ampleur qu'on lui avait annoncée. En plus des dirigeants du Parti impliqués dans la relance de Meat Shop, toute la structure décisionnelle de la filiale y assisterait, depuis les responsables régionaux des réseaux d'approvisionnement jusqu'à ceux

des réseaux de distribution, en passant par les coordon-
nateurs de transactions qui régulaient les échanges entre
les fournisseurs et les acheteurs.

Avec un couteau à pointe de diamant, Hurt découpa
un rond dans le coin inférieur droit de la vitre.

Wang Li avait fait preuve d'une efficacité exemplaire.
Quand Hurt lui avait expliqué de quelle façon il entendait
procéder, le Chinois avait immédiatement trouvé l'équipement qui convenait.

Pourtant, Hurt avait des sentiments partagés à son
endroit. Il se demandait jusqu'à quel point cet agent de
l'Institut n'était pas en fait un agent double qui instrumen-
talisait l'Institut pour servir les intérêts de la Chine.
C'était le problème avec les agents doubles, on pouvait
difficilement savoir où allait leur loyauté première.

Et puis, il y avait le caractère inattendu de ce voyage
qui continuait de le tracasser. Bien sûr qu'il estimait
justifiée l'attaque contre la nouvelle direction de Meat
Shop. Mais est-ce que c'était par hasard que, juste au
moment où il approchait d'une résidence appartenant
selon toute vraisemblance au Consortium, des informations apparaissaient, sans qu'il sache d'où ? Et qu'on
l'expédie à l'autre bout du monde ?

À l'intérieur de lui, le plus caustique était Sharp.

— *On a montré un nonosse au toutou et le toutou est
parti courir après le nonosse à l'autre bout de la planète !*

Nitro, lui, était le plus frustré. Steel réussit à rétablir
le calme en promettant que, sitôt l'opération terminée,
ils retourneraient terminer le travail à Londres.

— *Après avoir poireauté à Xian !* précisa Nitro.

Steel ne répondit pas : lui laisser le dernier mot l'aiderait à ronger son frein.

HEX-TV, studio 24, 11 h 46

L'animatrice et son invitée, une femme d'environ
trente-cinq ans, étaient assises dans des fauteuils placés
en angle. Autant l'animatrice paraissait sûre d'elle,
détendue, en pleine possession de ses moyens, autant
l'invitée semblait inquiète et mal à l'aise.

« Cinq secondes », fit la voix du régisseur.

L'animatrice se tourna vers la caméra. Son sourire disparut et son expression devint grave.

Au moment où le voyant lumineux indiqua qu'elle était en ondes, elle s'adressa à la caméra.

— Nous passons maintenant à la chronique « En direct du vrai monde ». Comme représentante du vrai monde, nous avons aujourd'hui Laurence Vidal.

Elle se tourna vers l'invitée, qui jouait nerveusement avec ses mains.

— Madame Vidal, bonjour.

— Bonjour.

— Madame Vidal, je sais que la situation est particulièrement difficile pour vous. Je vous remercie d'être venue nous rencontrer.

L'invitée fit un petit signe de la tête pour accepter la marque de compassion.

— Madame Vidal, reprit l'animatrice en s'efforçant de mettre de l'empathie dans sa voix, qu'est-ce que vous avez à nous apprendre ?

— C'est mon mari. Il a disparu. Avant-hier, il avait contacté la police à cause des menaces qu'il avait reçues… C'est rapport à son travail. Il est chercheur à l'université. Il travaille sur un projet pour faire de l'eau potable à partir de l'eau de mer. Il y a des entreprises qui ont essayé de le recruter. Mais il ne voulait pas enrichir les multinationales. Il voulait aider les ONG et les pays pauvres.

— Vous pensez vraiment que c'est une multinationale qui l'a fait enlever ?

— Je ne dis pas ça. Mais après son dernier refus, il a commencé à recevoir des appels… le jour, la nuit…

— Quel genre d'appels ?

La voix de l'animatrice trahissait un mélange d'étonnement et d'incrédulité.

— Qu'il était mieux d'être raisonnable, de penser à sa famille… Que ses enfants étaient encore jeunes. Qu'ils avaient la vie devant eux si leur père ne faisait pas de bêtises… Qu'il y avait pire, dans la vie, que de changer d'emploi. Que c'était préférable à avoir un accident. Ou à disparaître sans que personne sache jamais ce qui vous est arrivé.

À mesure qu'elle énumérait les menaces, sa voix se brisait. C'est avec difficulté qu'elle conclut :

— C'est pour ça qu'il a appelé la police.

— Et qu'est-ce que la police a fait ?

— Rien.

— Rien ?… Elle n'a rien fait pour le protéger ?

— Un policier était censé venir le voir… Mais il n'est pas venu.

— Vous savez le nom du policier qui devait le rencontrer ?

— Un inspecteur… Théberge, je pense… Oui, c'est ça : l'inspecteur-chef Théberge…

Montréal, 12 h 14

Fidèle à son habitude, Skinner était arrivé au lieu du rendez-vous une demi-heure à l'avance. Cela lui avait permis de choisir la table et la place à la table qui l'avantagerait le plus quand il rencontrerait Armand Frigon.

Passer autant de temps à Montréal l'empêchait de suivre d'aussi près qu'il l'aurait voulu les opérations qui se déroulaient sur l'ensemble de la planète. Il avait une confiance relative en Gravah et Pond. Il aurait aimé suivre de plus près leurs activités. Mais Fogg en avait décidé autrement. Le chef du Consortium semblait avoir une difficulté croissante à s'opposer au moindre décret des commanditaires de l'organisation… Décidément, la perspective d'une nouvelle conversation avec Hunter devenait de plus en plus intéressante.

Skinner ouvrit le journal qu'il avait ramassé à la sortie du métro. Auclair faisait l'objet d'un titre et de quelques lignes de résumé dans un article de la page trois.

SUICIDE OU ACCIDENT ?

PDG retrouvé mort dans son bain

Le président d'Akwavie est retrouvé noyé dans son bain. L'hypothèse du

suicide est envisagée. Des bouteilles
de médicaments ont été retrouvées à
proximité de la victime.

Du coin de l'œil, il aperçut Frigon qui arrivait. Il lui fit signe de s'asseoir en face de lui. Comme Skinner avait choisi la première table le long du mur, près de l'entrée de la cuisine, Frigon se trouvait à l'une des places les plus inconfortables du restaurant : le dos au corridor du centre commercial, juste à côté du passage qu'empruntaient les serveuses pour aller chercher les commandes à la cuisine.

— Vous m'apportez tout ce qu'il y avait sur la liste ? demanda d'emblée Skinner.

— Bien sûr.

Frigon paraissait nerveux. Il s'assit et déposa son attaché-case à côté de lui.

Un sourire apparut sur le visage de Skinner. Inutile de l'insécuriser davantage. Un peu d'encouragement était même de mise.

— Vous avez vraiment tout ? dit-il comme s'il était agréablement surpris.

— Une carte complète des fuites. Les quantités… Ce que ça coûterait pour remettre le réseau en état… Les probabilités qu'il y ait des pénuries d'eau à court terme…

— Excellent !

Frigon sortit son BlackBerry et activa Blue Tooth. Skinner fit de même avec le sien. En quelques minutes, tous les dossiers électroniques dont Frigon avait une copie sur son appareil se retrouvèrent sur celui de Skinner. Ce dernier désactiva Blue Tooth et activa le navigateur Internet : les dossiers prirent le chemin de son portable, qu'il avait laissé à sa chambre d'hôtel. De là, une copie du dossier fut acheminée automatiquement à un journaliste télé ainsi qu'à un député de l'opposition.

Ce qu'il y avait de plaisant dans la manipulation de l'information, songea Skinner, c'était qu'on n'avait même pas besoin de mentir : il suffisait de choisir ce que l'on voulait communiquer. Et à qui.

Il tendit la carte des vins à Frigon.

— Puisque nous avons de quoi fêter, choisissez-nous une bouteille qui soit à la hauteur.

Tout au long du repas, Frigon participa de façon distraite à la conversation, jetant sans cesse des coups d'œil de tous les côtés comme s'il avait peur d'être surpris en compagnie de Skinner. Même le Flacianello 97 ne réussit pas à retenir son attention.

À la fin du repas, Skinner activa de nouveau le navigateur Internet de son BlackBerry. Quelques secondes plus tard, il était sur le site d'une banque, au Liechtenstein. Il entra un code qui déclencha une opération préprogrammée de transfert de fonds.

— Voilà, dit-il en relevant les yeux vers Frigon. L'argent est dans votre compte.

— C'est tout ? demanda Frigon, visiblement pressé de partir.

— Vous pouvez disposer, répondit Skinner en souriant.

Puis, comme l'autre se levait, il ajouta :

— Vous êtes chanceux d'être tombé sur quelqu'un comme moi. J'en connais qui se seraient contentés de vous faire chanter plutôt que de vous payer.

PARIS, 18 H 53

Aussitôt que Blunt fut entré, Chamane l'emmena dans son bureau de travail. Une table dont la surface ressemblait à un écran d'ordinateur trônait maintenant au milieu de la pièce. Le jeune *hacker* la montra avec fierté à Blunt.

— C'est quoi ? demanda Blunt.

— Une variante de la Microsoft Surface. Mets ton iPhone sur la table.

Blunt s'exécuta. Aussitôt, un carré de lumière diffuse se découpa autour de l'appareil et de petites ondulations se mirent à pulser autour de lui. À la base du carré, une barre de progression s'afficha. Quand la progression fut terminée, la barre et les petites ondulations disparurent.

— Le logiciel de sécurité de ton appareil a été mis à jour, fit Chamane en redonnant le iPhone à Blunt.

Il appuya sur un des coins de la table ; un nouveau carré de lumière apparut, dans lequel était affichée une liste de mots. Il appuya sur « Bar ». Une autre fenêtre s'ouvrit :

> Bière
>
> Vin
>
> Boissons gazeuses
>
> Eaux minérales
>
> Jus

— Tu veux boire quelque chose ? demanda Chamane.

— Eau minérale.

— Quelle sorte ?

— As-tu de la Badoit ?

Chamane appuya sur « Eaux minérales », ce qui fit apparaître un sous-menu déroulant. Il posa ensuite un doigt sur « Badoit ». Le chiffre au bout du mot passa de 6 à 5.

Dans le sous-menu des jus, il choisit ensuite « Jus de litchi ». Le chiffre au bout du mot passa de 4 à 3. Puis, il appuya simultanément sur deux touches ; toutes les fenêtres disparurent de la table.

— Ça sert à quoi ? demanda Blunt, perplexe.

— Je gère mon inventaire.

Chamane emmena ensuite Blunt à la cuisine et il ouvrit un des deux réfrigérateurs sur la porte duquel était écrit : À BOIRE. Il ne contenait que des bières, des jus, des eaux minérales... Chamane prit une bouteille de Badoit, la donna à Blunt et il prit une boîte de jus de litchi.

De retour dans le bureau, Chamane fit apparaître une nouvelle fenêtre sur la table. Elle contenait une liste de trois points :

> Les Enfants de la Terre brûlée
>
> Les grandes extinctions
>
> AquaTotal Fund Management

— AquaTotal Fund Management, dit-il. C'est une demande que Théberge a faite à Dominique. Elle l'a

refilée à Poitras, qui m'a demandé de voir ce que je
pouvais trouver.

— Et… ?

Sur son goban mental, Blunt posa une nouvelle pierre.
Le territoire associé à l'eau continuait de se préciser.

— C'est un fonds d'investissement privé. Il n'y a
rien d'intéressant sur leur site. Juste de la publicité et des
informations publiques : leur mission, le nom des compagnies qu'ils détiennent, leurs projets humanitaires… Ils
doivent avoir un Intranet complètement séparé pour leur
gestion interne.

— Ce qui veut dire ?

— Que leurs informaticiens ont un minimum d'intelligence. *Anyway*, je vais t'envoyer ce que j'ai. Ton portable
est à l'hôtel ? Il est allumé ?

— Oui.

Chamane fit apparaître un dossier sur la table, puis
une liste de noms comprenant celui de Blunt. Il pointa
l'index sur le nom de Blunt, qui se transforma en une
image de mallette avec son nom gravé sur le dessus. Il
appuya ensuite sur la mallette : elle s'ouvrit. Il pointa le
dossier et le déplaça jusqu'sur l'image de la mallette.
Une barre de progression apparut, à peine une seconde,
puis la mallette se referma et elle redevint le nom de
Blunt.

— C'est rendu, dit-il en se tournant vers Blunt.

Blunt avait de la difficulté à ne pas sourire trop largement en voyant les efforts que Chamane faisait pour
contenir sa fierté.

— Je suppose que c'est une des premières qui est sur
le marché, dit-il.

— Des exactement comme ça, il n'y en a pas encore,
répondit Chamane. Je l'ai « personnalisée ».

— Je croyais que Microsoft était l'empire du mal.

— Même Darth Vader peut avoir accès au bon côté
de la force !… OK, les grandes extinctions, maintenant.

Il fit apparaître un nouveau dossier, qui contenait une
liste de documents. Il pointa ensuite les différents fichiers,

qui se transformèrent en autant de fenêtres. La table était presque pleine.

— Première chose, dit Chamane, les scientifiques ne s'entendent pas. Officiellement, il y en a quatre ou cinq. C'est pour ça qu'on parle de la sixième dans *X-Files*.

Il toucha une fenêtre avec deux doigts et l'agrandit. Elle contenait un tableau des cinq plus grandes extinctions.

Date	Disparitions	Époque
445 millions	60 % des espèces : plancton, algues, coraux, trilobites, brachiopodes…	Ordovicien/Silurien
360 millions	57 % des espèces marines : coraux, trilobites, poissons marins, éponges, brachiopodes… Amphibiens.	Devonien
248 millions	95 % des espèces, dont 70 % des espèces terrestres : plantes, vertébrés, insectes… 89 des 90 genres de reptiles. Espèces marines : coraux, céphalopodes… Environ 18 millions d'espèces anéanties.	Permien/Trias (PT)
206 millions	52 % des espèces marines : nautiles, ammonites, reptiles… Extinction végétale massive.	Fin du Trias (Norien)
65 millions	75 % des espèces vivantes. 47 % des espèces marines : ammonites, plancton… 18 % des vertébrés terrestres, dont les dinosaures.	Crétacé tertiaire (KT)

— Les dates sont approximatives, reprit Chamane. Je n'ai pas indiqué les catastrophes géologiques qui ont causé les disparitions… les volcans, les astéroïdes, les glaciations… les lacs salés géants qui émettaient des gaz toxiques… les sécheresses qui ont fait disparaître des océans…

— Pourquoi les Enfants du Déluge parlent de celle qui s'en vient comme de la huitième ?

— Parce qu'on pourrait en ajouter deux autres.

Chamane réduisit la fenêtre et en agrandit une autre, qui contenait une liste de sept vagues d'extinctions.

DATE	DISPARITIONS	ÉPOQUE
1,9 milliard		Proterozoïque
650 millions		Précambrien
445 millions	60 % des espèces : plancton, algues, coraux, trilobites, brachiopodes…	Ordovicien/Silurien
360 millions	57 % des espèces marines : coraux, trilobites, poissons marins, éponges, brachiopodes… Amphibiens.	Devonien
248 millions	95 % des espèces, dont 70 % des espèces terrestres : plantes, vertébrés, insectes… 89 des 90 genres de reptiles. Espèces marines : coraux, céphalopodes… Environ 18 millions d'espèces anéanties.	Permien/Trias (PT)
206 millions	52 % des espèces marines : nautiles, ammonites, reptiles… Extinction végétale massive.	Fin du Trias (Norien)
65 millions	75 % des espèces vivantes. 47 % des espèces marines : ammonites, plancton… 18 % des vertébrés terrestres, dont les dinosaures.	Crétacé tertiaire (KT)

— Une première juste avant le Cambrien, reprit Cha-mane. Vers moins 650 millions d'années. Elle aurait précédé l'explosion des formes de vie du Cambrien. Et une autre vers moins 1,9 milliard d'années. Elle aurait été contemporaine du passage des procaryotes aux eucaryotes.

Blunt le regarda, perplexe.

— Ce qui veut dire ? finit-il par demander.

— Les procaryotes ont leur ADN qui flotte dans la cellule. Les eucaryotes ont un ADN qui est enfermé dans un noyau : il est mieux protégé, la reproduction est plus fiable. Les bons coups de l'évolution ont plus de chances de se perpétuer… Tu vas trouver tout ça dans les articles que je t'ai envoyés. Pour les deux premières extinctions, tu vas voir, les scientifiques ne savent pas grand-chose.

Pointant les deux coins opposés en diagonale, il réduisit la taille de la fenêtre.

— Ça se contredit souvent dans les détails, dit-il. Mais en gros, c'est clair.

Tapant du bout du doigt à deux reprises sur le dossier, il le fit disparaître.

— J'ai éliminé toutes les extinctions secondaires, poursuivit Chamane.

— Secondaires ?

— J'ai juste gardé celles où au moins trente à quarante pour cent des espèces de la planète ont disparu. Les extinctions secondaires, c'est seulement dix pour cent des espèces qui disparaissent.

— Est-ce qu'il y a des extinctions négligeables ? ironisa Blunt.

— Sûr, répondit très sérieusement Chamane. C'est plein. Ils appellent ça des extinctions mineures… Il y a onze mille ans, les grands mammifères d'Amérique du Nord ont disparu : le castor géant, la grande mouffette…

— Une grande mouffette… Grande comment ?

— Aucune idée. Si tu veux, je peux vérifier sur le Net… Quand tu regardes l'évolution de la vie, *man*, c'est un vrai carnage. Savais-tu ça que même pas un pour cent des espèces qui sont apparues sur la planète existent encore ? Les sports extrêmes, à côté de ça !…

Il agrandit une autre fenêtre.

— Dans cet article-là, ils mentionnent une bonne trentaine d'extinctions secondaires !

— Donc, quand les Enfants du Déluge parlent de la huitième extinction…

— Ils font probablement référence à cinq plus deux.

Blunt resta un moment silencieux. Ce que venait de lui apprendre Chamane était lourd d'implications. Si les Enfants du Déluge justifiaient leurs actions par une rationalisation de type scientifique, cela les rendait plus dangereux encore : la certitude des membres d'avoir raison et de s'inscrire dans un grand plan les rendrait moins perméables au doute. Et si leur étalon de référence était la disparition de quarante pour cent des espèces de la planète, ce n'était pas le sacrifice de quelques milliers de personnes, ni même de quelques millions, qui pèserait lourd dans leurs calculs.

Ils furent interrompus par l'arrivée de Geneviève, qui avait l'air endormie.

— Pour quelle heure je fais la réservation? demanda-t-elle avant d'apercevoir Blunt.

Elle se figea un instant.

— Désolée, dit-elle.

— On a presque terminé, fit Blunt.

— Je vous laisse.

— On en a pour une demi-heure au plus, se dépêcha de dire Chamane avant qu'elle referme la porte du bureau.

Chamane soupira.

— Je ne comprends pas, reprit-il. Avant, elle travaillait dix-huit heures par jour et elle était toujours en forme. Maintenant, elle dort douze heures, elle est toujours fatiguée... et elle a toujours faim. Penses-tu qu'elle peut être enceinte?

— Ça, c'est à elle qu'il faut le demander! répondit Blunt avec un sourire.

— J'ai lu sur un site que, les premiers mois, elles sont tout le temps fatiguées et qu'elles se mettent à manger plus.

Blunt continuait de regarder Chamane en souriant. Ce dernier poursuivit:

— Si je lui demande et qu'elle est pas enceinte, elle est capable de penser que c'est parce que je la trouve grosse.

— Tu t'inquiètes pour rien. Si elle est enceinte, elle va te le dire quand elle sera prête.

— Et si elle se sent pas prête... qu'est-ce que je fais?

Autant Chamane avait l'air désemparé, autant Blunt avait de la difficulté à ne pas rire.

— Il va falloir que tu t'y fasses, dit-il. Pour les femmes, il n'y a pas de logiciel. Ni de *Femmes 101 pour les nuls*...

Drummondville, 14 h 18

Dominique lisait le rapport conjoint que deux des directeurs de la Fondation, Ludmilla Matznef et Alain Lacoste, lui avaient transmis. La première s'occupait des droits fondamentaux, le second des dossiers de santé. Les deux avaient rédigé ensemble un bilan sur l'accès à l'eau.

Une série de projets parrainés par la Fondation avaient récemment subi des sabotages, particulièrement dans les bidonvilles les plus populeux de la planète : San Juan de Lunghano à Lima, Ajegante à Lagos, Cape Flats au Cap, Imbata au Caire, Dharavi à Bombay, Kibera à Nairobi, Pikine à Dakar, Altendaq à Ankara... La liste faisait plus d'une page.

Parfois, les fonds avaient été détournés, parfois des lois avaient été votées pour bloquer des projets ; des émeutes spontanées avaient détruit les installations ; des équipements avaient été volés et revendus au marché noir dans d'autres pays ; des projets avaient été modifiés par les autorités politiques et récupérés au profit des quartiers les plus riches ; des bateaux acheminant des équipements avaient été coulés ou avaient été victimes de piraterie ; un avion avait explosé en vol ; des grèves sauvages avaient empêché des travaux ; des rumeurs avaient circulé, selon lesquelles l'eau des nouveaux aqueducs servait à stériliser les pauvres... Les causes des échecs variaient presque à l'infini. Mais le résultat était partout le même : les projets avaient avorté.

Les conséquences de ces sabotages étaient catastrophiques : augmentation des maladies infectieuses liées à l'eau contaminée, augmentation de la mortalité en bas âge, montée en flèche du prix de l'eau sur le marché noir...

Il avait fallu la perspicacité des deux membres de la Fondation pour avoir l'idée de recueillir cette information, d'effectuer les recoupements et de soulever la question qui concluait leur rapport : y avait-il un effort concerté pour saboter la distribution de l'eau dans les zones urbaines les plus peuplées, les plus pauvres et les plus explosives de la planète?

Dominique resta un long moment à réfléchir. Elle songea au courriel que Blunt venait de lui envoyer. Après un moment de réflexion, elle inscrivit quelques mots sur la première page du rapport:

Attentat de Las Vegas

Akwavie

Bidonvilles : accès à l'eau

AquaTotal Fund Management

Enfants du Déluge

Et puis, il y avait la curieuse allusion aux quatre éléments dans le message de Buzz. Si l'on identifiait les céréales à la terre, l'eau au déluge… Il y avait aussi l'allusion indirecte aux quatre éléments dans la conférence de presse de l'AME. Un autre lien qui devenait manifeste entre ces entreprises et le terrorisme. Bien sûr, elles avaient beau jeu de prétendre qu'elles désiraient en réparer les ravages. Mais de là à prévoir quelles en seraient les formes à venir…

Son esprit revint ensuite à Hurt. Pouvait-il avoir eu accès à de l'information sur ces campagnes de terrorisme? Si oui, ça voulait dire que le Consortium avait toutes les chances d'y être impliqué! Ça voulait aussi dire que ce plan datait de plus de dix ans!… C'était complètement fou!

Et F qui « collaborait » avec Fogg!

QUÉBEC, HÔTEL DU PARLEMENT, 15 H 39

Louis Lacombe ouvrit le message de son informateur anonyme en s'interrogeant comme chaque fois sur son identité et sur ses motifs. Il s'agissait probablement d'un haut fonctionnaire. Il le fallait. Qui d'autre pouvait signer: « Mauvaise conscience qui veut se soulager » et avoir accès à des informations aussi sensibles?

Le message accompagnant le dossier, laconique comme toujours, affirmait que les renseignements sortiraient le soir même et les jours suivants dans les médias. Que les dossiers lui étaient fournis pour qu'il puisse préparer ses interventions en Chambre.

Lacombe ouvrit les pièces jointes, les imprima et commença sa lecture. Tous les documents parlaient de la dégradation du réseau d'aqueduc de Montréal.

Le député comprit rapidement qu'il s'agissait de rapports confidentiels, mais probablement exacts, que l'administration municipale et le gouvernement avaient prudemment tenus secrets. On y dressait un bilan catastrophique de l'état du réseau : les coûts de sa remise à niveau se chiffraient par milliards et la période de rénovation des structures serait un enfer pour tous les habitants de l'île. Une des annexes documentait toutes les mauvaises décisions stratégiques des administrations municipales et des gouvernements passés ; chaque décision était accompagnée des coûts supplémentaires qu'elle avait occasionnés.

Il y avait là ce qu'il fallait pour qu'il paraisse le mieux informé et le plus compétent des députés lorsque l'information éclaterait dans les médias. De quoi lui valoir plusieurs entrevues, des invitations à des colloques… autrement dit, une visibilité.

Autant Lacombe se sentait mal à l'aise d'être utilisé, autant il trouvait la cause juste. Car il était dangereux de ne pas agir : non seulement il y avait là un gaspillage criminel, avec plus de cinquante pour cent de l'eau potable qui disparaissait par des fuites avant de se rendre au consommateur, mais il fallait prendre en compte le risque de contamination… ainsi que le risque de pénurie si des bris majeurs survenaient.

Il décrocha finalement le téléphone et composa le numéro du leader parlementaire de son parti.

— J'ai quelque chose pour la période de questions de demain… Non, ça ne peut pas être reporté à plus tard, à moins que tu veuilles qu'on ait l'air de *twits* qui dorment au gaz… Oui, c'est encore la même source. Et non, il n'est pas question que je cède l'information à quelqu'un d'autre.

MONTRÉAL, 18 H 41

Théberge était assis devant le bureau de Crépeau. Ce dernier lui lisait les principaux éléments contenus sur la feuille qu'il venait de recevoir. Un bilan des incidents liés à la crainte appréhendée de manque de nourriture.

— Un camion de livraison dévalisé, un employé d'épicerie agressé par un client qui ne voulait pas croire que la farine était en rupture de stock… une bataille dans un supermarché entre deux clients pour accaparer tout ce qui restait de boîtes de céréales… la nuit dernière, une vitrine de supermarché fracassée pour mettre la main sur des caisses de produits alimentaires… plusieurs cas de vol à l'étalage…

— Ça reste encore des incidents isolés, fit Théberge.

— Mais qui se multiplient…

— Avec les prix qui n'arrêtent pas de monter…

— Ça me rappelle ce que mon père me disait à propos de la crise de 1929…

La sonnerie du téléphone portable de Théberge interrompit la conversation.

— Oui… Au Bonaventure ?… Et ça ne peut pas attendre ?… D'accord.

Il remit son téléphone dans l'étui à sa ceinture.

— Morne veut me voir, dit-il.

— Au Bonaventure ?

En guise de réponse, Théberge se contenta de hausser les yeux au ciel et sortit.

Un peu avant d'arriver à l'hôtel, rue De La Gauchetière, il croisa un homme-sandwich. Son message était simple.

SEULE
L'ÉGLISE DE L'ÉMERGENCE
VOUS SAUVERA

WWW.EMERGEZ.COM

Émerger, songea Théberge avec un sentiment de frustration. C'était une impression qu'il avait hâte de pouvoir ressentir.

WWW.BUYBLE.TV, 18 H 32

> ... ANNONCER LE DÉLUGE EST UN BLASPHÈME. DIEU A PROMIS EXPLI-
> CITEMENT QU'IL N'Y EN AURAIT PLUS. LE VRAI DANGER QUI NOUS MENACE,
> C'EST L'ANTÉCHRIST. DÉJÀ, IL A COMMENCÉ À ÉTENDRE SON EMPRISE SUR
> LE MONDE. LES TERRORISTES SONT UN DE SES MASQUES. L'AVORTEMENT
> ET LA DESTRUCTION DE LA FAMILLE EN SONT UN AUTRE. DIEU VA BIENTÔT
> SÉPARER L'IVRAIE DU BON GRAIN. LE JOUR DU JUGEMENT APPROCHE. IL
> FAUT QUE VOUS FASSIEZ VOTRE PART. ACHETEZ UNE BIBLE ET DONNEZ-LA À
> UN AMI QUI S'EST FOURVOYÉ DANS LE MAUVAIS CHEMIN. DONNEZ-LA À
> UNE DE VOS CONNAISSANCES QUI DOUTE. OU DONNEZ-LA À UN INCONNU
> QUI VOUS SEMBLE EN AVOIR BESOIN. AVEC L'ACHAT DE TROIS BIBLES, VOUS
> EN RECEVREZ VOUS-MÊME UNE GRATUITEMENT...

MONTRÉAL, BAR DE L'HÔTEL BONAVENTURE, 18 H 41

Théberge était arrivé un peu à l'avance. Il regardait discrètement l'écran de télé. Des images d'inondation se succédaient, ponctuées de courtes apparitions d'un présentateur qui, selon toute apparence, offrait ses commentaires. Le son était coupé.

L'écran de télé avait probablement une fonction accompagnatrice, songea Théberge. Pour meubler l'atmosphère, capter l'œil et contribuer au quota de stimulation sensorielle nécessaire dans de tels lieux. Comme si le but était d'empêcher les clients de se rendre compte qu'ils étaient seuls, mais sans déranger ceux qui ne l'étaient pas.

D'après les images, Théberge en déduisit qu'il s'agissait de la catastrophe qui venait de ravager le Bengladesh. On en parlait depuis le début de la journée dans la plupart des médias électroniques. Chaque inondation était un prétexte pour rappeler qu'au moins le tiers du pays disparaîtrait avec la hausse du niveau de la mer que provoquerait le réchauffement climatique.

— Je vous remercie d'avoir accepté de vous déplacer, fit la voix de Morne derrière lui.

Théberge se retourna lentement. Du regard, il suivit Morne qui contourna la table et se laissa tomber sur une chaise, en face de lui, l'air vanné.

— J'étais en conférence téléphonique dans ma chambre, dit-il. Et je dois assister à une autre réunion dans une demi-heure. Tout le cabinet est sur les dents avec cette histoire de vente, par Terre-Neuve, de l'eau du Labrador à une entreprise américaine.

Il se pencha vers la droite pour ouvrir l'attaché-case qu'il avait posé à côté du fauteuil, y prit un dossier et le déposa sur la table. Après avoir refermé son attaché-case, il ouvrit le dossier, en sortit un certain nombre de coupures de presse et les étala devant Théberge.

Il se mit ensuite à lui lire à haute voix les titres des articles en nommant le journal dans lequel ils étaient parus.

— *Journal de Montréal* : « Il parle aux morts et il prône la castration verbale »… *Le Devoir* : « La castration verbale : un nouveau terme pour la censure ? »… *La Presse* : « Jusqu'où ira notre pittoresque inspecteur ? »… *The Gazette* : « Castration : Quebec's way of dealing with medias »… Je vous épargne ce qui se dit à la radio et à la télé.

Morne s'efforçait de contenir le ton de sa voix.

— Et puis, reprit-il, c'est quoi, cette histoire de savant que vous avez refusé de protéger ?

Théberge prit une grande respiration.

— Il a téléphoné pour dire qu'il avait reçu des menaces sans préciser de quoi il s'agissait. Je devais passer le voir durant la journée… Il y a eu des urgences. J'ai reporté ma visite au lendemain matin.

— Pour le PM, c'est la goutte qui a fait déborder le vase.

— Je vais être démissionné ?

— Crépeau va l'être.

— Quoi !… Si c'est moi qui lui titille le gros nerf, pourquoi il s'en prend à Crépeau ?

— Parce que si on vous congédie, on a l'air de céder aux pressions de certains médias. Ou pire, ça donne l'impression d'un règlement de comptes entre vous et le premier ministre. Tandis que Crépeau… Avec lui, ça devient une décision politique : ça affirme la volonté d'un changement d'orientation, de leadership.

— Et vous, vous êtes complice de cette saloperie !

— Ça se joue maintenant au-dessus de ma tête, protesta Morne. Le premier ministre et le maire dînent ensemble pour décider de la meilleure façon de présenter la chose au public… J'ai obtenu qu'ils y mettent les formes.

— Vous voulez dire qu'ils vont le poignarder dans le dos en chantant ses louanges ?

— Le procédé est assez courant. Ça fait partie des contraintes du décorum médiatique. Tout le monde doit avoir l'air souriant, quel que soit le supplice auquel il est soumis.

Théberge s'appliqua à refouler son indignation. Il ne voulait pas faire d'éclat. C'est d'une voix relativement posée mais sur un ton sarcastique qu'il répondit :

— On n'est pas dans l'atmosphère raréfiée de la nébuleuse médiatique, on est dans la vraie vie.

Morne poursuivit comme si de rien n'était.

— Ils lui laissent la possibilité de remettre sa démission d'ici quelques semaines. Ils sont même prêts à écouter ses recommandations pour son éventuel successeur.

— Vous êtes sûr qu'ils n'ont pas un sous-ministre ou un ami du parti à placer ?

— Sûrement, qu'ils en ont un ! Mais ce n'est pas une raison pour se priver d'une recommandation informée. Si jamais il y a des problèmes dans les médias avec le candidat qu'ils proposent, ils auront un deuxième choix sur lequel se rabattre… Mais vous savez tout ça aussi bien que moi !

Théberge se réfugia dans la dégustation de son café pour avoir un sursis de quelques secondes. En fait, il aurait préféré un sursis de quelques heures – ou, mieux, de quelques décennies – avant de reprendre cette conversation.

— Ma démission à moi est prévue pour quand ? demanda-t-il en déposant sa tasse sur la table.

Il supposait qu'on laisserait les choses se calmer, puis qu'on lui montrerait la sortie, quelques mois plus tard, dans le cadre d'une restructuration élaborée par le nouveau directeur. L'annonce de son départ ferait alors moins de vagues.

— Il est hors de question que vous démissionniez, répondit Morne.

Théberge le regarda, incrédule.

— Ça fait partie de l'arrangement, poursuivit Morne. Vous restez et on permet à Crépeau de sauver la face.

— Pourquoi ?

— Si vous démissionniez, ça aurait l'air d'une purge. Ou d'une vengeance… Il est indispensable que vous restiez.

— Les médias ne se calmeront pas.

— Tant qu'ils vont s'occuper de vous, le nouveau directeur aura les coudées franches… Au besoin, il pourra se dissocier de vos initiatives.

Théberge regarda Morne un long moment.

— Et c'est vous qui avez manigancé tout ça ?

— Pensez-vous ! C'est du Mouton grand cru ! Et je ne parle pas du vin !… Non, personnellement, je vous aime bien, vous et Crépeau. Et je suis persuadé que vous êtes un policier remarquablement efficace. À votre curieuse manière, bien sûr. Et Crépeau est un bon directeur… Mais, une fois que le PM a pris sa décision, mon travail est de la mettre en application. Les états d'âme ne font pas partie de ma description de tâche.

Après une pause, il ajouta sur un ton de regret :

— Bien sûr, il y a des occasions où le travail n'est pas très agréable. Vous savez ce que c'est… Mais quand il n'y a rien à faire, il faut savoir tirer la ligne. Même si ce n'est pas facile.

— Parce qu'en plus vous voulez que je vous plaigne ! explosa Théberge.

Il se leva sans cesser de regarder Morne, résista à la tentation d'en ajouter, puis tourna les talons, sortit du bar et se dirigea vers les ascenseurs.

DRUMMONDVILLE, 19 H 07

F releva les yeux du rapport qu'avait rédigé Dominique à la suite des informations sur les sabotages mentionnés par les membres de la Fondation.

— Je pense qu'ils ont mis le doigt sur quelque chose de majeur, dit-elle.

— C'est ce que je pense aussi.

— Tu as regardé les dossiers sur les sous-marins ?

— Je n'en parle pas, mais je me suis dit qu'il pouvait y avoir un lien.

— Ça ressemble à ce qu'on a vu avec les céréales.

— Après s'en être pris aux céréales, ils s'en prendraient à l'eau…

— Pour le moment, je ne vois pas d'autre explication.

— Dans quel but ils feraient ça ?

Un silence suivit.

— Incidemment, dit F, Fogg confirme qu'une opération d'envergure est en cours pour réduire le stock de céréales de la planète et faire monter les prix. Ça inclurait des pressions pour pousser vers les biocarburants les pays qui sont les plus grands consommateurs de pétrole, de manière à diminuer les zones d'agriculture consacrées à l'alimentation. Il a aussi eu connaissance de rumeurs qui associent HomniFood à cette opération, mais il ne peut pas les confirmer. Pour ce qui est d'HomniFood, il ne sait pas qui tire les ficelles derrière le CA de l'entreprise, mais il parie pour une alliance de groupes mafieux et de multinationales.

— Il y a une différence ? demanda Dominique, sarcastique.

— Quelques principes, parfois… répondit F, pince-sans-rire.

— Vous y croyez, aux principes des multinationales ?

— Je parlais des mafias.

Le visage de F demeurait imperturbable. Dominique n'arrivait pas à être certaine si c'était de l'humour noir ou l'opinion réelle de F.

— Et Fogg, vous y croyez, à ses principes ? demanda-t-elle.

— À ses principes ? Je ne peux pas te répondre. Mais, pour les questions qui nous préoccupent, je crois qu'il a intérêt à nous dire la vérité.

— Moi, j'ai des doutes.

— J'espère bien, répondit F en souriant. C'est précisément parce que tu es capable de me critiquer que je te fais confiance.

Elle n'ajouta pas qu'elle aussi avait ses doutes, mais qu'ils étaient d'une autre nature. Qu'ils portaient sur la fiabilité et le réalisme des plans à trop long terme.

C'est alors que le signal des situations d'urgence se déclencha.

RDI, 19 H 18

— NOUS PASSONS MAINTENANT À GUY-ANDRÉ, QUI SURVEILLE POUR NOUS CE QUI SE PASSE SUR INTERNET. ALORS, GUY-ANDRÉ, BEAUCOUP D'ACTION SUR LA TOILE ?

— BEAUCOUP, PIERRE-ALEXANDRE. IL Y A SURTOUT CETTE RUMEUR COMME QUOI DES TERRORISTES ÉCOLOS S'APPRÊTERAIENT À FAIRE SAUTER DES ENGINS NUCLÉAIRES AUX DEUX PÔLES.

— AUX PÔLES ! À PART DES PHOQUES ET DES PINGOUINS, QU'EST-CE QU'IL Y A À ATTAQUER, AUX PÔLES ?

— DES BANQUISES ! LEUR BUT SERAIT DE DISLOQUER LES BANQUISES POUR AMPLIFIER LA FONTE DES GLACES ET ACCÉLÉRER LE RÉCHAUFFEMENT DE LA PLANÈTE.

— RIEN QUE ÇA !... EST-CE QU'IL Y A DES CONFIRMATIONS OFFICIELLES DE CETTE RUMEUR ?

— RIEN ENCORE SUR LES SITES GOUVERNEMENTAUX ET LES AGENCES DE PRESSE.

— VOUS CONNAISSEZ L'ORIGINE DE CES RUMEURS ?

— IL SEMBLE QU'ELLES SOIENT APPARUES PRESQUE SIMULTANÉMENT DANS UNE DIZAINE DE PAYS.

— CE SERAIT DONC UNE OPÉRATION CONCERTÉE ?

— PEUT-ÊTRE. MAIS LES EXPLICATIONS SONT RAPIDEMENT PARTIES DANS TOUTES LES DIRECTIONS. LA PLUS FOLLE, C'EST QUE LES AUTEURS DE L'ATTENTAT NE SERAIENT PAS DES TERRORISTES ÉCOLOS MAIS DES PÊCHEURS JAPONAIS...

— VRAIMENT N'IMPORTE QUOI !

— ILS AURAIENT DÉCIDÉ DE CHASSER LA BALEINE AUX BOMBES NUCLÉAIRES COMME ON PÊCHE À LA DYNAMITE DANS LES LACS. LEUR BUT, EN PLUS DE RÉCUPÉRER DES BALEINES, SERAIT DE PROUVER À QUEL POINT IL EN RESTE DES QUANTITÉS IMPORTANTES... ET QUE LA SUPPOSÉE DISPARITION DE L'ESPÈCE EST UN COMPLOT DES OCCIDENTAUX POUR LEUR IMPOSER DES QUOTAS !

MONTRÉAL, 20 H 04

La réunion du conseil d'administration promettait d'être intéressante. À l'ordre du jour, il y avait l'offre d'achat déposée par AquaTotal Fund Management.

En attendant le début de la réunion, Julien Boileau, le trésorier d'Akwavie, discutait avec la veuve du président.

— Vous n'étiez pas obligée de venir, dit-il. Les gens auraient compris.

— Je veux en finir au plus vite.

— Je ne vous laisserai pas tomber. Nous allons poursuivre l'œuvre de Gabriel.

— Vous croyez que cela en vaut la peine ?

— Moi aussi, j'ai subi des pressions. Mais il n'est pas question que je cède.

Ariane Auclair le regarda un long moment.

— Vous avez peut-être raison, finit-elle par dire. Mais moi, je veux mettre tout ça derrière moi. Il faut que je pense aux enfants.

— Vous allez voter pour la proposition !

Boileau semblait estomaqué.

— Je vais voter pour me bâtir une nouvelle vie.

Puis elle ajouta, voyant l'air déconfit de Boileau :

— D'un point de vue strictement financier, l'affaire est une chance unique pour les petits actionnaires. AquaTotal achète les actions soixante-cinq pour cent au-dessus de leur valeur.

Boileau paraissait hésitant.

— Si vous croyez que c'est ce qu'il faut faire…

Secrètement, il était ravi. Un vote positif du conseil d'administration d'Akwavie se traduirait, à terme, par sa nomination au poste de vice-président exécutif de l'entreprise. Le responsable d'AquaTotal, qui l'avait rencontré la veille, le lui avait assuré.

FOND DE L'OCÉAN, 1 H 19

Claudia se réveilla dans une chambre dont l'un des murs était une paroi de verre. De l'autre côté de la paroi, c'était l'océan.

Son regard se perdit un instant dans le paysage marin. Des lumières avaient été aménagées sur une centaine de mètres au fond de la mer pour élargir le champ de visibilité. On aurait dit un aménagement paysager… Une sorte d'aquarium grandeur nature.

Un instant, elle se demanda si c'était un effet visuel. Si la fenêtre était un écran géant. Puis elle se dit qu'on avait dû la changer de pièce. Elle se rappela alors s'être sentie perdre conscience. Avoir eu peur de mourir.

Au moins, elle était en vie.

À l'extérieur, le paysage était très différent de ce qu'elle avait vu à travers le petit hublot de l'autre pièce. L'avait-on amenée ailleurs?… Si oui, comment l'avait-on transportée là? En sous-marin? Si c'était le cas, cela voulait dire qu'elle avait été inconsciente assez longtemps…

À sa gauche, le visage ironique d'une femme aux yeux bleus s'afficha sur l'écran de télé incrusté dans le mur.

— À votre place, dit la femme, je ne penserais pas à m'évader. À moins que vous ayez des capacités exceptionnelles pour la plongée en eaux profondes. Et même là…

Malgré le côté en apparence désespéré de la situation, Claudia tâcha de ne pas réagir et de paraître maîtresse d'elle-même.

La femme poursuivit sur le même ton ironique.

— Si vous tentez quoi que ce soit, la cloison vitrée de cette pièce s'abaissera d'un centimètre. Pour avoir vu votre collègue aux prises avec le même problème, vous pouvez facilement imaginer ce qui se produira.

Le sourire s'accentua un moment, puis l'écran s'éteignit, laissant Claudia sans exutoire pour évacuer la rage qui bouillait en elle.

LCN, 21 h 34

> … DES INVESTISSEMENTS MAJEURS. LES PERTES S'ÉLÈVERAIENT À PLUS DE CINQUANTE POUR CENT, CE QUI SIGNIFIE QUE LA MOITIÉ DE L'EAU POTABLE DISPARAÎT DANS LE SOL AVANT DE SE RENDRE AUX USAGERS. UNE REMISE EN ÉTAT DU RÉSEAU COÛTERAIT AU BAS MOT ENTRE DIX MILLIARDS VIRGULE SIX ET SEIZE MILLIARDS VIRGULE UN. POUR DISCUTER DE CETTE QUESTION AVEC NOUS, LE PROFESSEUR…

DRUMMONDVILLE, 22 H 13

Dominique regardait CNN. Un reporter y expliquait depuis plusieurs minutes, entrevues d'experts à l'appui, que la menace terroriste de faire exploser des bombes atomiques aux deux pôles constituait un danger négligeable. Bien sûr, ça n'avait rien de réjouissant quant à la pollution des océans, mais ça ne représentait en aucune façon une menace pour le réchauffement de la planète.

> C'EST COMME SI ON METTAIT DEUX OU TROIS BLOCS DE GLACE DANS LE RÉSERVOIR D'EAU DE LA VILLE DE NEW YORK.

C'était donc la ligne officielle, songea Dominique. On tenait pour acquis que les explosions auraient lieu et on se dépêchait de banaliser l'événement. Sauf que toutes les études sérieuses parlaient de la fragilité de l'Antarctique ouest et de l'accélération importante de la fonte de l'Arctique.

Quel rapport y avait-il entre ces résultats et les manœuvres des multinationales pour constituer un monopole sur l'eau ? Le seul point commun, c'était l'eau… À Montréal, il y avait aussi le savant disparu qui s'occupait de désalinisation. Encore l'eau !

Rien de tout cela n'avait de cohérence. Pour quelle raison quelqu'un qui chercherait à prendre le contrôle du traitement et de la distribution de l'eau s'en prendrait-il à la glace des pôles ? Pour faire monter le niveau de la mer ?… Quelle en serait l'utilité ?

Que des écoterroristes veuillent sensibiliser les gens au réchauffement de la planète, la chose allait de soi. Qu'ils provoquent des catastrophes pour le faire, c'était plausible. Mais quel rapport y avait-il avec les multinationales ? S'agissait-il d'événements sans rapport ?… Si oui, c'était la théorie de Blunt et de Poitras qui prenait l'eau.

D'un autre côté, comment un groupe terroriste pouvait-il avoir les moyens de mobiliser deux sous-marins porteurs d'engins nucléaires ? Il fallait qu'ils disposent de sommes considérables ou de collaborateurs à un niveau hiérarchique élevé dans la marine.

Dominique fut tirée de ses pensées par l'arrivée de F, qui semblait particulièrement préoccupée.

— Toujours pas de nouvelles de Kim ? demanda-t-elle.

— Non.

Un air de contrariété passa sur le visage de F.

— Je n'aime pas ça, dit-elle. Elle est capable de tenter de la libérer sans attendre l'équipe de monsieur Claude.

— Seule ?

F fit un geste d'impuissance.

— Tu sais comment elle est…

Puis, elle s'efforça de paraître plus sereine.

— Monsieur Claude m'a informée qu'il avait trouvé une équipe, dit-elle. Ils vont partir dans quelques heures pour la Normandie.

— Pourvu qu'il ne soit pas trop tard.

— Si tu réussis à joindre Kim, dis-lui que les renforts sont sur le point d'arriver.

Sur ce, elle retourna s'enfermer dans son bureau.

La mise en route de l'Apocalypse repose sur un plan en trois volets. Il faut concentrer le pouvoir économique, détruire le pouvoir politique et inféoder le pouvoir criminel.

Guru Gizmo Gaïa, *L'Humanité émergente*, 3- Le Projet Apocalypse.

NORMANDIE, 11 H 29

À l'arrière de la limousine, monsieur Claude relisait les informations que F lui avait transmises. En plus des coordonnées de l'endroit où s'était produit le kidnapping, il y avait plusieurs photos satellite des lieux ainsi que la photo des deux agentes. Aucune des deux ne lui était complètement inconnue. Avec leurs nouveaux visages, il aurait cependant eu de la difficulté à les reconnaître.

Pour l'accompagner, il avait choisi deux de ses anciens collaborateurs, maintenant retirés du service, qui avaient fondé une agence privée : enquêtes, surveillance, protection rapprochée, installation d'équipements de sécurité… Il fallait bien qu'ils occupent leur journée !

Les deux étaient à l'avant. Sébastien conduisait, gardant un œil sur le système de navigation GPS, pendant que Lambert consultait Internet sur son ordinateur portable, à la recherche de tout ce qu'il pouvait apprendre sur les environs de l'endroit où la femme avait été enlevée.

Comme au bon vieux temps, songea monsieur Claude. Sauf qu'à l'époque où il dirigeait la DGSE, il ne se serait pas impliqué d'aussi près dans une opération.

— On devrait arriver dans une heure seize minutes, fit la voix de Sébastien à travers le micro.

— Bien.

Les choses avaient décidément changé. Auparavant, l'Institut n'aurait pas fait appel à un ancien contact retraité pour récupérer un de ses agents. Ils devaient vraiment être à court de personnel… Pourtant, l'information qu'il avait reçue sur les réseaux européens de pédophilie suggérait que l'organisation avait encore les moyens d'être efficace.

Il y avait également cette rumeur selon laquelle ce seraient d'anciens agents de l'Institut qui auraient « donné » aux Américains le réseau mondial de trafic de drogue qu'ils étaient en train de démanteler…

En France aussi, les choses avaient changé. La Direction de la sécurité du territoire et les Renseignements généraux venaient d'être fusionnés à l'intérieur d'une agence à l'américaine : la Direction centrale du renseignement intérieur. Dans les corridors des ministères, on parlait maintenant d'une nouvelle fusion : après la DST et les RG, c'était la DGSE qui était dans la ligne de mire. Les technocrates songeaient à la faire avaler par la nouvelle DCRI pour créer une super agence. Au minimum, on évoquait un organisme de coordination qui les chapeauterait.

Alors que partout on parlait de mondialisation, de fusion, l'Institut, de son côté, semblait avoir opté pour la réduction des effectifs, les interventions restreintes, les collaborations ponctuelles…

Toute la question était de savoir si c'était par choix ou si c'était parce que ses effectifs avaient été décimés. S'il parvenait à récupérer les deux agentes, il essaierait d'en savoir plus. Sans procéder à un interrogatoire formel, bien sûr. Mais le sort de l'Institut l'intriguait.

BROSSARD, 7 H 04

En sortant de chez lui, Théberge se heurta à Cabana, qui l'attendait, debout devant sa voiture.

— Vous n'avez rien d'autre à faire ? grogna Théberge.

— C'est vrai, la rumeur que vous allez démissionner ?

— Les journalistes sont supposés rapporter les faits, Cabana. Pas les inventer.

— Je n'invente rien : je vérifie une information qui circule sur le Net. C'est sur *lesvraiesinfos.ru*.

— Vous devriez vous en tenir aux vraies infos point final.

À cet instant, l'œil de Théberge fut attiré par un mouvement dans une automobile garée de l'autre côté de la rue : par la fenêtre de la portière du conducteur, une caméra était braquée sur lui.

Théberge se tourna vers Cabana, furieux.

— Parce qu'en plus vous vous lancez dans la photo subreptice et l'invasion sournoise de la vie privée !

Tout en riant, Cabana s'empressa de se disculper.

— Désolé, inspecteur : je n'ai rien à voir là-dedans.

Théberge le regarda, puis regarda de l'autre côté de la rue, où la caméra continuait d'être fixée sur lui.

— C'est qui, alors ?

— Probablement quelqu'un de HEX-TV.

Théberge ne semblait pas convaincu.

— Il va falloir vous habituer, reprit Cabana. Vous êtes maintenant une vedette. Vous avez un devoir d'image envers votre public.

— C'est quoi, cette nouvelle folie-là ?

— À votre place, j'engagerais un agent et je consulterais un conseiller en image. Vous n'avez pas idée de votre potentiel médiatique. C'est une question de jours avant qu'un groupe de paparazzis vous suive partout…

Théberge resta un moment sans voix. Puis il se tourna vers la voiture garée de l'autre côté de la rue et marcha d'un pas décidé vers elle. Le caméraman se dépêcha de remonter la vitre de la portière et démarra sans attendre son arrivée.

RDI, 7 H 07

‖ … AquaTotal Fund Management annonce qu'elle bonifie de deux dollars son offre sur AquaPro Water Conditioning. Qualifiant sa proposition de généreuse, le porte-parole d'AquaTotal a déclaré

> ne pas vouloir profiter des difficultés temporaires de l'entreprise pour flouer ses actionnaires. La compagnie se conforme ainsi aux principes du capitalisme humanitaire prôné par l'AME.
> Le porte-parole du fonds d'investissement a également annoncé qu'il serait impliqué dans les prochaines négociations entre Terre-Neuve et les États-Unis relatives à l'exportation de l'eau du Labrador…

Montréal, café Chez Margot, 7 h 26

Théberge entra dans le café, salua le mari de Margot en passant derrière le comptoir et se dirigea vers la cuisine. Crépeau l'y attendait en prenant un café avec Margot.

— Merci, fit Théberge en s'adressant à Margot. Je suis désolé de vous déranger.

— Vous ne me dérangez pas, dit-elle en se levant. Je vais aller voir la tête que va faire le journaliste en réalisant que vous n'êtes pas dans la salle.

Elle disparut par la porte qui menait au café.

— Alors? demanda Crépeau. C'est quoi, le mystère?

— Le PM et le maire ont décidé de faire le ménage au SPVM.

— C'est bien, on va avoir plus de temps pour jouer aux quilles.

— Toi, peut-être. Pas moi…

Crépeau se contenta de regarder Théberge, intrigué. Il suffisait de lui laisser le temps: l'explication finirait par venir.

— J'ai parlé à Morne, hier soir. Le PM a décidé qu'il en avait assez de moi. Alors, en bonne logique, il a décidé que c'est toi qu'il fallait virer.

Il lui raconta ensuite sa discussion avec Morne.

— Je voulais t'en parler le plus vite possible, conclut-il, pour qu'on ait le temps de penser à ce qu'on va faire.

— Et toi, ils veulent que tu restes…

— Ils ont besoin d'un bouc émissaire en réserve, au cas où les choses tourneraient mal.

Crépeau resta silencieux un moment. Puis il prit une gorgée de café comme pour ponctuer la décision qu'il venait de prendre.

— C'est simple : on va démissionner tous les deux. Immédiatement.

— Il y a une attrape : si on accepte de négocier, on peut espérer un délai d'un ou deux mois entre l'annonce officielle et le moment de ton départ. Ils sont prêts à trouver un arrangement pour que tu sauves la face… Morne a parlé de relever de nouveaux défis.

— Wow !

— Nous, ça nous donne du temps pour préparer la transition, pour nous assurer que la nouvelle nomination ne cause pas trop de dégâts… Mais si on refuse, il n'y a pas d'arrangement qui tienne. Pas question non plus de démission. C'est un congédiement.

— On dirait qu'on n'a pas beaucoup de choix. Mais toi, rester, tu sais ce que ça veut dire…

— Ça veut dire un nouveau directeur qui vient du civil.

— Ce n'est peut-être pas une mauvaise idée.

— Ce n'est pas qu'il vienne du civil qui me dérange : c'est qu'il vienne des rangs des contributeurs du parti au pouvoir… Ou du club des sous-ministres qui sont du bon bord.

Ils furent interrompus par la sonnerie du portable de Crépeau.

Ce dernier écouta pendant près d'une minute, ponctuant son écoute de monosyllabes sporadiques, puis il coupa la communication.

— Ils ont retrouvé un des disparus, dit-il.

SHANGHAI, 20 H 19

Hurt appuya le canon du fusil sur le cercle qu'il avait découpé dans la vitre de la fenêtre et donna un petit coup sec sur le bout de la crosse. Le verre céda et le canon s'enfonça d'un pouce dans le trou. Un petit chuintement se fit entendre : l'air de la pièce se précipitait à l'extérieur en s'infiltrant dans l'interstice entre le canon et la vitre. Hurt prit la canette de mousse d'uréthane qu'il avait déposée sur le bord de la fenêtre et il en mit tout le tour du canon de manière à couper l'appel d'air.

La précaution était probablement inutile, mais comme certains édifices étaient équipés de dispositifs d'alarme qui détectaient les dépressurisations causées par le bris des fenêtres…

Par la lunette du fusil, Hurt voyait l'immense plat de cristal rempli de fruits qui occupait le centre de la table. Les dirigeants du Parti qui assistaient à la réunion avaient dû utiliser leur influence pour avoir l'usage exclusif de la terrasse pendant toute la soirée. À part la table où festoyait la nouvelle direction de Meat Shop, l'endroit était désert.

Hurt modifia la focale pour voir l'ensemble des convives et il les compta. Il en manquait un.

Mais il ne pouvait pas attendre indéfiniment. Il aurait préféré les éliminer tous, mais si un seul survivait, le réseau avait peu de chances de se rétablir. Bien sûr, d'autres réseaux apparaîtraient ailleurs. Pour combler le vide. Satisfaire la demande. En toute logique, c'est à la demande qu'il aurait dû s'attaquer. Ce sont tous les demandeurs d'organes illégaux et de prostitution infantile qu'il aurait dû éliminer. Le Vieux le lui avait déjà fait remarquer. Mais il ne pouvait pas prendre entre ses mains le sort de la planète. Le Consortium, par contre, était la cause première de la mort de ses enfants…

Il fixa la mire sur le vase de cristal, ralentit sa respiration et s'efforça de faire le calme en lui.

Puis il appuya sur la détente.

Quand la balle explosive fracassa l'énorme vase, la nitroglycérine dissimulée à l'intérieur du cristal explosa. Les éclats de verre et les débris de la table tuèrent sur le coup les membres de la réunion.

Hurt retira lentement le canon du fusil, boucha le trou dans la vitre, démonta son arme, la rangea dans sa mallette de transport et se rendit à la deuxième chambre qu'il avait louée, de l'autre côté de l'hôtel.

Il ne servait à rien de se précipiter. Il se passerait plusieurs heures avant qu'on s'avise de chercher un tireur. L'attentat aurait toutes les apparences d'avoir été perpétré avec une bombe.

Après avoir dissimulé la mallette de transport de l'arme à l'intérieur de la base du lit de la chambre, il prit ses bagages et descendit dans le hall d'entrée de l'hôtel, où il paya sa note. Il demanda ensuite le taxi qu'il avait réservé pour se rendre à l'aéroport. Puis il regarda sa montre. L'avion pour Xian partait dans un peu moins de trois heures.

OUTREMONT, 8 H 37

Théberge parcourut des yeux le vestibule de la résidence où il venait d'entrer. C'était de toute évidence une maison qu'il n'aurait jamais les moyens de se payer.

— Le président d'Aquapro Water Conditioning qui était disparu, s'empressa d'expliquer un policier en uniforme. André Lassonde… Il est dans un drôle d'état.

Il fit un geste en direction du salon sur lequel donnaient les portes françaises, à leur gauche.

Au fond de la pièce, quelqu'un examinait un corps étendu sur un divan. Théberge reconnut Pamphyle et se dirigea vers lui. En le voyant arriver, celui-ci se redressa.

— Il a été trouvé comme ça ? demanda Théberge en regardant le cadavre.

— Par la personne qui vient faire le ménage une fois par semaine, répondit le policier en uniforme. Sa femme et ses enfants sont en voyage en Europe.

Le corps avait l'air d'une momie. Théberge se rappela celle qui était exposée dans le petit musée du collège où il avait fait ses études secondaires.

— Qu'est-ce qu'il lui est arrivé ? demanda-t-il.

— Il a manqué d'eau, répondit simplement Pamphyle.

— Vraiment ? répliqua Théberge, simulant l'étonnement le plus total. Ça prend combien de temps pour que quelqu'un devienne comme ça ?

— Ça dépend des moyens dont on dispose. Je vais en parler dans mon rapport.

Pamphyle prit son manteau, qu'il avait déposé sur une causeuse, et s'éloigna. Théberge s'assit et regarda longuement le corps momifié. La peau parcheminée avait acquis une couleur grise.

— Tu pars deux mois, dit Théberge, et quand on te retrouve, t'as l'air d'avoir vieilli de trois siècles. Sauf ton linge ; on dirait que tu viens de l'acheter. C'est quand même pas banal. Si tu veux qu'on trouve qui t'a fait ça, il va falloir que tu m'aides…

Théberge garda le silence pendant un long moment, détaillant du regard le corps de la momie, se penchant et se relevant pour l'examiner sous tous les angles.

— Tu sais ce qui m'intrigue le plus ? dit-il finalement. Ce n'est même pas comment on t'a fait ça. C'est pourquoi ils ont voulu qu'on te trouve.

FÉCAMP, 14 H 48

Monsieur Claude avait pris ses quartiers au Château de Sassetot, où il avait loué la dernière chambre double disponible. De là, il était en contact continu avec ses deux agents : Lambert Baucherel et Sébastien Nagat. Par les caméras et les micros intégrés à leurs vêtements, il pouvait voir et entendre ce qu'ils voyaient et entendaient.

Une oreillette permettait aux deux agents de l'entendre en direct.

Pour le moment, les deux agents attendaient dans la limousine. Le véhicule était garé le long de la route. Cinquante-trois minutes plus tôt, ils étaient passés devant la petite maison où Claudia avait disparu.

Kim, l'agente de l'Institut, ne s'était toujours pas manifestée. Peut-être avait-elle eu un empêchement. Il ne servait à rien de continuer à attendre.

— Allez-y, fit la voix de monsieur Claude.

Les deux agents sortirent de la limousine et se dirigèrent vers la petite maison. Chacun avait un sac à dos qui contenait une panoplie de matériel d'urgence. Quatorze minutes plus tard, après avoir pris soin de coincer la trappe pour éviter qu'elle se referme complètement, ils amorçaient leur descente dans le puits.

Ils firent ensuite de même avec la porte qui ouvrait sur le boyau de verre.

Quelques instants plus tard, ils regardaient le corps de Kim, immobile au centre de la pièce de verre remplie d'eau.

Dans sa chambre d'hôtel, monsieur Claude regarda un moment sur son portable ce qu'il voyait par le truchement de la caméra de Sébastien, puis il leur donna l'ordre de remonter.

Il ferma ensuite le micro qui le reliait aux deux agents et il cliqua sur l'icône qui affichait une photo de femme. Il s'agissait de celle qu'il avait connue autrefois sous le nom de madame Ogilvy.

HEX-Radio, 9 h 22

> ... À L'ANTENNE DE HEX-Radio, LA RADIO DES VRAIES NOUVELLES ! AUJOURD'HUI, TOUT LE MONDE EN PARLE : DES TERRORISTES MENACENT DE FAIRE SAUTER LE PÈRE NOËL. IL Y AURAIT UN SOUS-MARIN AU PÔLE NORD. IL SERAIT PRÊT À FAIRE EXPLOSER DES BOMBES ATOMIQUES SOUS LA COUCHE DE GLACE. PARAÎT QUE C'EST ASSEZ POUR CASSER LA BANQUISE ET ENVOYER UN PAQUET D'ICEBERGS DANS L'ATLANTIQUE... ON VA AVOIR DROIT À DES *REMAKES* DU *TITANIC* !...

DRUMMONDVILLE, 9 h 25

F avait suivi en temps réel, en même temps que monsieur Claude, la progression des deux agents. Quand elle avait aperçu le corps au milieu de la cage de verre remplie d'eau, elle avait tout de suite compris qu'une de ses agentes était morte.

Puis la caméra s'était approchée, révélant le visage de Kim. Claudia avait-elle subi le même sort ? Impossible de le savoir pour le moment.

Monsieur Claude avait alors donné à ses agents l'ordre de se retirer.

— Vous avez raison, avait dit F. Ils n'ont pas assez d'équipement.

— Il faut voir quel type d'installation ils ont là-dessous.

— Si jamais cela était nécessaire, auriez-vous le personnel pour y aller ?

— Je peux me débrouiller.

— Bien. Je vous reviens sur ça rapidement. En attendant, est-ce que vous pouvez vous occuper de récupérer leur matériel ?

— Bien sûr.

Après avoir donné à monsieur Claude les indications nécessaires pour retrouver la voiture de Claudia et la chambre que Kim avait louée, F ferma l'écran et se mit le visage dans les mains.

Kim était morte. Claudia disparue. Peut-être morte elle aussi.

Ce n'était pas la première fois qu'elle perdait un agent. Mais rarement une perte l'avait autant touchée. Et il y avait Dominique… Un instant, elle se demanda si elle n'avait pas commis une erreur en la laissant décider de l'opération. La nouvelle la dévasterait…

Puis elle se dit qu'il n'y avait pas de façon de se préparer à ce genre de situation. Il fallait une première fois. Et c'était seulement à partir de là qu'on pouvait se construire une sorte de carapace.

Bien sûr, ce n'était jamais totalement efficace. Mais ça permettait de continuer.

— Quelque chose qui ne va pas ? demanda Dominique, qui s'était encadrée dans la porte du bureau.

— Kim est morte.

Montréal, 9 h 51

L'homme avait de grosses lunettes de corne noire, des cheveux bouclés noirs, ainsi que d'épais sourcils en broussaille et une moustache du même noir intense.

— Marcus Harp, dit-il après que Prose lui eut ouvert la porte. Je peux entrer ?

Puis, sans attendre la réponse, il avança dans le couloir de l'entrée.

— Vous avez déjà rencontré un de mes collègues, dit-il. Jeremy Dubois…

Prose mit quelques secondes à se souvenir du sosie maladroit de Warhol.

— En partant, reprit Harp, mon collègue vous avait accordé un certain temps pour réfléchir. Je suis venu recueillir votre réponse.

— Je n'ai toujours pas changé d'idée.

— Voici donc venu l'heure du regret !

— Je ne regrette rien. Même que j'apprécierais un peu d'anonymat.

— Je sais. Vous avez préféré refuser la proposition de mon collègue. Résultat : vous n'êtes pas connu pour les bonnes raisons…

— Que voulez-vous dire ?

Harp ignora l'intervention de Prose.

— Je vous pose la question pour la dernière fois : êtes-vous disposé à accepter notre offre ?

— Qu'est-ce que ça prend pour que vous compreniez ? Je ne suis pas intéressé !

— C'est ce que je craignais. Vous avez besoin d'encore un peu de pédagogie… Eh bien, puisque c'est comme ça !

Harp sortit un pistolet de sa poche et le braqua sur Prose.

— Vous êtes un homme raisonnable, dit-il. Je suis certain qu'il y a moyen de s'entendre. Vous allez donc me suivre.

— Mais…

— Croyez-moi, ce serait à regret que j'appuierais sur la gâchette. Ne me forcez pas à mettre un terme prématuré à votre œuvre.

Dix minutes plus tard, Harp roulait en direction de l'est. Sur le plancher de la fourgonnette noire, derrière lui, Prose n'était plus en état de lui créer de problèmes.

— Vous connaissez bien le fleuve ? demanda négligemment Harp sans attendre de réponse.

NEW YORK, 10 H 17

L'officier de police Irving Stone croyait que c'était un appel de routine : quelqu'un avait trouvé un cadavre et il appelait les policiers pour qu'ils viennent le chercher. Sa seule préoccupation concernait le moment du décès : il souhaitait que la mort soit récente pour que l'odeur ne soit pas trop forte.

Quand il aperçut le mort, il comprit qu'il n'avait pas à se soucier de l'odeur. Le corps était assis sur une chaise à l'intérieur d'un bloc de glace. Dans la main, il tenait un bout de bois en haut duquel était fixée une pancarte.

La pancarte surplombait le bloc de glace. On pouvait y lire, en titre :

Le réchauffement de la planète vous laisse-t-il de glace ?

Au-dessous, quelques phrases suivaient la question :

Les gouvernements refusent de prendre la menace au sérieux ; ils refusent d'en parler et ils cachent l'information. Le public continue à conduire des Hummer et boude les transports en commun. Les entreprises font une véritable débauche d'emballages et privilégient les produits jetables. Il est maintenant trop tard : le déluge est en marche.

Les Enfants du Déluge

— C'est quoi, cette folie-là ? ne put s'empêcher de demander l'officier de police.

Une heure plus tard, il avait compris que c'était une folie qu'il convenait de prendre au sérieux. Il était enfermé depuis une demi-heure avec deux représentants du FBI et ils attendaient l'arrivée d'un agent de la NSA pour commencer le *debriefing*.

Québec, Assemblée nationale, 10 h 38

Le député Louis Lacombe était responsable du dossier de la sécurité publique pour l'opposition. Quand il se leva, c'est avec la certitude que ses questions lui assureraient une bonne couverture dans les médias.

— Monsieur le Président, ma question s'adresse au ministre de la Sécurité publique. Je voudrais savoir s'il est exact que le réseau de distribution d'eau potable de Montréal n'est pas fiable, comme on se prépare à l'annoncer dans les médias, et que la sécurité de la population est en danger.

— Monsieur le Président, le député de Lévis-Rabaska se fait une spécialité de poser des questions alarmistes qui n'ont aucun fondement. Je peux vous assurer que personne ne manque d'eau à Montréal.

— Question complémentaire, monsieur le Président. Le ministre confirme-t-il les informations selon lesquelles son réseau fiable a des pertes de l'ordre de cinquante-trois pour cent ? Confirme-t-il qu'il faudrait au moins une dizaine de milliards pour le réparer – ce qui est trois fois supérieur aux chiffres avancés par le ministère ? Est-il vrai que le gouvernement envisage de reporter après les élections le moment de prendre une décision sur l'ensemble du dossier ?

— Le député de Lévis-Rabaska n'a pas écouté ma réponse, monsieur le Président. Le réseau est performant et personne ne manque d'eau. Je pense que c'est le député de Lévis-Rabaska qui pense à ses élections et qui essaie de se « mettre sur la mappe » parce que son parti prend l'eau.

Des rires et des applaudissements éclatèrent en provenance des banquettes du parti ministériel, entrecoupés de huées venant de celles de l'opposition.

— Question additionnelle, monsieur le Président. Est-il exact qu'on a laissé nos infrastructures se dégrader au point que tout retard multipliera les coûts tout en mettant la santé de la population en péril ? Est-il exact qu'il faut maintenant les reconstruire à neuf et que nous n'avons pas les moyens de le faire ?

— Monsieur le Président, le député de Lévis-Rabaska voudrait que je divulgue de l'information stratégique sur l'état de nos infrastructures et sur leur besoin de réno-vation. Ce serait irresponsable ! On n'a qu'à penser à la cote de crédit de la province ou aux futures négociations avec les entrepreneurs pour la mise à niveau du réseau… Sans parler des terroristes !

— Pas besoin de terroristes pour détruire le pays : le gouvernement est capable de s'en occuper tout seul !

Des protestations et des huées se firent entendre en provenance des banquettes du parti au pouvoir. Le pré-sident se leva de son siège.

— À l'ordre !… À l'ordre !… La parole est au ministre de la Sécurité publique.

— Monsieur le Président, pour clore cette discussion, je dirais que mon gouvernement est conscient que l'eau n'est pas un bien inépuisable, que ce bien a une valeur planétaire croissante à cause de sa rareté et qu'il convient d'en rationaliser la gestion dans un juste équilibre entre la satisfaction des besoins des citoyens et la saisie des possibilités d'enrichissement collectif qui sont offertes. Car, en fin de compte, c'est la population qui en bénéficiera.

— Tout ce que vous voulez, c'est faire faire de l'argent à vos petits amis et aux multinationales qui vous financent ! Vous êtes comme le gouvernement américain !

— Monsieur le Président, il y a une limite à se laisser insulter !

Le tumulte reprit de plus belle. Le président se leva de nouveau.

— À l'ordre !… À l'ordre !

— Je vous mets au défi de répéter ça en dehors de la Chambre !

— Ça vous insulte qu'on vous compare au gouvernement américain ?

— À l'ordre !

LYON, 17 H 44

Maggie McGuinty regardait l'eau monter à l'intérieur de la boîte de verre. Au début, elle avait songé à utiliser un cylindre, mais la paroi déformait les images qu'enregistraient les trois caméras.

À l'intérieur de la boîte, Ettore Vidal avait le visage relevé vers le plafond. Même s'il se tenait sur le bout des pieds, il avait de l'eau jusqu'au bord des lèvres.

Un filet d'eau continuait de lui tomber sur le front.

— Si vous ne voulez pas périr noyé, dit Maggie McGuinty, il faut que vous buviez l'eau à mesure qu'elle tombe.

Ses paroles étaient transmises à Vidal par un haut-parleur fixé au plafond de la boîte. Ce dernier cria une réponse, mais McGuinty n'entendit que des sons diffus.

— Je ne peux pas vous entendre, dit-elle. Il n'y a pas de micro dans la boîte. De toute façon, ce que vous dites ne peut rien changer. Vous avez fait un choix, vous devez l'assumer.

Comme la plupart des savants, Vidal était un grand naïf. Il ne l'avait pas crue quand elle lui avait dit qu'elle allait le noyer s'il refusait son offre. Ça n'entrait pas dans sa représentation du monde qu'on puisse tuer un savant parce qu'il refusait un travail.

Il en avait encore pour cinq minutes. Tout au plus.

Pendant que les trois caméras enregistraient ses derniers moments sous différents angles, McGuinty rédigeait à l'ordinateur le texte qui accompagnerait la vidéo.

Le titre de cette œuvre serait *Le Baptême de l'eau*. Elle la mettrait en ligne au plus tard le lendemain. En attendant l'exposition finale, ce serait une première pour ceux qui étaient membres des Dégustateurs d'agonies.

Le texte d'accompagnement développerait le thème de la mort initiatique, de l'eau qui purifie le néophyte des croyances de son existence antérieure pour le faire accéder à un nouveau registre de certitudes. Des certitudes basées sur la conscience de sa mort.

Dans le coin de son écran, une vignette lui permettait de surveiller les derniers efforts de Vidal. Quand il abandonna et se laissa sombrer, elle attendit qu'il ait perdu conscience puis elle appuya sur un bouton qui déclencha la vidange accélérée de la boîte.

Une fois vidée, la boîte s'ouvrit par un de ses côtés. McGuinty tira Vidal à elle. Puis, sans dénouer les liens qui lui entravaient les chevilles et lui maintenaient les bras le long du corps, elle entreprit les manœuvres de réanimation.

Ce fut l'affaire de moins d'une minute.

— Alors ? lui demanda McGuinty. Vous avez vu le tunnel ?

— Non.

— Dommage. On dit que c'est une expérience merveilleuse. Mais vous allez pouvoir vous reprendre.

— Pourquoi vous faites ça?

— Ce n'est pas moi, c'est vous qui avez pris la décision. Je vous ai expliqué les conséquences et vous avez fait votre choix.

— D'accord… j'accepte tout ce que vous voulez.

— Il est trop tard. La vie n'est pas une expérience de laboratoire qu'on peut recommencer aussi souvent qu'on veut.

Elle repoussa Vidal dans la boîte malgré ses protestations, l'aida à se mettre debout et referma le côté pour rendre la boîte étanche.

— Cette fois, dit-elle, il faut que vous teniez deux minutes de plus.

Montréal, 12 h 09

L'homme que Prose connaissait sous le nom de Marcus Harp lui avait ligoté les mains derrière le dos. Il lui avait attaché les chevilles avec une ceinture et lui avait saucissonné le corps des pieds à la poitrine avec une grosse corde.

— Pour vous tenir au chaud, avait-il dit.

Le trajet avait duré une trentaine de minutes, ponctué par les protestations occasionnelles de Prose lorsque sa tête cognait contre le plancher à cause des secousses du véhicule.

— Terminus, dit Harp en ouvrant la porte arrière de la fourgonnette.

Il transféra le corps saucissonné de Prose dans le fond d'une chaloupe.

— C'est ici que vous allez me noyer? demanda Prose en apercevant le fleuve.

Il était surpris du curieux détachement qu'il ressentait. Comme s'il n'avait pas encore intériorisé le côté horrible de la situation.

— Vous allez seulement faire un voyage… Les voyages forment la jeunesse!

À l'aide d'une embarcation motorisée, il tira la chaloupe vers la partie du fleuve où le courant était le plus fort. Puis il éteignit le moteur.

— Il me reste quelques questions à vous poser, reprit Harp. Qu'est-ce que mademoiselle Jannequin vous a dit de ses recherches chez BioLife ?

Prose hésita sur la réponse à donner. Mais il savait qu'il devait répondre. Plus la conversation se prolongeait, plus ça retardait le moment de son exécution. Peut-être même tout cela n'était-il qu'une mise en scène pour l'amener à parler…

— Rien de particulier, répondit-il. Seulement ce qu'on peut savoir en allant sur Internet.

— C'est-à-dire ?

— Qu'ils travaillaient à mettre au point un nettoyeur génétique.

Harp passa son doigt sur son sourcil droit, comme s'il voulait s'assurer qu'il soit bien collé.

— Ce que vous écriviez sur votre blogue, demanda-t-il, vous en parliez avec elle ?

— Parfois.

— Est-ce qu'elle s'intéressait de façon particulière à Tremblant ?

— Vous parlez du domaine touristique ?

— Celui sur lequel vous avez écrit un texte.

— Non… Pourquoi elle se serait intéressée à Tremblant ?

La surprise de Prose ne trompait pas. Il était clair que son intérêt pour Tremblant ne venait pas de Jannequin… Ce serait donc une coïncidence qu'il se soit intéressé à Tremblant et qu'il ait connu Jannequin ?

Aux yeux de Harp, les coïncidences étaient des événements dont l'indice de réalité était toujours questionnable… Et puis, ça n'expliquait pas l'intérêt de Prose pour Tremblant.

— La chaîne des paradis, demanda-t-il après un moment, c'est une idée qui vient d'où ?

Prose répondit du mieux qu'il pouvait à toutes les questions de Harp. Quelques minutes plus tard, ce dernier détachait la corde qui retenait la chaloupe à l'embarcation motorisée.

— Soyez économe de vos forces, dit-il. Le voyage peut être long !

HEX-RADIO, 13 H 11

> ... ON NE PEUT MÊME PAS FAIRE CONFIANCE À L'EAU QU'ON BOIT DANS LES RESTAURANTS. FAUT CROIRE QUE NOS FONFONCTIONNAIRES SYNDI-CÂLISS ONT PAS LE TEMPS DE FAIRE L'INSPECTION DES RESTAURANTS. SONT TROP OCCUPÉS À ENCAISSER LEURS CHÈQUES DE PAIE ET À REGARDER MONTER LEURS REER. HUIT, CALVAIRE ! HUIT CLIENTS EMPOISONNÉS DANS DES RESTAURANTS DIFFÉRENTS. TROIS AUX SOINS INTENSIFS. ET ÇA, C'EST SEULEMENT CEUX QU'ON CONNAÎT !... JE SAIS PAS CE QUE VOUS EN PENSEZ, VOUS AUTRES, MAIS AVANT QUE JE REMETTE LES PIEDS DANS UN GRAND RESTAURANT... ÇA COMMENCE À FAIRE, DE PAYER POUR SE FAIRE EMPOISONNER ! CE N'EST PAS AUX NOUVELLES GÉNÉRATIONS DE PAYER LE PRIX POUR...

LYON, 20 H 19

Vidal était allongé sur la table. McGuinty venait de le réanimer une fois encore. La première noyade avait détruit ses illusions d'immortalité : il avait vraiment cru mourir. La deuxième avait achevé de le briser. Avant la troisième, elle lui avait rappelé que le suicide n'était pas une option. S'il voulait éviter à ses enfants de connaître le même sort, il fallait qu'il tienne. Si jamais, pour quelque raison que ce soit, il se laissait aller à mourir précipitamment, ils subiraient la même mort.

— C'est de la torture.

— C'est employé par les Américains. Or, les Américains ne font pas de torture. Donc, ce n'est pas de la torture.

Pendant qu'elle lui parlait, McGuinty vérifiait les caméras. Avec trois angles différents, il y aurait moyen de faire un montage intéressant. Elle pourrait même tricher un peu en allongeant le temps de la noyade.

— La vraie torture, ce serait le supplice de la goutte d'eau, dit-elle.

Puis elle songea à inclure dans le texte de présentation une remarque qui décrirait l'expérience comme une forme accélérée du supplice de la goutte d'eau. Une

version plus rapide, plus adaptée à l'air du temps…
Une version qui élimine les temps morts !

MONTRÉAL, 14 H 26

Victor Prose était enveloppé dans une couverture et
il continuait de frissonner. Il y avait une demi-heure
qu'on l'avait rescapé au milieu du fleuve, toujours ligoté
au fond de la chaloupe.

Théberge le regardait, perplexe.

— Il vous a offert d'écrire un livre ?

— La suite de celui que je viens de publier : *Les
Taupes frénétiques*. Ça fait plusieurs fois qu'ils me
relancent. J'ai toujours refusé. Je ne veux rien savoir de
travailler sur commande… La dernière fois, en partant,
il m'a averti que je regretterais ma décision. Puis il y a
eu le courriel… Je ne pouvais pas me douter que…

— Votre livre, ça parle de quoi ?

— La montée aux extrêmes dans tous les domaines.
Comment c'est lié à l'individualisme obsessionnel… au
culte du moi.

Théberge souleva les sourcils.

— Est-ce que vous savez pour quelle raison il tient
autant à ce que vous écriviez la suite ?

— Il m'a dit qu'il manquait quelque chose au livre.
Que je n'abordais pas le point principal : savoir où tout
cela nous mène.

Prose fut secoué par un frisson. Théberge demanda au
policier qui était à côté de lui d'aller chercher un autre
café.

— Vous êtes conscient que la description que vous
avez faite de votre agresseur ressemble à un déguisement.
Moustache tombante très fournie, sourcils très fournis,
chevelure noire épaisse qui descend sur le front, joues
et nez rouges, yeux d'un bleu-gris pâle…

— Maintenant que vous le dites…

— Ce sont toutes des caractéristiques très voyantes
dont il suffit que la personne se débarrasse pour devenir
méconnaissable.

— Ma première impression, en le voyant, a été qu'il ressemblait à un des Marx Brothers. Je n'aurais jamais cru qu'il voulait m'éliminer.

— Je ne pense pas qu'il voulait que vous mourriez.

La déclaration du policier laissa Prose perplexe.

— Vers midi quarante-cinq, nous avons reçu un appel pour nous prévenir qu'une chaloupe avait été aperçue à la dérive sur le fleuve. Qu'il y avait un passager à bord qui semblait en difficulté… Un bon Samaritain qui a refusé de s'identifier.

Sur le visage de Prose, la consternation remplaça la perplexité.

— Mais pourquoi ?

— Peut-être qu'il voulait simplement vous donner un autre avertissement.

— Ça voudrait dire que la prochaine fois…

— Cette personne, vous l'avez rencontrée à combien de reprises ?

— C'était la première fois. Avant, c'était une personne différente. Ou un déguisement différent. Il ressemblait à Andy Warhol.

Théberge resta un moment à réfléchir, comme si la réponse lui avait ouvert des pistes inattendues.

— Tout à l'heure, vous avez parlé de montée aux extrêmes…

— Oui.

— Êtes-vous certain que ces gens sont vraiment intéressés à vous faire publier un livre ?

— Pour des gens qui ne sont pas intéressés, ils sont plutôt insistants.

— Connaissez-vous beaucoup de maisons d'édition qui envoient deux représentants différents voir un auteur ?… Ou encore un même représentant sous deux déguisements ?

— C'est vrai. Ils n'ont jamais dit explicitement qu'ils représentaient une maison d'édition. Seulement qu'ils avaient les moyens de me faire publier quand je le voudrais.

— Et si c'était une couverture ?

— Je ne comprends pas.

— Si c'était une façon de vous approcher, de voir de plus près ce sur quoi vous travaillez sans éveiller votre méfiance ?

— Vous pensez que c'est un genre d'espionnage ?

— Vous avez peut-être inquiété quelqu'un sans vous en apercevoir… Avez-vous effectué des recherches sur des groupes terroristes ?

— *Les Taupes frénétiques* portent surtout sur le terrorisme ordinaire, banal, qui s'installe dans l'ensemble des relations entre les gens. Je ne vois pas ce qui pourrait…

— Terrorisme banal, répéta Théberge, visiblement peu convaincu qu'on puisse juxtaposer les deux termes.

— La terreur constante de ne pas être à la hauteur, de ne pas avoir ce qu'il faut pour survivre, pour se démarquer… la peur de se retrouver seul, d'être congédié et de ne plus trouver d'emploi… d'être malade et de ne pas pouvoir être soigné convenablement… la crainte d'être victime d'une agression dans la rue…

— Vous jouez sur les mots.

— Chaque élément, pris isolément, constitue une simple préoccupation, au pire une inquiétude. Mais l'ensemble induit un état de terreur larvée… Et la conséquence de cette terreur, c'est un repli de l'individu sur lui-même, une fermeture à l'extérieur. Pour échapper à la terreur globale, il se replie sur son travail sans se poser de questions et il se tourne vers la consommation euphorisante.

Théberge le regarda un moment, perplexe.

— On ne peut pas dire que vous tenez vos collègues humains en très haute estime, dit-il finalement.

— Au contraire. Ce n'est pas une question d'individus, c'est une question de logique sociale. Nous sommes tous dans le même bateau. Moi, par exemple, je me replie sur l'écriture.

Un autre silence suivit. Prose semblait épuisé d'avoir parlé aussi longuement.

— On dirait bien que quelqu'un est décidé à vous faire sortir de votre refuge, fit Théberge après un moment.

LVT-News, 15 h 04

> ... SUR UN MODE PLUS LÉGER, TOUJOURS AU CHAPITRE DES RUMEURS, UN HOMME ENFERMÉ DANS UN BLOC DE GLACE AURAIT ÉTÉ DÉCOUVERT DANS UNE CHAMBRE D'HÔTEL DE NEW YORK. LE CHEF DE POLICE AURAIT REFUSÉ DE COMMENTER L'ÉVÉNEMENT, DISANT QUE S'IL FALLAIT FAIRE UNE DÉCLARATION OFFICIELLE CHAQUE FOIS QU'ON TROUVAIT QUELQU'UN DE GELÉ DANS LA VILLE...

Montréal, SPVM, 15 h 47

Après avoir confié Prose aux bons soins de Grondin, Théberge se rendit dans le bureau de Crépeau. Le directeur en titre du SPVM était en train de lire le rapport du médecin légiste sur le cadavre momifié.

— Qu'est-ce que ça dit ? demanda Théberge.

— Pamphyle pense qu'on l'a mis dans une sorte de séchoir.

— Il serait mort depuis combien de temps ?

— Probablement depuis qu'il a disparu.

— Un noyé... un desséché... Tu vois un rapport ?

— S'il y en a un, on a affaire à un esprit singulièrement tordu... Toi, comment ça s'est passé avec Prose ? À ton avis, il a combien de chances d'échapper aux attentats ?

— Ça dépend s'il est vraiment visé.

— Tu penses que c'est un coup monté ?

— Comme coup publicitaire, c'est difficile de trouver mieux... J'ai fait vérifier : depuis qu'il y a le *pool* sur Internet, la vente de ses livres a explosé. Avant, c'étaient des tirages confidentiels. Maintenant, l'éditeur est obligé de réimprimer.

— Avec le coup de fil qu'il y a eu tout de suite après l'enlèvement, c'est assez clair que celui qui l'a enlevé ne voulait pas qu'il meure... Mais Prose lui-même n'est peut-être pas dans le coup.

— Tu crois à ça, toi, un éditeur qui ferait du harcèlement à ce point-là pour recruter un auteur ?... J'ai toujours pensé que c'était le contraire, que c'étaient les auteurs qui harcelaient les éditeurs. Surtout qu'il n'est pas... qu'il n'était pas un auteur connu.

— C'est sûr...

— Il y a une autre chose qui me dérange. Tu as lu le dernier communiqué des Enfants du Déluge ?

— Oui.

— On est loin des communiqués habituels de groupes d'illuminés. C'est écrit de façon très... « littéraire »... Et comme Prose a l'air d'un militant écolo...

— Si tout ça est une mise en scène, ça voudrait dire que celui qui a tiré sur Grondin...

— Je sais, moi aussi, je me demande si je suis en train de devenir paranoïaque.

— En tout cas, Grondin, lui, a l'air de l'apprécier.

— Grondin trouverait des bons côtés à un tueur en série !

Sous les glaces de l'Arctique, 6 h 48

L'amiral Nikodim Koganovitch n'avait jamais cru ce que racontait la propagande officielle. Il savait à quel point l'état-major était habile à dissimuler la vérité lorsqu'elle était contraire aux intérêts de l'État. Ou simplement aux siens. Il n'y avait qu'à penser à ce qui était arrivé au *Koursk*. Aussi, il se demandait quelle histoire les hauts gradés et les politiques inventeraient pour se dégager de toute responsabilité dans les événements qu'il allait provoquer.

Il y avait plus d'une semaine qu'ils étaient partis de Saint-Pétersbourg. Chaque jour, quand Nikodim croisait ses trois collaborateurs, comme il les appelait mentalement, il ne pouvait s'empêcher de s'interroger sur leur compte. Et sur le temps qu'ils pouvaient tenir avant de craquer.

Il savait que l'un des trois agissait par conviction. Tout comme lui. Mais il ne savait pas lequel. Était-ce son officier en second ? Était-ce l'ingénieur responsable de programmer les charges nucléaires ? Était-ce celui qui avait les codes complémentaires au sien pour les tirs de missiles ?

C'était pour les deux autres qu'il s'inquiétait. Ils n'étaient pas volontaires. Leur motivation était différente. La mafia tchétchène avait enlevé leur famille. Femme et enfants.

Le jour suivant, les deux avaient reçu un doigt et une oreille de chacun des membres de leur famille. Pour leur faire comprendre que c'était sérieux. Des instructions accompagnaient les envois. S'ils voulaient sauver les leurs, la solution était simple : quand ils seraient à bord du sous-marin, au cours de leur prochaine mission, ils devraient obéir à celui qui les contacterait. Pour se faire reconnaître, l'individu prononcerait trois fois le mot *obshchina*.

C'était le nom de la mafia tchétchène. L'*obshchina*…

Jusqu'à maintenant, Nikodim n'avait rien dit à ses trois « collaborateurs ». Il ne s'était même pas fait connaître d'eux. Inutile de leur révéler quoi que ce soit avant le moment de passer à l'action. Ça limitait les risques de fuite. Au cas où, malgré la menace qui planait sur les membres de sa famille, un des collaborateurs serait tenté de contacter la sécurité à bord du sous-marin.

Plus que vingt-quatre heures à attendre. Un peu moins, en fait… Ce serait le plus beau coup que la Tchétchénie aurait porté au pays de ses agresseurs. La perte d'un sous-marin nucléaire SNA de classe Akula.

L'embarras international de la Russie serait énorme. Le cas de la Tchétchénie reviendrait aux premières pages de l'actualité. Même si les missiles n'allaient pratiquement pas faire de victimes. Tout au plus quelques phoques et quelques ours polaires sur des champs de glace autrement déserts.

Sans l'aide de Guennadi Ashkalov, un des principaux dirigeants de l'*obshchina* à Saint-Pétersbourg, rien de cela n'aurait été possible. Curieusement, c'était Ashkalov qui avait pris l'initiative de l'approcher. Et c'était Ashkalov qui lui avait expliqué comment il était dans une position qui lui permettait de servir sa patrie comme peu de gens avant lui l'avaient fait.

Guennadi l'avait aidé à comprendre que, peu importe la voie qu'empruntait un Tchétchène dans sa vie, au fond de lui-même, il demeurait toujours un patriote. Même s'il avait quitté son pays enfant. Même s'il avait servi dans l'armée de l'oppresseur pendant plus de trente ans.

Ashkalov l'avait aidé à retrouver ce qu'il y avait de meilleur en lui. Avant toute chose, il était tchétchène. Pour un patriote, il n'était jamais trop tard pour accomplir son devoir. Son peuple était opprimé par les Russes. La chance se présentait à lui de poser un geste qui compterait. Il mourrait probablement au champ d'honneur, mais ce serait pour le bien des siens. Et non pour la plus grande gloire des oppresseurs de son peuple.

Les prochaines heures allaient redéfinir entièrement le sens de toutes ces années qu'il avait passées dans la marine soviétique puis, après l'effondrement de l'empire, dans celle de la Russie.

Hampstead, 21 h 02

La femme dont la silhouette ombragée se dessinait à l'écran s'était présentée sous le nom de Jill Messenger.

— Est-ce que ça veut dire que l'ex-madame Messenger a été définitivement affectée à d'autres tâches ? demanda Leonidas Fogg.

— On peut le dire de cette façon. Désormais, c'est à moi que vous ferez vos comptes rendus.

Quelque chose dans le ton de la femme, de même que le fait qu'elle se dissimule sous la forme d'une silhouette, fit comprendre à Leonidas Fogg qu'il avait franchi un pas : il parlait maintenant au supérieur hiérarchique de feu June Messenger.

— J'aurais une question d'ordre général. Est-ce que j'interprète correctement vos décisions des derniers mois si je conclus que vous voulez recentrer les activités du Consortium sur ses opérations de courtage : savoir, argent, opérations musclées ? que vous voulez que ce service soit offert à des groupes extérieurs au Consortium pour en assurer le financement? et que vous voulez que le Consortium serve de bras multifonctionnel pour les opérations que coordonnent Jean-Pierre Gravah, Hessra Pond... et possiblement quelques autres personnes?

Un rire retenu lui répondit.

— Je ne vous ferai pas l'insulte de contredire votre analyse, fit la voix à l'écran. Vous avez décrit de manière très exacte l'avenir que nous envisageons pour le Consortium.

— Ce que j'aimerais connaître, ce sont les raisons de ce choix.

— Je pense que vous avez saisi que le projet Consortium s'insère dans un plan plus vaste. Beaucoup plus vaste... En temps et lieu, vous serez informé des détails.

Après un moment, la voix de Messenger ajouta, sur un ton presque chaleureux:

— Il va de soi que vous êtes inclus dans ce projet et que vous serez invité à y participer de plein droit, le moment venu.

Fogg émit quelques remerciements de circonstances même s'il conservait peu d'illusions sur les modalités de cette inclusion. Quand « ces messieurs » décideraient de l'enterrer, ce ne serait pas de travail.

HEX-RADIO, 16 H 26

... ENCORE UN TÉMOIN QUE LES FLICS N'ARRIVENT PAS À PROTÉGER! VICTOR PROSE! L'ÉCRIVAIN QUI A ÉTÉ LE DERNIER À VOIR BRIGITTE JANNEQUIN VIVANTE! IL A ÉTÉ RETROUVÉ LIGOTÉ AU FOND D'UNE CHALOUPE À LA DÉRIVE AU MILIEU DU FLEUVE. QUAND IL A ÉTÉ RETROUVÉ, IL SOUFFRAIT D'HYPOTHERMIE, MAIS SA VIE N'EST PAS EN DANGER. C'EST UN RÉSIDENT DU BORD DU FLEUVE QUI AURAIT APERÇU LA CHALOUPE...

LISBONNE, 22 H 53

Jessyca Hunter finissait son verre de xérès au bar de l'Avenida Palace.

La mort de Joyce Cavanaugh lui avait porté un dur coup. Après avoir récupéré le corps de son amie dans son appartement, elle avait nettoyé l'endroit, en éliminant toute trace de son activité pour le Consortium. Puis elle avait téléphoné pour qu'une équipe de Vacuum s'occupe du reste. Et elle était partie. Le passage entre les deux appartements avait beau être bien dissimulé, il y avait toujours la possibilité qu'il soit découvert. Si jamais les policiers décidaient de faire une perquisition plus poussée... Il était hors de question qu'elle coure ce genre de risque.

Elle s'était alors rendue à Paris, où, pendant trois jours, elle s'était efforcée de repérer la moindre trace de surveillance. Elle en avait profité pour annuler sa participation à la réunion avec la direction de Meat Shop : la relève pouvait maintenant se débrouiller seule.

Finalement persuadée qu'elle n'avait pas été suivie, elle s'était ensuite réfugiée à Lisbonne, chez une amie collectionneuse spécialisée dans les scarabées et les scorpions.

Une semaine plus tard, convaincue qu'elle était en sécurité, elle avait utilisé un portable sécurisé pour contacter le numéro que Joyce Cavanaugh lui avait donné pour ce genre de situation. Quelqu'un du Cénacle y était disponible vingt-quatre heures sur vingt-quatre pour s'occuper des urgences.

En réponse à son premier appel, une voix automatisée lui avait fourni un autre numéro et lui avait demandé de rappeler une minute plus tard. Ce qu'elle avait fait.

Cette fois, un homme lui avait répondu.

— Je vous envoie quelqu'un, avait-il dit. Demain, 21 heures 30. Au bar de l'Avenida Palace.

La femme s'approcha de Jessyca Hunter et lui tendit la main comme à une vieille connaissance. Elle lui donna ensuite l'accolade en lui faisant la bise à trois reprises sur les joues. Puis elle prit place au bar, sur le tabouret à la gauche de Hunter, déposa son attaché-case par terre entre les deux tabourets et commanda un verre de chablis au barman qui arrivait.

— Je suis Maggie McGuinty, dit-elle en regardant l'air étonné de Hunter avec un certain amusement. Mais cela, vous le savez déjà.

Elle était assez grande, plutôt athlétique, et ses yeux verts fixaient Jessyca Hunter sans ciller. Son visage souriait, mais ses yeux semblaient impassibles.

— Je sais que je peux compter sur votre discrétion, reprit McGuinty, quand nous nous rencontrons dans le cadre d'une réunion du Consortium.

— Oui, bien sûr.

— J'imagine que vous avez des questions.

— Vous avez appris quelque chose sur la mort de madame Cavanaugh ? demanda Jessyca Hunter.

— Selon les informations dont nous disposons, madame Cavanaugh a été l'artisane de son propre malheur. Il est maintenant avéré que quelqu'un l'a suivie pendant plusieurs jours. Il s'agit d'un homme. Nous n'avons pas sa photo, mais différents indices laissent à penser qu'il s'agit de Paul Hurt.

Le nom secoua Jessyca Hunter. Est-ce que l'Institut était sur ses traces ?... Jusqu'à maintenant, elle avait cru un peu excessive l'obstination de Fogg à traquer les survivants de l'Institut. Si elle y avait souscrit, c'était surtout pour ne pas laisser passer une chance de venger Xaviera Heldreth. Maintenant, elle se demandait s'il n'avait pas raison. Peut-être avait-elle sous-estimé le danger... ainsi que la perspicacité de Fogg ? Il faudrait qu'elle en parle à Skinner.

— Est-ce qu'il y a une brèche dans la sécurité du Consortium ? demanda-t-elle.

— Les seules brèches sont celles que nous contrôlons. Vous pouvez contacter Fogg sans crainte. Il n'a été impliqué d'aucune façon dans les événements qui ont conduit à la mort de madame Cavanaugh. Il entend d'ailleurs vous confier la mise sur pied de White Noise... Il vous en a parlé ?

— Quelques mots seulement. Je dois le rencontrer à ce sujet.

— Nous sommes favorables à cette idée et nous avons exprimé notre souhait qu'il y donne suite dans les meilleurs délais.

— Et Meat Shop ?

— Vous avez accompli du bon travail, mais cette filiale ne fait plus partie de nos priorités. Désormais, vous vous occupez de White Noise. C'est une filiale qui va regrouper les plus grands propriétaires de médias de la planète. La première réunion se tient à Dubaï dans deux jours. C'est avec eux que vous allez travailler. Ils ont été choisis de façon méticuleuse.

— Vous voulez dire que Fogg a déjà nommé les dirigeants de la filiale ? demanda-t-elle.

Jessyca Hunter avait de la difficulté à ne pas paraître contrariée. Si elle devait mettre cette filiale sur pied, elle entendait le faire avec des gens qu'elle aurait elle-même sélectionnés.

— Je veux dire que « nous » avons depuis longtemps choisi les entreprises qui formeront l'épine dorsale de la filiale, dit McGuinty.

Puis elle ajouta avec un léger sourire :

— C'est un détail qu'il ne jugera probablement pas utile de vous communiquer.

Son ton redevint sérieux.

— Vous aurez évidemment accès à des informations qu'il serait inopportun de révéler aux membres du Consortium… Pour ce qui est de votre travail, dans un premier temps, il consistera à structurer la filiale de manière à assurer une coordination efficace de nos interventions dans les médias à l'échelle de la planète.

Le sourire réapparut sur son visage.

— Il va de soi, reprit-elle, que vous rendrez compte régulièrement de votre travail à Fogg. Il ne servirait à rien d'alimenter sa méfiance en lui cachant des choses sans raisons valables.

Elle jeta un regard au barman, qui lui fit un signe affirmatif de la tête, puis elle ajouta en se tournant vers Hunter :

— Idéalement, nous aimerions que vous contactiez Fogg dans les heures qui viennent. Il a un ou deux petits travaux pour vous. Ensuite, vous partez sans délai pour

Dubaï. Vous prendrez l'attaché-case qui est à côté du tabouret. Vous y trouverez un ordinateur portable. Désormais, vous n'utiliserez que celui-là.

Il y avait un plaisir grisant à parler ainsi au nom du Cénacle. À s'adresser en position d'autorité à l'un des principaux membres du Consortium. Maggie McGuinty n'avait plus aucune objection à être l'émissaire spéciale de Killmore. Toutes ses réticences avaient fondu. Ce n'était pas un simple rôle de messager. Quand elle s'adressait aux autres, elle était le Cénacle. Quand ils la regardaient, ce n'était pas elle, c'était le pouvoir que les autres percevaient.

Elle passa les deux mains derrière son cou, détacha son collier et le donna à Hunter.

— Un cadeau, dit-elle.

Hunter le prit. Ses doigts s'attardèrent sur le pendentif circulaire en métal qui était attaché en sautoir au collier. McGuinty surprit son geste.

— Je vois que vous savez de quoi il s'agit, dit-elle avec un sourire... J'espère que vous ne répéterez pas l'erreur de madame Cavanaugh. Ce sont ces petites indiscrétions qui peuvent un jour s'avérer fatales.

Puis elle ajouta avec une chaleur parfaitement convaincante :

— Je suis certaine que vous n'avez pas besoin de ce genre d'avertissement... Pour ce qui est du collier, vous y trouverez de quoi compléter les informations que Fogg va vous transmettre.

Elle se tourna, prit le verre de vin que le barman venait de poser devant elle et porta un toast en regardant Hunter dans les yeux.

— À une association longue et profitable, dit-elle.

Hunter leva son propre verre sans rien ajouter.

Montréal, studio de HEX-TV, 20 h 03

L'animatrice regardait la caméra en face d'elle. À sa gauche, dans un fauteuil de cuir capitonné, un homme était attaché par des courroies de cuir qui semblaient sorties d'un film sado-maso de luxe pour amateurs délicats : rien de trop inconfortable, tout dans le symbole.

La mise en scène se voulait une illustration du fait que l'invité ne pouvait pas s'enfuir pour échapper aux questions qu'on lui posait. Une forme douce, dédramatisée, du supplice de la question popularisé par l'Inquisition.

L'animatrice lisait le texte d'introduction de l'émission.

— ... pour un autre épisode de : *Les Invités à la question*, avec Ariane Prémont. Notre invité aujourd'hui est le maire de Montréal, Justin Lamontagne. C'est un rendez-vous qui a été reporté à plusieurs reprises, mais monsieur le maire a finalement réussi à trouver un peu de temps pour nous dans son agenda. Comme tous nos invités, monsieur le maire ne connaît pas les questions auxquelles il va être soumis. Que la mise à la question commence !

Elle se tourna vers son invité.

— Monsieur le maire, voici la première question : quel pourcentage de l'eau distribuée par l'aqueduc se perd dans le sol à cause des fuites ?

— Écoutez, je dirais qu'il est normal qu'il y ait un certain pourcentage de perte, compte tenu de la vétusté des équipements. C'est d'ailleurs pourquoi nous allons bientôt proposer...

L'animatrice lui coupa la parole sans le laisser terminer.

— Connaissez-vous assez bien le dossier pour donner à nos téléspectateurs un pourcentage... même approximatif ?

— Je dirais... vingt-cinq pour cent. Et c'est un minimum.

— Et ça représente combien de gallons par jour ?

— Ça, je n'en ai aucune idée.

Elle détourna son regard de l'invité pour regarder ses feuilles.

— Deuxième question : combien coûterait la mise à niveau des réseaux d'égouts et d'aqueduc de la ville de Montréal ?

— Je n'ai malheureusement pas encore de chiffres. Nous sommes justement en train de…

Une fois de plus, elle l'interrompit.

— Des millions ou des milliards?

— Des milliards. Mais, vous savez…

— Combien de milliards?

— Ça pourrait aller jusqu'à dix… Peut-être quelques poussières de plus.

Elle détourna de nouveau son regard pour lire sur ses feuilles.

— Troisième question: des démarches ont-elles été entreprises pour octroyer le contrat à une entreprise particulière?

— Des estimations préliminaires ont été demandées à quatre entreprises. L'important est de nous assurer que le travail sera de qualité et qu'il sera effectué au meilleur prix.

— Ça donne quoi, comme prix?

— Disons que ça va du simple au triple.

— Vous pouvez nous donner les noms avec les montants?

— Cela pourrait nuire à la négociation.

— Est-il vrai que, dans tous les cas, cela entraînera des hausses de taxes significatives?

— Je serais très surpris que les Montréalais aient à subir des hausses de taxes significatives.

— Bien… Alors, comparons maintenant vos réponses avec les informations que nos recherchistes ont trouvées. Le pourcentage de fuite est de quarante-sept pour cent. Le coût anticipé est plus près de quinze milliards. Vous avez effectivement approché quatre entreprises… Et tous les experts que nous avons consultés estiment que les hausses de taxes seront importantes.

Se tournant vers le maire, elle ajouta:

— Je dois dire que vous vous êtes montré plutôt ouvert et relativement bien informé. Sauf sur la question des coûts…

Le maire la regarda avec un sourire ironique.

— Je maintiens mon estimation : dix milliards et des poussières. C'est le coût théorique maximum. Et il n'y aura pas de hausses de taxes.

— C'est une promesse électorale ?

— Mieux : c'est un engagement sur mon honneur.

L'animatrice paraissait étonnée. Habituellement, les invités ne montraient pas une telle assurance lorsqu'elle dénichait des informations qui les contredisaient.

— Je vous mets au défi, reprit le maire. Si les faits me donnent raison, vous me cédez le rôle le temps d'une entrevue et c'est vous qui prenez le siège que j'occupe.

L'animatrice hésita un moment. Puis elle répliqua, essayant de paraître assurée :

— Et si j'ai raison, qu'est-ce que vous allez faire ?

— Je m'engage publiquement à démissionner et à ne plus jamais me présenter à la mairie.

Cette fois, l'animatrice resta sans voix pendant un bon moment avant de répondre :

— Marché conclu.

Intérieurement, Lamontagne était soulagé que ce soit terminé. Tout s'était déroulé selon ce que les créatifs de Sharbeck avaient prévu.

Brossard, 22 h 32

En arrivant, Théberge était descendu à la cave et il avait débouché une bouteille de Ser Gioveto. Il était un peu jeune, mais c'était de nouveau un cas de force majeure. L'inévitable Cabana et deux autres journalistes l'avaient suivi de l'édifice du SPVM jusque chez lui. Ils l'avaient encore questionné sur les rumeurs quant à sa démission.

Il en avait bu un verre comme apéro en attendant son épouse, qui était retenue par son bénévolat. Au souper, il en avait pris deux autres verres ; sa femme, un.

Deux heures plus tard, assis dans son fauteuil, il terminait la bouteille en regardant la télé. Il avait traversé sans trop de mouvements d'humeur le bloc des informations. Quand la nouvelle émission, *Démocratie directe*, s'amorça, il esquissa une moue.

ICI GUY-BENOÎT DESRAPES, POUR NOTRE DISCUSSION DE FIN DE SOIRÉE SUR L'ACTUALITÉ DU JOUR. NOTRE SUJET CE SOIR : LE RÉSEAU D'AQUEDUC EST-IL FIABLE ? L'EAU QUE VOUS BUVEZ RISQUE-T-ELLE DE VOUS EMPOISONNER ?

Théberge prit une gorgée de vin, regarda son verre, presque vide.

— Au moins, ils n'ont pas touché à ça...

AUJOURD'HUI, UNE VIOLENTE DISCUSSION A EU LIEU SUR CE SUJET À L'ASSEMBLÉE NATIONALE. SELON L'OPPOSITION OFFICIELLE, LE RÉSEAU N'EST PAS FIABLE, IL DOIT ÊTRE RECONSTRUIT ET LE GOUVERNEMENT MINIMISE LES COÛTS ; SELON LE PARTI AU POUVOIR, LE RÉSEAU A SIMPLEMENT BESOIN D'UNE MISE À NIVEAU NORMALE, L'OPPOSITION EST ALARMISTE ET CHERCHE À CRÉER DE LA PANIQUE. VOUS, QU'EN PENSEZ-VOUS ? L'EAU QUE VOUS BUVEZ EST-ELLE DANGEREUSE ? VA-T-IL FALLOIR REFAIRE LE RÉSEAU D'AQUEDUC ?... J'ATTENDS VOS APPELS. LA DÉMOCRATIE VA S'EXPRIMER.

Théberge explosa et se mit à engueuler l'appareil de télé.

— Non mais, il va quand même pas demander aux gens de se prononcer sur quelque chose dont ils ne connaissent rien !

— J'AI UN PREMIER APPEL : MONSIEUR SOUCY, DE BROSSARD. JE VOUS ÉCOUTE, MONSIEUR SOUCY.
— MOI, MONSIEUR DESRAPES, JE TROUVE QUE L'EAU, ELLE GOÛTE DRÔLE. ELLE GOÛTE PLUS CE QU'ELLE GOÛTAIT QUAND J'ÉTAIS JEUNE. ÇA DOIT ÊTRE À CAUSE DES « BEBITTES » QUI ENTRENT DANS LES TUYAUX PAR LES ENDROITS OÙ C'EST BRISÉ.
— VOUS AVEZ RAISON, MONSIEUR SOUCY, DE SOULIGNER CE PROBLÈME DE CONTAMINATION...

— C'est l'eau qui sort et qui se perd, le problème ! s'exclama Théberge. Pas ce qui entre !

Il pointa la télécommande et ferma la télé. Il s'absorba ensuite dans la contemplation de son verre de Ser Gioveto.

— Tu ne devrais plus regarder la télé, Gonzague, dit sa femme sans lever les yeux de sa revue. Le médecin te l'a dit, il faut que tu évites les exercices violents !

Théberge se contenta de grogner un commentaire incompréhensible et prit une dernière gorgée de vin.

La mainmise sur le pouvoir économique passe par le contrôle de ce qui est essentiel à la vie : l'eau, la nourriture, l'énergie et la santé. Qui s'en rend maître contrôle l'humanité.

Pour l'eau et la nourriture, les raisons vont de soi.

Quant à l'énergie, c'est la clé de la civilisation : elle permet aux gens de se chauffer, de produire, de transporter et de faire venir à eux ce dont ils ont besoin. Les phases de la civilisation se classent selon le type d'énergie qu'elle a domestiquée.

Pour ce qui est de la santé, c'est de nouveau l'évidence : sa maîtrise donne un pouvoir de vie et de mort sur les gens.

Guru Gizmo Gaïa, *L'Humanité émergente*, 3- Le Projet Apocalypse.

JOUR - 5

PARIS, 9 H 29

« Partenariat HomniFood - HomniFlow ».

Intrigué par les quelques mots qui défilaient sur Bloomberg, Ulysse Poitras avait cliqué sur le titre de la nouvelle pour faire apparaître le texte complet de l'article.

HomniFood annonce un partenariat avec sa compagnie sœur HomniFlow. Les deux entreprises veulent s'attaquer au marché mondial de la distribution de l'eau potable. HomniFlow sera responsable de l'implantation et du maintien des infrastructures ; HomniFood s'occupera de la distribution aux clients ainsi que de la qualité du produit.

Poitras ne connaissait pas l'existence d'HomniFlow. Il ouvrit le navigateur Internet et entra le nom dans Google.

Les trois seuls résultats faisaient tous référence au même site, celui d'HomniFood. Dans les trois cas, il fut ramené à un même communiqué de presse.

Était-il possible que le nom d'une entreprise qui était la compagnie sœur d'HomniFood puisse n'avoir jamais été mentionné sur Internet ?... À moins que ce soit une création récente ? Il lut le communiqué de presse.

HomniFood affirmait avoir pour motivation de répondre à l'un des besoins les plus criants de l'humanité : acheminer de l'eau potable aux plus pauvres de la planète. Ce faisant, elle s'attaquerait à un problème que les gouvernements et les pouvoirs publics ne parvenaient pas à solutionner. Elle disait vouloir « concilier l'approche humanitaire et la rentabilité économique », ce qu'elle avait baptisé du nom d'« humanitaire rentable »... Ça ressemblait étrangement au « capitalisme humanitaire » de l'AME.

Poitras relut la fin du texte avec un certain malaise. Autant il croyait à l'apport de l'entreprise privée dans la gestion des biens essentiels comme l'eau, autant le contrôle de cette gestion par un intervenant qui avait des visées mondiales l'inquiétait.

Il archiva l'information ainsi que le communiqué de presse d'HomniFood, puis il mit à jour les informations sur les compagnies d'assurances.

Les ventes à découvert avaient encore augmenté. Il y avait forcément quelqu'un qui savait quelque chose ou qui préparait quelque chose. Aucun esprit rationnel ne vendrait à terme des titres qu'il ne possédait pas encore, à un prix aussi bas, sans s'attendre à ce que leur prix tombe dramatiquement. Ce qu'espérait le vendeur, c'était qu'au moment où il devrait les acheter pour les transmettre à l'acheteur, il pourrait les obtenir à un prix inférieur à celui auquel il les avait vendus ; il encaisserait alors la différence entre le prix de vente et son prix d'achat.

Il pensa aux théoriciens de l'efficacité des marchés, qui affirmaient que le marché reflétait en tout temps la valeur réelle des entreprises inscrites à la Bourse.

Hochant légèrement la tête, il sourit… Manifestement, dans ce cas, il y avait des gens qui en savaient plus que d'autres. Des gens qui se préparaient à tirer profit des événements qui allaient survenir.

Au début, bien sûr, seuls quelques courtiers remarqueraient le phénomène. Puis ça se répandrait parmi les courtiers. Et ça finirait par toucher leurs clients… En concluraient-ils que les prix allaient complètement s'écraser ? Effectueraient-ils des ventes massives, ce qui aurait pour effet de provoquer la chute des prix qu'ils craignaient ?… C'était probable. Ceux qui avaient vendu à découvert devaient même compter sur ça pour augmenter leurs gains ! C'était pour eux une manière de protection : ils se garantissaient qu'il y aurait un marché de vendeurs, quand ils devraient acheter les titres qu'ils avaient vendus à découvert.

S'il y avait une arme de destruction massive, c'était bien le marché. Il induisait chez les petits investisseurs, et même chez beaucoup de gestionnaires, un faux sentiment de rationalité, de sécurité, grâce auquel la plupart d'entre eux se faisaient massacrer à chaque crise.

Poitras poussa un soupir et envoya un courriel à Chamane. Quelques mots seulement.

> HomniFlow, tu connais ?
> Compagnie sœur d'HomniFood.

HAMPSTEAD, 9 H 14

C'était la première fois que Fogg voyait Jessyca Hunter aussi contrariée.

— Toute la direction de Meat Shop éliminée d'un seul coup ! dit-elle. Le dernier survivant est décédé il y a une heure !

Fogg se demandait quelle était la raison véritable de sa fureur. Était-ce parce que son travail de plusieurs années était anéanti ? parce qu'elle avait peur que cet échec se reflète sur ses possibilités d'avancement ?… parce qu'elle aurait normalement dû assister à la réunion et qu'alors elle aurait été tuée avec les autres ?… Réagissait-elle avec autant de force pour le prendre de vitesse et éviter de se voir reprocher sa mauvaise gestion de la filiale ?

— Évidemment, dit-il, c'est une lourde perte. Mais ça ne devrait pas compromettre sérieusement le plan de privatisation. Et puis, le pire a été évité, non ?

— Le pire ?

— Vous êtes là !

La remarque prit Hunter au dépourvu. Avant qu'elle ait eu le temps de répondre, Fogg avait repris.

— Il y a une chose qui m'intrigue. Pour quelle raison avez-vous jugé préférable de ne pas assister à cette réunion ?… Aviez-vous prévu qu'il y aurait des problèmes ?

Hunter décida de ne pas répondre. Fogg ne pouvait pas ignorer qu'après l'attentat contre Joyce Cavanaugh, elle s'était cachée pendant deux semaines pour s'assurer de couper les pistes.

— En tout cas, vous êtes la preuve « vivante » de l'utilité, pour un chef, de savoir déléguer !

Un petit rire suivit la remarque.

— Est-ce que vous savez qui est responsable de l'attentat ? demanda Hunter.

— Probablement une des triades. Le trafic d'êtres humains est un marché rentable. Ils ont voulu éliminer la compétition.

Intérieurement, Fogg songeait à l'efficacité de l'Institut – ou de ce qui en restait. C'était un très bon outil. Le Rabbin aurait certainement été fier de son œuvre… et un peu surpris de l'utilisation que Fogg en faisait maintenant.

— Personnellement, reprit-il, ce qui m'inquiète le plus, c'est que des individus aussi incapables d'assurer leur propre sécurité puissent avoir été sur le point de diriger une filiale. Et d'avoir accès à la direction du Consortium. Rien que d'y penser…

Hunter encaissa le blâme sans répliquer.

— J'ai bien l'intention de trouver les responsables de cette exécution, dit-elle. On ne peut pas tolérer que des gens attaquent impunément nos organisations.

— Il n'est pas question que vous alliez vous enterrer là-bas pour trouver qui les a fait sauter ! trancha Fogg. Votre priorité est la mise sur pied de White Noise. « Ces messieurs » ont pris la liberté de réunir un certain nombre de candidats à Dubaï…

Puis il ajouta, avec une ironie qu'il s'efforça de camoufler sous un sourire bon enfant :

— J'imagine que leur sélection s'avérera plus heureuse que celle des dirigeants de Meat Shop.

Hunter encaissa de nouveau sans broncher. L'heure de la vengeance viendrait en son temps.

— J'aurais préféré les choisir moi-même, se contenta-t-elle de répondre. Mais je suis certaine que « ces messieurs » ont fait un excellent choix.

Hunter ne voulait pas paraître accepter facilement cette ingérence dans la mise sur pied de la filiale. Trop de complaisance de sa part aurait pu éveiller les soupçons de Fogg.

Ce dernier souriait légèrement. Il se demandait quelles auraient été les chances que Hunter puisse retrouver Hurt. Probablement peu élevées, songea-t-il. Ce qui l'amena à penser qu'il lui faudrait bientôt inventer une autre diversion pour éloigner Hurt de Londres.

— Avant que vous partiez pour Dubaï, reprit Fogg, j'ai un petit travail pour vous à Bruxelles. Un de vos drones s'est manifesté.

Dans le langage du Consortium, les drones étaient des agents ou des informateurs qui étaient manipulés et qui n'avaient aucune idée des véritables objectifs de ceux pour qui ils travaillaient. Au contraire, la plupart étaient persuadés que c'étaient eux qui manipulaient leur contact pour atteindre leurs propres objectifs. Toute l'équipe des US-Bashers avait été construite sur ce principe.

— Lequel ?

— Votre ami qui se bat pour l'indépendance de la Flandre.

Un sourire amusé apparut sur le visage de la femme.

— Vous allez une fois de plus joindre l'utile à l'agréable ? ironisa Fogg.

— Celui-là, je me contente de le superviser. J'ai quelqu'un sur place qui s'en occupe au quotidien.

— Bien. Vous ne serez pas trop distraite pour ce qui vous attend chez nos amis vendeurs de pétrole.

— Dubaï, reprit Hunter, visiblement peu emballée par la perspective. C'est quoi, l'idée de m'expédier chez des éleveurs de chameaux qui vont vouloir que je porte la burka ?

Fogg sourit.

— Tant que vous demeurez dans les quartiers prévus pour les étrangers, dit-il, vous n'aurez aucun problème… Enfin, pas plus que dans les milieux financiers occidentaux !

— C'est censé me réconforter ?

Le sourire de Fogg s'accentua. Hunter avait beau être éminemment dangereuse, elle avait un certain sens de l'humour.

AFP, 7 H 06

... SALTNOMORE, UNE ENTREPRISE BRITANNIQUE QUI EXPLOITE DES USINES DE DÉSALINISATION À LA GRANDEUR DE LA PLANÈTE, A PROCÉDÉ À UN DÉPÔT DE BILAN ET S'EST PLACÉE SOUS LA PROTECTION DE LA LOI. UNE RESTRUCTURATION DE SES ACTIVITÉS APPARAÎT TOUTEFOIS PEU PROBABLE. LES ANALYSTES ATTRIBUENT LA SITUATION DÉSASTREUSE DE L'ENTREPRISE À L'ÉCHEC DE SES RECHERCHES, À UN DÉVELOPPEMENT TROP AGRESSIF ET À UNE GESTION DOUTEUSE DE SA DETTE. LA SÉRIE D'ACCIDENTS SURVENUS DANS SES USINES AURAIT ÉGALEMENT PRÉCIPITÉ CETTE DÉCISION.

POUR LE MOMENT, UN SEUL ACHETEUR S'EST MANIFESTÉ. IL S'AGIT DU FONDS D'INVESTISSEMENT PRIVÉ CLEARWATER HYDRO MANAGEMENT FUND, QUI A DÉJÀ UNE PARTICIPATION MAJORITAIRE DANS PLUSIEURS ENTREPRISES CONCURRENTES DE SALTNOMORE. UNE TELLE ACQUISITION POURRAIT DONNER LIEU À L'ÉMERGENCE D'UN VÉRITABLE GÉANT MONDIAL DE LA DÉSALINISATION.

BROSSARD, 7 H 22

En sortant de chez lui, Théberge se retrouva face à quatre journalistes qui l'attendaient, le micro tendu. Derrière eux, une caméra le filmait.

— Quelle est votre réaction, inspecteur ? demanda Cabana.

— Réaction à quoi ? Au saccage médiatique de ma vie privée ?

— Vous voulez dire que ce que vous faites durant vos heures de travail relève de votre vie privée ?

Théberge sentit monter l'exaspération.

— Cabana, je vous l'ai déjà dit : il ne faut pas abuser des substances euphorisantes ! C'est mauvais pour les petites cellules grises.

Une autre journaliste prit la relève. Dépliant l'édition du jour de l'*HEX-Presse*, elle montra la une à Théberge. On pouvait y voir, sur la largeur de la page, une photo de l'entrée du café Chez Margot. Le titre qui coiffait la photo posait la question :

Payé pour prendre des cafés ?

Sous la photo, la légende annonçait :

Le refuge secret de Théberge

Ce dernier examina la page de journal que la journaliste lui montrait, regarda la journaliste puis secoua lentement la tête.

— Est-ce que vous trouvez normal qu'un employé civil passe des heures au café pendant son temps de travail ? insista la journaliste.

Théberge ignora la question, se dirigea vers sa voiture, ouvrit la portière, la referma derrière lui et démarra sans un seul regard vers les représentants des médias.

Paris, 13 h 43

Chamane entra sur le VPN d'HomniFood en utilisant l'accès dérobé qu'il y avait installé lors de sa première visite. Cela lui permit de franchir toutes les lignes de défense sans être inquiété et de parvenir au niveau de contrôle le plus élevé.

— Ce n'est plus du sport, dit-il pour lui-même. C'est du jeu de massacre.

Tout en continuant de pester contre l'incurie des programmeurs, il entreprit d'explorer le réseau, à la recherche de traces d'HomniFlow.

Tout ce qu'il trouva fut un courriel. En pièces jointes, il contenait un ensemble de cartes géographiques représentant les régions côtières de la planète à différentes échelles d'agrandissement. On y trouvait à la fois de vastes représentations continentales et des agrandissements de zones urbaines situées au bord de la mer.

Toutes les cartes avaient un point commun : elles avaient trois lignes de littoral. La première correspondait à la frontière actuelle entre la mer et le continent ; la deuxième, à une crue d'un mètre du niveau des océans ; la troisième, à une crue de deux mètres. Les zones inondables étaient d'une couleur différente du reste du territoire.

Une autre série de cartes déterminait les progrès de l'infiltration de l'eau salée dans les nappes phréatiques selon différents scénarios de crue.

Après avoir quitté le réseau privé d'HomniFood, il envoya un courriel à Poitras.

> J'ai trouvé une seule référence. C'est en rapport avec la hausse du niveau de la mer. Il y a pas mal de cartes. Je pense que ça vaut la peine que tu regardes ça.

Montréal, 10 h 07

Dissimulé derrière une vitre sans tain qui donnait sur la salle de conférence de presse, Théberge assistait incognito à la prestation de Rondeau. Jusqu'à maintenant, Rondeau avait relativement bien esquivé les questions et les attaques des journalistes, maniant alternativement l'humour absurde et les insultes pittoresques.

— Un journaliste a révélé que l'inspecteur-chef Théberge passe de nombreuses heures dans un café pendant qu'il est censé être au travail, fit News Pimp. Quel est le point de vue du SPVM sur le sujet ? Est-ce que ça fait partie de ses avantages spéciaux ?

— L'inspecteur-chef Théberge a des horaires variables et répond de son emploi du temps au directeur Crépeau.

— Autrement dit, c'est un de ses anciens protégés qui lui fait un retour d'ascenseur. Est-ce que j'ai raison ?

Rondeau lui jeta un regard méprisant.

— Votre question de merde est tendancieuse, malhonnête et mesquine.

Puis il embrassa la salle du regard.

— Je n'accepte plus aucune question sur l'empesteur-chef Théberge, reprit-il. Ou bien vous avez des questions sur les dossiers en cours, ou bien je tire la chaîne et vous évacuez.

Une vague de murmures parcourut l'assistance.

— C'est un sujet d'intérêt public, insista Cabana. Nos lecteurs ont le droit de savoir.

— L'empesteur-chef Théberge peut prendre ses repas où il veut, quand il veut, sans que ça concerne votre troupeau de bouffe-copie.

Rondeau ajouta ensuite avec un sourire :

— C'est une expression que j'ai apprise dans un manuel d'euphémismes. D'autres questions avant que j'évacue ?

— Vous insultez nos lecteurs ! s'indigna Cabana.

— Pas individuellement.

Après quelques grognements de protestation disséminés dans la salle, le journaliste de *HEX-Presse* aborda le sujet de l'homme momifié.

— Vous n'avez toujours pas la moindre idée de son identité ?

— Non. Là-dessus, on sèche.

Le visage de Rondeau demeura imperturbable malgré les sourires qu'avait provoqués sa réponse.

— Et Gabriel Auclair ? Confirmez-vous que c'est un suicide ?

— Les indices matériels vont dans ce sens.

— Est-ce que vous avez des indices non matériels ? ironisa le reporter de HEX-TV.

— On manque de motifs. Pour quelle raison se serait-il suicidé ? Sur tous les plans, les choses allaient au mieux pour lui.

— Vous avez des doutes ? suggéra le journaliste du *Devoir*.

— Des doutes, oui.

Subitement, tous les visages devinrent attentifs.

— Chers petits nécrophages, je vois vos regards pétiller de gourmandise. Mais tout ce que nous avons, ce sont des faits et des doutes. Je n'ai aucune affirmation tonitruante à émettre que vous puissiez rapporter dans vos mass-médiocres.

L'expression de Rondeau provoqua à peine quelques sourires. Il y avait longtemps que les gens des médias étaient habitués à ses excès de langage censément attribuables à sa maladie. Tout le monde soupçonnait qu'il en rajoutait, mais ça donnait de bonnes lignes.

— Vos doutes, c'est quoi ? insista le reporter de HEX-TV.

— Quand deux dirigeants d'une même entreprise meurent à quelques mois d'intervalle dans des circonstances aussi particulières, ça titille l'imagination... C'est comme si deux nécrophages qui couvrent les affaires policières disparaissaient en quelques semaines. Ce serait une drôle de coïncidence, n'est-ce pas ?... Les policiers n'aiment pas les coïncidences.

— C'est quoi, cette histoire qui est arrivée à Prose ? lança un autre journaliste.

— Un écrivain qui se mouille, vous ne trouvez pas que c'est une bonne nouvelle ?

Théberge écoutait la conférence de presse en hochant la tête. Rondeau était devenu une institution. Il pouvait vraiment se permettre de dire n'importe quoi. Du moins en était-il encore ainsi... Quelques minutes après sa prestation, ses principales reparties seraient publiées sur le site Internet qui lui était consacré. Des blogs reprendraient certaines de ses déclarations. Il était même arrivé que des extraits de conférence de presse se retrouvent sur YouTube quelques minutes seulement après qu'elle ait eu lieu !

Était-ce là l'avenir du travail policier ? D'un côté, gérer la criminalité en menant des enquêtes et des

arrestations, en multipliant les activités de prévention…
et, de l'autre, gérer la perception publique du contrôle
de la criminalité au moyen d'interventions médiatiques ?

Assisterait-on à l'émergence de deux genres de policiers, dont le travail correspondrait à des exigences de
plus en plus divergentes, ou parfois même opposées ?
D'un côté des policiers pour la criminalité, de l'autre des
policiers pour gérer la perception de la criminalité et du
travail des policiers ? Autrement dit, pour gérer les journalistes et les médias ?

UPI, 10 h 38

> … LES INONDATIONS DUES À LA MOUSSON S'ANNONCENT PARTICULIÈREMENT
> CATASTROPHIQUES CETTE ANNÉE. LE POURCENTAGE DU TERRITOIRE DU
> PAYS QUI EST INONDÉ DÉPASSE DÉJÀ LES TRENTE POUR CENT HABITUELS.
> ON ESTIME À TROIS MILLIONS LE NOMBRE DE PERSONNES DÉPLACÉES.
> DANS UNE CONFÉRENCE DE PRESSE TENUE HIER, LE PRÉSIDENT DU
> BENGLADESH A DRESSÉ UN PREMIER BILAN DE LA CATASTROPHE ET IL A
> RÉCLAMÉ L'AIDE DE LA COMMUNAUTÉ INTERNATIONALE…

VENISE, 16 h 51

La ligne téléphonique du portable était activée. Blunt
marchait lentement dans la pièce tout en répondant à
Tate. Ce dernier était mécontent. Il digérait mal le refus
de Blunt d'aller lui présenter son rapport en personne et
discuter de la situation.

— J'ai plusieurs recherches en cours, fit Blunt.

— Aux États-Unis aussi, on a Internet, ironisa Tate.

— Je réfléchis mieux quand je suis chez moi.

— J'ai l'impression qu'il faudrait un peu moins de
réflexion et un peu plus d'enquête !

Blunt décida d'ignorer le mouvement d'humeur de
l'Américain.

— L'hôtel de Vegas, quoi de neuf ?

— On a retrouvé les responsables de l'attentat. Les
trois sont morts. On est dans un cul-de-sac.

— Votre département de police scientifique ne peut
pas faire parler les corps et les lieux du crime ?

— Ça, pour parler, ça parle… Mais toutes les pistes aboutissent à des gens qui sont morts. Ou qui n'ont jamais existé.

— Je comprends que tu ne sois pas pressé de donner ça aux journalistes.

— Tu me vois expliquer en conférence de presse qu'on a trouvé les hommes de main, qu'ils sont tous morts, qu'on n'a pas de piste pour remonter plus haut et qu'on n'a aucune idée de ce qu'il faut faire pour empêcher que ça se reproduise ?

— Comme pour les terroristes islamistes…

— Exactement !

— Mais ils ont quand même commis une erreur.

— Ah oui ? répondit Tate, à la fois sceptique et curieux d'entendre l'idée de Blunt.

— La similitude des procédés. C'est maintenant clair qu'on ne cherche pas des groupes terroristes isolés mais une seule organisation.

— Autrement dit, on a un problème plus gros qu'on pensait, résuma Tate sur un ton dégoûté.

— Peut-être, mais on a un seul problème… Les églises qui sautent et les attentats dans les musées sont revendiqués par le même groupe. Si, en plus, c'est ce groupe-là qui est responsable de l'attaque contre l'hôtel…

Après avoir hésité, Blunt poursuivit :

— C'est assez évident qu'il y a des liens entre les Enfants de la Terre brûlée et les Enfants du Déluge. Si les deux sont liés aux terroristes islamistes…

— Les médias vont être hystériques !

— À ta place, j'attendrais avant d'en parler. Le Congrès est capable d'ordonner deux ou trois bombardements pour donner l'impression d'agir.

— Remarque, éliminer quelques terroristes, ça ne peut pas être une mauvaise idée, ironisa Tate.

— Le problème, c'est qu'on affronte un ennemi qui n'a pas de territoire géographique. Pas qu'on connaisse, en tout cas. Si on bombarde quelque part, on va surtout faire des victimes innocentes et multiplier le nombre de nos ennemis.

— Penses-tu vraiment que je ne le sais pas ? fit Tate sur un ton résigné.

— Vous devriez pourtant avoir appris !

— Qu'est-ce que tu veux, ce n'est pas une idée politiquement rentable. Tandis que bombarder, tuer deux ou trois terroristes, ça fait plaisir à un tas d'électeurs.

— Je suppose…

— Pour en revenir à ton hypothèse, je ne vois pas ce qui pourrait amener les terroristes écolos et les terroristes islamistes à coopérer. À part des intérêts ponctuels…

— Pour le moment, moi non plus. Mais si c'était une partie de go, je dirais qu'il y a des territoires qui commencent à s'esquisser… un *pattern* qui se dégage.

— Malheureusement, ce n'est pas une partie de go. Et ils menacent de commettre d'autres attentats.

— À propos de ça, que disent vos spécialistes sur la situation aux deux pôles ?

— Ça dépend des spécialistes.

Blunt sourit. Il imaginait la réaction de Tate devant la flopée de rapports et d'études contradictoires qu'on devait lui avoir soumis.

Tate poursuivit :

— Il y en a qui disent que l'effet sera négligeable. D'autres prédisent un accroissement géométrique de la fonte des glaces au cours des prochaines années à cause de la dislocation de la banquise et de l'écoulement des glaciers dans la mer.

Un signal discret se fit entendre. Blunt jeta un coup d'œil à l'ordinateur. Un message s'y affichait, dans une fenêtre au bas de l'écran :

J'ai parlé à Poitras. Il faut que tu viennes.
Magic Fingers

Pendant que Blunt lisait le message, Tate poursuivait sa tirade.

— On a même des néo-conservateurs qui affirment que c'est la réalisation des prophéties de l'Apocalypse. Après la terre, c'est au tour de l'eau de se révolter contre l'humanité… Ils disent qu'il faut laisser la volonté divine s'accomplir. Que les eaux vont monter et noyer les in-croyants de la Côte-Est et de la Côte-Ouest… Moi, pour l'instant, c'est pas les sous-marins qui m'inquiètent le plus. Si ça explose, les gens ne verront pas l'effet avant plusieurs années. Tandis que l'attentat de la piscine…

— Tu penses qu'il va y avoir d'autres attentats ?

— Ce qui m'étonne, c'est qu'il n'y en ait pas déjà eu.

— Il faut que je te laisse, j'ai un avion à prendre.

— Tu as finalement décidé de venir ?

— Une information qui arrive à l'instant. Il faut que j'aille vérifier sur place.

Il raccrocha sans laisser à Tate le temps de demander plus d'explications.

Antarctique ouest, sous-marin US-67, 12 h 25

Alex Rickman arrivait au terme de sa carrière. L'acte qu'il s'apprêtait à commettre ne l'abrégerait que de quelques jours.

Tout au long des années, son dégoût pour les magouilles politiques n'avait fait que croître. Il n'en pouvait plus de voir les politiciens décider d'aller faire la guerre à tel ou tel endroit pour défendre les intérêts des multina-tionales qui finançaient leurs campagnes électorales. Ou pire : pour des raisons bêtement idéologiques.

Ce n'était plus une question d'individus : tout le système était malade. Il ne pouvait conduire qu'à la destruction de l'humanité. Peut-être même à celle de toute la vie sur la planète. Un grand ménage s'imposait. C'était pour cette raison que Rickman avait adhéré aux Enfants du Déluge. Il fallait laisser une chance à l'humanité à venir.

Évidemment, pour les prochaines générations, ce serait difficile. Ce n'était pas sans angoisse qu'il pensait à ce que vivraient ses petits-enfants. Mais l'heure n'était plus aux demi-mesures. Il faisait ça pour leurs petits-enfants à eux. Et pour les petits-enfants de leurs petits-enfants. Pour qu'ils aient encore une planète à habiter.

À bord du sous-marin qu'il commandait, une autre personne connaissait leur véritable mission : son second, Samuel Hayden.

Pour Hayden, aucune motivation écologique n'était entrée en ligne de compte dans sa décision. On ne lui avait pas donné le choix : ou bien il effectuait ce travail et on effaçait ses dettes de jeu, ou bien on l'exécutait, mais seulement après avoir assassiné le reste de sa famille devant lui.

— Tout est prêt ? lui demanda Rickman.

— Tout est prêt.

Rickman entra les premiers codes puis procéda au processus d'identification biométrique : empreinte rétinienne, empreintes digitales, empreinte vocale… Hayden fit de même après avoir entré le code de confirmation.

Les vérifications terminées, le voyant de mise à feu passa au vert. Hayden poussa un soupir de soulagement : encore quelques minutes, le temps de lancer les quatre missiles… et ce serait terminé. Ils plongeraient alors en eaux profondes et les systèmes de surveillance perdraient leur trace.

Il ne serait pas trop tard pour se refaire une vie. Hayden en avait parlé avec sa femme avant de s'embarquer. Il lui avait promis qu'il ne mettrait plus les pieds dans un casino.

Il y avait toutefois un élément que Hayden n'avait pas pris en compte. Un élément qu'il ne connaissait pas. Que Rickman lui-même ne connaissait pas. C'était le fait que le dernier missile serait encore à l'intérieur du sous-marin quand il exploserait.

Pour couper les pistes, il était difficile d'imaginer un moyen plus sûr.

LONGUEUIL, 11 H 24

Victor Prose ferma le site de pari en ligne où était affichée la cote qui lui était attribuée. Ses chances de survie étaient maintenant estimées à 4 contre 5 par les parieurs. Paradoxalement, la nouvelle attaque contre sa personne avait été interprétée par plusieurs comme un indice de sa résilience ; sa cote avait remonté.

Il ouvrit le dossier dans lequel il compilait les faits les plus troublants sur l'évolution écologique de la planète. Puis, tout en écoutant distraitement la radio, comme il le faisait souvent en travaillant, il entreprit de faire la tournée des sites où il suivait l'actualité.

> ... LES ÉMEUTES QUI ONT SUIVI L'INTERVENTION DE L'ARMÉE, À KARACHI, ONT FAIT QUARANTE-TROIS MORTS. LE PRÉSIDENT A RÉAFFIRMÉ QU'IL NE TOLÉRERAIT AUCUNE CONTESTATION DE LA POLITIQUE DE RATIONNEMENT ET QUE LES ACTES DE PILLAGE CONTINUERAIENT D'ÊTRE SÉVÈREMENT RÉPRIMÉS...

Le premier article que Prose prit le temps de lire au complet concernait les biocarburants. Le titre résumait clairement l'article : « Donner à manger aux gens avant de nourrir les automobiles ». L'auteur documentait les effets de l'expansion de la culture du maïs pour produire du pétrole : baisse de la production de maïs pour la consommation, baisse de la culture des autres céréales, fragilisation des stocks alimentaires de la planète, flambée des prix...

Après avoir archivé une copie de l'article dans le dossier céréales, il retourna à sa tournée des sites.

Son œil fut attiré par un titre : « Les producteurs sauvages à l'assaut de la campagne française ». L'auteur révélait l'émergence d'un nouveau foyer de contamination en France. Un agriculteur « bio » venait de perdre toute sa récolte et il était à la source d'une contamination qui se propageait dans son département.

On rencontrait de plus en plus cette opposition entre culture sauvage et culture OGM.

> ... QU'ON DEVRAIT ORGANISER DES CONCERTS-BÉNÉFICE AU PROFIT DES BANQUES ALIMENTAIRES DU TEXAS PLUTÔT QUE DES PAYS AFRICAINS. LE SÉNATEUR A PAR AILLEURS...

Ce qui avait attiré l'attention de Prose, c'était l'expression « producteur sauvage ». C'était la quatrième fois qu'il la rencontrait. Chaque fois, c'était pour désigner des producteurs qui étaient opposés à l'utilisation des OGM.

Il vérifia dans les articles archivés. On parlait trois fois d'agriculteurs sauvages, mais aussi d'agriculture sauvage et de producteurs sauvages. Le plus surprenant, c'était que toutes les références étaient dans des médias différents… S'agissait-il d'un simple phénomène de contagion ? Était-ce le résultat d'un effort concerté ?

… SELON LE MAIRE DE WASHINGTON. LA CONTAMINATION DES RÉSERVES D'EAU DE LA CAPITALE PAR LES ALGUES BLEUES SERAIT CONSÉCUTIVE À UN DÉVERSEMENT MASSIF DE DÉCHETS INDUSTRIELS, PARTICULIÈREMENT DE PHOSPHATES…

Prose archiva le document et prit une note pour se souvenir d'effectuer une recherche sur le terme.

Il se rendit ensuite sur un site consacré à la gestion planétaire de l'eau. Le document le plus récent énumérait une série de faits percutants :

plus d'un milliard d'êtres humains n'ont pas accès à de l'eau potable ;

environ 2,5 milliards n'ont pas accès à des installations sanitaires correctes ;

chaque jour, 6 000 enfants meurent à cause de problèmes liés à des carences en eau potable ou à des installations sanitaires déficientes ;

les nappes phréatiques diminuent régulièrement aux États-Unis, en Inde et en Chine ;

dans les pays en voie de développement, 90 % pour cent des égouts et 70 % des déchets industriels sont rejetés sans traitement dans l'eau ;

la Chine a assez d'eau pour faire vivre durablement 650 millions de personnes… c'est-à-dire la moitié de sa population ;

les gens vivant dans les bidonvilles paient leur eau de 5 à 10 fois plus cher que les habitants des quartiers riches de la même ville.

Prose ferma le document avant d'en avoir terminé la lecture. Il n'y avait là rien de bien neuf.

Par contre, il appréciait l'effort de l'auteur pour construire un document percutant. Pédagogiquement, c'était le genre d'outil utile pour ébranler la naïveté de ceux qui reprochaient aux écologistes d'être alarmistes et de toujours exagérer.

> ... QUE DES CHARGES NUCLÉAIRES ONT EXPLOSÉ DANS L'ANTARCTIQUE OUEST.

Tout en travaillant à l'ordinateur, Prose avait écouté d'une oreille distraite les informations à la radio. C'est avec quelques secondes de retard qu'il réalisa la portée de ce qu'il venait d'entendre.

> LE PRÉSIDENT DE LA FRANCE A RÉVÉLÉ, LORS D'UNE CONFÉRENCE DE PRESSE IMPROMPTUE, QUE QUATRE EXPLOSIONS, DONT UNE SOUS-MARINE, AVAIENT ÉTÉ DÉTECTÉES. LE PENTAGONE ET LE KREMLIN ONT POUR LEUR PART REFUSÉ DE CONFIRMER...

Prose était sidéré. Jusqu'à ce moment, il avait cru à une sorte de bluff. Les explosions changeaient complètement la donne. On ne pouvait pas annuler les effets de l'explosion après coup et rétablir l'environnement dans son état antérieur. Et il n'y avait même pas moyen de savoir quels processus elles allaient enclencher.

Passé certains seuils, les changements climatiques adoptaient un comportement à la fois imprévisible et irréversible. Les scientifiques parlaient de processus non linéaires, ce qui était une façon savante de dire qu'ils n'avaient aucun moyen de prévoir ce qui allait se produire.

Et les dégâts ne seraient pas que climatiques. Dans l'opinion publique, l'image des écologistes serait détruite. Désormais, ils seraient tous soupçonnés d'être des terroristes. Ou, du moins, de sympathiser avec eux. Ce n'était probablement qu'une question de temps avant qu'on déclenche une chasse aux sorcières.

> ... LE PRÉSIDENT A PRIS L'INITIATIVE DE CONVOQUER À PARIS UNE CONFÉRENCE INTERNATIONALE DE CONCERTATION POUR CONTRER CE NOUVEAU TERRORISME, QU'IL A QUALIFIÉ DE LÂCHE, DE BARBARE ET DE...

C'est parti, songea Prose... Et Sarkozy qui ne perdait pas une occasion d'occuper le devant de la scène ! Il avait sûrement bousculé son agenda pour intervenir en catastrophe, de manière à *scooper* les chefs politiques des autres pays du G8.

XIAN, 22 H 16

À l'aéroport de Pudong, l'examen des papiers de Hurt s'était déroulé sans incident. Voyager en première classe était un avantage : les autorités chinoises avaient un préjugé favorable à l'endroit des hommes d'affaires occidentaux qui venaient discuter d'investissements et qui prolongeaient leur séjour pour dépenser des dollars supplémentaires. Et tant mieux si c'était aussi pour mieux connaître leur civilisation.

Paul Hurt voyageait sous le nom de Steve Atkinson. Il était censé avoir passé la dernière semaine à effectuer un marathon de rencontres d'affaires pilotées par le bureau local de Goldman Sachs ; il s'octroyait maintenant trois jours de vacances à Xian avant de retourner chez lui. La ville était le berceau de la Chine. C'était là que l'empereur Qing avait unifié les cinq royaumes combattants, qui guerroyaient depuis des siècles, pour fonder ce qui était, aux yeux des Chinois, le centre du monde civilisé.

En arrivant dans le hall d'entrée du Garden Hotel, Hurt vit un attroupement de touristes autour d'un poste de télé. Il s'approcha.

— Un reportage sur l'attentat, l'informa un des hommes, avec un accent du sud des États-Unis.

Hurt sentit un vide au creux de l'estomac. L'attentat de Shanghai était déjà dans les médias.

Contrairement à ce qu'il anticipait, la télé montrait une mer de glace.

— Des explosions nucléaires dans l'Antarctique, ajouta le touriste sans cesser de regarder la télé.

Hurt écouta les informations pendant un moment, à la fois par curiosité et parce que c'était ce qu'aurait fait un touriste normal, puis il alla prendre possession de sa chambre.

Sans défaire ses bagages, ni même se changer, il récupéra le passeport qui était dans une pochette collée sous le tiroir inférieur de la commode. Celui-là était au nom de Ryan Fischer.

Il feuilleta le passeport pour prendre connaissance des lieux par lesquels il était censé avoir passé. Il vérifia ensuite la ressemblance de la photo. Aux deux tiers du livret, il tomba sur le visa et il vérifia les dates autorisées de son séjour. Puis il mit le passeport dans la poche intérieure de son veston. Encore une fois, Wang Li avait fait du bon travail.

Hurt prit la plus petite des deux valises, laissa l'autre dans la chambre et quitta l'hôtel pour se rendre à pied à l'hôtel Hyatt Regency, où il présenta son nouveau passeport. On lui remit les clés de sa chambre. Il prit l'ascenseur jusqu'au huitième étage et il ouvrit la deuxième porte à sa gauche : Wang Li l'y attendait.

— Des problèmes ? demanda ce dernier.

— Non. Pourquoi ?

— Avec l'attentat terroriste dans l'Antarctique…

— Je n'ai rien remarqué de spécial à l'aéroport… Je pars quand ?

— Dans trois jours.

— Pourquoi pas aujourd'hui ?

— D'abord parce que ce serait dommage de ne pas profiter de l'occasion pour visiter l'armée de Qin. Et puis, dans quatre jours, les douaniers seront un peu moins nerveux à l'endroit des étrangers désireux de quitter le pays.

Même s'il comprenait les raisons qui avaient amené Wang Li à prendre ces dispositions, Hurt détestait devoir perdre trois jours à attendre.

Sweet, pour sa part, était ravi. Sur le site archéologique, on avait découvert des lames dont la qualité de l'acier avait des siècles d'avance sur leur époque. Il avait même entendu parler d'un alliage dont on avait retrouvé le secret depuis à peine vingt ans, dans un laboratoire américain.

Sharp et Nitro, par contre, avaient de la difficulté à se contenir.

« On est perdus au milieu d'un milliard de personnes qui parlent chinois, à des centaines de kilomètres de la

plus proche frontière. Et tout le monde nous regarde
comme une curiosité. Je ne vois pas comment ça nous
aide à passer inaperçus ! »

Wang Li regardait Hurt avec un sourire.

— Xian est la ville où il y a le plus de touristes occidentaux, dit-il comme s'il avait suivi la conversation
intérieure de Hurt. C'est en fréquentant les sites touristiques et en faisant ce que font les touristes que vous
allez passer inaperçu.

ARTV, 13 H 09

... TEL EST LE POINT DE VUE RÉVOLUTIONNAIRE EXPRIMÉ PAR L'ÉCRIVAIN
RENAUD DAUDELIN, AUTEUR DU RÉCENT LIVRE À SUCCÈS : *BIO À MORT.*
VOICI LA DÉCLARATION PROVOCANTE QU'IL A FAITE CE MATIN À NOTRE
CHRONIQUEUSE, RACHEL LAMONDE, QUI L'A RENCONTRÉ À LAUSANNE :
« LA CULTURE BIO EST VOUÉE À DISPARAÎTRE. ELLE N'EST PAS CAPABLE DE
RÉSISTER AU CHAMPIGNON TUEUR. PLANTER BIO, C'EST PLANTER DES CÉ-
RÉALES DESTINÉES À ÊTRE RAVAGÉES PAR L'ÉPIDÉMIE... ET À LA RÉPANDRE.
C'EST AUSSI ENLEVER DU TERRITOIRE AUX OGM RÉSISTANTS. PAR VOIE DE
CONSÉQUENCE, C'EST AGGRAVER PAR AVANCE LA PÉNURIE DE CÉRÉALES
QUE CONNAÎTRA L'HUMANITÉ. C'EST DÉCIDER AUJOURD'HUI D'AUGMENTER
LE NOMBRE DE MORTS DE DEMAIN... PLANTER BIO, C'EST CRIMINEL. ÇA
RELÈVE DE LA LOGIQUE DU CRIME CONTRE L'HUMANITÉ »...

MONTRÉAL, SPVM, 13 H 18

La vidéo jouait depuis plusieurs minutes. On y voyait
Théberge répondre à quelques questions des journalistes,
puis les écarter d'un geste de la main et se réfugier dans
son auto.

La caméra suivit la voiture jusqu'à ce qu'elle disparaisse au coin d'une rue. Une autre caméra prit la relève
et suivit Théberge à travers les rues de la ville jusqu'à
ce qu'il arrive au local du SPVM.

Théberge arrêta la vidéo et se tourna vers Jean-
Philippe Jasmin, un des spécialistes en informatique du
SPVM.

— Vous avez trouvé ça sur Internet ? demanda-t-il.

— YouTube.

— Ils ont le droit de faire ça ?

— Si vous le demandez, la compagnie va retirer la vidéo.

— Il y a combien de gens qui l'ont vue ?

Jasmin se pencha vers l'ordinateur, cliqua de nouveau sur le lien Internet pour faire apparaître la fenêtre de démarrage de la vidéo.

— Avec moi… vingt-quatre mille deux cent cinquante-trois.

— Il y a vingt-quatre mille personnes qui ont regardé ça ?

— Vingt-quatre mille deux cent cinquante-cinq, maintenant… Non, cinquante-six !

Jasmin se tourna vers Théberge en souriant comme s'il était particulièrement satisfait de lui confirmer sa popularité. Théberge, lui, le regardait, incrédule.

— C'est là depuis quand ?

Jasmin jeta un coup d'œil à l'écran.

— Elle a été postée hier matin. À neuf heures vingt-sept.

— Je veux que tu me fasses enlever ça. Tout de suite.

— Si vous voulez. Mais c'est quand même dommage.

Théberge lui jeta un regard noir.

— C'est vrai, se défendit l'informaticien. « La photo subreptice et l'invasion sournoise de la vie privée », c'était *cool* !

Avant que Théberge ait eu le temps de répondre, Crépeau entrait dans le bureau.

Jasmin en profita pour s'éclipser.

— Je m'occupe de la faire disparaître, dit-il en sortant.

Crépeau posa un dossier devant Théberge et se dirigea vers la chaise berçante à côté de la fenêtre.

— Le problème dont je t'ai parlé au téléphone, dit-il.

Théberge feuilleta rapidement le dossier pendant que Crépeau se berçait en regardant dehors.

— OK, fit Théberge en reculant sur sa chaise. On a sept victimes. Les bouteilles d'eau ont toutes été achetées dans des endroits différents. Ça touche deux marques d'eau naturelle. Les deux sont produites par des embouteilleurs québécois… Ça, c'est ce qu'on sait.

— On sait aussi que personne ne s'est manifesté jus-qu'à maintenant pour faire chanter les embouteilleurs, enchaîna Crépeau.

— Qui s'occupe de l'enquête?

— Plamondon. Il fait le tour des dépanneurs et des épi-ceries pour récupérer les bandes de vidéo-surveillance… Des fois qu'on apercevrait quelqu'un en train de planter les bouteilles dans les comptoirs. Il va aussi s'occuper de ceux qui ont fait les livraisons régulières.

Théberge hocha la tête en signe d'assentiment.

— Je suppose que les deux compagnies ont retiré leurs produits des tablettes, dit-il.

— Elles n'ont pas le choix.

— À mon avis, ce n'est pas du chantage.

— Probablement pas, approuva Crépeau.

Théberge le regarda, surpris de le voir acquiescer aussi facilement.

— J'ai interrogé la banque de données d'Interpol, répondit Crépeau. Depuis le début de la semaine, il y a eu des cas semblables dans onze pays.

— Toujours de l'eau embouteillée? demanda Thé-berge, étonné.

— Toujours de l'eau embouteillée.

Les deux policiers ruminèrent les implications de cette information.

— Tu pourrais en parler à tes contacts, reprit Crépeau.

— Tu penses que c'est les Enfants du Déluge?

— J'ai surtout pensé aux yogourts…

— Il n'y a pas encore eu de message de revendication.

— Je sais.

Un nouveau silence suivit.

— Ça pourrait aussi être une multinationale qui veut éliminer la concurrence, reprit Crépeau.

— Dans chaque pays, les compagnies visées sont différentes. La plupart sont des compagnies locales. Je ne pense pas qu'ils s'attaqueraient à autant de cibles à la fois.

— D'accord, je vais voir si mes contacts ont quelque chose.

Crépeau se leva et se planta devant la fenêtre.

— On est en pleine théorie du complot, dit-il en regardant dehors, sur un ton d'autodérision.

— J'ai mis Simard et Falardeau sur Bastard Bob. Je leur ai dit que je t'en parlerais.

— Pas de problème.

— Ils l'ont pris en filature, ce matin, quand il s'est rendu à HEX-Radio. S'il a un contact qui le renseigne…

Crépeau se retourna vers Théberge.

— Et si son informateur fait ça par courriel?

— J'ai demandé à Jasmin de s'en occuper. Il a toujours deux ou trois pirates sur sa liste, à qui il peut passer des commandes.

— Gratuitement?

— Il s'est contenté de me dire que c'était une situation *win-win*.

Bruxelles, 19 h 45

Jessyca Hunter glissa le document au milieu d'une pile d'autres à l'intérieur de son attaché-case. Elle le ferma ensuite à clé. Geert Raes poussa un soupir de soulagement, heureux que les papiers qu'il venait de lui apporter soient en sécurité, à l'abri des regards indiscrets.

— Il ne faut pas qu'on puisse remonter à moi, dit-il. De quelque façon que ce soit.

— N'ayez aucune crainte, répondit Jessyca Hunter avec un sourire. Nous savons prendre soin de nos informateurs et nous assurer que personne ne vienne troubler leur quiétude.

Raes prit le verre qu'il avait posé sur la table et le vida d'un trait. À l'exception de quelques membres haut placés dans le Vlaams Belang, personne ne savait qu'il était un sympathisant du parti. Son travail consistait à couler des informations dommageables pour le parlement européen. Affaiblir l'Europe, si possible la faire éclater, était le moyen le plus sûr de réaliser l'indépendance de la Flandre. Privée du soutien européen, Bruxelles n'aurait pas les moyens de maintenir l'unité artificielle du pays.

Bruxelles tomberait sous la coupe de la Flandre et en deviendrait la capitale. Libre aux Wallons de croupir et de dégénérer dans leur restant de pays. La Flandre, elle, procéderait à un grand nettoyage. Elle cesserait de payer pour toutes les minorités qui venaient la vampiriser. À commencer par les Wallons.

— Vous retournez à Aalst ce soir ? demanda Hunter.

— Demain.

— Madame de Winter est toujours aussi inventive ?

Raes acquiesça d'un hochement de tête, toujours mal à l'aise lorsque Jessyca Hunter évoquait sa vie personnelle, et particulièrement cet aspect particulier de sa vie personnelle.

— Vous la saluerez de ma part, insista Hunter. Dites-lui que je passerai bientôt la voir pour regarder ses nouvelles vidéos.

Raes se leva, de plus en plus mal à l'aise. Il se demandait tout à coup si madame de Winter l'avait filmé à son insu, lors de ses visites à son « atelier de création ».

— Je suis impatiente de recevoir vos prochaines découvertes, lança Hunter en regardant la silhouette de Raes s'éloigner vers la porte donnant sur le hall d'entrée.

Il sortit sans se retourner.

Jessyca Hunter songeait aux documents qu'elle venait de recevoir. Contrairement à ce que croyait Raes, l'information ne serait pas rendue publique rapidement. Avant de discréditer trois des membres les plus importants du parlement européen, elle commencerait par les utiliser, par extraire toute l'information privilégiée à laquelle ils avaient accès. Ensuite seulement, ils seraient livrés en pâture aux journaux à scandales.

Discréditer le projet européen et faire dérailler l'Europe n'était pas son objectif premier. L'Europe s'effondrerait d'elle-même sous le poids des crises sociales à mesure que la pression des difficultés économiques augmenterait.

Au mieux, ces nouveaux scandales alimenteraient la méfiance de la population envers l'ensemble de la classe politique et contribueraient à saper le peu de crédibilité qui lui restait.

La vraie raison pour laquelle Jessyca Hunter s'intéressait à ces trois hommes politiques, c'était l'information qu'ils possédaient ainsi que l'information à laquelle ils pouvaient avoir accès par leurs réseaux de contacts : tous les trois étaient aux premières loges pour suivre les luttes de pouvoir entre les grands propriétaires mondiaux de médias.

Puis son esprit revint à June Messenger. Sa disparition l'avait décidément touchée plus profondément qu'elle ne l'aurait cru. L'intensité de sa réaction émotive l'étonnait... Ce n'était vraiment pas le temps que ses états d'âme interfèrent avec son travail ! Pas au moment où le mandat qu'on venait de lui confier pouvait la mener aux plus hautes sphères du pouvoir.

TF1, 20 H 02

... Oui, je sais ! L'Antarctique est menacé par les terroristes. Il faudra qu'on s'en occupe. Et je promets que la France mettra l'épaule à la roue pour trouver une solution à ce problème. Mais cette menace est à long terme. À court terme, il y a plus urgent. Il y a des gens qui n'ont pas à manger. Ici, en France. Ailleurs sur la planète. C'est toute l'humanité qui souffre. Et la France ne laissera pas tomber l'humanité !... Ce serait irresponsable. Et la France n'est pas irresponsable. La France est solidaire. Et cette solidarité, toutes les Françaises, tous les Français seront en mesure d'y participer. J'annonce aujourd'hui le lancement d'une nouvelle loterie nationale : Loto-Bistro.

Une nouvelle époque exige de nouvelles solutions. Ce que je propose, c'est un croisement entre les Restos du cœur, le tiercé et une pratique généralisée de la solidarité sociale. Françaises, Français, je vous propose d'exercer votre solidarité. Je vous propose de l'exercer dans une atmosphère festive de jeu et de réjouissances gastronomiques. C'est aussi cela, la rupture. C'est le passage de la contrainte fiscale au jeu éthique. Au jeu socialement responsable.

Bien manger est aujourd'hui un luxe. Il est normal que ceux qui bénéficient de ce luxe soient solidaires. Un prélèvement d'un pour cent sera désormais imputé à tous les repas pris dans les cafés, dans les restaurants, dans les bistros. En échange, les clients recevront un billet de loto pour leur repas. Il y aura un tirage hebdomadaire. Les gagnants pourront toucher jusqu'à mille fois le prix de leur facture.

UNE FOIS PAR MOIS, UN TIRAGE SPÉCIAL AURA LIEU. LES GAGNANTS POUR-
RONT RÉCOLTER JUSQU'À CENT MILLE FOIS LE MONTANT DE LEUR FACTURE.
TOUS LES PROFITS DE CETTE LOTERIE SERONT VERSÉS DANS UN FONDS EN
FIDUCIE. CE FONDS SERVIRA À DÉFENDRE LE PATRIMOINE ALIMENTAIRE
MONDIAL. DÉSORMAIS, C'EST LA FRANCE ENTIÈRE QUI MISERA POUR
NOURRIR LES AFFAMÉS DE LA PLANÈTE.

MONTRÉAL, 13 H 06

Bastard Bob entra au café Cherrier et prit place à l'une des rares tables libres, à côté de celle d'un comédien assez connu qui mangeait seul. Parcourant la salle des yeux, il repéra sept personnes qu'il connaissait. Ou plutôt qu'il reconnaissait.

Il ne comprenait pas l'insistance de son informateur pour le rencontrer à cet endroit.

Sans ouvrir le menu, il commanda une bière. Puis il s'absorba dans la lecture du roman qu'il venait d'acheter pour l'occasion dans une librairie de livres usagés. *Le Poids des illusions*, de Maxime Houde.

Alors qu'il cherchait seulement à se donner une contenance, pour ne pas paraître seul autrement que par choix, il fut happé par la lecture et plongé dans l'atmosphère du Montréal de la fin des années quarante.

Quand il releva les yeux, alerté par un mouvement à la périphérie de son champ visuel, Marcus Harp était assis devant lui.

Il prit le roman dans les mains de Bastard Bob, l'examina un instant, puis le lui redonna.

— Personnellement, je préfère les biographies de criminels aux romans policiers, fit ce dernier. C'est plus instructif.

Dix minutes plus tard, deux bavettes avaient fait leur apparition sur la table. Harp mangeait avec un enthousiasme qui étonnait Bastard Bob.

— Si vous me disiez ce que vous voulez, fit l'animateur.

Harp releva les yeux de son assiette et sourit.

— Votre bien, évidemment. Je veux votre bien.

Puis il ajouta, sur un ton plus froid, fonctionnel :

— Je ne prendrai pas le dessert. Je vais partir avant vous. Je vais oublier la mallette que j'ai posée à côté de ma chaise. Vous y trouverez de nouvelles vidéos de Théberge. Il y a aussi quelque chose concernant son épouse. Je suis sûr que vous allez apprécier.

MONTRÉAL, 14 H 17

Lorsque Harp sortit du café Cherrier, il entraîna avec lui Simard, qui l'avait suivi à l'intérieur et qui s'était installé à deux tables de la sienne.

Harp se dirigea vers la fourgonnette aux vitres opacifiées dans laquelle il était arrivé. Le temps qu'il démarre, Simard avait rejoint Falardeau, qui était demeuré au volant de leur voiture.

— Tu l'as eu ? demanda Falardeau.

— J'ai une dizaine de photos, dit-il en montrant son appareil déguisé en lecteur MP3. Du moment que tu branches des écouteurs sur un bidule, personne ne pense que c'est une caméra.

Falardeau sourit, démarra et entreprit de suivre la fourgonnette noire tout en se tenant à une distance prudente.

WASHINGTON, 14 H 29

Le secrétaire du Trésor, Jonathan Parks, assistait à la réunion préparatoire de la prochaine rencontre du Joint Chiefs of Staff. Sa participation, exceptionnelle, était motivée par les impacts économiques et financiers des décisions qui seraient prises. Le secrétaire de la Défense, Shane Browning, leur présentait un projet d'orientation stratégique pour les cinq prochaines années.

Le reste du comité était composé de deux militaires et de Tyler Paige, le directeur du DHS. Browning, qui présidait le sous-comité, avait préféré ne pas inviter le directeur du Joint Chiefs of Staff, Morton Kyle, à la rencontre.

— L'opération a pour nom de code Yellow Fuzz, dit Browning. Toutes nos études démontrent que notre principal ennemi, pour le prochain siècle, est la Chine. Mon plan explique de quelle façon nous allons amorcer sa destruction.

— Je pensais que le principal ennemi était le terrorisme, objecta Paige. Avec ce qui se passe aux deux pôles…

— Je n'ai rien contre le fait qu'on dise publiquement que c'est le terrorisme, répliqua un peu sèchement Browning. Surtout si ça nous permet à tous d'augmenter nos budgets… Mais ces explosions aux pôles sont anecdotiques. Il ne faut pas perdre de vue les intérêts à long terme de notre pays. Quel que soit l'état de la planète, quelles que soient les ressources qui resteront, le problème de fond sera toujours le même : comment on fait pour s'assurer de les contrôler. Et alors, notre principal adversaire, ce sera la Chine.

Les regards se tournèrent vers Parks, comme si les participants ne savaient pas jusqu'à quel point ils pouvaient parler ouvertement devant lui.

— Jonathan est avec nous, fit Browning en souriant. Vous pouvez lui faire confiance.

Après un moment, les participants ramenèrent les yeux vers le secrétaire de la Défense.

— Est-ce que vous préparez sérieusement une attaque contre la Chine ? demanda l'un des militaires.

— Nous n'allons pas l'attaquer, nous allons nous contenter de la détruire, ce qui est très différent… Nous allons procéder comme nous l'avons fait pour l'Union soviétique. Nous allons la détruire économiquement.

— Pour l'instant, c'est plutôt la Chine qui est en train de nous voler nos entreprises et de détruire notre économie, répliqua l'autre militaire.

— Je sais. Et c'est très bien comme ça… Il faut que les Chinois soient incapables de contrôler leur croissance. Jusqu'à ce que ça explose… Au fond, c'est simple : les Chinois manquent déjà d'eau, de céréales et d'énergie. Ils croulent sous la pollution. Malgré leurs efforts sur le continent africain, ils n'arrivent plus à trouver assez de matières premières et d'énergie… Je trouve ça plutôt bien.

— Nous aussi, on va faire face aux mêmes pénuries, objecta Paige.

— Oui, mais le choc sera moins brutal… La population est déjà en train de se révolter. Et pas seulement au Tibet et dans le Xinjiang. Ils ont des centaines de manifestations par jour dans tout le pays. Imaginez ce que ce sera si la situation se dégrade encore… Tout ce qu'il nous reste à faire, c'est de leur donner un coup de pouce.

— On va faire ça comment ? ironisa Paige. En leur envoyant deux ou trois mille autres de nos entreprises ?

— Le champignon qui s'attaque aux céréales leur complique sérieusement la vie. D'ici un an, les famines vont se multiplier dans la plupart des régions.

— C'est planétaire, objecta Paige.

— S'il y en avait eu seulement en Chine, ça aurait eu l'air suspect.

Les autres se regardèrent, à la fois admiratifs et incrédules. Browning les regardait avec un sourire de triomphe.

— Imaginez que la Chine, en plus de ses problèmes d'approvisionnement, se mette à éprouver des difficultés avec ses usines de désalinisation, reprit Browning. Imaginez que des épidémies éclatent à cause de déficiences dans les usines de traitement des eaux usées. Ça suffirait sûrement à provoquer quelques émeutes supplémentaires… Et il y a la pollution. Si des incendies éclatent dans des mines de charbon, ça peut durer des mois, des années… Et plus ils vont manquer de pétrole, plus ils vont brûler de charbon… plus ils vont polluer… On gagne sur tous les tableaux !

— Ça va prendre des années à mettre un plan comme ça en œuvre, fit un des militaires.

— C'est vrai. Mais rien ne presse. Ça nous donne le temps de gérer les retombées. Et puis, au besoin, on peut accélérer les choses en alimentant les dissensions : des stations de diffusion pirates, des groupes de discussion sur Internet… On peut aussi soutenir en douce les groupes de dissidents exilés dans nos pays. Ça va amener le gouvernement chinois à être plus répressif. Son image internationale va en souffrir. Et si on réussit à organiser une forme de boycott, par exemple de l'expo de Shanghai, ça va les rendre encore plus paranoïaques… On pourrait aussi les pousser à durcir la répression au Tibet et à attaquer Taiwan, ce qui les isolerait davantage du reste de la planète. Leur difficulté à obtenir du pétrole et des matières premières augmentera.

— C'est une troisième guerre mondiale que vous voulez provoquer ! s'exclama Paige.

— Pas exactement. Le terme le plus exact serait une « apocalypse ». À l'intérieur de la Chine.

— Ça va se propager à l'ensemble de la planète ! objecta d'une voix douce le secrétaire du Trésor.

— Je sais. Ça va replonger la planète dans la récession. C'est ce que disent nos experts au Pentagone. Et c'est pour ça que vous êtes ici. Si la Chine implose, il faut savoir quels vont être les effets pour nous. Et se préparer à limiter les dégâts.

— Ils détiennent plus de six cents milliards de devises américaines et ils sont un des plus gros acheteurs de nos titres de dette. En termes simples, ils sont notre banquier. C'est grâce à eux que notre pays vit à crédit.

— Des créanciers, on peut toujours en trouver d'autres, remarqua un des militaires.

— Oui, mais ça risque de coûter plus cher. Les taux d'intérêt vont monter. Pas besoin de vous dire ce que ça peut provoquer dans notre économie… Et s'ils sont mal pris, les Chinois vont se servir de leurs réserves de dollars américains pour acheter ce qui leur manque. Ça va augmenter la masse de dollars en circulation, ce qui va faire baisser sa valeur.

— On peut y survivre ? demanda Browning.

— Pour notre dette, c'est positif. Elle est négociée en dollars américains. Plus le dollar baisse, plus la valeur de notre dette diminue. Ça va également permettre aux entreprises d'être plus concurrentielles pour leurs exportations. Ceux qui ont de l'argent à placer vont faire plus d'argent à cause des taux d'intérêt plus élevés… Par contre, les classes moyennes et les plus pauvres vont écoper. Leurs dollars vont valoir moins cher… Mais on ne peut pas gagner sur tous les tableaux.

— Le dollar va descendre jusqu'où?

— Ça dépend des Chinois. Ils n'ont pas intérêt à mettre trop d'argent sur le marché trop vite parce qu'ils vont se retrouver avec un stock de dollars qui vont valoir de moins en moins cher.

Il ajouta avec un sourire:

— C'est là toute la beauté du système.

— Autrement dit, ça devrait demeurer gérable…

— Si l'implosion a lieu de façon progressive. Par contre, si elle est brutale et que les réserves monétaires tombent entre les mains de n'importe qui… Mais je pense que c'est un risque qu'on peut accepter de courir.

Paris, 14 h 51

Tout en gardant un œil sur les informations à la télé, Ulysse Poitras suivait sur Bloomberg les répercussions des explosions nucléaires dans l'Antarctique. C'était la nouvelle qui dominait les marchés.

L'argent affluait dans les fonds monétaires, le prix des obligations était à la hausse et les marchés boursiers étaient généralement à la baisse, malgré l'envolée de certains titres liés aux matières premières et à l'armement.

À la télé, un présentateur interviewait un biologiste de renom.

> … SELON LES SPÉCIALISTES, IL EST TROP TÔT POUR ÉVALUER L'IMPACT DE CET ATTENTAT SUR L'ENSEMBLE DE L'ENVIRONNEMENT ANTARCTIQUE. AU-DELÀ DE LA CONTAMINATION DU MILIEU MARIN IMMÉDIAT ET DES CONSÉQUENCES SUR LA FAUNE, IL EST PRÉVISIBLE QUE LE MATÉRIEL RADIOACTIF SE PROPAGE SUR DE GRANDES DISTANCES, CE QUI CAUSERA UN RISQUE POUR LES POPULATIONS DES PAYS LIMITROPHES…

Tout en continuant d'écouter, Poitras vérifia le cours du pétrole: il était en forte hausse. Et cela, malgré une déclaration rassurante de l'Arabie Saoudite. Comme les attentats n'auraient aucun effet à court ou à moyen terme sur les disponibilités mondiales…

Ce n'était pas la première période de crise que Poitras vivait. Normalement, la principale difficulté était de ne pas se laisser entraîner par les mouvements de foule. De ne pas réagir après coup et trop fortement.

Cependant, étant donné ce qu'il savait du fait de ses rapports avec l'Institut, Poitras se demandait si, cette fois, l'affolement des marchés n'était pas une attitude raisonnable... Il aurait aimé pouvoir en discuter avec quelqu'un qui aurait eu les mêmes informations et la même connaissance des marchés que lui.

Il ouvrit le dossier « Fondation », activa le logiciel qui simulait l'effet des marchés sur le portefeuille de l'organisation... Puis il sourit. Tout en s'en voulant de sourire.

Il ne pouvait s'empêcher de ressentir une certaine satisfaction professionnelle : sa stratégie défensive continuait d'être payante. Chaque effondrement des marchés, chaque mouvement de panique, chaque hausse du prix des matières premières se traduisaient pour le portefeuille de la Fondation par des gains supplémentaires. Les événements dramatiques qui provoquaient des pertes colossales pour une grande partie des investisseurs avaient un effet contraire sur l'actif de la Fondation.

DRUMMONDVILLE, 16 H 35

Dominique avait peu dormi. Toute la nuit, elle avait pensé à Kim et à Claudia. Le pire était de savoir que, si elle était de nouveau placée devant la même situation, elle prendrait probablement la même décision. Son travail était de prendre des décisions qui pouvaient entraîner la mort de personnes qu'elle connaissait.

La culpabilité la taraudait au point d'avoir complètement détourné son attention de ce qu'elle était en train de lire. Un courriel de Poitras.

Elle poussa un soupir et en recommença la lecture.

> Trois des usines de traitement des eaux qui ont eu des problèmes de contamination étaient assurées par la même compagnie. Il s'agit de celle qui avait connu la plus forte croissance des primes. Pour ce qui est de l'usine de désalinisation du Japon, elle était assurée par une des deux autres compagnies identifiées par Chamane.
> Suggestion : trouver la liste des clients des trois compagnies pour découvrir les cibles potentielles.

C'était une bonne idée, songea Dominique. Théoriquement. Cependant, ce qu'elle ne voyait pas, c'était comment la mettre en application… Elle ne pouvait pas s'adresser directement aux entreprises, puisque l'information était probablement confidentielle… Après y avoir réfléchi, elle se dit que les plus à même d'obtenir l'information devaient être les agences de renseignements des pays concernés.

Elle envoya une copie du courriel à F, puis elle se rendit sur le site de Guru Gizmo Gaïa.

Quelques minutes plus tard, elle le quittait sans avoir rien appris. Contrairement à ce qu'elle croyait, les explosions nucléaires dans l'Antarctique ne l'avaient pas poussé à intervenir, que ce soit pour annoncer de nouvelles catastrophes ou simplement pour constater sur le ton du regret qu'il avait raison.

En fait, depuis sa dernière prophétie, qui avait marqué le lancement des interventions des Enfants du Déluge, le guru ne s'était plus manifesté. La version officielle voulait qu'il se soit retiré dans un lieu secret pour méditer.

Toutefois, son absence n'empêchait pas ses fidèles de spéculer. Moins il parlait, plus les disciples multipliaient les interprétations, essayant de lire autant dans son silence actuel que dans ses déclarations passées.

Dominique jeta un regard au logiciel de courriel : F n'avait toujours pas répondu au sien. Depuis la veille, elle était étrangement en retrait. Comme si elle se désintéressait de ce qui se passait à l'Institut. Était-ce à cause de la mort de Kim ?

À vrai dire, le changement avait été graduel. Il avait commencé à l'époque où elle avait décidé de « collaborer » avec Fogg. Plus le temps avait passé, plus F avait eu tendance à s'isoler pour de longues périodes.

La seule fois où Dominique lui avait demandé ce qu'elle faisait pendant tout ce temps, F s'était contentée de répondre qu'elle travaillait sur un projet de longue haleine. Un projet qui représenterait le couronnement ou l'échec de sa carrière.

S'agissait-il d'une opération d'envergure contre le Consortium ? Une opération destinée à l'abattre définitivement ? Si oui, pourquoi garder tout cela secret ? Et si ce n'était pas le cas, de quoi s'agissait-il ?

Au fil des mois et des années, Dominique était devenue de plus en plus mal à l'aise avec les changements qui s'étaient produits dans le comportement de F. Et quand elle y pensait, elle ne pouvait y voir d'autre cause que cette étrange relation avec Fogg.

Les réflexions de Dominique furent interrompues par l'arrivée d'un courriel. Mais ça ne venait pas de F. L'inspecteur-chef Théberge se manifestait.

Il lui demandait de lui envoyer tout ce qu'elle pouvait sur les contaminations d'eau embouteillée qui avaient eu lieu à travers le monde. Il voulait savoir si les incidents à Montréal s'étaient déroulés selon le même *pattern* qu'ailleurs.

Dominique relut le message. La demande de Théberge requérait qu'elle en parle à F. Cela constituait un excellent prétexte pour aller la voir. Elle profiterait de l'occasion pour lui parler du courriel de Poitras.

TVA, 18 H 03

... ONT MIS LEUR MENACE À EXÉCUTION. LE SOUS-MARIN QUI CROISAIT AU LARGE DE L'ANTARCTIQUE, À PROXIMITÉ DE LA CÔTE OUEST, A TIRÉ DEUX MISSILES NUCLÉAIRES À UNE DIZAINE DE KILOMÈTRES À L'INTÉRIEUR DU CONTINENT. LES EXPLOSIONS ONT VAPORISÉ DES MILLIERS DE TONNES DE GLACE. ELLES ONT ÉGALEMENT PROVOQUÉ DES FISSURES QUI ONT PRÉCIPITÉ DES KILOMÈTRES CARRÉS DE BANQUISE DANS L'OCÉAN. UN TROISIÈME MISSILE AURAIT EXPLOSÉ SOUS L'EAU.
À COURT TERME, CE SONT LES EFFETS DES RADIATIONS SUR LES POPULATIONS ANIMALES DE LA CÔTE ET SUR LA FAUNE MARINE QUI INQUIÈTENT LES SPÉCIALISTES. À PLUS LONG TERME, PAR CONTRE, ILS CRAIGNENT QUE LES EXPLOSIONS AIENT AGGRAVÉ LES FAILLES EXISTANTES, CE QUI POURRAIT AVOIR POUR EFFET DE PRÉCIPITER DANS L'OCÉAN DES MILLIERS, SINON DES CENTAINES DE MILLIERS DE KILOMÈTRES CUBES SUPPLÉMENTAIRES DE GLACE. L'EFFET D'UNE TELLE ÉVENTUALITÉ SUR LE RÉCHAUFFEMENT PLANÉTAIRE...

DRUMMONDVILLE, 18 H 17

— Désolée, fit F en arrivant dans le bureau de Dominique. Avec cette histoire d'explosions nucléaires… Je n'en finis plus de lire les analyses des agences de renseignements et les déclarations officielles des gouvernements…

Elle s'assit dans le fauteuil devant le bureau.

— Vous avez lu le courriel de Poitras ? demanda aussitôt Dominique.

Il y avait plus d'une heure qu'elle attendait que F ait fini de régler ces fameux détails.

— Oui. Et je suis d'accord avec ta conclusion. Seules les grandes agences nationales ont les moyens de se servir de cette information.

— Je l'envoie à Blunt ?

— Il saura sûrement quoi en faire.

— Et pour l'autre question ?

— À mon avis, on dispose encore de vingt-quatre heures. Peut-être quarante-huit.

Dominique la regardait, visiblement en désaccord.

— Compte tenu de la façon dont Kim est morte, reprit F, ce serait étonnant qu'elle ait révélé quoi que ce soit. Reste Claudia.

— Elle ne pourra pas résister très longtemps…

— Même s'ils utilisent des drogues pour la faire parler, ils ne prendront pas la chance de la croire sur parole. Ils vont vouloir l'interroger de façon classique pour vérifier ses réponses.

— Vous parlez d'un interrogatoire… musclé ?

Dominique hésitait à utiliser le mot « torture ». Même si elle savait très bien ce qui attendait les agents qui tombaient aux mains d'un ennemi comme le Consortium.

— Oui. Et quand ils vont l'interroger, elle va retarder le plus possible les révélations qu'elle va faire.

— Vous ne pouvez pas lui avoir demandé ça !

— Bien sûr que non. Ce n'est pas pour nous protéger, nous, c'est pour se protéger, elle, qu'elle va résister aussi longtemps qu'elle peut ! Si elle parle trop vite, s'ils n'ont pas l'impression de l'avoir brisée, ils ne la croiront pas. Ils vont continuer à mettre de la pression. Et elle n'aura plus rien à leur dire pour qu'ils cessent.

Dominique était blanche. Savoir que des agents ou des informateurs dont elle ne connaissait que le nom de code disparaissaient aux mains de l'ennemi, c'était une chose. Mais que ça arrive à une amie…

— C'est pour cette raison que je suis toujours hésitante à demander à des agents de courir des risques, reprit F, répondant à la réaction non verbale de Dominique. Et, sans vouloir te décourager, ce n'est pas plus facile la deuxième ou la troisième fois que la première. C'est aussi ça, la responsabilité qui vient avec ton poste.

Puis, elle ajouta sur un ton beaucoup plus neutre :

— Pour en revenir à ta question, une fois qu'ils l'auront fait parler et qu'ils seront convaincus de ses réponses, ils vont avoir besoin d'un minimum de temps pour monter une opération. Mais je suis d'accord avec toi : il est préférable de ne pas courir de risque.

— Vous avez décidé de l'endroit où on va aller ? demanda Dominique en s'efforçant de limiter le tremblement de sa voix.

— Pour ça, je m'en remets entièrement à toi.

Après son départ, Dominique se demanda pour quelle raison F n'avait même pas évoqué la possibilité d'avoir recours à Fogg pour sauver Claudia.

TERRE-NEUVE, AU LARGE DE LA CÔTE, 20 H 18

Gary Strangefoot, le premier ministre de Terre-Neuve, était officiellement en visite sur le yacht privé d'un ami, dans Trinity Bay. Aucun membre de son personnel ne l'accompagnait à l'exception d'un garde du corps, lequel n'avait pas accès à la salle à manger.

Georges Lacanaud, le représentant d'AquaTotal Fund Management, leva son verre.

— À notre prospérité, dit-il.

Strangefoot leva son verre à son tour.

La discussion avait été rapide. Ils étaient arrivés à un accord en moins de vingt minutes. AquaTotal, par le biais d'une de ses filiales créée pour l'occasion, O'Méga, acquerrait les droits de commercialisation de toute l'eau du Labrador. En échange, la province obtenait une rente relativement généreuse sur l'eau exportée ainsi que la construction d'une usine d'embouteillage ultra-moderne qui serait le fournisseur exclusif d'O'Méga pour toutes ses activités sur le territoire de la Nouvelle-Angleterre.

— Prospérité qui est conditionnelle à la bénédiction d'Ottawa, dit Strangefoot. Si la loi fédérale n'est pas amendée…

— Il n'y a pas de souci, répondit Lacanaud. La loi fédérale sera amendée pour que le Canada puisse signer le protocole mondial.

— Il n'y a encore rien de décidé. Le mouvement d'opposition est assez musclé dans la plupart des autres provinces.

Lacanaud sourit de façon rassurante.

— Nous nous en occupons, dit-il. Le premier ministre Hammer comprend très bien où réside son intérêt…

HEX-TV, STUDIO 6, 19 H 02

Le présentateur, qui attendait le signal pour commencer, concentra son regard sur la caméra. Deux secondes avant l'entrée en ondes, un sourire apparut brusquement sur son visage.

— Bienvenue à cette nouvelle émission de *Controverse*. Avec ce qui se passe au pôle Sud, l'eau est plus que jamais un sujet d'actualité. Ce soir, on va se concentrer sur la propriété de l'eau. Faut-il en faire un patrimoine mondial, comme le réclame l'ONU ? Faut-il en faire un bien privé qui appartient à ceux chez qui elle se trouve ? Faut-il refuser d'en faire un bien et interdire tout commerce de l'eau ?

Le présentateur fit une pause de presque trois secondes, le temps de consulter les feuilles posées sur la table devant lui.

— J'ai avec moi José L'Évêque, du groupe écologiste radical « Oh shit ! », ainsi que Réginald Saint-Denis, député de Laval-des-Rapides. Au cours de l'émission, nous aurons également l'occasion d'entendre Laurent Desruisseaux, qui est chercheur en hydrologie à l'Université Laval.

Il s'adressa aux deux invités.

— Messieurs, vous connaissez la règle du jeu. Des réponses courtes. Des phrases courtes. Pas de mots incompréhensibles… *Controverse* est une émission qui met les grands sujets à la portée du vrai monde.

Son regard se tourna vers le régisseur.

— Vous avez une minute chacun pour faire votre exposé de départ. À vous, monsieur L'Évêque.

Après avoir cherché des yeux la caméra à laquelle il devait s'adresser, celui-ci amorça son exposé.

— L'eau n'est pas un produit. C'est un droit. Sans eau, il n'y a pas de vie. Un contrôle mondial sur l'eau est la seule solution. Il faut qu'elle échappe aux prédateurs qui veulent la contrôler. On ne peut plus continuer à être irresponsable. L'abondance dans laquelle nous avons vécu est un leurre. En réalité, la planète manque déjà d'eau. Il faut interdire son commerce.

— Assez bonne performance, commenta l'animateur. À votre tour, monsieur Saint-Denis.

— Je suis d'accord avec mon adversaire sur un point : nous avons été irresponsables. Cela vient du fait que la valeur économique de l'eau n'a pas été reconnue. Quand les choses n'ont pas de prix, les gens pensent qu'elles n'ont pas de valeur. C'est pourquoi il faut libéraliser complètement le commerce de l'eau. Seul le marché est capable de forcer les gens à économiser l'eau. À ne pas la gaspiller.

— Un peu plus abstrait, monsieur Saint-Denis, fit le présentateur. Des phrases un peu longues. Mais quand même bien dans l'ensemble. Nous allons maintenant retrouver Marie-Julie. Elle va nous résumer le contenu de la proposition de l'ONU. Mais, juste avant, pause-pub !

DRUMMONDVILLE, 19 H 36

Dominique avait regroupé ses effets personnels à l'intérieur de trois valises. Les meubles, la literie, la

696 ────────────────── JEAN-JACQUES PELLETIER

vaisselle, la nourriture… tout ce qui n'avait pas de valeur personnelle serait laissé sur place.

Elles évacueraient la maison du chemin Hemmings au cours de la nuit. C'était Dominique elle-même qui avait choisi leur nouveau refuge : F avait persisté à ne pas vouloir s'en mêler. Elle s'était contentée de lui fournir le code pour accéder au dossier où étaient répertoriées les différentes maisons de sûreté de l'Institut et elle lui avait dit que le choix lui appartenait.

— Comme tu seras la prochaine directrice de l'Institut, il est logique que ce soit toi qui choisisses la nouvelle base opérationnelle, avait-elle conclu.

La remarque avait laissé Dominique estomaquée. F se préparait-elle à quitter l'Institut ? Était-ce la raison véritable pour laquelle elle s'isolait autant ?… Était-elle atteinte d'une maladie incurable ? Se croyait-elle en danger d'être assassinée ?… En guise d'explication, F lui avait simplement répondu que ses raisons deviendraient évidentes avec le temps.

Dominique secoua la tête, comme pour s'ébrouer, et fit le tour de la pièce du regard. Son attention s'arrêta à la radio, qui diffusait en sourdine les commentaires d'une chaîne d'information :

> … ANNONCE QUE LE CÉLÈBRE ÉCOLOGISTE DU SAGUENAY, QUI A CONTRIBUÉ À LA MISE SUR PIED DU GROUPE OURANOS, A ÉCHAPPÉ DE JUSTESSE À UN ATTENTAT. TROIS MEMBRES D'UN GROUPE ANTI-ÉCOLOGISTE FAVORABLE AUX OGM ONT EN EFFET…

Elle ferma la radio, prit deux des valises et se dirigea vers la porte du garage intérieur. Jones 16 les y attendait. Il serait leur chauffeur jusqu'à leur nouveau refuge.

MONTRÉAL, HÔTEL RITZ-CARLTON, 20 H 05

Pendant qu'il regardait la télé, un sourire ironique flottait sur les lèvres de Skinner. Le formatage de l'émission était la meilleure garantie que le débat n'aboutirait à aucune conclusion. Les participants se contenteraient d'accumuler des phrases simples. Et si jamais il y avait un vainqueur, ce serait celui qui aurait lancé les phrases les plus percutantes.

La caméra se concentra sur une femme, dans la mi-vingtaine, qui était debout devant un micro, au milieu de la salle.

— À TOI, MARIE-JULIE.
— MERCI, GILBERT. LA PROPOSITION DE L'ONU, QUI FAIT TROIS CENT SOIXANTE-CINQ PAGES, PEUT ÊTRE RÉSUMÉE EN QUATRE POINTS. DÉCLARER L'EAU PATRIMOINE MONDIAL. LA SOUSTRAIRE À LA LÉGISLATION DES ÉTATS. LEVER TOUS LES OBSTACLES À SA COMMERCIALISATION PAR L'ENTREPRISE PRIVÉE. FAIRE SUPERVISER LA COMMERCIALISATION PAR UN ORGANISME DE L'ONU QUI AURA LA RESPONSABILITÉ D'ACCORDER OU DE SUSPENDRE LES PERMIS D'EXPLOITATION.
— MERCI, MARIE-JULIE. ON SE DEMANDE POURQUOI ILS ONT ÉCRIT TROIS CENT SOIXANTE-CINQ PAGES PAGES. PEUT-ÊTRE PARCE QU'ILS AVAIENT UN MANDAT D'UN AN ET QU'ILS ONT ÉCRIT UNE PAGE PAR JOUR.

Quelques rires, dans l'assistance, ponctuèrent la réplique.

— JE VOUS RAPPELLE LES RÈGLES DU DÉBAT...

Skinner ferma la télé. Ça ne servait à rien d'écouter la suite. Les deux invités savaient exactement ce qu'ils devaient dire pour donner l'impression d'un débat vigoureux, où il n'y aurait pas de gagnant trop évident, et qui laisserait les gens aux prises avec leurs incertitudes. De toute façon, les téléspectateurs pouvaient en penser ce qu'ils voulaient, la seule chose qui importait, c'était que le sujet accapare les devants de la scène médiatique. Qu'à force d'être ressassé et martelé, il devienne un élément incontournable des préoccupations des gens.

Sur la table, devant Skinner, il y avait la liste des nouvelles interventions que lui demandait Pond. Ce serait facile d'en utiliser une ou deux pour titiller ce brave inspecteur-chef Théberge.

HEX-TV, 20 H 17

— L'EAU A TOUJOURS ÉTÉ RECONNUE COMME UN SERVICE PUBLIC.
— DANS PLUSIEURS PAYS, IL N'Y A PAS DE SERVICES PUBLICS POUR S'EN OCCUPER. LES GENS MEURENT.

— Le véritable problème, c'est le manque de services publics. La propriété privée de l'eau ne règle rien.

— Si on empêche la propriété privée de l'eau, pourquoi on ne le fait pas avec toutes les matières premières ? Le coton, les métaux, le bétail...

— Parce que l'eau, c'est différent. Les gens ne devraient pas avoir à payer pour un bien essentiel à leur survie. C'est comme si on leur faisait payer l'air qu'ils respirent.

— Ils paient déjà leur eau de toute façon. Surtout dans les pays pauvres. Ils sont obligés de l'acheter au marché noir. Sans avoir de garantie sur sa qualité.

— Les quartiers les plus pauvres ne profitent jamais des privatisations. L'eau ne se rend pas dans leurs quartiers.

— Ce n'est pas à cause des entreprises. C'est à cause de la corruption et des élites locales : elles accaparent l'eau dans leurs quartiers. C'est pour ça qu'il faut enlever le contrôle de l'eau aux politiciens : ils représentent uniquement les classes dominantes.

— Mettre l'eau dans les mains de multinationales, c'est aussi dangereux. Leur seul objectif est le profit.

— Moins elles vont payer l'eau cher, plus elles vont pouvoir la vendre à un prix raisonnable et faire quand même leur profit.

— En pratique, ce qui va arriver, c'est que les multinationales vont rançonner les pays riches, qui ont de l'eau, pour faire de l'argent sur le dos des pays pauvres, qui n'ont pas le choix d'en acheter pour survivre.

— Ce sont les pays riches qui ont détruit l'économie des pays pauvres par la colonisation : c'est normal qu'ils redonnent un peu de ce qu'ils ont pris.

— Et les multinationales ne feront pas d'argent sur le dos des pays pauvres ?

— De toute façon, je ne parle pas de multinationales. Je parle d'une sorte de PPP à l'échelle mondiale. Pour s'opposer à la soif de profit des multinationales et aux magouilles des politiciens locaux, il faut une organisation internationale forte. C'est ce que propose l'AME.

Pour réaliser un tel contrôle économique, le moyen est simple : accélérer le processus de concentration. Autrement dit, réaliser dans tous les domaines essentiels ce que Monsanto a partiellement réussi dans le domaine des céréales.

Guru Gizmo Gaïa, *L'Humanité émergente*, 3- Le Projet Apocalypse.

JOUR - 6

PARIS, HÔTEL DU LOUVRE, 7 H 01

Blunt avait été réveillé à six heures trente-sept par un appel de Tate, ce qui lui avait laissé vingt-trois minutes pour devenir fonctionnel. À sept heures, heure de Paris, CNN Europe allait diffuser un nouveau message des Enfants du Déluge : ils revendiquaient publiquement les explosions nucléaires au pôle Sud.

Sur sa table de travail, le portable était ouvert et la communication avec Tate était activée. Mais aucun des deux ne parlait. Chacun de leur côté, ils écoutaient la déclaration que lisait un enfant d'une dizaine d'années, assis derrière un bureau de CNN Europe.

C'était une exigence des Enfants du Déluge : en échange de l'exclusivité de la déclaration, CNN devait s'engager à faire lire le message par un enfant.

NOUS, LES ENFANTS DU DÉLUGE, NOUS ALLONS SAUVER LA PLANÈTE DU FLÉAU HUMAIN. NOUS ALLONS PROTÉGER L'HUMANITÉ CONTRE ELLE-MÊME. CETTE EXPLOSION EST LA PREMIÈRE. D'AUTRES SUIVRONT. TANT QUE L'HUMANITÉ N'AURA PAS COMPRIS. TANT QU'ELLE N'AURA PAS CESSÉ DE DÉTRUIRE L'EAU DE LA PLANÈTE.

NOTRE PREMIÈRE EXIGENCE EST L'ARRÊT COMPLET DE LA NAVIGATION SUR LES OCÉANS. LA MER NE PEUT PLUS SUPPORTER LA POLLUTION

QU'ON Y JETTE. À LA SURFACE, IL SE CRÉE DES CONTINENTS ARTIFICIELS DE DÉCHETS NON RECYCLABLES. EN PROFONDEUR, LA MER SE DÉSERTIFIE. D'AUTRES EXPLOSIONS SUIVRONT. TANT QUE L'HUMANITÉ PERSISTERA DANS SON AVEUGLEMENT. LE NIVEAU DES EAUX CONTINUERA DE MONTER. LES VILLES SITUÉES EN BORDURE DE L'OCÉAN SERONT INONDÉES.

L'enfant semblait très soucieux de bien faire. Quand il trébuchait sur un mot, une brève réaction de contrariété affleurait sur son visage. Puis il fronçait les sourcils et se concentrait sur le texte.

DANS TOUS LES PAYS, DES GROUPES SONT PRÊTS À INTERVENIR. PARTOUT, LE NOMBRE DES CITOYENS ÉCOCONSCIENTS AUGMENTE. NOUS ALLONS SAUVER LA PLANÈTE. ENSEMBLE, NOUS ALLONS DÉCLENCHER UN NOUVEAU DÉLUGE QUI LAVERA L'HUMANITÉ DE SES COMPORTEMENTS IRRESPONSABLES.

À l'écran, l'enfant déposa les feuilles sur la table. Il semblait fier de sa performance.

Blunt baissa le volume de la télé et se tourna vers son portable. Quelques secondes plus tard, la figure de Tate y apparaissait.

— Qu'est-ce que tu en penses ? demanda l'Américain.

— Arrêter le trafic maritime ! répondit Blunt sur un ton ironique. Ils savent que c'est impossible.

— C'est leur première demande. Imagine ce qui va suivre !

— Ça va leur permettre de justifier les prochaines attaques.

— Probable…

— C'en est où, les attentats qui visent l'eau ?

— Ça se développe sur trois axes : contamination des réserves d'eau des villes, sabotage des usines de désalinisation, contamination de l'eau embouteillée.

— C'est trop concentré pour être un simple effet de contagion idéologique.

— Tu as raison. Il y a un groupe structuré derrière ça.

— Un groupe qui dispose de moyens importants. Probabilité : quatre-vingt-quatorze virgule trente-neuf pour cent.

— C'est ce que pensent les militaires. Eux, leur chiffre est de cent pour cent.

— Typique. Et leur principal candidat ?

— La Chine.

— Quoi ?!

La voix de Blunt avait laissé paraître son incrédulité.

— Je sais, répondit Tate, c'est ridicule. C'est le pays qui peut le moins supporter ce type de catastrophe écologique. Si la Chine ne maintient pas son rythme de croissance, elle va exploser sous la pression des révoltes locales. Déjà, avec la récession mondiale...

— C'est peut-être ce qu'espèrent les militaires.

Un silence suivit.

— Tu penses qu'ils pourraient être derrière ça ? demanda Blunt.

— Les militaires ? Pas comme tels. Ça m'étonnerait... Mais qu'il y en ait un certain nombre qui aient magouillé pour faciliter des attentats, ça, par contre...

— Et quand les gens accusent les militaires de comploter, ce sont eux qui sont paranoïaques, ironisa Blunt.

— Tu sais comment c'est... Tous les groupes ont leurs têtes brûlées.

— Mais ils n'ont pas tous des sous-marins nucléaires à leur disposition !

Après une légère pause, Blunt reprit sur un ton plus neutre :

— Pour les Enfants du Déluge, je jetterais un œil du côté des assurances.

— Quelles assurances ?

— Les compagnies qui assurent les usines et les installations qui ont eu des accidents. Regarde la liste de leurs clients. Ça pourrait donner une idée des prochaines cibles.

— Tu tires ça d'où ?

— Une des informations que j'ai vérifiées hier.

— Tu as une idée du travail que ça va me demander ?

— J'ai effectué une partie de ton travail. J'ai les noms des trois premières compagnies.

— Tu veux dire que je dois terminer le travail que je te paie pour faire ?

— On appelle ça du leadership !

Puis le ton de Blunt redevint sérieux.

— Pendant que j'écoutais leur vidéo, il y a une chose qui m'a fait tiquer : tous les endroits visés par des attentats, jusqu'à maintenant, ont rapport avec l'eau qui est consommée… tandis que les pôles…

— Et… ? Tu en déduis quoi ?

— Aucune idée. Mais j'ai trouvé ça curieux. Tous les autres attentats peuvent profiter à certaines compagnies aux dépens d'autres compagnies. Mais faire fondre les pôles… Ça va nuire à tout le monde !

LONGUEUIL, 7 H 43

La température maussade avait chassé les piétons des trottoirs. Victor Prose marchait depuis une vingtaine de minutes. Sa visite au dépanneur pour aller chercher un litre de lait avait été un prétexte pour faire un peu d'exercice.

Un coin de rue avant d'arriver, il croisa un homme-sandwich. L'événement était en soi inusité. Le message qu'il affichait devant lui sur la pancarte l'était encore plus.

L'APOCALYPSE EST EN MARCHE.
IL EST TEMPS DE CHOISIR VOTRE CAMP.

GIZMO GAÏA

Après l'avoir dépassé, Prose se retourna. Le message sur la pancarte dans son dos était différent.

CEUX QUI GASPILLENT L'EAU,
DÉTRUISENT LES NAPPES PHRÉATIQUES
ET ASSOIFFENT LA PLANÈTE,
PÉRIRONT PAR L'EAU.

GIZMO GAÏA

Une fois au dépanneur, il prit un litre de lait dans le comptoir réfrigéré et se rendit immédiatement à la caisse. Pendant qu'il attendait dans la file, il ne put s'empêcher d'entendre les protestations du client qui était devant lui.

— Cinq pour cent !

— À partir d'aujourd'hui, répondit le caissier.

— Sur tous les produits ? reprit le client comme s'il ne parvenait pas à croire ce qu'il entendait.

— Le patron dit qu'il n'a pas le choix. Les gardiens de sécurité, les appareils de surveillance… Il faut que ça se paie.

— Et c'est à nous autres qu'il refile la facture !

— C'était ça ou il fermait… Vous avez vu les vitrines ?

Prose tourna la tête par automatisme. À son arrivée, il avait remarqué les deux panneaux de contreplaqué qui remplaçaient les vitres cassées. Ainsi que le garde de sécurité en faction à côté de la porte.

Quelques instants plus tard, il arrivait à son tour devant la caisse.

— Vous ! fit le caissier en l'apercevant. Est-ce que vous êtes le vrai Victor Prose ?

— Euh… oui.

— Et vous vous promenez sans protection ? sans garde du corps ?

Prose hésita avant de répondre.

— Ça m'arrive, oui… Il y a un problème ?

— C'est irresponsable ! Avez-vous pensé à tous ceux qui ont gagé sur vos chances de survie ?… C'est vraiment pas *cool* !

MONTRÉAL, SPVM, 8 H 11

Tout en relisant ses notes sur l'enlèvement de Victor Prose, Théberge buvait son espresso. La veille, il avait décidé d'abandonner le High Mountain pour le Yemen Matari et il essayait de ne pas boire trop distraitement afin de bien goûter la différence, ce qui n'allait pas de soi. Le cas de Prose le tracassait.

Prose semblait vraiment obsédé par l'environnement. Mais était-ce suffisant pour en faire un terroriste potentiel ? un terroriste capable d'orchestrer un faux attentat contre sa personne qui aurait pu coûter la vie à Grondin ? un terroriste prêt à risquer sa propre vie en dérivant sur

le fleuve, ligoté au fond d'une chaloupe ?… Tout ça supposait un complice. Un complice qui l'avait ligoté et qui
avait lancé l'embarcation sur le fleuve. Un complice qui
avait ensuite appelé pour alerter les autorités… Est-ce
que ça pouvait être Prose qui avait lui-même lancé les
paris sur sa mort ?

Par association d'idées, Théberge pensa aux vidéos
de lui qu'on avait « postées » sur Internet. Puis aux journalistes qui l'attendaient devant sa porte… Ce matin, ils
étaient six. À croire qu'ils se reproduisaient par génération
spontanée ! Cette fois, il les avait complètement ignorés.
De cette façon, il n'y aurait pas d'extraits vidéo sur
Internet.

Crépeau entra dans la pièce sans frapper, l'air soucieux.
Il jeta un bref coup d'œil aux journaux empilés sur le coin
du bureau. Sur le dessus de la pile, un titre faisait la
largeur de la une de l'*HEX-Presse* : « Montréal, ville de
tous les dangers ».

— Tu veux un café ? demanda Théberge.

— J'en ai déjà pris quatre.

— Je parle de vrai café.

Crépeau ignora la remarque. D'un geste, il désigna les
journaux.

— Qu'est-ce que ça raconte ?

— En gros, qu'on peut être empoisonné par l'eau
qu'on boit, kidnappé et expédié sur le fleuve attaché au
fond d'une chaloupe, noyé dans son bain, empoisonné
par ce qu'on mange… qu'on peut être brûlé à mort dans
un crématorium, séché sur pied, pulvérisé par une bombe
en allant prier… qu'on peut se faire tirer par un rôdeur
dans son salon… sans parler des gangs de rue et de la
drogue qui est partout…

— Je voulais justement te parler de ça…

— De l'article ? fit Théberge, étonné.

— Du lien entre les derniers meurtres… Un qui
meurt noyé, un qu'on envoie à la mort sur le fleuve, un
autre qui meurt de sécheresse… est-ce que tu vois le point
commun ?

— L'eau ? fit Théberge après un moment.

— L'eau.

— Mais je ne vois pas où ça nous mène.

— Les mois passés, il y a eu une série de morts liées à la nourriture.

— Donc, on aurait un fanatique des régimes. Une sorte de Weight Watcher déchaîné… C'est ce que tu suggères ?

Crépeau ne put s'empêcher de sourire.

— Je ne suggère rien. Je trouve seulement ça étrange.

Puis, après un moment, il ajouta :

— La plupart des attentats ont été revendiqués par des groupes écologistes. C'est peut-être le même. Il y a peut-être un seul groupe.

— Un groupe qui serait contre l'alimentation ?

— Contre l'alimentation qui détruit la planète.

Les deux hommes restèrent silencieux un moment. Ils avaient l'habitude de ces « orages cérébraux » improvisés, comme les appelait Théberge.

— Si tu as raison, finit-il par dire, ça pourrait être lié au groupe terroriste qui a fait l'attentat à Las Vegas. Tu te rappelles leur message sur ceux qui gaspillent l'eau ?

Crépeau hocha la tête en signe d'assentiment. Un autre moment de silence suivit.

— Il y a une pétition qui circule sur le site Internet de HEX-Médias, reprit Crépeau. C'est ce que j'étais venu te dire.

— Tu suis ce qui se passe sur les sites Internet, maintenant ?

— Pas le choix, quand les journalistes t'en parlent.

Théberge releva les yeux de sa tasse de café maintenant presque vide.

— Une pétition pour quoi ?

— Pour exiger des changements à la direction du SPVM. Ils demandent une enquête sur les pouvoirs occultes et les éminences grises.

— Eh ben… C'est pas avec ça que le premier ministre va changer d'idée.

Paris, 14 h 51

Ulysse Poitras avait établi ses quartiers dans une pièce de l'appartement de Chamane qui était en cours d'aménagement. Il n'y avait qu'un bureau avec une chaise, un clavier sur le bureau, un écran plat fixé au mur et une télé à la gauche du bureau. Ça faisait partie des projets de rénovation de Geneviève, avait dit Chamane. Avant, c'était son bureau, mais elle avait commencé à vider la pièce. Il n'avait aucune idée de ce qu'elle voulait en faire.

Poitras avait d'abord syntonisé la télé à CNN Europe. Puis il s'était mis au travail.

Sur l'écran plat fixé au mur, il parcourait les extraits d'informations que Chamane avait trouvés sur Homni-Flow. Le nom de l'entreprise apparaissait comme acquéreur dans quelques prises de contrôle, mais il y avait peu de détails : le nom de la compagnie ayant fait l'objet d'une acquisition, le pourcentage de la participation d'HomniFlow, parfois le nom d'un co-investisseur. Rien de plus.

Il y avait aussi des rumeurs sur certaines entreprises qui seraient dans la mire d'HomniFlow pour de futures prises de contrôle. HomniFlow était également mentionnée, à titre de partenaire silencieux, dans certains fonds d'investissement privés.

De temps à autre, Poitras jetait un œil à la télé pour surveiller les informations qui défilaient au bas de l'écran. Un message en rouge attira son attention. Il ne faisait que quelques mots.

Artic nuclear blasts. Details to come.

Poitras pointa la télécommande vers le moniteur de télé et monta le son. Le présentateur regardait la caméra et parlait sur un ton grave. Une image de paysage arctique était projetée sur le mur derrière lui.

… ont mis leur menace à exécution. Deux explosions nucléaires ont été détectées, dans l'océan Arctique cette fois. Le Pentagone a confirmé qu'il s'agissait d'explosions de grande puissance qui risquent de provoquer des dislocations importantes de la banquise…

Une vidéo de falaises de glace glissant dans la mer servait maintenant de fond à la voix off du présentateur.

Tout en continuant d'écouter, Poitras fit apparaître Bloomberg dans un coin de l'écran plat. Les mouvements de marché amorcés la veille s'amplifiaient : le pétrole montait et les bourses tombaient.

Cette fois encore, les titres des compagnies d'assurances et de réassurance étaient parmi les plus touchés, ce qui était normal puisqu'elles seraient les premières à être affectées, soit par une recrudescence du terrorisme – ce qu'annonçait cet attentat –, soit par les désastres environnementaux que l'on pouvait anticiper.

Ça expliquait peut-être le volume exceptionnellement élevé de ventes à découvert qu'il avait observé sur ces titres au cours des dernières semaines. Ceux qui avaient organisé les attentats avaient probablement fait d'une pierre deux coups en investissant de manière à tirer profit des effets que cela aurait sur le marché.

Poitras se mit à examiner les transactions. À peine avait-il commencé que Blunt entrait dans la pièce.

— Je vois que tu es au courant, dit-il.

— J'étais en train d'examiner les documents de Chamane sur HomniFlow quand c'est sorti.

— Réunion ce soir. Vingt et une heures. Ça va pour toi ?

— Avant, si tu veux.

— Je n'aurai pas le temps avant.

— C'est vrai que les explosions nucléaires…

— S'il y avait seulement ça, dit Blunt en sortant.

La remarque laissa Poitras perplexe. Si Blunt en était à banaliser les conséquences d'une explosion nucléaire…

WWW.FRIC.TV, 9 H 03

Vous écoutez *Priorité Fric*, avec Mike Cashman.

Tout le monde a entendu parler des Enfants du Déluge. Des écolos terroristes. D'accord, ils ont empoisonné de l'eau embouteillée. Ils ont empoisonné les réserves d'eau potable de plusieurs villes. Là, ils viennent de faire sauter des bombes nucléaires dans l'Antarctique. OK, c'est pas banal…

MAIS LÀ, TOUT LE MONDE VA PRENDRE UNE GRANDE RESPIRATION. ON VA ARRÊTER DE PANIQUER. VOUS ALLEZ ARRÊTER DE M'ENVOYER TOUTES SORTES DE COURRIELS HYSTÉRIQUES. C'EST PAS LA FIN DU MONDE. ET SI JAMAIS ÇA L'ÉTAIT, ÇA N'ARRIVERA PAS AVANT UN SIÈCLE OU DEUX. ALORS, ON SE CALME !

C'EST SÛR, POUR L'ENVIRONNEMENT, C'EST PAS TERRIBLE. ET S'ILS CONTINUENT D'EMPOISONNER L'EAU POTABLE, ÇA VA CAUSER DES PROBLÈMES. C'EST SÛR… MAIS TOUTE CHOSE A UN BON CÔTÉ. FAUT ÊTRE POSITIF. LES PROBLÈMES, C'EST DES OCCASIONS D'AFFAIRES. VOUS VOUS DEMANDEZ COMMENT ON PEUT TIRER PROFIT DE CE BORDEL-LÀ ? C'EST SIMPLE : IL FAUT SAVOIR SE POSER LES BONNES QUESTIONS. JE VOUS EN DONNE QUATRE.

UN : QUELLES SONT LES COMPAGNIES QUI VONT ÊTRE LES PLUS FRAPPÉES ? VOUS LES LIQUIDEZ.

DEUX : QU'EST-CE QUI RISQUE DE DEVENIR RARE ? VOUS EN ACHETEZ.

TROIS : QUEL PRODUIT EST-CE QUE LES GENS N'AURONT PAS LE CHOIX DE PAYER PLUS CHER ? VOUS INVESTISSEZ DANS ÇA.

QUATRE : QUELLES NOUVELLES DEMANDES DE SERVICES LES ATTENTATS VONT-ILS CRÉER ? EST-CE QUE C'EST LA SÉCURITÉ ? L'EAU POTABLE ? LA NOURRITURE CERTIFIÉE PROPRE ?… CE SONT TOUS DES ENDROITS OÙ INVESTIR.

OUVREZ VOS OREILLES ET SORTEZ VOS STYLOS POUR PRENDRE DES NOTES. PARCE QUE VOUS AVEZ LE CHOIX : OU BIEN VOUS RENTREZ DANS LE TROUPEAU DES VICTIMES QUI SE CONTENTE DE DIRE QUE ÇA VA MAL, OU BIEN VOUS EN PROFITEZ. C'EST DE ÇA QU'ON VA PARLER AUJOURD'HUI. MAIS, POUR TOUT DE SUITE, ON FAIT LE TOUR DES NOUVELLES URGENTES…

ÇA BRASSE DE PLUS EN PLUS DANS LES ASSURANCES. APRÈS LE SUICIDE DU PDG DE NGH INSURANCE GROUP, LA SEMAINE DERNIÈRE, C'EST MAINTENANT AU TOUR DU DIRECTEUR FINANCIER DU GRUPO FRANCO ITALIANO DE FAIRE DES SIENNES : IL AURAIT DÉTOURNÉ UN MILLIARD VIRGULE SEPT EUROS AVANT DE DISPARAÎTRE. C'EST SÛR, ON EST ENCORE LOIN DE MADOFF. MAIS C'EST QUAND MÊME PAS DES *PEANUTS*, ÇA, MES AMIS. CEUX QUI ONT ENCORE DES ACTIONS DANS LES ASSURANCES, JE SORTIRAIS DE LÀ.

HOMNIFOOD, ELLE, ANNONCE DEUX NOUVELLES ENTENTES DE PARTENARIAT…

LONGUEUIL, 9 H 22

Victor Prose venait de vérifier où en était sa cote sur le site de pari en ligne : 7 contre 8. Malgré cette nouvelle amélioration, ils étaient encore une majorité à parier contre sa survie.

Un graphique illustrait les variations de sa cote depuis le début : on aurait dit un indice boursier !

Prose quitta le site, ouvrit sa page de moteurs de recherche et lança une requête : « producteurs sauvages ».

À peine une seconde plus tard, une page de résultats s'affichait : 6453 mentions. Quelques semaines plus tôt, avant que l'expression devienne à la mode, il y en avait seulement dix ou quinze. Prose avait vérifié. Il avait trouvé l'expression dans un article qui dénonçait les dangers de « l'artisanat alimentaire » — autre expression qui l'avait étonné.

Après avoir parcouru une vingtaine de sites, Prose recula sur sa chaise. Pratiquement tous les textes reprenaient les mêmes accusations. On reprochait aux producteurs de « fragiliser » le « stock alimentaire » de la planète, d'être un « vecteur » de « pathologies » susceptibles de « compromettre » le « capital céréalier »…

La répétition des mêmes termes était étonnante. On aurait dit que tous les blogueurs et tous les journalistes avaient subitement adopté le même vocabulaire ! Comme s'ils se plagiaient tous les uns les autres.

Prose fut tiré de ses pensées par la sonnerie du téléphone. L'inspecteur-chef Théberge lui demandait s'il pouvait venir le voir. Il avait quelque chose à lui montrer.

LCN, 10 H 07

> … LE MAIRE DE RIMOUSKI ENTEND PROPOSER LA CONSTITUTION D'UN FRONT COMMUN AUX VILLES SITUÉES SUR LE LITTORAL DU FLEUVE. LE REGROUPEMENT D'ÉLUS MUNICIPAUX QU'IL DIRIGE EXIGERAIT DU GOUVERNEMENT LA MISE SUR PIED D'UN FONDS DESTINÉ À INDEMNISER LES PERSONNES DONT LA PROPRIÉTÉ EST SUSCEPTIBLE D'ÊTRE SUBMERGÉE À CAUSE DE LA HAUSSE DU NIVEAU DE LA MER. À UN JOURNALISTE QUI L'INTERROGEAIT SUR LE CARACTÈRE PRÉMATURÉ D'UNE TELLE MESURE, LE MAIRE A RÉPONDU CE QUI SUIT : « POUR UNE FOIS QU'ON N'ATTENDRAIT PAS QUE LE PROBLÈME NOUS EXPLOSE AU VISAGE… POUR UNE FOIS QU'ON FERAIT DE LA PRÉVENTION PLUTÔT QUE DU RAPIÉÇAGE APRÈS COUP… »

LONGUEUIL, 10 H 46

Lorsque Théberge mit la photo sur le bureau devant Prose, ce dernier reconnut immédiatement l'individu.

— Marcus Harp, dit-il à mi-voix.

— C'est lui qui vous a enlevé et qui vous a envoyé en expédition sur le fleuve ?

— Oui. Où est-ce que vous avez eu sa photo ?

— Par hasard. Une autre enquête.

— Est-ce que c'est son vrai nom ?

— Aucune idée.

Il n'était d'ailleurs pas le seul. Dominique lui avait répondu qu'elle ignorait totalement de qui il s'agissait. Le déguisement n'apparaissait dans aucune des banques de données auxquelles l'Institut avait accès.

Théberge ajouta, avec un mélange d'embarras et de contrariété :

— Ceux qui le surveillaient l'ont perdu de vue dans un hôtel.

Il hésitait à lui dire que les policiers connaissaient un de ses contacts. Et qu'ils surveillaient l'hôtel où Harp avait disparu, au cas où il réutiliserait le même déguisement.

— Vous avez effectué beaucoup de recherches sur les écologistes ? demanda-t-il pour amener la discussion sur le sujet.

— Pas sur les écologistes, répondit Prose avec un soupçon d'impatience. Sur l'environnement. Sur les déprédations que l'humanité inflige à l'environnement.

— D'accord, sur les déprédations. Qu'est-ce que vous pensez des Enfants du Déluge ?... ou des Enfants de la Terre brûlée ?

— Ce sont tout sauf des enfants.

Puis il ajouta avec un sourire :

— Mais ils ont fait leurs devoirs. Tout ce qu'ils avancent comme données est exact.

— Même quand ils affirment que l'humanité est un fléau qui doit être éliminé ?

— Si on se place du point de vue des autres espèces, c'est évident. Par contre, de notre point de vue à nous... Et même là ! Si on se place du point de vue des prochaines générations... Au rythme où vont les choses, je préfère ne pas imaginer le monde dans lequel nos arrière-petits-enfants vont vivre.

Prose donnait l'impression de discuter avec lui-même, avançant les arguments et les contre-arguments.

— En gros, vous êtes d'accord avec eux, si j'ai bien compris?

— Sur le diagnostic? À moins d'être de mauvaise foi, je ne vois pas comment on peut être en désaccord.

— Et sur les moyens?

Prose dévisagea Théberge.

— Vous êtes sérieux?

— Je reformule : sur l'efficacité des moyens qu'ils prônent, partagez-vous leur diagnostic?

Prose observa Théberge un bon moment avant de répondre.

— D'un point de vue purement rationnel, leur solution est la plus simple et la plus efficace.

Il regardait Théberge avec un sourire où il y avait un soupçon d'ironie.

— Évidemment, reprit-il, si on tient compte des tendances irrationnelles de l'humanité… Je parle du besoin qu'ont les individus de conserver ce qu'ils ont… du désir d'un monde meilleur, de l'espoir…

— Donc, les terroristes seraient des êtres rationnels. Tandis que nous…

— C'est un comportement extrêmement irrationnel que de se laisser aveugler par la rationalité. Pensez aux nazis, aux fabricants d'utopies en tous genres… Ou simplement aux ravages que provoque le capitalisme au nom de la rationalité financière.

— Les ravages du capitalisme… Une autre chose que la solution écoterroriste aurait l'avantage d'éliminer?

Prose se contenta de soutenir son regard en continuant de sourire.

LÉVIS, 11 H 29

Dominique avait choisi la résidence de Lévis. Elle était située sur le bord d'un petit cap, un peu en bas du Fort de Lauzon avec, à droite, une vue sur la pointe de l'île d'Orléans et, l'hiver, derrière la maison, à travers les arbres dépouillés de leurs feuilles, une vue sur le fleuve.

Un quartier tranquille où rien ne pouvait arriver, avait dit F lorsque Dominique lui avait fait part de son choix. Rien, sauf peut-être une guerre entre les écureuils noirs et les écureuils gris pour contrôler les arbres des environs.

Les deux femmes avaient eu peu de temps pour prendre possession de leurs nouveaux quartiers. À peine arrivées, elles avaient dû se familiariser avec les systèmes de sécurité, effectuer une série de tests sur le matériel informatique, se relier au réseau de l'Institut, activer le nouveau site miroir où étaient conservées les sauvegardes du contenu de leurs ordinateurs particuliers, vérifier les communications avec les principaux membres de l'Institut…

Après avoir travaillé une grande partie de la nuit et s'être couchée épuisée, Dominique n'avait dormi que quelques heures avant que les urgences la rattrapent. Monsieur Claude appelait.

Elle rejoignit F, qui avait pris la communication dans son bureau.

— Je suis à Fécamp.

— Avez-vous ce qu'il faut pour aller la chercher ? demanda F.

— Le temps qu'une équipe de spécialistes arrive de Paris et qu'on trouve l'équipement… D'ici là, je fais surveiller les lieux pour que personne ne s'échappe.

— Ils peuvent s'enfuir par la mer… Un bateau qui les attend au large… un hydravion… Il suffit qu'ils aient de l'équipement de plongée.

— Ça, je m'en suis occupé. Mais s'ils ont un sous-marin…

C'était plausible, songea F. Compte tenu du piège dans lequel Kim était morte, l'endroit disposait sûrement d'équipements sophistiqués.

Brossard, 12 h 38

Madame Théberge entra dans le taxi.

Quand elle eut fermé la portière, Cabana posa ses jumelles sur le siège à côté de lui et fit démarrer sa voiture. Même si son mystérieux informateur lui avait fourni l'adresse où elle se rendait, il ne voulait pas perdre le taxi de vue.

Cabana s'était souvent interrogé sur les motivations de son informateur. Au début, il avait pensé qu'il était lié aux terroristes. Qu'il se servait de lui pour faire passer des informations qu'il jugeait importantes.

Cette hypothèse ne le troublait pas outre mesure. Peu importe d'où vient l'information, le rôle d'un journaliste est de la rendre accessible. Et si possible avant les autres, s'il veut que sa carrière progresse. Mais il y avait cet acharnement sur le SPVM. Et sur Théberge en particulier… Pourquoi s'en prendre autant à lui ?… Et pourquoi maintenant viser sa femme ?

Se pouvait-il que l'informateur appartienne au SPVM ? qu'il se serve d'informations secrètes pour établir sa crédibilité et qu'il y mêle des informations sur Théberge pour régler des comptes ?

AMSTERDAM, 18 H 46

Hessra Pond avait fixé le rendez-vous au restaurant du Grasshopper, un *coffee shop* situé rue Oudebrugsteeg. Le restaurant était au deuxième étage. Au premier, il y avait le bar. Le rez-de-chaussée accueillait les fumeurs de drogues douces.

Le Grasshopper était un des quelque six cents *coffee shop* de la ville où l'on pouvait, en toute légalité, consommer de la marijuana ou du haschich : il suffisait de se limiter à cinq grammes par transaction, de ne pas troubler l'ordre public… et d'être majeur.

Pond avait choisi cet endroit parce qu'elle savait qu'il aurait un effet déstabilisant sur Ludovic Krugman.

— Le choix que vous avez est simple, fit Pond. Ou bien vous acceptez six millions, ou bien votre entreprise fait faillite et vous vous retrouvez avec une poursuite des autres actionnaires. Et je ne parle même pas des fonds que vous avez pigés dans la caisse de retraite des employés.

— Si c'était seulement de moi… mais il y a ma femme. C'est l'entreprise de son père. Elle lui vouait un véritable culte. Elle ne me pardonnerait pas de vendre.

Pond le trouvait pitoyable. Il semblait encore plus terrorisé par sa femme que par la perspective de la ruine et du scandale.

— Ça dépend de la manière dont vous lui présentez les choses, dit-elle doucement, comme si elle essayait de le raisonner. Je suis sûre qu'elle tient à ce que le nom de son père ne soit pas traîné dans la boue.

— Il n'a jamais rien fait de répréhensible. Si ça se trouve, il n'a jamais rien « pensé » de répréhensible !... S'il avait été catholique, il aurait été candidat à la canonisation !

— Je veux bien vous croire. Mais il est mort depuis quelques années déjà, me semble-t-il. Peut-être avait-il un vice secret ?... Qu'est-ce qui vous empêche d'avoir découvert des irrégularités et de les avoir couvertes pour protéger sa mémoire ? Sauf que maintenant, ce n'est plus possible. La vente est la seule façon d'enterrer le scandale une fois pour toutes... Présentez-lui la chose de cette façon, comme si vous sacrifiiez vos projets d'avenir et votre compagnie pour sauver la mémoire de son père.

Puis elle ajouta avec un sourire amusé :

— Ça m'étonnerait beaucoup qu'elle ne vous en soit pas reconnaissante.

Ludovic Krugman regarda un long moment Pond en silence.

— Vous êtes une belle ordure, dit-il finalement.

— À chacun ses choix esthétiques, répondit-elle sans paraître le moindrement affectée par la remarque. Mais là n'est pas la question. Je n'ai pas la prétention – certains diraient la faiblesse – de vouloir être aimée. Seuls les résultats m'intéressent... Alors, qu'est-ce que vous décidez ?

— Vingt-cinq millions.

Le sourire de Pond s'élargit.

— Enfin, vous devenez sérieux... D'accord, je monte à dix millions et je vous donne un autre dix millions en actions d'HomniFlow. D'ici peu de temps, elles en vaudront le double... Mais à une condition : vous acceptez de

diriger un des départements de recherche d'HomniFlow.
Quatre des laboratoires seront sous votre responsabilité.

— Vous ne voulez quand même pas que je travaille
pour vous ?!

— Pas pour moi : pour un million de dollars par année.
Et aussi pour financer le niveau de vie auquel votre
épouse et vos enfants sont habitués... Pour assurer la
renommée de votre beau-père, le célèbre inventeur du
procédé de désalinisation Zoellnick.

Après une pause, elle ajouta en souriant :

— Et aussi, accessoirement, pour sauver l'humanité.

Après avoir signé les papiers que lui présenta Pond,
Krugman se leva et se dirigea sans un mot vers l'escalier qui l'amènerait au bar puis au café lui-même. À
la sortie, il serait photographié comme il l'avait été à
l'entrée. Un code numérique imprimé dans le bas de la
photo indiquerait le moment exact de son départ. À la
seconde près. Une comparaison des photos d'entrée et
de sortie montrerait qu'il avait passé une heure dix-sept
minutes au *coffee shop*.

Une fois Krugman parti, Pond téléphona à son contact
à Vacuum.

— Le dossier 42 est prêt à être traité... Quarante-huit
heures ? C'est un peu long, mais je suppose que vous ne
pouvez pas faire mieux.

Elle raccrocha.

Dans deux jours au plus tard, un des enfants de
Krugman serait enlevé : ce serait la garantie de la fidélité
de son père envers sa nouvelle entreprise.

MONTRÉAL, 13 H 11

En voyant le taxi s'immobiliser devant le Palace,
Cabana sentit l'excitation le gagner. Il le tenait, son *scoop*.
Les longues heures d'attente dans sa voiture, à proximité de chez Théberge, n'avaient pas été inutiles : la
femme de Théberge fréquentait un club de danseuses !

Restait à savoir ce qu'elle y faisait... Elle ne dansait
quand même pas !

Cabana commença par prendre des photos de madame Théberge entrant dans le club. Puis il éteignit le moteur de sa voiture. Il ne perdait rien à la suivre à l'intérieur.

Quelques minutes plus tard, il avait pris place à une table et une serveuse posait une bière devant lui.

Aucune trace de madame Théberge dans la salle. Mais il avait tout son temps. Le spectacle n'était pas désagréable. Il était prêt à attendre ce qu'il faudrait.

CNN, 13 h 14

> … D'UNE CONTAMINATION PAR DES COLIFORMES FÉCAUX. C'EST LA DEUXIÈME FOIS EN TROIS JOURS QUE L'ON DÉTECTE LA PRÉSENCE D'*ESCHERICHIA COLI* DANS LE RÉSEAU DE DISTRIBUTION D'UNE GRANDE VILLE AMÉRICAINE…

MONTRÉAL, 13 h 26

Cabana changea pour une table devant la piste de danse et regarda la danseuse qui achevait son numéro. Puis il laissa son regard parcourir lentement l'établissement.

Quand il aperçut madame Théberge derrière le bar, en grande conversation avec la barmaid, il eut un choc. Sa première réaction fut de se demander depuis combien de temps elle était là et si elle l'avait reconnu.

Puis il comprit progressivement l'importance de ce qu'il voyait : il y avait une complicité évidente entre elle et la jeune femme. Et pas seulement avec elle : toutes les danseuses qui passaient près d'elle lui disaient un mot. Même les *bouncers* se déplaçaient pour aller la saluer.

Tout cela ne pouvait avoir qu'un sens : c'était elle qui dirigeait la boîte.

Quand son informateur lui avait dit : « Vous n'en croirez pas vos yeux », Cabana avait été sceptique. Maintenant, il comprenait. Le sujet méritait mieux qu'un simple *scoop* dans l'*HEX-Presse*. Il faudrait qu'il négocie des entrevues à la radio et à la télé. Heureusement, ça ne poserait pas trop de difficultés : la magie de la convergence jouerait une fois encore.

Il se leva, fit quelques pas en direction du bar, le temps d'enregistrer une séquence avec sa caméra cachée, puis il se dépêcha de sortir.

FOND DE L'OCÉAN, 18 H 49

L'endroit était construit selon les mêmes principes que les chambres isobares. On pouvait y modifier la pression pour recréer celle que l'on trouvait à une profondeur plus ou moins grande. Un voyant lumineux affichait en permanence la pression atmosphérique. La valeur indiquée était maintenant d'un peu plus de six atmosphères. Elle augmentait de manière lente mais continue. Tenter de s'enfuir ne faisait plus partie de ses choix, songea Claudia : sans équipement pour effectuer des paliers de décompression, elle mourrait avant d'arriver à la surface.

Par contre, rien ne disait qu'il s'agissait des bonnes données…

Malgré cette menace qui pesait de manière constante sur elle, ce que Claudia trouvait le plus difficile, c'était de ne pas pouvoir communiquer. Et ce qui la gardait en vie, c'était la volonté de survivre pour traquer les assassins de Kim.

Au début, Claudia avait observé méthodiquement son environnement, essayant de voir tout ce dont elle pourrait tirer avantage. Elle croyait que ses ravisseurs la contacteraient de nouveau, ne serait-ce que pour l'interroger. Cette mise en scène était probablement une mise en condition psychologique.

Mais le temps passait et ils ne se manifestaient toujours pas.

Attendre…

C'était la seule activité qu'il lui restait.

Attendre. Rester dans la meilleure forme possible. Pour être prête, le jour où son heure viendrait.

BLOOMBERG, 13 H 58

… PLUSIEURS SEMAINES D'ENQUÊTE AVANT DE FAIRE LA LUMIÈRE SUR L'EXPLOSION QUI A DÉTRUIT CETTE NUIT LA PLUS GRANDE USINE DE DÉSALINISATION DE TOKYO…

MONTRÉAL, 14 H 04

Le maire regardait les journalistes avec son sourire numéro trois, celui qu'il utilisait quand il voulait les mettre à l'aise, paraître un peu naïf et leur laisser croire qu'il n'était pas en mesure de contrer leurs questions sur le sujet qui serait abordé.

Comme promis, les experts de Sharbeck avaient accompli du bon travail.

— Ces derniers temps, dit-il, toutes sortes de rumeurs ont circulé sur l'état déplorable des infrastructures souterraines de la ville.

— Pas seulement souterraines, lança un journaliste sur un ton moqueur.

— D'accord, pas seulement souterraines, acquiesça le maire, bon prince. Il y a aussi quelques trous dans les rues ici et là…

Il laissa passer les rires et attendit quelques secondes avant de poursuivre.

— Ces rumeurs ont eu des échos jusqu'à l'Assemblée nationale. Il faudrait que le gouvernement intervienne, paraît-il. On cacherait des choses aux citoyens payeurs de taxes… La situation serait pire que ce qu'on dit…

— Ce n'est pas vrai ? lança un autre journaliste.

Cette fois, le maire poursuivit sans s'occuper de la question.

— J'ai bâti ma carrière politique en jouant le jeu de la franchise. Aujourd'hui, je ne ferai pas exception à la ligne de conduite que j'ai adoptée. Je vous dirai la vérité. Et la vérité, c'est que les choses sont pires que tout ce que les rumeurs ont pu véhiculer… La situation est catastrophique.

Les journalistes, qui s'attendaient aux habituels démentis, cessèrent de prendre des notes pour fixer le maire. Ce dernier se contenta de soutenir leur regard, le temps de leur laisser assimiler l'information.

— La perte du réseau d'aqueduc dépasse les cinquante-quatre pour cent, reprit-il. Les égouts pluviaux et domestiques ont atteint leur pleine capacité. Au cours des

prochaines années, les refoulements vont se multiplier…
Il est indispensable de remettre les infrastructures à
niveau. C'est un choix qu'on ne peut plus reporter.

— Ça va coûter combien ? demanda le représentant
de *La Presse*.

— Dans les conditions actuelles, la facture approcherait normalement les quinze milliards… À condition
que les taux d'intérêt ne montent pas.

Il fit une courte pause. Les questions se mirent aussitôt
à fuser. Le maire tâcha de ne pas sourire de façon trop
marquée : ils étaient tellement prévisibles !

— Qu'est-ce que vous entendez faire ?

— Où est-ce que vous allez prendre l'argent ?

— Est-ce que Québec va subventionner… ?

— Quelle est la position du fédéral ? Allez-vous demander sa participation ?

Le maire fit des gestes d'apaisement avec les mains
jusqu'à ce que le calme revienne.

— Une administration responsable ne peut évidemment
pas se contenter de poser les problèmes, dit-il. Elle doit
y trouver des réponses. C'est ce à quoi nous nous sommes
employés, mon administration et moi.

Après une brève pause pour consulter ses feuilles, il
poursuivit :

— J'annonce que je soumettrai au comité exécutif
un projet de PPP. Cela permettra à la Ville de ramener le
coût du rehaussement de ses infrastructures à un maximum de dix milliards, comme je m'y suis engagé. Cela
représente une économie d'environ trente-cinq pour cent.
Il s'agit d'un projet clés en main. Par conséquent, tous
les éventuels dépassements de coûts seront aux frais de
l'entreprise contractante. Tout retard dans la livraison
des équipements entraînera des pénalités financières
pour l'entreprise… Pour ce qui est du financement, il
viendra de la tarification, selon le principe de l'utilisateur payeur.

— Vous transférez les coûts aux citoyens ! protesta
un des journalistes.

— Pas du tout. Les frais d'utilisation seront compensés par une réduction équivalente de la taxe municipale.

— Et où est-ce que la Ville va prendre son argent, si elle réduit les taxes ? Quand les coûts vont augmenter, elle va augmenter les taxes ?

— Il n'y aura pas de hausse des tarifs avant cinq ans.

— Il y a sûrement une attrape.

— Tous les documents seront rendus publics en temps et lieu. D'autres questions ?

— Vous n'avez pas mentionné le nom de la compagnie qui construira les infrastructures.

— AquaTotal Water Management.

Londres, 20 h 07

Hadrian Killmore n'aimait pas rendre des comptes, mais il n'avait pas le choix d'épargner la susceptibilité des membres du Cénacle. C'était la raison pour laquelle il tenait cette réunion d'information mensuelle pour les membres qui désiraient y assister.

La seule condition qu'il avait posée était d'exclure toute participation électronique. Le piratage constituait un risque trop important. Ceux qui voulaient être tenus au fait des derniers développements devaient se rendre à Londres, à St. Sebastian Place.

Par mesure de sécurité, ils étaient tous entrés par l'édifice situé à cent quatre-vingts mètres à la gauche de St. Sebastian Place. Dans l'ascenseur, ils avaient simplement glissé leur carte magnétique dans un lecteur de cartes ; la cabine les avait alors conduits à un souterrain, lequel débouchait, deux cents mètres plus loin, sur une petite salle où il y avait un autre ascenseur. Dans celui-là, il n'y avait aucun bouton correspondant aux étages ; simplement un lecteur de cartes. Ils avaient de nouveau glissé leur carte magnétique dans le lecteur ; l'ascenseur les avait alors amenés directement à la salle de la grande bibliothèque.

La réunion durait depuis une demi-heure. On en était à la période de questions.

— Et le Consortium ? demanda le directeur d'une des plus importantes pharmaceutiques de la planète. Où en êtes-vous ?

— Sa rationalisation est en bonne voie. Tout devrait être réglé d'ici trois mois.

— Y compris la prise en main des filiales ?

— Bien sûr.

— Est-ce que le nettoyage n'est pas un peu voyant ?

— C'est indispensable pour accréditer l'idée que toute l'affaire est une question de lutte de territoires entre différents groupes criminels.

— Et ce cher monsieur Fogg ? Comment pouvez-vous être sûr qu'il ne vous causera pas de difficultés ?... S'il est aussi brillant que vous nous l'avez toujours dit, il va bien se douter de quelque chose !

— Bien sûr. Mais tant qu'il pense que nous avons encore besoin de lui pour réaliser différentes opérations, il se croit en sécurité... Il suffit de l'entretenir assez longtemps dans cette illusion en multipliant les demandes spéciales. Au besoin, nous pouvons même lui faire miroiter une participation à notre grand projet.

La question suivante vint d'un dirigeant associé à l'industrie alimentaire.

— Je suis étonné que vous ayez lancé la phase 2 alors que la phase 1 commence à peine à produire ses effets. Est-ce que vous ne diluez pas l'impact des deux opérations ?

— C'est un risque, admit Killmore, même s'il n'en pensait rien. Mais ça permet aussi de créer des synergies. C'est pour cette raison que nous avons comprimé le calendrier. Quand nous allons déclencher la phase 4, l'impact de la phase 1 arrivera à peine à son sommet.

— Est-ce que ça signifie que nous aurons besoin plus rapidement de l'Arche et des installations de l'Archipel ?

— Par mesure de sécurité, j'ai fait accélérer les travaux. L'Archipel, par contre, ne sera pas entièrement fonctionnel avant quelques années. Il devrait atteindre sa forme définitive dans trois ans.

— Et financièrement ? fit une voix dans la dernière rangée de fauteuils.

La question provenait d'un représentant d'une des plus grandes banques d'affaires américaines. Une des rares qui avait vraiment profité de la crise… et des accommodements gouvernementaux.

— Comme vous avez pu le constater, répondit Killmore, les compagnies d'assurances que nous avons ciblées sont maintenant toutes en difficulté.

— Et les acquisitions ?

— Le responsable d'HomniCorp m'affirme que les opérations se déroulent selon le calendrier prévu.

— J'ai encore des réserves sur la décision de laisser un secteur privé aussi important en dehors du contrôle de nos entreprises.

— Il faut bien laisser aux différents groupes criminels de quoi établir leur utilité aux yeux de la population. Pendant la transition, ce sont eux qui vont être en première ligne pour gérer les réactions populaires. Il faut qu'ils aient les moyens de démontrer leur capacité à subvenir aux besoins de ceux qu'ils prennent sous leur aile.

Autant Killmore avait l'air convaincu, autant il doutait de la valeur de sa réponse. Les véritables motifs de cette décision tenaient au fait qu'il était impossible de tout contrôler – contrairement à ce que semblait croire Fogg – et que la transition serait probablement encore plus chaotique que tout ce qu'ils prévoyaient. Ce serait une répétition du scénario irakien, mais à l'échelle planétaire et sans force d'intervention pour tenter de contenir les excès. La véritable sécurité des Essentiels tiendrait surtout à l'isolement de l'Arche et à la solidité des structures de l'Archipel. Ce seraient des îlots de civilisation à travers le chaos. Si les groupes criminels parvenaient à maintenir un semblant d'ordre par la terreur à l'intérieur de certains périmètres, ce serait tant mieux, mais la planification ne comptait que sur un succès partiel de leur part. De vastes zones seraient plongées dans l'anarchie et la dévastation.

— Croyez-moi, reprit Killmore, tout a été pris en considération. Notre plan va épargner à la planète – et à l'humanité, bien sûr – une longue période d'agonie.

— Tant que vous ne substituez pas à l'agonie une exécution sommaire, répliqua le financier, sur un ton qui se voulait humoristique mais qui provoqua dans la salle des réactions mitigées.

PARIS, STUDIO DE FRIC.TV, 21 H 15

Sébastien d'Aupilhac en était à sa huitième entrevue de la journée. Tous les médias voulaient un avis sur les conséquences financières des explosions nucléaires aux deux pôles.

Après chacune des réponses de l'invité, l'animateur les reprenait, soi-disant pour les résumer, pour les mettre à la portée des auditeurs. La plupart des animateurs faisaient la même chose. Ça ne servait à rien de s'offusquer. C'était la règle fondamentale des entrevues : sous prétexte de se mettre dans la peau du spectateur « ordinaire », que l'on imaginait pratiquement « demeuré », les animateurs rivalisaient de questions triviales et de fausse naïveté.

Sauf que le présent animateur n'avait aucun effort à faire pour se mettre dans la peau du plus borné des spectateurs. Chacune de ses reformulations, qui commençait invariablement par une formule du genre « si je vous ai bien compris », ne réussissait qu'à pervertir ses réponses et à les rendre plus obscures.

— Donc, si je vous suis bien, le principal effet est psychologique. Cela n'aura pas d'effet sur les marchés financiers. Les Bourses ont pourtant très mal réagi…

— J'ai dit que l'effet le plus immédiat est l'impact psychologique des deux événements sur la population. Les investisseurs font partie de la population. Un impact psychologique se traduit donc dans les réactions des investisseurs… Et, par voie de conséquence, dans le comportement des Bourses.

— Je vois…

Au ton de sa voix, il était évident qu'il ne voyait rien du tout. Il était de plus en plus clair qu'il n'avait pas

besoin de simuler pour se mettre dans la peau de l'hypo-
thétique spectateur obtus.

— À plus long terme, poursuivit d'Aupilhac, il est
difficile d'évaluer l'impact réel de ces explosions sur
l'économie. Est-ce que cela va précipiter le climat dans
une période d'emballement – le fameux effet papillon –
au cours de laquelle l'évolution se ferait de façon non
linéaire ? Si c'est le cas, on ne peut même pas imaginer
ce que seront les conséquences.

— Donc, on ne peut pas savoir ce que cela va provoquer ?

— Pas avec certitude. Le principal risque, c'est que
le climat s'aggrave : des ouragans et des tornades, des
inondations à certains endroits, un refroidissement à
d'autres, de la désertification ailleurs, de vastes incendies
de forêt…

— Mais ça, on a déjà tout ça. Donc, fondamentalement,
il n'y aurait rien de changé. Ce serait simplement la
même chose en un peu plus intense !

D'Aupilhac fit un effort pour demeurer souriant.

— Si on veut. Mais en beaucoup plus intense. C'est
comme la différence entre un vent de vingt kilomètres à
l'heure et un autre de deux cent cinquante kilomètres à
l'heure. C'est la même chose : du vent. Mais en plus intense.

— Je vois…

PARIS, 21 H 26

Blunt, Chamane et Poitras étaient réunis dans le bureau
de Chamane. Ce dernier était le seul à manger de la
pizza. Poitras s'était limité à un café et Blunt à un thé.

— Qu'il y ait un lien entre les groupes terroristes, ça
me semble à peu près certain, dit Blunt. Au-delà de
quatre-vingt-dix-sept virgule six trois huit pour cent de
probabilité.

Il s'adressait à Poitras et à Chamane, mais toute la
conversation était captée par le logiciel de communication
téléphonique et transmise à Lévis.

— Ça implique une opération d'envergure planétaire, poursuivit Blunt. Nous sommes au-delà des opérations habituelles du Consortium. Le problème, c'est que je ne vois pas du tout où ça mène.

— Une opération pour faire monter le prix des céréales ? suggéra Poitras. Comme quand les pétrolières subventionnent l'agitation au Moyen-Orient pour faire monter le prix du pétrole… Ou comme la guerre en Irak : tout le monde dit que c'est un échec, mais le prix du pétrole n'a jamais été aussi haut que pendant la guerre. Et les pétrolières n'ont jamais gagné autant d'argent… Difficile d'avoir un échec plus réussi !

— Je pensais qu'ils voulaient surtout mettre la main sur le pétrole de l'Irak, dit Chamane entre deux bouchées.

— Ils voulaient faire d'une pierre deux coups : mettre la main sur de nouvelles sources d'approvisionnement et faire monter les prix.

— Pour les céréales, je peux comprendre, fit la voix de F en provenance de l'ordinateur. Même pour l'eau… Mais il y a beaucoup trop d'incidents au Québec pour l'ampleur des enjeux.

— Au Québec, une grande partie des événements implique directement ou indirectement Théberge, fit la voix de Dominique. Ça ressemble à une stratégie de harcèlement.

— Dans quel but ? demanda Poitras.

— Probablement pour le pousser à nous contacter… Parmi ceux qui ne se sont pas retirés, c'est celui qui est le plus visible et qui était le plus proche de l'Institut.

— Il faut le mettre à l'abri, répondit immédiatement Poitras.

— Il ne veut rien savoir, répondit Dominique. Je lui en ai parlé encore la semaine dernière.

— Et si c'était une diversion ? suggéra Blunt.

— Qu'est-ce qui servirait de diversion à quoi ? demanda F. Le terrorisme aux manœuvres des multinationales ? Le harcèlement de Théberge pour nous distraire du terrorisme ?… Personnellement, ce que j'ai le plus de difficulté à saisir, c'est pourquoi tout semble imbriqué.

— Chamane a découvert autre chose, fit Poitras. HomniFlow est actionnaire dans plusieurs fonds privés d'investissement qui sont en train d'acheter l'essentiel de l'industrie de l'eau. Autrement dit, par le biais de fonds privés, HomniFlow essaie de faire pour l'eau ce que HomniFood fait déjà pour les céréales.

— Ils vont mettre la main sur la planète au complet ! fit Chamane après avoir avalé sa dernière bouchée. Ils ont le droit de faire ça ?

— S'ils ont les moyens de payer, c'est légal, répondit Poitras, pince-sans-rire.

— C'est maintenant légal de financer le terrorisme ? ironisa Dominique.

— Le problème, c'est de prouver qu'ils ont des liens avec le terrorisme… Par contre, il y a une véritable épidémie « d'incidents » dans les compagnies auxquelles s'intéressent ces fonds : démissions surprises, accidents à des actionnaires, enquêtes fiscales dévastatrices, fraudes impliquant des hauts dirigeants, soupçons de collusion avec des concurrents pour gonfler les prix, rumeurs de toutes sortes, débauchage de chercheurs, mort et dispa-rition de personnel clé…

Dominique profita d'une pause de Poitras pour inter-venir.

— Avec tout ce que vous dites, il y a sûrement matière à enquête.

— Ça va prendre plus que des preuves circonstan-cielles, fit Blunt. Dans la plupart des pays du G20, HomniFood a un statut d'entreprise stratégique : on compte sur ses recherches pour éviter la famine.

— Elle n'est quand même pas au-dessus des lois !

— HomniFood a mis en circulation des rumeurs comme quoi elle allait être victime de calomnies, fit Chamane. Ça dit que les calomnies seraient répandues par les terroristes pour empêcher ses travaux d'aboutir. Parce que sans antidote, et sans céréales résistantes au cham-pignon tueur, la famine va faire beaucoup plus de victimes.

— Autrement dit, on ne peut rien faire.

— Disons que ça va prendre des preuves solides.

MONTRÉAL, 18 H 31

En entrant chez Margot, Théberge salua Little Ben, qui était assis à une table près de l'entrée. Puis il aperçut les journalistes et les représentants des médias électroniques : ils étaient sept, répartis autour de deux tables, assis devant un café. Ils avaient tous arrêté de parler pour l'observer.

Après une hésitation, Théberge se dirigea vers sa table habituelle, au fond du restaurant. Des habitués occupaient les tables avoisinantes et formaient une sorte d'écran entre lui et les représentants des médias.

Margot lui apporta un espresso sans qu'il ait à le demander. Sur la tasse, il y avait le nom du café : Chez Margot.

— Ils sont là depuis quand ? demanda Théberge.

— C'est à cause de la photo dans le journal.

— Qu'est-ce qu'ils font ?

— Au début, ils ont posé deux ou trois questions aux clients. Maintenant, ils se contentent d'étirer leur café.

— Et Little Ben ? Il me semble que ce n'est pas son heure…

— On a eu des curieux. Il y en a qui partaient avec des menus, des tasses, des ustensiles… J'ai demandé à Little Ben de venir.

— Qu'est-ce qu'il a fait ? demanda Théberge en souriant.

— Rien… Mais maintenant, c'est plus tranquille.

— Comment les habitués trouvent ça ?

— Pour le moment, ça va. Ça fait de la distraction. Mais si ça dure…

Quand Margot fut partie, Théberge vida son espresso d'une gorgée, se leva et se dirigea vers les représentants des médias, qui regardaient tous dans sa direction.

— Messieurs, dit-il, j'ai une déclaration à faire.

Les micros et les enregistreuses apparurent comme par magie dans leurs mains.

— Comme j'ai l'insigne chance de compter Margot et son mari Léopold au nombre de mes amis, comme il est hautement déplorable d'importuner ses amis, comme ma présence en ces lieux attire un amoncellement variable mais également importun de représentants des médias, j'ai décidé de ne plus remettre les pieds dans ce café. Par conséquent, il sera désormais inutile de venir m'y traquer. Sur ce, considérez-vous comme salués.

Théberge se dirigea alors vers la porte et sortit sans se préoccuper des questions qui fusaient derrière lui.

Xian, 10 h 21

Hurt visitait le site de l'armée de l'empereur Qing en compagnie de Wang Li. Un immense édifice avait été construit par-dessus le site des fouilles, à la fois pour le protéger des intempéries et pour permettre la visite des lieux aux touristes.

Pour l'instant, l'endroit était désert. Seul un guide les suivait, une dizaine de mètres derrière eux, pour le cas où ils auraient besoin de ses services. Wang Li avait certainement dû utiliser une bonne quantité de *guanshi* pour obtenir cette visite privée, en dehors des heures normales d'ouverture.

— Ils ont cessé de déterrer les statues, dit Wang Li. Les pigments colorés se dégradent en quelques heures au contact de l'air.

Dans les fosses, des centaines de soldats, d'archers et d'officiers s'alignaient en ordre de bataille, avec leurs chevaux et leurs chars, le tout grandeur nature. Dans d'autres fosses, on avait laissé les fragments pêle-mêle, dans l'état où on les avait trouvés, pour donner une idée du travail qu'il avait fallu pour reconstituer chacune des statues.

Hurt avait beau être impatient de retourner à Londres, il ne pouvait qu'être impressionné : toutes les statues avaient des traits individualisés ; dans leur diversité, elles représentaient à la fois les différents peuples de la Chine ainsi que tous les métiers et tous les grades de l'armée chinoise.

— Il en reste beaucoup ? demanda Hurt.

— À déterrer ? Au moins trois ou quatre fois plus. Sans compter le mausolée lui-même.

La légende voulait que l'empereur Qing, en plus de faire reconstituer son armée autour de son tombeau, avait également fait réaliser une reproduction de l'univers connu de l'époque, avec la Chine au centre et des lacs de mercure pour représenter les mers.

— Je pensais que c'était une légende, fit Hurt.

— Ils ont effectué des tests et ils ont trouvé d'importantes traces de mercure. Mais ils ne sont pas prêts à creuser.

Hurt le regarda, intrigué.

— C'est comme pour les statues qui restent. Ils attendent d'avoir mis au point une technique d'excavation sous vide.

— Ça peut prendre des dizaines d'années !

— Peut-être un siècle ou deux. Pour l'instant, le gouvernement a d'autres priorités…

— Mais…

— C'est là depuis des millénaires. Et la terre, c'est encore la meilleure protection.

— Est-ce qu'ils ont des preuves que le mausolée est vraiment là où ils pensent ? Ça pourrait être seulement une légende.

— C'est ce qu'on a longtemps cru. Pour les statues aussi, d'ailleurs. Mais, à mesure qu'on creuse, les éléments des légendes se vérifient les uns après les autres.

Après avoir fait le tour de la galerie qui entourait le site lui-même, Wang Li fit signe au guide, qui continuait de les suivre.

Ce dernier se dépêcha de les rejoindre et leur désigna un endroit près de l'entrée.

— On va maintenant aller sur le site lui-même, déclara Wang Li.

Puis, se tournant vers le guide :

— Je vous présente le docteur Hu. C'est un des principaux archéologues qui travaille sur le site. Il va vous expliquer en détail la façon dont les fouilles ont été menées et il se fera un plaisir de répondre à toutes vos questions.

La visite dura près de trois heures et fut ponctuée d'une foule de questions de la part de Sweet, qui s'intéressait particulièrement aux techniques de métallurgie et de forge employées à l'époque.

Aux premières questions, Li et l'archéologue regardèrent Hurt avec étonnement. Ils ne s'attendaient visiblement pas à des questions aussi précises sur la proportion des métaux utilisés dans les alliages, sur la construction des foyers et sur les techniques de refroidissement.

Une fois la surprise passée, l'archéologue s'anima, manifestement enchanté de pouvoir partager ses connaissances et, ce faisant, d'expliquer tout ce que la Chine apportait déjà à la civilisation, à cette époque.

Hurt, quant à lui, était heureux de laisser toute la place à Sweet. Non seulement ça le dispensait d'entretenir la conversation, mais les questions de Sweet renforçaient la crédibilité de son personnage d'homme d'affaires doublé d'un archéologue amateur passionné par la Chine ancienne.

AFP, 23 H 34

> … S'EFFORCE TANT BIEN QUE MAL DE CONTRER LA PANIQUE QUI S'EST RÉPANDUE DANS LA POPULATION. ON ENREGISTRE DÉJÀ DES CENTAINES DE MORTS. LES CENTRES-VILLES SONT EN PROIE AU PILLAGE. DES MILLIONS DE PERSONNES DÉFERLENT SUR LES ROUTES POUR FUIR LE TSUNAMI. LES DÉMENTIS ET LES APPELS AU CALME DES AUTORITÉS ONT EU PEU D'EFFET CONTRE LA RUMEUR QU'UN GIGANTESQUE TSUNAMI, PROVOQUÉ PAR LES EXPLOSIONS NUCLÉAIRES DANS L'ANTARCTIQUE, SERAIT SUR LE POINT DE BALAYER LES CÔTES DU PAYS. L'ARMÉE, APPELÉE EN RENFORT…

XIAN, 14 H 08

— Vous êtes plein de surprises, fit Wang Li en le reconduisant à son hôtel.

— *Pour un barbare qui a seulement quatre ou cinq siècles de civilisation derrière lui, vous voulez dire?* répliqua Sharp.

Wang Li se permit de rire franchement. Il était maintenant habitué aux changements de voix de Hurt.

— La capacité de durer est le critère le plus important dans l'évaluation des civilisations, répondit-il. À quoi bon toutes les autres qualités, si c'est pour disparaître ?

— Les problèmes de survie sont maintenant planétaires. Si toute la nourriture disparaît et que le climat rend la terre inhabitable…

— Supposons que quatre-vingt-dix pour cent de l'humanité disparaisse. Supposons que ce soit pire en Chine et que quatre-vingt-quinze pour cent de mes compatriotes meurent : il en restera encore plus de soixante millions… Combien restera-t-il d'Américains ? de Français ? d'Anglais ?… Il y a également une question de culture. Je vous ai dit l'autre jour que je vous parlerais de notre représentation des quatre cavaliers de l'Apocalypse…

— *Vous croyez que la Chine a un avantage sur les autres civilisations pour les affronter ?*

— Pas pour les affronter : pour les utiliser.

Hurt lui jeta un regard à la fois interrogateur et sceptique.

— Je vais m'efforcer d'être bref, fit Wang Li.

Ce genre d'entrée en matière était généralement de mauvais augure, songea Hurt.

— Dans notre civilisation, il n'y a pas de référence comme telle aux quatre cavaliers de l'Apocalypse, commença Wang Li. Mais les dragons de terre, d'eau, d'air et de feu peuvent en tenir lieu. Disons qu'ils représentent les quatre fonctions de base de l'être humain : manger, boire, respirer et se tenir au chaud. Les céréales, l'eau, l'air et la chaleur du feu… Les dragons ont toujours trois têtes : deux négatives, qui symbolisent l'excès et le manque, et une positive, qui symbolise l'équilibre entre les deux. On peut mourir de faim ou d'avoir trop mangé de quelque chose… soit un poison, soit trop de nourriture en général… On peut mourir de soif ou se noyer. Mourir de froid ou être brûlé…

— *Ça va, j'ai compris l'idée*, s'impatienta Sharp.

— Le côté positif, lui, résulte de l'équilibre entre les deux côtés négatifs. Et, pour maintenir cet équilibre, il faut un cinquième élément.

— *L'amour*, ironisa Sharp.

— Pas ce cinquième élément-là, fit Wang Li en souriant. Même si j'ai beaucoup apprécié le film. Je parle du dragon de métal.

— Et que fait le dragon de métal ?

— C'est pour cette raison qu'en Chine il y a cinq points cardinaux, cinq éléments… Le cinquième point cardinal est le centre. Le milieu… La Chine est l'empire du milieu parce qu'elle se tient au centre du monde, mais surtout parce qu'elle a un milieu qui la fait tenir ensemble… Au centre de la Chine, il y a le dragon de métal, qui voit à l'harmonie des quatre autres dragons…

— *Et votre dragon de métal, je suppose que c'est le Parti communiste chinois…*

— Exactement !… Autrefois, c'était l'empereur. Il y a eu Qing… Il y a eu Mao, qui n'était au fond qu'un empereur de type apparatchik… C'est toujours le métal des armes qui a assuré l'équilibre entre les quatre autres dragons. Seul le plus fort des dragons peut réaliser l'harmonie entre les dragons… Si le parti disparaissait, les Chinois inventeraient un autre centre. Un autre dragon de métal. C'est une question de survie… C'est pour cette raison que je vous disais tout à l'heure que ce n'est pas seulement une question de nombre, mais aussi de civilisation. Instinctivement, les Chinois savent qu'ils ont besoin d'un centre pour assurer leur survie, qu'ils ont besoin du cinquième dragon… Ce qu'ils attendent du Parti communiste chinois, c'est d'assurer l'accès à la nourriture, à l'eau, de lutter contre la pollution de l'air et de s'assurer que les gens sont à l'abri des intempéries… Dans une époque de survie, c'est déjà beaucoup.

Hurt regardait Wang Li avec un sourire amusé.

— C'est très habile, dit-il. Il y a un seul problème : dans la cosmologie chinoise, c'est le feu qui est au centre.

— Alors, disons que c'est le feu des armes. Que c'est maintenant au tour du métal d'être au centre.

— Et le bois est l'un des cinq éléments…

Wang Li éclata de rire.

— De toute façon, le rôle d'une mythologie est d'évoluer pour prendre en charge les nouveaux problèmes qui se posent et les intégrer dans les explications existantes… Le changement dans la continuité.

Wang Li arrêta la voiture devant l'entrée de l'hôtel.

— Demain, dit-il, nous ferons le tour de la vieille ville à pied. Je vous amènerai voir la Grande mosquée. Nous en profiterons pour aller au bazar dans le quartier musulman.

— Une mosquée ? Dans un quartier musulman ?

— La Chine est une mosaïque…

— *Une mosaïque avec un pouvoir central fort !*

— C'est ce qui lui permet d'être une mosaïque… Le vrai pouvoir central n'est pas seulement au centre : il est sous chacune des pierres. Il n'est pas seulement le milieu : il est un milieu. C'est le ciment qui tient tout ensemble… C'est cela, le *guanshi*. Le vrai danger pour la Chine, c'est ce qui menace la circulation de ce pouvoir. C'est l'individualisme occidental… En Occident, c'est ce que vous essayez de reproduire avec les médias : un tissu dans lequel les individus peuvent s'insérer et qui encadre leur pensée, leurs actions… Et à la place de l'empereur, ou d'un comité central, vous avez un réseau de vedettes. Vedettes du cinéma, de la finance, de la politique… Ici, tout le monde discute du parti, des intrigues qui s'y jouent. En Occident, tout le monde parle des mêmes émissions de télé, des mêmes scandales, des mêmes intrigues… Quand vous parlez de politique ou de finances, c'est comme quand vous parlez des films et des émissions de télé !

— Vous aussi, non ?

— Oui. Il se peut que la Chine soit en train de faire la transition entre l'harmonisation par le *guanshi* et la normalisation par les médias… Mais je pense que les deux vont se superposer assez longtemps encore.

Dans l'ascenseur menant à sa chambre, Hurt se demandait jusqu'à quel point Wang Li croyait à ce tissu de mythologie accommodée à la sauce moderne.

Une chose était certaine : s'il avait raison, et que cet étrange récit traduisait de façon imagée les convictions profondes du peuple chinois, il était compréhensible que les manifestations d'individualisme soient aussi fortement réprimées et les droits des individus aussi encadrés. Dans une telle conception du monde, il y allait de l'existence même de la collectivité.

Et si le test ultime des civilisations était la durée, comme le disait Wang Li, il était difficile d'éviter d'appliquer ce test à l'Occident : que resterait-il de l'Occident dans deux mille ans ?... ou seulement dans deux cents ans ?

Détruire le pouvoir politique est assez simple, l'image des politiciens et des gouvernements étant déjà passablement dégradée dans l'esprit de la population. Or, l'État ne peut pas se maintenir sans la confiance des gens. Il faut donc capitaliser sur cette image négative et l'amplifier.

Pour achever la destruction de la crédibilité des États, il faut rendre manifeste leur incapacité à pourvoir aux besoins essentiels des gens : leur assurer qu'ils vont boire et manger convenablement, garantir leur sécurité, leur laisser croire que les choses peuvent s'améliorer.

Guru Gizmo Gaïa, *L'Humanité émergente*, 3- Le Projet Apocalypse.

JOUR - 7

DUBAÏ, 10 H 01

Les représentants européens furent les derniers à arriver. Les Américains et les Asiatiques étaient arrivés la veille, à la fois par commodité et pour profiter des installations du nouveau complexe résidentiel et hôtelier. L'hôtel était érigé à un kilomètre au large de la côte, sur un atoll artificiel qui avait la forme du caractère chinois de la prospérité. La réunion se tenait dans une immense salle circulaire surélevée dont le pourtour vitré offrait une vue sur l'ensemble de l'atoll.

Ils étaient dix-sept autour de la table. Quatorze hommes et trois femmes. Ils représentaient une grande partie du pouvoir médiatique mondial. C'était la réunion de fondation de White Noise. Jessyca Hunter présidait la rencontre.

Des contacts préparatoires avaient eu lieu depuis près d'un an pour expliquer à chacun ce que serait White Noise, à quel projet global la filiale était intégrée ainsi que les avantages personnels que tirerait chacun des membres de sa participation au groupe.

Chaque participant avait dû offrir des garanties de son engagement et de sa loyauté. Les garanties variaient selon les individus et leurs vulnérabilités particulières. Pour certains, il s'agissait de leur réputation – qui serait détruite si certains actes passés venaient à être connus ; pour d'autres, cela concernait la sécurité de leurs proches ; pour d'autres encore, c'était une possible ruine…

En contrepartie, ils se voyaient intégrés au deuxième cercle de l'Alliance. Sans être informés des détails, ils connaissaient l'existence du projet Archipel, ces lieux disséminés sur l'ensemble de la planète qui serviraient de refuge à l'élite mondiale, une fois l'apocalypse sérieusement amorcée.

— Messieurs, déclara Hunter, la première phase est maintenant en marche partout sur la planète. Votre tâche consiste désormais à marteler le discours sur la pénurie de manière à dissoudre les oppositions idéologiques et à permettre aux gouvernements de suspendre les lois qui entravent la recherche et la commercialisation des produits agricoles génétiquement modifiés.

Des murmures d'acquiescement se firent entendre.

— Pour ce qui est de la deuxième phase, reprit Hunter, elle vient de s'amorcer. Il faut que votre information se concentre sur la démolition de trois convictions profondément enracinées dans les populations :

- l'eau est inépuisable ;
- l'eau appartient à ceux chez qui elle se trouve ;
- l'eau est un produit différent des autres et elle ne peut pas être confiée au libre jeu du marché.

Les dix-sept membres se mirent rapidement d'accord : l'offensive commencerait dans les quarante-huit heures. Hunter leur laissa ensuite quelques minutes pour contacter leurs organisations respectives et transmettre leurs instructions, après quoi ils se rendirent à la salle à manger. Cette dernière était enclose dans une immense bulle de verre qui flottait à la surface de l'océan. Un couloir de verre était son seul lien avec l'atoll.

Une fois les convives assis, la bulle s'enfonça lentement dans l'océan et s'immobilisa à une dizaine de mètres sous l'eau.

— C'est un avant-goût de ce qui attend la planète, fit Killmore. Il se peut qu'avec la montée des océans et la violence accrue des événements climatiques, l'eau devienne pour l'humanité le plus sûr des refuges.

Fécamp, 13 h 08

Grâce aux caméras fixées à l'équipement des hommes-grenouilles, monsieur Claude pouvait suivre leur progression en direct. Un ex-collègue des services spéciaux lui avait « prêté » un commando de six hommes. En raison de services passés, avait-il dit. Et aussi parce qu'il était intéressé à savoir qui avait bien pu construire ce genre d'installation sans attirer l'attention.

Ils découvrirent la base sous-marine à une centaine de mètres de l'endroit où Kim était morte ; un des boyaux de plastique menait directement au bâtiment principal. Des constructions plus petites y étaient rattachées au moyen d'autres boyaux transparents fixés au fond de l'océan.

— J'ai trouvé un sas, fit la voix du chef du commando.

La découverte du sas était à la fois une bonne et une mauvaise nouvelle, songea monsieur Claude. Une bonne nouvelle dans la mesure où il y aurait moyen d'accéder au complexe sous-marin sans avoir à l'inonder. Une mauvaise parce qu'il y avait toutes les chances que les occupants se soient enfuis.

— Vous pouvez entrer ? demanda-t-il.

— Normalement, ça s'ouvre avec un signal électronique. Mais il y a souvent une commande manuelle à l'extérieur pour les urgences.

Quatre minutes plus tard, le commando entrait dans la base sous-marine. Pour explorer les lieux, il se divisa en trois groupes de deux.

L'exploration systématique du bâtiment principal se déroula sans la moindre surprise : il n'y avait personne.

Deux groupes empruntèrent les boyaux menant aux bâtiments secondaires pendant que les deux hommes restants les attendaient dans ce qui semblait être la salle de contrôle du bâtiment central.

Une demi-heure plus tard, le bilan était négatif : il n'y avait personne dans tout le complexe sous-marin. Personne à l'exception du cadavre de Kim.

Une moitié du commando retourna par le sas ; l'autre récupéra le corps de Kim et remonta par l'escalier qui menait à la petite maison.

LCN, 8 h 02

> … CONTRE LA DÉGRADATION ALARMANTE DE LA QUALITÉ DE L'EAU. LE CHEF DU PARTI AUTHENTIQUE UNIFIÉ DU VRAI QUÉBEC, MAXIM L'HÉGO, A DÉCLARÉ QUE LES POLITIQUES IRRESPONSABLES DU GOUVERNEMENT ÉTAIENT LA VÉRITABLE CAUSE DE CETTE DÉGRADATION. IL A ACCUSÉ LE PREMIER MINISTRE DE SE CACHER DERRIÈRE LA CRISE MONDIALE ET LE TERRORISME POUR ÉVITER DE RÉPONDRE À LA POPULATION DES EFFETS DÉSASTREUX DE…

Longueuil, 8 h 11

Victor Prose avait cessé de parcourir les journaux pour regarder l'écran de son ordinateur. En image fixe, on apercevait une femme d'une cinquantaine d'années, derrière un bar, en conversation avec une jeune femme en tenue peu habillée.

Une voix d'animateur commentait l'image en s'efforçant de contenir ses réactions personnelles.

> … LA FEMME DE L'INSPECTEUR-CHEF THÉBERGE ! DERRIÈRE LE BAR DU PALACE !… CETTE PHOTO A ÉTÉ PUBLIÉE CE MATIN DANS L'*HEX-PRESSE*. L'AUTEUR DE L'ARTICLE EXPLIQUE QU'IL A SUIVI LA FEMME DU POLICIER DANS CE CLUB, QU'ELLE Y EST DEMEURÉE PLUS DE DEUX HEURES, QU'ELLE SEMBLAIT CONNAÎTRE TOUTES LES DANSEUSES ET LEUR IMPOSER UN CERTAIN RESPECT.

Le nom du club disait quelque chose à Prose. Il amorça une recherche sur le site de l'*HEX-Presse*, trouva l'article et entreprit de le lire pendant qu'il continuait d'écouter d'une oreille distraite les commentaires de l'animateur.

> La présence de la femme d'un policier dans ces lieux soulève plusieurs questions, à commencer par celui de son rôle. Dirige-t-elle le club? Si oui, pour le compte de qui?... Pour son mari? Pour un groupe de policiers?... Et si les policiers contrôlent un bar de danseuses au centre-ville, en contrôlent-ils d'autres?... Quel type de réseau opère dans ce lieu?... Telles sont quelques-unes des questions que soulève notre collègue Cabana...

C'était habile, songea Prose. L'animateur ne posait pas lui-même les questions: il rappelait celles que posait Cabana comme s'il relatait des faits. Cela leur donnait une apparence d'objectivité, de solidité: c'étaient des questions qui se posaient. Techniquement, il demeurait objectif. Il laissait les spectateurs s'interroger sur la nature de ces éventuels réseaux: « escortes »? danseuses? drogue? prostitution?

Prose entra « Palace » et « bar » dans le moteur Google. Une seconde plus tard, son ordinateur l'informait que des dizaines de milliers de liens Internet étaient susceptibles de contenir des informations qui l'intéressaient.

> Et si le club n'appartient pas à des policiers, est-il opéré par le crime organisé? Si c'est le cas, la présence de la femme de l'inspecteur-chef Théberge sur les lieux est encore plus troublante... Le crime organisé paie-t-il des policiers pour qu'ils ferment les yeux? L'épouse de l'inspecteur-chef Théberge sert-elle de courrier pour recueillir les pots-de-vin?... Ce soir, sur les ondes de HEX-TV, notre collègue Cabana, de l'*HEX-Presse*, approfondit ces questions...

Une demi-heure plus tard, Prose avait fait le tour des principaux médias. Et il était toujours aussi perplexe. L'endroit appartenait ou, du moins, avait appartenu à un ex-policier... et il profitait de l'appui de plusieurs organisations vouées à la protection des danseuses et des prostituées.

Le club avait la réputation d'être « propre ». Les vendeurs de drogue n'y étaient pas tolérés et les motards n'y avaient pas d'influence – ce qui s'expliquait, si c'était une chasse gardée des policiers.

Un sourire apparut sur ses lèvres. Il serait intéressant de voir de quelle façon le bouillant policier réagirait aux questions des journalistes sur le rôle de son épouse.

Montréal, 8 h 44

L'inspecteur-chef Théberge marchait de long en large dans son bureau, s'arrêtant occasionnellement pour prendre une gorgée dans la tasse de café qu'il avait posée sur la petite table de travail. Crépeau était assis sur la chaise berçante près de la fenêtre.

— Ils étaient au moins une vingtaine qui m'attendaient quand je suis sorti de la maison ! Trois caméras de télé !

— Le bon côté de la chose, c'est que le PM va probablement te laisser prendre ta retraite…

— Et il va avoir le chemin libre pour nommer tous les bureaucrates qu'il veut !

Théberge arrêta de tourner en rond pour prendre une autre gorgée de café, puis il regarda la tasse, vide, et la posa avec dépit sur la table.

— Comment ta femme prend ça ? demanda Crépeau.

— Elle est catastrophée.

— Je comprends.

— Pas pour elle : à cause du Palace. Si les médias s'intéressent au club, plus une fille ne va vouloir y aller : elles vont avoir trop peur que ça se sache… C'est des années de travail à l'eau. Il va falloir que les associations se trouvent un local ailleurs.

Théberge se prépara un autre espresso.

— Tu es rendu à combien ? demanda Crépeau.

— Trop… C'est un cognac qu'il me faudrait.

— Pourtant, ta pression a l'air assez haute…

Théberge prit sa tasse sous la cafetière et sirota précautionneusement une première gorgée, comme s'il avait peur de se brûler.

— Les sombres… Les sombres…

Il semblait incapable de trouver un terme susceptible d'englober tout ce qu'il leur reprochait.

Le téléphone sonna. Après un moment, Crépeau saisit le combiné et le tendit à Théberge, qui hésita avant de le prendre.

— Oui ?

— Ici Morne.

— Vous voulez participer à la curée ?

— J'imagine que votre situation n'est pas très confortable. Avec ce qui est à la une des médias…

— Si c'est pour me dire ça que vous m'appelez !

— C'est le PM qui m'a demandé de le faire. Je l'ai dissuadé de réagir trop rapidement. Je lui ai dit que vous aviez certainement une explication.

— Comme c'est gentil à vous !

— Il tient à savoir le plus rapidement possible ce qu'il en est. Et, surtout, ce que vous allez déclarer aux médias… Il s'attend à une explication convaincante pour le public.

— Je ne vois pas pour quelle raison je parlerais aux médias au nom de mon épouse.

— Est-ce que vous vous rendez compte que vous êtes impliqué, que vous le vouliez ou non ?

— Et vous, vous vous rendez compte que je ne peux plus travailler dans ces conditions ?

— C'est bien pour ça qu'il faut que vous réagissiez.

— Je ne suis pas sûr que le PM apprécierait les réactions qui me viennent à l'esprit.

— Je sais, ce n'est pas facile… Il vous faudrait un *spin doctor*. Quelqu'un qui comprend les médias et qui sait leur donner ce qu'ils veulent. Il pourrait les amener à présenter les choses autrement.

Théberge resta un moment silencieux.

— D'accord, dit-il après un long silence. Dès que j'aurai décidé de ma réaction, je vous appelle.

Il raccrocha sans attendre la réponse de Morne.

— Un *spin* docteur ! dit-il. Donner aux médias ce qu'ils veulent !

— On pourrait aussi démissionner tous les deux, fit Crépeau.

— Ce n'est peut-être pas une mauvaise idée. On en aurait fini avec les magouilles politiques et la pression

des médias… On aurait du temps pour aller à la pêche…
expérimenter de nouvelles recettes…

— Mais ils vont nommer qui ils veulent pour nous
remplacer. Le service va prendre des années à s'en remettre.

Théberge resta songeur un moment. Puis son visage
s'éclaira.

— Pas nécessairement, dit-il.

— À quoi tu penses ?

— On va les faire « spinner » !

Paris, 16 h 35

Blunt avait passé plusieurs heures avec Chamane pour
revoir avec lui ce qu'il avait trouvé sur HomniFood,
HomniFlow et les compagnies qui y étaient reliées. Ils
en étaient à effectuer une recherche par mots clés dans
la banque de courriels d'HomniFood quand, subitement,
tous les dossiers disparurent de la table et un message
s'afficha.

> Vous n'avez pas les autorisations pour accéder
> à ces dossiers.

Chamane se précipita sur un des portables qui se trouvait sur son bureau et il tapa rapidement les instructions
pour lancer le programme « OverRun ». Le même message
s'afficha.

> Vous n'avez pas les autorisations pour accéder
> à ces dossiers.

Il enleva rapidement la batterie de son portable, puis
il se rendit derrière le bureau et activa la manette fixée
au mur. Tous les appareils électroniques s'éteignirent
d'un coup.

L'instant d'après, il avait ouvert son iPhone. Blunt,
qui l'avait rarement vu aussi préoccupé, se contenta de
l'observer pendant qu'il entrait de nombreuses séquences
de chiffres entrecoupées de brèves périodes d'immobilité.

À la fin, Chamane prononça une courte phrase :

— Activer réseau 2.

Puis il referma son portable et se tourna vers Blunt.

— C'est la guerre, *man* !

— Une attaque ?

— Qu'est-ce que tu penses ?… Il va falloir que j'examine tous les appareils un par un pour voir l'ampleur des dégâts.

— Je pensais que le système était complètement protégé.

— Tu peux jamais être triple condom sur tout, répliqua Chamane en rangeant son iPhone.

Il ouvrit son ordinateur portable, changea le disque dur, remit la batterie et le fit redémarrer.

— Mais je peux te dire que c'était pas un piratage ordinaire.

Il semblait partagé entre l'inquiétude et l'admiration.

LÉVIS, 10 H 37

Dominique surfait sur Internet, à la recherche d'articles qui lui semblaient pertinents sur les groupes écoterroristes. Alors que les Enfants de la Terre brûlée avaient pratiquement cessé de faire parler d'eux, les Enfants du Déluge multipliaient les attentats : contamination de réservoirs d'eau potable de grandes villes européennes, sabotage d'usines de désalinisation en Afrique et au Moyen-Orient, *stunt* publicitaire à New York avec l'homme gelé à l'intérieur d'un bloc de glace… sans parler des explosions aux deux pôles et de l'attentat de Las Vegas.

À la radio, que Dominique écoutait d'une oreille distraite, la présentatrice parlait, elle aussi, de l'eau.

… C'EST AUJOURD'HUI QUE L'ONU AMORCE LE DÉBAT SUR LA RECONNAISSANCE DE L'EAU COMME PATRIMOINE COMMUN DE L'HUMANITÉ. LA MOTION, PARRAINÉE PAR LES ÉTATS-UNIS, DEVRAIT RECEVOIR L'APPROBATION DE LA PLUPART DES PAYS EN DÉVELOPPEMENT. LA POSITION DU CANADA, DIRECTEMENT CONCERNÉ PAR LA PROPOSITION, N'EST PAS ENCORE OFFICIELLEMENT CONNUE, MAIS IL APPARAÎT DOUTEUX QUE LE PAYS PUISSE FAIRE CAVALIER SEUL ET…

Au moment où Dominique allongeait le bras pour diminuer le volume de la radio, son ordinateur s'éteignit. Une dizaine de secondes plus tard, il redémarrait. Il fallut plus d'une minute avant qu'un message apparaisse à l'écran.

> Vous travaillez maintenant sur le réseau de relève. Pour des raisons de sécurité, tous les modules, y compris le vôtre, ont été placés en isolement préventif de manière à éviter toute infiltration.

C'était la première fois qu'une telle chose se produisait. Dominique se leva immédiatement pour aller prévenir F.

GUERNESEY, 10 H 41

La fenêtre occupait près des deux tiers de l'immense écran mural. Norm/A y observait en continu la prise de contrôle de l'ordinateur qu'elle était en train de pirater. Plus de la moitié du travail était achevée. Le reste était une simple question de temps.

Quelques tentatives pour entraver la prise de contrôle avaient rapidement été repoussées. Une fois de plus, son adversaire n'était pas de taille. Le temps qu'il essaie tous les protocoles habituels, elle serait totalement maître de son ordinateur. Il ne pouvait plus rien faire. Ça lui apprendrait à essayer de pirater un de ses sites.

Subitement, la fenêtre s'obscurcit. La communication était interrompue… Norm/A révisa son opinion. Finalement, il n'était peut-être pas si bête que ça.

La seule explication, c'était qu'il avait tout débranché. Et si c'était le cas, ça voulait dire : un, qu'il avait de bons réflexes, qu'il était capable de réagir rapidement en cas de danger ; deux, que son système était probablement configuré pour supporter ce genre de coupure brutale d'alimentation sans que ça provoque trop de dégâts.

Il s'agissait maintenant de voir s'il résisterait à la tentation d'activer de nouveau son système. Même sans le mettre en ligne. Parce que, s'il le faisait, le programme qu'elle y avait infiltré poursuivrait son travail. Et, quand la prise de contrôle serait achevée, il se mettrait lui-même en ligne de façon dissimulée à la première occasion.

Il ne restait plus qu'à attendre. Lorsque ce serait terminé, elle pourrait sans doute en apprendre davantage sur cet adversaire, qui s'avérait tout à coup plus intéressant que prévu.

MONTRÉAL, 10 H 48

Théberge regarda son ordinateur portable avec perplexité. Le message qu'il avait envoyé à Dominique au moyen du logiciel de communication téléphonique n'avait reçu aucune réponse. Même pas l'habituel « votre message a été reçu et transmis à la personne concernée ».

Bizarre…

Théberge voulait discuter avec Dominique du battage médiatique au sujet de son épouse. Car plus il y pensait, plus il était persuadé que c'était lié au reste. À travers elle, c'était lui qu'on attaquait. Ce qui posait une série d'autres problèmes. Ces attaques étaient-elles liées aux attentats terroristes ? Si oui, y avait-il une cellule terroriste implantée à Montréal ? Et si tel était le cas, pour quelle raison les terroristes revendiquaient-ils seulement certains des crimes et non pas tous ceux dont ils étaient responsables ?

Il procéda à un nouvel appel. Qui sait, il avait peut-être tapé un mauvais caractère.

Même résultat.

Théberge referma son portable avec un sentiment de malaise. Pourvu que rien de grave ne se soit produit à l'Institut.

LONGUEUIL, 11 H 02

Victor Prose ferma le texte qui expliquait la destruction des nappes phréatiques par l'élevage du porc. C'était à se demander si le fonctionnement normal du système n'était pas plus dangereux que l'action réunie de tous les groupes écoterroristes ! songea-t-il.

Il eut ensuite une brève pensée pour les deux sand-wiches au jambon qu'il venait de terminer en guise de petit déjeuner tardif. Puis il songea que les excès de production n'étaient pas liés à la consommation locale, mais à l'exportation massive vers la Chine... à ça et au choix politique de mousser cette production sans se donner la peine d'imposer partout le traitement du lisier au moyen de méthodes moins polluantes. Cela lui permit de se sentir un peu moins personnellement responsable.

Il ouvrit le dossier « Enfants du Déluge », dans lequel il avait recueilli toutes les manchettes des médias les concernant. Il était clair que le groupe avait une stratégie mondiale. Ils avaient fait parvenir un communiqué de presse similaire dans vingt-deux pays.

Chacun de leur communiqué avait été précédé par le sabotage des réserves d'eau d'une ville importante du pays. Après avoir revendiqué la responsabilité de cette « intervention citoyenne de responsabilité planétaire », ils posaient leurs exigences pour éviter de nouvelles attaques : instauration de quotas et du principe de l'utili-sateur payeur ; fermeture des industries les plus polluantes ; imposition d'une taxe sur l'eau pour venir en aide aux populations de la planète privées d'eau potable.

En fait, le groupe semblait avoir deux stratégies. Une de revendication, par laquelle il réclamait des modifi-cations des pratiques susceptibles d'améliorer la situation ; et une autre d'intimidation, par laquelle il posait des actes terroristes susceptibles de frapper l'imagination populaire. Les attaques nucléaires contre les pôles en étaient un exemple.

Entre les deux stratégies, il y avait incompatibilité : à quoi servait de revendiquer un redressement des pratiques écologiques si, du même souffle, ils causaient des torts irréversibles à l'environnement ?... Et que venait faire dans tout ça l'exigence pour le moins radicale d'un arrêt complet du trafic maritime mondial ?

Prose revint à la déclaration que les Enfants du Déluge venaient de publier sur le Net.

... Nous exigeons la fermeture des plates-formes pétrolières et des exploitations de sables bitumineux jusqu'à ce que des technologies non polluantes aient été mises au point. Les pays qui ne se conformeront pas à cette exigence feront l'objet de représailles particulières. Le Venezuela et le Canada sont les deux pays dont nous attendons les premières réponses.

C'était logique, songea Prose. Il s'agissait des deux pays qui avaient les plus grosses réserves de sables bitumineux. Mais les pays ne céderaient jamais à ce genre de chantage. Les besoins en pétrole étaient trop criants pour qu'ils se permettent de sacrifier tout ce secteur de production. Au pire, les prix augmenteraient pour financer des initiatives anti-pollution. Une partie de cette augmentation resterait évidemment dans la poche des pétrolières, sans qu'il soit possible de le prouver avant des années... On lancerait alors de nouvelles initiatives, réputées plus écologiques, mieux gérées et, plusieurs années plus tard, devant de nouvelles critiques...

Je suis en train de devenir cynique, songea Prose.

Il se leva de sa table de travail et se rendit au salon, où Grondin l'attendait depuis près d'une demi-heure. Dans une vingtaine de minutes, le policier l'escorterait au cégep. Après le cours, il le ramènerait chez lui.

En le voyant arriver, Grondin posa le journal qu'il était en train de lire. En première page, l'épouse de l'inspecteur-chef Théberge faisait la manchette :

FEMME DE POLICIER À LA TÊTE D'UN BAR DE DANSEUSES ?

Le point d'interrogation permettait au journal de jouer l'information en gros titre, à l'abri de toute poursuite. Deux photos accompagnaient le texte : une de madame Théberge derrière le bar du Palace et une autre de Théberge en gros plan.

— C'est sérieux ? demanda Prose en désignant la manchette du journal.

— Que la femme de l'inspecteur-chef Théberge dirige un club de danseuses ? C'est ridicule.

— Vous avez une idée de ce qu'elle y faisait ?

— Son bénévolat.

Prose le regarda sans répondre, intrigué. Un bar de danseuses était le dernier endroit où il se serait attendu à ce qu'on fasse du bénévolat.

— Elle est membre d'un groupe qui aide des danseuses qui ont des problèmes et qui veulent s'en sortir, reprit Grondin.

Prose se rappelait ce qu'il avait trouvé sur Internet. C'était plausible. Il fit un signe de tête signifiant qu'il comprenait.

Par ailleurs, il était difficile de ne pas voir dans ce nouveau *scoop* un élément qui s'intégrait dans une stratégie plus large : il y avait plus d'un an que les médias, particulièrement ceux du groupe HEX-Médias, avaient pris Théberge pour cible. Et ils en étaient maintenant à enquêter sur son épouse… Plus il y pensait, plus il éprouvait de la sympathie à l'endroit du policier.

Sa dernière rencontre avec lui l'avait laissé perplexe : on aurait dit que le policier n'arrivait pas à décider s'il devait le traiter comme une victime ou un criminel. Mais peut-être que le harcèlement qu'il subissait de la part des médias expliquait son comportement. Que ça l'empêchait de penser clairement.

Dubaï, 18 h 07

— Je dois dire que j'ai été impressionné, fit Skinner.

Il n'était pas prévu qu'il assiste à la réunion de White Noise, mais Jessyca Hunter lui avait donné accès à une transmission en direct de la rencontre.

Ils étaient dans un module du complexe résidentiel situé sur l'idéogramme de la prospérité. L'appartement mis à la disposition de Hunter se trouvait à la pointe de l'un des traits de l'idéogramme. La terrasse surplombait la mer d'une trentaine de mètres.

— C'est une application des théories de Fogg à un domaine qu'il avait négligé, répondit Jessyca Hunter.

— Les médias ?

— Le contrôle idéologique de la population. Remarquez, je ne veux diminuer en rien l'apport de Fogg. Mais il est normal que quelqu'un de son époque ait négligé les outils de contrôle les plus récents.

— Négligence que vous vous êtes empressée de corriger, bien sûr.

Le ton de Skinner s'était fait ironique, mais sans être caustique.

— Les créateurs ne sont pas toujours à la hauteur de leur création. Parfois, pour accomplir pleinement le potentiel d'une idée, il faut passer par-dessus celui qui l'a émise.

— Et vous entendez réaliser le potentiel des idées de Fogg ?

— On disait autrefois que les gens étaient grands parce qu'ils étaient sur les épaules des géants qui les avaient précédés. Fogg a incontestablement été un géant. Il s'agit maintenant de voir plus loin que lui.

— Et donc de lui monter sur la tête !

— Toutes les métaphores ont leurs limites, répondit Hunter.

Skinner regarda longuement la mer, comme s'il réfléchissait à ce que Jessyca Hunter venait de lui dire. Le moment de choisir son camp ne pourrait sans doute plus être reporté très longtemps.

Il ramena son regard vers la femme.

— Et mon rôle, dans tout ça ? demanda-t-il.

— Ensemble, nous allons voir plus loin que Fogg n'a jamais vu.

Skinner laissa de nouveau son regard flotter au-dessus de l'océan.

— Donc, dit-il, vous voulez que je vous aide à monter sur les épaules de Fogg.

— On peut le dire comme ça.

— L'image est assez amusante.

Jessyca Hunter se contenta de sourire. Skinner poursuivit :

— Les géants n'ont pas la réputation d'être très tolérants envers ceux qui veulent les utiliser comme piédestal.

— C'est pourquoi il faut se dépêcher d'en faire un monument.

Puis elle ajouta avec un air presque rêveur, comme si elle contemplait en esprit une image particulièrement agréable :

— Quelque chose de froid, de stable, qui ne bouge plus… et sur quoi on peut écrire ce qu'on veut.

Un silence suivit.

— Je veux vous parler d'autre chose, reprit Hunter.

— Une autre corvée ?

— Non. C'est du domaine du loisir… Je suis membre d'un club assez privé.

— C'est ce que j'avais compris.

— Je ne parle pas des maîtres du Consortium. Je parle d'un vrai club privé… Aimez-vous les œuvres d'art ?

— C'est selon, répondit prudemment Skinner.

— Je parle d'art actuel. Plus qu'actuel : visionnaire. Un art qui n'est à la portée que d'une petite élite.

— Vous parlez des œuvres qui coûtent dix millions et plus ? ironisa Skinner.

— Beaucoup moins que ça. Mais elles exigent un détachement dont la plupart des gens ne sont pas capables… Venez.

Elle l'entraîna dans la chambre attenante à la terrasse. Puis elle activa la vidéo.

L'image d'une figure humaine maintenue sous l'eau envahit l'écran. Hunter arrêta la vidéo sur l'image.

— L'esthétique a toujours entretenu des liens avec la transgression et la mort, dit-elle. C'est la part maudite de l'être humain qui s'y exprime.

— Ça ne fait pas un peu judéo-chrétien ?

— Pas plus que les gestionnaires de l'apocalypse, répliqua Hunter sur un ton ironique.

Elle se tourna vers l'écran.

— Il a été noyé à quatre reprises ?

— C'était la quatrième fois, dit-elle.

Hunter reporta son regard sur Skinner, qui était plus fasciné par l'image qu'il ne voulait le paraître.

— Il s'est rendu à huit.

— Et il a été réanimé chaque fois ?

— La huitième fois, il a eu moins de chance.

Puis elle ajouta :

— Si ça vous intéresse, je peux parrainer votre candidature à ce club.

— C'est quoi ? Les joyeux naufragés ?

— Les Dégustateurs d'agonies.

La réponse surprit Skinner. Il hésita un instant avant de répondre.

— Je suppose qu'il y a un prix d'entrée.

— Dans votre cas, ça devrait pouvoir se régler assez vite, dit-elle en souriant. Compte tenu de vos compétences, de vos relations…

— Je vous écoute.

— Vous avez compris que j'ai besoin de neutraliser Fogg.

— Vous parlez de neutraliser son influence… ou de le neutraliser, lui ?

— Dans une première étape, je parle évidemment de son influence.

Après une pause, elle ajouta :

— J'imagine qu'il pourrait également vivre l'expérience que nous réservons à son organisation… On n'est jamais trop prudent.

LÉVIS, 12 H 19

F poussa un soupir de soulagement quand le message apparut sur l'écran de son ordinateur.

> Réseau restreint stabilisé

Cela signifiait que la communication était rétablie avec Blunt, Chamane et Poitras.

Elle ouvrit un menu déroulant et constata que les noms de Claudia, Moh et Sam y apparaissaient également. Celui de Théberge n'y apparaissait pas encore, ni le lien qui conduisait au module de contact avec les informateurs.

Huit minutes plus tard, par l'intermédiaire du logiciel de communication téléphonique, elle réussissait à joindre Blunt, qui était chez Chamane.

Blunt activa la fonction mains libres pour que Chamane puisse se joindre à la conversation.

Ce dernier commença par les rassurer sur l'état du réseau. Il n'avait pas été capable de remonter à l'origine de l'infiltration, mais il avait colmaté la brèche qui avait été utilisée par le pirate.

— Est-ce qu'il va falloir que tu revoies tous nos ordinateurs un par un ? demanda F.

— Oui, répondit la voix de Chamane. Au début, je pensais que la source du problème était ma table électronique. Mais ça ne peut pas tout expliquer.

— Penses-tu qu'il peut y avoir d'autres failles ?

— Dans le système de base ? C'est possible. C'est pour ça que j'ai activé le réseau de relève. On va y rester jusqu'à ce que j'aie tout vérifié.

Dominique et F échangèrent un regard.

— Pour le reste du réseau ? demanda Dominique. On va pouvoir y avoir accès quand ?

— Ça va être plus long. Il faut que je vérifie s'il n'y a pas des *back-up* du programme d'infiltration cachés un peu partout.

— Peux-tu commencer par le portable de Théberge ?

— D'accord. Je te fais ça *rush* tout de suite après la réunion.

WWW.CYBERPRESSE.CA, *12 H 38*

> … A REÇU UNE RÉPONSE FERME D'OTTAWA : PAS QUESTION D'ARRÊTER L'EXPLOITATION DES SABLES BITUMINEUX. « S'IL FAUT SACRIFIER LE BIEN-ÊTRE DE MILLIERS DE PERSONNES À CELUI DE QUELQUES POISSONS OU DE QUELQUES RATS DE PRAIRIE, A DÉCLARÉ LE MINISTRE DES RESSOURCES NATURELLES ET DE L'ENVIRONNEMENT, LA RÉPONSE DE MON GOUVERNEMENT… »

MONTRÉAL, 14 H 26

Isidore Lacroix semblait fier de son travail. Il venait de déposer une tête sculptée sur le bureau de Théberge.

Théberge regardait la sculpture et se demandait à quel point elle était ressemblante.

— Vous êtes sûr que c'est lui ?

Lacroix ne répondit pas. Il se contenta de regarder le policier comme s'il venait de soulever une question absurde.

— Je vous ai envoyé une série de photos par courriel, se borna-t-il à dire après un moment. Face, profil, trois quarts…

— Bien.

Théberge s'interrogea sur l'image de lui qu'on parviendrait à construire si on entreprenait un jour de reconstituer ses traits à partir de son crâne.

— Vous pensez le retrouver ? demanda l'expert.

— On verra bien.

— Si vous apprenez qui c'est, j'aimerais que vous me le fassiez savoir… Ça fait toujours plaisir de voir jusqu'à quel point on a réussi. S'il y a des détails qui nous ont échappé.

— D'accord.

Après le départ de Lacroix, Théberge appela son ami de Paris, l'ex-directeur des Renseignements généraux. Par mesure de sécurité, il utilisa le logiciel téléphonique de son ordinateur portable.

La conversation dura moins de trois minutes. Elle se termina par la promesse de Théberge de le rappeler aussitôt qu'il aurait pris les dispositions nécessaires à la réalisation de son projet.

Ottawa, 15 h 18

Jack Hammer discutait stratégie avec son principal conseiller, Steve Gannon.

— Je n'ai pas le choix. Si je ne change pas la loi pour accommoder Terre-Neuve, je perds leur vote.

— Et si tu les laisses vendre l'eau du Labrador aux États-Unis, tu perds au moins vingt pour cent des votes du Québec.

— Qu'est-ce que je pourrais leur donner pour compenser la vente de l'eau par Terre-Neuve ?

— Des points d'impôt ?

— Je parle de quelque chose qui ne coûte rien. Quelque chose de symbolique.

— La reconnaissance qu'ils forment une nation, c'est déjà fait… Pourquoi pas une présence accrue dans les instances internationales ? La francophonie, les trucs culturels… Ça ne tire pas à conséquence. On pourrait même leur refiler une partie des coûts.

Gannon éclata de rire.

— Ils vont pouvoir célébrer comme une victoire le fait d'avoir à payer plus !

— Le caucus n'aimera pas ça.

— Ça dépend, si on peut convaincre les dix-sept…

Hammer et ses conseillers avaient identifié dix-sept députés à l'intérieur du caucus comme leaders d'opinion. Chacun contrôlait informellement le vote d'un certain nombre de ses collègues. Si on avait leur accord, on pouvait faire passer n'importe quoi. Et si on en avait plus de la moitié contre soi, on ne pouvait rien faire passer.

— Je veux que tu fasses la tournée, dit Hammer.

— Leur accord ne sera pas gratuit.

— Paie ce qu'il faut. Ça doit être réglé avant ma rencontre avec Petrucci, dans deux jours.

Paris, 21 h 33

Ils étaient dans un restaurant de la rue Daguerre, le Plan B, depuis une vingtaine de minutes. Geneviève l'avait invité.

C'était un bistro qu'ils avaient découvert le mois précédent en se promenant dans le coin. Un de leurs rares moments libres où les deux avaient pu échapper en même temps à leurs occupations. Malgré le trou dans la vitrine, qui les avait poussés à choisir une table au fond du restaurant, ils avaient passé une soirée « méga cool », le propriétaire leur ayant même offert une bouteille pour cause de comportement sympathique aggravé… et aussi parce que Chamane avait pris quelques minutes pour déboguer son ordinateur portable.

Geneviève avait quelque chose à discuter avec lui. Quelque chose dont elle n'avait pas voulu lui dire un mot à l'avance.

L'esprit de Chamane était en ébullition : autant il appréhendait la conversation – peut-être allait-elle lui annoncer qu'elle voulait le quitter ? Ça expliquerait son comportement… non pas distant mais mystérieux des dernières semaines –, autant il n'arrivait pas à cesser de penser à l'infiltration du système informatique.

Juste avant de partir, il avait terminé la première vague de sécurisation. Les principales lignes de communication de l'Institut étaient rétablies. Une partie des archives demeurait cependant inaccessible : par mesure de sécurité, il avait utilisé des *back-up* vieux de deux mois, au cas où les versions plus récentes seraient contaminées. Il avait également mis sa table informatique et son portable en quarantaine. Les vérifier prendrait des heures. Peut-être des jours.

Même s'il s'était montré confiant quand il avait parlé à Blunt et à Poitras, il craignait de devoir faire appel aux U-Bots.

Au lieu de la carte ordinaire, le serveur déposa devant eux une simple feuille avec un menu complet de cinq services. Chamane le parcourut, étonné.

— Vous avez changé la carte ?

Le serveur se contenta de répondre :

— C'est le menu de la soirée.

Puis il retourna derrière le comptoir.

Chamane regarda Geneviève, perplexe.

— Bizarre… L'autre jour, il était plus causant.

En guise de réponse, Geneviève lui tendit la feuille et lui demanda ce qu'il pensait du menu. Chamane se mit à lire à haute voix.

— Salade de bébés épinards et de jeunes pousses de bambou… Terrine d'agneau servie avec minuscules oignons confits… Veau de lait avec mini-carottes et petits pois. Crème caramel fraîche du jour… petite assiette de fromages : la Bergerie, Baby Bell…

Il releva les yeux vers Geneviève :

— Ça n'a pas l'air mauvais. On prend du vin ?

Avant qu'elle ait eu le temps de répondre, le serveur déposait une bouteille sur la table.

— Ça vient avec le repas, dit-il. Château l'Arrivée.

— On ne peut pas choisir ? protesta Chamane.

— C'est moi qui ai commandé le menu, se dépêcha de dire Geneviève.

— Le menu et le vin ?

— Le menu et le vin.

Elle se tourna vers le serveur :

— Pour moi, juste un demi-verre.

Chamane la regardait, étonné.

— En quel honneur ? demanda-t-il.

— J'ai pensé qu'un événement spécial, ça méritait d'être souligné.

— C'est vrai qu'on n'est pas sortis souvent, ces derniers temps.

Il reprit la feuille où était présenté le menu.

— Si c'est toi qui l'as choisi, dit-il.

Pendant qu'il le relisait, Geneviève le regardait avec un sourire, mi-attendrie, mi-découragée.

Reuters, 15 h 39

… UNE ATTAQUE CONTRE UNE DIGUE DANS LE NORD DU PAYS. À LA SUITE DE CET ATTENTAT RATÉ, LES AUTORITÉS ONT ORDONNÉ UNE SURVEILLANCE ACCRUE DE L'ENSEMBLE DES DIGUES QUI PROTÈGENT LES POLDERS. LA VILLE D'AMSTERDAM, DONT L'ALTITUDE MOYENNE EST DE CINQ MÈTRES SOUS LE NIVEAU DE LA MER…

Paris, restaurant, 21 h 41

Chamane fixait son verre de vin sans le voir. Malgré lui, son esprit était revenu à l'infiltration du réseau de l'Institut. Geneviève le regardait en souriant.

— C'est difficile d'imaginer qu'il suffit de quelques cellules pour que ça finisse par donner un bébé, dit-elle.

— Quoi ? fit Chamane, tiré brusquement de ses réflexions.

Puis, comme s'il avait rembobiné la conversation pour l'écouter, il réalisa ce qu'elle venait de dire.

— Un bébé ?… Pourquoi tu parles de bébé ?

— Je pensais qu'en lisant le menu…

— Qu'est-ce qu'il a, le menu ?

Il le regarda de nouveau et se mit à le lire à haute voix.

— Salade de bébés épinards et de jeunes pousses de bambou… Terrine d'agneau…

— « Bébés » épinards, reprit Geneviève en mettant l'accent sur le premier mot. Bébés… « Jeunes » pousses de bambou… « agneau »… «mini »-carottes…

Chamane semblait déconcerté. Puis son visage s'éclaira.

— Tu veux dire qu'on va avoir un bébé ?

— Oui.

— Tu es enceinte ?

— À moins de les acheter sur le marché noir, il n'y a pas tellement de façons, répondit Geneviève en riant.

Chamane avait l'air totalement ravi.

— Ça fait combien de temps ? demanda-t-il.

— Il a trois mois… Trois mois et une semaine.

— Trois mois…

Puis, comme s'il réalisait brusquement qu'il avait oublié quelque chose, il demanda :

— C'est un garçon ou une fille ?

— Aucune idée. Je sais que j'aurais dû t'en parler avant, mais je n'étais pas sûre de savoir quoi te dire… J'ai pensé me faire avorter.

Il la regarda, stupéfait, presque catastrophé.

— Pourquoi ? Tu as toujours dit que… Mais si tu veux…

— Moi, j'en ai toujours voulu un. Mais toi ?… tu es sûr que tu veux un bébé dans ta vie ?

— Un bébé, c'est *cool* ! dit-il.

— Oui… mais c'est pas juste *cool*. Quand ça pleure à quatre heures du matin…

— *No problemo*, je dors jamais à quatre heures.

Il avait l'air sincèrement joyeux et enthousiaste à la perspective de s'en occuper pendant la nuit.

— Je vais l'installer à côté de l'ordinateur, poursuivit-il. S'il a besoin que je le prenne, je vais le prendre. Il y a plein de berceuses sur Internet... Je peux le tenir d'un bras et m'occuper du clavier de l'autre... Si on met sa chaise sur la table, il va me voir de proche et je vais pouvoir lui parler pendant que je travaille... Vraiment *no problemo*!

Il semblait réellement emballé. Geneviève le regarda avec un sourire ému. Il n'y avait rien à faire; il approcherait le bébé comme il approchait tout dans la vie: en mode résolution de problèmes.

Chamane s'interrompit et la fixa.

— Je suis un imbécile! dit-il.

Geneviève sourit.

— C'est pas grave, c'est pour ton corps que je t'aime.

Il y eut de nouveau un décalage entre la remarque de Geneviève et la réponse de Chamane, comme si les processeurs du cerveau de Chamane avaient eu un *glitch* de quelques secondes.

— Non... Je veux dire...

Il ne savait pas par où commencer.

— Je pense que je viens de comprendre comment le réseau a été infiltré.

— Ça vient d'arriver?... Comme ça?

— C'est quand tu as parlé des cellules qui finissent par donner un bébé... Les programmes informatiques, c'est pareil.

— Tu penses que je vais accoucher d'un programme informatique?

— Je me suis fait avoir comme un débutant.

— Tu parles du bébé? demanda très sérieusement Geneviève, comme si elle était à la fois inquiète et offusquée.

— Euh... non. Non!

Puis il la vit éclater de rire. Elle le regardait, attendrie. Elle s'étonnait toujours de cette sorte de naïveté qu'il avait, qui lui faisait tout envisager comme possible. On pouvait lui dire n'importe quoi et son premier réflexe était d'y croire.

Elle prit son verre de vin, y trempa à peine les lèvres.

— Promis, j'arrête de te faire marcher… Explique-moi pourquoi tu es un imbécile. Pourquoi tu t'es fait avoir comme un débutant.

— C'est un des plus vieux trucs du métier. On appelle ça de l'infiltration progressive. Pour un bon *hacker*, c'est l'enfance de l'art : t'envoies quelques octets camouflés à l'intérieur d'un message, de préférence dans une photo ou, encore mieux, dans une vidéo ; les octets clandestins vont se camoufler dans un des dossiers du système de l'ordinateur cible ; puis tu envoies quelques autres octets à l'intérieur d'un autre message ; avec le temps, c'est tout un programme qui s'accumule dans le dossier ; et lorsque tout est en place, tu envoies les derniers octets, qui activent la consolidation et la mise en marche du programme.

— Et c'est comme ça que tu prends le contrôle de l'ordinateur ?

— Ou tu prends le contrôle à l'insu de la cible et tu t'en sers comme drone… ou tu effaces tout le contenu du disque dur… ou tu modifies des informations dans les dossiers pour faire du sabotage…

Il s'arrêta brusquement, comme s'il venait d'avoir une nouvelle idée.

— Il faut que j'en parle à Blunt, dit-il.

— Tout de suite ? Là, là ?

Elle accompagna sa question d'un geste des mains qui lui montrait la table, devant eux. Chamane avait à peine touché à sa salade, que le serveur avait apportée quelques minutes plus tôt.

— Euh… non. Mais je pense que j'ai trouvé comment ils s'y prennent pour faire tomber des compagnies.

Il prit le temps de manger une nouvelle bouchée de salade avant de poursuivre.

— Ils les infiltrent, reprit Chamane. Ils faussent leur comptabilité et créent un réseau fantôme que les gens de la compagnie pensent être leur vrai réseau. Juste avant que les autorités débarquent, ils effacent le réseau fantôme et il ne reste que la fausse comptabilité, remplie de preuves de fraudes et de passes croches.

Il prit une autre bouchée de salade. Puis il ajouta :

— Il va falloir penser à un nom.

Geneviève hésita un instant avant de répondre. Elle avait beau y être habituée, ses brusques changements de sujets de conversation la surprenaient toujours.

— On ne sait pas encore si c'est un garçon ou une fille.

— On a juste à choisir un nom qui fait pour les deux. Du genre Claude… Ou un nom tibétain. La plupart des noms tibétains peuvent servir autant pour les hommes que pour les femmes.

Geneviève se contenta de le regarder en secouant légèrement la tête. « Résolution de problèmes », songea-t-elle.

LCN, 19 H 31

... L'INCENDIE A RAVAGÉ LE LOCAL DE PROBIO 27, UNE ORGANISATION ENVIRONNEMENTALISTE QUI S'OPPOSE À L'UTILISATION DES OGM. L'ATTENTAT A ÉTÉ REVENDIQUÉ PAR UN GROUPE JUSQU'À PRÉSENT INCONNU, LES HUMAINS D'ABORD. LE GROUPE ANNONCE D'AUTRES ACTIONS CONTRE CEUX QUI S'OPPOSENT AU PROGRÈS ET COMPROMETTENT LES CHANCES DE L'HUMANITÉ DE SE NOURRIR CORRECTEMENT...

MONTRÉAL, 20 H 00

L'inspecteur-chef Théberge avait tenu à organiser la conférence de presse au café Chez Margot, histoire d'être en terrain familier. Une cinquantaine de journalistes et de représentants des médias se pressaient dans le petit café, sous l'œil étonné des habitués.

Théberge fut le premier à prendre la parole.

— J'avais promis de ne plus remettre les pieds ici pour épargner votre présence aux clients normaux et aux propriétaires du restaurant. Les circonstances en ont décidé autrement. Je vais donc faire une brève déclaration. Ensuite, mon épouse prendra la parole.

Une vague de froissements de papiers et de bruits de chaises suivit sa déclaration. Plusieurs caméras s'allumèrent.

— Je tiens d'abord à vous annoncer que je démissionne de mes fonctions au SPVM, et cela, malgré les pressions du bureau du premier ministre pour que je reste. Si je suis resté jusqu'à aujourd'hui, c'est parce qu'il menaçait de congédier le directeur Crépeau et d'imposer un bureaucrate dont personne dans le service ne voulait.

Quelques questions fusèrent. Théberge s'empressa de faire taire tout le monde.

— Vous poserez vos questions tout à l'heure. Pour l'instant, ou bien vous écoutez, ou bien vous sortez.

Une vague de marmottements se fit entendre, mais personne n'osa répliquer ouvertement.

— Donc, reprit Théberge, je démissionne. Je quitte le SPVM. L'attention dont je suis l'objet nuit au SPVM. Par conséquent mon départ va de soi. Mon ami le directeur Crépeau va assumer pour un temps encore ses fonctions, malgré le climat difficile dans lequel il doit opérer : le bureau du PM lui a offert le choix entre une mise à la porte fracassante et rapide ou une retraite peinarde dans quelques mois. La condition pour l'épargner était que je renonce à prendre ma retraite et que je demeure au SPVM malgré la campagne médiatique dont je suis l'objet depuis plusieurs mois. Pourquoi tenait-on à ce que je reste en poste ? Vous le demanderez au bureau du PM. Mon hypothèse est qu'on m'avait dévolu un rôle de paratonnerre. Pour que je concentre sur moi toute l'attention et l'agressivité des médias. Je vous laisse évidemment juges de la validité de cette hypothèse… Dans un premier temps, j'ai accepté la proposition informelle qu'on m'avait faite. Mais, maintenant, on s'en prend à mon épouse. Et ça, je ne peux pas l'accepter.

Il parcourut lentement la salle du regard.

— C'est beau de jouer l'indignation, fit Cabana, mais c'est quand même curieux qu'elle aille dans un club de danseuses. Et qu'elle ait l'air de connaître tout le monde.

— Mon cher Cabana, répliqua Théberge sur un ton étrangement doucereux, vous êtes un fieffé Trissotin. Vous pérorez et vous élucubrez à tout vent sans avoir la moindre idée de ce qui est en jeu. Et, comme tous les Trissotin de votre espèce, vous n'avez pas la plus petite idée des dégâts qu'ont provoqués vos arguties. Je vais donc laisser à mon épouse le soin de vous éclairer.

— Vous vous moquez du droit du public à connaître la vérité ! répliqua Cabana.

— Pas du tout, puisque nous allons la révéler. Mais les conséquences de ces révélations, c'est vous qui allez en porter le poids.

Théberge recula pour céder sa place à sa femme sur la scène improvisée.

— Je n'ai pas l'habitude de ce genre de situation, dit-elle.

Les journalistes, pour la plupart sympathiques, hochèrent la tête ou manifestèrent par leur langage corporel leur bonne volonté : la pauvre femme était probablement dépassée par les événements.

— Habituellement, les problèmes dont j'ai à m'occuper sont beaucoup moins frivoles, reprit-elle.

Subitement, la tension revint dans la salle.

— Le Palace est l'endroit où je fais du bénévolat, reprit madame Théberge. Ou, plutôt, où je faisais du bénévolat. Car maintenant, à cause de votre intervention, ce ne sera plus possible.

Personne dans la salle n'osa intervenir.

— Je suis membre d'une organisation qui s'occupe des jeunes femmes qui veulent sortir du milieu pour régler leurs problèmes de drogue, échapper à leur *pimp*, arrêter d'être abusées par les propriétaires ou par les clients… Ou carrément pour sauver leur vie.

— C'est facile à dire, fit un représentant de HEX-TV. J'aimerais bien savoir comment vous faites ça.

Madame Théberge répondit sans la moindre agressivité.

— On les aide à retourner aux études. Au minimum, on les aide à se désintoxiquer. On les met en contact avec d'autres femmes qui s'en sont sorties. On leur apprend à gérer leur argent… Il arrive aussi qu'on les aide à changer d'identité pour échapper à leur propriétaire, qui menace de les tuer ou de les défigurer pour faire un exemple. Dans le milieu, il n'y a rien de pire pour les affaires que la rumeur que des filles réussissent à s'en tirer.

Sentant que la situation était en train de déraper, Cabana crut nécessaire d'intervenir.

— Je ne vois pas en quoi le fait de s'interroger sur votre présence dans un bar compromet votre activité. D'ailleurs, je ne vois même pas pourquoi vous nous racontez tout ça.

— Parce que si je ne l'avais pas dit, vous auriez continué à creuser. Les femmes avec qui je travaille ne méritent pas de se faire harceler.

— Je ne vois toujours pas en quoi nos questions légitimes peuvent nuire à vos activités. Tout le bien qu'on peut faire, on peut le faire au grand jour, il me semble.

— Dans les livres, peut-être. Mais à partir du moment où le nom du Palace est dans les médias, les filles qui ont besoin d'aide n'oseront plus y aller. Elles vont avoir peur que leur propriétaire apprenne qu'elles ont été vues au Palace. Et qu'il sévisse.

— Vous êtes certaine que c'est si dangereux ?

— Avec mes collègues, nous allons publier un livre qui retrace le parcours de vingt et une femmes que les médias ont enterrées dans les faits divers ainsi que de vingt et une femmes qui ont réussi à s'en tirer. Pour ceux d'entre vous qui ne savent pas de quoi ils parlent, cela devrait être une lecture instructive… Il ne reste qu'un problème à régler.

Elle fit une pause pour regarder les journalistes.

— Maintenant que vous avez fait en sorte de neutraliser le groupe d'aide sur lequel elles pouvaient compter, leur sort est entre vos mains. Qu'allez-vous faire pour aider les filles qui veulent s'en sortir et qui sont terrorisées par leur propriétaire ou maintenues dans la dépendance de drogues ? À quelle adresse vont-elles pouvoir aller ?… Combien de femmes de plus seront détruites parce qu'il y aura un endroit de moins où elles peuvent se réfugier ?

Sans attendre d'autre intervention, elle rendit la place à son mari.

— C'est tout pour la conférence de presse. Nous ne répondrons plus à aucune question. De toute façon, c'est vous qui avez maintenant à répondre à la question la plus importante : qu'allez-vous faire ? À quel journaliste vont-elles s'adresser pour avoir de l'aide ? Et je ne parle pas seulement de temps d'antenne ou d'espace dans les journaux ! Je parle d'aide… Ce serait la moindre des choses que vous recolliez vos propres pots cassés !

DORVAL, 23 H 04

C'est lorsque l'avion quitta le sol que F sentit qu'elle venait de tourner une nouvelle page de sa vie.

Dominique restait à Lévis avec la tâche d'assurer le fonctionnement de l'Institut. Bien sûr, elle maintiendrait un contact avec elle, mais ce serait à Dominique de prendre toutes les décisions.

Pour la soutenir en cas d'urgence, elle pourrait compter sur Bamboo Joe. Et aussi, dans une certaine mesure, sur Jones senior. Elle pourrait également s'appuyer sur Blunt. Sur Moh et Sam. Mais la responsabilité des décisions lui reviendrait.

F, pour sa part, avait maintenant d'autres projets. Sans compter qu'il faudrait qu'elle trouve le temps d'enterrer convenablement le corps de Kim.

Et puis, il y avait Fogg. Il faudrait bien qu'elle le contacte. Leur plan arrivait à sa phase critique.

LA PRESSE CANADIENNE, 23 H 39

> … A REVENDIQUÉ L'EXPLOSION QUI A OUVERT UNE BRÈCHE AU CENTRE DU BARRAGE. DISANT QU'IL S'AGISSAIT D'UNE PREMIÈRE RÉPLIQUE À LA RÉPONSE DU GOUVERNEMENT CANADIEN…

LÉVIS, 23 H 42

Dominique avait beau être épuisée, elle n'imaginait pas comment elle allait réussir à dormir. Kim était morte. Claudia avait disparu.

Il y avait également Hurt. Quand il se manifesterait, dans quel état serait-il ? Accepterait-il de travailler avec elle ?… Il n'avait toujours pas donné signe de vie mais, comme elle le connaissait, il ne tarderait pas à refaire surface. L'attentat de Shanghai avait réussi. Dans les médias, Pékin présentait l'événement comme une victoire dans sa lutte contre le trafic d'organes !

Et il y avait F. F qui lui laissait la tâche de s'occuper de l'Institut. Avec les conseils de Bamboo, avait-elle précisé… Sauf que ce dernier lui avait dit en souriant qu'il ne voyait pas de quel conseil elle pouvait avoir besoin ! Qu'elle était très capable de s'occuper de l'Institut toute seule ! Quant à lui, il serait là pour s'occuper du jardin !

Que F aille sur place pour récupérer le corps de Kim, c'était une chose. Qu'elle sente le besoin d'avoir les coudées franches pour retrouver Claudia, à la limite, c'était plausible. Mais comment pouvait-elle justifier des mesures de transition aussi draconiennes ? S'attendait-elle à disparaître pendant des mois ?

Et puis, il y avait une question dont Dominique n'arrivait pas à se débarrasser. Une question qu'elle avait presque honte de poser. Même dans l'intimité de ses pensées. Se pouvait-il que F soit en train de quitter le navire parce qu'elle croyait qu'il était sur le point de couler ?

Ainsi s'achève
le premier des deux volumes de
La Faim de la Terre

Découvrez la suite dans

LA FAIM DE LA TERRE -2

JEAN-JACQUES PELLETIER...

... a enseigné la philosophie pendant plusieurs années au cégep Lévis-Lauzon. Il siège toujours sur de nombreux comités de retraite et de placement.

Écrivain aux horizons multiples, le thriller est pour lui un moyen d'intégrer de façon créative l'étonnante diversité de ses centres d'intérêt : mondialisation des mafias et de l'économie, histoire de l'art, gestion financière, zen, guerres informatiques, techniques de manipulation des individus, chamanisme, évolution des médias, progrès scientifiques, troubles de la personnalité, stratégies géopolitiques...

Depuis *L'Homme trafiqué* jusqu'à *La Faim de la Terre*, dernier volet des « Gestionnaires de l'apocalypse », c'est un véritable univers qui se met en place. Dans l'ensemble de ses romans, sous le couvert d'intrigues complexes et troublantes, on retrouve un même regard ironique, une même interrogation sur les enjeux fondamentaux qui agitent notre société.

EXTRAIT DU CATALOGUE

Collection « Romans » / Collection « Nouvelles »

VOUS VOULEZ LIRE DES EXTRAITS
DE TOUS LES LIVRES PUBLIÉS AUX ÉDITIONS ALIRE ?
VENEZ VISITER NOTRE DEMEURE VIRTUELLE !

www.alire.com

LA FAIM DE LA TERRE -1
est le cent cinquante et unième titre publié
par Les Éditions Alire inc.

Il a été achevé d'imprimer
en octobre 2009 sur les presses de

Paris, 14 h 25

Hurt salua Blunt d'un bref signe de tête en entrant dans la pièce. Il s'assit à la table en face de lui et jeta un regard sur le dossier que ce dernier y avait déposé. Puis il fixa ses yeux sur Blunt.

— *Je veux bien parler*, fit la voix de Steel, *mais je ne réintègre pas l'Institut.*

— Je comprends. Mais j'ai quand même quelque chose pour toi.

— *J'écoute.*

Blunt remarqua son bras gauche en écharpe. Ça expliquait probablement les taches de sang à l'appartement de Cavanaugh.

— Ça va? demanda-t-il avec un geste en direction de son bras.

— *Ça va.*

Toute insistance aurait été perçue comme une tentative d'intrusion. Aussi, sans plus attendre, Blunt lui dressa un portrait global de la situation: la contamination des céréales, le chantage effectué contre l'Inde et la Chine, les déclarations des Enfants de la Terre brûlée, les enlèvements de chercheurs, les curieuses opérations financières sur les entreprises liées aux céréales…

— *Tu as raison*, admit Steel. *Ça mérite que l'Institut s'y intéresse.*

— Mais…?

— *Ça ne change pas ma décision.*

Un silence suivit.

— *Le terrorisme religieux?* demanda Steel. *Il y a du nouveau?*

— Pour l'instant, c'est calme.

— *Le calme avant la tempête…*

— On a eu des informations comme quoi il y aurait une nouvelle vague d'attentats.

— *Les sources habituelles?*

— Non. Ça ne vient pas des milieux islamistes.

Une expression fugitive d'étonnement passa sur les traits de Hurt.

— C'est ce qui nous inquiète le plus, reprit Blunt.

— *Je comprends…*

— Mais tu as d'autres priorités.

— *Chaque fois que je me laisse distraire par les manœuvres de l'Institut, ça tourne mal.*

— Écoute, avec les illuminés de la Terre brûlée et le terrorisme religieux, on en a vraiment plein les bras… Alors, comme ça concerne Meat Shop, j'ai pensé que peut-être… compte tenu de tes priorités…

— *Meat Shop ?… Aux dernières nouvelles, il ne restait plus grand-chose.*

— Ils ont récupéré d'anciens éléments et ils ont reconstruit. Plusieurs réseaux sont redevenus opérationnels. La nouvelle direction va se réunir à Shanghai. Ils veulent fêter le début de leur nouvelle expansion mondiale.

— *C'est une* joke, coupa la voix ironique de Sharp. *Si vous voulez me mettre au frigo, pourquoi ne pas me proposer carrément d'aller en Antarctique ?*

— Les Chinois ont besoin de se faire du capital politique, poursuivit Blunt sans s'occuper de la remarque. Pour améliorer leur image. Avec les désastres environnementaux, les révoltes de paysans, les manifestations d'ouvriers un peu partout, je les comprends. Ils ne veulent pas, en plus, passer pour le refuge mondial des trafiquants d'organes.

WWW.LEMONDE.FR, 20 H 28

> LES MANIFESTATIONS CONTRE LA HAUSSE DU PRIX DES ALIMENTS CONTINUENT DE SE MULTIPLIER DANS TOUS LES PAYS DE L'EUROPE. DES AFFRONTEMENTS AVEC LES FORCES POLICIÈRES ONT EU LIEU EN ITALIE, EN ALLEMAGNE ET EN BELGIQUE. (LIRE LA SUITE)

PARIS, 14 H 30

Hurt n'était toujours pas convaincu, mais il semblait moins réfractaire qu'à son arrivée à l'idée de s'occuper de Meat Shop. Il envisageait maintenant le projet sous un angle pratique.

— Aussitôt là-bas, dit-il, je vais avoir tous les services secrets chinois sur le dos.